आर. गुप्ता® कृत

पॉपुलर मास्टर गाइड

उत्तराखण्ड डी.एल.एड

Diploma in Elementary Education

प्रशिक्षण हेतु प्रवेश परीक्षा

2 Years' Course

RPH संपादक मंडल
द्वारा संपादित

2026
EDITION

रमेश पब्लिशिंग हाउस, नई दिल्ली

प्रकाशक

ओ.पी. गुप्ता, **रमेश पब्लिशिंग हाउस**

प्रशासनिक कार्यालय

12-H, न्यू दरियागंज रोड, ऑफिसर्स मेस के सामने,

नई दिल्ली-110002 ✆ 23275224, 23245124

E-mail: info@rameshpublishinghouse.com

For Online Shopping: www.rameshpublishinghouse.com

विक्रय केन्द्र

• बालाजी मार्किट, नई सड़क, दिल्ली-110006 ✆ 23282525 📱 9354373464

• 4457, नई सड़क, दिल्ली-110006

Book Code: R-2874

ISBN: 978-93-5477-679-3

मूल्य: ₹ 380

मुद्रकः निधि प्रिन्टर, दिल्ली

अनुक्रमणिका

चयन का आधार

द्विवर्षीय डी.एल.एड. प्रशिक्षण हेतु अभ्यर्थियों का चयन, प्रवेश परीक्षा में प्राप्त अंकों की मैरिट के आधार पर किया जायेगा। चयन सूची प्रवेश परीक्षा में प्राप्तांकों की श्रेष्ठता के अवरोही क्रमानुसार तैयार की जायेगी।

प्रवेश परीक्षा का स्वरूप एवं पाठ्यक्रम

द्विवर्षीय डी.एल.एड. प्रशिक्षण प्रवेश हेतु लिखित परीक्षा का आयोजन किया जायेगा। लिखित परीक्षा वस्तुनिष्ठ प्रकार की बहुविकल्पीय प्रश्नों पर आधारित होगी। परीक्षा की अवधि 02 घण्टे 30 मिनट होगी, जिसमें 200 प्रश्न होंगे और प्रत्येक प्रश्न 01 अंक का होगा। प्रत्येक प्रश्न के 04 विकल्प दिये जायेंगे, जिनमें एक विकल्प सही होगा। प्रश्न मुख्यतः सामान्य ज्ञान/बोध, सामान्य बुद्धिमत्ता एवं तर्कशक्ति, संख्यात्मक योग्यता एवं शिक्षण अभिरूचि विषयों पर आधारित होंगे, जिनका ज्ञान एक सामान्य स्नातक योग्यताधारी से अपेक्षित है।

उत्तर पुस्तिका के रूप में ओ.एम.आर. शीट का प्रयोग किया जायेगा। किसी भी प्रश्न के उत्तर में ऋणात्मक अंक नहीं दिया जायेगा। प्रश्न-पत्र द्विभाषिक (हिन्दी व अंग्रेजी भाषा में) होंगे।

पिछले प्रश्न-पत्र

उत्तराखंड–डी.एल.एड. (D.El.Ed.)

प्रवेश परीक्षा-2023

(Exam held on 20-05-2023)

1. अंग्रेजों ने सूरत में अपनी पहली फैक्टरी किसकी अनुमति से स्थापित की थी?

A. अकबर B. जहाँगीर

C. शाहजहाँ D. औरंगजेब

2. निम्नलिखित देशों में से किसके पास दुनिया का सबसे बड़ा यूरेनियम भंडार (रिजर्व) है?

A. ऑस्ट्रेलिया B. कनाडा

C. रूस D. यू.एस.ए.

3. निम्नलिखित में से किस नदी का उद्गम स्थल भारत में है?

A. ब्रह्मपुत्र B. सिन्धु

C. चिनाब D. सतलज

4. निम्नलिखित में से किसमें उच्चतम ऊर्जा होती है?

A. हरा प्रकाश

B. लाल प्रकाश

C. नीला प्रकाश

D. पीला प्रकाश

5. भारतीय संविधान के अंतर्गत निम्नलिखित में से कौन-सा मूल कर्तव्य नहीं है?

A. लोक चुनावों में मतदान करना

B. वैज्ञानिक प्रवृत्ति विकसित करना

C. सार्वजनिक संपत्ति की सुरक्षा करना

D. संविधान के प्रति निष्ठावान रहना और उसके आदर्शों का सम्मान करना

6. करों और सरकारी कामकाज के निर्वाह में हुई अन्य प्राप्तियों से संघीय सरकार को प्राप्त हुआ समूचा राजस्व जमा होता है–

A. भारत की आकस्मिकता निधि में

B. लोक लेखे में

C. भारत की संचित निधि में

D. निक्षेप तथा अग्रिम निधि में

7. निम्नलिखित में से कौन पृथ्वी ग्रह पर कार्बन चक्र में कार्बन डाइऑक्साइड का योगदान करते है?

1. ज्वालामुखी क्रिया
2. श्वसन
3. प्रकाश-संश्लेषण
4. जैव पदार्थ का क्षय

नीचे दिए गए कूट का प्रयोग कर **सही** उत्तर चुनिए–

A. केवल 1 और 3

B. केवल 2 और 3

C. केवल 1, 2 और 4

D. 1, 2, 3 और 4

8. 95वें ऑस्कर पुरस्कार 2023 के बारे में निम्नलिखित में से कौन-सा/से कथन सत्य है/हैं—

1. सर्वश्रेष्ठ फिल्म—आर.आर.आर.
2. सर्वश्रेष्ठ वृत्तचित्र लघु फिल्म—द एलिफेंट व्हिस्परर्स
3. सर्वश्रेष्ठ अभिनेत्री—मिशेल योह

A. 1 और 2 B. 2 और 3
C. 1 और 3 D. केवल 2

9. विश्व प्रेस स्वतंत्रता दिवस मनाया जाता है—

A. 3 मई B. 3 जून
C. 5 मई D. 5 दिसम्बर

10. खेलों के संबंध में निम्न में से कौन-से कथन सत्य हैं—

1. अर्जेंटीना फीफा विश्व कप—2022 का विजेता रहा।
2. कॉमनवेल्थ गेम्स 2022 की पदक तालिका में भारत तीसरे पायदान पर रहा।
3. आईसीसी टी—20 महिला विश्व कम—2023 का विजेता ऑस्ट्रेलिया रहा।

A. 1 व 3 B. 2 व 3
C. 1 व 2 D. उपरोक्त सभी

11. भारत में निम्नलिखित में से कौन-सी प्राचीनतम पर्वत शृंखला है?

A. सतपुड़ा
B. विन्ध्याचल
C. अरावली
D. गारो और खासी

12. निम्न में से भारतीय संविधान का कौन-सा अनुच्छेद राज्यपाल को अध्यादेश जारी करने की शक्ति प्रदान करता है?

A. अनुच्छेद 210
B. अनुच्छेद 211
C. अनुच्छेद 212
D. अनुच्छेद 213

13. लोकसभा में अविश्वास प्रस्ताव प्रस्तुत करने के लिए कितने सांसदों के समर्थन की आवश्यकता होती है?

A. 80 B. 240
C. 273 D. 50

14. केन्द्रीय सतर्कता आयोग की स्थापना निम्न में से किसकी सिफारिश पर की गई थी?

A. प्रथम प्रशासनिक सुधार आयोग
B. गोरवाला रिपोर्ट
C. कृपलानी समिति
D. संथानम समिति

15. जिला और सत्र—दोनों न्यायाधीश निम्नलिखित में से किसके नियंत्रण में काम करते हैं?

A. जिलाधीश
B. राज्य के राज्यपाल
C. राज्य के उच्च न्यायालय
D. राज्य के विधि मंत्री

16. पंचायतीराज व्यवस्था का मूल उद्देश्य निम्न में से क्या सुनिश्चित करना है—

1. विकास में जन-भागीदारी
2. राजनीतिक जवाबदेही
3. लोकतांत्रिक विकेन्द्रीकरण
4. वित्तीय संग्रहण

नीचे दिए गए कूट का प्रयोग कर सही उत्तर चुनिए–

A. केवल 1, 2 और 3
B. केवल 2 और 4
C. केवल 1 और 3
D. 1, 2, 3 और 4

17. निम्नलिखित में से किसका उपयोग प्राकृतिक मच्छर प्रतिकर्षी तैयार करने में किया जाता है?

A. एलीफेंट घास B. नट घास
C. लेमन घास D. दूब (दूर्वा) घास

18. झिरोली (बागेश्वर) व चण्डाक (पिथौरागढ़) में कौन-सा खनिज मुख्य रूप से पाया जाता है?

A. मैग्नेसाइट B. ग्रेफाइट
C. डोलोमाइट D. जिप्सम

19. 1658 ई. में किस मुगल शहजादे ने श्रीनगर (गढ़वाल) में शरण ली थी?

A. नजावत खान B. सुलेमान शिकोह
C. दारा शिकोह D. मिर्जा मुगल

20. भीमबेटका प्रसिद्ध है–

A. प्रागैतिहासिक चित्रकला के लिए
B. स्तूपों के लिए
C. मूर्तियों के लिए
D. मंदिरों के लिए

21. निम्नलिखित में से कौन-सा राष्ट्रीय एकता को बढ़ावा देता है और स्थानीय हस्तशिल्प तथा सांस्कृतिक गतिविधियों को समर्थन प्रदान करता है?

A. खेल
B. सेवाएँ
C. राष्ट्रीय विरासत
D. पर्यटन

22. काँग्रेस द्वारा भारत की पूर्ण स्वतंत्रता के लक्ष्य की घोषणा किस अधिवेशन में की गई?

A. कलकत्ता अधिवेशन, 1928
B. लाहौर अधिवेशन, 1929
C. इलाहाबाद अधिवेशन, 1930
D. इनमें से कोई नहीं

23. भारत में कितने राज्य समुद्री तटरेखा से लगे हैं?

A. 10 B. 9
C. 8 D. 6

24. निम्न में से कौन प्राकृतिक बहुलक नहीं है?

A. सेलुलोज B. प्लास्टिक
C. रेशम D. रबड़

25. कम्प्यूटर में निम्न में से कौन उच्च स्तरीय भाषा को मशीनी भाषा में बदलता है?

A. एसेम्बलर
B. इन्टरप्रेटर
C. कम्पाइलर
D. इनमें से कोई नहीं

26. राज्य लोक सेवा आयोग के अध्यक्ष की नियुक्ति किसके द्वारा की जाती है?

A. राज्य के मुख्यमंत्री
B. भारत के राष्ट्रपति
C. राज्य के राज्यपाल
D. संघ लोक सेवा आयोग के अध्यक्ष

27. प्रायद्वीपीय भारत की सबसे लम्बी नदी कौन-सी है?

A. कृष्णा B. महानदी

C. नर्मदा D. गोदावरी

28. निम्नलिखित में से कौन-सा एक भारतीय रिजर्व बैंक का कार्य नहीं है?

A. करेन्सी का नियमन

B. विदेशी व्यापार का नियमन

C. साख का नियमन

D. देश के विदेशी विनिमय कोषों की रखवाली

29. मानव विकास रिपोर्ट, निम्नलिखित में से किस संस्था द्वारा प्रकाशित की जाती है?

A. यू.एन.डी.पी. B. यूनेस्को

C. विश्व बैंक D. आई.एम.एफ.

30. एल.पी.जी. का मुख्य घटक है–

A. हाइड्रोजन

B. मीथेन

C. ब्यूटेन

D. कार्बन डाई-ऑक्साइड

31. हमारे जलमण्डल का सबसे बड़ा भाग है–

A. प्रशान्त महासागर

B. हिन्द महासागर

C. अटलांटिक महासागर

D. अंटार्कटिक महासागर

32. 'सर्वेंट्स ऑफ इंडिया सोसाइटी' के संस्थापक कौन थे?

A. सरोजिनी नायडू

B. जवाहर लाल नेहरू

C. महात्मा गाँधी

D. गोपाल कृष्ण गोखले

33. मौर्य काल में शिक्षा ग्रहण करने का सर्वाधिक प्रसिद्ध केन्द्र था–

A. तक्षशिला B. नालंदा

C. उज्जैन D. लखनऊ

34. उत्तराखण्ड का सबसे बड़ा हिमनद है–

A. मिलम B. पिण्डारी

C. गंगोत्री D. पोंटिंग

35. G-20 शिखर सम्मेलन के संदर्भ में, निम्नलिखित कथनों में कौन-से सही हैं?

1. G-20 की स्थापना 2003 में हुई थी।
2. G-20 एक अंतर-सरकारी मंच है जिसमें 19 देश और यूरोपीय संघ शामिल हैं।
3. G-20 नेताओं का शिखर सम्मेलन राज्य/सरकार के प्रमुखों के स्तर पर 09 और 10 सितम्बर, 2023 को दिल्ली में आयोजित होना प्रस्तावित है।

A. 1 और 2 B. 2 और 3

C. 1 और 3 D. 1, 2 और 3

36. 'जागेश्वर मंदिर समूह' के संदर्भ में निम्नलिखित में से क्या सही नहीं है–

A. यह राज्य का सबसे बड़ा मंदिर समूह है।

B. यह उत्तराखण्ड राज्य के अल्मोड़ा जिले में स्थित है।

C. 8वीं से 10वीं सदी में निर्मित इन मंदिर समूहों के निर्माण में मुख्य योगदान पाल राजाओं का रहा।

D. इस मंदिर समूह का सबसे प्राचीन मंदिर 'मृत्युंजय मंदिर' है।

37. उत्तराखण्ड में सर्वाधिक नगरीकृत जिला है–

A. देहरादून B. हरिद्वार
C. उधमसिंह नगर D. नैनीताल

38. नेत्रदान में प्रदाता की आँख के निम्नलिखित में से कौन-से भाग का उपयोग किया जाता है?

A. आइरिस B. रेटिना
C. कॉर्निया D. लेन्स

39. सिकन्दर के हमले के समय उत्तर भारत पर निम्नलिखित राजवंशों में से किसका शासन था?

A. नन्द B. कण्व
C. शुंग D. मौर्य

40. 1943 में आजाद हिन्द फौज (I.N.A.) अस्तित्व में आई–

A. जापान में B. बर्मा में
C. सिंगापुर में D. जर्मनी में

41. 'गोल गुम्बद' कहाँ स्थित है?

A. हैदराबाद B. आगरा
C. सासाराम D. बीजापुर

42. निम्नलिखित में से कौन-सी मिट्टी सबसे अधिक उपजाऊ है?

A. लैटेराइट मिट्टी
B. बलुई दोमट मिट्टी
C. जलोढ़ मिट्टी
D. लाल मिट्टी

43. निम्न में से कौन सूर्य से आने वाली पराबैंगनी किरणों को अवशोषित करता है?

A. कार्बन-डाइ-ऑक्साइड
B. जल वाष्प
C. ओजोन परत
D. ऑक्सीजन गैस

44. निम्नलिखित में से कौन एक ऑपरेटिंग सिस्टम नहीं है?

A. यूनिक्स B. लिनक्स
C. जावा D. विंडोज-11

45. प्रांतों में द्वैध-शासन प्रणाली किस अधिनियम के अंतर्गत लागू की गई थी?

A. भारत परिषद् अधिनियम 1909
B. भारत शासन अधिनियम 1919
C. भारत शासन अधिनियम 1935
D. इनमें से कोई नहीं

46. महात्मा गाँधी को सर्वप्रथम 'राष्ट्रपिता' किसने कहा था?

A. जवाहर लाल नेहरू
B. वल्लभ भाई पटेल
C. सी. राजगोपालाचारी
D. सुभाष चन्द्र बोस

47. निम्नलिखित का सही कालानुक्रम क्या होगा?

A. वुड का एजुकेशन डिस्पैच
B. मैकाले का मिनट ऑन एजुकेशन
C. दि सार्जेन्ट एजुकेशन रिपोर्ट
D. इंडियन एजुकेशन (हण्टर कमीशन)

नीचे दिए कूटों में से सही उत्तर का चयन कीजिए–

A. 2, 1, 4, 3 B. 2, 1, 3, 4
C. 1, 2, 3, 4 D. 4, 3, 1, 2

48. निम्नलिखित में से किसका अधिकतम ईंधन मान होता है?

A. हाइड्रोजन B. चारकोल
C. प्राकृतिक गैस D. गैसोलीन

49. भारत के विभाजन के समय भारतीय राष्ट्रीय काँग्रेस के अध्यक्ष थे–

A. सी. राजगोपालाचारी
B. जे.बी. कृपलानी
C. जवाहर लाल नेहरू
D. मौलाना अबुल कलाम आजाद

50. निम्नलिखित में से किसने राष्ट्रकूट साम्राज्य की नींव रखी?

A. ध्रुव B. अमोघवर्ष-I
C. कृष्ण-I D. दंतिदुर्ग

51. एक महिला की ओर इशारा करते हुए राजन ने कहा, "वह उस औरत की बेटी है जो कि मेरी माँ के पति की माँ है।" महिला राजन की क्या लगती है?

A. बुआ B. पोती
C. बेटी D. बहन

निर्देश (प्रश्न संख्या 52 से 53 तक) : *नीचे दी गई सूचना को पढ़कर प्रश्नों के उत्तर दीजिए–*

किसी सांकेतिक भाषा में '481' का अर्थ है 'sky is blue', '246' का अर्थ है 'sea is deep' और '698' का अर्थ है 'sea looks blue'.

52. 'deep' का कोड कौन-सी संख्या होगी?

A. 1 B. 2
C. 4 D. 6

53. 'looks' का कोड कौन-सी संख्या होगी?

A. 4 B. 6
C. 8 D. 9

54. आप सीधे चल रहे हैं, फिर आप बाईं ओर मुड़ गए। यदि इस समय अस्त होता सूर्य आपकी बाईं ओर हो तो आरंभ में आप किस दिशा में चल रहे थे–

A. पूर्व की ओर
B. पश्चिम की ओर
C. उत्तर की ओर
D. दक्षिण की ओर

55. एक देश 'X' का राष्ट्रीय दिवस मंगलवार को प्रारंभ हुए किसी महीने के चौथे शनिवार को मनाया जाता है। राष्ट्रीय दिवस किस तारीख को होगा?

A. 24 B. 25
C. 26 D. 27

56. नीचे दी गई अंक शृंखला में ऐसे कितने 3 हैं, जिनके ठीक पहले 6 तथा ठीक बाद में 9 नहीं हो?

93663959378916396 39

A. एक B. दो
C. तीन D. चार

57. एक बस स्टैंड से प्रत्येक 55 मिनट पर दिल्ली के लिए बस रवाना होती है। पूछताछ-क्लर्क ने एक यात्री को बताया कि एक बस 20 मिनट पहले ही छूटी है और अगली बस 10:35 पर जाएगी। पूछताछ क्लर्क ने यात्री को कितने बजे सूचना दी है?

A. 9:40 B. 9:45
C. 10:00 D. 10:15

58. दिए गए आरेख का ध्यानपूर्वक अध्ययन करके बताइए कि कितने विद्यार्थी कोई भी खेल नहीं खेलते हैं?

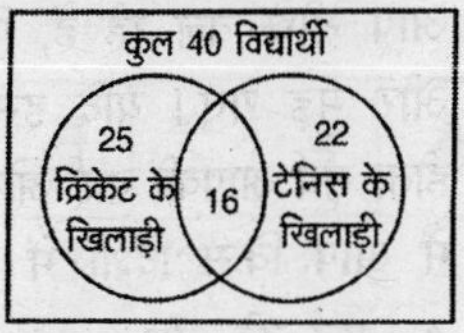

A. 9 B. 15
C. 18 D. 7

59. दी गई आकृति में घनों की संख्या की गणना कीजिए–

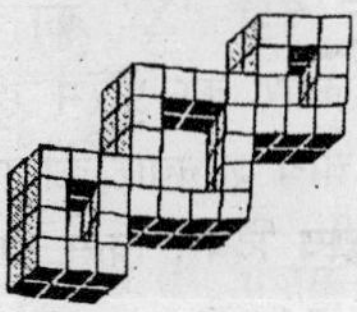

A. 64 B. 66
C. 68 D. 70

60. जब एक घन बनाने के लिए निम्नलिखित आकृति को मोड़ दिया जाता है, तब पाँच डॉट्स वाली सतह के सामने कितने डॉट्स होंगे?

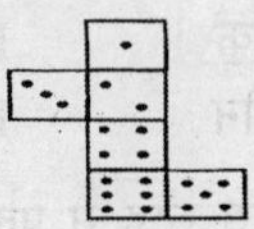

A. 1 B. 2
C. 3 D. 4

61. दी गई आकृति में त्रिभुजों की संख्या ज्ञात कीजिए -

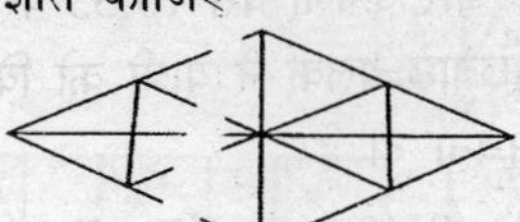

A. 16 B. 22
C. 28 D. 32

62. **निर्देश :** इस प्रश्न में P, X, Y और Z एक पेपर के टुकड़े को फोल्ड करने का अनुक्रम दिखाती हैं। आकृति Z दिखाती है कि किस प्रकार फोल्ड पेपर को काटा गया है। आपको एक ऐसी आकृति को चुनना है जो आकृति Z को फैलाने पर प्राप्त होगी।

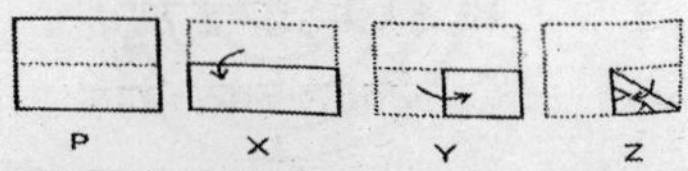

A. B. C. D.

63. **निर्देश :** इस प्रश्न में, आपको अंग्रेजी वर्णमाला के अक्षरों और संख्याओं का संयोजन दिया गया है। उस विकल्प को चुनें जो दिए गए संयोजन के जल प्रतिबिम्ब जैसा दिखता है–

U4P15B7

A. ∩ɥbI2B⅂
B. ∩ᔭdI2B⅂
C. ∩ᔭbI2B⅂
D. ∩ᔭbI2ᗺ⅂

64. **निर्देश :** निम्नलिखित प्रश्न में, दिए गए चार विकल्पों में से आकृति (X) के सही दर्पण प्रतिबिम्ब का चयन कीजिए–

X

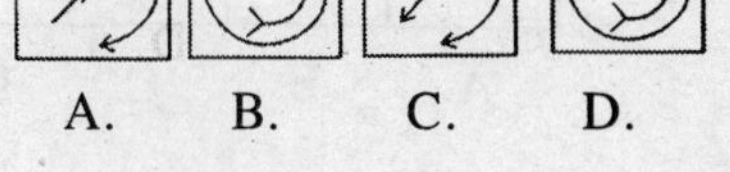

A. B. C. D.

65. निम्नलिखित चित्र पर विचार कीजिए– किसी भी दो आसन्न क्षेत्रों में समान रंग भरे बिना दी गई आकृति को पेंट करने के लिए आवश्यक विभिन्न रंगों की न्यूनतम संख्या क्या है?

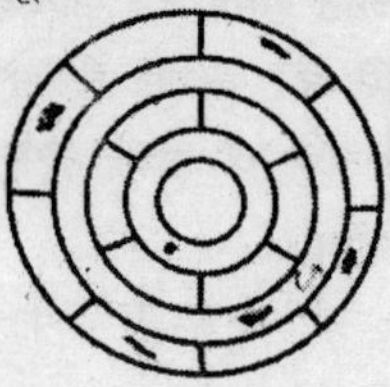

A. 3 B. 4
C. 5 D. 6

निर्देश (प्रश्न संख्या 66 से 67 तक): *आकृति (i) और (ii) एक विशेष तरीके से संबंधित हैं। दिए विकल्पों में से एक आकृति चुनकर आकृति (iii) और (iv) के बीच समान संबंध स्थापित करें, जो आकृति (iv) में प्रश्न चिन्ह का स्थान ले।*

66. 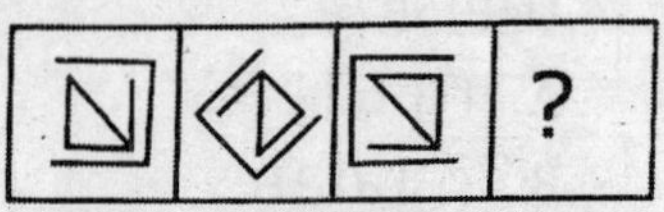

(i) (ii) (iii) (iv)

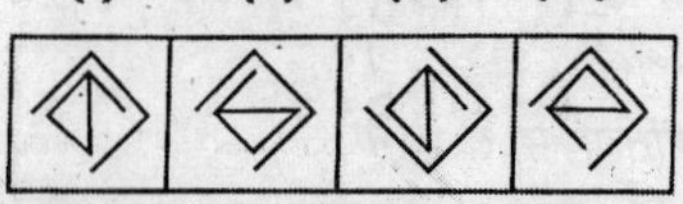

A. B. C. D.

67. 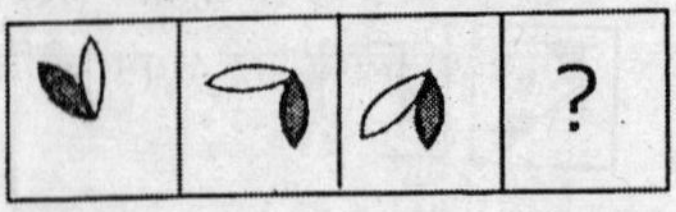

(i) (ii) (iii) (iv)

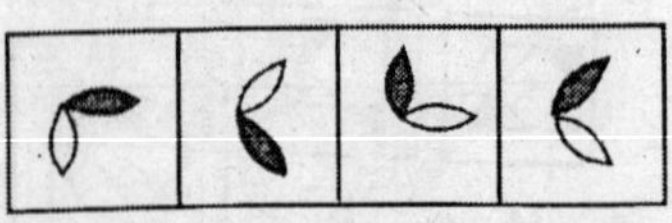

A. B. C. D.

68. दी गई चार आकृतियों में से तीन एक निश्चित तरीके से समान हैं। हालाँकि, एक आकृति अन्य तीन की तरह नहीं है। वह आकृति चुनें जो अन्य से अलग हो–

A	F	Z	E
A.	B.	C.	D.

69. नीचे एक पासे की दो स्थितियाँ दी गई हैं। सतह 5 के विपरीत सतह पर क्या होगा?

(i) (ii)

A. 1 B. 2
C. 3 D. 6

निर्देश (प्रश्न संख्या 70 से 71 तक): *निम्न प्रश्नों में, दिए गए चार विकल्पों में से उस आकृति का चयन करिए जिसे आकृति (X) की खाली जगह (?) में रखे जाने पर वह पैटर्न को पूरा करे–*

70. 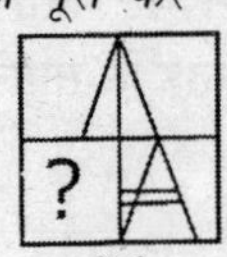

(X)

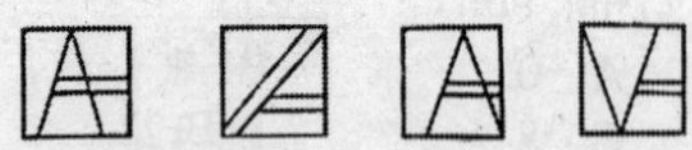

A. B. C. D.

71. 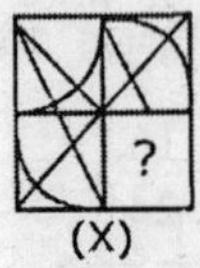

(X)

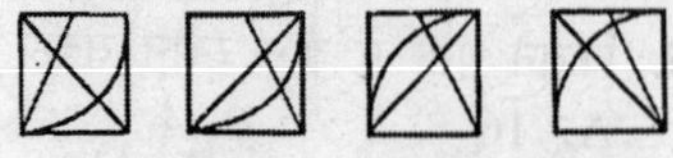

A. B. C. D.

72. नीचे दी गई आकृतियों में परिवर्तन का तार्किक क्रम है–

(a) (b) (c) (d)

A. (*c*)(*b*)(*d*)(*a*) B. (*c*)(*b*)(*a*)(*d*)
C. (*a*)(*d*)(*c*)(*b*) D. (*a*)(*c*)(*d*)(*b*)

निर्देश (प्रश्न संख्या 73 से 75 तक) : *एक ठोस घन, जिसकी प्रत्येक भुजा 8 सेंटीमीटर है, की विपरीत सतहों के जोड़े पर लाल, नीला और काला रंग किया गया है। फिर इसे प्रत्येक 2 सेमी भुजा के घनाकार ब्लॉकों में काटा जाता है।*

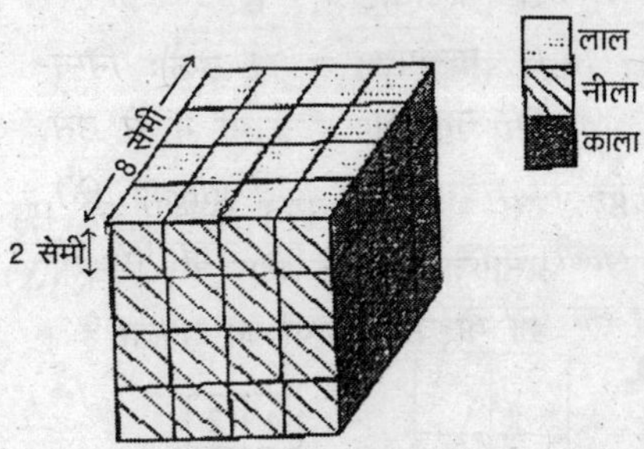

73. कितने घनों की कोई भी सतह रंगीन नहीं होगी?

A. 0 B. 4
C. 8 D. 12

74. कितने घनों की केवल दो सतहें रंगीन होंगी?

A. 8 B. 16
C. 20 D. 24

75. कितने घनों में तीन रंगीन सतहें हैं?

A. 16 B. 4
C. 6 D. 8

निर्देश (प्रश्न संख्या 76 से 77 तक): *प्रश्न आकृति में एक पैटर्न के खंडित भाग हैं। ज्ञात कीजिए कि खंडित टुकड़ों को जोड़ने पर कौन-सी उत्तर आकृति बनती है–*

76. प्रश्न आकृति–

उत्तर आकृतियाँ–

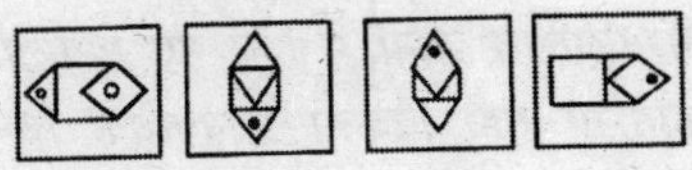

A. B. C. D.

77. प्रश्न आकृति–

उत्तर आकृतियाँ–

A. B. C. D.

निर्देश (प्रश्न संख्या 78 से 79 तक): *नीचे दी गई श्रृंखला की छूटी हुई आकृति को उत्तर आकृतियों में से चुनिए–*

78. प्रश्न आकृतियाँ–

उत्तर आकृतियाँ–

A. B. C. D.

79. **प्रश्न आकृतियाँ–**

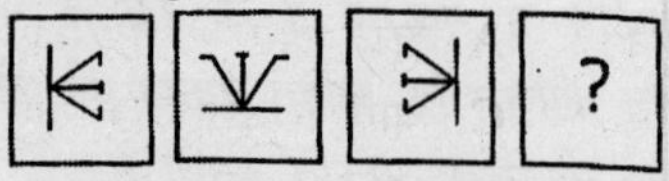

उत्तर आकृतियाँ–

A. B. C. D.

निर्देश (प्रश्न संख्या 80 से 81 तक): *निम्नलिखित प्रश्नों में दिए गए विकल्पों में से कौन-सा सही विकल्प प्रश्नवाचक चिन्ह (?) को प्रतिस्थापित करेगा।*

80. BEGK : ADFJ :: PSVY : ?
A. ROUX B. ORUX
C. LQUT D. LOQT

81. K/T : 11/20 :: J/R : ?
A. 10/18 B. 11/19
C. 10/19 D. 11/18

निर्देश (प्रश्न संख्या 82 से 83 तक): *नीचे दिए गए पैटर्न में प्रश्नवाचक चिन्ह (?) के स्थान पर कौन-सी संख्या आएगी?*

82.

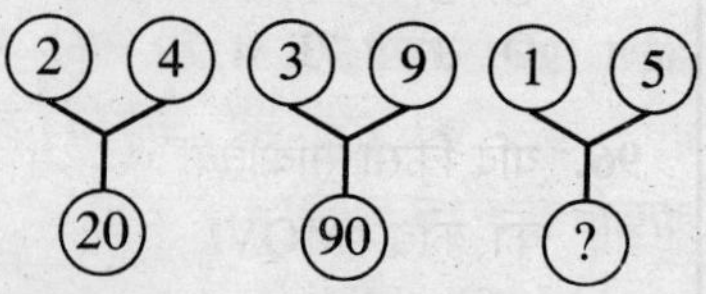

A. 75 B. 26
C. 25 D. 20

83.

3	15	4
7	38	5
3	?	5

A. 15 B. 18
C. 19 D. 20

निर्देश (प्रश्न संख्या 84 से 86 तक): *प्रत्येक प्रश्न में चार विकल्प दिए गए हैं। जिनमें से तीन विकल्प किसी न किसी रूप में समान हैं, एक विकल्प इनमें से भिन्न है। भिन्न विकल्प को चुनिए–*

84. A. ऋग्वेद B. यजुर्वेद
C. अथर्ववेद D. आयुर्वेद

85. A. ज्यामिति
B. वीजगणित
C. त्रिकोणमिति
D. गणित

86. A. प्लासी
B. हल्दीघाटी
C. पानीपत
D. सारनाथ

87. उस पासे का चयन कीजिए जो एक प्रसारित पासे के दिए गए चित्र (X) को मोड़कर बनाया जा सकता है–

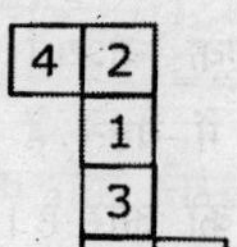

(X)

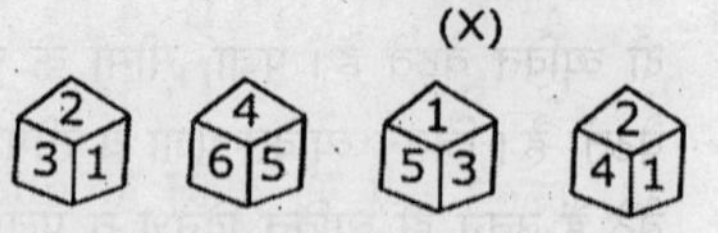

A. B. C. D.

88. एक परिशुद्ध घड़ी 3 बजे का समय दर्शा रही है। घण्टे की सुई के 135° घूमने के बाद क्या समय होगा?
A. 6:30 B. 7:30
C. 8:00 D. 9:00

89. एक विद्यार्थी को एक परीक्षा में सही प्रश्न करने के 4 नम्बर मिलते हैं तथा प्रश्न गलत करने पर 1 नम्बर काट दिया जाता है। यदि विद्यार्थी ने सभी 75 प्रश्न किए और उसे 125 नम्बर मिले हों तो बताइए कि उसने कितने प्रश्न सही हल किए?

A. 35 B. 40
C. 45 D. 50

90. 21 लड़कियों की एक पंक्ति में जब मोनिका 4 स्थान दाईं ओर खिसकी, तो वह बाएँ सिरे से 12वीं हो गई। पंक्ति के दाएँ सिरे से उसकी पहली स्थिति क्या थी?

A. 10वीं B. 11वीं
C. 13वीं D. 14वीं

निर्देश (प्रश्न संख्या 91 से 93 तक): *निम्नलिखित सूचना को ध्यान से पढ़िए तथा दिए गए प्रश्नों के उत्तर दीजिए–*

एक निश्चित संख्या में कुछ व्यक्ति एक पंक्ति में बैठते हैं तथा सभी का मुख उत्तर दिशा की ओर है। रंजन पंक्ति के बाएँ छोर से चौथा बैठता है। रंजन तथा सीमा के बीच दो व्यक्ति बैठते हैं। पूजा, सीमा के तुरंत दाएँ बैठती है। जितने व्यक्ति पूजा व सीमा के बीच बैठे हैं उतने ही व्यक्ति दिनेश व पूजा के बीच बैठते हैं। दिनेश रंजन के बाएँ नहीं बैठता है।

91. रंजन तथा दिनेश के बीच कितने व्यक्ति बैठते हैं?

A. 3 B. 5
C. 4 D. 1

92. रंजन के सापेक्ष पूजा का क्या स्थान है?

A. तुरंत दाएँ B. बाएँ से तीसरा
C. बाएँ से दूसरा D. दाएँ से चौथा

93. पंक्ति में कुल कितने व्यक्ति बैठते हैं?

A. 9 B. 6
C. 10 D. 11

94. 'WONDERFUL' शब्द के अक्षरों को वर्णमाला के क्रमबद्ध किए जाने पर कितने अक्षरों के स्थान अपरिवर्तित रहेंगे–

A. एक
B. दो
C. तीन
D. इनमें से कोई नहीं

95. कौन-सा विकल्प नीचे दिए गए शब्दों का सार्थक क्रम दर्शाता है–

1. उपन्यास 2. लेखक 3. पुरस्कार
4. कथानक 5. प्रकाशित

A. 5, 3, 2, 1, 4
B. 3, 5, 1, 2, 4
C. 2, 4, 1, 5, 3
D. 1, 2, 3, 4, 5

96. यदि किसी सांकेतिक भाषा में 'LOSE' का कोड 'MQVI' लिखा जाता है तो उसी सांकेतिक भाषा में 'GAIN' का कोड क्या होगा?

A. HCMR B. HDLR
C. HCLS D. HCLR

97. निम्न शृंखला में प्रश्नवाचक चिन्ह (?) के स्थान पर क्या आएगा?

2B, 4C, 8E, 14H, ?

A. 20K B. 22L
C. 20L D. 22K

98. 'लेखक' का संबंध 'पाठक' से उसी प्रकार से है, जिस प्रकार 'निर्माता का संबंध .... से है।

A. निर्माण B. ठेकेदार
C. उपभोक्ता D. वस्तु

99. यदि किसी माह का सातवां दिन शुक्रवार से तीन दिन पहले आता है तो उस माह के 19वें दिन कौन-सा बार होगा?

A. रविवार B. सोमवार
C. बुधवार D. शुक्रवार

100. एक कतार में, A सामने से अठारहवें स्थान पर है जबकि B पीछे से सोलहवें स्थान पर है। यदि C सामने से पच्चीसवें स्थान पर है तथा A और B के ठीक बीच में है, तो कतार में कितने लोग हैं?

A. 45 B. 46
C. 47 D. 48

101. 3 : 4 के अनुपात में दो संख्याओं के घनों का योग 5824 हैं संख्याओं का योग कितना है?

A. $(5824)^{1/3}$ B. 28
C. 24 D. 7

102. यदि $p = 999$ है, तो
$\sqrt[3]{p\left(p^2+3p+3\right)+1}$

का मान होगा :

A. 1000 B. 999
C. 998 D. 1010

103. ₹ 760 में एक वस्तु को बेचने पर 52% लाभ होता है। यदि इस वस्तु को ₹ 750 में बेचा जाए, तो प्रतिशत लाभ बताइए।

A. 25% B. 10%
C. 42% D. 50%

104. नीचे दिए गए चित्र में ∠BOC का मान बताइए :

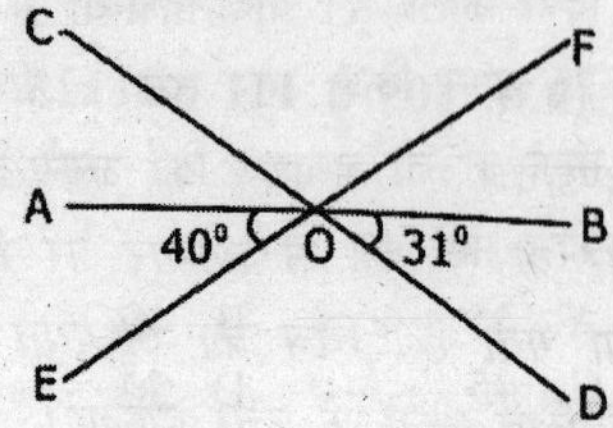

A. 101° B. 149°
C. 71° D. 140°

105. दी गई आकृति में ∠BAC = 30°, ∠ABC = 50° तथा ∠CDE = 25° हो तो ∠AED का मान होगा :

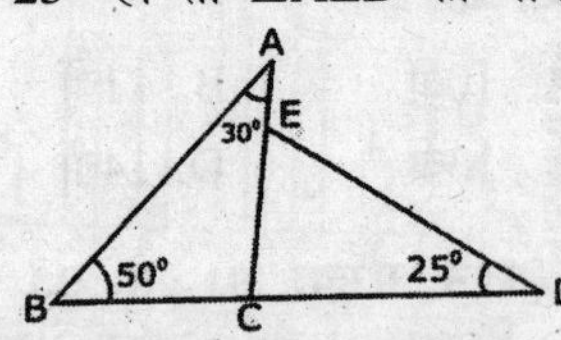

A. 105° B. 115°
C. 95° D. 75°

106. किसी संख्या के 1/3 और 1/4 के बीच का अन्तर उसके वर्गमूल के बराबर है। संख्या ज्ञात कीजिए।

A. 136 B. 12
C. 24 D. 144

107. तीन संख्याओं का औसत 40 है। प्रथम संख्या, दूसरी संख्या की दो गुनी तथा दूसरी संख्या, तीसरी संख्या की तीन गुनी है। सबसे बड़ी तथा सबसे छोटी संख्या का अन्तर ज्ञात कीजिए।

A. 30 B. 36
C. 46 D. 60

108. 3^{40} का इकाई का अंक है :

A. 1 B. 3

C. 7 D. 9

निर्देश (प्र.सं. 109 से 111 तक) : *नीचे दिए गए दण्डचित्र में एक शहर की जनसंख्या का परिवार के सदस्यों के आधार पर विवरण दर्शाया गया है। चित्र का अध्ययन करके अधोलिखित प्रश्नों के उत्तर दीजिए।*

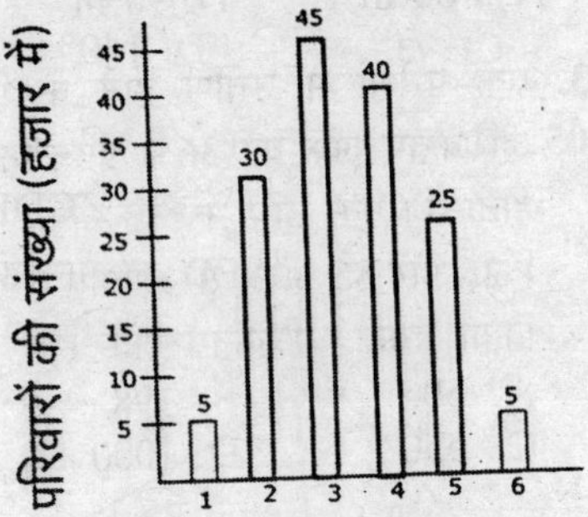

109. परिवार में सदस्यों की औसत संख्या है :

A. 2.4 B. 30

C. 3.4 D. 4

110. औसत से कम सदस्यों वाले परिवारों का अंश क्या है?

A. $\frac{3}{5}$ B. $\frac{8}{15}$

C. $\frac{2}{5}$ D. $\frac{1}{5}$

111. चार से ज्यादा सदस्यों वाले परिवारों का प्रतिशत क्या है?

A. 10% B. 20%

C. 30% D. 40%

112. बुखार की एक दवाई 75% व्यक्तियों को लाभ पहुँचाती है। यदि 3 व्यक्ति जिनको बुखार है, इसका सेवन करते हैं, तो उस दवाई से तीनों व्यक्तियों को लाभ पहुँचने की प्रायिकता होगी :

A. 37/64 B. 3/4

C. 1/64 D. 27/64

113. निम्नलिखित चित्र में X का मान ज्ञात कीजिए :

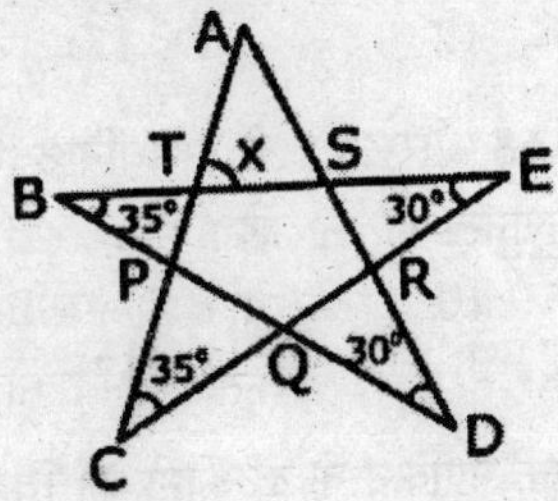

A. 50° B. 65°

C. 75° D. 60°

114. रस्सी A की लम्बाई का रस्सी B की लम्बाई से अनुपात 3 : 4 है। रस्सी C की लम्बाई का रस्सी B की लम्बाई से अनुपात 7 : 6 है। यदि सबसे लम्बी रस्सी की लम्बाई 84 सेमी. है, तो तीनों रस्सियों की कुल लम्बाई ज्ञात कीजिए :

A. 210 cm B. 225 cm

C. 185 cm D. 200 cm

115. निम्न में से किस आकृति में 6 फलक, 12 किनारे तथा 8 शीर्ष होते हैं :

A. घन

B. वर्गाकार पिरामिड

C. त्रिकोणीय प्रिज्म

D. त्रिकोणीय पिरामिड

116. किन्हीं तीन क्रमागत विषम संख्याओं का योगफल 27 है, तो प्रथम दो संख्याओं के वर्गों का योग कितना होगा?

A. 235 B. 225

C. 215 D. 130

117. किसी संख्या में 112 से भाग देने पर शेष 60 रह जाता है। यदि उस संख्या में 16 से भाग दिया जाए, तो शेष क्या होगा?

A. 11 B. 14

C. 12 D. 17

118. 168 और 315 के उभयनिष्ठ अभाज्य गुणनखण्डों का योग है :

A. 10 B. 7

C. 3 D. 12

119. एक नैपकिन के दो कोनों को चित्रानुसार मोड़ा गया है। नैपकिन को खोलने पर उसका क्षेत्रफल ज्ञात कीजिए :

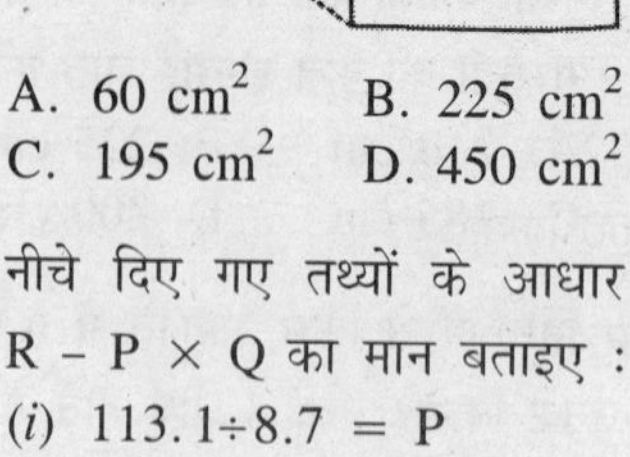

A. 60 cm^2 B. 225 cm^2

C. 195 cm^2 D. 450 cm^2

120. नीचे दिए गए तथ्यों के आधार पर R – P × Q का मान बताइए :

(*i*) 113.1÷8.7 = P

(*ii*) Q + 9.18 = 15.06

(*iii*) 912.06 – R = 418.05

A. 417.670 B. 415.218

C. 418.57 D. 417.57

121. यदि दो संपूरक कोण 3 : 7 के अनुपात में हैं, तो उनके बीच का अंतर है :

A. 78° B. 72°

C. 54° D. 126°

122. एक खंभे का एक चौथाई भाग लाल रंग से, दो-पाँचवां (2/5) भाग नीले रंग से और शेष 21 मीटर हरे रंग से रंगा गया है। खंभे की कुल ऊँचाई है :

A. 40 m B. 60 m

C. 80 m D. 90 m

123. एक परीक्षा में उत्तीर्ण होने के लिए अधिकतम अंक का 36% प्राप्त करना होता है। एक छात्र ने 113 अंक प्राप्त किए और 85 अंकों से असफल घोषित किया गया। अधिकतम अंक हैं :

A. 500 B. 198

C. 550 D. 1000

124. यदि $\dfrac{x}{y} = \dfrac{9}{8}$ है, तो

$\left(\dfrac{6}{7} + \dfrac{y-x}{y+x}\right)$ का मान है :

A. $\dfrac{9}{119}$ B. $\dfrac{95}{119}$

C. $\dfrac{19}{119}$ D. $\dfrac{109}{119}$

125. दी गई आकृति में यदि AB = BC = CD है, तो दी गई आकृति का परिमाप होगा :

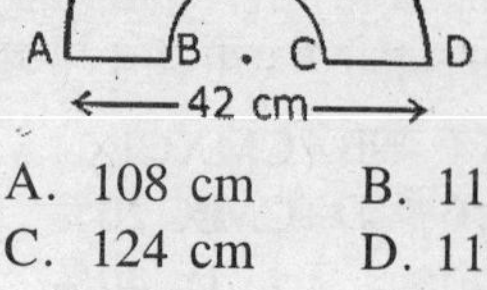

A. 108 cm B. 112 cm

C. 124 cm D. 116 cm

126. दी गई आकृति में B, D, F और H क्रमशः AC, CE, EG और GA के मध्य बिन्दु हैं। छायांकित भाग का क्षेत्रफल ज्ञात कीजिए, यदि AGEC एक 100 वर्ग सेमी. क्षेत्रफल का वर्ग है।

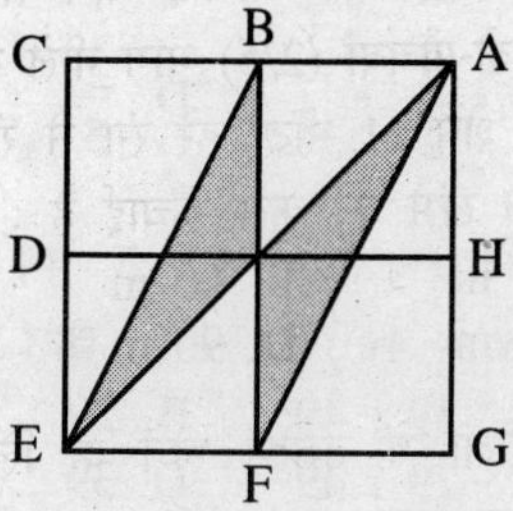

A. $25\ cm^2$ B. $100/3\ cm^2$
C. $35\ cm^2$ D. $50\ cm^2$

127. यदि $\left(\frac{2}{5}\right)^{-4} \times \left(\frac{2}{5}\right)^{12} = \left(\frac{25}{4}\right)^{6-2x}$, तब x का मान है :

A. –1/5 B. –5
C. 5 D. 4

128. इस ठोस के कितने फलक हैं?

A. 1 B. 3
C. 4 D. ∞

129. तीन अंकों की सबसे बड़ी संख्या के लिए रोमन अंक हैं :

A. IXIXIX B. CMXCIX
C. CMIXIX D. CMIC

130. दी गई आकृति में कितनी सममित रेखाएँ हैं?

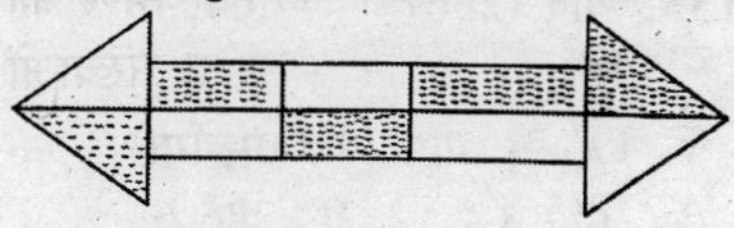

A. 0
B. 1
C. 2
D. इनमें से कोई नहीं

131. 5 संख्याओं का माध्य 20 है। यदि एक संख्या को हटा दिया जाए तो शेष संख्याओं का माध्य 23 हो जाता है, तो निकाली गई संख्या है :

A. 4 B. 92
C. 100 D. 8

132. करन, राम से चार गुना बड़ा है। पाँच वर्ष पहले करन, राम से सात गुना बड़ा था। करन की वर्तमान आयु बताइए :

A. 10 वर्ष B. 42 वर्ष
C. 40 वर्ष D. 28 वर्ष

133. एक यात्री ट्रेन, 80 किमी./घंटा की गति से चल रही हे, एक मालगाड़ी के जाने के 6 घंटे बाद एक रेलवे स्टेशन से निकलती है और 4 घंटे में उससे आगे निकल जाती है। मालगाड़ी की गति क्या है?

A. 32 किमी./घं. B. 48 किमी./घं.
C. 60 किमी./घं. D. 50 किमी./घं.

134. दो संख्याएँ 3 : 4 के अनुपात में हैं और उनके ल.स.प. और म.स.प. का गुणनफल 10800 है। संख्याओं का योग ज्ञात कीजिए।

A. 190 B. 70
C. 210 D. 30

135. यदि $(256)^{3x/8} = 64$, तो x का मान है :

A. 1 B. 2
C. 3 D. 6

136. 12 पुरुषों या 15 महिलाओं द्वारा एक कार्य 20 दिनों में किया जाता है। 4 पुरुषों और 5 महिलाओं को इस काम को पूरा करने में कितना समय लगेगा?

A. 15 दिन B. 25 दिन
C. 30 दिन D. 40 दिन

137. मान बताएं :

$$3 \div \left[(8-5) \div \left\{(4-2) \div \left(2+\frac{8}{13}\right)\right\}\right]$$

A. 13/17 B. 17/13
C. 68/13 D. 13/34

138. तीन संख्याओं के वर्गों का योग 116 है और उनका अनुपात 2 : 3 : 4 है। संख्याएँ हैं :

A. 2, 3, 4 B. 4, 9, 16
C. 4, 6, 8 D. 8, 12, 6

139. जिसमें 3 विभिन्न अंक हों, ऐसी 4 अंकीय सबसे बड़ी संख्या और सबसे छोटी 6 अंकीय संख्या का योग ज्ञात कीजिए।

A. 109999 B. 109989
C. 110020 D. 1000989

140. सूर्यकुमार अपनी 17वीं पारी में 85 का स्कोर बनाता है और इस तरह उनका औसत 3 बढ़ जाता है। 17वीं पारी के बाद उसका औसत क्या है?

A. 34 B. 31
C. 39 D. 37

141. $\frac{1}{4}, \frac{1}{3}, \frac{1}{2}, \frac{2}{3}$ तथा $\frac{3}{4}$ का औसत बताइए :

A. $\frac{1}{2}$ B. $\frac{1}{6}$
C. $\frac{5}{2}$ D. $\frac{1}{5}$

142. यदि $x : y = 3 : 5$, तब अनुपात $3x + 4y : 8x + 5y$ ज्ञात कीजिए।

A. 39 : 49 B. 29 : 50
C. 29 : 49 D. 39 : 50

143.

$$25^{-1/3}\left(27^{1/3} - 27^{2/3}\right) + \frac{25^{1/2} \times 64^{1/2} \times 36^{1/2}}{9^{1/2} \times \sqrt{4}}$$

का मान बताइए :

A. 38 B. 42
C. 10 D. 1

144. प्रथम दस अभाज्य संख्याओं का औसत है :

A. 10.1 B. 12.8
C. 10 D. 12.9

145. यदि किसी आंकड़ों का बहुलक 45 है तथा माध्य 27 है, तो माध्यक होगा :

A. 30 B. 27
C. 33 D. 36.5

146. 35 विद्यार्थियों की एक कक्षा का औसत भार 45 किग्रा. है। यदि शिक्षक का वज़न शामिल किया जाए, तो औसत वजन 500 ग्राम बढ़ जाता है। शिक्षक का वजन होगा :

A. 63 kg B. 62.5 kg
C. 45.5 kg D. 65 kg

147. 11 प्रेक्षणों का माध्य 50 है। यदि प्रथम 6 प्रेक्षणों का माध्य 49 है और अंतिम 6 प्रेक्षणों का माध्य 52 है, तो छठा प्रेक्षण होगा :

A. 55 B. 56
C. 57 D. 58

148. एक चिड़ियाघर में खरगोश और कबूतर हैं। यदि उनके सिर गिनें तो 200 हैं और यदि पैर गिनें तो 580 हैं। चिड़ियाघर में कितने कबूतर हैं?

A. 100 B. 180
C. 110 D. 120

149. एक वस्तु की कीमत में लगातार दो बार 10% की क्रमागत वृद्धि की गई। पुन: वस्तु की आरंभिक कीमत प्राप्त करने के लिए बढ़ी हुई कीमत में कितने प्रतिशत की कमी करनी होगी?

A. 17.64%
B. 17.36%
C. 16.36%
D. इनमें से कोई नहीं

150. निम्नलिखित व्यंजक का सरलीकृत मान होगा :

$$\frac{1}{\sqrt{100}-\sqrt{99}}-\frac{1}{\sqrt{99}-\sqrt{98}}+\frac{1}{\sqrt{98}-\sqrt{97}}-\frac{1}{\sqrt{97}-\sqrt{96}}+\ldots+\frac{1}{\sqrt{3}-\sqrt{2}}-\frac{1}{\sqrt{2}-\sqrt{1}}$$

A. 9 B. 10
C. 11 D. 101

151. विद्यालय में समावेशी वातावरण का सृजन किया जा सकता है :

A. सभी विद्यार्थियों की पूर्ण प्रतिभागिता सुनिश्चित करके
B. दृश्य सामग्री का अधिकतम प्रयोग करके
C. पाठ्य पुस्तक को सीखने के मुख्य स्रोत के रूप में प्रयोग करके
D. विशेष आवश्यकता वाले बच्चों को कक्षा से पृथक करके

152. आप अपनी कक्षा में सृजनात्मक बच्चे की पहचान कैसे करेंगे?

A. यदि वह किसी कविता या कहानी का सृजन स्वयं करता है।
B. यदि वह किसी कविता का पाठ करता है।
C. यदि वह किसी किताब में दी गई कहानी को सुनाता है।
D. यदि वह पुस्तक में दिए गए चित्र को देखकर बनाता है।

153. **कथन-1 :** किसी विद्यार्थी के सीखने को प्रभावित करने वाले बहुत से कारक हैं।
कथन-2 : आयु और परिपक्वता सीखने को प्रभावित करने वाले जैविक कारक हैं।

A. दोनों कथन असत्य हैं।
B. कथन 1 सत्य है और कथन 2 असत्य है।
C. दोनों कथन सत्य हैं।
D. कथन 1 असत्य है और कथन 2 सत्य है।

154. निम्नलिखित में से कौन-सी शिक्षण अधिगम सामग्री पूर्ण दृष्टिबाधित विद्यार्थी के लिए नहीं है :

A. ऑडियो बुक्स
B. ब्रेल स्लेट
C. लार्ज प्रिंट बुक
D. टेक्टाइल मैप

155. आज के समय में सबसे महत्वपूर्ण कौशल, जिसकी एक शिक्षक को आवश्यकता है :

A. श्यामपट्ट पर लिखना

B. ऑडियो टेप का प्रयोग

C. सूचना एवं संचार प्रौद्योगिकी का उपयोग

D. व्याख्यान

156. निम्नलिखित में से सृजनवादी कक्षाकक्ष में कौन-सी गतिविधियों को प्रोत्साहित किया जाता है?

A. प्रयोग

B. शोध प्रोजेक्ट

C. कक्षा कक्ष चर्चाएँ

D. उपरोक्त सभी

157. कौन-सा सही प्रकार से सुमेलित है?

A. सहयोग – शिक्षार्थी व्यक्तिगत रूप से कार्य करते हैं।

B. अवलोकन – पशुओं के व्यवहार को नोट करते हैं।

C. समस्या समाधान – प्रश्न-उत्तर को कॉपी करना

D. सृजनवाद – शिक्षक केंद्रित

158. बच्चों के संज्ञानात्मक विकास के लिए आप विद्यालय में किस प्रकार की गतिविधि कराएंगे :

A. उसे ऐसी गतिविधियाँ करने के लिए देंगे जिससे उसका चिंतन कौशल विकसित हो

B. उसे प्रश्न-उत्तर याद करने के लिए देंगे

C. उसे अधिक से अधिक लिखने का अभ्यास कराएंगे

D. व्याख्यान विधि द्वारा अवधारणा समझाएंगे

159. वर्तमान समय में शिक्षक की भूमिका है :

A. सुगमकर्ता की

B. समाजसेवी की

C. वक्ता की

D. उपरोक्त में से कोई नहीं

160. यदि आपकी कक्षा में कोई विशेष आवश्यकता वाला बच्चा है, तो आप क्या करेंगे?

A. उसकी ओर ध्यान नहीं देंगे

B. उस पर अतिरिक्त ध्यान देंगे

C. बहुसंवेदी तकनीक का प्रयोग शिक्षण में करेंगे

D. (B) और (C) दोनों

161. एक अनुत्तीर्ण विद्यार्थी को उसी कक्षा में पूरी निष्ठा से अध्ययन करने के लिए कैसे प्रोत्साहित किया जा सकता है?

A. शिक्षक परामर्श द्वारा

B. मनोवैज्ञानिक परामर्श द्वारा

C. अभिभावकों के परामर्श द्वारा

D. छात्र संघ द्वारा

162. एक शिक्षक होने के नाते आप विद्यार्थियों में अनुशासन का गुण कैसे विकसित करेंगे?

A. उन्हें जिम्मेदारियाँ देकर

B. उन्हें आचरण के नियमों की जानकारी देकर

C. उन्हें विद्यालय से निकाल कर

D. उनसे नियमों का पालन करवाकर

163. विद्यार्थी सबसे अच्छा सीखते हैं :

A. सुनकर B. पढ़कर

C. करके D. देखकर

164. यदि शिक्षक छात्रों के सृजनात्मक चिन्तन को बढ़ाना चाहता है, तो उसे अधिक ध्यान केन्द्रित करना चाहिए :

A. अभिसारी चिन्तन पर

B. अपसारी चिन्तन पर

C. दोनों (A) और (B)

D. इनमें से कोई नहीं

165. प्रारम्भिक अवस्था में बच्चों की भाषा का विकास करने के लिए शिक्षक को भाषा सीखने के किस सिद्धान्त को अपनाना चाहिए?

A. सम्बद्धीकरण

B. अनुकरण

C. पुनर्बलन

D. उपरोक्त सभी

166. शिक्षण सहायक सामग्री के मुख्य प्रकार हैं :

A. श्रव्य सामग्री

B. दृश्य सामग्री

C. दृश्य-श्रव्य सामग्री

D. उपरोक्त सभी

167. निम्नलिखित में से शिक्षण की विशेषता कौन-सी है?

A. शिक्षण एक जटिल सामाजिक प्रक्रिया है।

B. शिक्षण एक व्यावसायिक गतिविधि है।

C. शिक्षण एक अंतःक्रिया है।

D. उपरोक्त सभी

168. शिक्षण की निम्नलिखित अवस्थाओं में से 'मूल्यांकन की अवस्था' कौन-सी है?

A. पूर्व-क्रिया अवस्था

B. अन्तःक्रिया अवस्था

C. उत्तर-क्रिया अवस्था

D. इनमें से कोई नहीं

169. प्रभावी शिक्षण निर्भर करता है :

A. शिक्षक की शारीरिक संरचना पर

B. शिक्षक के पहनावे पर

C. शिक्षक के ज्ञान पर

D. शिक्षक के व्यवहार पर

170. यदि एक छात्र कक्षा में विलम्ब से आता है, तो शिक्षक को :

A. उसे बाहर निकाल देना चाहिए।

B. उसे कठोर दण्ड देना चाहिए और प्रधानाचार्य को सूचित करना चाहिए।

C. कई दिनों तक उसे अनुपस्थित दिखाना चाहिए।

D. उसके साथ सहानुभूति एवं समझदारी से व्यवहार करना चाहिए।

171. एक योग्य शिक्षक वह है जो :

A. कक्षा को नियंत्रित कर सके।

B. अपने छात्रों को ईमानदारी और मेहनत से कार्य करने के लिए प्रेरित कर सके।

C. अपने छात्रों में पहल करने की भावना का विकास कर सके।

D. अपनी कक्षा का मनोरंजन कर सके।

172. शिक्षण में सुधार लाने के लिए एक शिक्षक को :

A. छात्रों की गलतियों पर कठोर कार्यवाही करनी चाहिए।

B. विद्यालय की नीतियों के विरुद्ध कार्य करना चाहिए।

C. अपनी गलतियों को सुधारना चाहिए।

D. पूर्व शिक्षकों की आलोचना करनी चाहिए।

173. एक शिक्षक को सभी छात्रों से कैसा व्यवहार करना चाहिए?

A. मित्रवत् व्यवहार

B. समान व्यवहार

C. व्यक्तिगत व्यवहार

D. निःस्वार्थ व्यवहार

174. शिक्षण किस स्तर पर किया जाता है?

A. स्मृति स्तर पर

B. बोध स्तर पर

C. चिन्तन स्तर पर

D. उपरोक्त सभी

175. पाठ्य-सहगामी क्रियाकलापों की सफलता या असफलता अधिकांशतः निर्भर करती है :

A. शिक्षकों के दृष्टिकोण एवं उत्साह पर

B. अभिभावकों पर

C. छात्रों पर

D. समुदाय पर

176. निम्नलिखित में से कौन-सी सीखने की विशेषता नहीं है?

A. सीखना एक प्रक्रिया है, उत्पाद नहीं।

B. सभी सीखना उद्देश्यपूर्ण और लक्ष्य उन्मुखी नहीं होता।

C. शब्दों में व्याख्या करने के लिए सीखने का क्षेत्र बहुत विस्तृत है।

D. इनमें से कोई नहीं

177. विद्यालय एक सामाजिक संस्था है, जो/जिसके :

A. समाज को उच्च स्तर तक उठाने में योगदान देता है।

B. लोगों को संरक्षित और प्रसारित करता है।

C. कुछ जैविक प्रबंध है।

D. अच्छे को बुरे से अलग करता है।

178. एक शिक्षक के सामने महत्वपूर्ण चुनौती होती है :

A. कक्षा में अनुशासन बनाए रखना

B. छात्रों से गृहकार्य करवाना

C. प्रश्न-पत्र तैयार करना

D. शिक्षण अधिगम प्रक्रिया को रुचिपूर्ण बनाना

179. एक अच्छे सम्प्रेषक को अच्छा होना चाहिए :

A. बोलने में

B. सुनने में

C. भाषा का प्रयोग करने में

D. वाणी में हास्य का प्रयोग करने में

180. शिक्षक से संबंधित वे कारक जो सीखने वाले की अकादमिक उपलब्धि को प्रभावित करते हैं :

A. छात्रों की स्वीकृति

B. शिक्षार्थियों की देखभाल

C. निर्देशात्मक तकनीकों का प्रभावी उपयोग

D. उपरोक्त सभी

181. शिक्षार्थी के सीखने को प्रभावित करने वाले वैयक्तिक कारक कौन-से हैं?

A. शिक्षक का शिक्षण का तरीका

B. शिक्षक द्वारा प्रयोग किया गया टी.एल.एम.

C. आत्म-प्रत्यय, रुचि एवं अभिक्षमता

D. शिक्षक का सम्प्रेषण कौशल

182. यदि कोई बच्चा स्व-अध्ययन करने में आंतरिक रूप से संतुष्टि प्राप्त करता है, तो इसका अर्थ है कि वह :

A. बुद्धिमान है

B. आंतरिक रूप से अभिप्रेरित है

C. शिक्षक द्वारा जैसा कहा गया उसके अनुसार पाठ पूरा करना चाहता है

D. बाह्य रूप से अभिप्रेरित है

183. गत्यात्मक शिक्षार्थियों के लिए निम्न-लिखित में से सबसे अच्छा कौन-सा तरीका है?

A. पाठ का एक व्यापक सारांश श्यामपट्ट पर प्रदर्शित करना।

B. उसको ऑडियो टेप की सहायता से पढ़ाना।

C. उसे गतिविधियाँ करने के लिए देना।

D. शिक्षण हेतु श्रव्य-दृश्य सामग्री का उपयोग।

184. विद्यालय में शारीरिक गतिविधियों को कराने का उद्देश्य होना चाहिए :

A. विद्यार्थियों की शारीरिक फिटनेस

B. विद्यार्थियों में टीम भावना का विकास

C. विद्यार्थियों में स्व-अनुशासन का विकास

D. उपरोक्त सभी

185. निम्नलिखित में से कौन-सा प्रश्न विद्यार्थियों की समझ को सबसे अच्छी तरह मूल्यांकित करता है?

A. भारत को स्वतंत्रता प्राप्त हुई...... को।

B. राष्ट्रपिता किसे कहते हैं?

C. भारत के राष्ट्रीय पशु का नाम बताइए।

D. संतुलित आहार किसे कहते हैं? उदाहरण दीजिए।

186. निम्नलिखित में से कौन-सी गतिविधियाँ विद्यार्थियों में भावनात्मक कौशल को विकसित करने में सहायक होंगी?

A. नृत्य एवं नाटक

B. गृहकार्य करना

C. कविता पढ़ना

D. इंडोर गेम खेलना

187. विद्यालय आधारित आकलन की मुख्य विशेषता है :

A. व्याख्यान आधारित शिक्षाशास्त्र

B. शिक्षक केन्द्रित शिक्षाशास्त्र

C. बालकेन्द्रित एवं गतिविधि आधारित शिक्षाशास्त्र

D. पाठ्यपुस्तक आधारित शिक्षाशास्त्र

188. बच्चों के सीखने को प्रभावित करने वाले कारक हैं :

1. शिक्षण विधि
2. रुचि
3. तनाव
4. थकान

A. 1, 2, 3 B. 1, 2, 3, 4

C. 2, 3, 4 D. 1, 2, 4

189. सृजनात्मक बच्चों की विशेषता है :

A. मौलिक विचारों का प्रदर्शन

B. कविता या कहानी का सृजन

C. दोनों (A) व (B)

D. उपरोक्त में से कोई नहीं

190. यदि एक शिक्षक के रूप में आप कक्षा में पढ़ते हुए विद्यार्थियों के व्यवहार का अध्ययन करना चाहते हैं तो निम्नलिखित में से कौन-सी विधि सबसे अधिक उपयुक्त होगी?

A. साक्षात्कार विधि

B. समाजमिति विधि

C. अवलोकन विधि

D. केस स्टडी विधि

191. सीखने हेतु सहयोगात्मक वातावरण का प्रभावी सृजन किया जा सकता है :

1. शिक्षार्थियों के छोटे मिश्रित योग्यता समूह बनाकर
2. विद्यार्थियों को वैयक्तिक कार्य देकर
3. विद्यार्थियों को सामूहिक गतिविधियाँ देकर

A. केवल 2 B. 1 एवं 2

C. 2 एवं 3 D. 1 एवं 3

192. **कथन** : एक सकारात्मक कक्षा का वातावरण अकादमिक उपलब्धि को बढ़ाता है और विद्यार्थियों में उचित कक्षाकक्ष व्यवहार को बढ़ावा देने में सहायता करता है।

व्याख्या : विद्यार्थियों में स्वस्थ संबंध एवं मूल्यों को बढ़ावा देकर सकारात्मक सीखने का वातावरण बनाया जा सकता है।

A. कथन और व्याख्या दोनों सही हैं।

B. कथन और व्याख्या दोनों गलत हैं।

C. कथन सही है, व्याख्या गलत है।

D. कथन गलत है, व्याख्या सही है।

193. विद्यार्थियों के लिए पाठ्य-सहगामी गतिविधियों को डिजाइन करने के लिए निम्नलिखित में से कौन-सी बातें ध्यान में रखी जानी चाहिए?

1. गतिविधियाँ आयु के अनुरूप होनी चाहिए।
2. ये केवल मनोसामाजिक विकास पर केंद्रित होनी चाहिए।
3. ये विद्यार्थियों की रुचि के अनुसार होनी चाहिए।

A. 1 & 2 B. 1, 2 & 3

C. 2 & 3 D. 1 & 3

194. निम्नलिखित में से कौन-सा विकल्प सृजनवाद से संबंधित है :

A. ज्ञान निष्क्रिय रूप से प्राप्त नहीं किया जाता अपितु सक्रिय रूप से निर्मित किया जाता है।

B. अधिगम को एक निष्क्रिय प्रक्रिया के रूप में देखा जाता है।

C. यह शिक्षक केंद्रित दृष्टिकोण है।

D. उपरोक्त में से कोई नहीं

195. अभिप्रेरणा क्या है?

A. एक आवश्यकता अथवा इच्छा जो व्यवहार को शक्ति देती है और उसे निर्देशित करती है।

B. किसी नयी समस्या/स्थिति के लिए पूर्व प्रयुक्त पद्धति से अनुक्रिया करने की प्रवृत्ति।

C. नई परिस्थितियों का प्रभावशाली ढंग से सामना करने की योग्यता।

D. इसका तात्पर्य व्यक्ति के अनूठे विचारों का समुच्चय है।

196. मानसिक क्रियाएँ जो कि ज्ञान एवं अनुभव प्राप्त करने वाली प्रक्रियाओं से संबंधित हैं, जैसे चिंतन, प्रत्यक्षण, अवधान, समस्या, समाधान आदि, का संबंध है :

A. संज्ञानात्मक प्रक्रियाओं से

B. सामाजिक प्रक्रियाओं से

C. जैविक प्रक्रियाओं से

D. संवेगात्मक प्रक्रियाओं से

197. यदि कोई शिक्षक स्वयं को महत्व देता है, तो इसका अर्थ है कि उसका उच्च :

A. आत्म प्रत्यय है

B. आत्म सम्मान है

C. आत्म छवि है

D. आत्म पहचान है

198. यदि किसी विद्यार्थी में किसी कार्य को अच्छे से करने की विशिष्ट क्षमता है, तो इसका तात्पर्य यह है कि इसके लिए उसके पास :

A. अभिवृत्ति है B. जागरूकता है

C. अभिक्षमता है D. रुचि है

199. कक्षा शिक्षण के दौरान किन बिन्दुओं पर अधिक ध्यान दिए जाने की जरूरत है :

1. प्रत्येक बच्चे की प्रतिभागिता सुनिश्चित करना
2. वैयक्तिक भिन्नता को समझना
3. केवल प्रतिभावान विद्यार्थियों के अनुरूप पाठ योजना बनाना
4. विद्यार्थियों की सीखने की गति के अनुसार पढ़ाना

A. 1, 2, 3 B. 2, 3, 4

C. 1, 3, 4 D. 1, 2, 4

200. निम्नलिखित में से कौन-से नैतिक विकास के घटक हैं?

A. सही और गलत के मध्य अंतर करना

B. स्वयं को दूसरे व्यक्ति के स्थान पर रखना

C. जब दूसरे लोग परेशानी में होते हैं, तो उनकी मदद करना

D. उपरोक्त सभी

उत्तरमाला

1	2	3	4	5	6	7	8	9	10
B	A	C	C	A	C	C	B	A	A
11	**12**	**13**	**14**	**15**	**16**	**17**	**18**	**19**	**20**
C	D	D	D	C	C	C	A	B	A
21	**22**	**23**	**24**	**25**	**26**	**27**	**28**	**29**	**30**
D	B	B	B	C	C	D	B	A	C
31	**32**	**33**	**34**	**35**	**36**	**37**	**38**	**39**	**40**
A	D	A	C	B	C	A	C	A	C

41	42	43	44	45	46	47	48	49	50
D	C	C	C	B	D	A	A	B	D
51	52	53	54	55	56	57	58	59	60
A	B	D	A	C	B	C	A	C	C
61	62	63	64	65	66	67	68	69	70
C	B	C	B	A	A	D	D	C	C
71	72	73	74	75	76	77	78	79	80
D	A	C	D	D	C	C	D	A	B
81	82	83	84	85	86	87	88	89	90
A	B	B	D	D	D	D	B	B	D
91	92	93	94	95	96	97	98	99	100
C	D	A	A	C	D	B	C	A	C
101	102	103	104	105	106	107	108	109	110
B	A	D	B	A	D	D	A	C	B
111	112	113	114	115	116	117	118	119	120
B	D	B	A	A	D	C	A	C	D
121	122	123	124	125	126	127	128	129	130
B	B	C	B	D	A	C	B	B	A
131	132	133	134	135	136	137	138	139	140
D	C	A	C	B	C	A	C	B	D
141	142	143	144	145	146	147	148	149	150
A	C	A	D	C	A	B	C	B	C
151	152	153	154	155	156	157	158	159	160
A	A	C	C	C	D	B	A	A	D
161	162	163	164	165	166	167	168	169	170
B	A	C	C	D	D	D	C	C	D
171	172	173	174	175	176	177	178	179	180
B	C	B	D	A	B	A	D	C	D
181	182	183	184	185	186	187	188	189	190
C	B	C	D	D	A	C	B	C	C
191	192	193	194	195	196	197	198	199	200
D	A	D	A	A	A	B	C	D	D

सामान्य बौद्धिक योग्यता

शृंखला-परीक्षा
(SERIES TEST)

इस परीक्षा में कुछ अंकों या अक्षरों को एक निश्चित शृंखला में, एक विशेष क्रम में रखा जाता है। शृंखला में कुछ अंकों या अक्षरों के स्थान खाली छोड़ दिए जाते हैं और उम्मीदवारों को दिए गए विकल्पों में से उपयुक्त अंकों या अक्षरों का चुनाव करके इन खाली स्थानों को भरना होता है।

निम्नलिखित उदाहरणों से स्पष्टीकरण हो जाएगा—

उदाहरण 1. अक्षर-शृंखला के नीचे दिए गए में से लुप्त अक्षरों के सही अक्षर क्रम का पता लगाइए।

—ba—baa—ab—a

A. baab B. baba C. aaab D. abbb

उत्तर : D. ababba/ababba

उदाहरण 2. नीचे दी गई शृंखला में निम्नलिखित के आगे क्या आएगा—

HKN, QTW, ZCF, ?

A. ILO B. BDG C. KMN D. HKN

उत्तर : A.

H —(+3)→ K —(+3)→ N —(+3)→ Q —(+3)→

T —(+3)→ W —(+3)→ Z —(+3)→

C —(+3)→ F —(+3)→ I —(+3)→ L —(+3)→ O

∴ ? = ILO

उदाहरण 3. निम्नलिखित श्रेणी में रिक्त स्थान पर नीचे दिए हुए चार विकल्पों में से कौन-सी संख्या आएगी—

0, 2, 6, 12, 20, 30 ?

A. 34 B. 32 C. 40 D. 42

उत्तर : D.

0 ⌣(+2) 2 ⌣(+4) 6 ⌣(+6) 12 ⌣(+8) 20 ⌣(+10) 30 ⌣(+12) 42

उदाहरण 4. निम्नलिखित प्रश्न में अक्षर-शृंखला एक निश्चित क्रम में है। शृंखला को ध्यान से देखिए और बताइए कि क्या क्रम है·

ADBBECCFODG

A. C B. E C. F

उत्तर : B.

AD BB E CC F DD G [E]

अभ्यास

TYPE-I

1. aa—bbb—ccaab—bc—c
A. bbcc B. bacc
C. ccab D. acbc

2. ab—cba—bcc—aabccb—abc—ba
A. caaaa B. aabaa
C. cabac D. cbaac

3. —abbc—a—bbcc—ab—c
A. abcabc B. bacbca
C. acaabc D. bbcabc

4. —bccb—abc—baa—c
A. acbc B. aacb
C. bcac D. abcc

5. ac—baac—b—acbb—
A. baab B. abbc
C. aabc D. bbaa

6. aa—aabb—b—aa—aabb—bb
A. abbab B. bbbaa
C. babba D. aabbb

7. —cba—cca—cbaba—cbca—cb
A. cbbc B. abca
C. abba D. aabb

8. —ac—ca—aca—a—a—
A. aaaccc B. cacaca
C. cacccc D. acacac

9. a—bba—bba—ba
A. aab B. bab
C. bba D. bbb

10. —aabb—abba—b
A. bab B. aba
C. bba D. baa

TYPE-II

निर्देश : *निम्नलिखित प्रत्येक प्रश्न में अक्षरों की एक शृंखला दी गई है, आपको पता लगाना है कि अगला पद क्या होगा?*

1. MOQ, SOW, YAC, ?
A. FIL B. DHJ
C. EGI D. XAD

2. HKN, QTW, ZCF, ?
A. ILO B. BDG
C. HKN D. KMN

3. YCL, MQZ, AEN, ?
A. PUE B. OSB
C. OTC D. MPX

4. KUZ, MOX, OIV, QET, ?
A. SAQ B. SOR
C. RAP D. SAR

5. ABXW, EFTS, ?, MNLK
A. IJOP B. IJPO
C. JIOP D. JIPO

6. POQ, SRT, VUW, ?
A. XYZ B. XZY
C. YXZ D. ZYX

7. JAZ, LEX, NIV, PMT, ?
A. QUR B. RQR
C. RUS D. SUR

8. ZUA, XOC, VIE, TEG, ?
A. RAI B. RAJ
C. SAG D. QAE

9. CZX, DYW, EXV, FWU, ?
A. GWT B. GUT
C. CVT D. GVT

10. JAZ, LEX, NIV, POT, ?
A. RSR B. RUS
C. SUR D. RUR

TYPE-III

निर्देश : *निम्नलिखित अंक-श्रृंखला में रिक्त स्थान पर कौन-सी संख्या आएगी ?*

1. 2, 4, 7, 14, 17, 34, ?
A. 39 B. 42
C. 37 D. 31

2. 9, 25, 49, 81, 121, ?
A. 256 B. 225
C. 169 D. 232

3. 2, 6, 12, 20, 30, 42, ?
A. 38 B. 42
C. 40 D. 56

4. 2, 5, 10, 17, 26, ?
A. 29 B. 31
C. 33 D. 37

5. 11, 13, 17, 19, 23, ?
A. 29 B. 31
C. 25 D. 40

6. 0, 7, 26, 63, 124, ?
A. 195 B. 208
C. 215 D. 240

7. 6, 8, 9, 12, 14, 18, ?
A. 19 B. 21
C. 23 D. 25

8. 1, 1, 4, 8, 9, 27, ?
A. 36 B. 16
C. 12 D. 9

9. 5, 10, 17, 26, 37, ?
A. 49 B. 48
C. 50 D. 51

10. 98, 87, 76, 65, 54, ?
A. 43 B. 45
C. 46 D. 47

11. ?, 120, 40, 10, 2
A. 240 B. 200
C. 60 D. 180

12. 1, 10, 19, 28, 37, 46, ?
A. 56 B. 50
C. 55 D. 54

13. 8, 13, 18, 23, 28, ?
A. 31 B. 32
C. 33 D. 34

14. 2, 4, 6, 8, 10, ?
A. 11 B. 12
C. 13 D. 14

15. 136, 55, 28, 19, 16, ?
A. 15 B. 14
C. 13 D. 12

16. 2, 6, 12, 20, 30, 42, ?
A. 48 B. 56
C. 60 D. 64

17. 0, 2, 6, 12, 20, 30, 42, ?
A. 50 B. 52
C. 54 D. 56

18. 5, 3, 6, 2, 7, 1, ?
A. 2 B. 0
C. 6 D. 8

19. 1, 3, 7, 13, 21, ?
A. 27 B. 29
C. 25 D. 31

20. 5, 9, 15, 23, 33, 45, ?
A. 55 B. 57
C. 59 D. 61

TYPE-IV

1. YAZWBXUCVSD—
A. E B. R
C. T D. S

2. ZYAYXBXWCWVDV—
A. UE B. UF
C. FU D. EU

3. AZBYCXDWE—
A. F B. W
C. V D. U

4. BAZDCYFEXHG—
A. I B. J
C. V D. W

5. ZXACYWBDXVL—
A. U B. D
C. E D. F

6. ACEGIK—
A. M B. O
C. L D. D

7. XYZABCUVW—
A. E B. F
C. G D. D

8. XYZCBAUVWFED—
A. S B. E
C. M D. R

9. PSPPSQSQSSQTQR—
A. S B. R
C. T D. Q

10. JGKLIMNKOPMQ—
A. P B. O
C. R D. N

व्याख्यात्मक उत्तर

TYPE-I

1. D : aaa/bbb/ccc/aaa/bbb/ccc
2. C : abc/cba/abc/cba/abc/cba/abc/cba
3. C : aabbcc/aabbcc/aabbcc
4. B : abc/cba/abc/cba
5. D : acbba/acbba/acbba
6. A : aaaaa/bbbbb/aaaaa/bbbbb
7. C : acb/abc/cab/cba/bac/bca/acb
8. D : ca/ca/ca/ca/ca/ca/ca/c
9. D : abba/abba/abba
10. D : baab/baab/baab

TYPE-II

1. C :
$M \xrightarrow{+6} S \xrightarrow{+6} Y \xrightarrow{+6} \boxed{E}$
$O \xrightarrow{+6} U \xrightarrow{+6} A \xrightarrow{+6} \boxed{G}$
$Q \longrightarrow W \longrightarrow C \longrightarrow \boxed{I}$
$\therefore\ ? \Rightarrow \boxed{EGI}$

2. A :
$H \xrightarrow{+9} Q \xrightarrow{+9} Z \xrightarrow{+9} \boxed{I}$
$E \xrightarrow{+9} T \xrightarrow{+9} C \xrightarrow{+9} \boxed{L}$
$N \xrightarrow{+9} W \xrightarrow{+9} F \xrightarrow{+9} \boxed{O}$
$\therefore\ ? \Rightarrow \boxed{ILO}$

3. B :
$Y \xrightarrow{+14} M \xrightarrow{+14} A \xrightarrow{+14} \boxed{O}$
$C \xrightarrow{+14} Q \xrightarrow{+14} E \xrightarrow{+14} \boxed{S}$
$L \xrightarrow{+14} Z \xrightarrow{+14} N \xrightarrow{+14} \boxed{B}$
$\therefore\ ? \Rightarrow \boxed{OSB}$

4. D :
$K \xrightarrow{+2} M \xrightarrow{+2} O \xrightarrow{+2} Q \xrightarrow{+2} \boxed{S}$
$U \xrightarrow{-6} O \xrightarrow{-6} I \xrightarrow{-4} E \xrightarrow{-4} \boxed{A}$
$Z \xrightarrow{-2} X \xrightarrow{-2} V \xrightarrow{-2} T \xrightarrow{-2} \boxed{R}$
$\therefore\ ? \Rightarrow \boxed{SAR}$

5. D : $A \xrightarrow{+4} E \xrightarrow{+4} \boxed{I} \xrightarrow{+4} M$

$B \xrightarrow{+4} F \xrightarrow{+4} \boxed{J} \xrightarrow{+4} N$

$X \xrightarrow{-4} T \xrightarrow{-4} \boxed{P} \xrightarrow{-4} L$

$W \xrightarrow{-4} S \xrightarrow{-4} \boxed{O} \xrightarrow{-4} K$

$\therefore \quad ? \Rightarrow \boxed{IJPO}$

6. D : $P \xrightarrow{+3} S \xrightarrow{+3} V \xrightarrow{+3} \boxed{Y}$

$O \xrightarrow{+3} R \xrightarrow{+3} U \xrightarrow{-3} \boxed{X}$

$Q \xrightarrow{+3} T \xrightarrow{+3} W \xrightarrow{+3} \boxed{Z}$

$\therefore \quad ? \Rightarrow \boxed{YXZ}$

7. B : $J \xrightarrow{+2} L \xrightarrow{+2} N \xrightarrow{+2} P \xrightarrow{+2} \boxed{R}$

$A \xrightarrow{+4} E \xrightarrow{+4} I \xrightarrow{+4} M \xrightarrow{+4} \boxed{Q}$

$Z \xrightarrow{-2} X \xrightarrow{-2} V \xrightarrow{-2} T \xrightarrow{-2} \boxed{R}$

$\therefore \quad ? \Rightarrow \boxed{RQR}$

8. A : $Z \xrightarrow{-2} X \xrightarrow{-2} V \xrightarrow{-2} T \xrightarrow{-2} \boxed{R}$

$U \xrightarrow{-6} O \xrightarrow{-6} I \xrightarrow{-4} E \xrightarrow{-4} \boxed{A}$

$A \xrightarrow{+2} C \xrightarrow{+2} E \xrightarrow{+2} G \xrightarrow{+2} \boxed{I}$

$\therefore \quad ? \Rightarrow \boxed{RAI}$

9. D : $C \xrightarrow{+1} D \xrightarrow{+1} E \xrightarrow{+1} F \xrightarrow{+1} \boxed{G}$

$Z \xrightarrow{-1} Y \xrightarrow{-1} X \xrightarrow{-1} W \xrightarrow{-1} \boxed{V}$

$X \xrightarrow{-1} W \xrightarrow{-1} V \xrightarrow{-1} U \xrightarrow{-1} \boxed{T}$

$\therefore \quad ? \Rightarrow \boxed{GVT}$

10. D : $J \xrightarrow{+2} L \xrightarrow{+2} N \xrightarrow{+2} P \xrightarrow{+2} \boxed{R}$

$A \xrightarrow{+4} E \xrightarrow{+4} I \xrightarrow{+6} O \xrightarrow{+6} \boxed{U}$

$Z \xrightarrow{-2} X \xrightarrow{-2} V \xrightarrow{-2} T \xrightarrow{-2} \boxed{R}$

$\therefore \quad ? \Rightarrow \boxed{RUR}$

TYPE-III

1. C : 2, 4, 7, 14, 17, 34, 37

×2 +3 ×2 +3 ×2 +3

2. C : 9, 25, 49, 81, 121, 169

↓ ↓ ↓ ↓ ↓ ↓

3^2 5^2 7^2 9^2 11^2 13^2

3. D : 2, 6, 12, 20, 30, 42, 56

+4 +6 +8 +10 +12 +14

4. D : 2, 5, 10, 17, 26, 37

+3 +5 +7 +9 +11

5. C : 11, 13, 17, 19, 23, 25

+2 +4 +2 +4 +2

6. C : 0, 7, 26, 63, 124, 215

1^3-1 2^3-1 3^3-1 4^3-1 5^3-1 6^3-1

7. D : 6, 8, 9, 12, 14, 18, 21

+2 +1 +3 +2 +4 +3

8. B : 1, 1, 4, 8, 9, 27, 16

↓ ↓ ↓ ↓ ↓ ↓ ↓

1^2 1^3 2^2 2^3 3^2 3^3 4^2

9. C : 5, 10, 17, 26, 37, 50

+5 +7 +9 +11 +13

10. A : 98, 87, 76, 65, 54, 43

−11 −11 −11 −11 −11

11. A : 240, 120, 40, 10, 2

÷2 ÷3 ÷4 ÷5

12.C : 1 10 19 28 37 46 55

+9 +9 +9 +9 +9 +9

13.C : 8 13 18 23 28 33

+5 +5 +5 +5 +5

14.B : 2 4 6 8 10 12

+2 +2 +2 +2 +2

15.A : 136 55 28 19 16 15

81 27 9 3 1

×3 ×3 ×3 ×3

16.B : 2 6 12 20 30 42 56

+4 +6 +8 +10 +12 +14

17.D : 0 2 6 12 20 30 42 56

+2 +4 +6 +8 +10 +12 +14

18.D : 5 3 6 2 7 1 8

+1 +1 +1

19.D : 1 3 7 13 21 31

+2 +4 +6 +8 +10

20.C : 5 9 15 23 33 45 59

+4 +6 +8 +10 +12 +14

TYPE-IV

1. C : YA<u>Z</u> W B <u>X</u> U C <u>V</u> S D [T]

−2 −2 −2

2. A : Z<u>YA</u> Y <u>XB</u> X <u>WC</u> W <u>VD</u> V [UE]

3. C : A Z B Y C X D W E [V]

4. D : BA Z DC Y FE X HG [W]

5. C : ZXA C YWB D XVC[E]

6. A : A $\xrightarrow{+2}$ C $\xrightarrow{+2}$ E $\xrightarrow{+2}$ G $\xrightarrow{+2}$ I $\xrightarrow{+2}$ K $\xrightarrow{+2}$ [M]

7. D : XYZ ⟶ ABC ⟶ UVW ⟶ [D] EF

8. D : XYZ ⟶ CBA ⟶ UVW ⟶ FED ⟶ [R] ST

9. D : PSP ⟶ PSQ ⟶ SQS ⟶ SQT ⟶ OR [O]

10. C : J G K L I M N K O P M Q

–3 +4 +1 –3 +4 +1 –3 +4 –3 +4 +1

सांकेतिक भाषा परीक्षा
(CODING AND DECODING)

TYPE-I

परीक्षा के इस प्रकार के भाग में अंग्रेजी की वर्णमाला और संख्या से संबंधित प्रश्न होते हैं। ऐसे प्रश्नों की पहली पंक्ति में वर्णमाला के कुछ अक्षर दिए होते हैं तथा दूसरी पंक्ति में अंक। सांकेतिक भाषा में इन अक्षरों के कोड होते हैं और उनके कोड अंकों में दिए होते हैं या फिर प्रश्न में अंक दिए होते हैं और उनके कोड अक्षरों में दिए होते हैं या फिर प्रश्नों में अंक-अक्षर होते हैं और उत्तर में अक्षर-अंक होते हैं। प्रत्येक प्रश्न के चार सम्भावित उत्तर दिए होते हैं। आपको प्रत्येक प्रश्न का सही उत्तर ज्ञात करना होता है।

निर्देश—(1-10) : *नीचे दिए गए पहली पंक्ति के अक्षर और दूसरी पंक्ति के अंक परस्पर एक-दूसरे के कोड हैं। प्रत्येक प्रश्न के बाद दिए गए उत्तरों के चार विकल्पों में से आपको प्रश्न में दिए गए अक्षर-समूह का सही कोड चुनना है।*

अक्षर :	Q	L	Z	D	I	U	C	A	M	P
संकेतक :	5	3	4	6	2	7	1	8	0	9

1. QUIZZICAL
A. 570446853 B. 562442833
C. 572552163 D. 572442183
E. इनमें से कोई नहीं

2. LAMPUA
A. 3869876 B. 380978
C. 380798 D. 879083
E. इनमें से कोई नहीं

3. 719862
A. UCAPDI B. UCPADI
C. CUPADI D. IDAPCU
E. इनमें से कोई नहीं

4. 6709
A. PMUD B. DMUP
C. DUMP D. PDUM
E. इनमें से कोई नहीं

5. LZD4IQ
A. 346ZC5 B. 364ZC5
C. 3465CZ D. 436ZC5
E. इनमें से कोई नहीं

6. 1 2 3 4 5 6 7 8 9 0
A. ABCDEFGHIJ

B. CILZQDUAPM

C. CLIZDQAUMP

D. CILZQDAUZM

E. इनमें से कोई नहीं

7. MUZIC

A. 07421 B. 06742

C. 04603 D. 34706

E. इनमें से कोई नहीं

8. 31706

A. LCQDM

B. LMUCD

C. LCCAM D. LCUMD

E. इनमें से कोई नहीं

9. CLAMP

A. 31908 B. 13909

C. 13809 D. 13890

E. इनमें से कोई नहीं

10. DIMPAL

A. 620983 B. 602938

C. 620973 D. 629083

E. इनमें से कोई नहीं

TYPE-II

इस प्रकार की परीक्षा में कुछ अक्षर (Letters) दिए होते हैं तथा वे अपने वास्तविक मान को प्रदर्शित करने की अपेक्षा कुछ अन्य प्रदर्शित करते हैं। इस प्रकार की सांकेतिक भाषा नियमानुसार बनी होती है। परीक्षार्थियों को उन नियमों की जानकारी करके सांकेतिक भाषा को सही भाषा में तथा सही भाषा को सांकेतिक भाषा में बदलना होता है।

CODING : किसी अर्थपूर्ण चीज (Meaningful thing) से कोई अर्थहीन चीज (Meaningless thing) में बदलने की विधि को CODING कहते हैं।

उदाहरण : किसी सांकेतिक भाषा में यदि 'COME' को 'DLNB' के रूप में लिखा जाता है, तो उसी भाषा में 'SUIT' को कैसे लिखा जाएगा?

A. TUFQ B. PRFQ

C. TRJQ D. TVJU

E. इनमें से कोई नहीं

व्याख्या :

C :

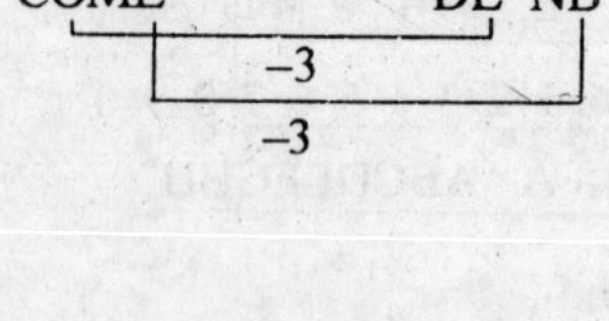

इसी प्रकार से,

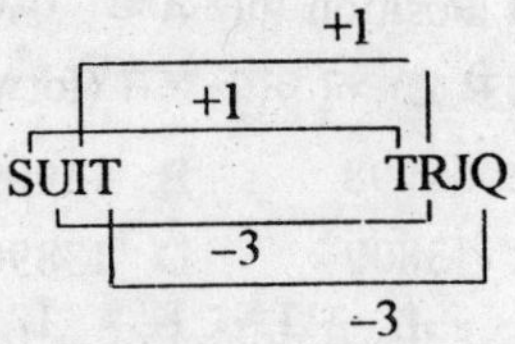

अत: सही उत्तर (C) है।

उदाहरण : यदि सांकेतिक भाषा में KRISHNA को LTLWMTH के रूप में लिखा जाता है, तो उसी भाषा में RADHA को कैसे लिखा जाएगा?

A. RCGLF B. SCGLF C. SBGLF D. SCGKF

E. इनमें से कोई नहीं

व्याख्या : K R I S H N A → L T L W M T H

11 18 9 19 8 14 1 12 20 12 23 13 20 8

उपरोक्त भाषा में आप देख रहे हैं कि बायें तरफ से सभी letters पहले एक से बढ़ रहा है, फिर दो से, फिर तीन से....।

इसी प्रकार से,

R A D H A → S C G L F

18 1 4 8 1 → 19 3 7 12 6

अत: सही उत्तर (B) होगा।

DECODING : CODING का उल्टा DECODING कहलाता है। अर्थात् किसी अर्थहीन चीज (Meaningless thing) को अर्थपूर्ण चीज (Meaningful thing) में बदलने की विधि को DECODING कहते हैं।

उदाहरण : यदि PAPER को सांकेतिक भाषा में WISCQ लिखा गया हो तो CSQD को DECODE कीजिए।

व्याख्या : P A P E R → W I S C Q

16 1 16 5 1 → 23 9 19 3 17

क्योंकि हमें Decode करना है इसलिए हम दायें से देखेंगे। यहाँ पर सभी Letter दायें से क्रमश: 5, 4, 3, 2 तथा 1 से घट रहे हैं।

इसी प्रकार,

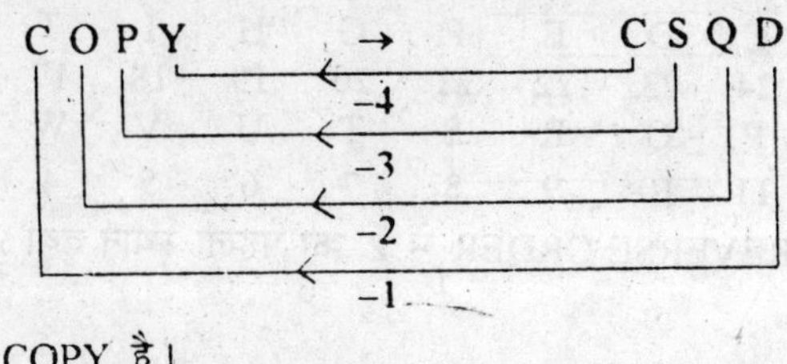

अत: सही उत्तर COPY है।

Coding-Decoding के प्रश्नों को हल करने से पूर्व निम्न बातों पर ध्यान देना चाहिए : English Alphabet के सारे Letters की Position को अच्छी तरह याद कर लें। English Alphabet A से Z तक होता है। 'A से Z' को अग्र–क्रम (forward order या forward direction) कहते हैं।

अग्रक्रम में (In Forward Direction)

A	B	C	D	E	F	G	H	I	J	K	L	M
1	2	3	4	5	6	7	8	9	10	11	12	13
N	O	P	Q	R	S	T	U	V	W	X	Y	Z
14	15	16	17	18	19	20	21	22	23	24	25	26

अंग्रेजी वर्णमाला को निम्नांकित आसान तरीके से भी याद किया जा सकता है:

E	J	O	T	Y	Z
↓	↓	↓	↓	↓	↓
5	10	15	20	25	26

इस शब्द 'EJOTY' की सहायता से हम पूरे English Alphabet को आसानी से याद कर सकते हैं। यह विधि दो Letters के बीच के अन्तर को कम करने में सहायक है :

उदाहरण : निम्नलिखित अंग्रेजी वर्णाक्षरों में बायीं ओर से सातवां अक्षर कौन-सा है ?

A B C D E F G H I J K L M
N O P Q R S T U V W X Y Z

A. E B. F C. G D. H
E. इनमें से कोई नहीं

व्याख्या : चूंकि हम जानते हैं कि E = 5

$\therefore$ 7 = E + 2 = G

अत: सही उत्तर C है।

इसी प्रकार अंग्रेजी वर्णमाला में Letters की उल्टी स्थिति Z से A तक भी समझ लीजिए।

उल्टे क्रम में (In Reverse Order) :

A	B	C	D	E	F	G	H	I	J	K	L	M
26	25	24	23	22	21	20	19	18	17	16	15	14
N	O	P	Q	R	S	T	U	V	W	X	Y	Z
13	12	11	10	9	8	7	6	5	4	3	2	1

अर्थात् REVERSE ORDER में Z का पहला स्थान तथा A का 26वां स्थान होता है।

व्याख्या : यदि उल्टे क्रम में किसी अक्षर का स्थान मालूम करना हो तो उस अक्षर में इतना जोड़ दें ताकि वह संख्या 27 हो जाए। जितना आप जोड़ेंगे वही आपका उत्तर होगा।

इसलिए $13 + 14 = 27$

$\therefore \quad 14 = N$

अत: सही उत्तर N है।

नोट : अंग्रेजी वर्णमाला में 26 अक्षर होते हैं, इसमें से A से M तक को 'First Half' तथा N से Z तक को 'Second Half' कहते हैं। हमें पता है कि अंग्रेजी वर्णमाला में प्रथम अक्षर 'A' होता है तथा Reverse Order (उल्टे क्रम) में प्रथम अक्षर 'Z' होता है, अत: A तथा Z एक-दूसरे के विपरीत हैं।

अत: आप सभी अक्षरों के विपरीत अक्षरों को याद कर लें। Decoding करते समय इससे आपको बहुत सहायता मिलेगी।

Opposite Letters

A—Z	H—S
B—Y	I—R
C—X	J—Q
D—W	K—P
E—V	L—O
F—U	M—N
G—T	N—M

जब अंग्रेजी वर्णमाला के दो अक्षरों का जोड़ 27 हो जाए, तो वह दोनों अक्षर एक-दूसरे के OPPOSITE होते हैं :

जैसे $A = 1, Z = 26 \quad \therefore A + Z = 27$

अत: A का OPPOSITE Z है।

इसी प्रकार $E = 5, V = 22 \quad \therefore V + E = 27$ है।

अत: 'E' का OPPOSITE 'V' है।

TYPE-III

1. किसी सांकेतिक भाषा में '123' का अर्थ 'bright light boy', '145' का अर्थ 'tall big boy' और '637' का अर्थ 'beautiful little flower' हो, तो इस सांकेतिक भाषा में 'Bright' के लिए कौन-सा अंक प्रयोग किया गया है?

A. 1 B. 3

C. 4 D. 6

E. इनमें से कोई नहीं

2. किसी सांकेतिक भाषा में '467' का अर्थ

'leaves are green', '485' का अर्थ 'green is gold' और '639' का अर्थ 'they are playing' हो, तो इस भाषा में 'leaves' के लिए कौन-सा अंक प्रयोग किया गया है?

A. 4 B. 7
C. 6 D. 5
E. इनमें से कोई नहीं

3. किसी सांकेतिक भाषा में '253' का अर्थ 'books are old', '546' का अर्थ 'man is old' और '378' का अर्थ 'buy good books' हो तो इस सांकेतिक भाषा में 'are' के लिए कौन-सा अंक प्रयोग किया गया है?

A. 2 B. 4
C. 5 D. 6
E. 9

4. किसी सांकेतिक भाषा में '743' का अर्थ 'Mangoes are good', '657' का अर्थ 'Eat good food' और '934' का अर्थ 'Mangoes are ripe' हो, तो इस भाषा में 'ripe' के लिए कौन-सा अंक प्रयोग किया गया है?

A. 5 B. 4
C. 9 D. 7
E. ज्ञात नहीं किया जा सकता

5. किसी सांकेतिक भाषा में '247' का अर्थ 'spread red carpet', '256' का अर्थ 'dust one carpet' और '234' का अर्थ 'one red carpet' हो, तो इस भाषा में 'dust' के लिए कौन-सा अंक प्रयोग किया गया है?

A. 2 B. 3
C. 5 D. 6
E. ज्ञात नहीं किया जा सकता

6. किसी सांकेतिक कूट भाषा में '526' का अर्थ 'sky is blue', '24' का अर्थ 'blue colour' और '436' का अर्थ 'colour is fun' हो, तो 'fun' के लिए कौन-सी संख्या का कूट भाषा में प्रयोग किया गया है?

A. 5 B. 4
C. 6 D. 2
E. 3

7. किसी सांकेतिक भाषा में '123' का अर्थ 'hot filtered coffee', '356' का अर्थ 'very hot day' और '589' का अर्थ 'day and night' हो, तो इस भाषा में 'very' के लिए कौन-सी संख्या का प्रयोग किया गया है?

A. 9 B. 8
C. 6 D. 5
E. 2

8. किसी सांकेतिक भाषा में '453' का अर्थ 'Pens are new', '362' का अर्थ 'Boys are young' और '598' का अर्थ 'Buy new clothes' हो, तो इस सांकेतिक भाषा में 'Pen' के लिए कौन-सा अंक प्रयोग किया गया है?

A. 3 B. 9
C. 8 D. 6
E. 4

9. किसी सांकेतिक कूट भाषा में '256' का अर्थ 'you are good', '637' का अर्थ 'we are bad' और '358' का अर्थ 'good and bad' हो तो इस भाषा में 'and' के लिए कौन-सी संख्या का प्रयोग किया गया है?

A. 2 B. 5
C. 8 D. 3
E. इनमें से कोई नहीं

10. किसी सांकेतिक भाषा में '134' का अर्थ 'good and tasty', '478' का अर्थ 'see good picture' और '729' का अर्थ 'picture are faint' हो, तो इस सांकेतिक भाषा में 'see' के लिए कौन-सा अंक प्रयोग किया गया है?

A. 9 B. 2
C. 1 D. 4
E. इनमें से कोई नहीं

व्याख्यात्मक उत्तर

TYPE–I

1. D : इस प्रकार के प्रश्नों को हल करने से पहले कोड को अच्छी प्रकार से देख लें। उसके बाद प्रश्न के अक्षर संख्या-समूह को देखकर पहले दो अक्षर या अंक का कोड दिए गए पंक्ति के कोड में ढूंढकर विकल्प (A), (B), (C) और (D) में देखें। इस प्रकार एक या दो विकल्प प्रथम दो अक्षर या संख्या से ही छंट जाएगा। फिर उसके बाद अन्तिम एक या दो अक्षर या संख्या के लिए दिए गए पंक्ति में कोड मिलाकर उसी विकल्प में कोड को देखें, जो छांटा नहीं गया है। छांटे गए विकल्प में कोड को देखकर अपना समय नष्ट न करें। इस प्रकार आपका उत्तर आसानी से मिल जाएगा। जैसे ऊपर के प्रश्न संख्या-1 में QUIZZICAL का कोड विकल्प में तलाशने के लिए प्रथम दो अक्षर Q, U का कोड दी गई पंक्ति में देखने से 57 मिलता है, जो विकल्प (A), (C) और (D) में पहले स्थान पर है। इस प्रकार विकल्प (B) छँट गया। अब दूसरी बार कोड को मिलाने के लिए विकल्प (B) को बिल्कुल मत देखें। अब अन्तिम अक्षर AL का कोड पंक्ति में देखें और उसको विकल्प (A), (C) और (D) में देखें। AL का कोड 83 है, जो विकल्प (D) में अन्तिम स्थान पर है, इस प्रकार विकल्प (A) और (C) छंट जाएगा। अब चूंकि आपके पास छांटने के लिए कोई विकल्प नहीं है, इसलिए आपका उत्तर (D) होगा। बीच वाले अक्षर कोड पंक्ति में देखकर अपना समय न गंवाए। इसी प्रकार अन्य प्रश्नों के उत्तर दिए जा सकते हैं।

2. B. 3. B. 4. C. 5. A.
6. B. 7. A. 9. C. 10. A.

TYPE–III

1. E: 123 → bright little boy .... (*i*)
145 → tall big boy .... (*ii*)
637 → beautiful little flower .... (*iii*)
समीकरण (*i*) और (*ii*) से,
3 ⇒ little
समीकरण (*i*) और (*ii*) से,
3 ⇒ boy
∴ 3 ⇒ little, 1 ⇒ boy
∴ 2 ⇒ bright
अत: bright ⇒ 2.

2. B: 467 → leaves are green .... (*i*)
485 → green is gold .... (*ii*)
637 → they are playing .... (*iii*)
यहां हम देख रहे हैं कि (*i*) और (*iii*) में शब्द 'are' एवं संख्यात्मक कूट 6 common है।
अत: 6 ⇒ are
इसी प्रकार हम देख रहे हैं कि (*i*) और (*ii*) में शब्द 'green' एवं संख्यात्मक कूट '4' common है।
अत: (*i*) और (*ii*) से, 4 ⇒ green
∴ 7 ⇒ leaves
अत: leaves ⇒ 7.

3. A: 253 → book are old .... (*i*)
546 → man is old .... (*ii*)
378 → buy good books .... (*iii*)
समीकरण (*i*) और (*ii*) से,
5 ⇒ old
समीकरण (*i*) और (*ii*) से
3 ⇒ book
∴ समीकरण (*i*) से 2 ⇒ are
अत: are ⇒ 2.

4. C: 743 → Mangoes are good .... (*i*)
657 → Eat good food .... (*ii*)
934 → Mangoes are ripe .... (*iii*)
समीकरण (*i*) और (*ii*) से,
4 या 3 ⇒ mangoes या are
∴ समीकरण (*i*) से 9 ⇒ ripe
अत: ripe ⇒ 9.

5. E: 247 → spread red carpet .... (*i*)
256 → dust one carpet .... (*ii*)
234 → one red carpet .... (*iii*)
यहां हम देख रहे हैं कि शब्द 'dust' समीकरण (*ii*) में है अत: समीकरण (*ii*) के संख्यात्मक कोड '256' में से ही कोई एक अंक 'dust' का कोड होगा अर्थात् 'dust' का कोड अंक ज्ञात करने के लिए हमें 'one' और 'carpet' का कोड अंक पहले ज्ञात करना होगा।
हम देख रहे हैं कि समीकरण (*i*), (*ii*) और (*iii*) में शब्द carpet एवं संख्यात्मक कूट '2' common है अर्थात् (*i*), (*ii*) और (*iii*) से, 2 ⇒ carpet
इसी प्रकार अब आगे गौर करने पर हम देख रहे हैं कि समीकरण (*ii*) और (*iii*) में शब्द 'one' common है, किन्तु संख्यात्मक कूट common नहीं है। अत: 'dust' का संख्यात्मक कूट ज्ञात नहीं किया जा सकता।

6. E: 526 → sky is blue .... (*i*)
24 → blue colour .... (*ii*)

436 → colour is fun .... (*iii*)
यहां हम देख रहे हैं कि शब्द 'fun' समीकरण (*iii*) में है, अर्थात् '436' में से ही कोई एक संख्या को ही 'fun' के लिए प्रयोग किया गया है। अब हम 'fun' के सही संख्यात्मक कूट निकालने के लिए अन्य समीकरणों पर गौर करेंगे, हम देख रहे हैं कि समीकरण (*i*) और (*iii*) में 'is' का प्रयोग किया गया है तथा संख्यात्मक कूट में दोनों में '6' का प्रयोग किया गया है।
अत: (*i*) और (*iii*) से '6' ⇒ is, इसी प्रकार, हम देख रहे हैं कि समीकरण (*ii*) और (*iii*) में 'colour' तथा संख्यात्मक कूट में दोनों में '4' का प्रयोग किया गया है।
अत: (*ii*) और (*iii*) से, '4' ⇒ colour है। इसी प्रकार हम देख रहे हैं कि समीकरण (*iii*) में शब्द 'fun' और संख्यात्मक कूट में केवल संख्या '3' ही बची हुई है।
अत: (*iii*) से स्पष्ट है कि 3 ⇒ fun.

C: 123 → hot filtered coffee .... (*i*)
356 → very hot day .... (*ii*)
589 → day and night .... (*iii*)
(*i*) और (*ii*) से, 3 ⇒ hot
(*ii*) और (*iii*) से, 5 ⇒ day
∴ (*ii*) से very = 6.

8. E: 453 → Pens are new .... (*i*)
362 → Boys are young.... (*ii*)
498 → Buy new cloths ....(*iii*)
समीकरण (*i*) और (*ii*) से, 3 ⇒ are
समीकरण (*i*) और (*ii*) से, 5 ⇒ new
3 ⇒ are, 5 ⇒ new, ∴ 4 ⇒ Pens
अत: समीकरण (*i*) Pens ⇒ 4.

9. C: 256 → you are good .... (*i*)
367 → we are bad .... (*ii*)
358 → good and bad .... (*iii*)
यहाँ हम देख रहे हैं कि समीकरण (*i*) और (*ii*) में संख्यात्मक कूट '5' और शाब्दिक अर्थ 'good' common है।
अत: समीकरण (*i*) और (*ii*) से 5 ⇒ good
पुन: आगे गौर करने पर हम देख रहे हैं कि समीकरण (*ii*) और (*iii*) दोनों में संख्यात्मक कूट '3' है और शब्द 'Bad' common है।
अत: समीकरण (*i*) और (*ii*) से, 3 ⇒ bad ∴ 5 ⇒ good, 3 ⇒ bad ∴ and ⇒ 8.

10. E: 134 → Good and Tasty.... (*i*
367 → See Good Picture .... (
358 → Picture are Faint .... (
समीकरण (*i*) और (*ii*) से, 4 Good
समीकरण (*ii*) और (*iii*) से, Picture
इसी प्रकार,
समीकरण (*ii*) से 8 ⇒ se
अत: See ⇒ 8.

विविध प्रश्न

निर्देश—(1-10) : *नीचे दिए गए पहली पंक्ति के अक्षर और दूसरी पंक्ति के अक्षर परस्पर एक दूसरे के कोड हैं। प्रत्येक प्रश्न के बाद दिए गए उत्तरों के चार विकल्पों में से आपने प्रश्न में दिए गए अक्षर समूह का सही कोड चुनना है।*

अक्षर :	*A*	*M*	*N*	*Y*	*P*	*L*	*Z*	*G*	*E*	*C*
संकेतांक :	*7*	*2*	*6*	*8*	*4*	*5*	*3*	*9*	*0*	*1*

1. PYANC
A. 84761 B. 48671
C. 71648 D. 48761
E. इनमें से कोई नहीं

2. GEMAZ
A. 90273 B. 02937
C. 37209 D. 37029
E. इनमें से कोई नहीं

3. PYELCA
A. 804517 B. 480517
C. 715084 D. 486517
E. इनमें से कोई नहीं

4. NAYLME
A. 678520 B. 672580
C. 678250 D. 768520
E. इनमें से कोई नहीं

5. YPANLG
A. 847569 B. 874659
C. 847659 D. 784659
E. इनमें से कोई नहीं

6. 730218
A. AZEMYC B. AZEYMC
C. AZEMCY D. AEZMCY
E. इनमें से कोई नहीं

7. MP36EL
A. 24ZN50 B. 24ZN05
C. 42NZ50 D. 42ZN05
E. इनमें से कोई नहीं

8. Y2G4Z6
A. 8M9P3N B. 8P9M3N
C. 8M3P9N D. 8M9N3P
E. इनमें से कोई नहीं

9. CMZPLNA
A. 2134657 B. 1243567
C. 1324567 D. 1234567
E. इनमें से कोई नहीं

10. 45710
A. PCLAE B. CPLAE
C. PLACE D. PLAEC
E. इनमें से कोई नहीं

निर्देश—(11-15) : *नीचे दिए गए पहली पंक्ति के अक्षर और दूसरी पंक्ति के अक्षर परस्पर एक-दूसरे के कोड हैं। प्रश्नों के नीचे दिए गए उत्तरों में से आपको सही विकल्प चुनना है।*

अक्षर :	*S*	*P*	*V*	*Q*	*H*	*B*	*R*	*L*	*A*	*M*
संकेतांक :	*1*	*8*	*9*	*2*	*3*	*7*	*6*	*0*	*4*	*5*

11. S0Q6M
A. 1L2R5 B. 1LBR5
C. 1L2R7 D. 172R5
E. इनमें से कोई नहीं

12. PH0AQ
A. 86L42 B. 83L42
C. 63L47 D. 86L34
E. इनमें से कोई नहीं

13. MHAPS
A. 53481 B. 53461
C. 54361 D. 53418
E. इनमें से कोई नहीं

14. 9PS60
A. V81BV B. 961RQ
C. V81RL D. V62LR
E. इनमें से कोई नहीं

15. 7690P
A. ARVL8 B. BRNL6
C. RBVL8 D. BRVL8
E. इनमें से कोई नहीं

निर्देश—(16-20) : *इन प्रश्नों के लिए कोड इस प्रकार हैं :*

अक्षर :0 9 3 2 7 5 1 6 4 8
संकेतांक :A N Q P R Z S L C V

16. 97301
A. NRQAL B. NRQBS
C. NRSAV D. NRQAS
E. इनमें से कोई नहीं

17. 07546
A. ARSLC B. ARZLC
C. ZLQRP D. VCAPQ
E. इनमें से कोई नहीं

18. 31468
A. QCSLV B. QSLCN
C. QLSCV D. QSPCV
E. इनमें से कोई नहीं

19. 97865
A. NRVCZ B. NRCVZ
C. RNVCZ D. RNCVZ
E. इनमें से कोई नहीं

20. 57830
A. ZRVQA B. ZRNQA
C. ZPVQA D. RZVQA
E. इनमें से कोई नहीं

निर्देश—(21-25) : *इन प्रश्नों के लिए कोड इस प्रकार हैं :*

अक्षर :7 3 4 6 2 5 1 9 0 8
संकेतांक :C K R A I U N E L P

21. 534621
A. KRUAIN B. RUKAIN
C. UKRAIN D. KRAINU
E. इनमें से कोई नहीं

22. 80621
A. LPAIN B. PLAIN
C. NIPLA D. ALPIN
E. इनमें से कोई नहीं

23. 7680219
A. LAPCINE B. PLACINE
C. CINEPLA D. CAPLINE
E. इनमें से कोई नहीं

24. 127390
A. NICKEL B. CINKEL
C. KELCIN D. NICKLE
E. इनमें से कोई नहीं

25. KRIPALU
A. 3428650 B. 3284605
C. 3428605 D. 3482605
E. इनमें से कोई नहीं

निर्देश—(26-30) : *इन प्रश्नों के लिए कोड इस प्रकार हैं :*

अक्षर :8 5 0 4 9 2 7 1 6 3
संकेतांक :V S P T Z A C N O Q

26. SPOTS
A. 3428650 B. 50465
C. 50645 D. 56045
E. इनमें से कोई नहीं

27. SAPTA

A. 52402 B. 52042

C. 50242 D. 52420

E. इनमें से कोई नहीं

28. 54PC13

A. ST70NQ B. TS07NQ

C. ST07QN D. ST07NQ

E. इनमें से कोई नहीं

29. 241711

A. ATCNPP B. ANTNCN

C. ATNCNN D. NTACNN

E. इनमें से कोई नहीं

30. ACNOVS

A. 271685 B. 217685

C. 271865 D. 271684

E. इनमें से कोई नहीं

निर्देश—(31-35) : *इन प्रश्नों के लिए कोड इस प्रकार हैं :*

अक्षर	*:2*	*1*	*7*	*0*	*3*	*5*	*9*	*8*	*6*	*4*
संकेतांक	*:Y*	*T*	*B*	*D*	*R*	*W*	*A*	*E*	*I*	*N*

31. 794039

A. DRANBA B. BRANDA

C., BANDRA D. BADNRA

E. इनमें से कोई नहीं

32. TRAINEE

A. 1936488 B. 1396488

C. 1369488 D. 1394688

E. इनमें से कोई नहीं

33. 56112

A. WTTIY B. TWITY

C. YITTW D. WITTY

E. इनमें से कोई नहीं

34. RWANDA

A. 395409 B. 359409

C. 354909 D. 359049

E. इनमें से कोई नहीं

35. 1396480

A. TRAINED B. RETAINE

C. DETAINR D. TRAIEND

E. इनमें से कोई नहीं

निर्देश—(36-40) : *इन प्रश्नों के लिए कोड इस प्रकार हैं :*

अक्षर	*:9*	*2*	*0*	*6*	*3*	*7*	*1*	*4*	*5*	*8*
संकेतांक	*:R*	*Y*	*A*	*I*	*M*	*Q*	*U*	*E*	*L*	*N*

36. 8090208

A. YARANAN B. RAMAYAN

C. NARAYAN D. RANAYAN

E. इनमें से कोई नहीं

37. 443008

A. MAEENA B. EEMAAN

C. EENAAM D. NAEEMA

E. इनमें से कोई नहीं

38. 004480

A. ANNEAA B. ANAEAE

C. AAEEAN D. AAEENA

E. इनमें से कोई नहीं

39. QU094LA

A. 17RAE50 B. 71ARE50

C. 71AER50 D. 17REA05

E. इनमें से कोई नहीं

40. 901807

A. RAUNAQ B. RUNAQA

C. RANUAQ D. RAUNQA

E. इनमें से कोई नहीं

निर्देश—(21-30) : *इन प्रश्नों के लिए कोड इस प्रकार हैं :*

अक्षर	*:3*	*8*	*9*	*7*	*6*	*4*	*1*	*5*	*0*	*2*
संकेतांक	*:M*	*Q*	*S*	*P*	*T*	*R*	*Z*	*N*	*O*	*B*

41. TBOPQM

A. 620783 B. 602783

C. 620873 D. 620837

E. इनमें से कोई नहीं

42. BSOMN

A. 29053 B. 29035

C. 20935 D. 29305

E. इनमें से कोई नहीं

43. STOOP

A. 96007 B. 69007

C. 60017 D. 67009

E. इनमें से कोई नहीं

44. BRONZS

A. 240591 B. 204519

C. 240519 D. 245019

E. इनमें से कोई नहीं

45. PROTON

A. 470605 B. 740506

C. 740065 D. 740605

E. इनमें से कोई नहीं

निर्देश—(46-50) : *इन प्रश्नों के लिए कोड इस प्रकार हैं :*

अक्षर	*1*	*2*	*3*	*4*	*5*	*6*	*7*	*8*	*9*	*0*
संकेतांक	*R*	*A*	*P*	*U*	*N*	*M*	*L*	*G*	*J*	*E*

46. RUPALE

A. 143207 B. 134270

C. 413207 D. 143270

E. इनमें से कोई नहीं

47. JURMANA

A. 9416225 B. 4916252

C. 9416252 D. 9146252

E. इनमें से कोई नहीं

48. ARGUE

A. 21804 B. 21840

C. 12840 D. 21840

E. इनमें से कोई नहीं

49. AUG18

A. 248RR B. 248GR

C. 284GR D. 248RG

E. इनमें से कोई नहीं

50. 18AUG95

A. RG284JN B. RG248JN

C. GR248JN D. RG248NJ

E. इनमें से कोई नहीं

उत्तर

1	2	3	4	5	6	7	8	9	10
D	A	B	A	C	C	B	A	D	C
11	12	13	14	15	16	17	18	19	20
A	B	A	C	D	D	B	E	A	A
21	22	23	24	25	26	27	28	29	30
C	B	D	A	C	C	B	D	C	A
31	32	33	34	35	36	37	38	39	40
C	B	D	B	A	C	B	D	B	A
41	42	43	44	45	46	47	48	49	50
A	B	A	C	D	D	C	B	D	B

वर्णमाला के अनुसार क्रय-बद्ध करना
(ARRANGING IN ALPHABATICAL ORDER)

इस प्रकार के प्रश्नों में पांच शब्द दिए होते हैं। अभ्यार्थी को शब्दों को वर्णमाला के क्रमानुसार करके पूछे गए प्रश्न का उत्तर ढूंढ़ना होता है।

उदाहरण 1 : निम्नलिखित शब्दों को यदि वर्णमाला के क्रमानुसार संयोजित किया जाए तो कौन-सा शब्द बीच में आएगा?

A. District B. Disturb
C. Distress D. Disunite
E. Ditch

उत्तर : B : शब्दों का सही क्रम होगा—

C. Distress A. District
B. Disturb D. Disunite
E. Ditch

उदाहरण 2 : यदि निम्नलिखित शब्दों को टेलीफोन डायरेक्टरी के अनुसार लिखा जाए, तो कौन-सा शब्द बीच में आएगा?

A. Compete B. Competition
C. Completion D. Competitive
E. Complete

उत्तर : D : शब्दों का सही क्रम होगा—

A. Compete B. Competition
C. Competitive D. Complete
E. Completion

अभ्यास

निर्देश— *निम्नलिखित प्रश्नों में दिए गए शब्दों को यदि वर्णमाला के क्रमानुसार संयोजित किया जाए तो कौन-सा शब्द बीच में आएगा?*

1. A. History B. Historic
C. Historicism D. Historiography
E. Illegitimately

2. A. Illegible B. Illiteracy
C. Illegitimate D. Illegitimacy
E. Illegitimately

3. A. Thorough B. Thoughtful
C. Thousand D. Thought
E. Thoroughbred

4. A. Miscellaneous
B. Mischievous
C. Mischance
D. Misconeive
E. Misconduct

5. A. Lethargy B. Letterhead
C. Letter D. Letterpress
E. Lucocyte

6. A. Imagine B. Imagery
C. Imaginary D. Imagination
E. Imaginative

7. A. Clutch B. Cluttered
C. Cluttering D. Clutters
E. Clutter

8. A. Acrobatics B. Aeromatic
C. Acrosole D. Aerodynamics
E. Aeroplane

9. A. Except B. Excellent
C. Exceed D. Exceptionable
E. Excerpt

10. A. Sprat B. Spout
C. Sprain D. Sprawl
E. Spray

व्याख्या सहित उत्तर

1. E: शब्दों का सही क्रम होगा—
B. Historic
C. Historicism
E. Historycity
D. Historiography
A. History
क्योंकि बीच में 'Historycity' शब्द आता है, इसलिए सही उत्तर (E) होगा।

2. शब्दों का सही क्रम होगा—
A. Illegible D. Illegitimacy
C. Illegitimate E. Illegitimately
B. Illiteracy

3. शब्दों का सही क्रम होगा—
A. Thorough
E. Thoroughbred
D. Thought
B. Thoughtful
C. Thousand

4. शब्दों का सही क्रम होगा—
A. Miscellaneous
C. Mischance
B. Mischievous
D. Misconeive
E. Misconduct

5. शब्दों का सही क्रम होगा—
A. Lethargy C. Letter
B. Letterhead D. Letterpress
E. Lucocyte

6. शब्दों का सही क्रम होगा-–
B. Imagery C. Imaginary
D. Imagination E. Imaginative
A. Imagine

7. शब्दों का सही क्रम होगा—
A. Clutch E. Clutter
B. Cluttered C. Cluttering
D. Clutters

8. शब्दों का सही क्रम होगा—
A. Acrobatics
D. Aerodynamics
E. Aeroplane
B. Aeromatic
C. Aerosole

9. शब्दों का सही क्रम होगा—
C. Exceed
B. Excellent
A. Except
D. Exceptionable
E. Excerpt

10. शब्दों का सही क्रम होगा—
B. Spout C. Sprain
A. Sprat D. Sprawl
E. Spray

विविध प्रश्न

निर्देश— *निम्नलिखित प्रश्नों में दिए गए शब्दों को यदि वर्णमाला के क्रमानुसार संयोजित किया जाए तो कौन-सा शब्द बीच में आएगा ?*

1. A. History
B. Historic
C. Historicism
D. Historiography
E. Historicity

2. A. Turner B. Turnpike
C. Turning D. Turpentive
E. Turnstile

3. A. Invariably B. Invective
C. Invasive D. Invariable
E. Invasion

4. A. Ultra B. Ulceration
C. Ukulele D. Ulcerated
E. Ulcer

5. A. Jackal B. Jack
C. Jail D. Jam
E. Job

6. A. Laminate B. Lammas
C. Lamina D. Lamp
E. Lampoon

7. A. More B. Moreish
C. Morello D. Mores
E. Morgue

8. A. Chanter B. Chantry
C. Change D. Chant
E. Channel

9. A. Clam B. Claim
C. Clamber D. Clammy
E. Clamour

10. A. Frantic B. Frank
C. Frau D. Fraud
E. Frappe

11. A. Liturgy B. Litre
C. Livelihood D. Little
E. Litter

12. A. Explosive B. expose
C. explore D. export
E. exponent

13. A. Hymnal B. Hyperbole
C. Hymen D. Hyper
E. Hymn

14. A. Different B. Dietetic
C. Dig D. Dietician
E. Difference

15. A. Noise B. Nomad
C. Norminal D. Noggin
E. Noisy

16. A. Jocket B. Jacobean
C. Jackass D. Jackpot
E. Jackdaw

17. A. Disgracefully
B. Disgraceful
C. Disgrace
D. Disguise
E. Disgorge

18. A. Lengthen B. Liniently
C. Lengthy D. Length
E. Linient

19. A. Retract B. Retire
C. Retrace D. Retouch
E. Retort

20. A. Outrage B. Outset
C. Outright D. Outrageous
E. Outrageously

21. A. Proboscis B. Probity
C. Process D. Proclivity
E. Problem

22. A. Agglomeration
B. Agency
C. Against
D. Agenda
E. Agate

23. A. Chord B. Chubby
C. Chow D. Chorus
E. Chrome

24. A. Fairyland B. Fake
C. Fakir D. Faith
E. Fairy

25. A. Vast B. Veal
C. Vount D. Vassal
E. Vault

26. A. Sprat B. Spout
C. Sprain D. Sprawl
E. Spray

27. A. Quarter B. Quarterdeck

C. Quarrel D. Quartermaster
E. Quartz

28. A. Legalize B. Legate
C. Legend D. Legendary
E. Leger

29. A. Immaculate B. Imbroglio
C. Imbalance D. Imagine
E. Imaginary

30. A. Except B. Excellent
C. Exceed D. Exceptionable
E. Excerpt

31. A. Oblate B. Object
C. Obscure D. Obsidian
E. Observe

32. A. Premium B. Premiss
C. Premise D. Premolar
E. Prepare

33. A. Pierrot B. Pietism
C. Piety D. Pigeon
E. Piggery

34. A. Effect B. Effete
C. Efface D. Effort
E. Effigy

35. A. Cheer B. Cheek
C. Cheetah D. Cheese
E. Chemical

36. A. Oatcake B. Oath
C. Obbligato D. Obdurate
E. Obedient

37. A. Ptarmigan
B. Psychosomatic
C. Psychotheraby
D. Pterodactyle
E. Puberty

38. A. Cyanide B. Cynogen
C. Cyanosis D. Cyclamen
E. Cycle

39. A. Daiquiri B. Diary
C. Dainty D. Daisy
E. Dally

40. A. Grotesque B. Grotto
C. Grotty D. Grope
E. Ground

41. A. Illegitimate
B. Illegible
C. Illegitimacy
D. Illegitimately
E. Illeteracy

42. A. Dainly B. Dalmatian
C. Daiquiri D. Dairy
E. Dalliance

43. A. Histology B. Hirsute
C. Histamine D. Hispanic
E. Histogram

44. A. Artichoke B. Articular
C. Artifact D. Articulation
E. Articulate

45. A. Afford
B. Afforest
C. Affray
D. Affront
E. Afficionado

46. A. Greenhorn
B. Greengage
C. Greengrocer
D. Greensward
E. Georgeous

47. A. Sheathe B. Sheath
C. Shed D. Sheepish
E. Shellac

48. A. Heritable B. Heroic
C. Hermetic D. Herself
E. Hessian

49. A. Decimate B. Declination
C. Declinity D. Decline
E. Decode

व्याख्या सहित उत्तर

1. **E : शब्दों का सही क्रम होगा—**
B. Historic
C. Historicism
E. Historycity
D. Historiography
A. History

2. **B : शब्दों का सही क्रम होगा—**
A. Turner C. Turning
B. Turnpike E. Turnstile
D. Turpentive

3. **E : शब्दों का सही क्रम होगा—**
D. Invariable A. Invariably
E. Invasion C. Invasive
B. Invective

4. **D : शब्दों का सही क्रम होगा—**
C. Ukulele E. Ulcer
D. Ulcerated B. Ulceration
A. Ultra

5. **A : शब्दों का सही क्रम होगा—**
E. Job B. Jack
A. Jackal C. Jail
D. Jam

6. **B : शब्दों का सही क्रम होगा—**
C. Lamina A. Laminate
B. Lammas D. Lamp
E. Lampoon

7. **C : शब्दों का सही क्रम होगा—**
A. More B. Moreish
C. Morello D. Mores
E. Morgue

8. **D : शब्दों का सही क्रम होगा—**
C. Change E. Channel
D. Chant A. Chanter
B. Chantry

9. **C : शब्दों का सही क्रम होगा—**
B. Claim A. Clam
C. Clamber D. Clammy
E. Clamour

10. **E : शब्दों का सही क्रम होगा—**
B. Frank A. Frantic
E. Frappe C. Frau
D. Fraud

11. **D : शब्दों का सही क्रम होगा—**
B. Litre E. Litter
D. Little A. Liturgy
C. Livelihood

12. **E : शब्दों का सही क्रम होगा—**
C. Explore A. Explosive
E. Exponent D. Export
B. Expose

13. **A : शब्दों का सही क्रम होगा—**
C. Hymen E. Hymn
A. Hymnal D. Hyper
B. Hyperbole

14. **E : शब्दों का सही क्रम होगा—**
B. Dietetic D. Dietician
E. Difference A. Different
C. Dig

15. **E : शब्दों का सही क्रम होगा—**
D. Noggin A. Noise
E. Noisy B. Nomad
C. Norminal

16. **A : शब्दों का सही क्रम होगा—**
C. Jackass E. Jackdaw
A. Jacket D. Jackpot
B. Jucobean

17. **B : शब्दों का सही क्रम होगा—**
E. Disgorge C. Disgrace
B. Disgraceful A. Disgracefully
D. Disguise

18. **C :** शब्दों का सही क्रम होगा—
D. Length A. Lengthen
C. Lengthy E. Linient
B. Liniently

19. **D :** शब्दों का सही क्रम होगा—
B. Retire E. Retort
D. Retouch C. Retrace
A. Retract

20. **E :** शब्दों का सही क्रम होगा—
A. Outrage D. Outrageous
C. Outright E. Outrageously
B. Outset

21. **A :** शब्दों का सही क्रम होगा—
B. Probity E. Problem
A. Proboscis C. Process
D. Proclivity

22. **B :** शब्दों का सही क्रम होगा—
C. Against E. Agate
B. Agency D. Agenda
A. Agglomeration

23. **C :** शब्दों का सही क्रम होगा—
A. Chord D. Chorus
C. Chow E. Chrome
B. Chubby

24. **D :** शब्दों का सही क्रम होगा—
E. Fairy A. Fairyland
D. Faith B. Fake
C. Fakir

25. **E :** शब्दों का सही क्रम होगा—
D. Vassel A. Vast
E. Vault C. Vaunt
B. Veal

26. **A :** शब्दों का सही क्रम होगा—
B. Spout C. Sprain
A. Sprat D. Sprawl
E. Spray

27. **B :** शब्दों का सही क्रम होगा—
C. Quarrel
A. Quarter
B. Quarterdeck
D. Quartermaster
E. Quartz

28. **C :** शब्दों का सही क्रम होगा—
A. Legalize B. Legate
C. Legend D. Legendary
E. Leger

29. **C :** शब्दों का सही क्रम होगा—
E. Imaginary D. Imagine
D. Imbalance B. Imbroglio
A. Immaculate

30. **A :** शब्दों का सही क्रम होगा—
C. Exceed B. Excellent
A. Except D. Exceptionabl
E. Excerpt

31. **C :** शब्दों का सही क्रम होगा—
B. Object A. Oblate
C. Obscure D. Observe
E. Obsidian

32. **A :** शब्दों का सही क्रम होगा—
C. Premise B. Premiss
A. Premium D. Premolar
E. Prepare

33. **C :** शब्दों का सही क्रम होगा—
A. Pierrot B. Pietism
C. Piety D. Pigeon
E. Piggery

34. **B :** शब्दों का सही क्रम होगा—
C. Efface A. Effect
B. Effete E. Effigy
D. Effort

35. **D :** शब्दों का सही क्रम होगा—
B. Check A. Cheer
D. Cheese C. Cheetah
E. Chemical

36. **C :** शब्दों का सही क्रम होगा—
A. Oatcake B. Oath

C. Obbligato D. Obdurate
E. Obedient

37. A : शब्दों का सही क्रम होगा—
B. Psychosomatic
C. Psychotherapy
A. Ptarmigan
D. Pterodactyle
E. Puberty

38. C : शब्दों का सही क्रम होगा—
A. Cyanide B. Cynogen
C. Cyanosis D. Cyclamen
E. Cycle

39. D : शब्दों का सही क्रम होगा—
C. Dainty A. Daiquiri
D. Daisy E. Dally
B. Diary

40. B : शब्दों का सही क्रम होगा—
D. Grope A. Grotesque
B. Grotto C. Grotty
E. Ground

41. A : शब्दों का सही क्रम होगा—
B. Illegible C. Illegitimacy
A. Illegitimate D. Illegitimately
E. Illeteracy

42. D : शब्दों का सही क्रम होगा—
A. Dainlyyyy C. Daiquiri
D. Dairy E. Dalliance
B. Dalmatian

43. C : शब्दों का सही क्रम होगा—
B. Hirsute D. Hispanic
C. Histamine E. Histogram
A. Histology

44. E : शब्दों का सही क्रम होगा—
A. Artichoke B. Articular
E. Articulate D. Articulation
C. Artifact

45. C : शब्दों का सही क्रम होगा—
A. Afford B. Affores'
C. Affray D. Affront
E. Afficionado

46. C : शब्दों का सही क्रम होगा—
E. Georgeous B. Creengage
C. Greengrocer A. Greenhorn
D. Greensward

47. C : शब्दों का सही क्रम होगा—
B. Sheath A. Sheathe
C. Shed D. Sheepish
E. Shellac

48. B : शब्दों का सही क्रम होगा—
A. Heritable C. Hermetic
B. Heroic D. Herself
E. Hessian

49. D : शब्दों का सही क्रम होगा—
A. Decimate B. Declination
D. Decline C. Declinity
E. Decode

सादृश्य-परीक्षा
(ANALOGY-TEST)

इस प्रकार की परीक्षा में दो वस्तुओं के संबंध पर विचार किया जाता है। दो वस्तुएं जो आपस में किसी प्रकार संबंधित होती हैं, दी जाती हैं। इसके अतिरिक्त कोई तीसरी वस्तु और दी होती है तथा पांच वैकल्पिक उत्तर दिए होते हैं। परीक्षार्थी को उन वैकल्पिक उत्तरों में एक ऐसा वैकल्पिक उत्तर छांटना होता है जो कि तीसरी वस्तु और उस उत्तर में वही सम्बन्ध हो जो पहली और दूसरी वस्तु में होता है।

निम्नलिखित उदाहरणों से स्पष्टीकरण हो जाएगा :

उदाहरण 1 : जिस प्रकार 'मेज' का सम्बन्ध 'लकड़ी' से है उसी प्रकार 'कमीज' का सम्बन्ध किससे है?

A. रूई B. धागा
C. कपड़ा D. वस्त्र
E. पोशाक

उत्तर C : जिस प्रकार 'मेज' लकड़ी से बनाया जाता है, उसी प्रकार 'कमीज' 'कपड़े' से बनाया जाता है।

उदाहरण 2 : जिस प्रकार 'पत्रिका' का सम्बन्ध 'संपादक' से है, उसी प्रकार 'चलचित्र' का सम्बन्ध किससे है?

A. निर्माता B. निर्देशक
C. कलाकार D. छाया चित्रकार
E. प्रबंधक

उत्तर B : जिस प्रकार 'पत्रिका' निकालने में मुख्य भूमिका 'सम्पादक' की होती है, उसी प्रकार चलचित्र बनाने में मुख्य भूमिका 'निर्देशक' की होती है।

अभ्यास

1. जिस प्रकार 'सूई' का संबंध 'घड़ी' से है, उसी प्रकार 'पहिये' का सम्बन्ध किससे है?

A. सड़क B. वृत्तीय
C. घूमना D. चलाना
E. वाहन

2. जिस प्रकार 'हृदय' का संबंध 'रक्त' से है, उसी प्रकार 'फेफड़ा' का सम्बन्ध किससे है?

A. वायु B. ऑक्सीजन
C. श्वसन D. वक्ष
E. शुद्धिकरण

3. जिस प्रकार 'पोस्टर' का संबंध 'दीवार' से है, उसी प्रकार 'तस्वीर' का सम्बन्ध किससे है?

A. कैमरा B. वस्तु
C. व्यक्ति D. सुंदर
E. फ्रेम

4. जिस प्रकार 'फूल' का संबंध 'कली' से है, उसी प्रकार 'फल' का सम्वन्ध किससे है?

A. बीज B. फूल

C. पंखुड़ी D. वृक्ष
E. तना

5. जिस प्रकार 'पक्षी' का संबंध 'पंख' से है, उसी प्रकार 'मछली' का सम्बन्ध किससे है?
A. पूंछ B. गलफड़
C. मीनपक्ष D. जल
E. शल्क

6. जिस प्रकार 'पहाड़' का संबंध 'घाटी' से है, उसी प्रकार 'शत्रु' का सम्बन्ध किससे है?
A. क्रूर B. देश
C. मित्र D. परदेशी
E. संघर्ष

7. जिस प्रकार 'रोग' का संबंध 'रोग विज्ञान' से है, उसी प्रकार 'ग्रह' का सम्बन्ध किससे है?
A. उपग्रह B. सूर्य
C. परिक्रमा-पथ D. फलित-ज्योतिष
E. खगोल-विज्ञान

8. जिस प्रकार 'टीला' का संबंध 'पहाड़' से है, उसी प्रकार 'झाड़ी' का सम्बन्ध किससे है?
A. पौधा B. जमीन
C. जंगल D. वृक्ष
E. बाल वृक्ष

9. जिस प्रकार 'नाव' का संबंध 'पतवार' से है, उसी प्रकार 'साइकिल' का सम्बन्ध किससे है?
A. पहिया B. सीट
C. पैडल D. चेन
E. सड़क

10. जिस प्रकार 'वर्णमाला' का संबंध 'अक्षर' से है, उसी प्रकार 'हार' का सम्बन्ध किससे है?
A. सोना B. मोती
C. आभूषण D. चांदी
E. अंगूठी

11. जिस प्रकार 'कैप्टन' का संबंध 'सैनिक' से है, उसी प्रकार 'नेता' का सम्बन्ध किससे है?
A. कुर्सी B. दल
C. मत D. मंत्री
E. अनुयायी

12. जिस प्रकार 'प्रथम' का संबंध 'अन्तिम' से है, उसी प्रकार 'वफादारी' का सम्बन्ध किससे है?
A. ईमानदारी B. सद्गुण
C. अवज्ञा D. शत्रुता
E. विश्वासघात

13. जिस प्रकार 'गर्म' का संबंध 'भट्टी' से है, उसी प्रकार 'ठंडा' का सम्बन्ध किससे है?
A. बर्फ B. मौसम
C. वातानुकूलित D. घड़ा
E. रेफ्रीजरेटर

14. जिस प्रकार 'जल जहाज' का संबंध 'जल' से है, उसी प्रकार 'ट्रेन' का सम्बन्ध किससे है?
A. यात्री B. सड़क
C. भाप D. पगडंडी
E. पटरी

15. जिस प्रकार 'तैरना' का संबंध 'मछली' से है, उसी प्रकार 'रेंगना' का सम्वन्ध किससे है?
A. चींटी B. बछड़ा
C. सांप D. वन्दर
E. खरगोश

16. जिस प्रकार 'आशा' का संबंध 'चमक' से है, उसी प्रकार 'निराशा' का सम्बन्ध किससे है ?

A. ईर्ष्या B. जीवन
C. उदासी D. गंभीर
E. इनमें से कोई नहीं

17. जिस प्रकार 'विद्यार्थी' का संबंध 'कक्षा' से है, उसी प्रकार 'खिलाड़ी' का सम्बन्ध किससे है ?

A. खेल B. कोच
C. मैच D. स्टेडियम
E. क्रिकेट

18. जिस प्रकार 'घर' का संबंध 'दीवार' से है, उसी प्रकार 'दीवार' का सम्बन्ध किससे है ?

A. सीमेंट B. ईंट
C. बालू D. रंग
E. छत

19. जिस प्रकार 'फैक्टरी' का संबंध 'उत्पादन' से है, उसी प्रकार 'स्कूल' का सम्बन्ध किससे है ?

A. विद्यार्थी B. शिक्षक
C. शिक्षा D. अनुशासन
E. निर्माण

20. जिस प्रकार 'घड़ी' का संबंध 'सैकेण्ड' से है, उसी प्रकार 'कैलेंडर' का सम्बन्ध किससे है ?

A. वर्ष B. महीना
C. अवधि D. तिथि
E. मेज

21. जिस प्रकार 'घर' का संबंध 'आश्रय' से है, उसी प्रकार 'स्कूल' का सम्बन्ध किससे है ?

A. प्रधानाध्यापक B. शिक्षा
C. विद्यार्थी D. वर्ग
E. शिक्षण

22. जिस प्रकार 'पत्थर' का संबंध 'कठोर' से है, उसी प्रकार 'पंख' का सम्बन्ध किससे है ?

A. सफेद B. पक्षी
C. मुलायम D. उड़ना
E. पंख

23. जिस प्रकार 'कार' का संबंध 'पैट्रोल' से है, उसी प्रकार 'टी.वी.' का सम्बन्ध किससे है ?

A. एन्टिना B. मनोरंजन
C. पर्दा D. प्रसारण
E. विद्युत

24. जिस प्रकार 'अनाज' का संबंध 'खेत' से है, उसी प्रकार 'स्टील' का सम्बन्ध किससे है ?

A. लोहा B. फैक्टरी
C. अयस्क D. खदान
E. वैगन

25. जिस प्रकार 'प्रवेश' का संबंध 'निर्गम' से है, उसी प्रकार 'निष्ठा' का सम्बन्ध किससे है ?

A. सत्य B. विश्वासघात
C. बेइमानी D. झूठ
E. अनादर

26. जिस प्रकार 'पौधा' का संबंध 'वनस्पति-शास्त्र' से है, उसी प्रकार निम्नलिखित में किसका संबंध 'स्वास्थ्य विज्ञान' से है ?

A. रोग B. स्वास्थ्य
C. शरीर विज्ञान D. विसंक्रमण
E. स्वच्छता

27. जिस प्रकार 'हवा' का संबंध 'चक्रवात'

से है, उसी प्रकार 'फुहार' का संबंध किससे है?

A. वर्षा
B. बाढ़
C. छिड़काव
D. जलप्रवाह
E. इनमें से कोई नहीं

28. जिस प्रकार 'रक्त' का संबंध 'हृदय' से है, उसी प्रकार 'वायु' का संबंध किससे है?

A. नाक
B. फेफड़ा
C. नासिका
D. श्वसन
E. श्वास

29. जिस प्रकार 'मुलायम' का संबंध 'स्पंज' से है, उसी प्रकार 'धार' का संबंध किससे है?

A. भोंथरा
B. चाकू
C. किनारा
D. काटना
E. भेदना

30. जिस प्रकार 'सभा' का संबंध 'सभापति' से है, उसी प्रकार 'समाचार-पत्र' का संबंध किससे है?

A. पाठक
B. मुद्रक
C. वितरक
D. संपादक
E. संवाददाता

व्याख्यात्मक उत्तर

1.E: जिस प्रकार 'सूई', 'घड़ी' में घूमती है, उसी प्रकार 'पहिया', 'वाहन' में घूमता है।

2.B: जिस प्रकार 'हृदय' के द्वारा 'रक्त' का नियन्त्रण होता है, उसी प्रकार 'फेफड़ों' के द्वारा ऑक्सीजन का नियन्त्रण होता है।

3.E: जिस प्रकार 'पोस्टर' को 'दीवार' पर लगाया जाता है, उसी प्रकार 'तस्वीर' को 'फ्रेम' में लगाया जाता है।

4.B: जिस प्रकार 'कली' से 'फूल' बनता है, उसी प्रकार 'फूल' से 'फल' बनता है।

5.C: जिस प्रकार 'पक्षी', 'पंख' के द्वारा उड़ता है, उसी प्रकार 'मछली', 'मीनपक्ष' के द्वारा तैरती है।

6.E: जिस प्रकार दो 'पहाड़ों' के बीच 'घाटी' होती है, उसी प्रकार दो 'शत्रुओं' के बीच 'संघर्ष' होता है।

7.E: जिस प्रकार 'रोग' का अध्ययन 'रोग विज्ञान' के द्वारा किया जाता है, उसी प्रकार 'ग्रह' का अध्ययन 'खगोल विज्ञान' के द्वारा किया जाता है।

8.C: जिस प्रकार 'टीला' के बड़े रूप को 'पहाड़' कहा जाता है, उसी प्रकार 'झाड़ी' के बड़े रूप को 'जंगल' कहते हैं।

9.C: जिस प्रकार 'नाव' को चलाने के लिए 'पतवार' की आवश्यकता होती है, उसी प्रकार 'साइकिल' को चलाने के लिए 'पैडल' की आवश्यकता होती है।

10.B: जिस प्रकार बहुत सारे 'अक्षरों' को मिलाकर 'वर्णमाला' बनाया जाता है, उसी प्रकार बहुत सारे 'मोतियों' को मिलाकर 'हार' बनाया जाता है।

11.E: जिस प्रकार 'सैनिक' का नेतृत्व 'कैप्टन' करता है, उसी प्रकार 'अनुयायी' का नेतृत्व 'नेता' करता है।

12.E: जिस प्रकार 'प्रथम' का विपरीत 'अंतिम' होता है, उसी प्रकार 'वफादारी' का विपरीत 'विश्वासघात' होता है।

13.E: जिस प्रकार 'भट्टी' 'गर्म' होती है, उसी प्रकार 'रेफ्रीजरेटर' 'ठंडा' होता है।

14.E: जिस प्रकार 'जल जहाज' 'जल' में चलता है, उसी प्रकार 'ट्रेन' 'पटरी' पर चलती है।

15.C: जिस प्रकार 'मछली' 'तैरती' है, उसी प्रकार 'सांप' 'रेंगता' है।

16.C: जिस प्रकार 'आशा' से चेहरे पर 'चमक' आती है, उसी प्रकार 'निराशा' से चेहरे पर 'उदासी' छा जाती है।

17.D: जिस प्रकार 'विद्यार्थी', 'कक्षा' में पढ़ते हैं, उसी प्रकार 'खिलाड़ी', 'स्टेडियम' में खेलते हैं।

18.B: जिस प्रकार 'घर' का निर्माण 'दीवार' से होता है, उसी प्रकार 'दीवार' का निर्माण 'ईंट' से होता हं।

19.C: जिस प्रकार 'फैक्टरी' में वस्तु का 'उत्पादन' क्रिया जाता है, उसी प्रकार 'स्कूल' में विद्यार्थी को 'शिक्षा' दी जाती है।

20.D: जिस प्रकार 'घड़ी' में घंटे की छोटी इकाई 'सैकेण्ड' है उसी प्रकार 'कैलेण्डर' में वर्ष की छोटी इकाई 'तिथि' है।

21.B: जिस प्रकार 'घर' में 'आश्रय' मिलता है, उसी प्रकार 'स्कूल' में 'शिक्षा' प्राप्त होती है।

22.C: जिस प्रकार 'पत्थर' 'कठोर' होता है, उसी प्रकार 'पंख' 'मुलायम' होता है।

23.D: जिस प्रकार 'कार' 'पैट्रोल' से चलती है, उसी प्रकार 'टी.वी.' 'विद्युत' से चलता है।

24.B: जिस प्रकार 'अनाज' का उत्पादन 'खेत' से होता है, उसी प्रकार 'स्टील' का उत्पादन 'फैक्टरी' से होता है।

25.B: जिस प्रकार 'प्रवेश' का विपरीत 'निर्गम' होता है, उसी प्रकार 'निष्ठा' का विपरीत 'विश्वासघात' होता है।

26.B: जिस प्रकार 'वनस्पति विज्ञान' में 'पौधा' का अध्ययन किया जाता है, उसी प्रकार 'स्वास्थ्य-विज्ञान' में 'स्वास्थ्य' का अध्ययन किया जाता है।

27.C: जिस प्रकार 'हवा' का सम्बन्ध 'चक्रवात' से है, उसी प्रकार 'फुहार' का सम्बन्ध 'छिड़काव' से है।

28.B: जिस प्रकार मानव शरीर या जन्तुओं में 'हृदय' 'रक्त' का नियन्त्रण करता है, उसी प्रकार 'वायु' का नियन्त्रण 'फेफड़ा' करता है।

29.B: जिस प्रकार 'स्पंज' 'मुलायम' होता है उसी प्रकार 'चाकू' में 'धार' होता है।

30.D: जिस प्रकार 'सभा' का प्रधान 'सभापति' होता है, उसी प्रकार 'समाचार-पत्र' का प्रधान 'सम्पादक' होता है।

विजातीय चयन
(ODD MAN OUT)

इस प्रकार के प्रश्नों में, अक्षरों तथा शब्दों के कुछ समूह दिए होते हैं। परीक्षार्थियों को उस एक का पता लगाना होता है, जो समान श्रेणी में न होकर, भिन्न श्रेणी का होता है।

निम्नलिखित उदाहरणों से स्पष्टीकरण हो जाएगा :

उदाहरण 1 :

A. पैट्रोल B. डीजल

C. वनस्पति D. मिट्टी का तेल

उत्तर C : अन्य सभी ऊर्जा के स्रोत हैं और एक ही श्रेणी से सम्बन्धित हैं, जबकि (C) भिन्न और बेमेल है।

उदाहरण 2 :

A. गाजर B. आलू

C. मूली D. बैंगन

E. शलगम

उत्तर D : अन्य सभी भूमि के अन्दर होते हैं।

अभ्यास

निर्देश— *नीचे दिए गए प्रत्येक प्रश्न में पांच शब्द दिए गए हैं। इन पांच में से चार शब्द किसी प्रकार से एक समान हैं तथा एक समूह बनाते हैं। इनमें से वह एक कौन-सा शब्द है जो अन्य चार से भिन्न है, अर्थात् इस समूह में शामिल नहीं होता, उस भिन्न शब्द को ज्ञात कीजिए।*

1. A. पृथ्वी B. चन्द्रमा
C. शनि D. अरुण
E. कुबेर

2. A. शिक्षक B. व्याख्याता
C. सलाहकार D. निजी शिक्षक
E. प्रशिक्षक

3. A. आम B. केला
C. अमरुद D. नींबू
E. अदरक

4. A. तोता B. कोयल
C. हंस D. गोरैया
E. गिद्ध

5. A. अदरक B. हल्दी
C. आलू D. टमाटर
E. गाजर

6. A. चाचा B. पिता
C. माँ D. चाची
E. चचेरा भाई या बहन

7. A. मक्खन B. घी
C. दूध D. दही
E. पनीर

8. A. शहर B. नगर
C. महानगर D. घर
E. गाँव

9. A. आँख B. हाथ
C. अंगुली D. पैर
E. कान

10. A. कली B. पत्ती
C. जड़ D. शाखा
E. पौधा

11. A. कोयल B. लकड़ी
C. मशाल D. गैस
E. पैट्रोल

12. A. भेड़िया B. भेड़
C. गाय D. बकरी
E. भैंस

13. A. आँख B. कान
C. दिल D. नाक
E. मुँह

14. A. बाज B. गिद्ध
C. शुतुरमुर्ग D. बतख
E. मोर

15. A. बतख B. कोयल
C. कौवा D. तोता
E. कबूतर

16. A. मराठी B. तेलगू
C. कन्नड़ D. गुजराती
E. संस्कृत

17. A. शिष्ट B. भयभीत
C. उदास D. थकान
E. खुश

18. A. टमाटर B. सेब
C. नारंगी D. जामुन
E. मिर्च

19. A. शर्ट B. पैंट
C. कोट D. टोपी
E. ड्रेस

20. A. नीचे B. ऊपर
C. नजदीक D. बगल में
E. कहाँ

21. A. डेसीमीटर B. किलोमीटर
C. ग्राम D. डेकामीटर
E. मीटर

22. A. रिश्तेदार B. भाई
C. बहन D. भतीजा
E. भतीजी

23. A. कमल B. कागज
C. रबर D. पैंसिल
E. स्टेशनरी

24. A. पैंट B. शर्ट
C. यूनीफॉर्म D. टाई
E. कैप

25. A. अंगूर B. अन्नारस
C. काजू D. सेब
E. नारंगी

26. A. लंबी-कूद B. ऊंची-कूद
C. दौड़ D. बाधा-दौड़
E. खेल-कूद

27. A. चाकू B. आरी
C. तीर D. छुरा
E. कुल्हाड़ी

28. A. घंटा B. समय
C. सैकेण्ड D. वर्ष
E. दिन

29. A. तालाब B. नदी
C. नहर D. दरिया
E. झील

30. A. लोहार B. सुनार
C. दर्जी D. नाविक
E. बढ़ई

31. A. हीरो B. खलनायक
C. हीरोइन D. कलाकार
E. गायक

32. A. लकड़ी B. काग
C. पत्थर D. कागज
E. बांस

33. A. वर्षा B. कोहरा
C. घना कोहरा D. धुआँ
E. कुहासा

34. A. चमेली B. गुलाब
C. कमल D. गोभी
E. जही

35. A. पौंड B. लीटर
C. गज D. इंच
E. मीटर

36. A. तैरना
B. दौड़ना
C. पूर्वानुमान करना
D. नट
E. उछलना

37. A. पालतू
B. जंगली
C. सिखाने योग्य
D. पालतू बनाना
E. पारिवारिक बनाना

38. A. तकरार B. लड़ाई
C. मारपीट D. नरमी
E. बलवा

39. A. निन्दा करना
B. फटकारना
C. धीरे से झिड़कना
D. कब्जा करना
E. डांटना

40. A. कड़ुवा B. गरम
C. खट्टा D. मीठा
E. नमकीन

41. A. प्रतिष्ठा
B. बुद्धिमानी
C. समझदारी
D. ईमानदारी
E. लोकप्रियता

42. A. भय B. दुःख
C. अभिमान D. प्रेम
E. विचार

43. A. सरोवर B. कुण्ड
C. झील D. नाला
E. तालाब

44. A. कुतिया B. बैल
C. मुर्गा D. शेर
E. घोड़ा

45. A. मंगल B. वृहस्पति
C. शनि D. चन्द्रमा
E. सूर्य

46. A. शेर B. मगर
C. बाघ D. सांप
E. चीता

47. A. साइकिल B. बैलगाड़ी
C. तांगा D. कार
E. ठेला

48. A. दयालु
B. करुणापूर्ण
C. दयावान
D. निर्दयी
E. ममता

49. A. कंगन B. अंगूठी
C. कण्ठी D. चूड़ी
E. गहना

50. A. अप्रैल B. जुलाई
C. मई D. नवम्बर
E. सितम्बर

व्याख्यात्मक उत्तर

1.B: अन्य सभी ग्रह हैं; जबकि चन्द्रमा एक उपग्रह है।

2.C: अन्य सभी शिक्षा देने वाले से संबंधित हैं; जबकि 'सलाहकार' किसी भी विषय पर सलाह देते हैं।

3.E: अन्य सभी जमीन के ऊपर होते हैं जबकि 'अदरक' जमीन के नीचे होता है।

4.C: अन्य सभी आसमान में उड़ने वाले पक्षी हैं।

5.D: अन्य सभी जमीन के अन्दर होते हैं, जबकि 'टमाटर' जमीन के ऊपर होता है।

6.E: अन्य सभी अभिभावक होते हैं।

7.C: अन्य सभी 'दूध' से बनाए जाते हैं।

8.D: अन्य सभी स्थानों पर व्यक्तियों के घर होते हैं।

9.C: अन्य सभी अंग पूर्ण हैं, जबकि अंगुली हाथ का एक भाग है।

10.E: सभी पौधों के अन्तर्गत आते हैं।

11.C: अन्य सभी ऊर्जा के प्राकृतिक स्रोत हैं, जबकि मशाल ऊर्जा का प्राकृतिक स्रोत नहीं है।

12.A: अन्य सभी पालतू जानवर हैं जबकि भेड़िया एक जंगली जानवर है।

13.C: अन्य सभी बाह्य अंग हैं जबकि दिल एक आन्तरिक अंग है।

14.C: अन्य सभी उड़ने वाले पक्षी हैं जबकि शुतुरमुर्ग एक तेज दौड़ने वाला पक्षी है।

15.A : अन्य सभी आसमान में काफी ऊंचाई तक उड़ सकते हैं जबकि बत्तख जल में तैरता है।

16.E: अन्य सभी किसी न किसी राज्य की भाषा है।

17.A: अन्य सभी अनुभूतियाँ हैं।

18.E: अन्य सभी भूमि के ऊपर होते हैं, जबकि आलू भूमि के अन्दर होता है।

19.E: अन्य सभी ड्रेस हैं।

20.E: अन्य सभी किसी चीज की स्थिति को बताते हैं।

21.C: अन्य सभी से लम्बाई को मापा जाता है जबकि ग्राम से वजन मापा जाता है।

22.A: अन्य सभी रिश्तेदार के अन्तर्गत आते हैं।

23.E: अन्य सभी स्टेशनरी के अन्तर्गत आते हैं।

24.C: सभी यूनीफॉर्म के अन्तर्गत आते हैं।

25.C: अन्य सभी रसभरे फल हैं।

26.E: सभी खेद-कूद के अन्तर्गत आते हैं।

27.C: अन्य सभी का प्रयोग करते समय हाथ से पकड़े रहना पड़ता है, जबकि तीर को अंगुलियों से पकड़कर छोड़ दिया जाता है।

28.B: अन्य सभी समय को बताते हैं।

29.A: अन्य सभी में धारा का प्रवाह होता है, जबकि तालाब में जल स्थिर रहता है।

30.D: अन्य सभी किसी न किसी चीज को बनाते हैं, जबकि नाविक नाव चलाते हैं।

31.D: अन्य सभी कलाकार के अन्तर्गत आते हैं।

32.D: अन्य सभी का कागज बनाने में प्रयोग किया जाता है।

33.A: अन्य सभी कुहासा से ही संबंधित हैं।

34.D: अन्य सभी फूलों के नाम हैं।

35.A: अन्य सभी से मापा जाता है जबकि पौंड मुद्रा है।

36.C: अन्य सभी खेल से संबंधित हैं।

37.B: अन्य सभी से मानव निकटतम संबंध बनाता है।

38.D: अन्य सभी झगड़े से संबंधित हैं।

39.D: अन्य सभी मनुष्य की खिंन्नता को प्रकट करते हैं।

40.E: नमक स्वाद पैदा करने में सहायता करता है जबकि अन्य सभी स्वाद हैं।

41.A: अन्य सभी मनुष्य के गुण हैं जबकि प्रतिष्ठा मनुष्य की विशिष्टता है।

42.E: विचार का सम्बन्ध मस्तिष्क से है, जबकि अन्य सभी मन के भाव हैं।

43.D: नाला पानी की छोटी प्राकृतिक धारा है जबकि अन्य सभी में पानी भरा रहता है।

44.A: अन्य सभी पुल्लिंग हैं।

45.D: अन्य सभी ग्रह हैं जबकि चन्द्रमा एक उपग्रह है।

46.B: अन्य सभी स्थलीय हैं, जबकि मगर एक जलीय जीव है।

47.D: अन्य सभी प्राणियों द्वारा चलते हैं जबकि कार ईंधन के द्वारा चलती है।

48.D: अन्य सभी गुण हैं जबकि निर्दयी अवगुण है।

49.E: अन्य सभी गहने हैं।

50.A: अन्य सभी माह odd month है जबकि अप्रैल एक even month है।

दिशा-परीक्षा
(DIRECTION-TEST)

इस परीक्षा में उम्मीदवारों को दिशा व प्रत्येक दिशा में तय की गई दूरी से सम्बन्धित प्रश्न पूछे जाते हैं।

इस प्रकार के प्रश्नों को हल करने से पहले आप इस Diagram पर अपनी पकड़ मजबूत कर लें। यह Diagram आपके Left-Right के Concept को सरल कर देगा।

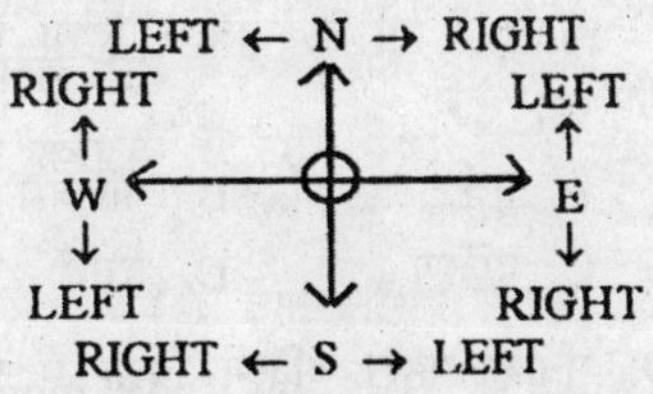

Concept of Right and Left

उदाहरण 1. सुजाता ने पश्चिम की ओर 5 कि.मी. की दूरी तय की और बायीं ओर मुड़कर 3 कि.मी. चली। फिर वह दायीं ओर मुड़ी और 9 कि.मी. की यात्रा तय की। इसके बाद वह उत्तर की ओर 3 कि.मी. गई। वह प्रारंभिक स्थान से कितनी दूरी पर है?

A. 5 कि.मी. B. 3 कि.मी.
C. 6 कि.मी. D. 14 कि.मी.

उत्तर : D :

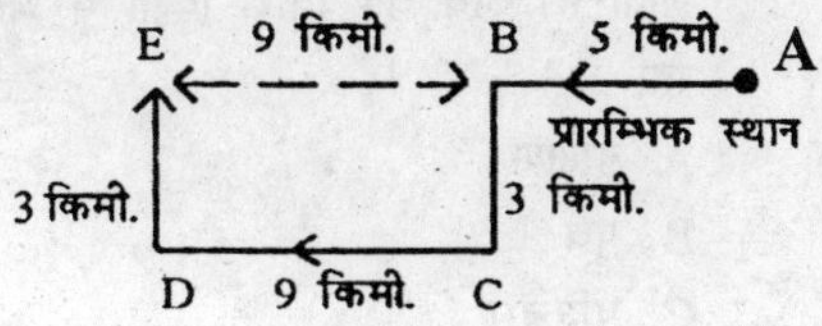

माना कि सुजाता ने A से यात्रा शुरू की, पश्चिम की ओर AB = 5 कि.मी., बायें मुड़ी और BC = 3 कि.मी. चली, दायें मुड़ी और CD = 9 कि.मी. गई और उत्तर की ओर जा कर DE = 3 कि.मी. चली। अत: 'E' सुजाता की अन्तिम स्थिति है।

$\therefore$ AE = 5 + 9 = 14 कि.मी.

अभ्यास

1. एक आदमी दक्षिण की ओर चलता है, फिर वह अपने दायीं ओर मुड़ जाता है और फिर बायीं ओर, अंत में 1 कि.मी. चलने के बाद वह अपनी बायीं ओर मुड़ा। अब वह अपनी प्रारम्भिक दिशा से किस दिशा में है?

A. पूर्व B. पश्चिम
C. उत्तर D. दक्षिण

2. आनन्द 30 मीटर दक्षिण को जाता है फिर वह अपनी दायीं ओर मुड़ जाता है और 40 मीटर जाता है और फिर अपनी दायीं ओर मुड़ कर 20 मीटर चलता है। और फिर अंत में दायीं ओर मुड़कर 40 मीटर जाता है। वह अपने शुरू के स्थान से कितनी दूर है?

A. 0 मीटर B. 10 मीटर
C. 20 मीटर D. 25 मीटर

3. अतुल 10 मीटर पूर्व की ओर गया, फिर उत्तर को मुड़कर 15 मीटर और गया। फिर पश्चिम को मुड़ा और 10 मीटर तय किया। फिर दक्षिण की ओर मुड़कर 15 मीटर तय किया। अतुल अपने घर से कितनी दूर है?

A. 0 मीटर B. 2 मीटर

C. 4 मीटर D. 5 मीटर

4. अमर पूर्व की तरफ मुड़कर खड़ा हुआ, फिर बाएं घूमा और 10 मीटर गया। फिर दाएं मुड़ा और 5 मीटर आगे बढ़ा और फिर 5 मीटर पश्चिम को गया। अब घर से अमर किस दिशा में है?

A. पूर्व C. पश्चिम

C. उत्तर D. दक्षिण

5. एक व्यक्ति पूर्व की ओर जा रहा है। अब वह किन क्रमों में मोड़ ले ताकि वह दक्षिण दिशा की ओर चलने लग जाए?

A. बाएं, बाएं, बाएं

B. दाएं, दाएं, दाएं

C. दाएं, बाएं, बाएं

D. इनमें से कोई नहीं

6. 4 मित्र ताश खेल रहे हैं। सुनीता, मुनीश के दाएं है और उमेश, गजेन्द्र के बाएं है। निम्नलिखित में से कौन-सा जोड़ा आपस में साथी हैं?

A. मुनीश व गजेन्द्र

B. उमेश व सुनीता

C. मुनीश व सुनीता

D. उमेश व मुनीश

7. सूरज पहले पूर्व को जाता है फिर दक्षिण की ओर मुड़ जाता है। इसके बाद वह पश्चिम की ओर मुड़ जाता है और अन्त में वह बायीं ओर मुड़ जाता है। अब उसके चलने की दिशा क्या है?

A. पूर्व B. उत्तर

C. पश्चिम D. दक्षिण

8. यदि अरुण सबसे पहले उत्तर दिशा में चलता है। फिर दायीं ओर मुड़ता है, फिर पूर्व दिशा में चलता है और थोड़े समय बाद दाहिनी ओर मुड़ जाता है तो वह किस दिशा में जा रहा है?

A. पूर्व B. पश्चिम

C. दक्षिण D. उत्तर

9. मुनीश पहले दक्षिण दिशा में चलता है, फिर दायीं ओर मुड़ जाता है। उसके बाद बायीं ओर मुड़ जाता है और पुनः दायीं ओर मुड़ता है। अब वह किस दिशा में चल रहा है?

A. दक्षिण B. पश्चिम

C. पूर्व D. उत्तर

10. यदि राहुल पहले उत्तर दिशा में चलता है और फिर पश्चिम की ओर मुड़ जाता है और फिर दाहिनी ओर मुड़ जाता है। अब वह किस दिशा में जा रहा है?

A. दक्षिण

B. पूर्व

C. पश्चिम

D. उत्तर

व्याख्यात्मक उत्तर

1. **D:** आदमी के चलने का क्रम इस प्रकार है–

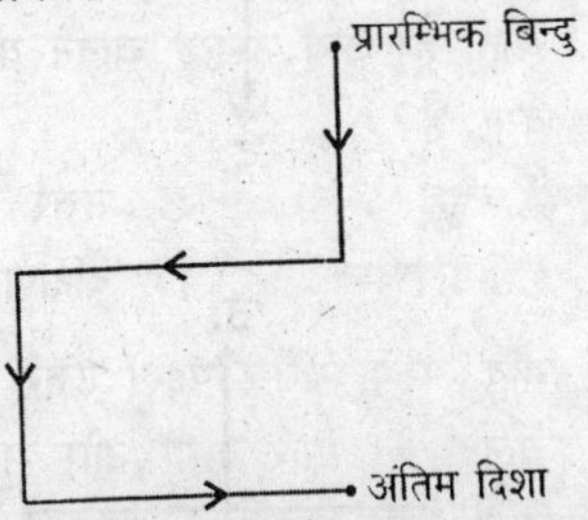

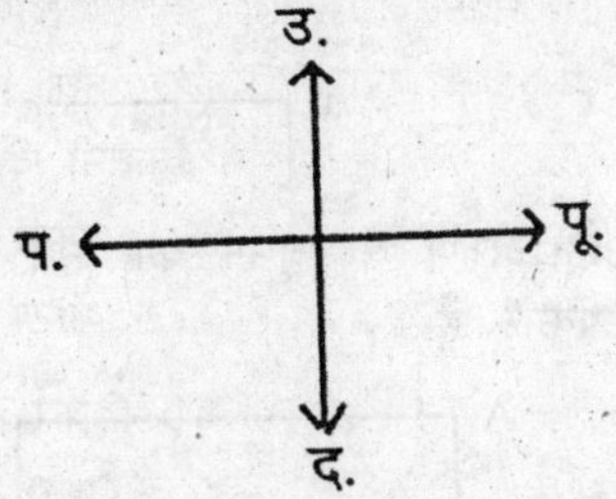

2. **B:** आनन्द के घूमने का क्रम इस प्रकार है–

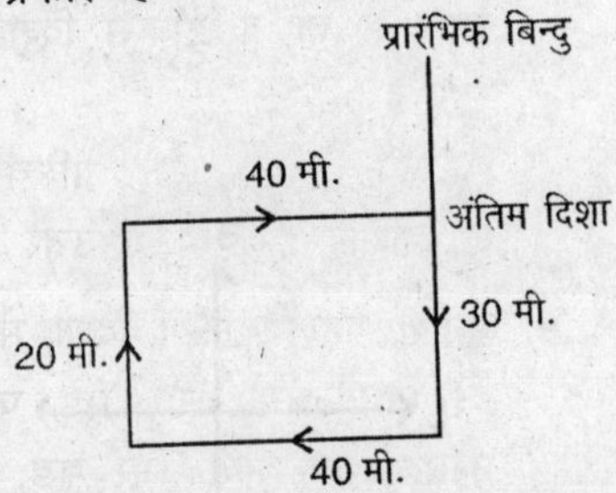

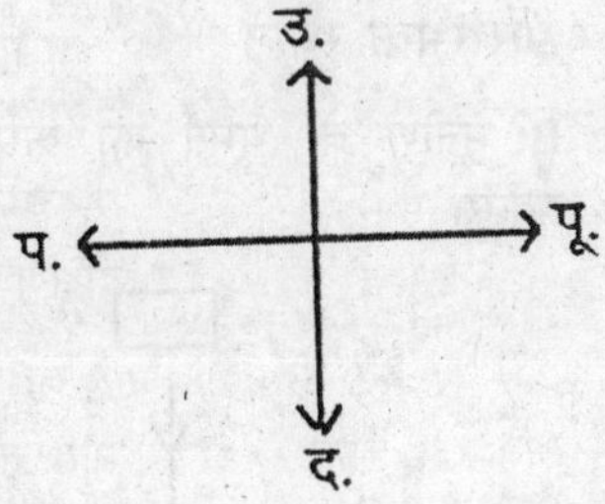

3. **A:** अतुल के घूमने का क्रम इस प्रकार है–

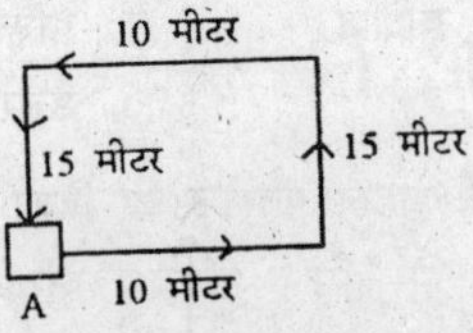

4. **C:** अमर के घूमने का क्रम इस प्रकार है–

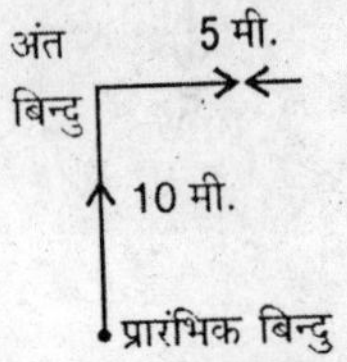

5. **A:**

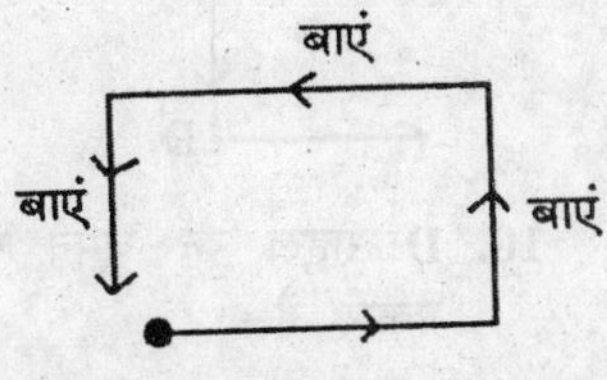

6. **D:**

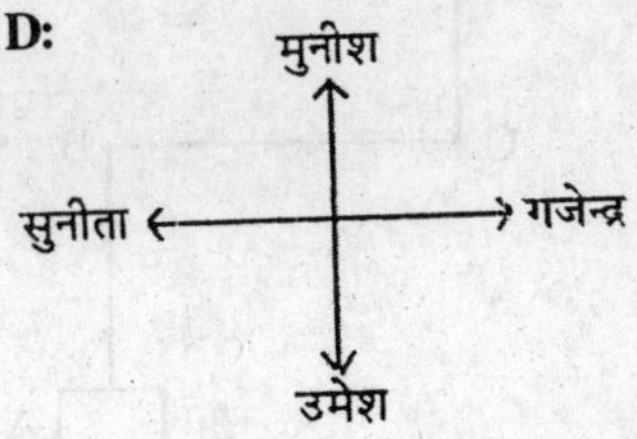

अतः स्पष्ट है उमेश व मुनीश आपस में साथी हैं।

7. D: सूरज के घूमने का क्रम निम्न प्रकार है–

प्रारंभिक स्थान

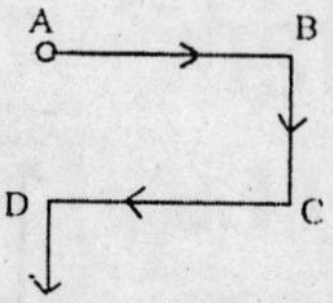

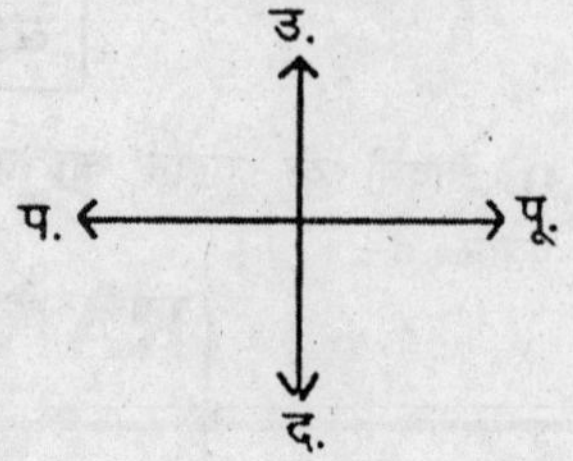

8. C: अरुण के घूमने का क्रम निम्न प्रकार है–

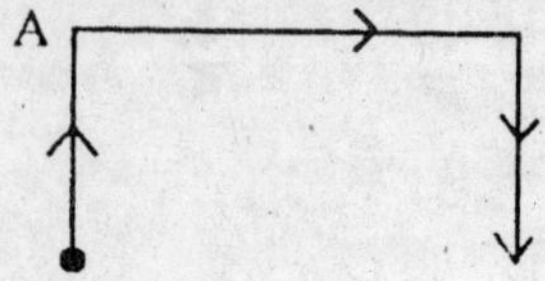

प्रारम्भिक स्थान

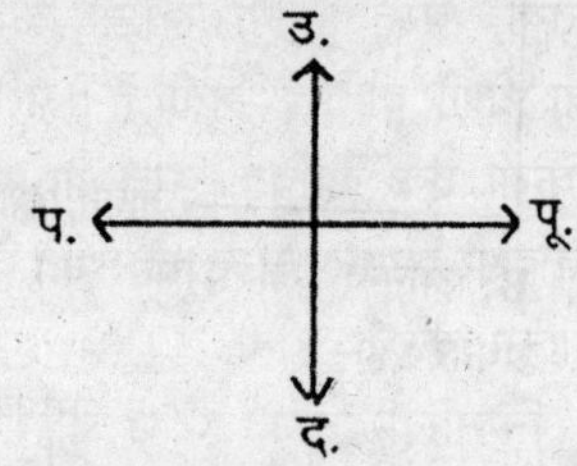

9. B: मुनीश के घूमने का क्रम निम्न प्रकार है–

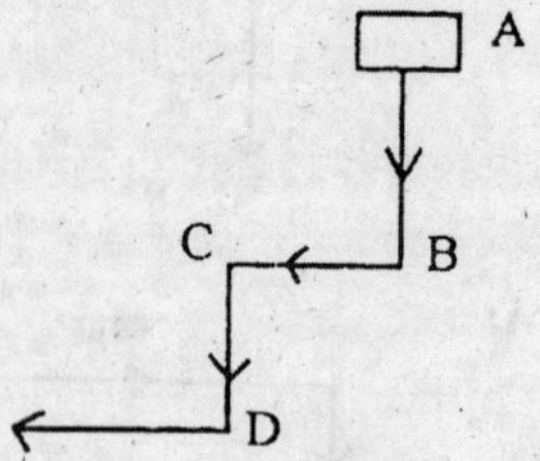

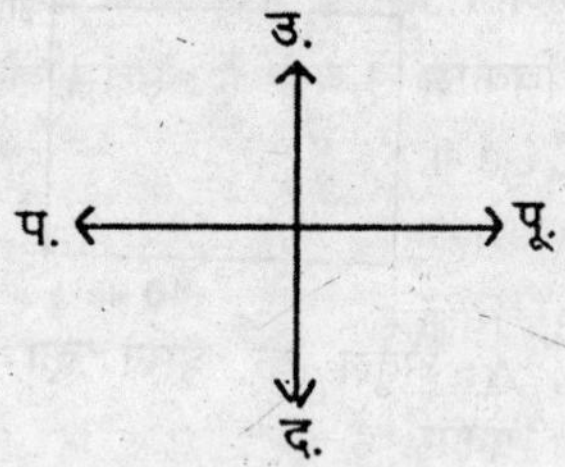

10. D: राहुल के घूमने का क्रम इस प्रकार है–

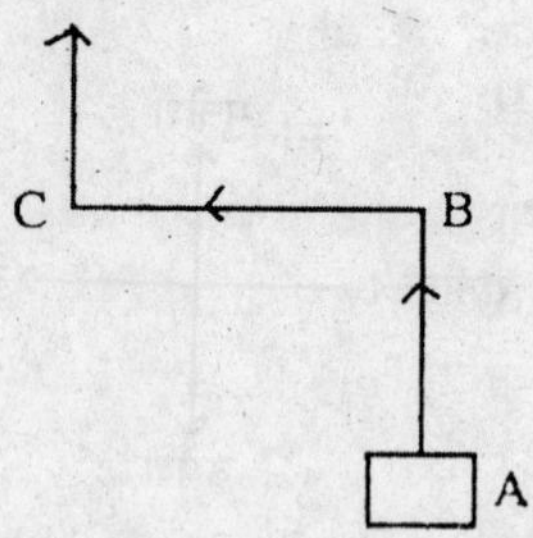

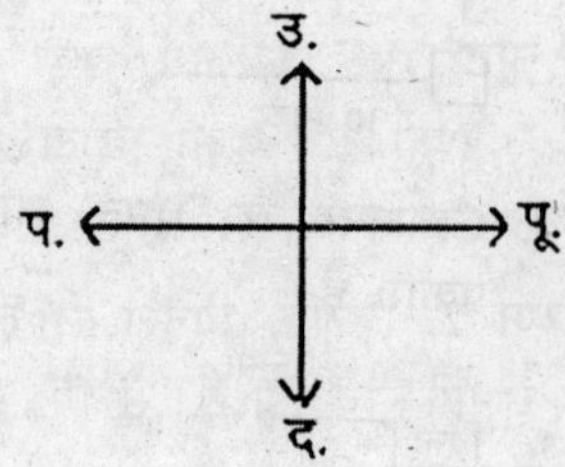

श्रेणी परीक्षा
(RANKING TEST)

इस प्रकार की परीक्षा में कुछ व्यक्तियों, वस्तुओं या स्थानों की स्थिति अथवा श्रेणी दी हुई होती है। परीक्षार्थियों को किसी एक व्यक्ति, वस्तु या स्थान की स्थिति दूसरे व्यक्ति, वस्तु या स्थान के सापेक्ष में मालूम करनी होती है।

निम्नलिखित उदाहरणों से स्पष्टीकरण हो जाएगा :

उदाहरण 1. सौरभ, राहुल से बड़ा है तथा राहुल विकास से बड़ा है। सबसे छोटा कौन है?

A. राहुल
B. विकास
C. सौरभ
D. इनमें से कोई नहीं

उत्तर—C : सौरभ > राहुल > विकास

अतः विकास सबसे छोटा है।

नोट : '>' का अर्थ 'बड़ा' है। इसी प्रकार '<' का अर्थ हुआ 'छोटा'। जैसे— A > B अर्थात् A, B से छोटा है।

उदाहरण 2. विजय, दिनेश से लम्बा है, जोकि सुभाष से छोटा है। संजय, अजय से लम्बा है, परन्तु दिनेश से छोटा है। सुभाष, विजय से छोटा है। सबसे लम्बा कौन है?

A. दिनेश
B. अजय
C. सुभाष
D. विजय
E. इनमें से कोई नहीं

उत्तर—D : विजय > सुभाष > दिनेश > संजय > अजय

अतः विजय सबसे लम्बा है।

अभ्यास

1. राम का सबसे बड़ा भाई 'अविनाश' है। 'अजय' से छोटा राम है। राम और 'अजय' भाई नहीं हैं। निम्नलिखित कथनों में से कौन-सा कथन निश्चित रूप से सही है?

A. 'अविनाश' छोटा है 'अजय' से
B. 'अजय' 'अविनाश' से छोटा है
C. 'अजय' 'राम' से छोटा है
D. 'अजय' 'राम' से लम्बा है
E. इनमें से कोई नहीं

2. एक कक्षा में 'सोनू' का क्रमांक ऊपर से 8वाँ है और नीचे से क्रमांक 28वाँ है। बताएं कि उस कक्षा में कुल कितने विद्यार्थी हैं?

A. 34 B. 38
C. 36 D. 37
E. इनमें से कोई नहीं

3. 'नेहा' का छोटा भाई 'सचिन', अनीता से बड़ा है। 'किरण' जो कि 'प्रिया' से छोटी है, परन्तु 'नेहा' से बड़ी है। इनमे से सबसे बड़ा कौन है?

A. किरण
B. सचिन
C. नेहा
D. प्रिया
E. ज्ञात नहीं किया जा सकता

4. 40 विद्यार्थियों की कक्षा में 'राजू' का क्रमांक 19वाँ है। बताएं कि अंतिम से उसका क्रमांक क्या होगा?

A. 19 B. 20
C. 21 D. 22
E. इनमें से कोई नहीं

5. पांच मित्रों के बीच में, 'A', B से भारी है; 'C', D से हल्का है। 'B' D से हल्का है लेकिन 'E' से भारी है। बताएं कि इनमें से सबसे भारी कौन है?

A. B B. C
C. A D. D
E. इनमें से कोई नहीं

6. एक कक्षा में अंजना का क्रम ऊपर से 14वाँ है और नीचे से 23वाँ है। बताओ कि कक्षा में कुल कितनी छात्राएं हैं?

A 36 B. 37
C 35 D. 38
E इनमें से कोई नहीं

एक कतार में 'A' बायें से 15वें स्थान पर और 'B' दायें से 7वें स्थान पर है। इनके बीच में तीन व्यक्ति हैं और 'C', A के बायीं ओर है। बताएं कि 'C' का दायें से कौन-सा स्थान है?

A. 8वाँ B. 9वाँ
C. 10वाँ D. 11वाँ
E. 12वाँ

8. 'विकास' श्याम से लम्बा है लेकिन उमेश से छोटा है। 'उमेश' रजत से लम्बा है लेकिन गणेश से छोटा है। यदि 'श्याम' रजत से लम्बा है तो इनमें सबसे छोटा कौन है?

A. गणेश B. रजत
C. उमेश D. विकास
E. श्याम

9. पाँच व्यक्ति एक सड़क पर टहल रहे थे। 'D', A से आगे है। 'E', B का अनुसरण कर रहा था। 'C', A और B के बीच में था। बताएं कि कतार के मध्य में कौन था?

A. A B. B
C. C D. D
E. E

10. एक कक्षा में 'राहुल' का क्रमांक ऊपर से 15वाँ है और नीचे से क्रम 21वाँ है। बताएं कि उस कक्षा में कुल विद्यार्थी कितने हैं?

A. 34 B. 35
C. 36 D. 37
E. इनमें से कोई नहीं

व्याख्यात्मक उत्तर

1.E: राम व अजय भाई नहीं हैं।

2.E:

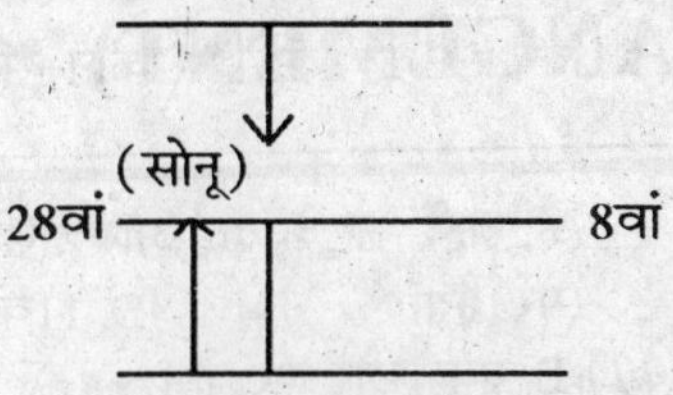

∴ कुल विद्यार्थियों की संख्या
$= (8 + 28) - 1 \Rightarrow 35.$

3.A: प्रिया > किरण > नेहा > सचिन > अनिता। प्रिया सबसे बड़ी है।

4.D: **TRICK** :
$= (40 - 19) + 1 \Rightarrow 22.$

5.E: A > B, C < D, E < B, B < D, A > B, D > B > E, D > C → यहाँ 'D' व 'A' का सम्बन्ध नहीं दिया गया है।

6.A: **TRICK** :
कुल छात्रों की संख्या
$14 + 23 - 1 \Rightarrow 36.$

7.E: A, B व C तथा अन्य व्यक्तियों का कतार में व्यवस्थित क्रम निम्न प्रकार है—

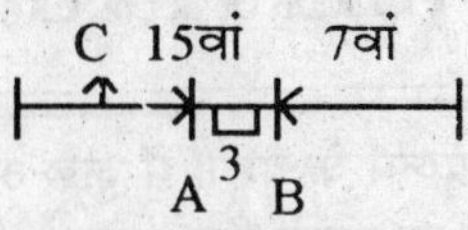

C का दायें से स्थान
$= 7 + 3 + 1 + 1 \Rightarrow$ 12वां

8.C: गणेश > उमेश > विकास > श्याम > रजत

9.C: पांचों का टहलने का क्रम इस प्रकार है—
E → B → [C] → A → D
अत: कतार के मध्य में 'C' था।

10.B:

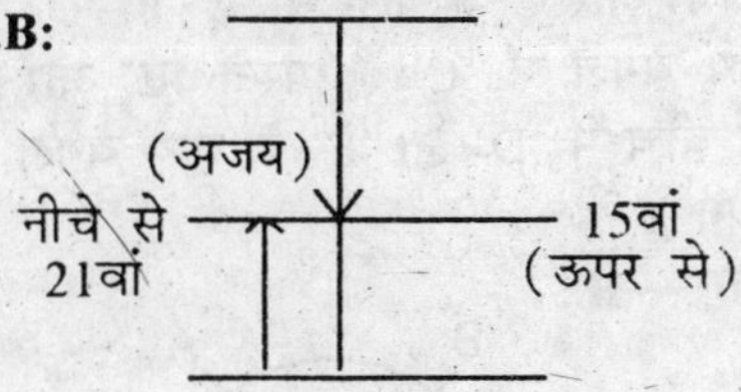

∴ कुल विद्यार्थियों की संख्या
$= (15 + 21) - 1 \Rightarrow 35.$

व्यवस्था क्रम
(SITTING ARRANGEMENT)

इस प्रकार के प्रश्नों में कुछ आदमियों या वस्तुओं के समूह दिए हुए होते हैं तथा उनका पोजीशन भी दिया हुआ होता है। अभ्यार्थियों को किसी एक आदमी या वस्तु का पोजीशन किसी दूसरे आदमी या वस्तु के सापेक्ष निकालना होता है। इन उदाहरणों से स्पष्टीकरण हो जाएगा—

उदाहरण 1. पांच व्यक्ति A, B, C, D और E इस प्रकार बैठे हैं कि वे वृत्त बना रहे हैं तथा सभी केन्द्र के तरफ मुंह करके बैठे हैं। B और C के बीच में 'A' है, 'D' के दायें बगल में 'C' है, परन्तु 'E' और C के बीच में 'D' है। 'E' के बायें बगल में कौन है?

उत्तर—B :

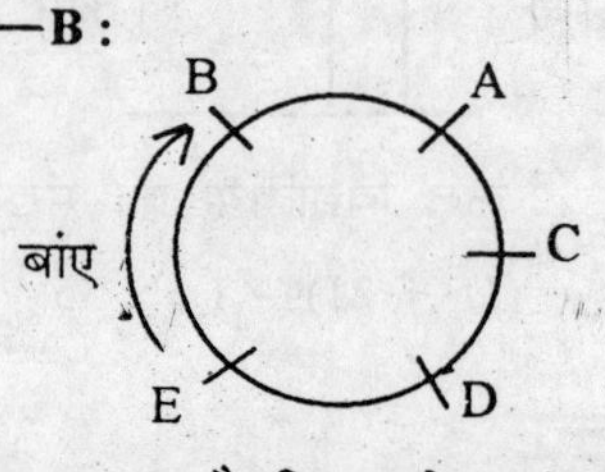

अत: स्पष्ट है कि E के बाएं 'B' है।

अभ्यास

निर्देश—(1–5) : *इन प्रश्नों के लिए निर्देश इस प्रकार हैं :*

(*i*) 9 मित्र A, B, C, D, E, F, G, H और I एक बेंच पर बैठे हुए हैं।

(*ii*) 'C' जो कि D के ठीक दाईं ओर बैठा है, वहीं 'E' के दाईं ओर तीसरे स्थान पर है।

(*iii*) B एक छोर पर है।

(*iv*) 'H' F व G का निकटतम पड़ोसी है।

(*v*) 'F', B के बाईं ओर तीसरे स्थान पर है।

(*vi*) 'A', F के ठीक बाईं ओर है।

1. निम्नलिखित कथनों में कौन-सा कथन उपर्युक्त बैठने के क्रम में निरूपण के आधार पर सत्य है?

A. 'I', A के ठीक बायें है

B. E व C पड़ोसी हैं

C. D व H के बीच 3 व्यक्ति बैठे हैं

D. 'B', F के दायें चौथे स्थान पर है

E. इनमें से कोई नहीं

2. निम्न में से कौन से मित्रों का समूह 'C' के बाईं ओर बैठा है?

A. EID B. BAG

C. AFH D. BIG

E. इनमें से कोई नहीं

3. B के अलावा दूसरे छोर पर निम्न में से कौन है?

A. I B. H

C. E D. G

E. इनमें से कोई नहीं

4. A का पड़ोसी कौन है?

A. I और F

B. F व H

C. D व C
D. ज्ञात नहीं कर सकते
E. इनमें से कोई नहीं

5. बेंच के बीच वाली जगह पर कौन बैठा है ?
A. C B. A
C. G D. H
E. इनमें से कोई नहीं

6. P, Q, R व S ताश खेल रहे हैं। P, R व S,Q जोड़ीदार हैं, 'S', R के दाईं ओर है जो कि पश्चिम की तरफ मुंह करके बैठा है। बताएं कि Q का मुंह किस तरफ है ?
A. उत्तर B. पश्चिम
C. पूर्व D. दक्षिण
E. इनमें से कोई नहीं

निर्देश—(7–8) : *6 मित्र A, B, C, D, E और F केन्द्र की ओर मुंह करके एक वृत्ताकार घेरा बनाकर बैठे हुए हैं। 'E', D के दाईं ओर है। 'C', A व B के बीच में है, 'F', E व A के बीच में है।*

7. 'B' के बाईं तरफ कौन है ?
A. A B. D
C. E D. C
E. इनमें से कोई नहीं

8. 'C' के दायीं ओर कौन है ?
A. A B. F
C. B D. A
E. D

निर्देश—(9–10) : *इन प्रश्नों के लिए निर्देश निम्न हैं—*

6 व्यक्ति केन्द्र की ओर मुंह करके एक वृत्ताकार घेरा बनाकर बैठे हैं, 'विजय', 'सुधीर' के बाएं है। 'अमर', 'राकेश' व सौरभ के बीच में है। नीरज, अमर के बाईं ओर दूसरे स्थान पर है।

9. विजय के दाईं तरफ दूसरे स्थान पर निम्न में से कौन बैठा है ?
A. नीरज
B. राकेश
C. सौरभ
D. ज्ञात नहीं कर सकते
E. इनमें से कोई नहीं

10. अमर व विजय के बीच में कौन है ?
A. सौरभ व सुधीर
B. राकेश या सौरभ
C. सुधीर या राकेश
D. सौरभ या राकेश
E. इनमें से कोई नहीं

व्याख्यात्मक उत्तर

1.C: D और H के बीच में तीन व्यक्ति बैठे हैं। यह कथन सत्य है।

2.A: E, I और D मित्रों का समूह C के बायीं ओर बैठा है।

3.C: B के अलावा दूसरे छोर पर E है।

4.E: 'A' का पड़ोसी F व C हैं।

5.B: बेंच के ठीक बीच में A बैठा है।

6.A: P, Q, R व S का बैठने का क्रम निम्न प्रकार है—

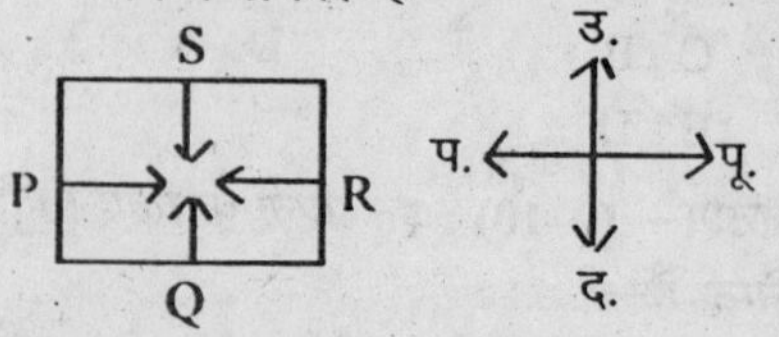

7.A: 'B' के बाईं ओर D है।

8.D: 'C' के दाईं ओर A है।

9.A: विजय के दाईं ओर दूसरे स्थान पर नीरज है।

10.E: इनमें से कोई नहीं।

रक्त-सम्बन्ध
(BLOOD RELATION)

इस प्रकार की परीक्षा में परीक्षार्थियों की रिश्ते-सम्बन्धी जानकारी की जांच की जाती है। इसमें ऐसे प्रश्न दिए जाते हैं, जिनमें किन्हीं दो व्यक्तियों का सम्बन्ध दिया जाता है तथा अन्य व्यक्तियों का सम्बन्ध ज्ञात किया जाता है।

स्पष्टीकरण के लिए निम्नलिखित उदाहरण दिए गए हैं:—

उदाहरण I. एक फोटो की ओर संकेत करते हुए सोनू की माँ ने कहा, ''इस सुन्दरी का पति तुम्हारी माँ का इकलौता पुत्र है'' बताएं कि सोनू तथा फोटो में जो सुन्दरी है, इनके बीच आपस में क्या संबंध है?

A. देवर-भाभी B. भाई-बहन
C. जीजा-साली D. पति-पत्नी

उत्तर—D : सोनू की माँ के कथना-नुसार, इस सुन्दरी का पति तुम्हारी माँ का इकलौता पुत्र है, यानी सोनू की माँ का इकलौता पुत्र स्वयं सोनू ही होगा। अत: सोनू उस सुन्दरी का पति है अर्थात् वह सुन्दरी सोनू की पत्नी है।

इस प्रकार सोनू और वह सुन्दरी आपस में पति-पत्नी से सम्बन्धित हैं।

उदाहरण 2. एक स्त्री की फोटो की ओर संकेत करते हुए राहुल ने कहा, ''वह मेरे पिताश्री के एकमात्र पुत्र की बेटी है।'' राहुल कैसे उस स्त्री से सम्बन्धित है?

A. चाचा B. चचेरा भाई
C. भाई D. पिता
E. इनमें से कोई नहीं

उत्तर : (D) माना कि राहुल का पिता A है। अत: राहुल A का एकमात्र पुत्र है। फोटो वाली स्त्री राहुल की पुत्री है।

उदाहरण 3. सीमा की ओर संकेत करते हुए राजेश ने कहा, ''उसकी माँ की एकमात्र पुत्री मेरी पुत्री है।'' राजेश का सीमा से क्या रिश्ता है?

A. भाई B. चाचा
C. बेटा D. पिता
E. इनमें से कोई नहीं

उत्तर : (D) सीमा की माँ की एकमात्र पुत्री सीमा स्वयं हुई तथा राजेश की पुत्री हुई।

∴ राजेश, सीमा का पिता है।

अभ्यास

1. राकेश उमेश के लिए कहता है, ''इसकी मां मेरी मां की इकलौती पुत्री है।'' उमेश, राकेश से किस प्रकार सम्बन्धित है?

A. चाचा B. भाई

C. पिता D. भांजा

E. इनमें से कोई नहीं

2. फोटो में एक महिला की ओर संकेत करते हुए प्रवीन ने कहा—"यह मेरी माँ की इकलौती पुत्री है।" प्रवीन फोटो में उस महिला से किस प्रकार सम्बन्धित है ?

A. भाई B. माँ

C. भतीजा D. भतीजी

E. इनमें से कोई नहीं

3. पूनम का एक दीपक नाम का लड़का है। पूनम का भाई सोनू है। सोनू की बहन नेहा है। नेहा की भी एक रश्मि नाम की पुत्री है। दीपक का रश्मि से क्या सम्बन्ध है ?

A. चाचा

B. जीजा

C. मौसेरा भाई

D. कोई रिश्ता नहीं है

4. रंजना, नीलिमा से एक पुरुष की ओर इशारा करते हुए कहती है कि यह मेरे दादा के इकलौते पुत्र का पुत्र है। तब रंजना उस पुरुष से किस प्रकार सम्बन्धित है ?

A. भतीजी B. बेटी

C. बुआ D. बहन

E. इनमें से कोई नहीं

5. तीन पुरुष कहीं जा रहे हैं। यदि उनमें से दो पिता तथा दो पुत्र हों तो सबसे बड़ा सबसे छोटे का क्या है ?

A. पिता B. दादा

C. पुत्र D. नाती

6. एक महिला का परिचय देते हुए एक पुरुष बोला—उसकी माता मेरी सास की एकलौती पुत्री है। उस पुरुष का उस महिला से क्या नाता है ?

A. पुत्र B. पिता

C. भाई D. पति

7. अजय ने कहा, "यह लड़की मेरी माता के पोते की पत्नी है" अमित का उस लड़की से क्या रिश्ता है ?

A. पिता B. दादा

C. पति D. ससुर

8. एक पुरुष ने किसी महिला से कहा—"तुम्हारे भाई की इकलौती बहन मेरी माँ है।" वह महिला उस पुरुष की नानी की कौन लगती है ?

A. पुत्री B. माँ

C. सास D. इनमें से कोई नहीं

9. एक आदमी का परिचय देते हुए एक औरत ने कहा, "उसके ससुर का पिता मेरा ससुर है।" उस आदमी का उस औरत से क्या रिश्ता है ?

A. पति B. बेटा

C. दामाद D. इनमें से कोई नहीं

10. एक आदमी का परिचय देते हुए रमेश ने कहा, "उसका बेटा मेरे बेटे का चाचा है।" वह आदमी रमेश से क्या रिश्ता रखता है ?

A. भाई B. पिता

C. चाचा D. इनमें से कोई नहीं

व्याख्यात्मक उत्तर

1. D: प्रश्नानुसार चित्र बनाने पर

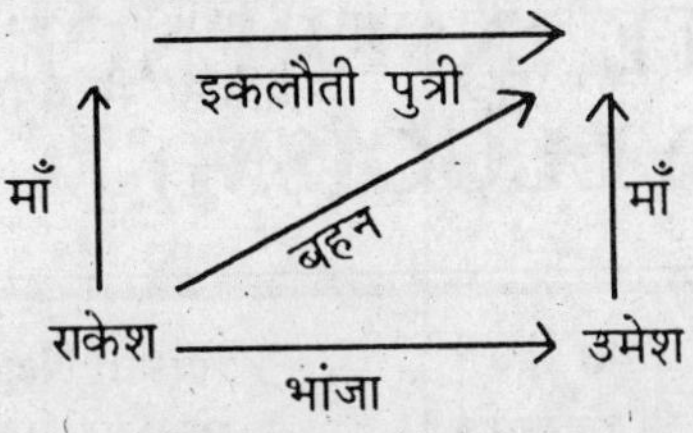

2. A: फोटा की महिला, प्रवीन की माँ की इकलौती बेटी है अर्थात् प्रवीन की बहन है।

3. C:

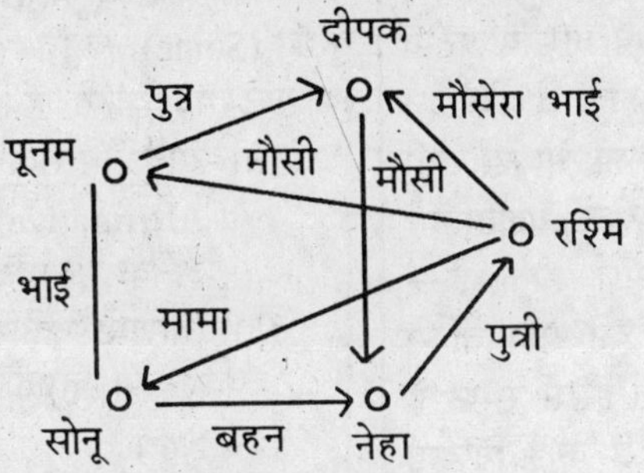

अर्थात् दीपक, रश्मि का मौसेरा भाई है।

4. C: रंजना के दादा के इकलौते पुत्र रंजना के पिता का पुत्र है। अतः अवश्य ही रंजना, उस पुरुष की बहन लगेगी।

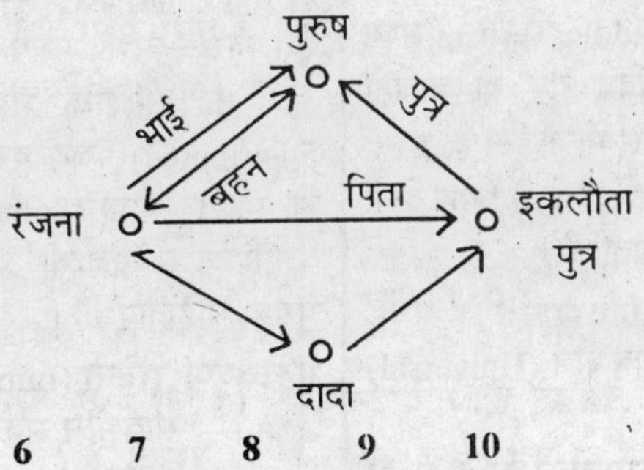

5	6	7	8	9	10
B	B	D	A	C	B

माध्यश्रित अनुमान या निष्कर्ष (MEDIATE INFERENCE OR SYLLOGISM)

इस प्रकार के प्रश्नों में दो कथन दिए होते हैं तथा उन पर आधारित दो निष्कर्ष दिए होते हैं। परीक्षार्थियों को इन कथनों को सत्य मानकर, चाहे वे कथन असत्य प्रतीत होते हों, यह ज्ञात करना होता है कि इन कथनों के आधार पर कौन-सा निष्कर्ष सही है, या दोनों सही हैं या दोनों गलत हैं।

(Syllogism) का अर्थ होता है—किसी दो दिए गए कथनों की सहायता से किसी निष्कर्ष पर पहुंचना। इससे स्पष्ट है कि कभी एक ही कथन से कोई निष्कर्ष नहीं निकाला जा सकता।

कुछ महत्त्वपूर्ण पद (Some Important Terms)

1. **मध्य पद** (Middle Term) : मध्य पद वह पद है जो दिए गए दो कथनों (Statements) को आपस में जोड़ता है, परन्तु निष्कर्ष में स्वयं भाग नहीं लेता है। यह दोनों कथनों में उपस्थित होता है।

2. **सार्वभौम** (Universal) : 'सभी' तथा 'कोई नहीं' को सार्वभौम (Universal) कहते हैं।

   (*a*) सार्वभौम सकारात्मक (Universal Affirmative)—'सब, सभी (All)

   (*b*) सार्वभौमिक नकारात्मक (Universal Negative)—'कोई नहीं (No)

3. **विशिष्ट पद** (Particular Term) : कुछ (Some), बहुत (Many) आदि को विशिष्ट पद कहते हैं।

   (*a*) सार्वभौम सकारात्मक (Universal Affirmative)— कुछ, बहुत, अनेक इत्यादि।

   (*b*) विशिष्ट नकारात्मक (Particular Negative)— कुछ नहीं (Some + Not)

4. **पूर्ण समग्रवाची** (Completely Distributed) : जब दूसरे कथन के मध्य पद से पहले सभी (All) या कोई नहीं (No) लगा हो, तो इसे 'पूर्ण समग्रवाची' कहते हैं। जैसे—सभी पुरुष महिलाएं हैं।

5. **आंशिक समग्रवाची** (Partially Distributed) : जब दूसरे कथन में मध्यपद से पहले 'कुछ'(Some) लगा हो तो इसे 'आंशिक समग्रवाची' कहते हैं। जैसे—कुछ पुरुष महिलाएं हैं।

महत्त्वपूर्ण संकेत (Important Symbols)

A — सार्वभौम सकारात्मक (Universal Affirmative)

E — सार्वभौम नकारात्मक (Universal Negative)

I — विशिष्ट सकारात्मक (Particular Affirmative)

O — विशिष्ट नकारात्मक (Universal Negative)

निष्कर्ष के नियम (Rules of Syllogism)

1. एक मध्यपद (Middle Term) का होना आवश्यक है, अन्यथा कोई निष्कर्ष नहीं निकलेगा।

उदाहरण : I. सभी पुरुष महिलाएं हैं।
II. सभी कबूतर हाथी हैं।

व्याख्या : कोई निष्कर्ष संभव नहीं है, क्योंकि दोनों कथनों में कोई भी पद 'मध्य पद' का कार्य नहीं कर रहा है।

2. मध्य पद (Middle Term) पूर्ण समग्रवाची (Completely Distributed) होना चाहिए अन्यथा कोई निष्कर्ष नहीं निकलेगा।

उदाहरण : I. सभी लड़कियां लड़के हैं।
II. सभी लड़के फूल हैं।

व्याख्या : यहाँ पर मध्य पद 'लड़के' पूर्ण समग्रवाची है। इसलिए सही निष्कर्ष, "सभी लड़कियां फूल हैं" होगा।

उदाहरण : I. सभी हाथी शेर हैं।
II. सभी शेर कौवे हैं।

व्याख्या : चूंकि यहां मध्य पद (Middle Term) शेर आंशिक समग्रवाची (Partially Distributed) है, कोई सही निष्कर्ष नहीं निकलता।

3. निष्कर्ष में मध्य पद नहीं आना चाहिए।

उदाहरण : I. सभी कारें स्कूटर हैं।
II. सभी स्कूटर साइकिलें हैं।

निष्कर्ष : I. सभी स्कूटर कारें हैं।
II. सभी साइकिलें स्कूटर हैं।

व्याख्या : दोनों निष्कर्ष गलत हैं, क्योंकि दोनों निष्कर्षों में मध्य पद 'स्कूटर' आ गया है।

4. यदि दोनों कथन (Statements) विशिष्ट (Particular) हों तो कोई सही निष्कर्ष नहीं निकलेगा।

उदाहरण : I. कुछ पैन पैन्सिलें हैं।
II. कुछ पैन पुस्तकें हैं।

व्याख्या : चूंकि दोनों कथन विशिष्ट (Particular) हैं, कोई भी सही निष्कर्ष नहीं निकाला जा सकता।

5. यदि दोनों कथन नकारात्मक (Negative) हों, तो कोई सही निष्कर्ष नहीं निकलेगा।

उदाहरण : I. कोई गाय हाथी नहीं है।
II. कोई हाथी गाय नहीं है।

व्याख्या : चूंकि दोनों कथन नकारात्मक (Negative) हैं, कोई भी सही निष्कर्ष नहीं निकाला जा सकता।

6. यदि एक कथन सार्वभौम (Universal) तथा दूसरा विशिष्ट (Particular) होगा।

उदाहरण : I. कुछ कबूतर तोते हैं।
II. सभी तोते कौवे हैं।

व्याख्या : सही निष्कर्ष "कुछ कबूतर कौवे हैं" होगा।

7. यदि एक कथन नकारात्मक (Negative) तथा दूसरा सकारात्मक (Affirmative) हो, तो निष्कर्ष हमेशा नकारात्मक (Negative) होगा।

उदाहरण : I. सभी छात्राएं महिलाएं हैं।
II. कोई भी महिला अध्यापक नहीं है।

व्याख्या : सही निष्कर्ष "कोई भी छात्रा अध्यापक नहीं है" होगा।

8. यदि दोनों कथन **सकारात्मक (Affirmative) हों, तो इससे नकारात्मक (Negative) निष्कर्ष नहीं निकाला जा सकता।**

उदाहरण : I. कुछ पत्र फूल हैं।
II. सभी फूल पीले हैं।

निष्कर्ष : "कुछ पत्र पीले नहीं हैं"।

व्याख्या : यह निष्कर्ष गलत है, क्योंकि नकारात्मक (Negative) निष्कर्ष नहीं होना चाहिए।

परिवर्तित अनुमान (Conversion) के महत्त्वपूर्ण नियम—

1. A $\xrightarrow{\text{Conversion}}$ I

उदाहरण : सभी फूल गुलाब हैं।

Conversion : कुछ गुलाब फूल हैं।

2. E $\xrightarrow{\text{Conversion}}$ E

उदाहरण : कोई फूल गुलाब नहीं है।

Conversion : कोई गुलाब फूल नहीं हैं।

3. I $\xrightarrow{\text{Conversion}}$ I

उदाहरण : कुछ गुलाब फूल हैं।

Conversion : कुछ गुलाब फूल हैं।

4. O ⟶ No Conversion

अभ्यास

निर्देश—*निम्नलिखित प्रत्येक प्रश्न में दो कथन हैं। जिनके बाद दो निष्कर्ष I और II दिए गए हैं। दिए हुए कथन सर्वज्ञान तथ्यों से मेल न रखने वाले हों तो भी आप उन दोनों को सत्य समझें और सर्वज्ञात तथ्यों की ओर ध्यान न देकर उन दोनों निष्कर्षों में कौन-सा दिए हुए कथनों से तर्कसंगत निकलता है, इसका निर्णय कीजिए।*

उत्तर (A) दीजिए, यदि केवल निष्कर्ष I निकलता है।

उत्तर (B) दीजिए, यदि केवल निष्कर्ष II निकलता है।

उत्तर (C) दीजिए, यदि केवल निष्कर्ष I या II निकलता है।

उत्तर (D) दीजिए, यदि न I और न ही II निकलता है।

उत्तर (E) दीजिए, यदि I और II दोनों निकलते हैं।

1. कथन : सभी घोड़े बैल हैं।
सभी बैल तोते हैं।

2. कथन : कुछ चिड़ियां गधे हैं।
कुछ गधे गाय हैं।

निष्कर्ष : I. कुछ चिड़ियां गाय हैं।
II. कोई चिड़िया गाय नहीं है।

3. कथन : सभी मनुष्य घोड़े हैं।
सभी घोड़े हाथी हैं।

निष्कर्ष: I. सभी मनुष्य हाथी हैं।
II. सभी हाथी मनुष्य हैं।

4. कथन : सभी पुस्तकें पैंसिलें हैं।
सभी पैंसिलें फूल हैं।

निष्कर्ष : I. सभी पुस्तकें फूल हैं।
II. सभी पैंसिलें पुस्तकें नहीं हैं

5. कथन : कुछ मुर्गियाँ गायें हैं।
सभी गायें घोड़े हैं।

निष्कर्ष : I. कुछ मुर्गियाँ घोड़े हैं।
II. कुछ घोड़े मुर्गियाँ हैं।

6. कथन : सभी खिड़कियाँ दरवाजे हैं।
कोई दरवाजा दीवार नहीं है।

निष्कर्ष : I. कोई खिड़की दीवार नहीं है।
II. कोई दीवार दरवाजा नहीं है।

7. **कथन :** कुछ अध्यापक निर्धन हैं।
कुछ महिलाएं अध्यापक हैं।
निष्कर्ष : I सभी महिलाएं निर्धन हैं।
II. कुछ महिलाएं निर्धन हैं।

8. **कथन :** सभी कैप्सूल प्लेट हैं।
कोई प्लेट प्याला नहीं है।
निष्कर्ष : I. कुछ प्लेटें कैप्सूल नहीं हैं।
II. कुछ प्याले कैप्सूल हैं।

9. **कथन :** कुछ आम पीले हैं।
टिंकसो एक आम है।
निष्कर्ष : I. कुछ आम हरे हैं।
II. टिंकसो पीला आम है।

10. **कथन :** सभी कारें साईकिलें हैं।
कोई साईकिल कुर्सी नहीं है।
निष्कर्ष : I. कोई कार कुर्सी नहीं है।
II. कोई कुर्सी कार नहीं है।

व्याख्यात्मक उत्तर

1.A: जब दोनों कथन सार्वभौम हों तथा मध्य पद व्याप्त हो, तो निष्कर्ष हमेशा पहले 'सार्वभौम' और दूसरा 'विशिष्ट' निकलता है। यहाँ निष्कर्ष (I) सभी 'घोड़े तोते हैं' एक सही निष्कर्ष है।

2.D: दोनों कथन विशिष्ट हैं। अत: चिड़िया और गाय का कोई सम्बन्ध नहीं हो सकता। दोनों निष्कर्ष गलत हैं।

3.A: जब दोनों कथन सार्वभौम हों और मध्यपद उपस्थित हो तो पहला निष्कर्ष सार्वभौम तथा दूसरा निष्कर्ष विशिष्ट में निकलता है। यहाँ निष्कर्ष (I) 'सभी मनुष्य हाथी हैं' एक सही निष्कर्ष है। निष्कर्ष (II) के स्थान पर यदि 'कुछ हाथी मनुष्य हैं' होता तो इसे निष्कर्ष (I) का परिवर्तन (Conversion) मानते हुए सही माना जाता, क्योंकि सार्वभौम निष्कर्ष का परिवर्तन सदैव विशिष्ट में होता है अर्थात निष्कर्ष (II) 'सभी हाथी मनुष्य हैं' एक गलत निष्कर्ष है। अत: केवल निष्कर्ष (I) सही है।

4.A: जब दोनों कथन 'सार्वभौम' हों तथा मध्यपद उपस्थित हो तो पहला निष्कर्ष 'सार्वभौम' तथा दूसरा विशिष्ट में निकाला जाता है। यहां 'सभी पुस्तकें फूल हैं' एक सही निष्कर्ष है। निष्कर्ष (II) में मध्यपद 'पैंसिल' आ गई है, साथ ही निष्कर्ष 'नकारात्मक' है, जोकि नियमानुसार गलत है। अत: सही निष्कर्ष (I) होगा।

5.E: जब पहला कथन विशिष्ट हो तथा दूसरा कथन सार्वभौम हो तो निष्कर्ष विशिष्ट में निकाला जा सकता है। निष्कर्ष (I) 'कुछ मुर्गियां घोड़े हैं' एक सही निष्कर्ष है, जबकि निष्कर्ष (II), निष्कर्ष (I) का परिवर्तित स्वरूप (Conversion) है। अत: दोनों निष्कर्ष सही हैं।

6.E: जब एक कथन 'सार्वभौम सकारात्मक' हो तथा दूसरा 'सार्वभौम नकारात्मक' हो तो निष्कर्ष हमेशा नकारात्मक निकलेगा। यहां निष्कर्ष (I) 'कोई खिड़की दीवार नहीं है' सही है। निष्कर्ष (II) दूसरे कथन 'कोई दरवाजा दीवार नहीं है' का सही परिवर्तित स्वरूप (Conversion) है।

7.D: क्योंकि कथन में 'अध्यापक' मध्यपद है जो कि आंशिक समग्रवाची है, इसलिए दोनों निष्कर्ष गलत हैं।

8.D: जब एक कथन सार्वभौम सकारात्मक हो तथा दूसरा कथन सार्वभौम नकारात्मक हो तो निष्कर्ष हमेशा सार्वभौम नकारात्मक में निकलता है। यहां दिए गए दोनों निष्कर्ष गलत हैं। अतः सही उत्तर (D) होगा।

9.D: जब दोनों कथन विशिष्ट हों तो कोई भी निष्कर्ष नहीं निकाला जा सकता, क्योंकि ऐसी स्थिति में मध्यपद आंशिक समग्रवाची (Partially Distributed) होता है। अतः दोनों निष्कर्ष गलत हैं।

10.E: जब पहला कथन 'सार्वभौम सकारात्मक' हो तथा दूसरा कथन 'सार्वभौम नकारात्मक' हो तो निष्कर्ष हमेशा-हमेशा नकारात्मक में निकलेगा। यहां निष्कर्ष (I) निष्कर्ष (II) का सही परिवर्तित स्वरूप है। अतः दोनों निष्कर्ष सही हैं।

आकृति मूलक समस्याएं

1. नीचे दी गई आकृति में कितने त्रिभुज हैं?

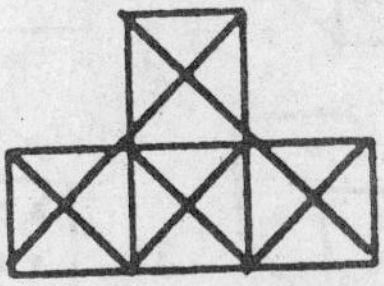

A. 38 B. 40
C. 42 D. 46

2. दी गई आकृति में कितने वृत्त हैं?

A. 9 B. 7
C. 10 D. 8

3. दी गई आकृति में कितने समकोण त्रिभुज हैं?

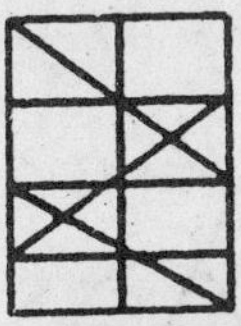

A. 12 B. 15
C. 9 D. 11

4. नीचे दी गई आकृति में कितनी ज्यामितीय आकृतियां छिपी हुई हैं?

A. 7 B. 8
C. 9 D. 10

5. नीचे दी गई आकृति में कितने वर्ग छिपे हुए हैं?

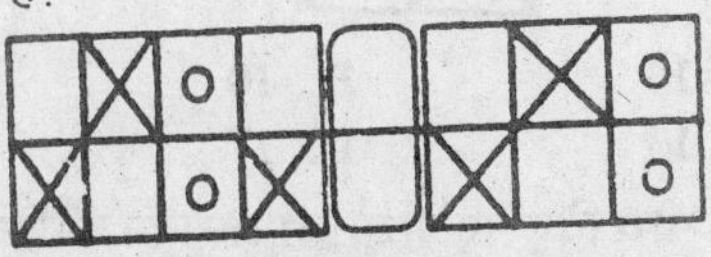

A. 13 B. 15
C. 17 D. 19

6. नीचे दी गई आकृति में कितने घन हैं?

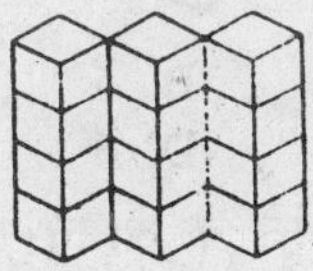

A. 12 B. 15
C. 19 D. 23

7. नीचे दी गई आकृति में कितने आयत हैं?

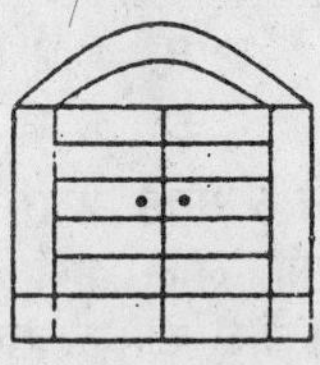

A. 16 B. 48
C. 60 D. 82

8. नीचे दी गई आकृति में कितनी सरल (सीधी) रेखाएं हैं?

A. 9 B. 26
C. 15 D. 20

9. नीचे दी गई आकृति में कितने त्रिभुज हैं?

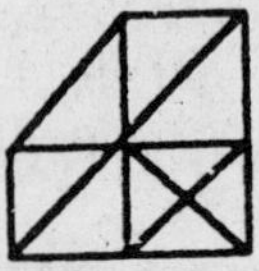

A. 14 B. 10
C. 13 D. 17

10. नीचे दिए गए पांसों का अध्ययन कीजिए। 4 के पीछे वाली सतह पर कौनसी संख्या होगी?

A. 2 B. 5
C. 3 D. 6

11. दिए गए पांसे के आमने-सामने वाली सतहों पर कौनसी दो संख्याएं हैं?

A. 4, 5 B. 4, 2
C. 2, 6 D. 3, 1

12. एक घन की 6 सतहें अलग-अलग रंगों – नीली, गुलामी, लाल, हरी, काली और पीली – की हैं। नीले रंग की सतह के ठीक पीछे वाली सतह पर कौनसा रंग होगा?

A. गुलाबी B. काला
C. हरा D. लाल

13. यदि घन के आमने-सामने वाली सतहों की संख्याओं का योग 7 हो, तो बताइए कौनसा पांसा त्रुटिपूर्ण है?

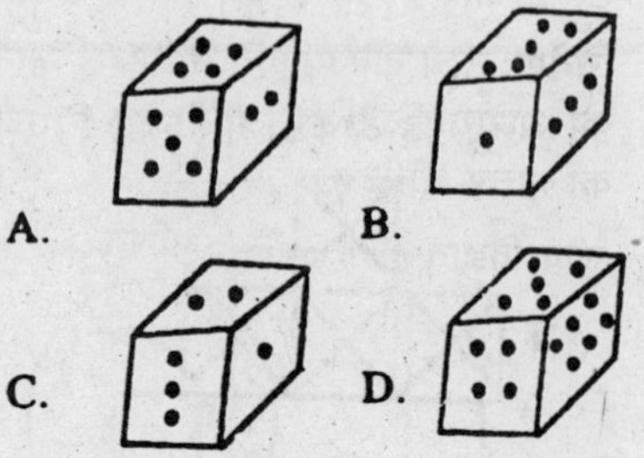

14. दिए गए पांसे में C के पीछे वाली सतह पर कौनसा अक्षर होगा?

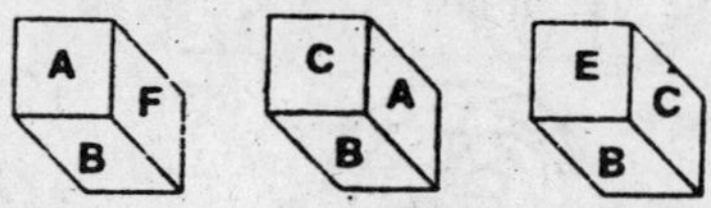

A. D B. F
C. A D. E

निर्देश: नीचे की आकृति में दी गई जानकारी का अध्ययन कीजिए और प्रश्न 15 और 16 का उत्तर दीजिए।

15.

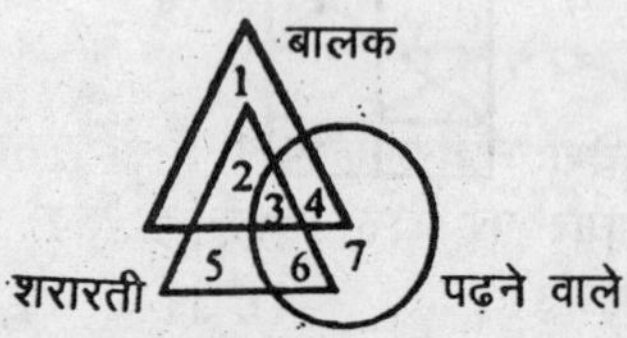

कौनसा क्षेत्र शरारती और पढ़ने वाले दोनों किस्म के बालकों का प्रतिनिधित्व करता है?

A. 2 और 4 B. 3 और 6
C. केवल 3 D. केवल 4

16. कौनसा क्षेत्र उनका प्रतिनिधित्व करता है, जो बालक नहीं है पर शरारती और पढ़ने वाले दोनों हैं?

A. केवल 5 B. केवल 7

C. 2 और 4 D. केवल 6

निर्देश: नीचे की आकृति में दी गई जानकारी का अध्ययन कीजिए और प्रश्न 17 और 18 का उत्तर दीजिए।

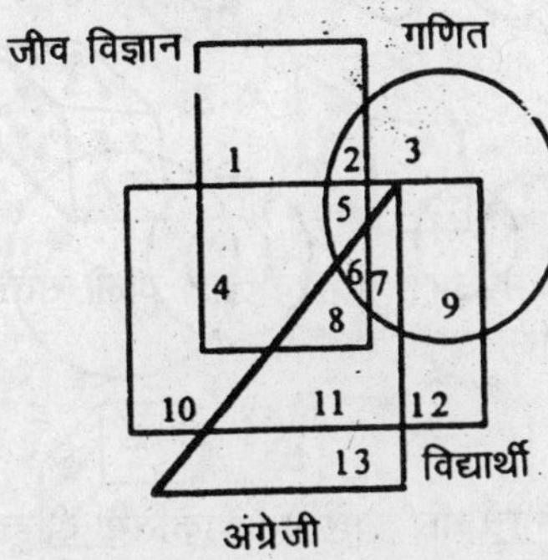

17. कौनसा क्षेत्र उन विद्यार्थियों का प्रतिनिधित्व करता है, जो अंग्रेजी और मैथमेटिक्स तो पढ़ते हैं किन्तु प्राणी-विज्ञान नहीं पढ़ते?

A. 5 B. 7

C. 8 D. 6

18. कौनसा क्षेत्र उन विद्यार्थियों का प्रतिनिधित्व करता है, जो प्राणी विज्ञान और मैथमेटिक्स तो पढ़ते हैं किन्तु अंग्रेजी नहीं पढ़ते?

A. 4 B. 2

C. 5 D. 8

निर्देश: नीचे आकृति में दी गई जानकारी के आधार पर प्रश्न 19 से 22 तक के उत्तर दीजिए।

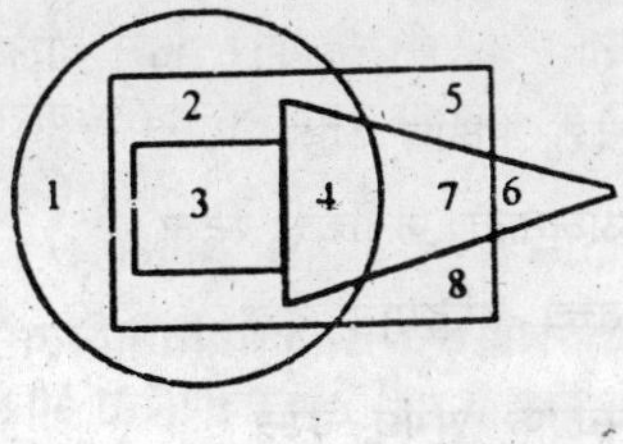

वृत्त धनी व्यक्तियों का प्रतिनिधित्व करता है,
आयत सर्जनों का प्रतिनिधित्व करता है,
वर्ग रिसर्चकर्त्ताओ का प्रतिनिधित्व करता है,
त्रिभुज इंजीनियरों का प्रतिनिधित्व करता है।

19. कौनसा कथन सही नहीं है?

A. कुछ सर्जन धनी व्यक्ति हैं और सभी रिसर्चकर्त्ता हैं

B. सभी रिसर्चकर्त्ता सर्जन हैं

C. कुछ धनी व्यक्ति इंजीनियर हैं

D. उपरोक्त में से कोई भी नहीं

20. कौनसा कथन सही है?

A. सभी सर्जन धनी व्यक्ति हैं

B. सभी सर्जन रिसर्चकर्त्ता हैं

C. ऐसे सर्जन भी हैं, जो इंजीनियर हैं किन्तु धनी व्यक्ति नहीं हैं

D. उपरोक्त में से कोई भी नहीं

21. कुछ सर्जन न इंजीनियर हैं और न रिसर्चकर्त्ता हैं किन्तु वे धनी व्यक्ति हैं। कौनसा क्षेत्र उनका प्रतिनिधित्व करता है?

A. 4 B. 7

C. 2 D. 1

22. कौनसा क्षेत्र ऐसे धनी व्यक्तियों का प्रतिनिधित्व करता है, जो रिसर्चकर्त्ता नहीं हैं पर इंजीनियर हैं?

A. 5 B. 8

C. 6 D. 4

23. कौनसी आकृति घोड़ा, कुत्ता और पक्षी के बीच संबंध प्रकट करती है?

A.

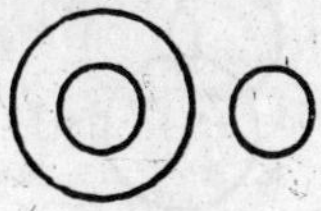

B.

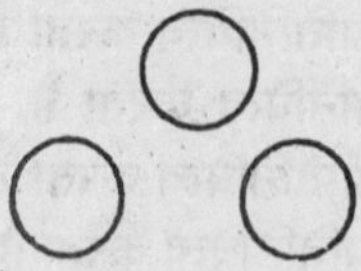

C.

D.

24. कौनसी आकृति सुगंध, फूल और कमल के बीच संबंध को सर्वोत्तम ढंग से अभिव्यक्त करती है?

A.

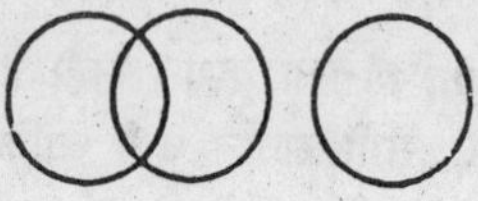

B.

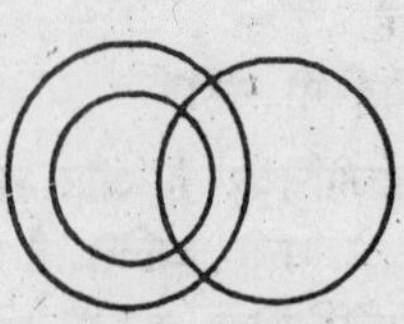

C.

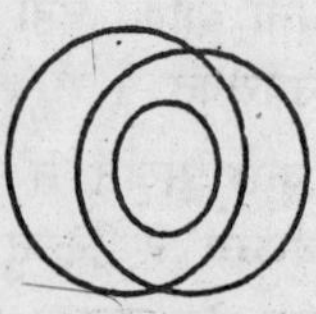

D.

25. कौनसी आकृति महीना, दिन और मिनट के बीच संबंध को सर्वोत्तम ढंग से अभिव्यक्त करती है?

A.

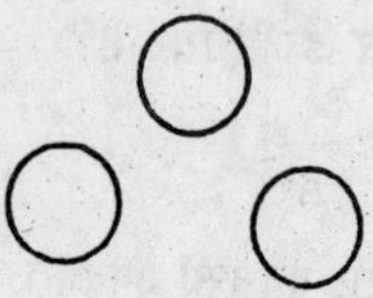

B.

C.

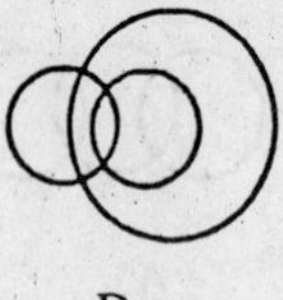

D.

26. कौनसी आकृति महिलाओं, वास्तुकारों और डॉक्टरों के बीच संबंध को अभिव्यक्त करती है?

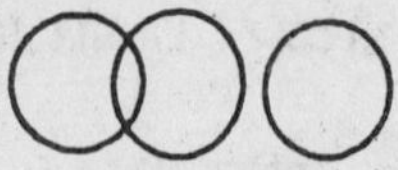

A.

B.

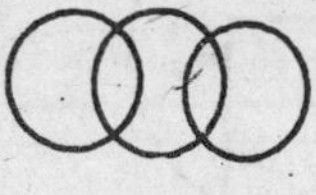

C.

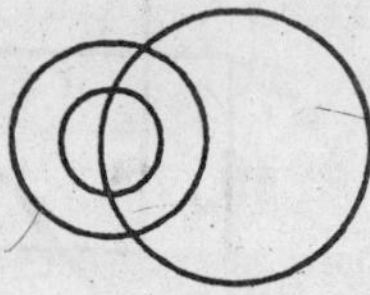

D.

निर्देशः नीचे चार तर्कसंगत आकृतियां दी हुई हैं। प्रश्न 27 से 30 तक प्रत्येक प्रश्न में शब्दों का एक सेट दिया हुआ है। वह आकृति छांटिए, जो सेट वाले शब्दों के बीच संबंध को सर्वोत्तम ढंग से अभिव्यक्त करती है?

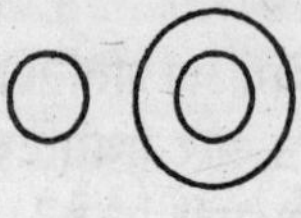

A.

B.

C.

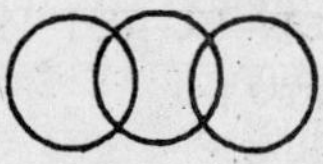

D.

27. देश, मकान, शहर

28. अलमारी, फर्नीचर, स्टूल

29. बच्चे, बुद्धिमान, बुद्धू

30. स्कार्फ, सुगंध, वस्त्र

उत्तरमाला

1	2	3	4	5	6	7	8	9	10
B	A	A	A	D	A	B	D	A	D
11	**12**	**13**	**14**	**15**	**16**	**17**	**18**	**19**	**20**
C	B	A	B	C	D	B	C	A	C
21	**22**	**23**	**24**	**25**	**26**	**27**	**28**	**29**	**30**
C	D	C	D	A	C	B	C	D	A

चुने हुए प्रश्नों के व्याख्यात्मक उत्तर

4. ये हैं: वृत्त, वर्ग, षट्भुज, समचतुर्भुज, पंचभुज, त्रिभुज और आयत।

23. घोड़ा, कुत्ता और पक्षी तीनों पृथक्-पृथक् इकाइयां हैं।

24. सब गुलाब फूल हैं। सब गुलाबों में सुगंध होती है, लेकिन सब फूलों में सुगंध नहीं होती।

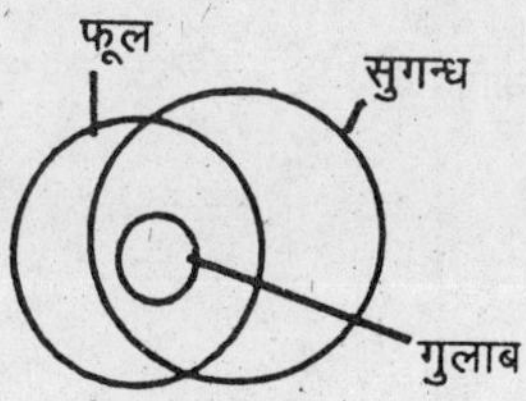

25.

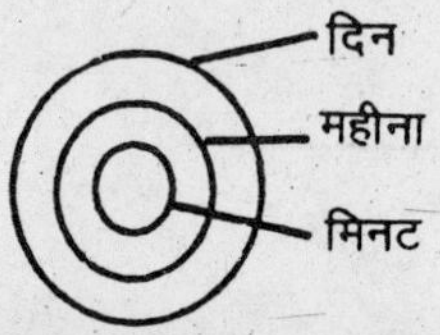

26. कुछ महिलाएं, सब महिलाएं नहीं, वास्तुकार हो सकती हैं और कुछ वास्तुकार, सब वास्तुकार नहीं, महिलाएं हो सकती हैं। कुछ महिलाएं सब महिलाएं नहीं, डॉक्टर हो सकती हैं और कुछ डॉक्टर, सब डॉक्टर नहीं, महिलाएं हो सकती हैं।

27.

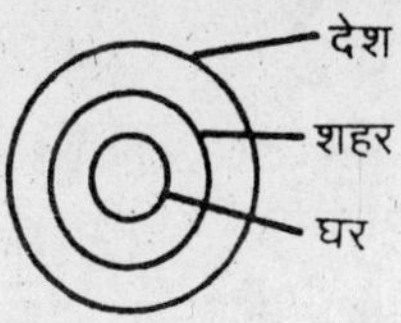

28.

29.

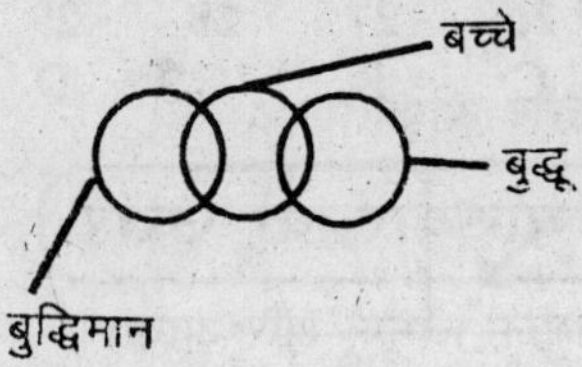

30.

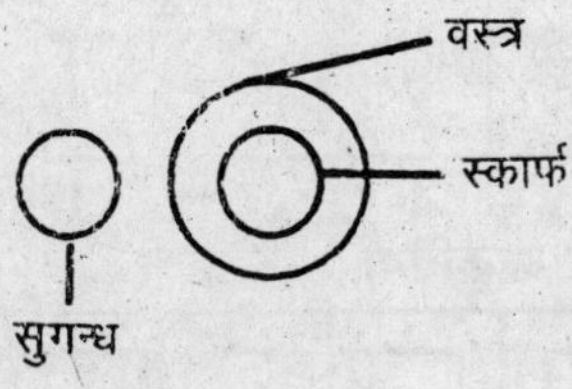

श्रृंखला (आकृति-मूलक)

निर्देशः निम्नलिखित में से प्रत्येक प्रश्न में आकृतियों के दो सेट हैं: समस्या आकृतियां और उत्तर आकृतियां। समस्या आकृतियां एक श्रृंखला बनाती हैं। उनका अध्ययन कीजिए और यह पता लगाइए कि समस्या आकृतियों के बीच परस्पर क्या संबंध है। उस संबंध को ध्यान में रखते हुए उत्तर आकृतियों में से वह आकृति छांटिए जो समस्या आकृतियों की श्रृंखला को आगे बढ़ा सके।

1. समस्या आकृतियां **उत्तर आकृतियां**

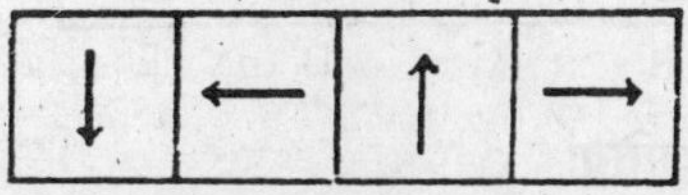

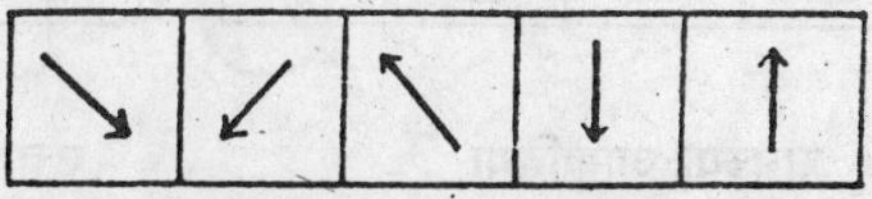

A B C D E

2. समस्या आकृतियां **उत्तर आकृतियां**

A B C D E

3. समस्या आकृतियां **उत्तर आकृतियां**

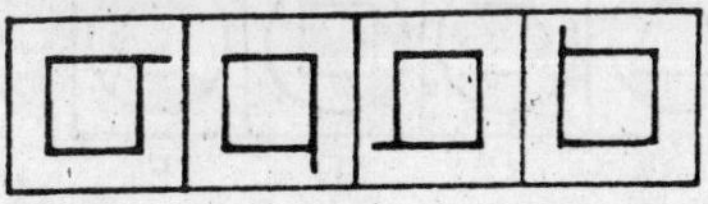

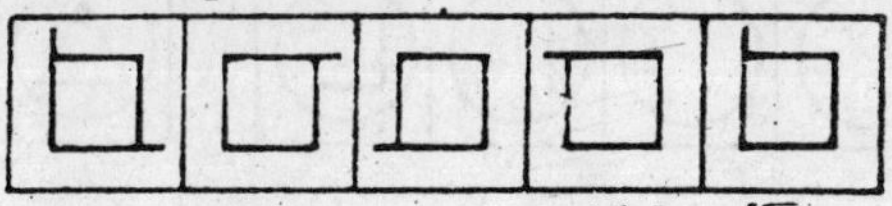

A B C D E

4. समस्या आकृतियां **उत्तर आकृतियां**

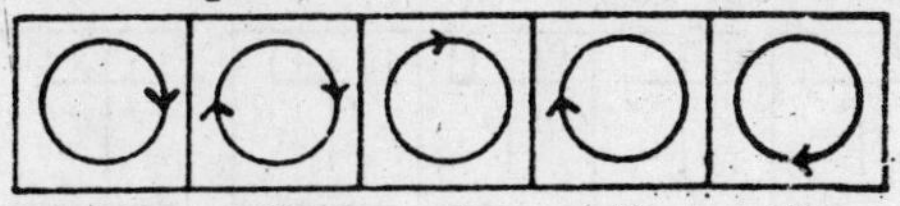

A B C D E

5. समस्या आकृतियां **उत्तर आकृतियां**

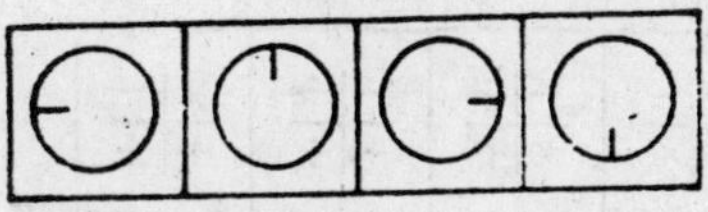

A B C D E

6. समस्या आकृतियां **उत्तर आकृतियां**

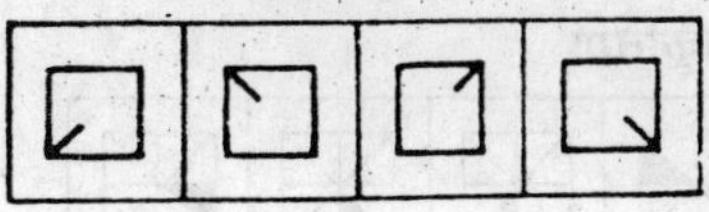

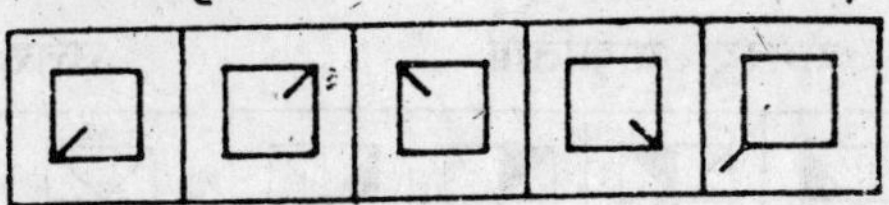

A B C D E

7. समस्या आकृतियां   उत्तर आकृतियां

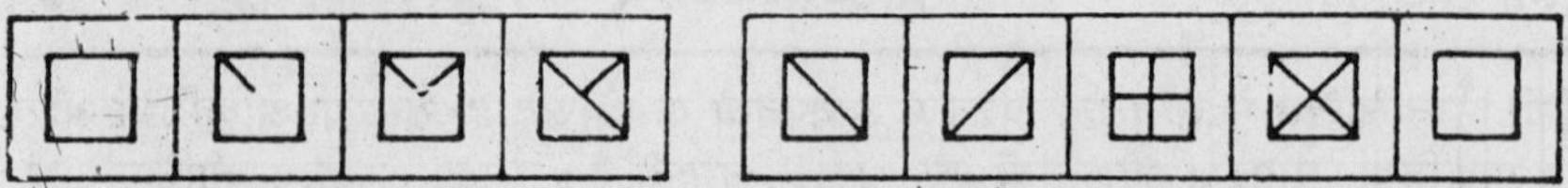

A B C D E

8. समस्या आकृतियां   उत्तर आकृतियां

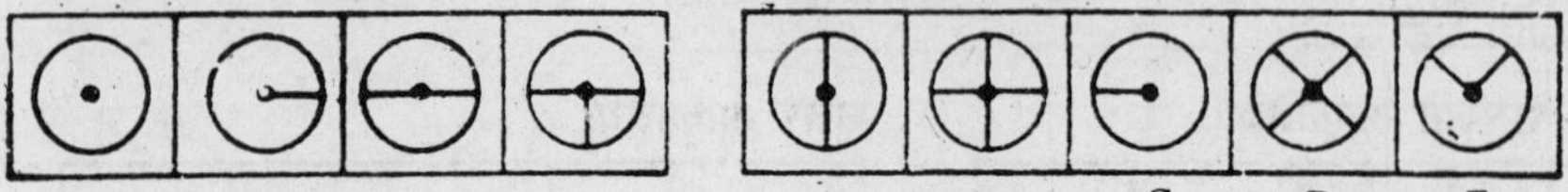

A B C D E

9. समस्या आकृतियां   उत्तर आकृतियां

A B C D E

10. समस्या आकृतियां   उत्तर आकृतियां

A B C D E

11. समस्या आकृतियां   उत्तर आकृतियां

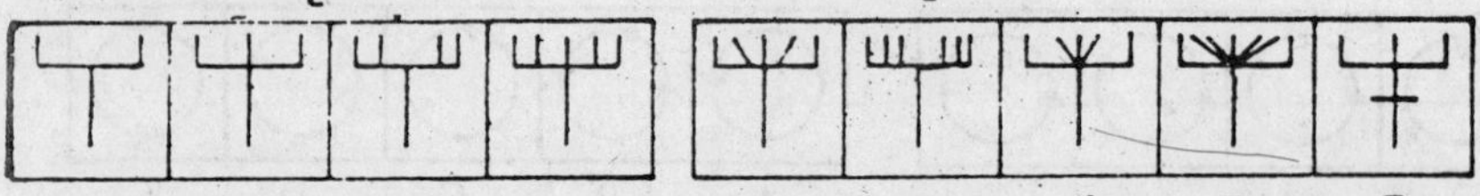

A B C D E

12. समस्या आकृतियां   उत्तर आकृतियां

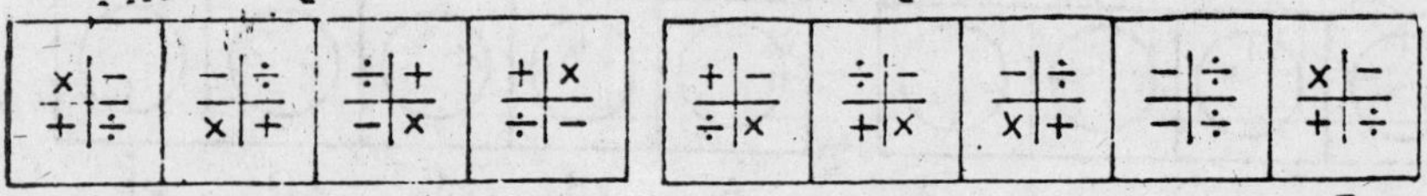

A B C D E

13. समस्या आकृतियां   उत्तर आकृतियां

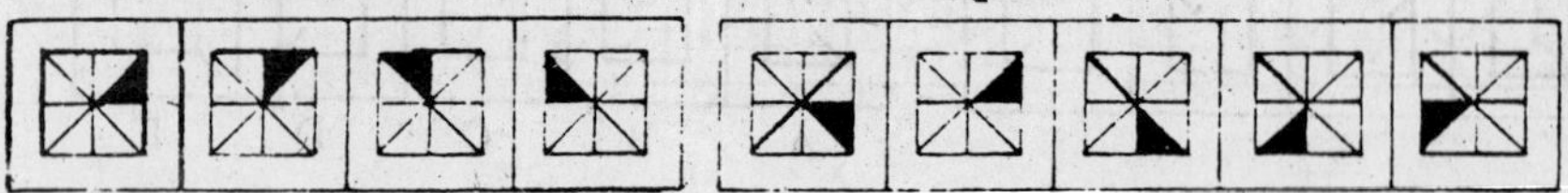

A B C D E

14. समस्या आकृतियां **उत्तर आकृतियां**

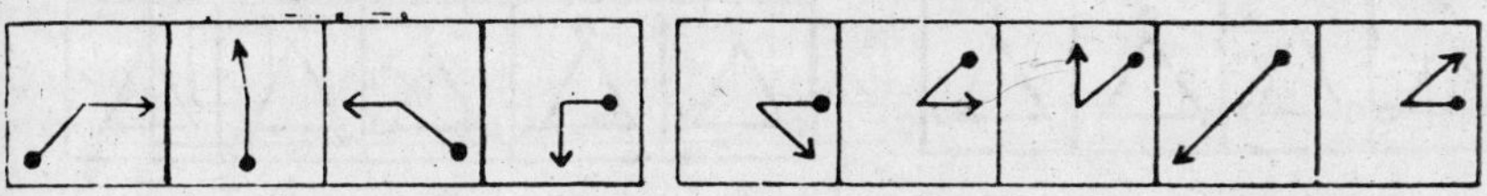

A B C D E

15. समस्या आकृतियां **उत्तर आकृतियां**

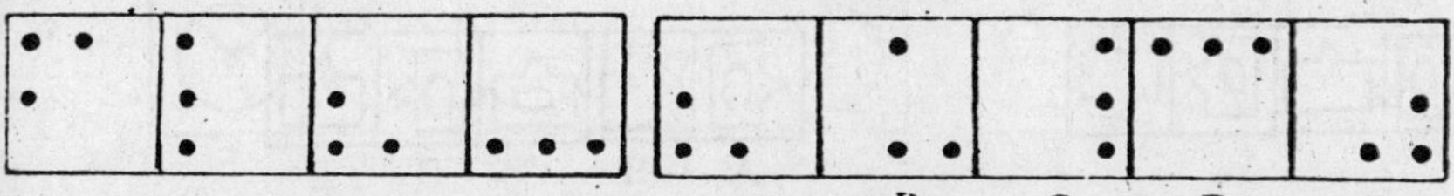

A B C D E

16. समस्या आकृतियां **उत्तर आकृतियां**

A B C D E

17. समस्या आकृतियां **उत्तर आकृतियां**

A B C D E

18. समस्या आकृतियां **उत्तर आकृतियां**

A B C D E

19. समस्या आकृतियां **उत्तर आकृतियां**

A B C D E

20. समस्या आकृतियां **उत्तर आकृतियां**

A B C D E

21. समस्या आकृतियां

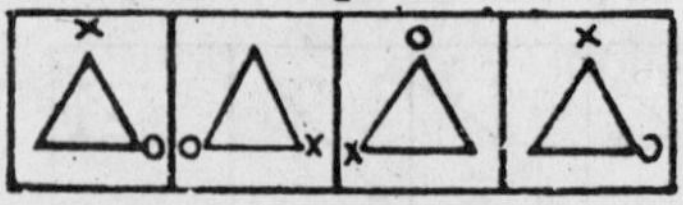

उत्तर आकृतियां

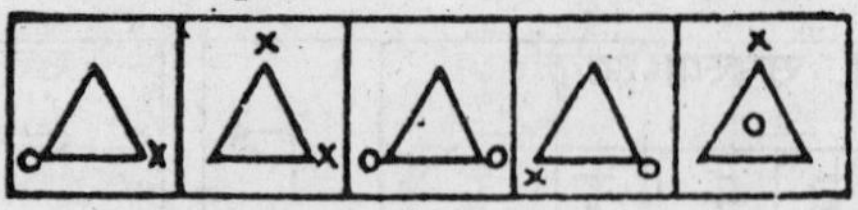

A B C D E

22. समस्या आकृतियां

उत्तर आकृतियां

A B C D E

23. समस्या आकृतियां

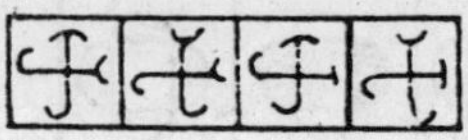

उत्तर आकृतियां

A B C D E

24. समस्या आकृतियां

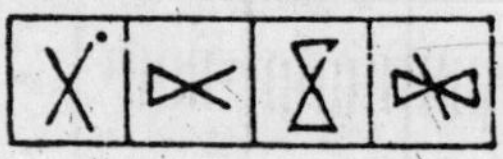

उत्तर आकृतियां

A B C D E

25. समस्या आकृतियां

उत्तर आकृतियां

A B C D E

26. समस्या आकृतियां

उत्तर आकृतियां

A B C D E

27. समस्या आकृतियां

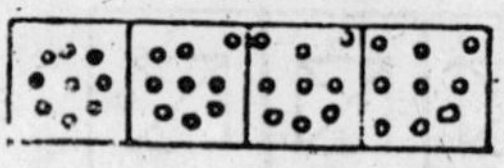

उत्तर आकृतियां

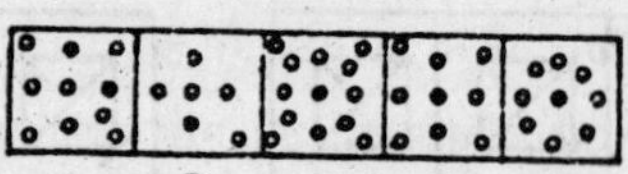

A B C D E

अध्याय 5

अलंकार

अलंकार विभूषित करते हैं। अलंकार से उक्ति की शोभा बढ़ जाती है। सुन्दर उक्ति सबको मनभाती है। अलंकार काव्य का वह गुण-धर्म है, जिससे काव्य की शोभा बढ़ती हैं। आचार्य मम्मट ने अलंकारों के सम्बन्ध में कहा है कि जैसे हार आदि आभूषण से कंठ की शोभा बढ़ जाती है वैसे ही उपमा और अनुप्रास आदि अलंकारों से काव्य के सौन्दर्य में वृद्धि हो जाती है। काव्य की आत्मा रस है, किन्तु उसका भूषण अलंकार है। इसीलिए अलंकार को काव्य का अस्थिर धर्म-गुण माना जाता है। अतः अलंकार साध्य नहीं, साधन है।

अलंकारों के दो भेद हैं– (1) शब्दालंकार और (2) अर्थालंकार। शब्दालंकार काव्य में शब्दों में चमत्कार पैदा करते हैं, जबकि अर्थालंकार काव्य में अर्थ सम्बन्धी विशेषता उत्पन्न करते हैं। कुछ अलंकार शब्द और अर्थ दोनों विशेषता उत्पन्न करते हैं। ऐसे अलंकारों को उभयालंकार कहा जाता है।

अलंकार असंख्य हैं। यहाँ केवल थोड़े-से विशिष्ट अलंकारों का वर्णन किया जायेगा।

शब्दालंकार

जहाँ शब्दों के कारण काव्य में सौन्दर्य उत्पन्न हो, वहाँ शब्दालंकार होता है। मुख्य-मुख्य शब्दालंकारों का वर्णन नीचे दिया गया है।

अनुप्रास– जब किसी पद में एक व्यंजन या कई व्यंजन एक ही क्रम में एक से अधिक बार आयें अर्थात् उसकी आवृत्ति हो, तो वह अनुप्रास कहा जाता है। यदि व्यंजन के अतिरिक्त शब्द या वाक्यांश की आवृत्ति हो, तो वहाँ भी अनुप्रास होता है।

जैसे, केलिन के कूलन कछारन में, कुंजन में

यहाँ 'क' और 'न' की पाँच और तीन आवृत्तियाँ हैं

एक अन्य उदाहरण–

'काली लहर कल्पना काली
मेरी काल कोठरी काली'

इसमें 'क' की 6 बार आवृत्ति हुई है।

कभी-कभी पूरे वाक्य की पुनरावृत्ति होती है, जैसे–

पूत सपूत तो क्या धन संचय।
पूत कपूत तो क्या धन संचय।।

अनुप्रास के कई भेद हैं–छेकानुप्रास, वृत्यानुप्रास, लाटानुप्रास, श्रुत्यानुप्रास और अन्त्यानुप्रास।

इसमें लाटानुप्रास में शब्दों अथवा वाक्यों की पुनरावृत्ति होती है, जैसे कि ऊपर के "पूत सपूत सो क्या धन संचय। पूत कपूत तो क्या धन संचय"।। उदाहरण में है।

यमक–ऊपर हमने देखा कि लाटानुप्रास में शब्दों अथवा वाक्यों की पुनरावृत्ति होती है किन्तु शब्द का अर्थ वही रहता है; अर्थात् शब्दों के अर्थ में भेद या अन्तर नहीं होता। किन्तु यमक में जो शब्द दोबारा आते हैं, उनके अर्थ बदल जाते हैं। जैसे–

कनक कनक ते सौ गुनी मादकता अधिकाय।
वा खाये बौराय जग या पाये बौराय।।

यहाँ कनक शब्द दो बार आया है। दोनों स्थानों पर कनक शब्द का अर्थ अलग-अलग है। पहले स्थान पर इसका अर्थ है 'स्वर्ण' और दूसरे स्थान पर इसका अर्थ है 'धतूरा'। इसी प्रकार 'बौराय' शब्द भी दो बार आया है और दोनों स्थानों पर इस शब्द का अर्थ अलग-अलग है। पहले स्थान पर इसका अर्थ है–सम्पन्न होना और दूसरे स्थान पर इसका अर्थ है 'पागल होना'।

श्लेष–यमक अलंकार में एक ही शब्द एक से अधिक बार प्रयुक्त होता है, परन्तु अलग-अलग स्थान पर इसका अर्थ भी अलग-अलग होता है, जैसा कि आप पढ़ चुके हैं। इसके विपरीत श्लेष में एक शब्द एक ही बार प्रयुक्त होता है, लेकिन उसके दो या अधिक अर्थ निकलते हैं। जैसे–

"चिर जीवै जोड़ी युगल, क्यों न सनेह गंभीर।
को घटि ये वृषभानुजा, वे हलधर के बीर।।"

उक्त पंक्तियों में 'वृषभानुजा' और 'हलधर' में श्लेष अलंकार है। 'वृषभानुजा' का अर्थ है 'राधा' और यदि 'वृषभानुजा' शब्द को तोड़कर इसका अर्थ निकाला जाये, तो अर्थ होगा 'वृषभ + अनुजा' अर्थात् 'बैल की बहन'। इसी प्रकार हलधर के दो अर्थ 'बैल' और 'बलराम' हैं। इस प्रकार एक अर्थ के अनुसार राधा वृषभानु की पुत्री है और दूसरे अर्थ के अनुसार बैल की बहन। दूसरी ओर कृष्ण एक ओर बलराम के भाई हैं, तो दूसरी ओर बैल के भाई।

अर्थालंकार

जब भाषा के प्रयोग से अर्थ में चमत्कार पैदा हो, तो वहाँ अर्थालंकार होता है। नीचे प्रमुख अर्थालंकारों का वर्णन किया जाता है–

उपमा–जहाँ दो वस्तुओं के बीच साम्य अथवा समानता का भाव व्यक्त किया जाये, वहाँ उपमा अलंकार होता है। जैसे, "सीता का मुख चन्द्रमा के समान सुन्दर है।"

यहाँ सीता के मुख की सुन्दरता की तुलना चन्द्रमा की सुन्दरता से की गई है।

सामान्यतया उपमा के चार अंग होते हैं– (1) उपमेय, (2) उपमान, (3) धर्म, और (4) वाचक। अब इन चारों को समझिए। जिसकी तुलना की जाये, उसे **उपमेय** कहते हैं। यहाँ सीता का **मुख** उपमेय है। जिससे तुलना की जाये, उसे **उपमान** कहते हैं। यहाँ चन्द्रमा उपमान (अप्रस्तुत) है। जिस बात में तुलना की जाये, उसे **धर्म** कहते हैं। यहां

सुन्दर धर्म है। जिस शब्द से तुलना की जाये, उसे **वाचक** कहते हैं। यहाँ 'के समान' वाचक है।

जहाँ काव्य में उपमा के चारों अंगों की उपस्थिति हो, उसे पूर्णोपमा कहते हैं।

जहाँ उपमा के इन चारों अंगों में से कोई अंग लुप्त होता है, उसे लुप्तोपमा कहते हैं। जो अंग लुप्त होता है, उसी के आधार पर इसका नामकरण हो जाता है, जैसे, **उपमेय लुप्तोपमा**–इसमें उपमेय लुप्त होता है, **उपमान लुप्तोपमा**–इसमें उपमान लुप्त होता है, **धर्म लुप्तोपमा**–इसमें धर्म लुप्त होता है, और **वाचक लुप्तोपमा**–इसमें वाचक लुप्त होता है। **मालोपमा** वहाँ होती है, जहाँ कई-कई उपमान हों, जैसे,

क्या कहें कि कैसी है उसकी कमनीय कान्ति।
कुन्दन-सी, कुंद-सी या कंज सी निकाई है।

रूपक–इस अलंकार में लक्षण से चमत्कार प्रकट होता है। इसमें उपमेय पर उपमान का आरोप होता है। इसमें उपमेय और उपमान दोनों को एक रूप में प्रदर्शित किया जाता है। इसका एक उदाहरण देखिए–

अम्बर पनघट में डुबो रही, तारा घट ऊपा नागरी।

यहाँ अम्बर में पनघट का आरोप है; तारा में घट का आरोप है और ऊपा में नागरी का आरोप है।

अनन्वय–जब उपमेय की तुलना के लिए कोई उपमान हीता ही नहीं और उपमेय के समान उपमेय ही कहा जाता है, तो अनन्वय अलंकार होता है। जैसे–

'राम से राम सिया सी सिया सिर मौर विरचि विचारि सँवारे'

यहाँ राम की उपमा देने के लिए कोई शब्द नहीं था, अतः राम की तुलना राम से की गई है। इसी प्रकार सीता की तुलना सीता से की गई है।

प्रतीप–इस अलंकार में प्रसिद्ध उपमानों को उपमेय का स्थान दे दिया जाता है। जैसे–

'दोनों का तन-तेज एक-से-एक प्रखर था।
उनके आगे पड़ा हुआ दिनकर फीका था।।'

सूर्य का तेज प्रसिद्ध उपमान है। लेकिन उपरोक्त पंक्तियों में 'तन-तेज' के सामने 'सूर्य का तेज' फीका पड़ गया है।

व्यतिरेक–जहाँ उपमेय को उपमान से बढ़ाकर अथवा उपमान को उपमेय से घटाकर वर्णन किया जाये, वहाँ व्यतिरेक अलंकार होता है। जैसे–

स्वर्ग की तुलना उचित ही है यहाँ
किन्तु सुरसरिता कहाँ, सरयू कहाँ?
यह मरों को मात्र पार उतारती
यह यहीं से जीवितों को तारती।

इन पंक्तियों में अयोध्या की तुलना स्वर्ग से की गई है। स्वर्ग में सुरसरिता (देव गंगा) केवल मृतकों को पार उतारती है। जबकि अयोध्या में सरयू जीवितों का ही उद्धार (मुक्ति प्रदान) कर देती है। यहाँ सरयू (उपमेय) को सुरसरिता से बढ़ाकर दिखाया गया है; या **यूँ** कहे कि सुरसरिता को हलका करके दिखाया गया है।

भ्रान्तिमान–जब किसी वस्तु को देखकर वैसी ही किसी अन्य वस्तु का भ्रम हो, तो वहाँ भ्रान्तिमान अलंकार होता है। जैसे–

नाक का मोती अधर की कान्ति से
बीज दाड़िम का समझकर भ्रान्ति से
देखकर सहसा हुआ शुक मौन है
सोचता है अन्य शुक यह कौन है?

यहाँ नाक के मोती पर ओठों की लालिमा पड़ने से मोती अनार के दाने जैसा दिखाई पड़ता है। इसे देखकर एक तोता नाक को (लाल चोंच देखकर) भ्रमवश दूसरा तोता मान बैठता है। इसलिए उक्त पंक्तियों में भ्रान्तिमान अलंकार है।

उत्प्रेक्षा–इस अलंकार में उपमेय में उपमान की सम्भावना की कल्पना की जाती है। इसमें प्रायः जनु, मनु, मानो, जानो जैसे शब्दों का प्रयोग किया जाता है। जैसे–

"सोहत ओढ़े पीत पट श्याम सलोने गात
मनो नील मनि शैल पर आतप पर्‌यो प्रभात्।"

श्री कृष्ण पीताम्बर पहने हुए हैं। उनके शरीर को देखकर ऐसा लगता है (मानो) नील पर्वत पर प्रभात के सूर्य का प्रकाश (पीले रंग का) पड़ रहा हो। यहाँ उपमेय (श्रीकृष्ण) में उपमान (नील पर्वत पर सूर्य का प्रकाश) की सम्भावना है।

उत्प्रेक्षा तीन प्रकार की होती है–(1) वस्तु उत्प्रेक्षा, (2) हेतु उत्प्रेक्षा और (3) फल उत्प्रेक्षा।

अतिशयोक्ति–वर्ण्य विषय का अतिरंजित चित्रण अतिशयोक्ति कहलाता है। इसमें वर्णन बहुत बढ़ा-चढ़ाकर किया जाता है। जैसे–

'हनुमान की पूँछ में, लगन न पाई आग।
लंका सारी जल गई, गए निशाचर भाग।।

अतिशयोक्ति के कई भेद हैं– (1) रूपकातिशयोक्ति, (2) भेदकाशयोक्ति (3) सम्बन्धाशयोक्ति, (4) असम्बन्धाशयोक्ति, (5) अक्रमातिशयोक्ति, (6) चपलातिशयोक्ति, (7) अत्यन्तातिशयोक्ति।

यहाँ एक उदाहरण देकर कुछ अलंकारों के बीच का सूक्ष्म अन्तर समझाया गया है। जैसे–

(1) सीता का मुख चन्द्रमा के समान सुन्दर है (उपमा अलंकार)
(2) चन्द्रमा सीता के मुख के समान सुन्दर है (प्रतीप)
(3) सीता के मुख के सामने चाँद फीका है (व्यतिरेक)
(4) सीता का मुख चन्द्रमा है (रूपक)
(5) सीता का मुख मानों चन्द्रमा है (उत्प्रेक्षा)
(6) सीता के मुख को चकोर ने चन्द्रमा समझा और एकटक देखता रहा (भ्रान्तिमान)

व्याज स्तुति–जहाँ देखने में प्रशंसा लगे पर वास्तव में निंदा हो या देखने में निंदा लगे पर वास्तव में प्रशंसा हो, वहाँ ब्याज स्तुति अलंकार होता है। जैसे–

"काशी पुरी की कुरीति बुरी, जह देह दिये पुनि देह न पाइये"

काशी नगर की सबसे बुरी बात यह है कि यहाँ शरीर त्याग करने वाला पुनः शरीर धारण नहीं करता (जन्म-मरण के बन्धन से मुक्त हो जाता है)।

लगता है कि यह काशी नगरी की निन्दा है, किन्तु वास्तव में यह इस पवित्र नगरी की महान प्रशंसा (स्तुति) है।

विरोधाभास–जब दो परस्पर विरोधी क्रियांओं से उल्टी क्रिया या परिणाम हो, तो विरोधाभास अलंकार होता है। जैसे–

"या अनुरागी चित्त की, गति समुझै नहिं कोई।
ज्यों-ज्यों बूड़ै श्याम रंग, त्यों-त्यों उज्जवल होई।।"

यहाँ कहा गया है कि श्याम रंग (काले रंग) में मन जितना अधिक डूबता है, उतना ही अधिक उज्जवल होता जाता है (जबकि काले रंग में डूबने पर काला होना चाहिए)।

खण्ड-II वस्तुनिष्ठ प्रश्न

भाषा और व्याकरण

1. हिन्दी वर्णमाला में कुल कितने अक्षर होते हैं?
(क) 44 (ख) 33
(ग) 46 (घ) 43

2. वर्तमान समय में हिन्दी का कौनसा रूप प्रचलित है?
(क) अवधी (ख) ब्रज
(ग) खड़ी बोली (घ) देवनागरी

3. हिन्दी निम्नलिखित में से किस लिपि में लिखी जाती है?
(क) गुरुमुखी (ख) ब्राह्मी
(ग) देवनागरी (घ) खरोष्ठी

4. हिन्दी में कुल कितने स्वर होते हैं?
(क) दस (ख) आठ
(ग) ग्यारह (घ) बारह

5. वर्ण को कहते हैं :
(क) मौखिक ध्वनि
(ख) लघुत्तम अक्षर
(ग) मूल ध्वनियाँ
(घ) बृहत्तम अक्षर

6. निम्नलिखित में अन्तःस्थ व्यंजन कौनसा है?
(क) य र ल व
(ख) आ ई ऊ ऋ
(ग) प फ ब भ म
(घ) ट ठ ड ढ ण

7. अयोगवाह के अन्तर्गत अनुस्वार का चिन्ह है :
(क) (:)
(ख) (∴)
(ग) (˙)
(घ) इनमें से कोई नहीं

8. उ, इ, उ, ऋ कौनसा स्वर है :
(क) ह्रस्व स्वर
(ख) प्लुत स्वर
(ग) दीर्घ स्वर
(घ) इनमें से कोई नहीं

9. श ष स ह कहलाते हैं :
(क) ऊष्म व्यंजन
(ख) संयुक्त व्यंजन
(ग) प्लुत स्वर
(घ) दीर्घ स्वर

10. निम्नलिखित में से किस अक्षर का उच्चारण मुँह और नाक से नहीं होता है?
(क) ङ (ख) ञ
(ग) म (घ) ब

11. उत्पत्ति के आधार पर शब्दों के कितने भेद होते हैं?
(क) पाँच (ख) छह
(ग) चार (घ) तीन

12. निम्नलिखित में से किस अक्षर का उच्चारण होठों से नहीं होता है?
(क) उ (ख) फ
(ग) ऊ (घ) त

13. आ, ई, ऊ, ओ और औ निम्नलिखित

में से कौनसा स्वर है?
(क) प्लुत स्वर
(ख) ह्रस्व स्वर
(ग) दीर्घ स्वर
(घ) इनमें से कोई नहीं

14. प्रयोग के अनुसार शब्दों के कितने भेद होते हैं?
(क) चार (ख) 8
(ग) तीन (घ) छह

15. भाषा किसका साधन है?
(क) बोलने का
(ख) अध्ययन का
(ग) लिखने का
(घ) अभिव्यक्ति का

16. जिन स्वरों के उच्चारण में 'अ' के उच्चारण के बराबर समय लगता है, उन्हें कहते हैं :
(क) प्लुत स्वर (ख) पूर्ण स्वर
(ग) ह्रस्व स्वर (घ) दीर्घ स्वर

17. व्यंजन तीन प्रकार के होते हैं : पहला स्पर्श, दूसरा अन्तस्थ और तीसरा :
(क) नासिका (ख) कण्ठ्य
(ग) ऊष्म (घ) दन्तोष्ठ

18. संयुक्त स्वर का एक उदाहरण है :
(क) इ (ख) उ
(ग) अ (घ) आ

19. एक या एक से अधिक वर्णों के संयोग से बनी ध्वनियों को क्या कहते हैं?
(क) शब्द (ख) व्यंजन
(ग) रूढ़ (घ) स्वर

20. 'पाठशाला' शब्द किस वर्ग का है?
(क) रूढ़ि
(ख) योगरूढ़ि
(ग) यौगिक
(घ) इनमें से कोई नहीं

21. त, थ, द, ध का उच्चारण :
(क) केवल ओठों से होता है
(ख) दाँतों के साथ जिह्वा के मेल से होता है
(ग) जीभ के प्रयोग के बिना होता है
(घ) कंठ व ओठों के मेल से होता है

22. महेश 'गधा' है। यहाँ गधा शब्द है:
(क) वाचक
(ख) लाक्षणिक
(ग) व्यंजक
(घ) इनमें से कोई नहीं

23. 'नीलकंठ' शब्द किस वर्ग का है?
(क) रूढ़ि
(ख) योगरूढ़
(ग) यौगिक
(घ) इनमें से कोई नहीं

24. ''गौ'' शब्द किस कोटि का है?
(क) लाक्षणिक
(ख) व्यंजक
(ग) वाचक
(घ) इनमें से कोई नहीं

25. हिन्दी में कितने 'कारक' होते हैं?
(क) पाँच (ख) दस
(ग) छह (घ) आठ

26. व्याकरण की दृष्टि से 'बुढ़ापा' क्या है?
(क) भाववाचक संज्ञा
(ख) व्यक्तिवाचक संज्ञा
(ग) क्रिया-विशेषण
(घ) जातिवाचक संज्ञा

27. 'हम' छात्र हैं। इसमें 'हम' पुरुषवाचक सर्वनाम है। यह है
(क) उत्तम पुरुष
(ख) प्रथम पुरुष
(ग) मध्यम पुरुष
(घ) इनमें से कोई नहीं

28. सीमा दौड़ती है। यहाँ 'दौड़ती है' कैसी क्रिया है?
(क) द्विकर्मक
(ख) सकर्मक
(ग) अकर्मक
(घ) इनमें से कोई नहीं

29. व्याकरण की दृष्टि से 'सौन्दर्य' क्या है?
(क) संज्ञा
(ख) सर्वनाम
(ग) विशेषण
(घ) क्रिया-विशेषण

30. 'पुरुष' कितने प्रकार के होते हैं?
(क) तीन (ख) पाँच
(ग) दो (घ) चार

31. विशेषण उन शब्दों को कहते हैं, जोः
(क) क्रिया की विशेषता प्रकट करें
(ख) संज्ञा के स्थान पर प्रयोग किये जायें
(ग) संज्ञा की विशेषता प्रकट करें
(घ) सर्वनाम की विशेषता बताएँ

32. संज्ञा के कितने भेद होते हैं? हैं?
(क) तीन (ख) पाँच
(ग) चार (घ) दो

33. जिन शब्दों में किसी प्रकार का विकार या परिवर्तन नहीं होता उन्हें क्या कहते हैं?
(क) धातु (ख) मूल शब्द
(ग) तत्सम (घ) अव्यय

34. निम्नलिखित में से कौनसा शब्द विशेषण है?
(क) चातुर्य (ख) पशुता
(ग) दुष्ट (घ) यौवन

35. 'ने' किस कारक की विभक्ति है?
(क) कर्त्ता (ख) करण
(ग) सम्प्रदाय (घ) कर्म

36. हिन्दी भाषा में कितने लिंग माने जाते हैं?
(क) तीन (ख) चार
(ग) पाँच (घ) दो

37. निम्नलिखित वाक्यों में किस वाक्य में अकर्मक क्रिया है?
(क) श्याम आम खाता है
(ख) ज्योति रोती है
(ग) मैंने उसे पुस्तक दी
(घ) उसने कमीज पहनी

38. मुख्यतः काल कितने हैं?
(क) तीन (ख) दो
(ग) चार (घ) पाँच

39. जिस शब्द के कई सार्थक खण्ड हो सकें, उन्हें क्या कहते हैं?
(क) रूढ़ (ख) संयुक्त
(ग) मिश्रित (घ) यौगिक

40. मूल क्रिया के अतिरिक्त वाक्य में जितनी भी क्रियाएँ आती हैं, उन्हें क्या कहते हैं?
(क) गौण क्रिया
(ख) रंजक क्रिया
(ग) अकर्मक क्रिया

(घ) सहायक क्रिया

41. निम्नलिखित शब्दों में से कौनसा शब्द अविकारी है?

(क) आजकल (ख) घोड़ा

(ग) नदी (घ) संकेत

42. 'कक्षा' कौनसी संज्ञा है?

(क) समुदायवाचक

(ख) भाववाचक

(ग) व्यक्तिवाचक

(घ) जातिवाचक

43. 'सीता तेज दौड़ती है'। इसमें तेज शब्द क्या है?

(क) विशेषण

(ख) क्रिया

(ग) क्रिया-विशेषण

(घ) इनमें से कोई नहीं

44. निम्न में से कौनसा शब्द सर्वनाम है?

(क) हमारे

(ख) मेरी

(ग) उन्होंने

(घ) उपरोक्त तीनों

45. निम्नलिखित में से कौनसी अकर्मक क्रिया है?

(क) हँसना (ख) चुराना

(ग) माँगना (घ) लेना

46. व्याकरण की दृष्टि से 'प्रेम' शब्द क्या है?

(क) अव्यय

(ख) भाववाचक संज्ञा

(ग) क्रिया

(घ) विशेषण

47. सर्वनाम का प्रयोग किसके बदले में किया जाता है?

(क) क्रिया

(ख) क्रिया-विशेषण

(ग) संज्ञा

(घ) विशेषण

48. विशेषण किसकी विशेषता बताता है?

(क) सर्वनाम की

(ख) क्रिया की

(ग) संज्ञा की

(घ) संज्ञा एवं सर्वनाम दोनों की

लिंग

निर्देश: *नीचे दिए गए चार शब्दों में से विपरीत लिंग ज्ञात करो।*

49. गीदड़

(क) गीदड़

(ख) गीदड़ी

(ग) गीदड़ीन

(घ) इनमें से कोई नहीं

50. कहार

(क) कहारिन (ख) कहारी

(ग) कहार (घ) कहरियाँ

51. नट

(क) नटिया

(ख) नटी

(ग) नटाईन

(घ) इनमें से कोई नहीं

52. जुलाहा

(क) जुलाही

(ख) जुलाहिन

(ग) जुलहनिया

(घ) इनमें से कोई नहीं

53. ठठेरा

(क) ठठेरिन (ख) ठठेरी

(ग) ठठेराइन (घ) ठठेरन

54. जाट
(क) जटाइन (ख) जाटिनी
(ग) जाटी (घ) जाटेरन

55. चौधरी
(क) चौधरानी
(ख) चौधराइन
(ग) चौधरिन
(घ) इनमें से कोई नहीं

56. जेठ
(क) जेठानी (ख) जेठी
(ग) जेठरानी (घ) जेठाइन

57. देवर
(क) देवरी (ख) देवरानी
(ग) देवराइन (घ) देवरिन

58. प्रिय
(क) प्रियसी (ख) प्रियतम
(ग) प्रिया (घ) प्रिये

59. बाल
(क) बाली (ख) बाला
(ग) बालीन (घ) बालिके

60. रूपवान
(क) रूपमती (ख) रूपवानी
(ग) रूपवाइन (घ) रूपवती

61. धनवान
(क) धनवाइन (ख) धनवानी
(ग) धनवती (घ) धनमती

62. बाबू
(क) बाबूनी (ख) बाबूरानी
(ग) बबुआइन (घ) बाबूरिन

63. दुबे
(क) दुबी (ख) दुबाइन
(ग) दुबीन (घ) दुबिआइन

64. प्रेषक
(क) प्रेषकी (ख) प्रेषिका
(ग) प्रेषिकाइन (घ) प्रेषिकिन

65. विद्वान
(क) विद्वानी (ख) विद्वनी
(ग) विदुषी (घ) विद्ववाइन

वचन

निर्देशः *निम्नलिखित शब्दों का बहुवचन ज्ञात करो।*

66. शक्ति
(क) शक्तियाँ (ख) शक्ती
(ग) शक्ते (घ) शक्तियें

67. डिबिया
(क) डिबियाँ (ख) डिबियाएँ
(ग) डिबियों (घ) डिबियाओं

68. खूंटी
(क) खूंटे (ख) खूंटियाँ
(ग) खूंटियाएँ (घ) खूंटियाओं

69. गुड़िया
(क) गुड़ियाँ (ख) गुड़ियें
(ग) गुड़ियों (घ) गुड़ियाएँ

70. बहू
(क) बहुओं (ख) बहुएँ
(ग) बहू (घ) बहुआएँ

71. रीति
(क) रीते (ख) रीतियें
(ग) रीतियाँ (घ) रीतियों

72. श्रीमती
(क) श्रीमते (ख) श्रीमतिएँ
(ग) श्रीमतियाँ (घ) श्रीमतीने

73. लालटेन
(क) लालटेनों
(ख) लालटेनें
(ग) लालटेन
(घ) इनमें से कोई नहीं

74. चोर
(क) चोरें (ख) चोरों
(ग) चोरियाँ (घ) चोर

75. गौ
(क) गौवाँ (ख) गौएँ
(ग) गौवन (घ) गौवें

76. आँख
(क) अंखियाँ (ख) आँखें
(ग) आँखों (घ) अँखियाएँ

77. भाई
(क) भाइया (ख) भाइयाँ
(ग) भाइयों (घ) भाइएँ

78. सिपाही
(क) सिपाहियों (ख) सिपाहियाँ
(ग) सिपहिये (घ) सिपाहें

79. घर
(क) घरों (ख) घरें
(ग) घराएँ (घ) घरे

80. कन्या
(क) कन्याएँ (ख) कन्याओं
(ग) कन्याइयाँ (घ) कन्ये

81. लड़का
(क) लड़के (ख) लड़काओं
(ग) लड़कों (घ) लड़काएँ

82. मैं
(क) हम (ख) मैंने
(ग) हमारा (घ) मेरा

83. चुहिया
(क) चुहियों (ख) चुहिए
(ग) चुहियाओं (घ) चुहियाँ

84. भेड़िया
(क) भेड़ियों (ख) भेड़ियाँ
(ग) भेड़ियाएँ (घ) भेड़िए

85. आत्मा
(क) आत्माओं (ख) आत्माएँ
(ग) आत्में (घ) आत्माँ

भाववाचक शब्द

निर्देशः *निम्नलिखित शब्दों में से भाववाचक शब्द छाँटो।*

86. भ्राता
(क) भ्रातृ
(ख) भ्रातृत्व
(ग) भ्राताश्री
(घ) इनमें से कोई नहीं

87. तपस्वी
(क) तपस्या (ख) तप
(ग) तपस्वरी (घ) तपस्वीया

88. भारत
(क) भरत (ख) भारतीय
(ग) भारतीयता (घ) भारतीए

89. अहम्
(क) मैं (ख) अहंकार
(ग) अहंकर (घ) अहंकारे

90. उचित
(क) औचित्य (ख) जायज
(ग) उपयुक्त (घ) उचितया

91. कठिन
(क) कठिनतम (ख) कठिनता
(ग) कठिनाइयाँ (घ) कठिनाई

92. चतुर
(क) चतुराई (ख) चालाक
(ग) चतुरे (घ) चतुर

93. बूढ़ा
(क) बुढ़ापा (ख) वृद्धा
(ग) बुढ़ावी (घ) बुढ़ौती

94. बड़ा
(क) बड़प्पन (ख) युवा
(ग) बड़े (घ) बुजुर्ग

95. कृपण
(क) कृपाण (ख) कृपालु
(ग) कृपणता (घ) कृपणे

96. युवा
(क) युवक (ख) यौवन
(ग) युथ (घ) नवयुवक

97. व्यक्ति
(क) व्यक्तित्त्व (ख) प्राणी
(ग) व्य्क्तित्त्वता (घ) व्यक्तिगत

98. मरना
(क) मृत्यु (ख) मिथ्या
(ग) मरण (घ) परलोक

99. शूर
(क) शूरत्व (ख) शूरवीर
(ग) शौर्य (घ) शूरमा

100. अपना
(क) अपनत्व (ख) अपनापन
(ग) अर्पण (घ) अर्पित

101. महान
(क) महन्ता (ख) महानता
(ग) महामना (घ) महन्त

102. आलसी
(क) अलसस्य (ख) आलस्य
(ग) अलसे (घ) आलसीया

103. कंजूस
(क) कंजूसी
(ख) कंजूसता
(ग) कंजूसई
(घ) इनमें से कोई नहीं

104. कहना
(क) कथन (ख) कथनीय
(ग) कहावत (घ) कथानक

105. ईश्वर
(क) ऐश्वर्य (ख) ईश्वरीय
(ग) दैवी (घ) ईश्वरता

विशेषण

निर्देश: *निम्नलिखित शब्दों के विशेषण छांटो:*

106. उत्कर्ष
(क) उत्कर्षी (ख) उत्कृष्ट
(ग) उत्कर्षे (घ) अत्कर्षा

107. घना
(क) घनाकार (ख) घनी
(ग) घनघोर (घ) घनयुक्त

108. अग्नि
(क) अग्निकार (ख) आग्नेय
(ग) अग्निकृत (घ) अग्निवेष

109. ऐश्वर्य
(क) ऐश्वर्यरे (ख) ऐश्वर्यवान
(ग) एकेश्वर (घ) ईश्वरीय

110. हृदय
(क) हृदयता (ख) हार्दिक
(ग) हृदयी (घ) हृदया

111. कुल
(क) कुलीन (ख) कुले
(ग) कुलता (घ) कुलरूपी

112. अभ्यास
(क) अभ्यस्थ (ख) अभ्यस्थता
(ग) अभ्यस्त (घ) अभासी

113. कृतघ्नता
(क) कृतज्ञ (ख) कृतघन
(ग) कृपालु (घ) कृतघ्न

114. चिन्ता
(क) चिन्तनीय (ख) चिन्तित
(ग) चिन्तामणि (घ) चिन्ताहरी

115. जिज्ञासा
(क) जिज्ञासु (ख) जिज्ञास
(ग) जिज्ञासपूर्ण (घ) जिज्ञासी

116. अर्थ
(क) अर्थे (ख) अनर्थ
(ग) आर्थिक (घ) अर्थक

117. धर्म
(क) धर्मज्ञ (ख) धर्मस्थ
(ग) धर्मात्मा (घ) धार्मिक

118. ज्योति
(क) ज्योतिष (ख) ज्योतिका
(ग) ज्यातिर्गमय (घ) ज्योतिके

119. दूर
(क) दुरता (ख) दूरियाँ
(ग) दूरस्थ (घ) दूरतम

120. प्रकृति
(क) प्राकृतिक (ख) प्रकृति
(ग) प्राकृत (घ) प्रकृतम

121. राष्ट्र
(क) राष्ट्रीयता (ख) राष्ट्रीय
(ग) राष्ट्रे (घ) राष्ट्रतम

122. प्रशंसा
(क) प्रशंसनीय (ख) प्रशंसे
(ग) प्रशंसा (घ) प्रसन्नतम

123. यश
(क) यशस्वी (ख) तेजस्वी
(ग) यश (घ) ओजस्वी

124. सूर्य
(क) सूर्या (ख) सूरज
(ग) सौर (घ) सूरय

125. प्यास
(क) प्यासा (ख) प्यासी
(ग) प्याश (घ) प्यासम

126. गृह
(क) गृहणी (ख) गृहस्थी
(ग) गृहीनी (घ) गृहस्थ

127. प्रयत्न
(क) प्रयत्नशील (ख) प्रयत्नी
(ग) प्रयास (घ) चेष्टा

128. निन्दा
(क) निन्दनीय (ख) नृद्रा
(ग) निन्दगीय (घ) निन्दा

129. विपत्ति
(क) विपरीत (ख) विपत्ति
(ग) विपदा (घ) विपन्न

130. भीख
(क) भिक्षा (ख) भिखारी
(ग) भिक्षावृत्ति (घ) भिखमंगा

क्रिया-विशेषण

131. क्रिया-विशेषण उन शब्दों को कहते हैं, जो–
(क) क्रिया की विशेषता बतायें
(ख) क्रिया का काल बतायें
(ग) क्रिया और विशेषण का काम करें
(घ) क्रिया से बने हों

132. 'जोर से बोलिए'। इसमें क्रिया-विशेषण क्या है?
(क) जोर (ख) से
(ग) जोर से (घ) बोलिये

133. 'वह कल अवश्य आयेगा'। इसमें क्रिया-विशेषण क्या है?
(क) आयेगा (ख) वह
(ग) कल (घ) अवश्य

134. 'उसे इधर आना है।' इसमें क्रिया-

विशेषण क्या है?

(क) उसे (ख) आना है

(ग) इधर (घ) उसे इधर

135. 'चोर धीरे-से खिसक गया' इसमें क्रिया-विशेषण क्या है?

(क) खिसक गया

(ख) धीरे-से खिसक गया

(ग) धीरे-से

(घ) चोर धीरे-से खिसक गया

136. कर्त्ता कारक की विभक्ति कौन-सी है?

(क) को (ख) ने

(ग) से (घ) में

137. टेबुल पर पुस्तकें रखी हैं? इस वाक्य में 'पर' किस कारक का चिन्ह है?

(क) कर्त्ता कारक

(ख) अधिकरण कारक

(ग) सम्प्रदान कारक

(घ) करण कारक

138. मुन्ना के लिए फल खरीद लो। इसमें 'के लिए' किस कारक का चिन्ह है?

(क) करण कारक

(ख) अपादान कारक

(ग) कर्म कारक

(घ) सम्प्रदान कारक

139. संबंध कारक की विभक्ति कौन-सी है?

(क) का, के, की

(ख) को

(ग) हे

(घ) उपरोक्त सभी

140. हरी ने कुत्ते को बचाया। इसमें 'को' किस कारक की विभक्ति है?

(क) संबंध कारक

(ख) कर्मकारक

(ग) अपादान कारक

(घ) सम्प्रदान कारक

141. हिन्दी की लिपि कौनसी है?

(क) देवनागरी (ख) गुरुमुखी

(ग) रोमन (घ) फारसी

142. 'च, छ, ज, झ' के उच्चारण को मुखांगों के व्यवहार के आधार पर क्या नाम दिया जाता है?

(क) तालव्य (ख) मूर्धन्य

(ग) दन्त्य (घ) ओष्ठ्य

143. 'प, फ, ब, भ' के उच्चारण को मुखांगों के व्यवहार के आधार पर क्या नाम दिया जाता है?

(क) कण्ठ्य (ख) तालव्य

(ग) दन्त्य (घ) ओष्ठ्य

144. मौखिक ध्वनियों को प्रकट करने वाले अथवा प्रकट करने के लिए निश्चित किए गए चिन्हों को क्या कहते हैं?

(क) व्याकरण

(ख) भाषा

(ग) लिपि

(घ) उपरोक्त सभी

145. 'बुढ़ापा' कौनसी संज्ञा को प्रकट करता है?

(क) द्रव्यवाचक

(ख) व्यक्तिवाचक

(ग) भाववाचक

(घ) जातिनाचक

146. 'प्रेम' कौनसी संज्ञा है?

(क) द्रव्यवाचक

(ख) जातिवाचक

(ग) भाववाचक

(घ) व्यक्तिवाचक

147. 'कक्षा' संज्ञा है :
(क) समूहवाचक
(ख) जातिवाचक
(ग) व्यक्तिवाचक
(घ) उपरोक्त सभी

148. कारक के कितने भेद हैं?
(क) चार (ख) सात
(ग) आठ (घ) तीन

149. 'छत के ऊपर मत जाओ' वाक्य में कौनसा कारक है?
(क) कर्त्ता (ख) करण
(ग) अधिकरण (घ) सम्बोधन

150. 'अजी भाई साहब, बात सुनना', वाक्य में कारक बताएँ।
(क) कर्म (ख) अपादान
(ग) अधिकरण (घ) सम्बोधन

151. सर्वनाम के कितने भेद हैं?
(क) चार (ख) आठ
(ग) छः (घ) नौ

152. 'जो प्रयत्न करता है, वह फल भी पाता है'। इस वाक्य में कौनसा सर्वनाम है?
(क) प्रश्नवाचक सर्वनाम
(ख) सम्बन्धवाचक सर्वनाम
(ग) पुरुषवाचक सर्वनाम
(घ) निजवाचक सर्वनाम

153. 'आप भला तो जग भला'—उक्त वाक्य में कौनसा सर्वनाम है?
(क) प्रश्नवाचक
(ख) सम्बन्धवाचक
(ग) निजवाचक
(घ) पुरुषवाचक

154. जो शब्द संज्ञा अथवा सर्वनाम की विशेषता प्रकट करे, उसे कहते हैं:
(क) संज्ञा (ख) विशेषण
(ग) प्रत्यय (घ) लिंग

155. 'राम आम खाता है'—उक्त वाक्य में कौनसी क्रिया है?
(क) अकर्मक
(ख) सकर्मक
(ग) संयुक्त
(घ) उपरोक्त सभी

वर्तनी

निर्देशः *नीचे के प्रश्नों में एक शब्द की चार अलग-अलग वर्तनियां दी हुई हैं। इनमें से सही वर्तनी छाँटकर उस पर निशान लगाइयेः*

1. (क) अधम्र (ख) अध्रम
(ग) अधर्म (घ) अधृम

2. (क) अधिकृत (ख) अधिक्रित
(ग) अधिक्रित्त (घ) अधिर्कित

3. (क) अनुकृम (ख) अनुक्रम
(ग) अनुकर्म (घ) अनुकम्र

4. (क) अनवेषण (ख) अन्वेषण
(ग) अन्वेछण (घ) अन्वेशण

5. (क) अभिशेक (ख) अभिषेख
(ग) अभिषेक (घ) अभीषेक

6. (क) इच्छुक (ख) इक्षुक
(ग) इक्छुक (घ) इच्छिक

7. (क) इन्र्दिय (ख) इन्द्यि
(ग) इन्दिय (घ) इन्द्रिय

8. (क) ईष्या (ख) ईर्श्या
(ग) इर्ष्या (घ) ईर्ष्या

9. (क) उतकण्ठा (ख) उत्कण्ठा
(ग) उत्क्णठा (घ) उत्त्कन्ठा

10. (क) उमृिला (ख) उम्रिला
(ग) उर्मिर्ला (घ) उर्मिला

11. (क) रिषि (ख) ऋषि
(ग) त्रिृषि (घ) ऋशि

12. (क) एकागृ (ख) एकाग्र
(ग) एकार्ग (घ) एक्राग्र

13. (क) ओजश्वि (ख) ओजस्वी
(ग) ओजश्वी (घ) ओजष्वी

14. (क) औशधी (ख) औषधी
(ग) औषधि (घ) औष्धि

15. (क) करम (ख) क्राम
(ग) कम्र (घ) कर्म

16. (क) ग्रिहीत (ख) ग्रहीत
(ग) गृहीत (घ) गर्हित

17. (क) कृतज्ञ (ख) क्रतज्ञ
(ग) क्रितज्ञ (घ) क्रितग्य

18. (क) चतुदर्श (ख) चर्तुदश
(ग) चतुर्दश (घ) चतुद्रश

19. (क) जर्जर (ख) जरर्जर
(ग) जज्रर (घ) जरजर

20. (क) जघ्नय (ख) जघ्रय
(ग) जघन्य (घ) जघन्य

21. (क) जेष्ठ (ख) ज्येश्ठ
(ग) ज्येष्ठ (घ) ज्येस्ठ

22. (क) ज्योतस्ना (ख) ज्योत्शना
(ग) ज्योस्तना (घ) ज्योत्स्ना

23. (क) तपस्वनी (ख) तपस्विनी
(ग) तपिस्वनी (घ) तपिस्विनी

24. (क) तादातमय (ख) तदात्म्य
(ग) तादात्म्य (घ) तादात्यम

25. (क) तृष्णा (ख) तिृष्णा
(ग) त्रिष्णा (घ) तृशणा

26. (क) त्रिमूर्ती (ख) त्रिमुर्ति
(ग) त्रिमूर्ति (घ) त्रृमूर्ति

27. (क) दक्छ (ख) दक्च्छ
(ग) दक्ष (घ) दज्ञ

28. (क) द्रर्पन (ख) दर्पन
(ग) दपर्ण (घ) दर्पण

29. (क) दामपत्य (ख) दम्पत्य
(ग) दाम्पत्य (घ) दाम्पत

30. (क) दीप्पित (ख) दीपति
(ग) दीप्ति (घ) दीप्ती

31. (क) दीर्घायु (ख) दीरघायु
(ग) दीघार्यु (घ) दीर्घियु

32. (क) दुर्निती (ख) दुनीर्ति
(ग) दुरनीति (घ) दुर्नीति

33. (क) दुर्दषा (ख) दुहशा
(ग) दुर्दशा (घ) दुद्रशा

34. (क) दुर्योधन (ख) दुयोधन
(ग) द्ररयोधन (घ) द्रुयोधन

35. (क) दुरबुद्धि (ख) दुर्बुधि
(ग) दुबुद्धि (घ) दुर्बुद्धि

36. (क) धनुष्विद्या (ख) धनुर्विद्या
(ग) धर्नुविद्या (घ) धनुर्वेद्या

37. (क) इकट्ठा (ख) एकट्ठा
(ग) एकठा (घ) एकाट्ठा

38. (क) गायकी (ख) गोयिका
(ग) गायिका (घ) गायीका

39. (क) नर्म्रदेश्वर (ख) नम्रदेश्वर
(ग) नमर्देश्वर (घ) नर्मदेश्वर

40. (क) निश्क्षेप (ख) निक्क्षेप
(ग) निक्षेप (घ) निक्छेप

41. (क) निर्गह (ख) नृग्रह
(ग) निग्रह (घ) निगर्ह

42. (क) निरजीव (ख) निर्जीव
(ग) निृजीव (घ) निज्रीव

43. (क) निम्रूल (ख) निर्मूल
(ग) निरमूल (घ) नृर्मूल

44. (क) निवृत्त (ख) निव्रत्त
(ग) निवृत (घ) निृवत्त

45. (क) प्रिक्रमा (ख) परीक्रमा
(ग) परिकृमा (घ) परिक्रमा

46. (क) प्रयटन (ख) पृयटन
(ग) पर्यटन (घ) प्रर्यटन

47. (क) प्रक्रिति (ख) प्रकृति
(ग) प्रक्रति (घ) पृक्रति

48. (क) बर्हिमुख (ख) बहिर्मुख
(ग) बहिम्रुख (घ) बहिमुर्ख

49. (क) भरतस्ना (ख) भर्त्सना
(ग) भर्तसना (घ) भर्तृसना

50. (क) मूर्ती (ख) मूर्ति
(ग) मूर्तिू (घ) मूरती

51. (क) इकतारा (ख) एकतारा
(ग) इकेतारा (घ) एकातारा

52. (क) र्निजीव (ख) निरजीव
(ग) निर्जीव (घ) निज्रीव

53. (क) निर्मूल (ख) नृमूल
(ग) निम्रूल (घ) नृम्रूल

54. (क) पार्थिव (ख) पार्थ्रिव
(ग) पार्थीव (घ) पाथिर्व

55. (क) विदूश्क (ख) विदूष्क
(ग) विदूशक (घ) विदूषक

56. (क) र्फुतीला (ख) फुर्तीला
(ग) फुर्तिला (घ) फुर्तला

57. (क) वर्ज (ख) वज्र
(ग) वजृ (घ) वज्रृ

58. (क) सीन्दूर (ख) सिन्दुर
(ग) सिन्दूर (घ) सीनदूर

59. (क) ब्रम्हचर्य (ख) ब्रह्मचर्य
(ग) बृह्मचर्य (घ) ब्रह्मर्चय

60. (क) भ्रर्तस्ना (ख) भर्तस्ना
(ग) भर्त्सना (घ) र्भत्सना

61. (क) मत्स्य (ख) मतस्य
(ग) मत्सत्य (घ) मत्श्य

62. (क) भ्रित्य (ख) भर्त्य
(ग) भृत्य (घ) भ्रत्य

63. (क) निग्रंध (ख) निर्गंध
(ग) र्निगंध (घ) नृगंध

64. (क) प्रक्रिति (ख) प्रक्रिति
(ग) पृकृति (घ) प्रकृति

65. (क) प्रकर्श (ख) प्रकर्ष
(ग) पृकर्श (घ) पृकर्ष

66. (क) भद्र (ख) भदृ
(ग) भृद्र (घ) भर्द

67. (क) मंजूशा (ख) मंजूषा
(ग) मंजुषा (घ) मंजुशा

68. (क) मुर्मूषु (ख) मुमुर्षू
(ग) मुमुर्षु (घ) मुमूर्षु

69. (क) ब्राह्मण (ख) ब्राह्मण
(ग) ब्राम्हण (घ) बृाहम्ण

70. (क) चतुदर्शी (ख) चर्तुदशी
(ग) चतुर्दशी (घ) चर्तुदशी

71. (क) तिर्स्कृत (ख) तिरस्कृत
(ग) तिरस्क्रत (घ) तिरिस्क्रित

72. (क) तरंगिणि (ख) तरंगणी
(ग) तरंगिणी (घ) तरंग्णी

73. (क) तार्क्रिक (ख) तार्किक
(ग) ताकृिक (घ) ताक्रिक

74. (क) दरपन (ख) दप्रण
(ग) दपर्ण (घ) दर्पण

75. (क) दर्रिद्र (ख) दरिद्र
(ग) दरिर्द्र (घ) दरिद्य

76. (क) ज्योत्स्ना (ख) ज्योत्सना
(ग) जयोत्स्ना (घ) ज्योस्त्ना

77. (क) प्रर्दशनी (ख) पृदर्ईनी
(ग) पृदर्शनी (घ) प्रदर्शनी

78. (क) परिकर्म्रा (ख) परिक्रमा
(ग) परिकृमा (घ) प्ररिक्रमा

79. (क) निषृद्ध (ख) निषिद्ध
(ग) निशिद्ध (घ) निषिद्द

80. (क) प्रभृति (ख) पृभृति
(ग) पृभ्रति (घ) प्रभिृति

81. (क) परवीण (ख) प्रवीण
(ग) प्रवीर्ण (घ) परविण

82. (क) पृथिवी (ख) पृथ्िवी
(ग) पृथ्वी (घ) प्रिथ्वी

83. (क) धम्र (ख) धरम
(ग) धर्म (घ) धृर्म

84. (क) ध्रुव (ख) ध्रृव
(ग) ध्रुर्व (घ) धुर्व

85. (क) ध्रिष्ट (ख) धृश्ट
(ग) धृष्ट (घ) ध्रिस्ट

86. (क) नक्छत्र (ख) नक्क्षत्र
(ग) नछत्र (घ) नक्षत्र

87. (क) निर्मल (ख) निरमल
(ग) निमर्ल (घ) निम्रल

88. (क) पैतृर्क (ख) पैत्रिक
(ग) पैत्रक (घ) पैतृक

89. (क) न्रतक (ख) नृतक
(ग) नर्तक (घ) नतर्क

90. (क) निर्विघ्न (ख) निरविघ्न
(ग) निर्व्रिघ्न (घ) निरविघ्न

91. (क) निश्क्रिय (ख) निष्क्रिय
(ग) निस्कृिय (घ) निष्कृय

92. (क) धूर्त (ख) धूर्त
(ग) धुर्त (घ) धूतृ

93. (क) आगृह (ख) आग्रह
(ग) आर्गह (घ) आगहर्य

94. (क) सत्क्रम (ख) सतक्रम
(ग) सत्कर्म (घ) सत्कम्र

95. (क) विस्तृित (ख) वृस्तृत
(ग) विस्त्रित (घ) विस्तृत

96. (क) वृशभ (ख) व्रशभ
(ग) वृषभ (घ) व्रषभ

97. (क) यशश्वी (ख) यशस्वी
(ग) यशष्वी (घ) यशस्वि

98. (क) रोद्दर (ख) रोद्र
(ग) रौद् (घ) रौद्र

99. (क) स्म्रति (ख) स्मृति
(ग) सृमिति (घ) स्त्रमिति

100. (क) पृारंभ (ख) प्रारम्भ
(ग) पृारम्भ (घ) प्राम्र्भ

101. (क) श्रींग (ख) शृंग
(ग) श्रिंग (घ) श्रंग

102. (क) विभ्रम्म (ख) विभर्म
(ग) विभृम (घ) विभ्रम

103. (क) वक्रृ (ख) वकृ
(ग) वक्र (घ) व्रक्र

104. (क) वर्तलु (ख) ब्रर्तुल
(ग) व्रतुल (घ) वर्तुल

105. (क) द्रश्य (ख) दृश्य
(ग) दृष्य (घ) द्रिश्य

106. (क) सन्धिग्द (ख) संदिग्द
(ग) संदिग्ध (घ) सदिग्द्व

107. (क) यथेश्ठ (ख) यथेष्ट
(ग) यथेष्ठ (घ) यथेस्ठ

108. (क) शार्दलू (ख) शाद्रूल
(ग) शार्दूल (घ) शार्द्रूल

109. (क) व्यङ्गर (ख) व्यगर
(ग) व्यगृ (घ) व्यग्र

110. (क) सुकृर्म (ख) सुक्रर्म
(ग) सुकर्म (घ) सुक्रम

111. (क) स्निग्ध (ख) स्निज्ध
(ग) श्निग्ध (घ) षिनिग्ध

112. (क) स्पृिहा (ख) स्प्रिहा
(ग) स्पृहा (घ) स्प्रीहा

113. (क) परीशिष्ट (ख) परिशिष्ट
(ग) प्रीशिष्ट (घ) परशिष्ट

114. (क) आशीवादं (ख) आशीर्वाद
(ग) आशिर्वाद (घ) आर्शीवाद
115. (क) यज्य (ख) यग्य
(ग) यज्ञ (घ) यज्ञ्य
116. (क) शुर्श्रुषा (ख) शुशूषा
(ग) श्रूशुषा (घ) शुश्रूषा
117. (क) प्रत्यक्ष (ख) प्रत्यक्ष्य
(ग) पृत्यक्ष (घ) प्रत्यक्छ
118. (क) अन्ताछरी (ख) अन्ताक्षरी
(ग) अन्त्याछरी (घ) अन्त्याक्षरी
119. (क) रचइता (ख) रचयिता
(ग) रचियता (घ) रचियिता
120. (क) वैयक्तिक (ख) वयक्तिक
(ग) वैयकतिक (घ) व्यक्तिक
121. (क) द्वन्ध्व (ख) द्वन्द
(ग) द्वन्द्व (घ) दन्द्व
122. (क) यथाशक्ती (ख) यथाशक्ति
(ग) यथाषक्ति (घ) यथासक्ति
123. (क) क्षत्रीय (ख) क्षत्रिय
(ग) छत्रिय (घ) क्षतृय
124. (क) राशी (ख) राषि
(ग) राशि (घ) रासि
125. (क) लक्ष्मि (ख) लक्ष्मि
(ग) लक्छमी (घ) लक्ष्मी
126. (क) रोस (ख) रोश
(ग) रोष (घ) रूष
127. (क) ग्यानशुन्य (ख) ग्यानशून्य
(ग) ज्ञानशून्य (घ) ज्ञानशुन्य
128. (क) मोहनि (ख) मोहिनि
(ग) मोहिनी (घ) मोहनी
129. (क) धनूष (ख) धनुस
(ग) धनुश (घ) धनुष
130. (क) अश्यर्च (ख) आर्श्चाय
(ग) आर्श्चय (घ) आश्चर्य
131. (क) क्रोंध (ख) कृोध
(ग) क्रोध (घ) कृौध
132. (क) स्फर्ति (ख) श्फूर्ति
(ग) स्फूर्ती (घ) स्फूर्ति
133. (क) विकृत् (ख) विकर्त
(ग) विक्रत (घ) विकृत
134. (क) राश्ट्रिय (ख) राष्ट्रिय
(ग) राष्ट्रीय (घ) राश्ट्रीय
135. (क) सव्रज्ञ (ख) सर्वज्ञ
(ग) सर्वग्य (घ) सर्वग
136. (क) निष्पक्छ (ख) निस्पक्ष
(ग) निश्पक्ष (घ) निष्पक्ष
137. (क) शाष्वत (ख) शास्वात
(ग) शास्वत (घ) शाश्वत
138. (क) निरदोश (ख) निद्रोस
(ग) निर्दोष (घ) निद्रोश
139. (क) तिरभुवन (ख) त्रिभुवान
(ग) तृभुवन (घ) त्रिभुवन
140. (क) नीष्काम (ख) निश्काम
(ग) निष्काम (घ) निस्काम

प्रत्यय और उपसर्ग

1. उपसर्ग लग जाने से मूल शब्द :
(क) का अर्थ नहीं बदलता
(ख) का अर्थ बदल जाता है
(ग) सदैव उल्टा अर्थ देता है
(घ) सदैव नाकारात्मक बन जाता है
2. उफ्सर्ग शब्द के :
(क) आरम्भ में जोड़े जाते है
(ख) अन्त में जोड़े जाते हैं
(ग) बीच में जोडे जाते हैं
(घ) कभी आरम्भ में और कभी अन्त में जोड़े जाते हैं

उपसर्ग कितने प्रकार के माने गए हैं?
(क) एक (ख) दो
(ग) तीन (घ) चार

4. उपसर्ग :
(क) शब्दों को शुद्ध बनाते हैं
(ख) शब्दों का रूप बिगाड़ देते हैं
(ग) शब्द की व्याख्या करते हैं
(घ) उपरोक्त में से कोई भी नहीं

5. 'नि' उपसर्ग लगाने से शब्द का अर्थ :
(क) स्पष्ट हो जाता है
(ख) उल्टा हो जाता है
(ग) विशिष्ट हो जाता है
(घ) असामान्य हो जाता है

6. प्रत्यक्ष में कौन-सा उपसर्ग है?
(क) प्रति
(ख) प्र
(ग) प्रत्य
(घ) उपरोक्त में से कोई नहीं

7. 'दुर्गम' कैसा उपसर्ग है?
(क) तत्सम (ख) तद्भव
(ग) विदेशी

8. 'सरस' कैसा उपसर्ग है?
(क) तद्भव (ख) तत्सम
(ग) विदेशी

9. 'बेखबर' कैसा उपसर्ग है?
(क) तत्सम (ख) तद्भव
(ग) विदेशी

10. 'चतुराई' में क्या प्रत्यय जोड़ा गया है?
(क) राई (ख) ई
(ग) आई

11. 'अधिकार' में उपसर्ग क्या है?
(क) अ (ख) अधिक
(ग) अधि

12. 'अपशकुन' कैसा उपसर्ग है?
(क) तत्सम (ख) तद्भव
(ग) विदेशी

13. 'चौपाया' कैसा उपसर्ग है?
(क) तत्सम (ख) तद्भव
(ग) विदेशी

14. 'स्वदेश' कैसा उपसर्ग है?
(क) तत्सम (ख) तद्भव
(ग) विदेशी

15. 'बेईमान' कैसा उपसर्ग है?
(क) तद्भव (ख) तत्सम
(ग) विदेशी

16. 'विज्ञान' में कौन-सा उपसर्ग जोड़ा गया है?
(क) विज्ञ (ख) ज्ञान
(ग) वि (घ) अन

17. 'चिरायु' में कौन-सा उपसर्ग जोड़ा गया है?
(क) चि (ख) चिर
(ग) यु (घ) आयु

18. 'अवनत' में कौन-सा उपसर्ग जोड़ा गया है?
(क) नत (ख) अ
(ग) अव (घ) अवन

19. 'कुसंगी' कैसा उपसर्ग है?
(क) तत्सम (ख) तद्भव
(ग) विदेशी

20. 'बेपर्दा' कैसा उपसर्ग है?
(क) तद्भव (ख) विदेशी
(ग) तत्सम

21. 'अपकर्ष' में कौन-सा उपसर्ग जोड़ा गया है?
(क) अ (ख) अप
(ग) कर्ष

22. 'होनी' में कौन-सा उपसर्ग जोड़ा जाएगा?
(क) अ (ख) अनु
(ग) अन (घ) अप

23. 'जीवन' में आ उपसर्ग जोड़कर आजीवन बना है। इसका अर्थ है:
(क) जीवन-भर
(ख) जीवन के लिए
(ग) सुखी जीवन
(घ) उद्धार

24. 'दरअसल' कैसा उपसर्ग है?
(क) तत्सम
(ख) तद्भव
(ग) विदेशी

25. 'निरपराध' में कौन-सा उपसर्ग जोड़ा गया है?
(क) नि (ख) निः
(ग) निर

26. 'सदाचारी' कैसा उपसर्ग है?
(क) तत्सम
(ख) विदेशी
(ग) तद्भव

27. कुशासन में कु उपसर्ग जोड़ा गया है। इसका अर्थ है – बुरा शासन। शासन में कौन-सा उपसर्ग जोड़कर हम उसे अच्छा शासन बना सकते हैं?
(क) वि (ख) सु
(ग) अन (घ) अभि

28. 'अनपढ़' कैसा उपसर्ग है?
(क) तत्सम (ख) तद्भव
(ग) दिदेशी

29. 'अनजान' में कैसा उपसर्ग है?
(क) विदेशी (ख) तत्सम
(ग) तद्भव

30. 'अधमरा' कैसा उपसर्ग है?
(क) तत्सम (ख) तद्भव
(ग) विदेशी

31. 'रस' में कौन-सा उपसर्ग लगाने से इसका अर्थ उल्टा हो जायेगा?
(क) अन (ख) अ
(ग) वि (घ) नि

32. 'अनमोल' में कैसा उपसर्ग है?
(क) विदेशी (ख) तत्सम
(ग) तद्भव

33. अदब में 'बे' उपसर्ग लगाकर बेअदब बना है। इसका उल्टा अर्थ देने के लिए कौन-सा उपसर्ग जोड़ेंगे?
(क) दर (ख) बा
(ग) अन (घ) बद

34. नीचे दिए गए शब्दों में किस शब्द में तत्सम उपसर्ग जुड़ा है?
(क) बिलावजह (ख) अनकही
(ग) अज्ञात (घ) निपूता

35. 'निरंकुश' में कैसा उपसर्ग है?
(क) तत्सम (ख) तद्भव
(ग) विदेशी

36. 'बेडौल' में कैसा उपसर्ग है?
(क) तत्सम (ख) विदेशी
(ग) तद्भव

37. नीचे दिए गए शब्दों में से किस शब्द में तद्भव उपसर्ग जुड़ा है?
(क) अखाद्य (ख) बेरहम
(ग) अनमोल (घ) विशुद्ध

38. 'नादान' में कैसा उपसर्ग है?
(क) तत्सम (ख) तद्भव

(ग) विदेशी

39. 'अनिष्ट' में कौन-सा उपसर्ग जुड़ा है?
(क) अ (ख) अनि
(ग) अन

40. नीचे दिए गए शब्दों में किस शब्द में उपसर्ग नहीं है?
(क) आलोक (ख) आरोहण
(ग) आमरण (घ) आपूर्ति

41. 'रोग' शब्द में कौन-सा उपसर्ग लगेगा?
(क) ई (ख) वि
(ग) नि (घ) अ

42. 'परवाह' में कौन-सा उपसर्ग जोड़ा जायेगा?
(क) ना (ख) ला
(ग) बा (घ) अव

43. 'निहत्था' में कैसा उपसर्ग है?
(क) तत्सम (ख) तद्भव
(ग) विदेशी

44. 'अनुज' में क्या उपसर्ग जोड़ा गया है?
(क) अ (ख) अनु
(ग) ज (घ) अन

45. 'निस्वार्थ' में कैसा उपसर्ग है?
(क) तत्सम (ख) तद्भव
(ग) विदेशी

46. 'वियोग' में कैसा उपसर्ग है?
(क) तद्भव (ख) विदेशी
(ग) तत्सम

7. 'प्रत्युपकार' में कैसा उपसर्ग है?
(क) विदेशी (ख) तत्सम
(ग) तद्भव

48. 'गुण' का अर्थ उलटने के लिए क्या उपसर्ग जोड़ा जायेगा?
(क) अ (ख) अन
(ग) अप (घ) अव

49. अधिग्रहण में क्या उपसर्ग जोड़ा गया है?
(क) अ (ख) अधि
(ग) अध्य (घ) अधिग्र

50. 'दुर्दिन' में क्या उपसर्ग जोड़ा गया है?
(क) दु (ख) दुर्
(ग) दुः (घ) दुरः

51. प्रत्यय लगाने से मूल शब्द का अर्थ :
(क) उलट जाता है
(ख) हल्का पड़ जाता है
(ग) विशिष्ट हो जाता है
(घ) संज्ञा, विशेषण या क्रिया-विशेषण आदि का रूप धारण कर लेता है

52. प्रत्यय कहाँ जोड़े जाते हैं?
(क) शब्द के आरम्भ में
(ख) शब्द के अन्त में
(ग) शब्द के बीच में
(घ) शब्द के उस भाग में, जहाँ उपयुक्त लगे

53. 'कद्रदान' में कौन-सा प्रत्यय है?
(क) तत्सम (ख) तद्भव
(ग) देशज (घ) विदेशी

54. 'पागलपन' शब्द में क्या प्रत्यय जोड़ा गया है?
(क) पागल
(ख) पन
(ग) पा
(घ) उपरोक्त में से कोई नहीं

55. निम्नलिखित में से कौन-सा प्रत्यय संज्ञा बनाने के लिए प्रयुक्त होता है?
(क) आवट (ख) इक
(ग) पूर्वक (घ) वाला

56. 'पेटू' में कैसा प्रत्यय जोड़ा गया है?
(क) तत्सम (ख) विदेशी
(ग) देशज (घ) तद्भव

57. 'मोटा' में 'पा' प्रत्यय जोड़ने से मोटापा कैसा शब्द बन गया?
(क) विशेषण
(ख) क्रिया-विशेषण
(ग) संज्ञा
(घ) लघुताबोधक

58. 'पन' प्रत्यय लगाकर कौन-सा शब्द बना है?
(क) असलीपन (ख) मोटापन
(ग) बचपन (घ) मीठापन

59. 'ता' प्रत्यय लगाकर कौन-सा शब्द बना है?
(क) सरलता (ख) कर्ता
(ग) कुरता (घ) धीरता

60. निम्नलिखित में कौन लघुताबोधन प्रत्यय का परिणाम है?
(क) डिबिया (ख) माया
(ग) घटिया (घ) आदरणीया

61. नीचे के किस शब्द में 'ई' प्रत्यय लगा है?
(क) रानी (ख) राजधानी
(ग) सावधानी (घ) मेहरबानी

62. पुष्पित शब्द में लगा प्रत्यय कैसा है?
(क) तद्भव (ख) देशज
(ग) विदेशी (घ) तत्सम

63. 'धुँधला' में क्या प्रत्यय जोड़ा गया है?
(क) धुँध
(ख) ला
(ग) धुँ
(घ) उपरोक्त में से कोई नहीं

64. गौरव को विशेषण बनाने हेतु क्या प्रत्यय जोड़ेंगे?
(क) त्व (ख) शाली
(ग) पूर्वक (घ) ता

65. माया को विशेषण बनाने हेतु क्या प्रत्यय जोड़ेंगे?
(क) पन (ख) वाला
(ग) वी (घ) वा

66. 'बतियाना' में लगा प्रत्यय कैसा है?
(क) देशज (ख) विदेशी
(ग) तत्सम (घ) तद्भव

67. 'साधारण' में तः प्रत्यय लगाने से 'साधारणतः' क्या बन गया?
(क) संज्ञा
(ख) विशेषण
(ग) क्रिया-विशेषण
(घ) क्रिया

68. 'सालाना' और 'फकीराना' में कौन-सा प्रत्यय जोड़ा गया है?
(क) ना
(ख) आना
(ग) अना
(घ) उपरोक्त में से कोई नहीं

69. 'मूलतः' में जुड़ा प्रत्यय कैसा है?
(क) विदेशी (ख) देशज
(ग) तत्सम (घ) तद्भव

70. निम्नलिखित में कौनसा शब्द 'आ' प्रत्यय लगाकर नहीं बना है?
(क) भूखा (ख) मेला

(ग) प्यारा (घ) सरलता

71. 'धार्मिक' में कौन-सा प्रत्यय जुड़ा है?
(क) ध (ख) क
(ग) इक (घ) ईक

72. 'पुराण' शब्द संज्ञा है। इसमें 'इक' प्रत्यय लगाने से यह शब्द क्या बन जायेगा?
(क) संज्ञा ही रहेगा
(ख) क्रिया-विशेषण बन जायेगा
(ग) विशेषण बन जायेगा

73. 'चतुराई' में कैसा प्रत्यय जोड़ा गया है?
(क) देशज (ख) तद्भव
(ग) तत्सम (घ) विदेशी

74. 'शिशुता' में क्या प्रत्यय जोड़ा गया है?
(क) अ (ख) आ
(ग) ता (घ) उता

75. 'सुन्दरता' में कौन-सा प्रत्यय जोड़ा गया है?
(क) तत्सम (ख) देशज
(ग) विदेशी (घ) तद्भव

76. हर्ष में 'इत' प्रत्यय जोड़ने से क्या शब्द बनेगा?
(क) हर्षीत (ख) हर्षित
(ग) हर्षइत

77. 'तपस्वी' में क्या प्रत्यय जोड़ा गया है?
(क) ई
(ख) वी
(ग) स्वी
(घ) उपरोक्त में से कोई नहीं

78. 'राष्ट्रीय' में क्या प्रत्यय जोड़ा गया है?
(क) य (ख) ट्रीय
(ग) ईय (घ) इय

79. 'नैतिक' में क्या प्रत्यय जोड़ा गया है?
(क) क (ख) तिक
(ग) इक (घ) नै

80. 'बाजार' में किस प्रकार का प्रत्यय जोड़ा गया है?
(क) तत्सम (ख) तद्भव
(ग) देशज (घ) विदेशी

81. 'नकल' में प्रत्यय लगाकर क्या शब्द बनेगा?
(क) नकलची (ख) नकली
(ग) नकलत्व (घ) नकलता

82. निम्नलिखित में से विदेशी प्रत्यय वाले शब्द को छाँटिये :
(क) दयावान (ख) बाजीगर
(ग) पंडिताइन (घ) मुख्यतया

83. निम्नलिखित में से तद्भव प्रत्यय वाले शब्द को छाँटिये :
(क) झगड़ालू (ख) कुपित
(ग) फूलदान (घ) बुढ़िया

84. 'बबुआइन' शब्द में कैसा प्रत्यय जोड़ा गया है?
(क) विदेशी (ख) तत्सम
(ग) तद्भव (घ) देशज

85. 'घबराहट' में क्या प्रत्यय जोड़ा गया है?
(क) हट (ख) राहट
(ग) आहट (घ) अहट

86. 'रसीला' में क्या प्रत्यय जोड़ा गया है?
(क) आ (ख) ला
(ग) सीला (घ) ईला

87. निम्नलिखित में से किसमें 'क' प्रत्यय नहीं लगा है?
(क) सड़क (ख) गायक
(ग) लेखक (घ) पालक

88. 'बिटिया' में कैसा प्रत्यय जोड़ा गया है?
(क) देशज (ख) तत्सम
(ग) तद्भव (घ) विदेशी

89. 'जुआड़ी' में कैसा प्रत्यय जोड़ा गया है?
(क) देशज (ख) विदेशी
(ग) तत्सम (घ) तद्भव

90. 'धैर्य' से क्रिया-विशेषण बनाने हेतु क्या प्रत्यय जोड़ा जायेगा?
(क) वान (ख) ता
(ग) पूर्वक (घ) मान

91. 'कवित्व' में क्या प्रत्यय जोड़ा गया है?
(क) व (ख) त्व
(ग) इत्व (घ) यत्व

92. 'दर्शनीय' में क्या प्रत्यय जोड़ा गया है?
(क) य (ख) नीय
(ग) ईय

93. 'चालू' में क्या प्रत्यय जोड़ा गया है?
(क) उ (ख) ऊ
(ग) लू (घ) लऊ

94. निम्नलिखित शब्दों में से कौन-सा शब्द देशज प्रत्यय से बना है?
(क) महिमा (ख) मिलावट
(ग) मरियल (घ) महकदार

95. 'पढ़ाई-लिखाई' में कैसा प्रत्यय जुड़ा हुआ है?
(क) देशज (ख) विदेशी
(ग) तत्सम (घ) तद्भव

96. 'क्रोधी' शब्द में कौन-सा प्रत्यय जोड़ा गया है?
(क) इ (ख) धी
(ग) ई

97. 'डिबिया' में क्या प्रत्यय जोड़ा गया है?
(क) या (ख) इया
(ग) ईया (घ) बिया

98. 'मासिक' में क्या प्रत्यय जोड़ा गया है?
(क) क (ख) सिक
(ग) इक

99. निम्नलिखित में से कौन-सा शब्द विदेशी प्रत्यय जोड़कर बना है?
(क) कोटिशः (ख) लाडला
(ग) पेटू (घ) अकलमंद

100. निम्नलिखित में से कौन-सा शब्द तद्भव प्रत्यय जोड़कर बना है?
(क) मनुष्यता (ख) अड़ियल
(ग) कंटीला (घ) कष्टप्रद

संधि विचार

1. 'महोत्सव' में कौन-सी संधि है?
(क) स्वर संधि (ख) व्यंजन संधि
(ग) विसर्ग संधि

2. 'तपोवन' में कौन-सी संधि है?
(क) स्वर संधि (ख) व्यंजन संधि
(ग) विसर्ग संधि

3. 'निष्फल' में कौन-सी संधि है?
(क) विसर्ग संधि
(ख) व्यंजन संधि
(ग) स्वर संधि

4. 'नमस्ते' में कौन-सी संधि है?
(क) व्यंजन संधि (ख) स्वर संधि
(ग) विसर्ग संधि

5. उच्छवास का संधि-विग्रह है :
(क) उच + श्वास
(ख) उत् + श्वास
(ग) उद् + श्वास
(घ) उछ् + श्वास

6. 'रामावतार' में कौन-सी संधि है?
(क) स्वर संधि
(ख) व्यंजन संधि
(ग) विसर्ग संधि

7. 'कपीश' का संधि-विग्रह है :
(क) कप + ईश
(ख) कपि + इश
(ग) कपि + ईश
(घ) उपरोक्त में से कोई नहीं

8. 'दिगम्बर' में कौन-सी संधि है?
(क) व्यंजन संधि
(ख) विसर्ग संधि
(ग) स्वर संधि

9. 'अन्वेषण' का संधि-विग्रह है:
(क) अन् + वेषण
(ख) अन्व + एषण
(ग) अनु + ऐषण
(घ) अनु + एषण

10. संचय का संधि-विग्रह है:
(क) सत् + चय
(ख) सम् + चय
(ग) सं + चय
(घ) सः + चय

11. महा + ईश की संधि से क्या बनेगा?
(क) महीश (ख) महेश
(ग) महिष (घ) महाईश

12. प्रत्युत्तर का संधि-विग्रह है :
(क) प्र + त्युत्तर
(ख) प्रति + युत्तर
(ग) प्रति + उत्तर
(घ) प्रत्यु + उत्तर

13. 'नीलाम्बर' में कौन-सी संधि है?
(क) स्वर संधि
(ख) व्यंजन संधि
(ग) विसर्ग संधि

14. अभीष्ट का संधि-विग्रह है :
(क) अभी + ईष्ट
(ख) अभी + इस्ट
(ग) अभि + ईस्ट
(घ) अभि + इस्ट

15. अति + अंत की संधि से बनेगा :
(क) अतीन्त
(ख) अत्यन्त
(ग) अतिन्त
(घ) अत्येन्त

16. मनः + हर की संधि से बनेगा :
(क) मनहर (ख) मनोहर
(ग) मनःहर (घ) मन्हर

17. मतैक्य का संधि-विग्रह है :
(क) मत + एक्य
(ख) मत + ऐक्य
(ग) मतः + एक्य
(घ) मत + इक्य

18. 'पुनर्जन्म' में कौन-सी संधि है?
(क) स्वर संधि
(ख) व्यंजन संधि
(ग) विसर्ग संधि

19. स्वागत का संधि-विग्रह है :
(क) स्वा + गत
(ख) स्व + आगत
(ग) स्वा + आगत
(घ) सु + आगत

20. 'हिमालय' में कौन-सी संधि है?
(क) स्वर संधि
(ख) व्यंजन संधि
(ग) विसर्ग संधि

21. तथा + एव की संधि से बनेगा :
(क) तदैव (ख) तथेव
(ग) तथैव (घ) तदेव

22. 'मुनीश' का संधि विग्रह है :
(क) मुनी + ईश
(ख) मुनि + इश

(ग) मुनि + ईश
(घ) मुनः + ईश

23. 'भावार्थ' का संधि-विग्रह है :
(क) भाव + अर्थ
(ख) भावः + अर्थ
(ग) भावा + अर्थ
(घ) भावा + र्थ

24. 'गणेश' में कौन-सी संधि है?
(क) स्वर संधि (ख) व्यंजन संधि
(ग) विसर्ग संधि

25. 'उल्लास' का संधि-विग्रह है :
(क) उद् + लास
(ख) उत् + लास
(ग) उल् + लास
(घ) उल्ल + लास

26. भारतेन्दु का संधि-विग्रह है :
(क) भार + तेन्दु
(ख) भारत + इन्दु
(ग) भरत + इन्दु
(घ) भारतः + इन्दु

27. चन्द्रोदय का संधि-विग्रह है :
(क) चन्द्रो + दय
(ख) चन्द्रो + उदय
(ग) चन्द्रः + उदय
(घ) चन्द्र + उदय

28. नीरोग का संधि विग्रह है :
(क) निः + रोग
(ख) नी + रोग
(ग) निर् + रोग
(घ) नि +रोग

29. 'सम्राट' में कौन-सी संधि है?
(क) स्वर संधि (ख) व्यंजन संधि
(ग) विसर्ग संधि

30. संरक्षक का संधि-विग्रह है :
(क) सत् + रक्षक
(ख) सं + रक्षक
(ग) सम् + रक्षक
(घ) सन् + रक्षक

31. सूर्योदय का संधि-विग्रह है :
(क) सूर्यो + योदय
(ख) सूर्य + दय
(ग) सूर्यः + उदय
(घ) सूर्य + उदय

32. इति + आदि की संधि से बनेगा :
(क) इत्यादि (ख) इत्यदि
(ग) इतिआदि (घ) इत्यादी

33. 'निराश' का संधि-विग्रह है :
(क) निः + आश
(ख) नि + राश
(ग) निर + आश
(घ) निरा + श

34. 'नीरव' में कौन-सी संधि है?
(क) स्वर संधि (ख) व्यंजन संधि
(ग) विसर्ग संधि

35. धर्मार्थ का संधि-विग्रह है :
(क) धर्मा + र्थ
(ख) धर्मा + अर्थ
(ग) धम्र + अर्थ
(घ) धर + मार्थ

36. 'दुष्कर' में कौन-सी संधि है?
(क) स्वर संधि
(ख) व्यंजन संधि
(ग) विसर्ग संधि

37. विद्यार्थी का संधि-विग्रह है :
(क) विद्या + रथी
(ख) विद्य + अर्थी
(ग) विद्य + रथी
(घ) विद्या + अर्थी

38. 'संतोष' का संधि-विग्रह है :
(क) सं + तोष
(ख) सन् + तोष
(ग) सम् + तोष
(घ) सन + तोष

39. 'जगन्नाथ' में कौन-सी संधि है?
(क) स्वर संधि (ख) व्यंजन संधि
(ग) विसर्ग संधि

40. उल्लेख का संधि-विग्रह है :
(क) उः + लेख
(ख) उत् + लेख
(ग) उल + लेख
(घ) उद् + लेख

41. पवन का संधि-विग्रह है :
(क) पव + न
(ख) प + वन
(ग) पव + अन
(घ) पो + अन

42. भानु + उदय की संधि से बनेगा :
(क) भानुदय (ख) भानूदय
(ग) भान्योदय (घ) भानुउदय

43. अति + इव की संधि से बनेगा :
(क) अतएव (ख) अतैव
(ग) अतीव (घ) अतेव

44. 'सच्चरित्र' में कौन-सी संधि है?
(क) स्वर संधि (ख) व्यंजन संधि
(ग) विसर्ग संधि

45. 'नमस्ते' का संधि-विग्रह है :
(क) नम + स्ते (ख) नम् + स्ते
(ग) नमः + ते (घ) नमः + स्ते

46. 'निर्जन' में कौन-सी संधि है?
(क) स्वर संधि
(ख) व्यंजन संधि
(ग) विसर्ग संधि

47. 'सज्जन' का संधि-विग्रह है :
(क) सज् + जन
(ख) सद + जन
(ग) सत् + जन
(घ) सत + जन

48. यद्यपि का संधि-विग्रह है :
(क) यद्य + अपि
(ख) यद्य + पि
(ग) यदि + अपि
(घ) यद् + अपि

49. 'दुर्गुण' का संधि-विग्रह है:
(क) दुर + गुण
(ख) दुः + गुण
(ग) दुर् + गुण
(घ) दुप् + गुण

50. 'उल्लास' में कौन-सी संधि है?
(क) स्वर संधि
(ख) व्यंजन संधि
(ग) विसर्ग संधि

51. परम + अर्थ की संधि से बनेगा :
(क) परमार्थ (ख) परामार्थ
(ग) परमअर्थ (घ) परमोर्थ

52. यथा + अर्थ की संधि से बनेगा :
(क) यथाअर्थ (ख) यथार्थ
(ग) यदार्थ (घ) यथारथ

53. आच्छादनका संधि-विग्रह है :
(क) आ + छादन
(ख) आच + छादन
(ग) आच् + छादन
(घ) आच्छा + आदन

54. 'कपीश' में कौन-सी संधि है?
(क) स्वर संधि
(ख) व्यंजन संधि
(ग) विसर्ग संधि

55. निर्विकार का संधि-विग्रह है :
(क) निर + विकार
(ख) निर + अविकार
(ग) निः + विकार
(घ) निः + अविकार

56. 'निष्कलंक' का संधि-विग्रह हैः
(क) नि + कलंक
(ख) निः + कलंक
(ग) निप् + कलंक
(घ) निष + कलंक

57. निश्छल में कौन-सी संधि है?
(क) स्वर संधि (ख) व्यंजन संधि
(ग) विसर्ग संधि

58. 'संहार' का संधि-विग्रह है :
(क) सं + हार
(ख) सम् + हार
(ग) सम + हार
(घ) सन् + हार

59. 'वयोवृद्ध' में कौन-सी संधि है?
(क) स्वर संधि (ख) व्यंजन संधि
(ग) विसर्ग संधि

60. 'हरिश्चन्द्र' का संधि-विग्रह है :
(क) हरि + चन्द्र
(ख) हरी + चन्द्र
(ग) हरिः + चन्द्र
(घ) हरिश + चन्द्र

61. 'सन्मार्ग' में कौन-सी संधि है?
(क) स्वर संधि (ख) व्यंजन संधि
(ग) विसर्ग संधि

62. 'महर्षि' में कौन-सी संधि है?
(क) स्वर संधि (ख) व्यंजन संधि
(ग) विसर्ग संधि

63. 'पावक' का संधि-विग्रह है :
(क) पा + वक (ख) पो + वक
(ग) पौ + वक (घ) पाव + क

64. 'स्वल्प' का संधि-विग्रह है :
(क) स्व + अल्प
(ख) स्वा + अल्प
(ग) सु + अल्प
(घ) सः + अल्प

65. 'सन्ध्या' का संधि-विग्रह है :
(क) सन् + ध्या
(ख) सम + ध्या
(ग) सं + ध्या
(घ) सन + ध्या

66. 'दुरुपयोग' में कौन-सी संधि है?
(क) स्वर संधि (ख) व्यंजन संधि
(ग) विसर्ग संधि

67. 'मनोरथ' में कौन-सी संधि है?
(क) व्यंजन संधि
(ख) स्वर संधि
(ग) विसर्ग संधि

68. 'दुष्कर' में कौन-सी संधि है?
(क) विसर्ग संधि
(ख) व्यंजन संधि
(ग) स्वर संधि

69. 'यशोदा' में कौन-सी संधि है?
(क) स्वर संधि
(ख) विसर्ग संधि
(ग) व्यंजन संधि

70. 'निश्चल' में कौन-सी संधि है?
(क) विसर्ग संधि
(ख) स्वर संधि
(ग) व्यंजन संधि

समास विचार

71. समास मुख्यतः कितने प्रकार के होते हैं?
(क) पाँच (ख) आठ
(ग) चार (घ) सात

72. किस समास में पूर्व पद प्रधान होता है?
(क) द्वन्द्व (ख) बहुब्रीहि

(ग) अव्ययीभाव (घ) तत्पुरुष

73. तत्पुरुष समास में कौन-सा पद पद प्रधान होता है?
(क) पूर्व पद
(ख) उत्तर पद
(ग) दोनों पद
(घ) कोई अन्य पद

74. 'नीलकमल' कौन-सा समास है?
(क) बहुब्रीहि (ख) तत्पुरुष
(ग) कर्मधारय (घ) द्विगु

75. 'चतुर्भुज' कौन-सा समास है?
(क) द्वन्द्व (ख) द्विगु
(ग) तत्पुरुष (घ) बहुब्रीहि

76. जिस समास का पहला पद संख्यावाचक विशेषण होता है, वह कौन-सा समास है?
(क) द्विगु (ख) तत्पुरुष
(ग) द्वन्द्व (घ) बहुब्रीहि

77. 'चौराहा' कौन-सा समास है?
(क) बहुब्रीहि (ख) तत्पुरुष
(ग) द्विगु (घ) कर्मधारय

78. 'भाई-बहिन' कौन-सा समास है?
(क) द्वन्द्व (ख) बहुब्रीहि
(ग) द्विगु (घ) तत्पुरुष

79. 'जन्मान्ध' कौन-सा समास है?
(क) तत्पुरुष (ख) द्वन्द्व
(ग) बहुब्रीहि (घ) अव्ययीभाव

80. अव्ययीभाव समास में :
(क) पूर्व पद प्रधान होता है
(ख) उत्तर पद प्रधान होता है
(ग) दोनों पद प्रधान होते हैं
(घ) उपरोक्त में से कोई भी नहीं

81. 'प्रतिदिन' कौन-सा समास है?
(क) द्विगु (ख) द्वन्द्व
(ग) अव्ययीभाव (घ) तत्पुरुष

82. किस समास में दोनों पद प्रधान होते हैं?
(क) द्विगु (ख) द्वन्द्व
(ग) अव्ययीभाव (घ) कर्मधारय

83. कौन-से दो समास तत्पुरुष के अन्तर्गत माने जाते हैं?
(क) द्विगु और द्वन्द्व
(ख) द्विगु और बहुब्रीहि
(ग) द्विगु और कर्मधारय
(घ) द्विगु और अव्ययीभाव

84. 'रातों-रात' कौन-सा समास है?
(क) तत्पुरुष (ख) अव्ययीभाव
(ग) द्वन्द्व (घ) द्विगु

85. निम्नलिखित में से कौन-सा बहुब्रीहि समास है?
(क) देशाटन (ख) दशानन
(ग) धर्माचार्य (घ) अनिद्रा

86. अव्ययीभाव समास का एक उदाहरण है :
(क) प्रतिदिन (ख) रेखांकित
(ग) धर्माचार्य (घ) अनिद्रा

87. 'पंचवटी' कौन-समास है?
(क) अव्ययीभाव (ख) द्विगु
(ग) कर्मधारय (घ) बहुब्रीहि

88. 'शरतचन्द्र' कौन-सा समास है?
(क) कर्मधारय (ख) बहुब्रीहि
(ग) तत्पुरुष (घ) द्विगु

89. 'दुनाली' कौन-सा समास है?
(क) बहुब्रीहि (ख) द्विगु
(ग) तत्पुरुष (घ) द्वन्द्व

90. 'भयभीत' कौन-सा समास है?
(क) द्विगु (ख) अव्ययीभाव
(ग) कर्मधारय (घ) तत्पुरुष

91. 'तुलसीकृत' कौन-सा समास है?
(क) बहुब्रीहि (ख) अव्ययीभाव
(ग) कर्मधारय (घ) तत्पुरुष

92. 'त्रिवेणी' कौन-सा समास है?
(क) द्वन्द्व (ख) अव्ययीभाव
(ग) द्विगु (घ) कर्मधारय

93. 'जातिभ्रष्ट' कौन-सा समास है?
(क) तत्पुरुष (ख) बहुब्रीहि
(ग) द्विगु (घ) अव्ययीभाव

94. निम्नलिखित में से कौन-सा द्वन्द्व समास है?
(क) नौचंदी (ख) राजपुत्र
(ग) प्रतिदिन (घ) सीताराम

95. 'पदच्युत' कौन-सा समास है?
(क) द्वन्द्व (ख) तत्पुरुष
(ग) कर्मधारय (घ) बहुब्रीहि

96. किस समास में दोनों पद प्रधान होते हैं?
(क) द्वन्द्व (ख) बहुब्रीहि
(ग) तत्पुरुष (घ) अव्ययीभाव

97. 'भला-बुरा' कौन-सा समास है?
(क) द्विगु (ख) द्वन्द्व
(ग) अव्ययीभाव (घ) बहुब्रीहि

98. 'महात्मा' कौन-सा समास है?
(क) अव्ययीभाव (ख) बहुब्रीहि
(ग) द्वन्द्व (घ) कर्मधारय

99. 'लम्बोदर' कौन-सा समास है?
(क) तत्पुरुष (ख) द्वन्द्व
(ग) बहुब्रीहि (घ) अव्ययीभाव

100. किस समास में दोनों पदों से भिन्न कोई अन्य पद प्रधान होता है?
(क) तत्पुरुष (ख) द्वन्द्व
(ग) अव्ययीभाव (घ) बहुब्रीहि

101. जिस समास में दोनों पद प्रधान होते हैं, उसे क्या कहते हैं?
(क) तत्पुरुष (ख) द्विगु
(ग) द्वन्द्व (घ) कर्मधारय

102. 'विद्यालय' कौन-सा समास है?
(क) तत्पुरुष (ख) बहुब्रीहि
(ग) कर्मधारय (घ) द्विगु

103. 'पशुपति' कौन-सा समास है?
(क) तत्पुरुष (ख) बहुब्रीहि
(ग) कर्मधारय (घ) अव्ययीभाव

104. 'राष्ट्रपति' कौन-सा समास है?
(क) बहुब्रीहि (ख) कर्मधारय
(ग) तत्पुरुष (घ) अव्ययीभाव

105. 'पीताम्बर' कौन-सा समास है?
(क) द्वन्द्व (ख) अव्ययीभाव
(ग) द्विगु (घ) बहुब्रीहि

106. 'पंचतत्व' कौन-सा समास है?
(क) तत्पुरुष (ख) अव्ययीभाव
(ग) द्वन्द्व (घ) द्विगु

107. 'सप्तऋषि' कौन-सा समास है?
(क) द्विगु (ख) द्वन्द्व
(ग) अव्ययीभाव (घ) बहुब्रीहि

108. 'क्षण-क्षण' कौन-सा समास है?
(क) तत्पुरुष (ख) अव्ययीभाव
(ग) बहुब्रीहि (घ) द्वन्द्व

109. 'चतुर्भुज' बहुब्रीहि समास है, क्योंकि इसमें :
(क) पूर्व पद प्रधान है
(ख) उत्तर पद प्रधान है
(ग) दोनों पद प्रधान हैं
(घ) दोनों के अतिरिक्त कोई अन्य पद प्रधान है

110. 'रुपया-पैसा' द्वन्द्व समास है, क्योंकि इसमें :
(क) पूर्व पद प्रधान है

(ख) उत्तर पद प्रधान है
(ग) दोनों पद प्रधान है
(घ) दोनों के अतिरिक्त कोई अन्य पद प्रधान है

111. तत्पुरुष समास में कौन-सा पद प्रधान होता है?
(क) पूर्व पद
(ख) उत्तर पद
(ग) दोनों पद
(घ) दोनों के अतिरिक्त कोई अन्य पद

112. 'भरपेट' कौन-सा समास है?
(क) अव्ययीभाव (ख) कर्मधारय
(ग) द्विगु (घ) द्वन्द्व

113. 'हस्तलिखित' कौन-सा समास है?
(क) बहुब्रीहि (ख) तत्पुरुष
(ग) अव्ययीभाव (घ) द्विगु

114. 'गजानन' कौन-सा समास है?
(क) बहुब्रीहि (ख) अव्ययीभाव
(ग) द्विगु (घ) द्वन्द्व

115. जिस समास का पहला पद संख्यावचक विशेषण हो, उसे क्या कहते हैं?
(क) अव्ययीभाव (ख) द्वन्द्व
(ग) द्विगु (घ) बहुब्रीहि

116. 'त्रिलोकी' कौन-सा समास है?
(क) द्विगु (ख) बहुब्रीहि
(ग) अव्ययीभाव (घ) तत्पुरुष

117. 'सेनानायक' कौन-सा समास है?
(क) तत्पुरुष (ख) अव्ययीभाव
(ग) बहुब्रीहि (घ) कर्मधारय

118. 'ऋणमुक्त' कौन-सा समास है?
(क) अव्ययीभाव (ख) तत्पुरुष
(ग) बहुब्रीहि (घ) कर्मधारय

119. 'चन्द्रमुख' कौन-सा समास है?
(क) तत्पुरुष (ख) कर्मधारय
(ग) बहुब्रीहि (घ) अव्ययीभाव

120. 'ग्रंथकर्ता' कौन-सा समास है?
(क) बहुब्रीहि (ख) द्वन्द्व
(ग) द्विगु (घ) तत्पुरुष

121. 'काम-काज' कौन-सा समास है?
(क) द्वन्द्व (ख) द्विगु
(ग) कर्मधारय (घ) अव्ययीभाव

122. 'जन्मांध' कौन-सा समास है?
(क) बहुब्रीहि (ख) द्वन्द्व
(ग) कर्मधारय (घ) तत्पुरुष

123. 'चरणकमल' कौन-सा समास है?
(क) कर्मधारय (ख) द्विगु
(ग) बहुब्रीहि (घ) अव्ययीभाव

124. 'जानकीनाथ' कौन-सा समास है?
(क) अव्ययीभाव (ख) तत्पुरुष
(ग) बहुब्रीहि (घ) द्वन्द्व

125. निम्नलिखित में से किस समास में अन्य पद प्रधान नहीं है?
(क) सप्तऋषि (ख) दशानन
(ग) गजानन (घ) चतुर्भुज

अलंकार

1. अलंकार के कितने मुख्य भेद होते हैं?
(क) दो (ख) तीन
(ग) चार (घ) पाँच

2. काव्य का अस्थिर धर्म क्या है?
(क) रस (ख) शब्द शक्ति
(ग) अलंकार (घ) छंद

3. जहाँ एक साथ शब्द और अर्थ दोनों में विशेषता हो, वहाँ—
(क) शब्दालंकार होता है
(ख) अर्थालंकार होता है
(ग) अनुप्रास अलंकार होता है
(घ) उभयालंकार होता है

4. जब किसी कविता में एक शब्द का

एक ही प्रयोग हो, परन्तु उसके दो या अधिक अर्थ हों, तब कौन-सा अलंकार होता है?
(क) रूपक (ख) उपमा
(ग) प्रतीप (घ) श्लेष

5. निम्न में कौन-सा शब्दालंकार नहीं है?
(क) उपमा, रूपक
(ख) व्यतिरेक, दृष्टांत
(ग) अनुप्रास, यमक
(घ) श्लेष, वक्रोक्ति

6. 'कुन्द इन्दु सम देह, उमा रमन करुण अयन'
उक्त पद में कौन-सा अलंकार है?
(क) श्लेष (ख) उपमा
(ग) अनुप्रास (घ) रूपक

7. 'कनक कनक ते सौ गुनी मादकता अधिकाय। वा खाये बौराय जग या पाये बौराय।'
उक्त पद में कौन-सा अलंकार है?
(क) यमक (ख) अनुप्रास
(ग) रूपक (घ) प्रतीप

8. 'स्वर्ग की तुलना उचित ही है यहाँ किन्तु सुरसरिता कहाँ सरयू कहाँ? वह मरों को मात्र पार उतारती, यह यहाँ से जीवितों को तारती।'
उक्त प्रद में कौन-सा अलंकार है?
(क) श्लेष (ख) व्यतिरेक
(ग) रूपक (घ) भ्रान्तिमान

9. 'हनुमान की पूँछ में लगन न पाई आग। लंका सिगरी जल गई, गए निसाचर भाग।'
उक्त पद में कौन-सा अलंकार है?
(क) उत्प्रेक्षा
(ख) भ्रान्तिमान
(ग) दृष्टान्त
(घ) अतिशयोक्ति

10. 'एक राज्य न हो तो बहुत से हों जहाँ, राष्ट्र का बल बिखर जाता है वहाँ, बहुत तारे थे अँधेरा कब मिटा, सूर्य का आना सुना जब तब मिटा।'
उक्त पद में कौन-सा अलंकार है?
(क) दृष्टांत (ख) व्यतिरेक
(ग) भ्रान्तिमान (घ) उपमा

11. 'मेरी भव बाधा हरौ, राधा नागरि सोई। जो तन की झाईं परत, स्यामु हरित दुति होई।'
उक्त पद में कौन-सा अलंकार है?
(क) व्यतिरेक (ख) श्लेष
(ग) उपमा (घ) अनुप्रास

12. जब शब्द (पद) में एक या कई व्यंजन एक से अधिक बार एक ही क्रम में आएँ, वह कौन-सा अलंकार होता है?
(क) यमक (ख) दृष्टान्त
(ग) भ्रांतिमान (घ) अनुप्रास

13. काव्य में शब्दगत और अर्थगत सौंदर्य की वृद्धि उत्पन्न वाले साधन को क्या कहते हैं?
(क) अलंकार (ख) रस
(ग) छन्द (घ) शब्द-शक्ति

14. निम्न पंक्तियों में कौन-सा अलंकार है? ''बहुरि अंजली बांधि ध्यान विधि को विधिवत गहि। माँगी गंग उमंग सहित पूरब प्रसंग कहि।।''
(क) अनुप्रास (ख) उत्प्रेक्षा
(ग) मालोपमा (घ) भ्रान्तिमान

15. अनुप्रास के कितने भेद होते हैं?
(क) दो (ख) तीन
(ग) चार (घ) पाँच

16. जब कविता में एक ही शब्द दो या अधिक बार आये और हर बार उसका अर्थ भिन्न हो, तो कौन-सा अलंकार होता है?

(क) यमक
(ख) अतिशयोक्ति
(ग) अनुप्रास
(घ) प्रतीप

17. किस अलंकार में लक्षण से चमत्कार घटित होता है?
(क) प्रतीप
(ख) रूपक
(ग) अतिशयोक्ति
(घ) अनन्वय

18. किस अलंकार में प्रसिद्ध उपमानों को उपमेय के रूप में कर लिया जाता है?
(क) रूपक (ख) अनुप्रास
(ग) प्रतीप (घ) उपमा

19. प्रस्तुत वर्ण्य-विषय को बढ़ा-चढ़ाकर अतिरंजित रूप में अभिव्यक्त करने से कौन-सा अलंकार होता है?
(क) अतिशयोक्ति
(ख) दृष्टान्त
(ग) विभावना
(घ) विशेषोक्ति

20. किस अलंकार में कविता में उपमेय और उपमान बिंब-प्रतिबिंब भाव से होते हैं?
(क) अतिशयोक्ति
(ख) प्रतीप
(ग) विशेषोक्ति
(घ) दृष्टान्त

21. जब भ्रमवश किसी एक चीज को देखकर उसके समान की किसी अन्य वस्तु का भ्रम हो तो कौन-सा अलंकार होता है?
(क) विभावना (ख) उत्प्रेक्षा
(ग) भ्रान्तिमान (घ) विशेषोक्ति

22. उपमान की अपेक्षा उपमेय के वर्णन में जब उत्कृष्टता दिखाइ जाती है, तो कौन-सा अलंकार होता है?
(क) प्रतीप (ख) विभावना
(ग) उत्प्रेक्षा (घ) व्यतिरेक

23. किस अलंकार में उपमेय में उपमान की सम्भावना की जाती है?
(क) उत्प्रेक्षा (ख) विभावना
(ग) प्रतीप (घ) अनुप्रास

24. कविता में जब बिना पर्याप्त कारण के कार्य सम्पन्न होने का चमत्कार घटित होता है, तो कौन-सा अलंकार होता है?
(क) प्रतीप
(ख) उत्प्रेक्षा
(ग) अतिशयोक्ति
(घ) विभावना

25. प्रबल कारणों के उपस्थित होते हुए भी जब कार्य सिद्ध न होने का वर्णन किया जाए तो कौन-सा अलंकार होता है?
(क) विशेषोक्ति (ख) विभावना
(ग) व्यतिरेक (घ) प्रतीप

26. जहाँ किसी उक्ति में वक्ता के अभिप्रेत आशय से भिन्न अर्थ की कल्पना की जाये, वहाँ कौन-सा अलंकार होता है?
(क) प्रतीप (ख) अनुप्रास
(ग) वक्रोक्ति (घ) विभावना

27. जहाँ सादृश्य के कारण किसी वस्तु को देखकर यह निश्चय न हो सके कि यह वही वस्तु है या अन्य; अर्थात् दोनों में दुविधा बनी रहे, वहाँ कौन-सा अलंकार होता है?
(क) भ्रान्तिमान (ख) विभावना
(ग) सन्देह (घ) प्रतीप

28. जहाँ सामान्य कथन का विशेष कथन द्वारा और विशेष कथन का सामान्य कथन द्वारा समर्थन किया जाता है,

वहाँ कौन-सा अलंकार होता है?
(क) विशेषोक्ति (ख) विभावना
(ग) अर्थान्तरन्यास (घ) वक्रोक्ति

29. जहाँ कविता में एक ही चीज उपमान और उपमेय भाव से कही जाती है, वहाँ कौन-सा अलंकार होता है?
(क) प्रतीप (ख) अनन्वय
(ग) अनुप्रास (घ) रूपक

30. वर्णन में जो प्रस्तुत विषय के रूप में होता है (जैसे सीता का मुख) उसे क्या कहते हैं?
(क) उपमेय (ख) उपमान
(ग) धर्म (घ) वाचक

31. वर्ण्य वस्तु की शोभा बढ़ाने के लिए जिस अप्रस्तुत (जैसे चन्द्रमा) की कल्पना की जाती है, उसे क्या कहते हैं?
(क) धर्म (ख) वाचक
(ग) उपमान (घ) उपमेय

32. जिस गुण के कारण उपमेय और उपमान में समानता स्थापित की जाती है (जैसे सुन्दर), उसे क्या कहते हैं?
(क) उपमेय (ख) उपमान
(ग) वाचक (घ) धर्म

विपरीतार्थक शब्द

विपरीतार्थक शब्द वे शब्द होते हैं जो किसी शब्द के ठीक विपरीत अथवा उल्टा अर्थ प्रकट करते हैं। इन्हें विलोम और विपर्याय भी कहा जाता है। अंग्रेजी में ऐसे, शब्द 'एण्टानिम्स' कहे जाते हैं।

निर्देश : *चार विकल्पों में से सही विपरीतार्थक शब्द छांट कर उस पर निशान लगाइये।*

1. अकथ
(क) कथनीय (ख) मान्य
(ग) कथ्य (घ) चिन्तनीय

2. अचल
(क) अस्थिर (ख) चल
(ग) जंगम (घ) कंपायमान

3. अटल
(क) अस्थिर (ख) चल
(ग) टलना (घ) अदृढ़

4. अति
(क) न्यून (ख) कम
(ग) अल्प (घ) नगण्य

5. अथ
(क) अन्त (ख) समाप्ति
(ग) इति (घ) विश्राम

6. अन्त
(क) आरम्भ (ख) आदि
(ग) अथ (घ) शुरुआत

7. अदूरदर्शी
(क) गीध दृष्टि (ख) दूर दृष्टि
(ग) दूरदर्शी (घ) भविष्य दृष्ट

8. अदूषित
(क) कलुषित (ख) पंकिल
(ग) रुग्ण (घ) दूषित

9. अलभ्य
(क) मिलना (ख) लभ्य
(ग) आशा (घ) प्राप्त

10. अधर्म
(क) धर्मयुत (ख) सुधर्म
(ग) धर्म (घ) आपद्धर्म

11. अमावस्या
(क) प्रतिपदा (ख) प्रदोष
(ग) चतुर्दशी (घ) पूर्णिमा

12. अमृत
(क) काटकूट (ख) विष
(ग) गरल (घ) हलाहल

13. अशक्य
(क) शक्य (ख) साध्य
(ग) सुगम (घ) संभव

14. आकर्षण
(क) घृणा (ख) जुगुप्सा
(ग) पलायन (घ) विकर्षण

15. आकांक्षा
(क) अनिच्छा (ख) अनाकांक्षा
(ग) विमुखता (घ) घृणा

16. आकाश
(क) गगन (ख) पाताल
(ग) धरा (घ) रसातल

17. आग
(क) शीत
(ख) पानी
(ग) बर्फ
(घ) उपल (ओला)

18. आमिष
(क) शाक (ख) अन्न
(ग) निरामिष (घ) भोज्य

19. आमोद
(क) अप्रसन्नता (ख) विषाद
(ग) क्रोध (घ) निर्गंध

20. आय
(क) व्यय (ख) खर्च
(ग) मितव्यय (घ) बचत

21. आरोहण
(क) अपरोहण (ख) अवरोहण
(ग) पतन (घ) विनाशन

22. आर्य
(क) असभ्य (ख) अजान
(ग) अनार्य (घ) दस्यु

23. आश्रय
(क) आलंबहीन (ख) निरालंब
(ग) निराश्रय (घ) बेसहारा

24. इष्ट
(क) अप्रिय (ख) अवांछित
(ग) अनिष्ट (घ) शुभ

25. ईर्ष्या
(क) स्नेह (ख) प्रसन्नता
(ग) उत्फुल्लता (घ) शीतलता

26. उगलना
(क) लील जाना (ख) निगलना
(ग) खाना (घ) चबाना

27. उग्र
(क) विनम्र (ख) शान्त
(ग) भीरु (घ) विनयी

28. उत्कर्ष
(क) पराभव (ख) अनुत्कर्ष
(ग) अवनति (घ) पतन

29. उत्कृष्ट
(क) निम्न (ख) असुन्दर
(ग) क्षुद्र (घ) निकृष्ट

30. उत्साह
(क) अनुत्साह (ख) उत्साहहीन
(ग) आलसी (घ) भीरु

31. उदय
(क) पराभव (ख) अस्त
(ग) अवसान (घ) ग्रस्त

32. उल्लास
(क) ह्रास (ख) म्लानता
(ग) कष्ट (घ) अप्रसन्नता

33. ऊर्ध्व
(क) निम्न (ख) लघु
(ग) अधो (घ) अल्प

34. एकता
(क) अनेकता (ख) विभिन्नता
(ग) असहयोग (घ) अलग-अलग

35. एकांत
(क) भीड़-भाड़ (ख) जन संकुल
(ग) मेला (घ) बाजार

36. एकीकरण
(क) अलगाव
(ख) विभाजन

(ग) विलगीकरण
(घ) फैलाना

37. **ओजस्वी**
(क) कान्तिहीन (ख) म्लान
(ग) रोगी (घ) कामुक

38. **औचित्य**
(क) अनुचित (ख) बुरा
(ग) अनौचित्य (घ) अनुपयुक्त

39. **कंजूस**
(क) उदार
(ख) फिजूलखर्ची
(ग) बहुव्ययी
(घ) व्यर्थव्ययी

40. **कटु**
(क) कषाय (ख) मधु
(ग) नमकीन (घ) मधुर

41. **कदाचित्**
(क) निश्चित (ख) प्रायः
(ग) अवश्यमेव (घ) नित्य

42. **कन्या**
(क) औरत (ख) महिला
(ग) पुरुष (घ) वर

43. **कनिष्ठ**
(क) ज्येष्ठ (ख) समवयस्क
(ग) मध्यम (घ) वृद्ध

44. **कायर**
(क) शायर (ख) शूर/वीर
(ग) बहादुर (घ) उत्साही

45. **किशोर**
(क) बाल (ख) प्रौढ़
(ग) वृद्ध (घ) रुग्ण

46. **कुटिल**
(क) दुष्ट (ख) सरल
(ग) मृदुल (घ) चंचल

47. **कुकृत्य**
(क) सुकर्म (ख) भलाई
(ग) शुभकर्म (घ) सुकृत्य

48. **कुमति**
(क) मन्दमति (ख) सन्मति
(ग) मतिवान (घ) सुमति

49. **कुशाग्र**
(क) मन्द (ख) नीच
(ग) मूढ़ (घ) अल्प

50. **कुसंग**
(क) सुसंग/सत्संग
(ख) भक्ति
(ग) शुभ संग
(घ) साधु संग

51. **खाद्य**
(क) अखाद्य (ख) नीरस
(ग) अभक्ष्य (घ) अग्राह्य

52. **खोटा**
(क) अच्छाई (ख) अदूषण
(ग) खरा (घ) निर्दोष

53. **गद्य**
(क) पद्य (ख) काव्य
(ग) तुकबन्दी (घ) कवित्त

54. **गप**
(क) सही (ख) ठीक
(ग) सच (घ) उचित

55. **गायन**
(क) वादन (ख) रुदन
(ग) नर्त्तन (घ) हास्य

56. **घरेलू**
(क) बाहरी (ख) शहरी
(ग) बाजारू (घ) आपसी

57. **चंचल**
(क) अचंचल (ख) स्थिर
(ग) शान्त (घ) गंभीर

58. **चन्द्रमा**
(क) प्रकाश (ख) धूप
(ग) ऊषा (घ) सूर्य

59. **चिढ़ना**
(क) प्रसन्न होना (ख) हँसना

(ग) मुस्कराना (घ) रोना

60. छली
(क) साधु (ख) सज्जन
(ग) भला (घ) निश्छली

61. जंगम
(क) स्थिर (ख) स्थावर
(ग) ठहराव (घ) पंगु

62. ज्ञान
(क) विज्ञान (ख) अज्ञान
(ग) मूर्खता (घ) सीमित ज्ञान

63. ज्ञेय
(क) अनबूझ (ख) अज्ञेय
(ग) नासमझ (घ) विज्ञेय

64. ज्येष्ठ
(क) कनिष्ठ (ख) लघु
(ग) अल्प (घ) छोटा

65. ज्योतिर्मय
(क) श्याममय
(ख) कालिमायुक्त
(ग) अंधकारमय
(घ) धुंधयुक्त

66. झूठ
(क) सत्य (ख) अर्द्धसत्य
(ग) यथार्थ (घ) नग्नसत्य

67. टाट
(क) मखमल
(ख) कपड़ा (सूती)
(ग) रेशम
(घ) कीनखाब

68. टोटा
(क) लाभ (ख) फायदा
(ग) मुनाफा (घ) बचत

69. ठण्डा
(क) गर्म
(ख) शीतोष्ण
(ग) समशीतोषण
(घ) तापित

70. ढीठ
(क) सज्जन (ख) शरीफ
(ग) भला (घ) विनयी

71. तनय
(क) भगिनी (ख) अनुजा
(ग) तनया (घ) भतीजी

72. तप्त
(क) शीतल (ख) अतप्त
(ग) अदग्ध (घ) ठंडा

73. तमोगुण
(क) रजोगुण (ख) शतोगुण
(ग) अवगुण (घ) गुणाक गुण

74. तिक्त
(क) कषाय (ख) मधुर
(ग) अम्ल (घ) लावण्य

75. तिरस्कार
(क) स्वागत (ख) सम्मान
(ग) आदर (घ) प्रशंसा

76. त्यागना
(क) मिला लेना
(ख) लेना
(ग) अपनाना
(घ) ग्रहण करना

77. थकान
(क) स्वस्थ
(ख) प्रसन्न
(ग) थकान रहित
(घ) स्फूर्ति

78. दक्षिण
(क) पूर्व (ख) पश्चिम
(ग) उत्तर (घ) सर्वत्र

79. दानव
(क) मानव (ख) देव
(ग) यक्ष (घ) किन्नर

80. दरिद्र
(क) सम्पन्न
(ख) समृद्धिशाली

(ग) भूपति
(घ) श्रीपति

81. दुर्बल
(क) तपोबले (ख) आत्मबल
(ग) धनबल (घ) सबल

82. दुर्भाग्य
(क) निर्भाग (ख) सौभाग्य
(ग) भाग्यवान (घ) भाग्यशाली

83. दुश्चरित्र
(क) सच्चरित्र (ख) सदाचारी
(ग) भद्र (घ) सुशील

84. दृश्य काव्य
(क) श्रव्यकाव्य (ख) खण्डकाव्य
(ग) महाकाव्य (घ) गीतिकाव्य

85. देशी
(क) प्रान्तीय
(ख) ग्रामीण
(ग) शहरी/नगरीय
(घ) विदेशी

86. धनवान
(क) गरीब (ख) निर्धन
(ग) फकीर (घ) भिखारी

87. धर्म
(क) अधर्म (ख) पाप
(ग) पातक (घ) अघ

88. धूप
(क) छाँव (ख) बरसात
(ग) रात (घ) चाँदनी

89. स्वर्ग
(क) कान
(ख) मृत्युलोक
(ग) पाताललोक
(घ) नरक

90. नायक
(क) नायिका (ख) युवती
(ग) प्रेमिका (घ) सुन्दरी

91. नास्तिक
(क) व्यावहारिक (ख) आस्तिक
(ग) बौद्धिक (घ) भौतिक

92. निराश
(क) आशा (ख) आशान्वित
(ग) आशामय (घ) आशावन

93. निःश्वास
(क) श्वासहीन (ख) मृतक
(ग) उच्छवास (घ) ऊर्ध्वश्वास

94. निशाचर
(क) देव (ख) मनुष्य
(ग) दिवाचर (घ) रवेचर

95. निशि
(क) दिवा (ख) दिन
(ग) दिवस (घ) सवेरा

96. निश्चय
(क) अनिश्चय (ख) विनिश्चय
(ग) सुनिश्चय (घ) कुनिश्चय

97. निस्संकोच
(क) संकोच (ख) संतोषी
(ग) सलज्ज (घ) संकोचवान

98. निष्पाप
(क) अपवित्र (ख) पापात्मा
(ग) पापी (घ) अघी

99. नूतन
(क) पुराना (ख) जीर्ण
(ग) वृद्ध (घ) पुरातन

100. नृशंस
(क) दयावान (ख) करुणापूर्ण
(ग) मेहरबान (घ) कृपालु

101. नेक
(क) बुरा (ख) निर्दय
(ग) पापी (घ) हीन

102. नेत्रवान
(क) नेत्ररहित (ख) अज्ञानी
(ग) नेत्रहीन (घ) अंधा

103. नैसर्गिक
(क) कृत्रिम (ख) बनावटी

(ग) रचित (घ) विरचित

104. न्याय
(क) अन्याय (ख) अनर्थ
(ग) बेइंसाफी (घ) बुरा बर्ताव

105. न्यून
(क) अत्यधिक (ख) पर्याप्त
(ग) बहुत (घ) अधिक

106. पत्थर
(क) कुसुम (ख) पादप
(ग) फूल (घ) काष्ठ

107. परमात्मा
(क) धर्मात्मा (ख) पापात्मा
(ग) आत्मा (घ) महात्मा

108. परिचित
(क) अपरिचित (ख) अनजान
(ग) अभिज्ञ (घ) अज्ञात

109. परिपक्व
(क) अधपका (ख) सुपक्व
(ग) कच्चा (घ) पक्व

110. परिहार्य
(क) अपरिहार्य (ख) अनिवार्य
(ग) आवश्यक (घ) अटल

111. पर्दा
(क) खुला
(ख) अबाध
(ग) आवरण विहीन
(घ) बेपर्दा

112. पवित्र
(क) चरित्र (ख) अपवित्र
(ग) अपावन (घ) अशौच

113. पारदर्शी
(क) अल्पदर्शी (ख) अपारदर्शी
(ग) दूरदर्शी (घ) स्वप्नदर्शी

114. पार्थिव
(क) स्वप्निल (ख) अलौकिक
(ग) असंसारी (घ) अपार्थिव

पैर
(क) मस्तक (ख) सिर
(ग) हाथ (घ) ललाट

116. प्रचंड
(क) शान्त (ख) विनम्र
(ग) निर्बल (घ) सह्य

117. प्रिय
(क) द्वैषी (ख) अप्रिय
(ग) बैरी (घ) दुश्मन

118. प्रीति
(क) वैर (ख) दुश्मनी
(ग) शत्रुता (घ) द्वैष

119. प्रेम
(क) विराग (ख) स्नेहहीन
(ग) घृणा (घ) कलह

120. प्रत्याशा
(क) अप्रत्याशा (ख) निराशा
(ग) आशारहित (घ) हताशा

121. प्रत्यय
(क) अज्ञान (ख) मूर्खता
(ग) उपसर्ग (घ) असम्मति

122. प्राप्य
(क) अनुपलब्ध (ख) अप्राप्य
(ग) दुर्गम (घ) अनुपस्थित

123. फायदेमन्द
(क) हानिप्रद (ख) नुकसान
(ग) बुरी (घ) अलाभकर

124. फूल
(क) कली (ख) बौर
(ग) पल्लव (घ) काँटा

125. बावला
(क) सज्ञान (ख) बुद्धिमान
(ग) संयमित (घ) चतुर

126. ब्रह्म
(क) जीव (ख) माया
(ग) जगत (घ) अज्ञान

127. भद्र
(क) असज्जन (ख) अभद्र

(ग) अवांछित (घ) धूर्त

128. भयंकर
(क) सौम्य (ख) कान्त
(ग) आकर्षक (घ) मनोहर

129. भिक्षु
(क) राजा (ख) नृप
(ग) भूप (घ) भूपाल

130. मंद
(क) तेज (ख) तीव्र
(ग) गतिमान (घ) गतिशील

131. मान
(क) अपमान (ख) अनादर
(ग) असम्मान (घ) बेइज्जती

132. मिट्टी
(क) राख (ख) सोना
(ग) चाँदी (घ) हीरामोती

133. मूक
(क) वाचाल (ख) बातून
(ग) बकवादी (घ) वक्ता

134. मूढ़
(क) बुद्धिमान (ख) योग्य
(ग) चतुर (घ) अक्लमन्द

135. मूर्त
(क) निराकार (ख) पिंडहीन
(ग) अमूर्त्त (घ) अशरीरी

136. मृत्यु
(क) जन्म (ख) पैदायश
(ग) आगमन (घ) उत्पत्ति

137. मृदु
(क) रूखा (ख) कठोर
(ग) पाषाणी (घ) काष्ठवत

138. योग
(क) विषयभोग (ख) आनन्द
(ग) सुख (घ) भोग

139. रंक
(क) नृप (ख) भूपति
(ग) नृपाल (घ) राजा

140. रवि
(क) चन्द्र (ख) सुधाकर
(ग) राकेश (घ) शशि

141. रीझना
(क) नाराज़ होना
(ख) दुखी होना
(ग) बुरा मानना
(घ) परेशान होना

142. रुदन
(क) हास्य (ख) प्रसन्नता
(ग) मुस्कान (घ) अट्टहास

143. रूपवान
(क) कुरूप (ख) असुन्दर
(ग) अंगहीन (घ) निर्लज्ज

144. लघु
(क) लम्बा (ख) दीघे
(ग) बृहद् (घ) गुरु

145. लज्जावान
(क) लज्जारहित
(ख) लज्जाहीन
(ग) निर्लज्ज
(घ) बेशर्म

146. लाचार
(क) समर्थ
(ख) सशक्त
(ग) सबल
(घ) सामर्थ्यशाली

147. लौकिक
(क) असंसारी
(ख) अस्वाभाविक
(ग) अलौकिक
(घ) दैवी

148. वर्तमान
(क) भविष्य
(ख) भूत
(ग) अनद्यतनभूत
(घ) कालहीन

149. बहिरंग
(क) अन्तरंग (ख) रंगारंग
(ग) जलतरंग (घ) रामरंग

150. हँसना
(क) रोना (ख) चिल्लाना
(ग) मौन रहना (घ) मुस्कराना

151. हट्टा-कट्टा
(क) कमजोर (ख) दुर्बल
(ग) निस्तेज (घ) असमर्थ

152. हर्ष
(क) क्रोध (ख) चिन्ता
(ग) शोक (घ) परेशान

153. हित
(क) अनहित (ख) अनुपकार
(ग) नुकसान करना
(घ) सताना

154. हिंसा
(क) अहिंसा (ख) निर्वैर
(ग) दयावान (घ) करुणा

155. हृदयहीन
(क) सहृदय (ख) दया
(ग) कठोर (घ) साधु

पर्यायवाची शब्द

समानार्थी शब्दों को पर्यायवाची शब्द भी कहा जाता है। प्रत्येक शब्द की अपनी अलग पहचान, गरिमा तथा विशिष्टता होती है। कमल के कई पर्यायवाची हैं, किन्तु उन सब की अपनी विशिष्टताएँ हैं, यथा–पुण्डरीक श्वेत कमल के लिए, इन्दीवर नील कमल के लिए, अरविन्द और सरसी रुह लाल कमल के लिए प्रयुक्त होते हैं। सभी प्रकार के कमलों के लिए प्रायः वारिज, पंकज, सरसिज आदि शब्दों का प्रयोग किया जाता है। यही बात दया, करुणा, कृपा आदि शब्दों के लिए भी कही जा सकती है। आम बोलचाल में इनका प्रयोग बोध होने पर इनका उपयुक्त प्रयोग करना सुलभ होता है।

निर्देश : *नीचे कुछ शब्द दिए गए हैं। प्रत्येक के पर्यायवाची के चार विकल्प दिए गए हैं। इनमें से एक विकल्प सही पर्यायवाची है, उसका चयन कीजिए :*

1. अग्नि
(क) अनिल
(ख) अनल
(ग) गर्म
(घ) ताप

2. अमृत
(क) पीयूष
(ख) गरल
(ग) सरस
(घ) जीवनदायनी

3. आँख
(क) लोचन
(ख) आस्थि
(ग) वदन
(घ) जलज

4. आकाश
(क) अनन्त
(ख) पाताल
(ग) वितल
(घ) तल

5. कपड़ा
(क) परिधान
(ख) पटिका
(ग) पीताम्बर
(घ) लहँगा

6. कमल
(क) सरोज
(ख) सरोवर
(ग) पंक
(घ) पुष्प

7. गंगा
(क) पाताल नदी
(ख) हिमनदी
(ग) भागीरथ
(घ) त्रिपथगा

8. चाँद
(क) मयंक
(ख) भानु
(ग) दिनकर
(घ) रवि

9. नदी
(क) सरिता
(ख) प्रवाह
(ग) धारा
(घ) जलधर

10. पर्वत
(क) पत्थर
(ख) चट्टान
(ग) शिखर
(घ) मेरू

11. पवन
(क) अनिल
(ख) अनल
(ग) अग
(घ) विहग

12. पति
(क) साजन
(ख) प्रिया
(ग) भार्या
(घ) दारा

13. पानी
(क) मही
(ख) मेदिनी
(ग) अम्बु
(घ) तरणी

14. पुत्र
(क) आत्मज
(ख) तनया
(ग) सुता
(घ) आत्मजा

15. पुत्री
(क) सुता
(ख) सुत
(ग) आत्मज
(घ) नन्दन

16. फूल
(क) बहार
(ख) मधु
(ग) माधव
(घ) सुमन

17. वृक्ष
(क) विटप
(ख) अभ्र
(ग) प्रसून
(घ) रसा

18. बादल
(क) अज
(ख) व्यामोह
(ग) नीरद
(घ) मधुप

19. बिजली
(क) चंचला
(ख) खटका
(ग) त्रास
(घ) संत्रास

20. माता
(क) धात्री
(ख) धरणी
(ग) धरित्री
(घ) श्यामा

21. घोषणा
(क) आवाज
(ख) पुकारना
(ग) ऐलान
(घ) ललकारना

22. उत्कर्ष
(क) आकर्षण
(ख) विकर्षण
(ग) उन्नति
(घ) निष्कर्ष

23. उदय
(क) अन्त
(ख) विकास
(ग) प्रगट
(घ) व्यस्त

24. दक्ष
(क) निपुण
(ख) समर्थ
(ग) कर्मठ
(घ) मेहनती

25. संवाद
(क) विवाद
(ख) झगड़ा
(ग) सम्बोधन
(घ) वार्तालाप

26. इन्द्र
(क) सुरेन्द्र
(ख) जगदीश
(ग) महीप
(घ) हरि

27. ईश्वर
(क) लम्बोदर
(ख) प्रभु
(ग) रवि
(घ) पन्नग

28. पक्षी
(क) खग
(ख) जलधर
(ग) सोम
(घ) कानन

29. पृथ्वी
(क) भू
(ख) अम्बा
(ग) गात
(घ) दारा

30. घर
(क) निलय
(ख) विपिन
(ग) अहि
(घ) भाग

31. जंगल
(क) अरण्य
(ख) नग
(ग) मारुत
(घ) रूख

32. दिन
(क) गूधर
(ख) हिय
(ग) वासर
(घ) गात

33. मनुष्य
(क) सुधाकर
(ख) भानु
(ग) करि
(घ) मनुज

34. हाथी
(क) वामा
(ख) हस्ती
(ग) हिया
(घ) भारती

35. मित्र
(क) तनय
(ख) सहचर
(ग) मयंक
(घ) पन्नग

36. राजा
(क) नृप
(ख) विनायक
(ग) देव
(घ) अमर

37. आनन्द
(क) लालसा
(ख) विधु
(ग) हर्ष
(घ) वृषा

38. आम
(क) रसाल
(ख) उत्पल
(ग) अंशु
(घ) सोम

39. आश्रम
(क) गृह
(ख) विहार
(ग) सदन
(घ) अचल

40. इच्छा
(क) मयूख
(ख) रासभ
(ग) स्पृहा
(घ) कुंमिल

41. इन्द्राणी
(क) शची
(ख) रश्मि
(ग) धनद
(घ) विधु

42. कामदेव
(क) सुरपग
(ख) कन्दर्प
(ग) यक्षराज
(घ) विनायक

43. क्रोध
(क) पटु
(ख) इषु
(ग) रोष
(घ) त्रिदश

44. गणेश
(क) भानु
(ख) मघवा
(ग) आदित्य
(घ) लम्बोदर

45. गधा
(क) वैशाखनन्दन
(ख) डागर
(ग) मार
(घ) आपगा

46. चोर
(क) रजनीचर
(ख) सारंग
(ग) अमर्ष
(घ) वृषा

47. यमुना
(क) तरिणी
(ख) तिया
(ग) अजा
(घ) कालिन्दी

48. दास
(क) गीर्वाण
(ख) निशाकर
(ग) नाराच
(घ) चाकर

49. द्रव्य
(क) धन
(ख) प्रसून
(ग) पाथ
(घ) सर

50. नर्क
(क) यमलोक
(ख) कटक
(ग) विहायस
(घ) मनुजाद

51. नौका
(क) अर्णव
(ख) दन्ती
(ग) जलधर
(घ) नाव

52. विष्णु
(क) जनार्दन
(ख) छायानाथ
(ग) चन्द्रशेखर
(घ) कणधर

53. समुद्र
(क) धराधर
(ख) द्विरेक
(ग) अण्डज
(घ) जलधि

54. सर्प
(क) भुजंग
(ख) हाटक
(ग) तपन
(घ) भूतेश

55. सोना
(क) सारंग
(ख) मनोहर
(ग) कंचन
(घ) दिनेश

56. सिंह
(क) केशरी
(ख) व्याल
(ग) बलाहक
(घ) अज

57. सुन्दर
(क) वारण
(ख) सुरम्य
(ग) समग्र
(घ) मुंचन

58. स्त्री
(क) करी
(ख) भारती
(ग) त्रियामा
(घ) वनिता

59. पत्नी
(क) भार्या
(ख) आपगा
(ग) अर्कजा
(घ) कौमुदी

60. बाण
(क) तुंग
(ख) विशिख
(ग) भृत्य
(घ) अनंग

61. पार्वती
(क) उमा
(ख) मेदिनी
(ग) तरिणजा
(घ) देवापगा

62. सब
(क) समग्र
(ख) हेम
(ग) भर्ता
(घ) वसु

63. घमण्ड
(क) वक्र
(ख) द्वेष
(ग) तन्तु
(घ) गर्व

64. लता
(क) बेलि
(ख) कैथ
(ग) भयद
(घ) लाख

65. बटोही
(क) पथिक
(ख) नृपाल
(ग) तात
(घ) सारंग

निर्देश : *नीचे चार-चार शब्दों के समूह दिए गए हैं। प्रत्येक समूह में एक शब्द बेमेल है तथा शेष तीन शब्द पर्यायवाची हैं, आपको उस शब्द का चयन करना है, जो बेमेल है :*

66. (क) तम
(ख) अंधकार
(ग) तिमिर
(घ) अंश

67. (क) अनल
(ख) आग
(ग) दहन
(घ) तमिस्त्रा

68. (क) अतुल
(ख) अद्बितीय
(ग) अनुपम
(घ) शुष्मा

69. (क) अहं
(ख) अहंकार
(ग) दर्प
(घ) निराला

70. (क) पता
(ख) खोज
(ग) जाँच
(घ) शोध

71. (क) गरल
(ख) पीयूष
(ग) सुधा
(घ) सोम

72. (क) कानन
(ख) जंगल
(ग) पादप
(घ) वन

73. (क) अश्व
(ख) गज

(ग) घोड़ा
(घ) तुरंग

74. (क) दानव
(ख) मानव
(ग) दैत्य
(घ) राक्षस

75. (क) आँख
(ख) चक्षु
(ग) नयन
(घ) मुख

76. (क) अन्तरिक्ष
(ख) वसुन्धरा
(ग) आसमान
(घ) गगन

77. (क) इच्छा
(ख) अभिलाषा
(ग) कामना
(घ) प्रयोजन

78. (क) कपड़ा
(ख) चीर
(ग) वसन
(घ) पोशाक

79. (क) अब्ज
(ख) कमल
(ग) राजीव
(घ) आम्र

80. (क) कोयल
(ख) पिक
(ग) वनचर
(घ) वनप्रिय

81. (क) गंगा
(ख) देवनदी
(ग) गोदावरी
(घ) भागीरथी

82. (क) गणेश
(ख) एकदन्त
(ग) देवराज
(घ) गणपति

83. (क) घर
(ख) निलय
(ग) निकेतन
(घ) झोपड़ी

84. (क) चाँद
(ख) हिमांशु
(ग) विनायक
(घ) सुधांशु

85. (क) नदी
(ख) तरणी
(ग) तटिनी
(घ) सरिता

86. (क) पक्षी
(ख) चिड़िया
(ग) सुमन
(घ) विहग

87. (क) पवन
(ख) अचला
(ग) वात
(घ) वायु

88. (क) समीर
(ख) पृथ्वी
(ग) भू
(घ) भूमि

89. (क) पानी
(ख) समीर
(ग) अम्बु
(घ) जल

90. (क) पुत्र
(ख) तनया

(ग) तनय
(घ) सुत

91. (क) पुत्र
(ख) तनया
(ग) सुता
(घ) कन्या

92. (क) गृहिणी
(ख) आदमी
(ग) पुरुष
(घ) नर

93. (क) मधु
(ख) फूल
(ग) पुष्प
(घ) सुमन

94. (क) माधव
(ख) तरु
(ग) पेड़
(घ) वृक्ष

95. (क) माता
(ख) अम्बु
(ग) अम्मा
(घ) जननी

96. (क) क्रोध
(ख) अमर्ष
(ग) स्वत्व
(घ) कोप

97. (क) मोर
(ख) केकी
(ग) शिखी
(घ) शिखण्डी

98. (क) अश्म
(ख) बृषभ
(ग) बलीवर्द
(घ) बैल

99. (क) सुषमा
(ख) शोभा
(ग) सुन्दरता
(घ) रमणी

100. (क) तरंगिणी
(ख) तटिनी
(ग) तरिणी
(घ) सरिता

101. (क) भवन
(ख) भुवन
(ग) निकेतन
(घ) सदन

102. (क) खगेश
(ख) शृंगाल
(ग) सियार
(घ) जम्बुक

103. (क) शशि
(ख) हिमकर
(ग) शशांक
(घ) रूपक

104. (क) हेरम्ब
(ख) गाय
(ग) भद्रा
(घ) धेनु

105. (क) द्रौपदी
(ख) द्रुपदसुता
(ग) पांचाली
(घ) रमणी

106. (क) द्रव्य
(ख) द्रव
(ग) सम्पदा
(घ) दौलत

107. (क) तनय
(ख) सुता
(ग) आत्मजा
(घ) दुहिता

108. (क) सरोज
(ख) अरविन्द
(ग) सलिल
(घ) पंकज

109. (क) जंगल
(ख) कान्ता
(ग) कान्तार
(घ) कानन

110. (क) तलवार
(ख) असि
(ग) कृपण
(घ) खड्ग

111. (क) पत्ता
(ख) पर्ण
(ग) पल्लव
(घ) प्रसून

112. (क) युद्ध
(ख) संग्राम
(ग) समर
(घ) सार

113. (क) सरस्वती
(ख) वीणापाणि
(ग) शारदा
(घ) धनद

114. (क) तुरंग
(ख) शेर
(ग) मृगराज
(घ) व्याघ्र

115. (क) झण्डा
(ख) पताका
(ग) प्रस्तर
(घ) ध्वज

116. (क) पत्नी
(ख) कलत्र
(ग) दौहित्र
(घ) भार्या

117. (क) जानकी
(ख) वैदेही
(ग) जनकसुता
(घ) वामा

118. (क) कुबेर
(ख) श्वान
(ग) कोषपाल
(घ) धनपति

119. (क) पुष्प
(ख) सुमन
(ग) प्रसून
(घ) निलय

120. (क) अग्र
(ख) अगला
(ग) ज्येष्ठ
(घ) दावा

121. (क) हनुमान
(ख) पवनपुत्र
(ग) बजरंगबली
(घ) यक्षपति

122. (क) रात
(ख) रैन
(ग) रजनी
(घ) कामिनी

123. (क) अरुण
(ख) आदित्य
(ग) दिनकर
(घ) महीप

124. (क) मोक्ष
(ख) मुक्ति
(ग) कैवल्य
(घ) कृतान्त

125. (क) संन्यासी
(ख) माधव
(ग) तापस
(घ) संत

शब्दार्थ

निर्देशः *चार विकल्पों में से सही अर्थ छाँटकर उस पर निशान लगाइये।*

1. अंग सौष्ठव
(क) शक्ति
(ख) सुकुमारता
(ग) कमनीयता
(घ) शारीरिक सौन्दर्य

2. अन्तर्घट
(क) घड़े का भीतरी-भाग
(ख) मन/हृदय
(ग) चित्त
(घ) अन्त:करण

3. अंतःशुद्धि
(क) घर के भीतरी-भाग की स्वच्छता
(ख) मन की शुद्धि
(ग) समाज के विभिन्न अंगों में शुद्धता
(घ) शरीर के भीतरी भागों की सफाई

4. अपकीर्त्ति
(क) अप्रसिद्धि (ख) निन्दा
(ग) अनिष्ट (घ) नीचता

5. अर्चना
(क) आराधना
(ख) खींचना
(ग) याचना करना
(घ) उपार्जन करना

6. अकूत
(क) अछूत
(ख) लंबा-चौड़ा
(ग) बलशाली
(घ) जिसकी गिनती न की जा सके

7. अनिच्छु
(क) असहमत
(ख) जिसे चाह न हो
(ग) उदास
(घ) वैरागी

8. अतिरेक
(क) साहस
(ख) व्याकुलता
(ग) बहुत अधिकता
(घ) प्रचंडता

9. अनित्य
(क) अचूक
(ख) सदा न रहने वाला
(ग) आकस्मिक
(घ) जो डाँवाडोल न हो

10. अनुपमेय
(क) विचित्र
(ख) अपूर्व
(ग) विस्तीर्ण
(घ) जिसकी तुलना किसी से न की जा सके

11. अनुर्वर
(क) कमजोर (ख) अनुपजाऊ
(ग) कल्पित (घ) व्यर्थ

12. अपंग
(क) निर्जीव
(ख) सुन्न
(ग) बेहोश
(घ) जिसके किसी अंग में कमी हो

13. आँकना
(क) तोलना
(ख) परखना
(ग) मोलभाव करना
(घ) अनुमान लगाना

14. आदृत
(क) गुणी (ख) श्रद्धावान
(ग) सम्मानित (घ) समृद्ध

15. इतस्ततः
(क) इत्यादि (ख) सब जगह

(ग) इधर-उधर (घ) फैला हुआ

16. **उपदेष्टा**
(क) शिक्षक
(ख) उपदेश देने वाला
(ग) विद्वान
(घ) अधिकारी

17. **उजागर**
(क) निर्मल (ख) उजला
(ग) निष्पक्ष (घ) प्रकाशमान

18. **उच्छिन्न**
(क) पूरी तरह से नष्ट
(ख) निराश
(ग) नकली
(घ) जूठा

19. **उपादान**
(क) अल्प दान (ख) सामग्री
(ग) सूत्र (घ) कल-पुरजे

20. **एकात्म**
(क) संचित
(ख) जिसकी आत्मा एक हो
(ग) अकेला
(घ) निश्चित

21. **ऋचा**
(क) अध्याय (ख) पूजा
(ग) वेद-मंत्र (घ) कर्मकांड

22. **कंठाग्र**
(क) गरदन का ऊपरी भाग
(ख) चोंच
(ग) मुँहबोला
(घ) जबानी याद

23. **कंटक**
(क) हैरानी (ख) काँटा
(ग) बुरी दशा (घ) आपत्ति

24. **कटाक्ष**
(क) गुस्सा (ख) टेढ़ी नजर
(ग) हमला (घ) आक्षेप

25. **कुयोग**
(क) मुसीबत (ख) बुरा नतीजा
(ग) षड्यंत्र (घ) बुरी घड़ी

26. **कतिपय**
(क) शायद (ख) कुछ
(ग) अनेक (घ) न्यून

27. **खगेश**
(क) गिद्ध (ख) सिंह
(ग) गरुड़ (घ) इन्द्र

28. **खचित**
(क) खिंचा हुआ
(ख) जड़ा हुआ
(ग) छकड़ा
(घ) पुराना

29. **गरिष्ठ**
(क) अहंकारपूर्ण
(ख) क्रुद्ध
(ग) शान्त
(घ) भारी

30. **गुरुतर**
(क) विशाल
(ख) भीषण
(ग) श्रेष्ठ
(घ) जो अपेक्षाकृत अधिक भारी या महत्त्वपूर्ण हो

31 **गतप्राण**
(क) मरणासन्न
(ख) मृत
(ग) कम आयु वाला
(घ) शिथिल

32. **गरिमा**
(क) गौरव (ख) परिणाम
(ग) अनुकूलता (घ) लाभ

33. **गूढ़ार्थ**
(क) रहस्य
(ख) जटिल अभिप्राय
(ग) अंतर
(घ) मूर्खता

34. **गौरवान्वित**
(क) सुशोभित (ख) उन्नत
(ग) गर्वयुक्त (घ) सम्मानित

35. **गुम्फित**
(क) हर्षित
(ख) गुंथी हुई/गुंथा हुआ
(ग) बचा हुआ
(घ) छिपा हुआ

36. **ग्लानि**
(क) अरुचि
(ख) अवसन्न
(ग) क्रोध
(घ) मानसिक व्यथा

37. **गृहीत**
(क) अधिकृत
(ख) स्वीकृत/प्राप्त किया हुआ
(ग) सम्मानित
(घ) विदीत

38. **घृणित**
(क) घृणा से परे
(ख) घृणा करने वाला
(ग) घृणा के योग्य
(घ) घृणा का पात्र

39. **घ्राणेन्द्रिय**
(क) इन्द्रियों से अगोचर
(ख) रसबोध कराने वाली इन्द्रिय
(ग) स्पर्श कराने वाली इन्द्रिय
(घ) गन्ध बोध कराने वाली इन्द्रिय

40. **चरितावली**
(क) बहुत चरित्रों या जीवनियों का संकलन
(ख) आत्म-कथा
(ग) लोगों का गुणगान
(घ) किसी के चरित्र स्वभाव आदि का वर्णन

41. **चित्तवृत्ति**
(क) स्वभाव
(ख) मन की अवस्था
(ग) चंचलता
(घ) स्थिर मन

42. **चमत्कार**
(क) उत्सव
(ख) अनहोनी बात
(ग) अद्‌भुत बात
(घ) नाटक

43. **छलावा**
(क) दिखावट
(ख) धोखा
(ग) भूल
(घ) विश्वासघात

44. **छरहरा**
(क) अकेला
(ख) प्रसन्न
(ग) सुन्दर
(घ) इकहरे बदन का

45. **छद्‌मवेश**
(क) अभिनय
(ख) तड़क-भड़क
(ग) नकली-वेश
(घ) धोखाधड़ी

46. **जीवट**
(क) उत्साह (ख) साहस
(ग) श्रम (घ) कर्तव्य

47. **जलतरंग**
(क) लहर
(ख) बाजा
(ग) बड़वानल
(घ) उमंगों का अंत

48. **झकोरा**
(क) मंद हवा
(ख) पंखा
(ग) तूफानें
(घ) तेज हवा का झोंका

49. **ठनठन गोपाल**
(क) सुखी
(ख) चिंताहीन
(ग) मूर्ख
(घ) निर्धन व्यक्ति

50. **तत्त्वावधान**
(क) देखरेख (ख) संगठन
(ग) अनुपालन (घ) अनुग्रह

51. **दत्तक**
(क) रक्षित
(ख) गोद लिया हुआ
(ग) त्याज्य
(घ) दानी

52. **द्वंद्वातीत**
(क) लड़ाई से विमुख
(ख) चिन्तारहित
(ग) सुख दु:ख से परे
(घ) विरक्त

53. **दावानल**
(क) मुठभेड़
(ख) जंगल की आग
(ग) मुकदमेंबाजी
(घ) विस्फोट

54. **धनैषणा**
(क) लालच
(ख) धन की लालसा
(ग) सम्पत्ति की चाह
(घ) मितव्यय

55. **धाराबद्ध**
(क) अधिक समय तक प्रवाही
(ख) निरंतर/सतत
(ग) धीरे-धीरे
(घ) बँधा हुआ

56. **धीरोदात्त**
(क) सदाचारी
(ख) धैर्यवान एवं उदार
(ग) पराक्रमी
(घ) विजरी

57. **धृष्ट**
(क) धीर (ख) स्थिरचित्त
(ग) निर्लज्ज (घ) उत्साही

58. **नकारना**
(क) रोकना
(ख) अस्वीकृत
(ग) इनकार करना
(घ) उलटना

59. **नमित**
(क) झुका हुआ
(ख) विनीत
(ग) जो कठोर न हो
(घ) जिसका दमन किया गया हो

60. **नैसर्गिक**
(क) स्वर्गिक (ख) सरल
(ग) सुन्दर (घ) प्राकृतिक

61. **निष्ठा**
(क) निष्ठुर (ख) वचनबद्ध
(ग) दृढ़
(घ) किसी में श्रद्धा रखने वाला

62. **नि:स्व**
(क) धनहीन
(ख) दुर्बल
(ग) जिसे अभिमान न हो
(घ) स्वार्थरहित

63. **निठल्ला**
(क) बेकार
(ख) आलसी
(ग) बेईमान
(घ) बेकार/खाली

64. **पदरज**
(क) पाँव की धूल
(ख) पाँव तले की धूल
(ग) रास्ते की गर्द
(घ) पैरों से रौंदी गई कोई चीज़

65. **प्रतियोगी**
(क) साथ देने वाला

(ख) किसी मुकाबले में भाग लेने वाला
(ग) शत्रु
(घ) परिश्रमी

66. पुजापा
(क) पूजन की सामग्री
(ख) पूज्यभाव
(ग) भोग सामग्री
(घ) पूजा करना

67. बल
(क) शक्ति (ख) स्फूर्ति
(ग) चेतनता (घ) पौरुष

68. बतियाना
(क) बातून
(ख) बातचीत करना
(ग) समझाना-बुझाना
(घ) वाद-विवाद करना

भंगिमा
क) अभिव्यक्ति (ख) चेष्टा
(ग) एक जाति (घ) संकेत

70. भंग
(क) टूटना (ख) परेशान
(ग) बांकपन (घ) विच्छेदन

71. भावबोध
(क) विचारधारा
(ख) कल्पना
(ग) किसी विचार का ज्ञान
(घ) भावना

72. भाराक्रान्त
(क) बोझ से दुखी
(ख) पीड़ित
(ग) परेशान
(घ) डरा हुआ

73. मनोरथ
(क) मनरूपी रथ
(ख) इच्छा/मनोकामना
(ग) मनोज्ञ
(घ) अभीष्ट

74. मीमांसा
(क) प्रतिपादन
(ख) प्रशंसा
(ग) मीन-मांस
(घ) गंभीर चिन्तन के बाद लिया गया निर्णय

75. यथेष्ट
(क) काफी मात्रा में
(ख) पर्याप्त
(ग) मनोनुकूल
(घ) प्रभूत

76. यातना
(क) कष्ट
(ख) बहुत अधिक वेदना
(ग) वह पीड़ा तथा कष्ट जो यमलोक में भोगनी पड़ती है
(घ) यात्रा

77. युवराज
(क) राजकुमार
(ख) राजकुमार जो भविष्य में राजा बनेगा
(ग) दो राजा
(घ) नया राज्य

78. रंक
(क) निर्धन (ख) रंग
(ग) कौड़ी (घ) उद्विग्न

79. रागारुण
(क) क्रोध से लाल हुआ
(ख) प्रेम से रक्तिम हुआ
(ग) रक्तवर्णी
(घ) परेशान

80. राजीव
(क) पद्म
(ख) नीलकमल
(ग) एक व्यक्ति विशेष

(घ) राजा का

81. राज्याभिषेक
(क) राजतिलक
(ख) राजा का स्नान
(ग) राजा का आक्रमण करने जाना
(घ) राजनिवास

82. लंपट
(क) लम्बा वस्त्र
(ख) एक प्रकार का जेवर
(ग) व्यभिचारी/धूर्त्त
(घ) भुक्खड़

83. ललाम
(क) मस्तक (ख) सुन्दर
(ग) वल्गा (घ) अद्भुत

84. लोहित
(क) कुंकुम (ख) रक्त
(ग) चितकबरा (घ) एक घास

85. वंचक
(क) कथा बाँचने वाला
(ख) धूर्त्त/ठग
(ग) तनिक/किंचित
(घ) एक नीव

86. वहिर्गमन
(क) विरोध स्वरूप बाहर चले जाना
(ख) देशाटन करने जाना
(ग) शौच जाना
(घ) बाहर चले जाना

87. विश्लेषण
(क) किसी पदार्थ के तत्त्वों को पृथक करना
(ख) संयोजन करना
(ग) अनुसंधान करना
(घ) समीक्षा करना

88. संरचना
(क) बनावट या गठन
(ख) सुघर
(ग) उपाचार
(घ) रचित

89. हस्तगत
(क) प्राप्त (ख) लिखावट
(ग) सहज (घ) हस्ताक्षर

90. होतव्यता
(क) प्रारब्ध (ख) सामर्थ्य
(ग) दाँव (घ) अभिप्राय

वाक्य/वाक्यांश के लिए एक शब्द

नीचे कुछ वाक्य या वाक्यांश दिये गये हैं। उनके नीचे चार अलग-अलग शब्द दिये गये हैं, जिनमें से एक का अर्थ वही है जो वाक्या या वाक्यांश का है। उस शब्द को छांटकर उस पर निशान लगाइये।

1 जो आयु में बड़ा हो–
(क) गुरु (ख) अग्रज
(ग) वरिष्ठ (घ) सहोदर

जो बिना समझे-बूझे किसी बात को सत्य मान कर उस पर विश्वास कर लेते हैं–
(क) विवेकहीन
(ख) मूर्ख
(ग) अज्ञानी
(घ) अन्धविश्वासी

जिस तर्क का कोई जवाब न हो–
(क) अकाट्य (ख) जोरदार
(ग) तीखा (घ) सटीक

4. जिसे आँखों से देखा न जा सके–
(क) सूक्ष्म
(ख) अगोचर
(ग) मायावी
(घ) अस्तित्वहीन

5. ऐसा मार्ग जिस पर जा सकना कठिन हो--
(क) ऊबड़-खाबड़
(ख) दुर्गम
(ग) असम
(घ) सँकरा

6. जिसका कोई शत्रु पैदा न हुआ हो–
(क) शत्रुहीन (ख) सर्वप्रिय
(ग) अजातशत्रु (घ) सर्वमित्र

7. जिसे जीता न जा सके–
(क) परमवीर (ख) अज्ञेय
(ग) अजेय (घ) अगम

8. जो ईश्वर में विश्वास न करता हो–
(क) अनीश्वर (ख) नास्तिक
(ग) राक्षस (घ) विधर्मी

9. जिस बालक के माँ-बाप न हों (मर चुके हों)–
(क) असहाय (ख) अनाथ
(ग) अबोध (घ) निरीह

10. छोटे भाई के लिए शब्द है–
(क) भैया (ख) अनुज
(ग) अग्रज (घ) भ्राता

11. किसी की लम्बी दुखपूर्ण कथा–
(क) राम कहानी (ख) विपदा
(ग) दुखड़ा (घ) विलाप

12. तीन वेदों को जानने वाला–
(क) द्विवेदी (ख) त्रिवेदी
(ग) विद्वान (घ) चतुर्वेदी

13. जिसकी उपमा न दी जा सके–
(क) अद्वितीय (ख) अनुपमेय
(ग) आदर्श (घ) अकथ्य

14. दूसरों पर अकारण अत्याचार करने वाला–
(क) पानी (ख) आततायी
(ग) हिंसक (घ) दुष्ट

15. जो सब कुछ जानने वाला है–
(क) धुरन्धर (ख) सर्वव्यापी
(ग) निष्णात (घ) सर्वज्ञ

16. जो रोग सम्पर्क से फैलता है–
(क) घातक (ख) सम्पर्क
(ग) असाध्य (घ) संचारी

17. पुराने जमाने में राजा-बादशाह जिस स्थान से अपनी प्रजा को दर्शन देते थे–
(क) वातायन (ख) कबन्ध
(ग) दरबार (घ) झरोखा

18. आकाश में उड़ने वाले जीव-जन्तु–
(क) पक्षी (ख) खगोल
(ग) नभचर (घ) गगनचुम्बी

19. जो एहसान न माने–
(क) कृतज्ञ (ख) कृतकार्य
(ग) कृतघ्न (घ) एहसानमंद

20. जो दूसरों की सहायता की अपेक्षा न करे–
(क) आत्मनिर्भर
(ख) पुरुषार्थी
(ग) आत्मविश्वासी
(घ) स्वाभिमानी

21. जो अपने ढंग का अनोखा हो–
(क) चमत्कारी (ख) विरला
(ग) असमान (घ) अद्वितीय

22. जो किसी का पक्ष न ले–
(क) न्यायी (ख) निस्वार्थी
(ग) निर्भर (घ) निष्पक्ष

23. जिसका अन्त न हो–
(क) अन्तस (ख) अनन्त
(ग) अनअन्त (घ) निअंत

24. उच्च कुल में जन्म लेने वाला–
(क) कुली (ख) कुलीन
(ग) कुलिश (घ) कुलिज

25. किसी वस्तु को प्राप्त करने की प्रबल इच्छा–
(क) लालच (ख) ललक
(ग) लोभ (घ) लाव

26. जो सेवा बिना वेतन, पारिश्रमिक या पारितोष के की जाये–
(क) अर्थहीन (ख) अनार्थिक
(ग) अवैतनिक (घ) निरर्थक

27. जिसका बध निषिद्ध हो–
(क) निर्बध
(ख) **अबध्य**
(ग) अनबध
(घ) बधहीन

28. जिसने गृहस्थ जीवन का त्याग कर दिया हो–
(क) साधु (ख) संन्यासी
(ग) योगी (घ) तपस्वी

29. जो या जिसे पहले न सुना गया हो–
(क) अश्रुत (ख) अश्रव्य
(ग) अश्राव्य (घ) अनश्रव्य

30. वह डण्डा या छड़ जिस पर पहिया घूमता है–
(क) धनुष (ख) धुर्र
(ग) धुरी (घ) धृति

शुद्ध वाक्य ढूँढना

निर्देशः *नीचे चार-चार वाक्यों के समूह दिये गये हैं। प्रत्येक समूह में एक वाक्य शुद्ध है। शुद्ध वाक्य छाँटकर उस पर निशान लगाइये।*

1. (क) निर्धनों के लिए दान दी जानी चाहिए
(ख) छमाही परीक्षा आरंभ होने वाला है
(ग) आजकल छतरी का फैशन नहीं है
(घ) खोदाई में अनेक वस्तुएँ निकाले गए

2. (क) शीला गाना गाती है
(ख) शीला को बाजा बजाया
(ग) शीला और मोहन आ रहा है
(घ) अध्यापक ने विद्यार्थी को कहानी सुनाया

3. (क) माँ ने नौकर को रुपये दिया
(ख) रमेश अभी आ गया
(ग) हम ऊँचे पर्वत पर जायेंगे
(घ) सूर्य उदय हो गया है

4. (क) हवा तेजी से चलती है
(ख) वर्षा होने लग गई
(ग) अनर्थ हो गया
(घ) तुमको यह बात किसने कहा?

5. (क) अनेकों लोग उनके साथ थे
(ख) लड़कियाँ खेल रही हैं
(ग) आपके एक-एक वाक्य प्रभावी होते हैं
(घ) हमारे घर पर बहुत आटा रखा है

6. (क) काम पर लगन रखो
(ख) राम, श्याम, मोहन ने आम खाया
(ग) आपकी वाणी के भीतर मिठास है
(घ) उसकी गाय बहुत दूध देती है

7. (क) आप उनको बोल दो
(ख) आज बादल घिर आई
(ग) बार-बार चालबाजी मत करो
(घ) श्याम ने वंशी बजाया

8. (क) जो सोते हैं, सो खायेंगे
(ख) अपने उनको क्या कह दिया?
(ग) यह उसके इज्जत का प्रश्न है
(घ) राधा ने नौकर को पीटा

9. (क) माली फूल को तोड़ते हैं
(ख) राम और श्याम कविता करते हैं
(ग) उन्हें कल स्कूल नही आना है
(घ) इस लिस्ट में 10 पुस्तकों के नाम हैं

10. (क) जी लगाकर काम को करो
(ख) गुरु में श्रद्धा रखो

(ग) मनुष्य एक सामाजिक प्राणी है
(घ) धर्म प्रेम का जड़ है

11. (क) मैं आपकी श्रृद्धा करता हूँ
(ख) शोभा काम से दौड़ती है
(ग) आपकी बहनजी आये हैं
(घ) इतने नम्बर बहुत हैं

12. (क) दीवार पर नहीं लिखो
(ख) आम के आम गुठलियों का दाम
(ग) मेरा वश न चला और मैंने रो दिया
(घ) यह काम आप ही कर सकते हैं

13. (क) बड़ों से आदर करना चाहिए
(ख) पढ़ने पर मन लगाओ
(ग) उसने बड़ी मेहनत से हिन्दी को सीखा
(घ) उसने अपना नाम बताया

14. (क) इस पर माता ने हँस दिया
(ख) स्वयं को खतरे में डालकर उसने बच्चे को बचाया
(ग) यह काम तुम्हारे लाभ की प्राप्ति का होगा
(घ) पुस्तक दे दो आप हमें

15. (क) हमारा काम तुमको करना पड़ा
(ख) धर्म जीवन की सार है
(ग) उसने स्कूल नहीं जाना है
(घ) तुम किसके साथ बात कर रहे हो

16. (क) वह पानी नहीं खाते हैं
(ख) उनके मन के भीतर बड़ा दुख है
(ग) संतों के उपदेश ध्यान देकर सुनो
(घ) उन्होंने हिन्दी सीखी

17. (क) गरीब से गरीब भी रोटी खा लेता है
(ख) तुम उधर को क्यों गए थे?
(ग) मेरे को उनसे कुछ लेना-देना नहीं है
(घ) इतने रुपयों में घर का खर्च कैसे चलेगा?

18. (क) वह स्वभाव का मितव्ययी है
(ख) उसने अपनी पुस्तक खो दिया
(ग) उसे बन्दीगृह में बन्दी बनाया गया
(घ) अपने कर्त्तव्य का पालन करो

19. (क) यह सब आप की कृपायें हैं
(ख) उनके नाम सूची में नहीं हैं
(ग) उसने गन्ने खरीदे
(घ) अहंकार विनाश का जड़ है

20. (क) मुझे हिन्दी सीखना है
(ख) क्या तुमने हिन्दी सीखा?
(ग) तुम्हारे को हिन्दी कौन पढ़ाता है?
(घ) तुम्हें हिन्दी आती है

21. (क) कृपया शीघ्र से पत्र का उत्तर दें
(ख) पढ़ने में आलस्य न करें
(ग) उनको मनीआर्डर आया है
(घ) अभी वह घर तक नहीं आया है

22. (क) यह सुनकर रानी ने हँस दिया
(ख) अब तुम जा सकते हो
(ग) कल इतवार है
(घ) उसने मुझको चोरी लगाई

23. (क) वह धर्म का विश्वास नहीं करता
(ख) उसकी पत्नी ने हँस कर बोला
(ग) उसके फल हाथों-हाथ बिक गए
(घ) खीझ कर उसने रो दिया

24. (क) जल को गंदा मत करो
(ख) लगन से काम करने पर सफलता मिलेगी
(ग) दया धर्म की मूल है
(घ) इस पुस्तक की मूल्य बहुत है

25. (क) समय को व्यर्थ न गँवाओ
(ख) पुस्तक को जल्दी-जल्दी पढ़ो

(ग) दवात मत छुओ
(घ) धन का सदुपयोग करो

26. (क) कृष्ण वहाँ शाम जायेगा
(ख) इतना कहकर वह खिसक गया
(ग) उसके नाम पर तूती बोलती है
(घ) उसे अपने धन को लेकर बड़ा घमंड है

27. (क) गांधी जी ने अनेक उपदेश दिये
(ख) उनकी सारी करतूतों के पर्दे फंाश हो गए
(ग) दिन-रात की मेहनत से सेहत खराब होने का अंदेशा होगा
(घ) क्या तुमने परीक्षा दिया है?

28. (क) उसको बुलावा आया है
(ख) आपने जो देखा, वह सत्य नहीं थी
(ग) मैं हँस कर चल पड़ा
(घ) सभा में उनको बहुत अपमान हुआ

29. (क) सबने अपनी-अपनी राम कहानी सुनाया
(ख) इस मौसम में आम बहुत महंगे हैं
(ग) टेलीफोन पर व्यर्थ की बात नहीं करना चाहिए
(घ) आपने उनको सम्पर्क किया या नहीं?

30. (क) आपने अपना नाम नहीं बताया
(ख) कृपया ध्यान दें, किसी ने इस नल का पानी नहीं पीना है
(ग) पुस्तकों के लिए एक अलमारी खरीदा है
(घ) आपको सुपुत्र कौन-सी कक्षा में पढ़ते हैं

मुहावरे और लोकोक्तियाँ

निर्देशः *सही विकल्प पर निशान लगायें।*

1. **अंग-अंग ढीला होना**
(क) शिथिल कर देना
(ख) बहुत मारना
(ग) मालिश करना
(घ) सताना

2. **अंग-अंग मुस्काना**
(क) अत्यन्त प्रसन्न होना
(ख) भाव-विभोर होना
(ग) हाव भाव प्रकट करना
(घ) व्यायाम करना

3. **अंगारे उगलना**
(क) क्रोध में आकर कठोर शब्द कहना
(ख) आग फेंकना
(ग) लाल पीला होना
(घ) उतावली करना

4. **अंगारों पर लेटना**
(क) बहुत परेशान होना
(ख) दुःखी होना
(ग) चिन्ता करना
(घ) उतावली करना

5. **अँगुली उठाना**
(क) निन्दित होना
(ख) हानि पहुँचाना
(ग) बुराई करना
(घ) संकेत करना

6. **अँगुली पर नचाना**
(क) वश में रखना
(ख) इशारा करना
(ग) बहुत काम करना
(घ) संत्रास देना

7. **अंगूठा दिखाना**
(क) मौके पर काम न करना
(ख) चिढ़ाना

जानकारी हो सकती है

3. राष्ट्रीय पर्व जैसे 15 अगस्त और 26 जनवरी पर विद्यालय में उपस्थित होने के संबंध में आपका विचार है:

क. आदेश का अनुपालन है

ख. मनोरंजन के साधन हैं

ग. कोई लाभ नहीं है

घ. राष्ट्रीय एकता और अखण्डता को सुदृढ़ करने में प्रोत्साहन मिलता है

4. अपने देश की बढ़ती हुई जनसंख्या एवं संसाधनों के अभाव में राष्ट्रीय शिक्षा नीति के अन्तर्गत शिक्षा के स्तरोन्नयन के कार्यक्रम आपके विचार में:

क. अव्यावहारिक हैं

ख. साहसपूर्ण एवं प्रशंसनीय प्रयास हैं

ग. परम्परागत कार्यक्रमों का एक नया रूप है

घ. अध्यापकों के कार्यभार को बढ़ाना है

5. आपके विचार से सह-शिक्षा का प्रमुख उद्देश्य है:

क. शिक्षा पर होने वाले व्यय को कम करना

ख. एक दूसरे को समझने का सुअवसर देना

ग. बालिकाओं के लिए अलग से स्कूल न खोलना

घ. बालिकाओं की हीन भावनाओं पर अंकुश लगाना

6. वर्तमान समय में प्राइमरी शिक्षा की दुर्दशा का मुख्य कारण है:

क. दूरदर्शन में अधिक समय व्यतीत करना

ख. शिक्षक-छात्र का विषम अनुपात

ग. गाइड पुस्तकों पर भरोसा

घ. एकाकी परिवार

7. वर्तमान समय में नैतिक शिक्षा के ह्रास का मुख्य कारण है:

क. राष्ट्रीय चरित्र का अभाव

ख. धार्मिक शिक्षा का अभाव

ग. एकाकी परिवार

घ. समाज में धन की प्रमुखता

8. अपने देश की बढ़ती हुई जनसंख्या एवं संसाधनों के अभाव में प्रौढ़ शिक्षा के कार्यक्रम पर अधिक बल देना आपके विचार से:

क. मनोरंजन का साधन है

ख. अव्यावहारिक है

ग. साहसपूर्ण और प्रशंसनीय व्यवहार है

घ. अध्यापकों को रोजगार के अवसर प्रदान करना है

9. छात्रों को मूल्यों की शिक्षा देना आवश्यक है, क्योंकि:

क. इससे उनका बौद्धिक विकास बढ़ेगा

ख. माता-पिता प्रसन्न होंगे

ग. उनमें सद्‌गुणों के प्रति आस्था और सजगता बढ़ेगी

घ. यह भी एक शिक्षा है

10. विद्यालय में 'पर्यावरण शिक्षा' की व्यवस्था आपके विचार से:

क. छात्रों में पर्यावरण-चेतना जगाने के लिए आवश्यक है

ख. छात्रों पर अतिरिक्त बोझ बढ़ाना है

ग. उनके मनोरंजन का साधन है

घ. अध्यापकों को कार्य देना है

11. विद्यालय में 'पर्यावरण शिक्षा' दी जा सकती है:

क. भाषण द्वारा

ख. लेखों द्वारा

ग. खेल-कूद द्वारा

घ. स्वयं अपनाकर

12. आपके विचार से विद्यालय में नैतिक शिक्षा प्रदान करने के लिए आवश्यक है:

क. प्रतिदिन अध्यापकों द्वारा नैतिकता पर भाषण

ख. नैतिक शिक्षा से सम्बन्धित साहित्य बांटना
ग. समय-समय पर अभिभावकों को नैतिकता के बारे में सजग कराना
घ. अध्यापक अपने आचरण को संयमित और नियमित रखे

13. आज अध्यापक की घटती प्रतिष्ठा का मुख्य कारण है:
क. समाज का भौतिकतावादी दृष्टिकोण
ख. कर्त्तव्य के प्रति अवहेलना
ग. अधिक धन कमाने की इच्छा
घ. अध्यापन के प्रति उदासीनता

14. शिक्षा का मुख्य उद्देश्य है:
क. समाज सुधार करना
ख. छात्रों को अनुशासित करना
ग. बालकों की अन्तर्निहित शक्तियों का विकास करना
घ. छात्रों को गुरुभक्त बनाना

15. विद्यालयों में बढ़ती अनुशासनहीनता का मुख्य कारण है:
क. राजनैतिक हस्तक्षेप
ख. अभिभावकों का हस्तक्षेप
ग. छात्र संघ का प्रभाव
घ. सही मार्गदर्शन का अभाव

16. आपकी पड़ोसी महिला यदि आपकी आलोचना करती है, तो आप:
क. उसका मुंहतोड़ जवाब देंगी
ख. उसके खिलाफ़ प्रचार करेंगी
ग. उसके परिवार में उसकी शिकायत करेंगी
घ. उससे मिलकर उसका कारण पूछेंगी

17. बच्चों में अध्यापक की अच्छी आदतों का निर्माण जरूरी है यह मुख्य दायित्व है:
क. अध्यापक का
ख. अभिभावक का
ग. माता-पिता का
घ. उपरोक्त सभी का

18. प्रौढ़ शिक्षा किन व्यक्तियों के अधिकार में होनी चाहिए?
क. सरकार के हाथ में
ख. गैर-सरकारी समितियों के हाथ में
ग. शिक्षित व्यक्तियों के हाथ में
घ. उपरोक्त सभी के हाथ में

19. आजकल समाज में अध्यापिकाओं की मर्यादा घट गई है इसका मुख्य कारण है:
क. अपने कर्त्तव्य के प्रति उदासीनता
ख. छात्राओं की अनुशासनहीनता
ग. राजनैतिक हस्तक्षेप
घ. ट्यूशन द्वारा अधिक धन कमाने की प्रवृत्ति

20. अध्यापक का स्थान समाज में सम्माननीय होता है, क्योंकि:
क. अध्यापक सरलता और ज्ञान के प्रतीक होते हैं
ख. बिना उनकी कृपा के कोई डाक्टर या इंजीनियर नहीं बन सकता
ग. वे राष्ट्र के भाग्य के निर्माता होते हैं
घ. वे राजनीतिज्ञों और बड़े आदमियों के गुरु होते हैं

21. बालिकाओं की शिक्षा आपके विचार में इसलिए आवश्यक है, क्योंकि:
क. वे भी पढ़ लिखकर नौकरी कर सकें
ख. बालक-बालिका समान हैं
ग. अशिक्षा दूर हो सके
घ. बालिकाओं की शिक्षा से भविष्य में पूरा घर शिक्षित होता है

22. समाज में व्याप्त कुरीतियों और अंधविश्वासों का कारण है:
क. धार्मिक कट्टरता
ख. जातिप्रथा और वर्ग भेद

ग. निर्धनता

घ. जागरुकता की कमी और अशिक्षा

23. मेरी राय में प्रत्येक छात्र का प्रगति-पत्र उसके अभिभावक को अवश्य देना चाहिए, क्योंकि:

क. इससे छात्रों में डर बना रहता है

ख. ट्यूशन मिलने की संभावना रहती है

ग. अभिभावकों को बच्चों की प्रगति का पता चलता है

घ. छात्र के प्रति हमारी जिम्मेदारी समाप्त हो जाती है

24. शिक्षा में हो रहे ह्रास को रोकने के लिए आवश्यक है:

क. शिक्षा पद्धति में सुधार की व्यवस्था

ख. बालकों के गृह-कार्यों के प्रति अभिभावकों की जागरुकता

ग. अध्यापकों द्वारा नियमित कक्षा-शिक्षण

घ. अध्यापकों की संख्या में वृद्धि

25. अपने देश में बढ़ती हुई जनसंख्या एवं संसाधनों के अभाव में 'शिक्षा में गुणात्मक विकास' के कार्यक्रम आपके विचार में:

क. कक्षा-शिक्षण में बाधक हैं

ख. अव्यावहारिक हैं

ग. साहसपूर्ण प्रयास हैं

घ. समय की बर्बादी है

26. अध्यापक का महत्व समाज में कम होने का कारण है:

क. अध्यापक की कम आमदनी

ख. अध्यापकों की राजनीति में रुचि लेना

ग. अध्यापक का अपने पेशे से उदासीन होना

घ. अध्यापकों का अधूरा विषय ज्ञान होना

27. आपकी राय में अच्छे माता-पिता वे हैं जो अपने बच्चों को देते हैं:

क. आवश्यकतानुसार धन और सुविधा

ख. उनकी आवश्यकताओं की सभी वस्तुएं

ग. अच्छा भोजन और वस्त्र

घ. नियमित रूप से अपना कुछ समय और स्नेह

28. शिक्षक को अपनी विषय-वस्तु में निरन्तर नये ज्ञान का समावेश करते रहना चाहिए जिससे:

क. छात्रों को नवीनतम ज्ञान दे सके

ख. छात्र कक्षा में शान्त रह सकें

ग. छात्र शिक्षक की योग्यता का लोहा मानें

घ. अध्यापक का ज्ञान बढ़ सके

29. आजकल लोग जितना श्रम करते हैं, उससे अधिक वेतन चाहते हैं, आपकी राय में यह:

क. बढ़ती हुई महंगाई का प्रतिफल है

ख. लोक जीवन में मूल्यों के ह्रास का परिचायक है

ग. श्रम के प्रति उदासीनता है

घ. आर्थिक प्रगति का द्योतक है

30. सड़क पर बच्चों को आपस में झगड़ा करते देख कर आप:

क. समझा बुझा कर झगड़ा शान्त करेंगे

ख. डांट कर भगा देंगे

ग. लोगों से फैसला करने को कहेंगे

घ. परिस्थिति को अनदेखा करके चले जायेंगे

31. यदि कोई अभिभावक आपसे मिलने कभी नहीं आता है तो आप क्या करेंगे?

क. बालक पर ध्यान नहीं देंगे

ख. अभिभावक को लिखेंगे

ग. उनसे स्वयं मिलने जायेंगे

घ. बालक को दण्ड देना प्रारम्भ कर देंगे

32. छात्रों और अभिभावकों को प्रसन्न करने के लिए शिक्षकों को:

क. अभिभावकों के समक्ष बच्चे की प्रशंसा

करनी चाहिये

ख. छात्रों का शैक्षणिक रिकार्ड अच्छा करना चाहिए

ग. अपना कार्य निष्पक्ष रखना चाहिए

घ. छात्रों और अभिभावकों की रुचि के अनुसार कार्य करना चाहिए

33. प्राथमिक शिक्षकों से जनगणना, साक्षरता जैसे कार्य कराने के संदर्भ में आपकी राय है:

क. राष्ट्रीय कार्य है, इसलिए करना चाहिए

ख. अतिरिक्त कार्य है, अतिरिक्त पैसा मिलना चाहिए

ग. इनसे शिक्षण कार्य बाधित होता है

घ. शिक्षकों से ये कार्य नहीं कराने चाहिएं

34. आपकी चुनाव में ड्यूटी लगती है, तो आप:

क. चुनाव निरस्त करवाने का प्रयास करेंगे

ख. अपनी जगह किसी अन्य साथी को भेजने का प्रयास करेंगे

ग. इसलिए जाना चाहेंगे कि इसके उल्लंघन पर दण्ड का प्रावधान है

घ. सहर्ष जाएंगे क्योंकि नियम का पालन करना हमारा कर्त्तव्य है

35. शिक्षण के अतिरिक्त स्कूल की अन्य प्रक्रियाओं के बारे में एक अध्यापक के रूप में आप किस प्रकार की अभिवृत्ति प्रदर्शित करेंगे?

क. सकारात्मक ख. नकारात्मक

ग. उदासीन घ. निष्क्रिय

36. एक छात्र लड़कियों से छेड़छाड़ में सम्मिलित है आप उसके साथ किस प्रकार का व्यवहार करेंगे?

क. विद्यालय से निकाल देंगे

ख. लड़कियों के सामने उसे अपमानित करेंगे

ग. उसे सलाह देंगे कि वह यह बुरा व्यवहार छोड़ दे

घ. उसकी आयु की कुछ लड़कियों के साथ उसका परिचय करा देंगे

37. छात्रों में एक साथ बैठ कर खाने की आदत डालने के लिए आप क्या करेंगे?

क. साथ खाने के महत्त्व पर भाषण कराना

ख. शिक्षक तथा छात्रों के लिए एक साथ मिल कर खाने की व्यवस्था करना

ग. साथ खाने के लाभ पर गोष्ठी करना

घ. इस विषय पर छात्रों में परिचर्चा करना

38. समाज के प्रति छात्रों में उत्तरदायित्व की भावना के विकास करने हेतु:

क. समय-समय पर भाषण देने चाहिए

ख. कक्षा में ऐसे लोगों के उदाहरण देने चाहिए

ग. उत्तरदायित्व के महत्व को बताना चाहिए

घ. छात्रों को समाज में ऐसे लोगों के सम्पर्क में रखना चाहिए

39. छात्रों में दया के गुण को विकसित करने हेतु:

क. उसके महत्व को बतायेंगे

ख. उदाहरण देंगे

ग. दयालु व्यक्तियों का व्यवहार दिखायेंगे

घ. विद्यालय में दया सम्बन्धी पाठ्य सहकामी क्रियाओं की व्यवस्था करेंगे

40. छात्रों में श्रम के महत्व के विकास हेतु

क. शिक्षक को स्वयं श्रम करना चाहिए

ख. श्रम के महत्व पर भाषण देना चाहिए

ग. छात्रों को समय-समय पर श्रम करने का अवसर देना चाहिए

घ. छात्रों को श्रमजीवी लोगों के उदाहरण देने चाहिए

विविध प्रश्न

1. डॉ॰ राधाकृष्णन के प्रति आपके मन में सम्मान है, क्योंकि वे:
क. भारत के राष्ट्रपति थे
ख. एक उच्च कोटि के अध्यापक थे
ग. एक महान दार्शनिक थे
घ. एक आदर्श मानव थे

2. भरसक प्रयासों के बावजूद जब सफलता न मिले तो समझना चाहिए:
क. भाग्य में ऐसा ही लिखा था
ख. कि बाहरी मदद नहीं मिल पाई
ग. बिना असफलता के सफलता नहीं मिलती
घ. प्रयासों में कहीं कोई कमी रह गई थी

3. पड़ोसी के घर बड़ी दुर्घटना हो जाने पर आप:
क. अपने घर में बने रहेंगे
ख. कार्यक्रम के अनुसार अपना कार्य करेंगे
ग. स्वयं घबरा जायेंगे
घ. लोगों को धैयपूर्वक सान्त्वना देंगे

4. सड़क दुर्घटना के समय यदि आप रास्ते से गुजर रहे हैं तो:
क. अपना काम देखेंगे
ख. लोगों को सहायता के लिए कहेंगे
ग. स्वयं सहायता करेंगे
घ. पास के पुलिस स्टेशन में सूचना दे देंगे

5. आपकी राय में शिक्षा एक:
क. साक्षर बनाने का साधन है
ख. राष्ट्रीय कर्त्तव्य है
ग. व्यवसाय है
घ. समाज सुधार का साधन है

6. शिक्षक संगठन का निम्नलिखित में से क्या कार्य होना चाहिए?
क. शिक्षकों की समस्याओं पर विचार करना
ख. केवल अर्थ संबंधी समस्याओं पर विचार करना
ग. शिक्षा और अन्य शिक्षकों की समस्याओं पर विचार करना
घ. अन्य संगठनों के साथ तालमेल रखना

7. आज की बदलती परिस्थिति में सपुस्तक परीक्षा प्रणाली उपयुक्त है, क्योंकि इसमें:
क. नकल का प्रश्न नहीं उठता
ख. पढ़ना नहीं पड़ता
ग. छात्रों की मानसिक सक्रियता बढ़ती है
घ. छात्र अनुशासित रहते हैं

8. यदि आपकी कक्षा का एक छात्र कुछ हकलाने के कारण झेंपता है, तो आप:
क. सामान्य छात्रों की तरह उस पर ध्यान देंगे
ख. स्पष्ट बोलने के लिए प्रोत्साहित करेंगे
ग. उसके हकलाने पर टोकेंगे
घ. उसकी ओर कोई ध्यान नहीं देंगे

9. विकलांगों को सामान्य शिक्षा व्यवस्था में शिक्षित करना चाहिये, क्योंकि:
क. वे सहानुभूति के पात्र हैं
ख. उन्हें सामान्य जीवन में अपने आपको समायोजित करना है
ग. उन्हें भी शिक्षित करना आवश्यक है
घ. उनकी शारीरिक कमजोरी, मानसिक कमजोरी को बढ़ाती है

10. आज विद्यालयी शिक्षा की अपेक्षा कोचिंग शिक्षा अधिक प्रभावी हो रही है, आपके विचार में इसका मुख्य कारण है:
क. शिक्षकों का कम वेतन
ख. विद्यालयों में योग्य शिक्षकों की कमी

ग. विद्यालयीय शिक्षा के प्रति विश्वास की कमी
घ. विद्यालयों में समुचित पठन-पाठन का अभाव

11. प्राथमिक स्तर पर स्त्रियों के लिए शिक्षक का कार्य करना अच्छा है, क्योंकि:
क. वे केवल छोटे बच्चों को ही पढ़ा सकती हैं
ख. वे गाना गा सकती हैं
ग. उनकी आवाज मधुर होती है
घ. वे बच्चों की देख-रेख मां की तरह कर सकती हैं

12. अधिकांश विद्यालयों में आजकल पढ़ाई, लिखाई का उचित वातावरण नहीं है, इसके लिए मुख्य रूप से उत्तरदायी हैं:
क. छात्रगण
ख. अध्यापकगण
ग. नेतागण
घ. उपर्युक्त सभी

13. यदि अपने छोटे भाई को पढ़ाते समय बार-बार किसी प्रश्न का हल बताने पर भी उसकी समझ में न आये तो आप:
क. उसे दण्ड देंगे
ख. पुनः समझाने का प्रयास करेंगे
ग. पढ़ाना बन्द कर देंगे
घ. स्वयं पर खीजेंगे

14. यदि कोई अभिभावक अपने बच्चे के बारे में यह शिकायत करें कि उसे जान बूझ कर छमाही परीक्षा में कम अंक दिये गए हैं, तो आप:
क. प्राधानाचार्य से सम्पर्क करने की राय देंगे
ख. मामले की छानबीन का आश्वासन देंगे
ग. सम्बन्धित विषयाध्यापक से मिलने की सलाह देंगे
घ. वार्षिक परीक्षा में मदद का आश्वासन देंगे

15. आजकल लोग जितना परिश्रम करते हैं उससे अधिक वेतन चाहते हैं, मेरी राय में यह:
क. आर्थिक प्रगति का संकेत है
ख. मनुष्य का स्वभाव है
ग. आर्थिक दृष्टिकोण से समय की मांग है
घ. सामाजिक अन्याय है

16. निम्न में से किस कार्य में आपकी अधिक रुचि है?
क. चुनाव प्रचार करना
ख. छात्र संघ का चुनाव लड़ना
ग लेख और कहानियां लिखना
घ. टीवी पर मैच देखना

17. निम्न में से किस कार्य में आपकी रुचि अधिक है?
क. घर की सफाई करना
ख. गपशप करना
ग. बच्चों को कहानियां सुनाना
घ. अच्छे पकवान बनाना

18. मेरी राय में धार्मिकता का आशय है:
क. नियमित रूप से पूजा-पाठ करना
ख. अपने धर्म को सबसे बड़ा मानना
ग. भाग्य पर पूरी तरह से निर्भर रहना
घ. सबके कल्याण के लिए कार्य करना

19. किसी कठिन समस्या का हल अच्छी त[illegible] निकालने के लिए आवश्यक है:
क. साथियों की सहायता
ख. माता-पिता की सहायता
ग. अध्यापक की सहायता
घ. स्व-प्रयत्न

20. धार्मिक सहिष्णुता का अर्थ होता है:
क. सभी धर्मों का आदर करना
ख. सभी धर्मों में रुचि लेना

ग. सब कुछ ईश्वर पर छोड़ देना
घ. दूसरों से अपना धर्म मनवाने का प्रयास करना

21. "नाच न जाने आंगन टेढ़ा", मुहावरे का अभिप्राय है किः
क. अपनी कमजोरियों को भरसक छिपाना
ख. अपनी असफलताओं के लिए दूसरों को दोष देना
ग. खराब व्यक्ति सदैव दूसरों को खराब कहता है
घ. जिसे काम नहीं आता वह बहाने बनाता है

22. एक अच्छे विद्यालय के लिए आवश्यक है कि वह स्थित होः
क. ग्रामीण क्षेत्र में
ख. शहर के मध्य में
ग. एकान्त में
घ. कहीं भी

23. प्रदूषण की समस्या प्रभावी ढंग से हल करने के लिएः
क. लोगों को जागरुक बनाना चाहिए
ख. इस क्षेत्र में अधिक धन खर्च करना चाहिए
ग. कड़े कानून बनाने चाहिए
घ. विदेशी मदद लेनी चाहिए

24. "प्रकृति सर्वोत्तम शिक्षक है", इस कथन का अभिप्राय है किः
क. अध्यापक को प्रकृति से शिक्षा लेनी चाहिए
ख. प्रकृति के मध्य अध्यापक स्वाभाविक रूप से पढ़ा सकता है
ग. प्रकृति के नियमों के अनुसार छात्र सहज ढंग से सीखते और अनुभव करते हैं
घ बच्चों को प्राकृतिक वातावरण में छोड़ दिया जाना चाहिये

25. शिक्षण का प्रभाव आशाजनक हो, इसके लिएः
क. शिक्षक को परिश्रमी होना चाहिए
ख. छात्रों को परिश्रम करना चाहिए
ग. विद्यालय में अनुशासन होना चाहिए
घ. इसमें सभी होने चाहिए

26. एक सामान्य नारी बनना चाहेगीः
क. अध्यापिका
ख. समाज सुधारक
ग. सफल गृहणी
घ. डाक्टर

27. एक जागरुक नारी बनना चाहेगीः
क. अध्यापिका
ख. सफल गृहणी
ग. अधिकार और कर्त्तव्यों के प्रति सजग
घ. प्रशासक

28. आधुनिक समय में बढ़ते हुए औद्योगीकरण और मशीनी जीवन ने प्रदूषण की समस्या को विकराल रूप दे दिया है इससे निपटने के लिए विद्यालयों मेंः
क. छात्रों को संगठित करके बागवानी कराई जाये
ख. छात्रों को प्रदूषण निवारण पर भाषण दिये जायें
ग. विद्वानों की गोष्ठी की जाये
घ. छात्रों में प्रदूषण रोकने के लिए सक्रिय सहयोग की चेतना जागृत कराई जाये

29. आपके विचार से विकलांगों की शिक्षा पर ध्यान देना इसलिए आवश्यक है क्योंकिः
क. उन्हें भी सामान्य जीवन जीने योग्य बनाना चाहिए
ख. वे दया के पात्र हैं
ग. वे दूसरों की तरह भाग्यवान नहीं हैं
घ. उनके शिक्षित होने से उनमें हीन भावना नहीं आयेगी

30. कहा जाता है कि प्राथमिक कक्षाओं में अध्यापकों की अपेक्षा अध्यापिकाओं का शिक्षण अधिक प्रभावी होता है क्योंकि:

क. वे गीत सुनाकर बच्चों को बहलाती हैं

ख. वे बच्चों को दण्ड नहीं देती

ग. उनसे बच्चों को डर नहीं लगता है

घ. वे बच्चों से मातृवत स्नेह करती हैं

31. "जीवन ही शिक्षा है", इस कथन का सही अभिप्राय है:

क व्यक्ति जीवनपर्यन्त सीखता रहता है

ख. जन्म से मृत्यु तक व्यक्ति पढ़ता रहता है

ग. जिसने पढ़ना लिखना नहीं सीखा, उसका जीना व्यर्थ है

घ. उसी का जीवन सार्थक है जो पढ़ा लिखा है

32. आज के छोटे बच्चों के कंधों पर ही कल देश का दायित्व होगा, इसका अर्थ है:

क. बच्चों का कंधा मजबूत करना चाहिये

ख. बच्चों को स्कूलों में शारीरिक प्रशिक्षण देना चाहिए

ग. बच्चों के समुचित विकास पर ध्यान देना चाहिए

घ. बच्चों पर भार कम से कम रखना चाहिए

33. आपकी राय में सहयोगियों से अच्छे सम्बन्ध रखने के लिए आवश्यक है कि:

क. उनकी खुशामद करते रहना चाहिए

ख. उनकी गलतियों पर ध्यान न दिया जाये

ग. उनके सुख-दुःख में हाथ बंटाया जाये

घ. उनके सामने उनकी प्रशंसा की जाये

34. आपकी राय में केवल शिक्षक ही समाज और देश में जागृति ला सकता है, क्योंकि:

क वह सदैव पठन-पाठन करता है

ख. उसका नैतिक आदर्श ऊंचा होता है

ग. वह छात्रों और समाज को दिशा देता है

घ. वह नवीन खोज करता है

35. कोई भी देश तभी बड़ा माना जायेगा जब:

क. दूसरे देशों की अपेक्षा उसके पास अधिक शक्ति हो

ख. देश के अधिक से अधिक लोग राष्ट्रवादी और शिक्षित हों

ग. उस देश में नये-नये आविष्कार होते रहें

घ. धार्मिक कट्टरता हो

36. कोई भी अध्यापक छात्रों का प्रिय बन सकता है:

क. उन्हें कहानियां सुनाकर

ख. उनकी सभी मांगें मानकर

ग. उनका कोर्स पूरा करके

घ. उनके साथ सहानुभूति का व्यवहार करके

37. आप जानते हैं कि सही बात कहने से परेशानियां आती हैं, तो:

क. भी सही बात करते रहना चाहिए

ख. अवसर देखकर ही कोई बात कहनी चाहिए

ग. जिसको जैसा प्रिय लगे वही कहना चाहिए

घ. किसी को कोई राय नहीं देनी चाहिए

38. शिक्षकों को अच्छे कार्य के लिए सबसे अच्छा प्रोत्साहन क्या है?

क. ऊंचे वेतनमान

ख. धन तथा प्रमाण पत्र के रूप में पुरस्कार

ग. छात्रों द्वारा प्रशंसा

घ. प्रधानाचार्य द्वारा प्रशंसा

39. शिक्षकों के बीच संघर्ष का सबसे दूषित परिणाम होता है:

क. छात्रों का व्यवहार बिगड़ जाना

ख. शिक्षण समय में कमी

ग. पाठ्य सहगामी क्रियायें प्रभावित होना

घ. प्रधानाध्यापक तथा अध्यापकों के सम्बन्ध खराब हो जाना

40. आप अपनी कक्षा में बीड़ी पीने वाले कुछ छात्र पाते हैं, एक अध्यापक के रूप में आपः

क. उनके माता-पिता को सूचित करेंगे

ख. अन्य छात्रों के समक्ष उनका अपमान करेंगे

ग. उन्हें तम्बाकू की बुराइयां बतायेंगे

घ. उन्हें दण्ड देंगे

41. एक विद्यार्थी आपके पास पारिवारिक समस्या लेकर आंता है एक अध्यापक के रूप में आपः

क. उस पर ध्यान नहीं देंगे

ख. उसे बतायेंगे कि इस समस्या का सम्बन्ध स्कूल से नहीं है

ग. इस बारे में उसके परिवार से बात करेंगे

घ. उसे ठीक से सुनेंगे तथा उसको उचित सलाह देंगे

42. शिक्षकों को चाहिए किः

क. विद्यार्थियों के साथ मित्रता रखे

ख. विद्यार्थियों के साथ पर्याप्त दूरी बनाये रखे

ग. उनसे बिलकुल अलग रहे

घ. उनसे बिलकुल घुला-मिला रहे

उत्तरमाला

शिक्षण अभिरुचि

1	2	3	4	5	6	7	8	9	10
ख	ग	घ	घ	घ	घ	ग	घ	घ	घ
11	12	13	14	15	16	17	18	19	20
ग	घ	क	घ	ख	घ	ग	ख	घ	घ
21	22	23	24	25	26	27	28	29	30
क	घ	घ	क	क	ख	क	घ	घ	घ
31	32	33	34	35	36	37	38	39	40
घ	क	क	क	घ	क	घ	ग	ख	ख
41	42	43	44	45	46	47	48	49	50
क	घ	घ	घ	क	घ	ख	घ	ग	घ
51	52	53	54	55	56	57	58	59	60
ग	ख	घ	ग	घ	ख	ग	ख	ग	क
61	62	63	64	65	66	67	68	69	70
ग	क	घ	ग	घ	घ	घ	ख	क	ख
71	72	73	74	75	76	77	78	79	80
ग	घ	ख	ग	ख	क	क	ग	घ	घ

81	82	83	84	85	86	87	88	89	90
क	घ	ख	क	ग	गं	घ	ग	घ	ग
91	92	93	94	95	96	97	98	99	100
ख	क	ग	क	घ	ख	क	घ	घ	ग
101	102	103	104	105	106	107	108	109	110
घ	क	ख	ग	घ	घ	ग	घ	घ	घ
111	112	113	114	115	116	117	118	119	120
घ	क	ख	घ	ख	घ	क	ग	ग	ग
121	122	123	124	125	126	127	128	129	130
ग	ख	घ	ग	घ	ग	ख	घ	ख	घ
131	132	133	134	135	136	137	138	139	140
घ	ग	घ	ग	ग	घ	ख	ख	ख	ख
141	142	143	144	145	146	147	148	149	150
क	क	ख	क	घ	घ	ख	ग	क	घ
151	152	153	154	155	156	157	158	159	160
ग	ख	क	क	ग	घ	क	ग	ग	ग
161	162	163	164	165	166	167	168	169	170
घ	घ	घ	ख	ख	क	घ	घ	ग	ख
171	172	173	174	175	176	177	178	179	180
घ	घ	ग	ग	ख	घ	ग	ग	क	घ
181	182	183	184	185	186	187	188	189	190
घ	ग	ख	क	क	घ	ग	ख	ग	घ
191	192	193	194	195	196	197	198	199	200
ग	ग	घ	ग	क	घ	ख	क	घ	घ
201	202	203	204	205	206	207	208	209	210
ग	ख	घ	ग	क	ख	घ	घ	घ	ख
211	212	213	214	215	216	217	218	219	220
ख	ग	ख	ख	घ	घ	ग	क	ग	घ
221	222	223	224	225	226	227	228	229	230
ख	क	घ	ख	ग	क	घ	ख	घ	ग
231	232	233	234	235	236	237	238	239	240
ग	ख	क	घ	ख	घ	ख	घ	ग	घ

241	242	243	244	245	246	247	248	249	250
क	घ	घ	ख	ग	घ	क	घ	ख	ग
251	252	253	254	255	256	257	258	259	260
ग	घ	क	ग	घ	ग	ख	ग	क	ख
261	262	263	264	265	266	267	268	269	270
घ	घ	ग	ग	घ	ग	ग	ख	ग	ख
271	272	273	274	275	276	277	278	279	280
ख	ग	ख	ग	ग	ग	घ	क	ख	ख
281	282	283	284	285	286	287	288	289	290
ख	घ	क	ख	घ	ग	ख	घ	घ	ग
291	292	293	294	295	296	297	298	299	300
ग	घ	ग	घ	ख	ख	ख	घ	ग	क

छात्रों के प्रति अभिरुचि

1	2	3	4	5	6	7	8	9	10
क	घ	घ	ग	घ	ग	क	ख	ग	घ
11	12	13	14	15	16	17	18	19	20
घ	ख	घ	घ	ग	घ	क	घ	ग	घ
21	22	23	24	25	26	27	28	29	30
घ	ग	क	क	घ	घ	ग	घ	ग	क
31	32	33	34	35	36	37	38	39	40
ख	घ	ख	ग	क	क	ग	क	क	ग
41	42	43	44	45	46	47	48	49	50
ख	घ	घ	घ	ग	घ	ग	घ	ग	ख
51	52	53	54	55	56				
ख	घ	घ	क	ग	घ				

विद्यालय की क्रियाओं से सम्बन्धित प्रयोग तथा नई खोज

1	2	3	4	5	6	7	8	9	10
ग	ग	ग	घ	ख	ग	घ	घ	क	ख
11	12	13	14	15	16	17	18	19	20
ग	ख	घ	ख	घ	घ	घ	घ	घ	ग
21	22	23	24	25	26	27	28	29	30
ग	ख	क	ख	घ	ख	घ	घ	ग	क

व्यावसायिक नैतिकता

1	2	3	4	5	6	7	8	9	10
क	ग	ग	ग	घ	ग	क	ग	ख	क
11	12	13	14	15	16	17	18	19	20
ग	घ	ग	घ	ग	क	क	घ	क	क
21									
क									

सामाजिक प्रतिबद्धता

1	2	3	4	5	6	7	8	9	10
ख	क	घ	ख	घ	घ	क	ग	ग	क
11	12	13	14	15	16	17	18	19	20
घ	घ	घ	ग	घ	घ	घ	ख	क	क
21	22	23	24	25	26	27	28	29	30
घ	घ	ग	क	ग	ग	घ	क	ख	क
31	32	33	34	35	36	37	38	39	40
ख	ग	क	घ	क	ग	ख	घ	घ	ग

विविध प्रश्न

1	2	3	4	5	6	7	8	9	10
ग	घ	घ	ग	ख	ग	ग	ख	ख	घ
11	12	13	14	15	16	17	18	19	20
घ	घ	ख	क	घ	ग	क	घ	घ	क
21	22	23	24	25	26	27	28	29	30
घ	घ	क	ग	घ	ग	ग	घ	क	घ
31	32	33	34	35	36	37	38	39	40
क	ग	ग	ग	ख	घ	क	ग	ख	ग
41	42								
घ	क								

शिक्षण अभिवृत्ति

पाठ्य वस्तु

1. स्वयं के प्रति अभिवृत्ति
2. छात्र-छात्राओं तथा बच्चों के प्रति अभिवृत्ति
3. शिक्षा, शिक्षण, शिक्षण व्यवस्था के प्रति अभिवृत्ति
4. समाज के प्रति अभिवृत्ति
5. वांछित और अवांछित व्यवहार के प्रति अभिवृत्ति
6. विविध

स्वयं के प्रति अभिवृत्ति

1. आपका स्वयं के प्रति विचार है –
(*a*) मेरा कर्म मुझे साथ नहीं दे रहा है
(*b*) मेरा भाग्य साथ नहीं दे रहा है
(*c*) मैं पृथ्वी पर एक बोझ हूँ
(*d*) मुझे फल की परवाह किये बिना कार्य करते रहना चाहिए

2. जब आप किसी संगोष्ठि में एक श्रोता के रूप में भाग लेते हैं तो –
(*a*) वक्ता के विचार से सहमत नहीं होते हैं
(*b*) बीच-बीच में उसे टोकते रहते हैं
(*c*) व्याख्यान को धैर्यपूर्वक सुनकर अपनी प्रतिक्रिया व्यक्त करते हैं
(*d*) संकोच के कारण कुछ कहना पसंद नहीं करते हैं

3. आपको सामाजिक समारोहों में भाग लेने के लिए बुलाया जाता है तो आप–
(*a*) जाने से हिचकिचाते हैं
(*b*) सोचते हैं कि जाएं या न जाएं
(*c*) सहर्ष स्वीकार कर लेते हैं
(*d*) समारोहों की खुलकर आलोचना करते हैं

4. आपके पास रुपये की कमी हो जाती है तो–
(*a*) मेहनत करके रुपये कमा लेते हैं (*b*) किसी से उधार लेते हैं
(*c*) निराश हो जाते हैं (*d*) अपने भाग्य पर रोते हैं

5. जब आपसे मदद के लिए कोई पास आता है तो–
(*a*) उसे दूसरे दिन आने के लिए कहते हैं

(*b*) तुरन्त उसकी जरूरत पर विचार करते हैं

(*c*) अपनी समस्या बतलाना प्रारम्भ कर देते हैं

(*d*) उसकी समस्या सुनकर दुःख व्यक्त करते हैं

6. आपको विश्वास है–

(*a*) धर्म पर (*b*) भाषा में

(*c*) जाति में (*d*) उपर्युक्त में से कोई नहीं

7. आप हमेशा विश्वास रखते हैं–

(*a*) सच्चाई में (*b*) झूठ में

(*c*) लोभ-लालच में (*d*) अच्छाई व बुराई दोनों में

8. यदि कोई व्यक्ति आपकी सहायता करने में असक्षम है तो आप भी–

(*a*) उसकी सहायता नहीं करते हैं

(*b*) उसकी सहायता समर्थानुसार करते हैं

(*c*) अवसर के अनुसार करते हैं

(*d*) व्रादा करके छोड़ देते हैं

9. अगर कोई आपकी आलोचना करता है तो आप–

(*a*) उसकी भी आलोचना करते हैं

(*b*) उसके बारे में बुरा नहीं सोचते हैं

(*c*) कोई मेरी बुराई करे मगर मैं किसी की बुराई नहीं करता हूँ

(*d*) आलोचना करने वालों को पसंद नहीं करते हैं

10. आप घर से बाहर किसी दूसरें शहर में पढ़ाई-लिखाई करते हैं, कोई आवश्यक कार्य आ जाने के कारण आपके पिता रुपया भेजने में विलम्ब करते हैं तो आप–

(*a*) गुस्सा करने लगते हैं

(*b*) उनकी मजबूरियों को समझने की कोशिश करते हैं

(*c*) बार-बार फोन करके मालूम करते हैं

(*d*) कहीं से रुपये की व्यवस्था करके अपना कार्य करते हैं

11. आप कभी-कभी अपने प्रयास में असफल हो जाते हैं, तो–

(*a*) प्रयास करना छोड़ देते हैं

(*b*) तब तक प्रयास जारी रखते हैं जब तक सफलता प्राप्त न हो जाय

(*c*) अपने भाग्य को दोषी मानते हैं

(*d*) कर्म करने में रूचि खत्म हो जाती है

12. आपका स्वयं के प्रति भाव है–

(*a*) एक अति कठोर व्यक्ति के रूप में (*b*) एक अति विनम्र व्यक्ति के रूप में

(*c*) एक मृदभाषी व्यक्ति के रूप में (*d*) एक नमनीय व्यक्ति के रूप में

13. आपकी बहुमूल्य सम्पत्ति है–

(*a*) धर्म (*b*) साहस

(*c*) आत्मविश्वास (*d*) उपर्युक्त सभी

14. आपका एक आदर्श गुण है–

(*a*) कम-से कम झूठ बोलना (*b*) दूसरों से सत्य की अपेक्षा करना

(*c*) दूसरों के प्रति ईर्ष्या कम रखना (*d*) अपने परिश्रम में विश्वास रखना

15. एक शिक्षक के रूप में आपका महत्त्वपूर्ण विचार है–

(*a*) गृहकार्य कम देना

(*b*) भय द्वारा विद्यार्थी को अच्छे कार्य के लिए प्रेरित करना

(*c*) कठिन परिस्थिति में भी आत्म-विश्वास बनाये रखना

(*d*) दूसरों के सुझावों को महत्त्व देना

16. आदर्श और नैतिकता के सम्बन्ध में आपका विचार है–

(*a*) आदर्श और नैतिकता विद्यालय की चार दिवारी के अंदर तक ही सीमित है

(*b*) आदर्श और नैतिकता पुस्तकों तक ही सीमित है

(*c*) आदर्श और नैतिकता शिक्षकों की जबान तक ही है

(*d*) आदर्श और नैतिकता का अभी भी पालन हो रहा है

17. आप हमेशा विश्वास रखते हैं –

(*a*) खाओ-पियो और मौज करो की युक्ति पर

(*b*) हंसो और खुश रहो कि युक्ति पर

(*c*) आप भला तो जग भला की युक्ति पर

(*d*) न किसी का लेना न किसी का देना की युक्ति पर

18. आप अपने संदर्भ में विचार रखते हैं–

(*a*) मुझे मित्रों के प्रति मित्रता पसंद है

(*b*) मुझे मित्रों के प्रति अविश्वास रहता है

(*c*) मैं कर्म और भाग्य दोनों में विश्वास रखता हूँ

(*d*) मुझे कर्म करने में लज्जा नहीं होती

19. मुझे लोग पसंद करते हैं–

(*a*) मैं दूसरों की बातों में नहीं आता हूँ

(*b*) मै अपने काम से मतलब रखता हूँ

(*c*) मेरे पास अधिक रुपये हैं

(*d*) मैं सभी को विद्या दान करने में विश्वास रखता हूँ

20. लोगों की नजर में आप जाने जाते हैं–

(*a*) संकुचित और आत्मकेन्द्रित (*b*) विवेकशील और सत्यनिष्ठ

(c) मिलनसार और खुशमिज़ाज़ *(d)* इनमें से कोई नहीं

21. आपमें किस प्रकार का गुण विद्यमान है ?

(a) परिश्रमी होना *(b)* आत्मविश्वासी होना

(c) चरित्रवान होना *(d)* उपर्युक्त सभी

22. जब आपको परेशानी होती है तो आप क्या सोचते हैं ?

(a) परेशानी जीवन का एक अभिन्न हिस्सा है

(b) परेशानी को झेलने के बाद मुझमें साहस बढ़ता है

(c) परेशानी मेरे आत्मविश्वास को हिला देती है

(d) परेशानी मेरे जीवन को विषमय बना देती है

23. जब आप कार्य आरम्भ करते हैं तो किस विषय पर अधिक सोचते हैं—

(a) कार्य की प्रकृति एवं योजना पर

(b) कार्य में लगने वाले समय एवं खर्च पर

(c) कार्य की सफलता एवं असफलता पर

(d) उपर्युक्त सभी पक्षों पर

24. आपसे कोई तर्क-वितर्क करे तो आपका उसके प्रति कैसा दृष्टिकोण संभाव्य है ?

(a) तर्क-वितर्क करने में कोई संकोच नहीं करेंगे

(b) तर्क-वितर्क करने वाले से छुटकारा पाने के लिए बहाना करेंगे

(c) तर्क करने वाले से कुछ सीखने की कोशिश करेंगे

(d) उसके प्रति कोई रुचि नहीं लेंगे

25. अगर कोई आपके कार्यों में बार-बार बाधा डालने की कोशिश करता है तो आप—

(a) इसे गंभीरता से लेते हैं

(b) सामान्य ढंग से लेते हैं

(c) उसे मना करने की कोशिश करते हैं

(d) उससे इसका कारण पूछकर प्रत्युत्तर देते हैं

26. अगर कोई छात्र आपके दोषों को उजागर करता है तो आप—

(a) उसे मन ही मन दूर करेंगे *(b)* उसको बोलने से मना करेंगे

(c) उसकी बात पर ध्यान नहीं देंगे *(d)* अपनी गलती को शीघ्र सुधार लेंगे

27. दैनिक जीवन में कार्यों के प्रति आपका दृष्टिकोण कैसा होता है ?

(a) वैज्ञानिक ढंग से करने का *(b)* सामान्य ढंग से करने का

(c) व्यवहारिक ढंग से करने का *(d)* अपनी सुविधा के अनुसार

28. सभी बच्चों की एक ही समस्या है तो आप उनकी समस्या का समाधान करते हैं—

(a) एक-एक करके *(b)* पहले छोटे बच्चों का

(c) पहले बड़े बच्चों का (d) सामूहिक ढंग से

29. जहाँ पूरा माहौल खराब हो वहाँ के लोगों के प्रति आपका विचार होता है–
(a) उस माहौल से स्वयं को अलग कर लेना
(b) खराब माहौल देश की प्रगति में बाधक होता है
(c) उस माहौल में रहकर ही सुधार संभव है
(d) सभी को अपने विश्वास में लेकर सुधारात्मक प्रक्रिया प्रारम्भ करना

30. आप सबसे पहले उपयुक्त समझते हैं–
(a) अपना सुधार (b) समाज का सुधार
(c) छात्रों का सुधार (d) देश का सुधार

31. अगर आप एक गरीब आदमी हैं तो–
(a) किसी तरह रुपया कमाने पर अधिक ध्यान देते हैं
(b) गरीबी का आपके जीवन पर कोई प्रभाव नहीं होता है
(c) स्वयं पर उपहास करते हैं
(d) गरीबी मिटाने के लिए कठिन परिश्रम करते हैं

32. जो आपकी सही आलोचना करता है तो उसके साथ आपका व्यवहार अपेक्षित होगा–
(a) एक मित्र के रूप में (b) एक आलोचक के रूप में
(c) एक दुश्मन के रूप में (d) एक मूर्ख के रूप में

33. अगर कोई आपकी गलती पर आलोचना करे तो आप–
(a) अपनी गलतियों को सुधारेंगे
(b) आलोचना करने वाले की भी आलोचना करेंगे
(c) उसके साथ लड़ाई करेंगे
(d) उसके साथ कभी बात नहीं करेंगे

34. जब स्वयं निर्णय लेने में सक्षम नहीं हैं तो आप किसका परामर्श उपयुक्त समझते हैं–
(a) अपने सगे-सम्बन्धियों का (b) अपने माता-पिता का
(c) अपने मित्रों का (d) उपर्युक्त सभी

35. सच्चे मार्ग पर चलने के लिए आप किन-किन लोगों का अनुसरण करते हैं–
(a) देश के नेताओं का (b) देश के शिक्षाविदों का
(c) महापुरुषों के आदेशों का (d) सभी अच्छे व्यक्तियों का

36. कार्य करते समय आप विशेष ध्यान देते हैं–
(a) काम की गुणवक्ता पर (b) बाहरी बाधाओं पर
(c) अपनी विफलताओं पर (d) अपनी योग्यता पर

37. आप स्वयं को अध्यापक या अध्यापिका के लिए योग्य उम्मीदवार मानते हैं, क्योंकि–

(a) आपके पिता भी अध्यापक है
(b) आपके माता-पिता की आकांक्षा है
(c) आपने ई.टी.ई. कोर्स किया है
(d) आपके मित्रों के राय है

38. समाचार सुनने के संदर्भ में आपका भाव है–

(a) इससे समय की बर्बादी होती है
(b) इससे सभी घटनाओं की जानकारी होती है
(c) समाचार सुनने से कुछ नहीं होता है
(d) इनमें से कोई नहीं

39. अध्यापिका बनकर आप सुधारेंगे–

(a) छात्रों एवं छात्राओं की कमियों को
(b) विद्यालय की पठन व्यवस्था को
(c) समाज के बुरे लोगों को
(d) उपर्युक्त सभी

40. आप अपने दैनिक जीवन में महत्त्व देते हैं–

(a) दूसरे की समस्याओं को सुलझाने में
(b) अपनी समस्याओं को सुलझाने में
(c) अपनी प्रियजनों की रक्षा करने में
(d) आदर्श और नैतिकता की रक्षा में

41. विपरीत परिस्थितियों में आप–

(a) शांतचित रहते हैं
(b) घबड़ा जाते हैं
(c) सोच-विचार करते हैं
(d) अपना कार्य अनवरत करते रहते हैं

42. आपका सच्चा मित्र होता है–

(a) कोई अध्यापक
(b) स्कूल का प्रधानाध्यापक
(c) पुस्तकें
(d) स्कूल के छात्र

43. स्कूल की प्रातःकालीन सभा में आप–

(a) उपस्थित रहते हैं
(b) अनुपस्थित रहते हैं
(c) क्रियाशील रहते हैं
(d) निष्क्रिय रहते हैं

44. जब अन्य लोग अनुचित व्यवहार करें तो–

(a) आप भी अनुचित व्यवहार करेंगे
(b) अनुचित व्यवहार के कारणों का पता लगायेंगे
(c) उन लोगों का भी बहिष्कार करेंगे
(d) उन लोगों पर ध्यान दिये बगैर अपना कार्य करेंगे

45. यदि आपके मन में संदेह पैदा होता है कि किसी छात्र ने अपनी प्रोग्रेस रिपोर्ट पर अभिभावक के हस्ताक्षर के बजाए खुद उनके जाली हस्ताक्षर किए हैं तो ऐसी स्थिति में आप–

(a) प्रधानाध्यापक को इस आशय की सूचना देते हैं
(b) अभिभावक को बुलाकर उन्हें शर्मीन्दा करते हैं

(c) छात्र को विश्वास में लेकर पूछ-ताछ करते हैं तथा उचित दण्ड देते हैं
(d) कक्षा में छात्र को अपमानित करते हैं

46. यदि आपको प्रशिक्षण हेतु भेजा जाए तो वहाँ आप—
(a) शिक्षकों से मिल-जुलकर अपना काम निकाल लेंगे
(b) शिक्षण की नई-नई विधियाँ सीखेंगे
(c) शिक्षकों से केवल प्रश्न पूछेंगे
(d) अपने अनुभव वहाँ के शिक्षकों को देंगे

47. अवसर आप अपना काम निकालना चाहते हैं—
(a) दूसरों को कष्ट पहुँचाकर (b) झूठ-सच बोलकर
(c) समय का सही सदुपयोग कर के (d) इनमें से कोई नहीं

उत्तरमाला

1	2	3	4	5	6	7	8	9	10
(d)	(c)	(c)	(a)	(b)	(d)	(a)	(b)	(c)	(d)
11	**12**	**13**	**14**	**15**	**16**	**17**	**18**	**19**	**20**
(b)	(d)	(d)	(d)	(c)	(d)	(c)	(d)	(d)	(c)
21	**22**	**23**	**24**	**25**	**26**	**27**	**28**	**29**	**30**
(d)	(b)	(d)	(c)	(d)	(d)	(c)	(d)	(d)	(a)
31	**32**	**33**	**34**	**35**	**36**	**37**	**38**	**39**	**40**
(b)	(a)	(a)	(d)	(d)	(a)	(c)	(b)	(d)	(d)
41	**42**	**43**	**44**	**45**	**46**	**47**			
(c)	(c)	(c)	(b)	(c)	(b)	(c)			

चुने हुए प्रश्नों के व्याख्यात्मक उत्तर

1. किसी व्यक्ति की सफलता उसकी कार्यक्षमता पर निर्भर करती है। अतः अपने कर्म को हमेशा उच्च प्राथमिकता देने की आवश्यकता है इसके लिए जरूरी है कि आप कल की चिन्ता छोड़कर कर्म की ओर सदैव अग्रसर रहें। यह एक साकारात्मक दृष्टिकोण है जो किसी भी जागरूक व्यक्ति से अपेक्षित है। परन्तु अन्य विकल्प सर्वथा नाकारात्मक पहलू को उजागर करते हैं।

2. शास्त्रों में श्रोता के दो प्रकार माने गए हैं— उत्तम और अधम। उत्तम श्रोता अपलक वक्ता को देखता है और मुँह से एक शब्द भी नहीं निकालता है परन्तु अधम श्रोता शोर मचाकर दूसरों का ध्यान बँटवाता रहता है। उत्तम श्रोता धैर्यपूर्वक वक्ता के व्याख्यानों को सुनकर लाभान्वित होता है। इन्हें सुनकर प्रश्न पूछता है और अपनी प्रतिक्रिया प्रकट करता है। वह वक्ता से स्पष्टीकरण माँगने से कदापि संकोच नहीं करता है।

6. आदर्श व्यक्ति स्वयं को हमेशा संकीर्ण विचारों से तटस्थ रखता है। वह व्यक्ति आदर्श कदापि नहीं हो सकता जो अपने धर्म, भाषा एवं जाति को श्रेष्ठत्तर मानता है और दूसरे के धर्म, भाषा एवं जाति को हेय दृष्टि से देखता है। एक स्वार्थी एवं अविवेकी पुरुष ही धर्म, जाति एवं भाषा जैसे व्यक्तिगत मुद्दों को उठाकर लोगों के बीच घृणा एवं आपसी वैमनस्थता की दीवार खड़ी कर सकता है। वस्तुतः एक आदर्श व्यक्ति सभी धर्मों, भाषाओं और जातियों का सम्मान करता है।

11. सफलता और असफलता जीवन के दो पहलू हैं। सफलता प्राप्त करने के लिए निरन्तर मेहनत व प्रयास की आवश्यकता है। इस प्रकार कोई व्यक्ति तब तक सफलता की मंजिल नहीं प्राप्त कर सकता जब तक वह उचित परिश्रम और प्रयास नहीं करता है। अतः एक जागरूक व्यक्ति जीवन को हमेशा सार्थक व बहुमूल्य समझता है तथा असफल होने पर भी परिश्रम और प्रयास की गति यथैव बनाये रखता है और अन्ततः सफलता उन्हें ही मिलती है। इसके विपरीत विचार रखने वाले व्यक्ति असफलता के लिए अपने भाग्य को दोषी ठहराता है तथा अपने जीवन को दुःखमय बना देता है।

12. व्यक्ति विशेष की सकारात्मक दृष्टिकोण और उसका व्यवहार उसे एक योग्य व्यक्ति के रूप में स्थापित करता है। किसी व्यक्ति का कठोर होना उसका अच्छा गुण है लेकिन अत्यधिक कठोर होना अच्छा नहीं माना जाता है उसी प्रकार अति विनम्र होना भी अच्छा गुण नहीं है। मृदुभाषी होना भी अच्छा है परन्तु यह भी कहा जाता है कि "मधुर वाणी दगाबाज की निशानी"। नमनीय होना अर्थात् अपने व्यवहार में लचीलापन लाना एक श्रेष्ठतम गुण है। विशेषतः एक शिक्षक को अवश्य ही लचीला होना चाहिए ताकि वह हर स्थिति को अच्छी तरह समायोजित कर सके।

15. किसी व्यक्ति में आत्मविश्वास का होना अत्यन्त आवश्यक है। कहा गया है कि आत्मविश्वास सफलता की कुँजी है। यह चिरतन सत्य है। अक्सर व्यक्ति कठिन परिस्थितियों में पड़कर अपने स्वविवेक एवं आत्मविश्वास को खो देता है जो उसकी असफलता का पर्याय बन जाता है। शिक्षक के सम्बन्ध में भी यह तथ्य स्वीकार्य है। शिक्षक को गृहकार्य छात्र की क्षमता के अनुसार देना चाहिए। शिक्षक का महत्त्वपूर्ण कार्य है विद्यार्थी को अच्छे कार्य के लिए प्रेरित करना परन्तु भय द्वारा प्रेरित करना वांछनीय नहीं है। शिक्षक को दूसरों के सुझाव को महत्त्व देना चाहिए लेकिन स्वयं का सुझाव मानना ज्यादा श्रेयस्कर होता है।

22. संसार में प्रत्येक व्यक्ति किसी न किसी परिस्थितियों से उलझा हुआ है । लेकिन जो लड़ने का अद्भुत साहस जुटा पाता है निश्चित ही वह असमान्य व्यक्ति है। ऐसे

अनेकों व्यक्ति मिलते हैं जो प्रायः परेशानी में पड़ते ही उनके पैर लड़खड़ाने लगते हैं। वह दिग्भ्रमित हो जाता है वहीं दूसरी तरफ अगर वह पैर जमाने की कोशिश करता है तथा समस्याओं का सामाना करता है तो उसमें साहस का संचार होने लगता है।

29. निश्चित ही खराब वातावरण देश और समाज के विकास में बाधा है। ऐसी स्थिति में एक जागरूक व्यक्ति से ही अपेक्षा की जाती है कि वहाँ के तथाकथित लोगों को संबन्धित बुराइयों से अवगत कराकर उनमें सुधारात्मक प्रक्रिया अपनाई जाए। इससे पूरे समाज का कल्याण संभव है।

35. सच्चे मार्ग पर चलने के लिए स्वस्थ्य मार्गदर्शन की नितान्त आवश्यकता होती है। आज जितने लोग हैं उतने ही उपदेश हैं। इस प्रकार किसी एक व्यक्ति का उपदेश किसी दूसरे को लाभप्रद हो सकता है परन्तु ऐसा सभी का हो संभव नहीं है। इसलिए उन सभी अच्छे व्यक्तियों के पद्‌चिन्हों का अनुसरण करना चाहिए जो वास्तव में आपको सच्चे मार्गों पर चलने के लिए प्रेरित करें।

40. आदर्श व नैतिकता वास्तव में अत्यधिक मूल्यवान सम्पदा है। इसकी हर कीमत पर रक्षा करना सभी का धर्म है। लोगों द्वारा अपनी स्वार्थपूर्ति हेतु इन मानवीय गुणों का हनन करना अनुचित है। अतः एक योग्य व्यक्ति से अपेक्षा की जाती है कि वह आदर्श व नैतिक गुणों को अपना कर एक स्वस्थ व सुरक्षित समाज का निर्माण करने का प्रयास करे।

छात्र-छात्राओं के प्रति अभिवृत्ति

1. आप निम्न में उन विद्यार्थियों को अच्छा मानते हैं—
(a) जो कक्षा में शान्त बैठा रहता है
(b) जो बात-चीत एक सीमा के भीतर करता है
(c) जो शिक्षक से हमेशा प्रश्न पूछता है
(d) जो शिक्षकों का सम्मान करता है

2. आप छात्रों को गृह कार्य देते हैं तो इस सम्बन्ध में आपका विचार है—
(a) छात्रों के लिये एक अतिरिक्त बोझ है
(b) गृहकार्य देना शिक्षक के लिए आरामदायक कार्य है
(c) इससे अच्छे कार्यों का मूल्यांकन हो जाता है
(d) इससे बच्चों में स्थायी ज्ञान की जानकारी हो जाती है

3. किसी छात्र में असामाजिक गुण दिखता है तो आप सोचते हैं—
(a) शिक्षकों के अकुशल व्यवहार के कारण

(*b*) माता-पिता के दुर्व्यवहार के कारण

(*c*) असामाजिक गुणों के कारण

(*d*) दूषित सामाजिक परिवेष के कारण

4. क्रियाशील बालक के साथ आप बर्ताव करते हैं—

(*a*) उसे रचनात्मक कार्यों की ओर प्रेरित करने की कोशिश करेंगे

(*b*) उचित दंड व कार्रवाई से क्रियाशील बालक को ठीक रखेंगे

(*c*) कोई अनावश्यक कार्य देकर उसे शांत रखेंगे

(*d*) ऐसे बालक को प्यार और मार दोनों से अच्छा बनाने की कोशिश करेंगे

5. आपकी कक्षा में दो छात्रा अ और ब लड़ाई कर रहे हैं तो आप—

(*a*) पढ़ाते रहेंगे और पढ़ाई समाप्ति के बाद दोनों को दंड देंगे

(*b*) अ और ब दोनों का स्थान परिवर्तन कर देंगे

(*c*) दोनों से लड़ाई के कारणों के बारे में पूछ-ताछ करेंगे तथा दोषी छात्र को दंड देंगे

(*d*) बिना कुछ पूछे दोनों को दंड देंगे

6. आपकी कक्षा के अ (लड़का) और ब (लड़की) दोनों में प्रेम-प्रसंग चल रहा है तो आप एक अपेक्षित कदम उठायेंगे—

(*a*) शीघ्र ही उसके माता-पिता को इसके बारे में सूचित करेंगे

(*b*) दोनों को पढ़ाई पर अधिक ध्यान केन्द्रित करने के लिए कहेंगे

(*c*) दोनों को इस मामले को आगे बढ़ाने के लिए प्रेरित करेंगे

(*d*) दोनों की प्रेम-प्रसंग पर चर्चा करेंगे

7. यदि परीक्षा में कोई छात्र आपके सामने नकल कर रहा है तो आप क्या कार्यवाही करेंगे—

(*a*) नकल के लिए वर्तमान शिक्षा प्रणाली को दोषी मानेंगे तथा छात्र को नकल करने की आजादी देंगे

(*b*) उसे ऐसा कठोर दंड देंगे कि भविष्य में कोई परीक्षा भी न दे सके

(*c*) एक साल तक कोई भी परीक्षा देने से वंचित कर देने की सिफारिश करेंगे

(*d*) एक बार माफ कर देंगे तथा दूसरी बार गलती करने पर परीक्षा भवन से बाहर निकाल देंगे

8. बच्चों के विकास के लिये उपयोगी मानते हैं—

(*a*) अच्छी पढ़ाई होनी चाहिए

(*b*) बच्चों के सभी क्रियाकलापों पर विशेष ध्यान देना चाहिए तथा उनकी गड़बड़ियों को शीघ्र दूर करना चाहिए

(*c*) बच्चों को अच्छी बात बतानी चाहिए

(*d*) बाल मनोविज्ञान की शिक्षा देनी चाहिए

9. छात्रों में स्वस्थ आदतों के विकास के लिए आप प्रयास करेंगे कि–

(*a*) उनके माता-पिता को स्वस्थ्य आदत विकसित करने के लिए दबाव देंगे।

(*b*) स्वयं अपनी अच्छी आदतों को बताकर उनकी स्वस्थ आदतों का विकास करेंगे

(*c*) स्वस्थ्य आदत तो अनुवांसिक होती है तथा इसमें कुछ भी नहीं किया जाता

(*d*) स्वस्थ्य आदतों पर प्रतिदिन परिचर्चा करेंगे

10. विद्यालय में सभी जाति के छात्र पढ़ते हों तो आप इन विचारों से सहमत होंगे–

(*a*) अपने जाति विशेष के छात्रों पर विशेष ध्यान देंगे

(*b*) सभी छात्रों को अलग-अलग जातियों में बाँट देंगे

(*c*) इससे छात्रों में मेल-जोल की भावना का विकास होगा

(*d*) अध्यापन पर अधिक तथा जाति पर कम बात करेंगे

11. आमतौर पर लोग 5 वर्ष से कम उम्र के बच्चों की बातों पर ध्यान नहीं देते हैं तो आपकी विचारधारा होगी–

(*a*) उनकी बातों में प्रायः असलियत होती है अतः उस पर ध्यान देना आवश्यक है

(*b*) उनकी बात में गंभीरता नहीं होती अतः उन पर ध्यान देना आवश्यक नहीं है

(*c*) वह हमेशा झूठ ही बोलते हैं अतः उन पर ध्यान देना ठीक नहीं

(*d*) उनकी जुबान ईश्वर की जुबान होती है अतः उनको हमेशा प्यार करना चाहिए

12. जब आपके छात्र उन्नति करते हैं तो आप महसूस करते हैं–

(*a*) आत्मसंतोष की भावना (*b*) आत्मग्लानि की भावना

(*c*) ईर्ष्या की भावना (*d*) प्रसन्नता की भावना

13. उदंड छात्रों को आप सही मार्ग पर लायेंगे–

(*a*) उनकी प्रसंशा करके उन्हें सही रास्ते पर लाया जा सकता है

(*b*) सहानुभूति से ही उन्हें सही मार्ग पर लाया जा सकता है

(*c*) सख्ती से उन्हें सही मार्ग पर लाया जा सकता है

(*d*) अच्छी शिक्षा देकर उन्हें सही मार्ग पर लाया जा सकता है

14. यदि कोई छात्र आपसे प्रश्न पूछता है, लेकिन आप उसका उत्तर अच्छी तरह नहीं जानते हैं ऐसी स्थिति में आप क्या करेंगे–

(*a*) छात्र से यह कहेंगे कि उसका प्रश्न असंगत है

(*b*) छात्र के प्रश्न का कोई उत्तर नहीं देना चाहेंगे

(*c*) छात्र को डांट कर ऐसे प्रश्न पूछने से हतोत्साहित करेंगे

(*d*) छात्र को बताएँगे कि उसके प्रश्न का उत्तर मालूम करके आप उसे अगले दिन बता देंगे

15. बच्चों के बिगड़ने या बनने के लिए आप किसे जिम्मेदार मानते हैं–

(*a*) अभिभावक को (*b*) शिक्षक को

(*c*) समाज को (*d*) उपर्युक्त सभी

16. प्रायः अमीर बच्चे पढ़ाई-लिखाई के प्रति कम गम्भीर होते हैं आप सोचते हैं–

(*a*) उनको पढ़ाई की आवश्यकता नहीं पड़ती

(*b*) उनके अभिभावक ध्यान नहीं देते

(*c*) उनको थोड़ा पढ़ लेना चाहिए

(*d*) उनको पैसे की कोई कमी नहीं होती

17. छोटे बच्चों को पढ़ाने के प्रति आपका विचार कैसा है ?

(*a*) उनको पढ़ाना अच्छा नहीं लगता

(*b*) उनको पढ़ाने में सरदर्द अधिक है

(*c*) वह अधिक शरारती होते हैं

(*d*) उनको पढ़ाने से उनकी मनःस्थिति की जानकारी मिलती है

18. बच्चों के सामने अध्यापिका को होना चाहिए–

(*a*) अंतर्मुखी (*b*) बहुमुखी

(*c*) शर्मिली (*d*) स्पष्टवादी

19. छोटे बच्चों को शिक्षा ज्यादातर किस रूप में देनी चाहिए ?

(*a*) सोच विचार करने संबंधी (*b*) खेल करने के रूप में

(*c*) अनुकरण करने के रूप में (*d*) घूमने के रूप में

20. छोटे बच्चों को शिक्षा देना जरूरी है परन्तु उसके ऊपर किस प्रकार का बोझ अपेक्षित नहीं है–

(*a*) लिखने का बोझ (*b*) विद्यालय जाने का बोझ

(*c*) गृहकार्य का बोझ (*d*) पढ़ने का बोझ

21. कोई छात्र काम नहीं करता है तो आप क्या करेंगे–

(*a*) उन्हें काम करने के लिए प्रेरित करेंगे (*b*) उन्हें कक्षा से बाहर कर देंगे

(*c*) उन्हें खुद काम करके दिखायेंगे (*d*) उन्हें कुछ नहीं कहेंगे

22. बच्चों को कहानी सुनाकर पढ़ाना चाहिए। आपका विचार है कि–

(*a*) कहानी विषय को रोचक बनाती है

(*b*) कहानी बच्चों के मस्तिष्क को केन्द्रित करती है

(*c*) कहानी बच्चों को सिखाने में अधिक सक्षम क्रियाकलाप है

(*d*) कहानी से शिक्षण कार्य नियंत्रित रहता है

23. उद्दण्ड बालक को सही रास्ते पर लाने के लिए आप–

(*a*) बठोर दण्ड देंगे (*b*) प्यार से समझायेंगे

(*c*) उसका अपमान करेंगे (*d*) उसे कक्षा से बाहर कर देंगे

24. कक्षा में अनुशासन कायम करने के लिए आप क्या करेंगे–

(*a*) श्रेष्ठ आचरण की अपेक्षा करेंगे (*b*) श्रेष्ठ प्रधानाध्यापक की अपेक्षा करेंगे

(*c*) श्रेष्ठ शिक्षकों की अपेक्षा करेंगे (*d*) अनुशासन का महत्त्व बतायेंगे

25. जब विद्यार्थियों को पढ़ने में रूचि नहीं है तो आप–

(*a*) कक्षा छोड़कर चले जायेंगे

(*b*) विद्यार्थियों की रूचियों को जानेंगे

(*c*) कहानी सुनाकर उनमें पढ़ने की रूचि जागृत करेंगे

(*d*) विद्यार्थियों की रूचि न होने पर भी आप उन्हें पढ़ायेंगे

26. छात्र नैतिक शिक्षा को तभी ग्रहण कर सकते हैं जब –

(*a*) शिक्षक स्वयं उसका आचरण करें

(*b*) नैतिक शिक्षा को पाठ्यक्रम से जोड़ देना चाहिए

(*c*) नैतिक शिक्षा सबके लिए अनिवार्य कर दी जाये

(*d*) परीक्षा में इससे सम्बन्धित प्रश्न पूछा जाये

27. छात्रों में अनुशासन बनाये रखने के लिए एक शिक्षक की कौन सी भूमिका सराहनीय है–

(*a*) शिक्षक की अपनी योग्यता (*b*) शिक्षक का विचार

(*c*) शिक्षक का व्यक्तित्व (*d*) शिक्षक की प्रशासनिक क्षमता

28. छात्रों में अनुशासन पैदा करने के लिए आप–

(*a*) भय उत्पन्न करेंगे

(*b*) अनुशासन के महत्त्व बतायेंगे

(*c*) अनुशासन प्रिय व्यक्तियों के बारे में बतायेंगे

(*d*) अनुशासन को जीवन से जोड़कर शिक्षण करायेंगे

29. दो छात्र आपस में गाली-गलोच करेंगे तो आप–

(*a*) द्रोनों को कठोर दण्ड देंगे (*b*) यह गलत आदत है उन्हें समझायेंगे

(*c*) दोनों का नाम स्कूल से काट देंगे (*d*) दोनों को कुछ नहीं कहेंगे

30. जिन छात्रों के माँ-बाप नहीं हैं तो आप–

(*a*) उनकी मदद के लिए प्रिंसिपल से सिफारिश करेंगे

(*b*) उन्हें सहानुभति देकर प्रसन्न रखेंगे

(*c*) माँ-बाप की तरह उनको प्यार देंगे

(*d*) उन्हें कक्षा में आगे बैठायेंगे

31. कोई छात्र, छात्राओं के साथ छेड़खानी करे तो आप—

(a) छात्र को नैतिक शिक्षा देकर उसका व्यवहार परिवर्तन करेंगे

(b) छात्र की शिकायत, प्रधानाध्यापक से करेंगे

(c) छात्र के अभिभावक को शिकायत करेंगे

(d) अनुशासनहीनता के आरोप में स्कूल से निष्कासित करेंगे

32. छात्रों में परस्पर सहयोग के लिए आप क्या करेंगे ?

(a) अपना कार्य स्वयं करने के लिए प्रेरित करेंगे

(b) टीम के साथ काम करने के लिए प्रोत्साहित करेंगे

(c) ईमानदारी पूर्वक कार्य करने के लिए जागृत करेंगे

(d) उनके साथ-साथ काम करने में रूचि लेंगे

33. छात्रों के गिरते नैतिक स्तर के लिए आप किसको जिम्मेदार मानते हैं—

(a) समाज को

(b) छात्र स्वयं दोषी हैं

(c) शिक्षक को

(d) उपर्युक्त सभी

34. छात्रों से मेल-जोल बढ़ाने से अनुशासन संबंधी समस्या पैदा होती है तो आप क्या करेंगे ?

(a) मेल-जोल बढ़ाना तत्काल छोड़ देंगे

(b) मेल-जोल बढ़ाना धीरे-धीरे छोड़ देंगे

(c) मेल-जोल बढ़ाना क्रम करेंगे तथा अनुशासन बनाने का उचित प्रयास करेंगे

(d) इनमें से कोई नहीं

35. छात्रों की समस्याओं को जानने के लिए आप क्या करेंगे ?

(a) आत्मीय संबंध बनायेंगे

(b) खुद छात्र बनकर उनकी समस्या को समझ सकते हैं

(c) छात्रों की पिटाई करके उनकी समस्या पूछ सकते हैं

(d) इनमें से कोई नहीं

36. छात्रों में पढ़ाई के साथ-साथ खेल भावना को विकसित करने के लिए आपको—

(a) उन्हें खेल के माध्मय से पढ़ाना चाहिए

(b) शिक्षक को छात्रों के साथ खेलना चाहिए

(c) खेल, के पाठ को अवश्य पढ़ाना चाहिए

(d) खेल से सर्वांगीण विकास होता है, बतलाना चाहिए

37. छात्रों के व्यक्तिगत सुधार के लिए आप क्या करेंगे ?

(a) माता-पिता का सहयोग लेंगे

(b) किसी अच्छे व्यक्ति का सहयोग लेंगे

(*c*) किसी अच्छे छात्र का विचार लेंगे

(*d*) छात्रों को सुधरने के लिए समय देंगे

38. छात्र प्रायः कक्षा में आपके द्वारा पढ़ाए गए विषय को ध्यान से नहीं पढ़ते हैं तो उनके लिए आप–

(*a*) कठोर दण्ड की व्यवस्था करेंगे

(*b*) विषय को और अधिक मनोरंजक बनाएंगे

(*c*) उनकी रुचि की कमी का कारण जानना चाहेंगे

(*d*) उनकी शिकायत प्रधानाचार्य से करेंगे

39. छात्रों को चरित्रवान एवं अनुशासित बनाने के लिए आप–

(*a*) छात्रों को इसका प्रशिक्षण देंगे

(*b*) उनके माता-पिता को इस दिशा में प्रयत्नशील करेंगे

(*c*) स्वयं चरित्रवान और अनुशासित होंगे

(*d*) उन्हें अच्छे कार्य के लिए प्रोत्साहित करेंगे

40. दो मेघावी छात्र किसी महत्त्वपूर्ण बिन्दु पर बहस कर रहे हों तथा सामान्य से असामान्य स्थिति की ओर बढ़ते दिख रहे हों तो आप उन्हें–

(*a*) रूक जाने के लिए कहेंगे

(*b*) आप भी वस्तु स्थिति में रूचि लेंगे

(*c*) अन्य शिक्षकों को बुलाकर उन्हें वस्तुस्थिति की जानकारी देंगे

(*d*) उस बिन्दु को स्पष्ट करेंगे तथा उनसे स्वस्थ व्यवहार की अपेक्षा करेंगे

41. कुछ छात्र चुपके से स्कूल की चारदीवारी से कूद कर भाग जाते हैं। उनकी इस आदत को रोकने के लिए आप क्या करेंगे ?

(*a*) यह जानने का प्रयत्न करेंगे कि छात्र ऐसा क्यों करते हैं

(*b*) प्रधानाचार्य तथा शिक्षकों की बैठक बुलाकर उपाय सोचेंगे

(*c*) उन छात्रों को विद्यालय से निष्कासित कर देंगे

(*d*) अपने कक्षा शिक्षण को अधिक रोचक बनाने का प्रयत्न करेंगे

42. आपकी कक्षा के कुछ छात्र गणित में काफी कमजोर हैं। आप उनकी सहायता के लिए करना चाहेंगे–

(*a*) उन छात्रों पर सख्ती करेंगे

(*b*) उन छात्रों के अभिभावकों को समुचित परामर्श देंगे

(*c*) कक्षा के तेज छात्रों को पढ़ाने के लिए कहेंगे

(*d*) छात्रों की समस्याओं को जानेंगे तत्पश्चात दूर करेंगे

43. यदि कोई छात्र आपके खाली समय में आपसे पढ़ाई संबंधी प्रश्न पूछना चाहता है

तो आप–

(*a*) उसे थोड़ी देर बाद मिलने को कहेंगे (*b*) उसके प्रश्न को सुनकर टाल देंगे

(*a*) उससे कहेंगे कि प्रश्न कक्षा में पूछे (*d*) उसकी समस्या का समाधान करेंगे

44. यदि किसी दिन आपकी पढ़ाने की इच्छा नहीं है तो आप–

(*a*) छात्रों को छुट्टी देकर घर भेज देंगे

(*b*) अपने साथी अध्यापक को पढ़ाने के लिए निवेदन करेंगे

(*c*) बच्चों को कोई आदर्श कहानी सुनायेंगे

(*d*) बच्चों को खेलने के लिए कहेंगे

45. विज्ञान शिक्षण की छात्रों में रूचि पैदा करने के लिए आप करना चाहते हैं–

(*a*) श्यामपट्ट का अधिकाधिक प्रयोग

(*b*) वैज्ञानिक पद्धति का प्रयोग

(*c*) शिक्षण सामग्री का अधिक से अधिक प्रयोग

(*d*) छात्रों को चर्चा का भरपूर अवसर देना

46. कक्षा में आपके बार-बार समझाने के बाद भी कुछ छात्र समझ नहीं पाते हैं तो आप–

(*a*) उन छात्रों पर ध्यान नहीं देंगे

(*b*) उन्हें समझाने हेतु अन्य विधि का उपयोग करेंगे

(*c*) उन छात्रों को आगे बैठायेंगे

(*d*) उन छात्रों पर विशेष ध्यान देंगे

47. यदि आपकी कक्षा में कोई छात्र अप्रासंगिक प्रश्न पूछता है तो आप–

(*a*) छात्र को डाँटकर बैठा देते हैं

(*b*) उसके प्रश्न पर ध्यान नहीं देंगे

(*c*) छात्र को समझाते हैं कि इस प्रकार के प्रश्न न पूछे

(*d*) छात्र को कक्षा से बाहर निकाल देते हैं

48. यदि कोई छात्र अपनी कक्षा में बार-बार असफल हो रहा है तो आप–

(*a*) उसकी गलतियों को सुधार कर उचित मार्गदर्शन करके सफल बनाने का प्रयत्न करेंगे

(*b*) उसका अगली कक्षा में तब तक नामांकन नहीं करेंगे जब तक कि वह अच्छे अंक प्राप्त न कर ले

(*c*) उसको हमेशा प्रताड़ित करेंगे

(*d*) उसे नियमित स्वाध्याय करने के लिए प्रेरित करेंगे

49. आपके विद्यालय के कुछ छात्र निर्धन हैं जिनके पास पुस्तकें खरीदने के लिए भी

पैसा नहीं है तो आप–

(a) उन्हें पुस्तकें उपलब्ध कराने की व्यवस्था करेंगे

(b) उन्हें कुछ आर्थिक सहायता प्रदान करेंगे

(c) उन्हें मुफ्त ट्यूशन देने का विचार करेंगे

(d) निर्धन छात्र-छात्राओं के लिए निर्धन कोष खुलवाने के लिए प्रधानाचार्य से निवेदन करेंगे

50. छात्र-छात्राओं में वांछित अनुक्रिया विकसित करने के लिए आप–

(a) अपने साथी अध्यापकों की सहायता लेंगे

(b) उनमें विषय के प्रति रूचि पैदा करने का प्रयास करेंगे

(c) सक्रिय व्यवहारों के प्रति रूझान पैदा करेंगे

(d) उन्हें नैतिक शिक्षा का पाठ पढ़ायेंगे

उत्तरमाला

1	2	3	4	5	6	7	8	9	10
(d)	(d)	(d)	(a)	(c)	(b)	(d)	(b)	(b)	(c)
11	**12**	**13**	**14**	**15**	**16**	**17**	**18**	**19**	**20**
(b)	(a)	(b)	(d)	(d)	(b)	(d)	(d)	(b)	(c)
21	**22**	**23**	**24**	**25**	**26**	**27**	**28**	**29**	**30**
(a)	(b)	(b)	(d)	(c)	(a)	(d)	(d)	(b)	(b)
31	**32**	**33**	**34**	**35**	**36**	**37**	**38**	**39**	**40**
(a)	(b)	(d)	(c)	(a)	(d)	(a)	(c)	(c)	(d)
41	**42**	**43**	**44**	**45**	**46**	**47**	**48**	**49**	**50**
(a)	(d)	(d)	(c)	(c)	(b)	(c)	(a)	(a)	(c)

कुछ चुने हुए प्रश्नों के व्याख्यात्मक उत्तर

2. छात्रों को स्वध्याय और नियमित अध्ययन करने के लिए गृहकार्य दिया जाता है, ताकि उनमें अपेक्षित स्थायी ज्ञान की अभिवृद्धि हो सके। यह शिक्षक के लिए न आरामदायक कार्य है न ही किसी छात्र के लिए अतिरिक्त बोझ है।

5. कक्षा शिक्षण के दौरान छात्रों के बीच आपसी झड़प होना किसी शिक्षक की कार्यकुशलता पर प्रश्न चिन्ह लगाता है। यदि कक्षा में ऐसी स्थिति उत्पन्न हो जाए तो लड़ाई करने वालों छात्रों को अपने निकट बुलाकर उसके कारणों की पूछ-ताछ करें तथा दोषी छात्र को उचित दण्ड दें। इसके पश्चात दोनों का स्थान परिवर्तन करा दें। अनावश्यक रूप से छात्रों को मारना-पीटना तथा पढ़ाई समाप्ति के बाद आवश्यक कार्यवाही करना अनुचित है।

8. बच्चे सदा क्रियाशील होते हैं। उनमें अपेक्षित विकास के लिए कार्यकलाप कराने पर

विशेष बल देना आवश्यक है क्योंकि ऐसा करके सीखने से उनके ज्ञान में स्थायी वृद्धि होती है। बच्चे काम करते समय अक्सर गलतियाँ करते रहते हैं अतः उनकी गलतियों को उसी वक्त दूर भी कर देना चाहिए।

9. छात्रों में स्वस्थ आदत विकसित करने के लिए यह अत्यन्त आवश्यक है कि शिक्षक स्वयं अपनी अच्छी आदतों को उनके सामने प्रक्षेपित करें, इससे वे अधिक प्रभावित होंगे तथा वे अपने अन्दर अच्छी आदतों का विकास करेंगे। स्वस्थ आदत अनुवांशिक नहीं होती है, इसका विकास अच्छे परिवेश में रहकर ही होता है।

14. यदि आप छात्र के प्रश्न का उत्तर देने में असमर्थ हैं तो इसमें कोई बुराई नहीं है। आप उस छात्र को न डाँट-फटकार करें न ही उसे हतोत्साहित करें। आप छात्र को यह समझायें कि उसके प्रश्न का उत्तर वह अगले दिन देगा।

19. छोटे बच्चों को खेल में अत्याधिक रूचि होती है, अतः उन्हें खेल-खेल में ही शिक्षा देना लाभप्रद होता है। बच्चे अनुकरण द्वारा भी सीखते हैं तथा कहीं घुमकर भी सीखते हैं, परन्तु खेल के माध्यम से अधिक सीखते हैं।

20. छोटे बच्चों का मानसिक विकास अल्प मात्र होता है जो गृहकार्य को समझ नहीं पाते हैं, इसलिए उनसे विद्यालय में ही यह कार्य करवा लेना उचित है।

22. बच्चे कहानी को अधिक पसंद करते हैं क्योंकि कहानी का सीधा संबंध उनके मस्तिष्क से होता है और इससे उनका ध्यान केन्द्रित हो जाता है। अतः उन्हें कहानी के माध्यम से शिक्षा देनी चाहिए।

26. छात्र नैतिक शिक्षा को तभी ग्रहण कर सकते हैं जब उनके शिक्षक स्वयं अच्छा आचरण करें। यदि नैतिक शिक्षा को पाठ्यक्रम में जोड़ दिया जाए या सबके लिए अनिवार्य कर दिया जाए तो वह आवश्यक नहीं है कि छात्र नैतिकता का उचित पालन कर सकेंगे।

28. छात्रों में अनुशासन का होना बहुत आवश्यक है। अतः यह तभी सम्भव है जब अनुशासन को जीवन से जोड़कर शिक्षण कराने पर आवश्यक बल दिया जाए। इस प्रकार वे अनुशासन के महत्व को भी भलीभांति समझ जायेंगे।

32. छात्रों में परस्पर सहयोग की भावना का विकास तभी संभव है जब उनको टीम भावना के साथ कार्य करने के लिए प्रेरित किया जाए। टीम भावना के साथ कार्य करने में वे एक दूसरे के काफी समीप होते हैं तथा एक दूसरे की भावनाओं का सन्मान करते हैं। इस तरह उनमें आपसी सहयोग की भावना विकसित होती है।

42. यदि आपकी कक्षा के कुछ छात्र गणित में कमजोर हैं तो यह शिक्षक का नैतिक दायित्व है कि उन छात्रों के प्रति उग्रता न दिखाकर प्यार और सहानुभूति दिखायें तथा उनकी समस्याओं से भिज्ञ होकर उन्हें दूर करने का प्रयत्न करें। उनके साथ किसी तरह का अमानवीय व्यवहार अपेक्षित नहीं है। यहीं नहीं, अपने कार्यभार को किसी अन्य छात्र पर न छोड़ें तो अति उत्तम है।

45. विज्ञान शिक्षण में एक ही तरह का शिक्षण सामग्री का अनवरत प्रयोग करना अथवा केवल श्यामपट्ट का प्रयोग करने से छात्रों में विषय के प्रति अरूचि उत्पन्न होना स्वभाविक है। अतः विज्ञान शिक्षक छात्रों में रूचि उत्पन्न करने के लिए आकर्षण तथा अधिकाधिक शिक्षण सामग्रीयों का अपने शिक्षण में समावेश करें, तो निश्चय ही छात्रों का ध्यानाकर्षण शिक्षण सामग्रीयों के प्रति होगा तथा इस प्रकार विज्ञान शिक्षण के प्रति उनकी रूचि बढ़ेगी।

शिक्षा, शिक्षण और शिक्षण व्यवस्था के प्रति अभिवृत्ति

1. यदि आप शिक्षण को अपना व्यवसाय बनाना चाहते हैं तो आप—
   (*a*) लोगों को खुश रखने की कोशिश करेंगे ताकि वे अपने बच्चों को आपके पास पढ़ने के लिए भेंजें
   (*b*) कार्य में गुणवत्ता को बनाए रखने की कोशिश करेंगे ताकि शिक्षार्थियों का उपकार हो सके
   (*c*) अभिभावकों तथा शिक्षार्थियों को हमेशा निमंत्रण देकर उनको पार्टी देते रहेंगे
   (*d*) ईमानदारी पूर्वक छात्र-छात्राओं के भविष्य के बारे में सोचेंगे
2. बालकों में शोध व अनुसंधान संबंधित क्रियाकलाप विकसित करने हेतु आप—
   (*a*) उनकी निरीक्षण शक्ति को बढ़ायेंगे
   (*b*) उनको शोध व अनुसंधान कार्य के महत्त्व से अवगत कराएंगे
   (*c*) अनुसंधानकर्त्ताओं के बारे में बताया जाए ताकि वे भी अनुसंधान कर सकें
   (*d*) उन्हें यह बताया जाए कि शोध व अनुसंधान करने वालों को पुरस्कार और सम्मान मिलता है
3. जब कोई भी छात्र शिक्षण में रूचि नहीं लेता है तो आप—
   (*a*) रूचिपूर्वक शिक्षण देने का प्रयास करेंगे
   (*b*) अन्य अध्यापकों की तरह काम करेंगे
   (*c*) छात्रों के व्यवहार की निन्दा करेंगे
   (*d*) प्रधानाध्यापक से इस बात की चर्चा करेंगे
4. आप अपने विषय गणित को बेहतर बनाने के लिए—
   (*a*) सभी छात्रों को अधिक गृहकार्य देंगे
   (*b*) गणित के सभी पाठों की पुनरावृत्ति करेंगे
   (*c*) छात्रों को प्रश्न हल करने के लिए प्रोत्साहित करेंगे
   (*d*) छात्रों को कक्षा में ही हल करने पर बल देंगे तथा उनकी साप्ताहिक जाँच करेंगे
5. आप अंग्रेजी के शिक्षक हैं। आप अपने साथी की अनुपस्थिति में उनके पाठ्यक्रम

को पूरा करने के लिए क्या करेंगे ?

(*a*) अतिरिक्त कक्षाएँ लेकर उनके पाठ्यक्रम को पूरा करेंगे

(*b*) किसी बाहरी अध्यापक से पाठ्यक्रम पूरा करायेंगे

(*c*) छात्रों को स्वयं पढ़ने को कहेंगे

(*d*) आप भी अवकाश पर चले जाएँगे

6. आप किसी विद्यालय के शिक्षक हैं आपको तीन महीने से वेतन नहीं मिला तो–

(*a*) सरकार के समक्ष धरना देंगे

(*b*) ट्यूशन पढ़ाना शुरू करेंगे

(*c*) सरकार की नीति की तीखी आलोचना करेंगे

(*d*) सरकार से अनुरोध करेंगे कि हमारी समस्याओं पर शीघ्र विचार करें

7. आप शिक्षक के रूप में क्या करना पसंद करते हैं–

(*a*) अच्छी प्रकार से छात्रों को सूचना देना

(*b*) सभी छात्रों के साथ आत्मीय संबंध बनाना

(*c*) लेखन कार्य कराकर उसमें रचनात्मक वृद्धि करना

(*d*) अच्छी प्रकार छात्रों को प्रोत्साहित करना

8. आप एक प्रभावी अध्यापक के लिए आवश्यक नहीं मानते हैं–

(*a*) वह उत्तम वक्ता हो (*b*) केवल दण्ड देने वाला हो

(*c*) सृजनशील हो (*d*) वह विषय को रोचक बनाता हो

9. आपके अनुसार एक शिक्षक को छात्र के सामने किस रूप में होना चाहिए–

(*a*) आदर्श के रूप में (*b*) यथार्थ रूप में

(*c*) (*a*) एवं (*b*) दोनों रूपों में (*d*) क्रूर रूप में

10. आपके अनुसार प्रभावी संप्रेषण संभव हो सकता है–

(*a*) आपके उचित शब्द प्रयोग से (*a*) आपके विस्तृत ज्ञान से

(*c*) श्रोता के स्तर को जानकर (*d*) जोर से बोलकर

11. आप अध्यापन व्यवसाय में जाने के लिए सलाह लेना पसंद करेंगे

(*a*) एक कुशल शिक्षक से (*b*) अपने माता-पिता से

(*c*) अपने मित्र से (*d*) अपनी रूचि से

12. धार्मिक शिक्षा अनिवार्य है आप मानते हैं–

(*a*) स्त्रियों में धर्म का विकास करने के लिए

(*b*) बच्चों का संस्कार बनाने के लिए

(*c*) नैतिक मूल्यों के विकास के लिए

(*d*) धर्म को बढ़ावा देने के लिए

13. आप अध्यापिका के रूप में सही मानते हैं—
(*a*) अपने माता-पिता का निर्णय (*b*) स्वयं का निर्णय
(*c*) अपने मित्रों का निर्णय (*d*) अपने पति का निर्णय

14. नैतिक शिक्षा का उत्तरदायित्व होना चाहिए—
(*a*) समाज के ऊपर (*b*) अभिवावक के ऊपर
(*c*) स्कूल के ऊपर (*d*) धर्म गुरू के ऊपर

15. शिक्षा के क्षेत्र में आरक्षण लागू होने से—
(*a*) सामाजिक एकरूपता आती है
(*b*) शिक्षा में विसंगतियां आती हैं
(*c*) सामाजिक रूप से पिछड़े व्यक्ति को सहायता मिलती है
(*d*) इनमें से कोई नहीं

16. आपके अनुसार शिक्षा होनी चाहिए—
(*a*) बहुमुखी (*b*) अन्तर्मुखी
(*c*) सामाजिक (*d*) उपयोगी

17. शिक्षण को प्रभावशाली बनाने के लिए आप प्राथमिकता देंगे—
(*a*) वैज्ञानिक विधियों का प्रयोग
(*b*) दृश्य-श्रव्य साधनों का यथोचित प्रयोग
(*c*) नई व पुरानी दोनों पद्धतियों का प्रयोग
(*d*) इनमें से कोई नहीं

18. अगर कोई शिक्षा अधिकारी आपकी गलतियां सुधारने को कहे तो आप सोचेंगे कि—
(*a*) अधिकारी का व्यवहार अच्छा नहीं है
(*b*) गलती तो किसी से भी हो सकती है
(*c*) अधिकारी भी गलती करते हैं अतः उनकी आलोचना करेंगे
(*d*) गलती सुधारने वाले की प्रशंसा करेंगे

19. अध्यापन कार्य करने से व्यक्ति में समृद्धि होती है—
(*a*) चिन्तन तथा मनन करने की क्षमता (*b*) आर्थिक रूप से समृद्धि की
(*c*) व्यक्तित्व के विकास की (*d*) नेतृत्व करने की क्षमता का विकास

20. अध्यापन व्यवसाय अधिक पसंद करते हैं—
(*a*) सुशील एवं सभ्य व्यक्ति (*b*) कमजोर वर्ग के व्यक्ति
(*c*) जिसके माता-पिता शिक्षक हों (*d*) जिनकी इसमें काफी रूचि हो

21. एक शिक्षक को विश्वास करना चाहिए—
(*a*) कर्म में (*b*) अवसर में
(*c*) भाग्य में (*d*) छात्रों की क्षमता में

22. शिक्षण में हर व्यक्ति प्रवीण नहीं हो सकता है, आप मानते हैं कि—

(*a*) शिक्षण एक कला है (*b*) शिक्षण एक जटिल प्रक्रिया है

(*c*) शिक्षण अनुभव के द्वारा होता है (*d*) शिक्षण का क्षेत्र बहुत व्यापक है

23. शिक्षा के संबंध में आपका विचार है—

(*a*) शिक्षा को रोजगार से जोड़ देना चाहिए

(*b*) शिक्षा को पूरे देश से जोड़ देना चाहिए

(*c*) शिक्षा को पारदर्शी बनाना चाहिए

(*d*) शिक्षा सभी को मिलनी चाहिए

24. शिशु शिक्षा के संबंध में आप की राय है—

(*a*) स्त्रियाँ ही शिशुओं की अच्छी शिक्षक हो सकती हैं

(*b*) शिशु शिक्षा की जिम्मेदारी माँ के ऊपर होनी चाहिए

(*c*) शिशु शिक्षा छात्रावास में उत्तम होगी

(*d*) शिशु शिक्षा के लिए मनोवैज्ञानिक पद्धति उपयुक्त है

25. छात्रों के अच्छे शिक्षण के लिये आवश्यक है—

(*a*) पारिवारिक पृष्ठभूमि (*b*) छात्र का स्वच्छ आचरण

(*c*) अच्छे विद्यालय (*d*) चरित्रवान शिक्षक

26. आप देश की दिशा बदलने में किसकी भूमिका महत्त्वपूर्ण मानते हैं—

(*a*) ऊच्च विद्यालयों के शिक्षकों की

(*b*) शिक्षकों के रचनात्मक कार्यों की

(*c*) शिक्षक तो केवल छात्रों की दिशा बदल सकता है

(*d*) शिक्षक केवल पढ़ा सकता है

27. एक शिक्षक को सम्मान पाने के लिए चाहिए—

(*a*) प्रचुर मात्रा में धन-दौलत (*b*) प्रचुर मात्रा में विलासिता के साधन

(*c*) विद्या का आदान-प्रदान करना (*d*) उच्च विचार दृष्टि

28. शिक्षकों को किस क्षेत्र में अपना अधिक योगदान देना चाहिए—

(*a*) राजनीतिक क्षेत्र में (*b*) सामाजिक क्रियाकलाप में

(*c*) धार्मिक कार्यों में (*d*) सांस्कृतिक क्षेत्रों में

29. आज के शिक्षक ट्यूशन को ज्यादा पसंद करते हैं इस संबंध में आपका दृष्टिकोण है—

(*a*) ट्यूशन में ज्यादा पैसा मिलता है (*b*) शिक्षकों को वेतन कम मिलता है

(*c*) शिक्षकों का स्तर गिरता जा रहा है (*d*) शिक्षक दोहरा मापदण्ड अपनाते हैं

30. कुशल शिक्षक आपके अनुसार कौन हो सकता है ?

(*a*) जिसके परिवार के सदस्य भी प्रतिष्ठित अध्यापक हों

(*b*) जिसके परिवार के सभी सदस्य पढ़े-लिखे हों

(*c*) जिसका शैक्षिक रिकार्ड अति उत्तम हो

(*d*) जिसकी हार्दिक इच्छा अध्यापन कार्य में हो

31. एक कुशल शिक्षक का कार्य हमेशा प्रसंशनीय है यदि–

(*a*) वह छात्रों के अन्दर की प्रतिभा को जागृत कर दे

(*b*) उसको सही मार्ग पर ला दे

(*c*) छात्रों को देशभक्त बना दे

(*d*) छात्रों की मनःस्थिति को पहचान लें

32. एक शिक्षक के रूप में आप किस भावना को बढ़ाने में मदद करेंगे ?

(*a*) भेदभाव की भावना को

(*b*) जाति-धर्म के नाम पर कोई भेद-भाव नहीं हो

(*c*) एक-दूसरे की मदद करने की भावना को

(*d*) ईर्ष्या की भावना को

33. शिक्षा के माध्यम से कल्याण होता है–

(*a*) समाज के सभी वर्गों का (*b*) छात्र व छात्राओं का

(*c*) मनुष्य के व्यक्तित्व का (*d*) आदर्श परिवार का

34. एक अध्यापक के विषय में आपका विचार है–

(*a*) पढ़ाने के लिए अपनी किताब खुद लानी चाहिए

(*b*) उसे किसी बच्चे से किताब ले लेनी चाहिए

(*c*) उसे बिना किसी किताब के ही पढ़ाना चाहिए

(*d*) उसे किताब के अलावा सहायक सामग्री के साथ पढ़ाना चाहिए

35. शिक्षण कार्य में आदर्श और नैतिकता से आप क्या समझते हैं ?

(*a*) अच्छी शिक्षण व्यवस्था

(*b*) शिक्षा को आदर्श और नैतिकता से जोड़ना

(*c*) शिक्षक का शिक्षण कार्य में नैतिकता का समावेश

(*d*) शिक्षक और छात्रों में आदर्श और नैतिकता का बोधगम्य

36. आपके अनुसार कौन-सा कक्षा शिक्षण अच्छा होता है–

(*a*) जिसमें छात्र हमेशा प्रश्न पूछे

(*b*) जिसमें छात्र केवल व्याख्यान सुनकर उन्हें चुपचाप नोट करते हैं

(*c*) जिसमें छात्रों एवं शिक्षक के बीच पूर्ण सहभागिता हो

(*d*) जिसमें शिक्षक सहायक सामग्री के माध्यम से पढ़ाता है

37. अध्यापन कार्य से आपको–

(*a*) अधिक धन की प्राप्ति होती है

(*b*) समाज में प्रतिष्ठा एवं सम्मान मिलता है

(*c*) अधिक खुशी मिलती है

(*d*) शिक्षक के गुणों का विकास होता है

38. अध्यापन व्यवसाय सही अर्थों में होता है—

(*a*) अधिक आरामदायक (*b*) चुनौतीपूर्ण

(*c*) अधिक पैसे वाला (*d*) उबाऊपन

39. आपके अनुसार प्राथमिक स्तर पर किस प्रकार सहशिक्षा लाभप्रद है—

(*a*) बच्चों में समानता का विकास होता है

(*b*) बच्चों को एक साथ पढ़ने में रूचि होती है

(*c*) बच्चों का सर्वांगीण विकास होता है

(*d*) बच्चों का विचार उत्तम हो जाता है

40. शिक्षकों के अधिकारों की रक्षा के संबंध में आपके विचार में—

(*a*) शिक्षकों का यूनियन होना चाहिए

(*b*) शिक्षक अधिकार एक्ट होना चाहिए

(*c*) शिक्षक के अधिकारों की रक्षा समाज की जिम्मेदारी है

(*d*) शिक्षकों के अधिकारों का सम्मान हमेशा से होता रहा है

41. आप स्कूल के शिक्षक हैं, अपने वेतनमान में बढ़ोत्तरी के लिए—

(*a*) हड़ताल करेंगे

(*b*) विद्यालय जायेंगे परन्तु अध्यापन कार्य नहीं करेंगे

(*c*) विद्यार्थियों को ट्यूशन पढ़ायेंगे और अधिक फीस लेंगे

(*d*) सरकार को अपनी समस्याओं से अवगत करायेंगे

42. आपके अनुसार शिक्षण की योजना पद्धति होनी चाहिए—

(*a*) पाठ्य पुस्तक केन्द्रित (*b*) शिक्षक केन्द्रित

(*c*) बालक केन्द्रित (*d*) प्रोजेक्ट केन्द्रित

43. आप किस स्तर की शिक्षा अति महत्त्वपूर्ण मानत हैं—

(*a*) प्राथमिक शिक्षा (*b*) उच्च स्तर की शिक्षा

(*c*) माध्यमिक स्तर की शिक्षा (*d*) उपर्युक्त सभी

44. शिक्षण समस्याओं को हल करने की जिम्मेदारी आपके अनुसार किसकी होनी चाहिए ?

(*a*) प्रधानाध्यापक की (*b*) अभिभावकों की

(*c*) शिक्षकों की (*d*) किसी की भी नहीं

45. आप शिक्षक हैं आपका महत्त्वपूर्ण कार्य—

(*a*) बच्चों की प्रतिभा का सर्वोन्मुख विकास करना

(*b*) छात्रों को परीक्षा पास करने योग्य बनाना

(*c*) छात्रो को पढ़ने के लिए प्रेरित करना

(*d*) छात्रों को मन से पढ़ने के लिए कहना

उत्तरमाला

1	2	3	4	5	6	7	8	9	10
(*b*)	(*a*)	(*a*)	(*d*)	(*a*)	(*d*)	(*b*)	(*b*)	(*c*)	(*c*)
11	**12**	**13**	**14**	**15**	**16**	**17**	**18**	**19**	**20**
(*d*)	(*c*)	(*b*)	(*c*)	(*c*)	(*d*)	(*b*)	(*d*)	(*c*)	(*d*)
21	**22**	**23**	**24**	**25**	**26**	**27**	**28**	**29**	**30**
(*d*)	(*d*)	(*d*)	(*b*)	(*b*)	(*b*)	(*c*)	(*b*)	(*d*)	(*d*)
31	**32**	**33**	**34**	**35**	**36**	**37**	**38**	**39**	**40**
(*a*)	(*b*)	(*a*)	(*d*)	(*d*)	(*c*)	(*c*)	(*b*)	(*a*)	(*c*)
41	**42**	**43**	**44**	**45**					
(*d*)	(*c*)	(*a*)	(*c*)	(*a*)					

कुछ चुने हुए प्रश्नों के व्याख्यात्मक उत्तर

1. शिक्षण का मुख्य उद्देश्य बच्चों का रार्वांगीण विकास करना है इसलिए शिक्षक बनने के लिए अपने शिक्षण कार्य में गुणवत्ता को बनाए रखने की कोशिश करनी चाहिए।

4. कक्षा में सभी क्रियाकलाप बाल केन्द्रित होना चाहिए जिसमें बच्चें स्वयं कुछ, कर सीख सकते हैं अतः शिक्षक को मात्र सिखाने के लिए उचित माहौल बनाना आवश्यक है।

7. दिये गये सभी विकल्प शिक्षक के लिए आवश्यक हैं। परन्तु यह तभी सम्भव है जब शिक्षक छात्र के साथ आत्मीय संबंध बनायेंगे और बच्चे उनके द्वारा सभी क्रियाकलापों में रुचि लेंगे।

17. प्रारम्भिक अवस्था में बच्चे स्वयं देखकर व सुनकर कुछ सीखते हैं। अतः दृश्य-श्रव्य साधनों का यथोचित प्रयोग करके ही बच्चों को उचित ज्ञान दिया जा सकता है।

24. शिशु जन्म के बाद ही अपने आस-पड़ोस के वातावरण को देखकर व सुनकर कुछ सीखने लगता है। बच्चे के सम्पर्क में रहने वाले व्यक्ति के क्रियाकलाप को देख-सुन कर बच्चा ज्ञान अर्जन करने लगता है। बच्चे के सम्पर्क में उसकी माँ हमेशा रहती है अतः शिशु की प्राथमिक शिक्षा की जिम्मेवारी उसकी माँ के उपर होनी चाहिए।

28. शिक्षक को सामाजिक क्रियाकलाप पर अपना ध्यान देना चाहिए क्योंकि सामाजिक विकास के फलस्वरूप समस्त क्रियाकलाप राजनीतिक, धार्मिक और सांस्कृतिक

कार्यकलाप भी प्रभावित होता है।

31. प्रारम्भिक अवस्था में सभी बच्चों में प्रतिभा विद्यमान होती है। बच्चों को उचित वातावरण में रखने से तथा उसकी प्रतिभा को जागृत कर देने मात्र से ही वे सभी शैक्षणिक क्रियाकलाप में भाग लेने लगता है। इस तरह बच्चों का सर्वांगीण विकास होने लगता है।

36. कक्षा में जब तक शिक्षक-छात्र में घनिष्ठता स्थापित नहीं होगी तब तक छात्र शिक्षण में रूचि नहीं लेंगे। अतः छात्रों एवं शिक्षक के बीच पूर्ण सहभागिता होनी आवश्यक है।

समाज के प्रति अभिवृत्ति

1. आपके मित्र को ऊँची-ऊँची शैक्षिक डिग्रियाँ मिली हैं। फिर भी अभी तक उसे नौकरी नहीं मिल सकी है तो आप–

(*a*) उसके लिए अच्छी नौकरी की तलाश करेंगे

(*b*) उसे समझायेंगे कि आपमें कहीं न कहीं कुछ कमी है, जिसमें सुधार वांक्षनीय है

(*c*) सरकार की गलत नीतियों का परिणाम है कि अच्छी-अच्छी शैक्षिक डिग्रियाँ मिलने के बावजूद अधिकांश लोग बेरोजगार हैं

(*d*) उन्हें समझायेंगे कि हिम्मत न हारें और प्रतियोगिता परीक्षाओं में शामिल होते रहें। अन्ततः सफलता अवश्य मिलेगी

2. आपका अखबार वाला सुबह देर से आता है इस प्रकार आप अखबार पढ़े बिना काम पर चले जाते हैं तो आप–

(*a*) उसे डाँट कर सुबह जल्दी आने को कहेंगे

(*b*) अगले दिन से उससे अखबार लेना बंद कर देंगे

(*c*) उसे समय पर पैसा नहीं देंगे

(*d*) उसे अपनी समस्या से अवगत कराकर सुबह जल्दी अखबार देने के लिए आग्रह करेंगे

3. आप चाहते हैं कि समाज में आपको इज्जत-प्रतिष्ठा मिले तो आप क्या करना उपयुक्त समझते हैं–

(*a*) सभी व्यक्तियों से मेल-मिलाप स्थापित करेंगे

(*b*) सभी सम्मानित व्यक्तियों से मिलते-जुलते रहेंगे

(*c*) असामाजिक व्यक्तियों से संबंध सुदृढ़ करेंगे ताकि सभी लोग आप को सम्मान व प्रतिष्ठा दें

(*d*) अपने व्यक्तिगत स्वार्थों को त्यागकर, जनहित में कार्य करेंगे

4. समाज में आप पसंद करते हैं—

(a) संकुचित और आत्मकेन्द्रित व्यक्ति को

(b) विवेकशील और सत्यनिष्ठ व्यक्ति को

(c) मिलनसार और खुशमिजाज व्यक्ति को

(d) इनमें से कोई नहीं

5. असामाजिक लोगों के साथ आपका व्यवहार होता है—

(a) मिलनसार के रूप में *(b)* सुधारक के रूप में

(c) आलोचक के रूप में *(d)* सामान्य रूप में

6. दुःख हो या सुख लोगों को रहना चाहिए, आपका मत है—

(a) दुःख में दुःखी *(b)* खुशी में खुशी

(c) दोनों ही स्थिति में एकसमान *(d)* सदैव हँसते रहना चाहिए

7. लड़कियों को उतनी ही शिक्षा देनी चाहिए जितनी कि वे—

(a) कुशल गृहिणी का दायित्व निभा सकें

(b) एक सफल सहायक शिक्षक बन सकें

(c) बच्चों को प्रारम्भिक शिक्षा दे सकें

(d) आत्मनिर्भर बन सकें

8. आपके अनुसार राष्ट्रीय एकता बनाने के लिए शिक्षा को कैसा होना चाहिए ?

(a) धर्म से जोड़ना चाहिए

(b) जाति से जोड़ना चाहिए

(c) देश की सभ्यता एवं संस्कृति से जोड़ना चाहिए

(d) आदर्शवाद से जोड़ना चाहिए

9. ग्रामीण पाठशाला में आप शिक्षक बनेंगे तो आप—

(a) ग्रामीण क्षेत्रों के बच्चों के विकास पर उचित ध्यान देंगे

(b) ग्रामीणों के बच्चों के साथ अधिक मेहनत करेंगे

(c) ग्रामीण बच्चों को तेज बनाने का प्रयत्न करेंगे

(d) ग्रामीणों के बच्चों को पढ़ना-लिखना सीखलायेंगे

10. आपके विचार से स्त्रियों को शिक्षक होना चाहिए—

(a) सदैव शहरों में *(b)* ग्रामीण क्षेत्रों में

(c) अपने घर में *(d)* उपयुक्त सभी

11. शिशु की प्रथम पाठशाला होती है—

(a) उसका घर *(b)* उसकी माँ

(c) उसका विद्यालय *(d)* उसके सम्बन्धी

12. आपके विचार से जन्मजात योग्यताओं और गुणों का महत्त्व अर्जित योग्यताओं और गुणों की तुलना में होता है—

(*a*) जन्मजात योग्यताएँ और गुण, अर्जित योग्यताओं और गुणों की तुलना में कम हैं

(*b*) जन्मजात योग्यताएँ और गुण, अर्जित योग्यताओं और गुणों की तुलना में बहुत अधिक हैं

(*c*) दोनों योग्यताएँ एवं गुणों में काफी फर्क है

(*d*) दोनों योग्यताएँ एवं गुणों में काफी समानता है

13. अच्छे पारिवारिक परिवेश वाले बच्चे ही आगे बढ़ पाते हैं इस संदर्भ में आपका मत है कि—

(*a*) इनके बच्चों में सभी सुख-सुविधाएं मौजूद रहती हैं

(*b*) इनके बच्चों के ऊपर कोई बोझ नहीं रहता

(*c*) इनके बच्चे अच्छे लोगों के सम्पर्क में रहते हैं

(*d*) अच्छे पारिवारिक परिवेश में क्लेश नहीं मिलता

14. परिश्रमी व्यक्ति ही आगे बढ़ सकता है, आपकी क्या राय है ?

(*a*) परिश्रमी व्यक्ति अक्सर असफल नहीं होते हैं

(*b*) परिश्रम करने का अब समय आ गया है

(*c*) यह कथन सौ फीसदी प्रासंगिक है

(*d*) परिश्रमी व्यक्ति ही सफल होते हैं

15. किसी कार्य योजना को बनाते समय बहुत सी बातों को "तब की तब सोची जायेगी," उक्ति पर छोड़ा जाता है इस पर आप क्या सोचते हैं ?

(*a*) एक निराशावादी विचार (*b*) एक आशावादी विचार

(*c*) एक श्रेष्ठत्तम विचार (*d*) एक मूर्खतापूर्ण विचार

16. 'सादा जीवन उच्च विचार' के संबंध में आपका क्या विचार होना चाहिए ?

(*a*) सफलता का मूलमंत्र कथन में निहित है

(*b*) एक आदर्शवादी कथन जो सभी सजग व्यक्तियों के लिए आवश्यक है

(*c*) एक सिद्धान्त जो केवल शिक्षकों के लिए आवश्यक है

(*d*) इनमें से कोई नहीं

17. अध्यापिका और अध्यापक के बारे में आपका विचार है—

(*a*) दोनों समाज की रीढ़ हैं (*b*) दोनों देश की रीढ़ हैं

(*c*) दोनों विद्यालय की रीढ़ हैं (*d*) समस्त मानव जाति की रीढ़ हैं

18. शिक्षण में रूचि लेते हैं आपका मत है—

(*a*) गरीब तथा सामाजिक रूप से पिछड़े व्यक्ति

(b) ईमानदार व्यक्ति

(c) समाज के सभी व्यक्ति

(d) केवल उच्च समाज के लोग

19. व्यक्ति का सम्मान होता है, आपका विचार है–

(a) उसकी योग्यता से
(b) उसके आदर्शवादी सिद्धान्त से
(c) उसके व्यवहार से
(d) उसकी धन-दौलत से

20. अध्यापिका को वस्त्र पहनना चाहिए, आप का इस संबंध में विचार है–

(a) अपनी इच्छा के अनुसार

(b) आधुनिक जमाने के अनुसार

(c) भड़कीले वस्त्र पहनने चाहिएं

(d) समाज के अनुकूल वस्त्र पहनने चाहिएं

21. प्राथमिक कक्षा में लड़कों और लड़कियों के विद्यालय होने चाहिएं, आपका विचार है कि–

(a) अलग-अलग विद्यालय

(b) एक ही विद्यालय होना चाहिए

(c) विद्यालय जहाँ शिक्षक एवं शिक्षिका दोनों हों

(d) इनमें से कोई नहीं

22. किसी कार्य को करने से पहले उसकी योजना बनाने के संबंध में, आपका विचार है–

(a) समय का अपव्यय है
(b) समय का सदुपयोग है
(c) एक व्यक्तिगत विचार है
(d) कार्य की सफलता का द्योतक है

23. छात्रों में असामाजिक गुण विकसित होते हैं, आपका विचार है–

(a) विद्यालय के परिसर में

(b) घर की चारदीवारी के अंदर

(c) बुरी संगत में

(d) शिक्षकों तथा अभिभावकों के दण्डात्मक उपचार से

24. जटिल समस्याएं आपको प्रेरित करती हैं–

(a) अधिक कार्य करने के लिए
(b) आत्मविश्वास पैदा करने के लिए
(c) कम कार्य करने के लिए
(d) निराश करने के लिए

25. आप शिक्षकों को पसंद करते हैं–

(a) उसकी मधुर वाणी से
(b) उसकी समयबद्धता से
(c) उसके अध्यापन कार्य से
(d) उपर्युक्त सभी

26. प्रधानाचार्य को प्रसन्न किया जा सकता है इस संदर्भ में आपका मत है—

(*a*) उनका व्यक्तिगत कार्य करके

(*b*) उनकी प्रशंसा करके

(*c*) उनके उत्तम विचारों को व्यवहार में लाकर

(*d*) उनके उपदेशों को सुनकर

27. विद्यालय में अनुशासनहीनता उत्पन्न होने के कारण आप मानते हैं कि—

(*a*) गरीबी व बेरोजगारी

(*b*) अध्यापकों में जिम्मेदारी का अभाव

(*c*) शिक्षा पदाधिकारियों का आये दिन तबादला

(*d*) शिक्षा-प्रणाली में विषमंता

28. कमजोर वर्ग के छात्रों को समान स्तर पर लाने के लिए शिक्षा के क्षेत्र में आप क्या करेंगे ?

(*a*) शिक्षा प्रणाली में सुधार

(*b*) आरक्षण की व्यवस्था

(*c*) कमजोर वर्ग के छात्रों को अधिक सहायता देकर

(*d*) इनमें से कोई नहीं

29. राष्ट्रीय चरित्र में गिरावट का मुख्य कारण आप मानते हैं—

(*a*) टी.वी. का शिक्षण क्षेत्र में बहुतायत से उपयोग

(*b*) अध्यापकों की कार्यकुशलता में कमी

(*c*) शिक्षा में भ्रष्टाचार

(*d*) नैतिक मूल्यों का अभाव

30. आप धनवान व्यक्ति हैं तो गरीबों के प्रति आपका व्यवहार अपेक्षित है—

(*a*) गरीबों का भी सम्मान करेंगे

(*b*) गरीबों को यथासम्भव मदद करेंगे

(*c*) गरीब बच्चों को कक्षा में आगे बैठायेंगे

(*d*) गरीबों को आगे बढ़ने के लिए प्रेरित करेंगे

31. छोटी उम्र के बच्चों को अधिक योग्य बनाने के लिए आपको किस तरह का व्यवहार करना चाहिए ?

(*a*) उन्हें कड़ी मेहनत के लिए कहना चाहिए

(*b*) उन्हें अधिक लाड़-प्यार करना चाहिए

(*c*) उन्हें दूसरों की नकल करने से बचाना चाहिए

(*d*) उन्हें अच्छे वातावरण में रखना चाहिए

32. सामाजिक परिवर्तन हेतु शिक्षकों को सहयोग प्राप्त करना चाहिए आपका विचार है–

(*a*) राजनैतिक लोगों से
(*a*) समाज सुधारक लोगों से
(*a*) समाज के उच्च वर्ग के लोगों से
(*d*) छात्र-छात्राओं से

33. किसी व्यक्ति का चरित्र सबसे ज्यादा प्रभावित होता है, आप क्या मानते हैं ?

(*a*) पारिवारिक परिवेश से
(*b*) विद्यालय परिवेश से
(*c*) मित्रों के साथ रहने से
(*d*) छात्रावास के परिवेश से

34. समाज में छात्रों की भागीदारी किस प्रकार की वांक्षनीय है, आपका विचार है–

(*a*) परस्पर सहयोग की आकांक्षा
(*b*) क्रियाशीलात्मक सहयोग की अपेक्षा
(*c*) रचनात्मक सहयोग की भावना
(*d*) अनुदेशात्मक सहयोग की भावना

35. जीवन मूल्यों में गिरावट हो रही है, इसका कारण आप मानते हैं कि–

(*a*) एक-दूसरे के प्रति आस्था नहीं है
(*b*) शारीरिक श्रम के प्रति आस्था नहीं है
(*c*) सहयोग की भावना नहीं है
(*d*) सभी स्वार्थ के लिए जीते हैं

36. समाज में सम्मान पाने के लिए आप क्या उचित सोचते हैं ?

(*a*) जीवन स्तर ऊँचा होना चाहिए
(*b*) शिक्षित होना चाहिए
(*c*) अच्छे-बुरे सबका सम्मान करना चाहिए
(*d*) एक स्कूल खोलना चाहिए

37. एक शहरी अध्यापक ग्रामीण क्षेत्र में पढ़ाने के लिए गया है लेकिन ग्रामीण के बच्चे डरते हैं, आप उनको पढ़ाने के लिए कौन-सा आवश्यक कार्य करेंगे ?

(*a*) ग्रामवासियों के साथ उनकी दुखानुभूति एवं सुखानुभूति में भाग लेकर उनका विश्वास जीतने की कोशिश करेंगे
(*b*) ग्रामीण बच्चों को रोज मिठाई देकर पढ़ने के लिए तैयार करेंगे
(*c*) ग्रामवासियों की वेष-भूषा में रहकर उनकी समस्याओं का निराकरण करने की कोशिश करेंगे
(*d*) सबसे पहले पढ़ाई के महत्त्व को बतायेंगे

38. आपको समय की पाबंदी वाले कार्य सौंपे गये हैं, तो आप सोचते हैं–

(*a*) इससे तनाव अनुभव होता है
(*b*) इसे क़रने में हमेशा गलत होने की संभावना बनी रहती है
(*c*) किसी प्रकार की दिक्कत का अनुभव नहीं होता
(*d*) काम करने की जिम्मेदारी बढ़ जाती है

39. आपके विचार से अध्यापक का स्थान समाज में सम्मानीय होता है, क्योंकि–

(*a*) वे राष्ट्र के भाग्य के निर्माता होते हैं

(*b*) वे विनम्रता और ज्ञान के प्रतीक होते हैं

(*c*) वे राजनीतिज्ञों और बड़े आदमियों के गुरु होते हैं

(*d*) बिना उनकी कृपा से कोई डॉक्टर या इंजीनियर नहीं बन सकता

40. आप उन लोगों के साथ रहना अधिक पसंद करते हैं, जो—

(*a*) शांत और मननशील हों (*b*) सुन्दर और तेज हों

(*c*) मधुर और स्पष्ट बोलते हों (*d*) आपकी तारीफ करते हों

41. अपने बच्चों का व्यवसाय चुनने के लिए आप निम्न में से किस विचार से सहमत होंगे—

(*a*) बच्चों को उनकी रूचि व क्षमता के अनुसार व्यवसाय चुनने की स्वतंत्रता है

(*b*) क्योंकि बच्चा तो बच्चा है उसके पास बड़ों जैसा अनुभव कहाँ है

(*c*) बच्चों को व्यवसाय चुनने के लिए अभिभावकों के साथ विचार-विमर्श करना चाहिए

(*d*) उपर्युक्त सभी

42. न्यायालय ने कक्षा में बच्चों को शारीरिक दंड देने पर रोक लगा दी है, आप सोचते हैं—

(*a*) न्यायालय का फैसला उपयुक्त है

(*b*) न्यायालय ने शारीरिक दंड पर रोक लगाकर बच्चों को बिगाड़ने का काम किया है

(*c*) इससे अनुशासनहीनता की समस्या उत्पन्न होगी

(*d*) इसमें विरोधाभास है

43. आपको बाजार में आपके विद्यालय के कुछ छात्र मिल जाते हैं तो आप—

(*a*) अपना समान खरीदते समय झेंपेंगे

(*b*) छात्रों से हाल-चाल पूछकर जाने के लिए कहेंगे

(*c*) छात्रों से अपना समान खरीदने के लिए कहेंगे

(*d*) छात्रों से बात नहीं करेंगे

44. आजकल समाज में शिक्षक को पहले जैसी प्रतिष्ठा प्राप्त नहीं है। उस प्रतिष्ठा को पुनः प्राप्त करने के लिए आपका विचार अपेक्षित है—

(*a*) शिक्षक ट्यूशन के पेशे को छोड़ें

(*b*) शिक्षक अपने आचरण में सुधार लाएं

(*c*) शिक्षक अपने कर्त्तव्य का निष्ठापूर्वक पालन करें

(*d*) उपरोक्त सभी

45. आज शिक्षित लोगों के बीच अधिक बेरोजगारी की समस्या व्याप्त है। इसको दूर

करने के लिए आपका सुझाव है–

(*a*) शिक्षा को रोजगार से जोड़ दिया जाए

(*b*) शिक्षा को और अधिक बढ़ाया जाए

(*c*) रोजगार प्राप्त लोगों की अवकाश प्राप्ति की उम्र घटा कर

(*d*) शिक्षित लोग शिक्षण व्यवसाय को अपनाएं

46. समाज में शिक्षा को बढ़ावा देने से प्रभाव होगा आपका विचार है–

(*a*) जीवन के व्यवहारिक पक्ष मजबूत होंगे

(*b*) लोगों के पुराने विचार बदलेंगे

(*c*) रोजगार की प्राप्ति होगी

(*d*) जीवन स्तर ऊँचा होगा

47. आपके विचार से उपयुक्त है–

(*a*) स्कूल को सामुदाय के जीवन के अनुरूप अपने को ढाल लेना चाहिए

(*b*) स्कूल को समुदाय पर निर्भर होना चाहिए

(*c*) स्कूल को बच्चों की सामुदायिक पृष्ठभूमि को ध्यान में नहीं रखना चाहिए

(*d*) इनमें से कोई नहीं

48. आप समाज में अपनी स्थिति कैसे सुरक्षित रखना चाहते हैं ?

(*a*) किसी राजनैतिक दल का सदस्य बनकर

(*b*) राजनैतिक दल से दूर रहकर

(*c*) अपने पद की गरिमा के अनुसार आचरण करके

(*d*) किसी सामाजिक संस्था में काम करके

49. शिक्षक ही समाज को उन्नति के मार्ग पर ले जा सकता है, आपका विचार है–

(*a*) अपनी बात कम और समाज की बात अधिक सोचता है

(*b*) समाज के भावी नागरिक को सही मार्ग दिखाता है

(*c*) समाज के प्रति समर्पित होता है

(*d*) शिक्षक एक सामाजिक प्राणी है

50. यदि शिक्षक कहे कि मैं जो करता हूँ उसकी ओर ध्यान मत दो, मैं जो कहता हूँ उस पर आचरण करो तो समाज पर इसका क्या प्रभाव पड़ेगा ?

(*a*) शिक्षक पर संदेह होगा　　(*b*) वह शिक्षक कहलाने के लायक है

(*c*) समाज दिशाहीन हो जायेगा　　(*d*) समाज शिक्षक का अनुसरण करेगा

51. हमारे देश में प्रदूषण की समस्या खतरनाक रूप से बढ़ती जा रही है तो इसे रोकने के लिए आप चाहेंगे कि–

(*a*) सभी प्रदूषण फैलाने वाली फैक्ट्रियों को तत्काल बन्द कर दिया जाए

(*b*) उन सभी फैक्ट्रियों को बन्द कर दिया जाए जो प्रदूषण फैला रही हैं

(c) जन-जीवन को अधिक प्रभावित करने वाले फैक्ट्रियों को अवश्य बन्द कर दिया जाए

(d) सभी नागरिकों का कर्त्तव्य है कि वे प्रदूषण को बढ़ने से रोकें

52. आप उच्च वर्ग के एक सम्मानित नेता हैं आपसे कोई निम्न वर्ग के नेता मिलने आते हैं तो आप उनके साथ किस प्रकार का व्यवहार करना चाहेंगे—

(a) जो एक नेता दूसरे नेता का सम्मान करता है

(b) उसका सम्मान करने से हिचकिचायेंगे

(c) उससे थोड़ी देर बात-चीत करेंगे

(d) चाय पिलाकर विदा कर देंगे

53. अपना काम जल्दी व अच्छा करने के लिए आप—

(a) अपना काम मेहनत व ईमानदारीपूर्वक करेंगे

(b) अपने संबंधित व्यक्ति को रिश्वत देंगे

(c) किसी से सिफारिश करवायेंगे

(d) दूसरे की सहायता लेंगे

54. अगर कोई आपका प्रिय खिलाड़ी मैच-फिक्सिंग में दोषी पाया जाता है तो आप—

(a) उसके खेलने पर प्रतिबंध लगवाना चाहेंगे

(b) उसको बचाने के लिए बड़े-बड़े अधिकारियों से मिलेंगे

(c) खेल के नियम में सख्त दण्ड का प्रावधान करवाना चाहेंगे

(d) पाँच वर्ष के लिए उसके खेलने पर प्रतिबंध लगवाना चाहेंगे

55. आपकी दो पुत्रियाँ हैं, लेकिन आपको पुत्र प्राप्ति की चाह होती है तो आप—

(a) अपनी चाह को शीघ्र पूरा करना चाहेंगे

(b) अपने सिद्धान्त पर अडिग रहेंगे कि दो से अधिक कोई बच्चा न हो

(c) परिवार-नियोजन कार्यक्रम का लाभ उठाना चाहेंगे

(d) सोच-सोच कर परेशान रहेंगे

56. आपके सामाज में अनेकों कुरीतियाँ आज भी व्याप्त हैं, इसलिए आप हमेशा समाज सुधार की बात करते हैं। यदि आपको हरिजन व्यक्तियों द्वारा भोजन पर निमंत्रण मिलता है तो आप—

(a) स्वीकार करेंगे परन्तु भोजन नहीं करेंगे

(b) भोजन करने से पहले विचार-विमर्श करेंगे

(c) केवल एक गिलास शर्बत पी लेंगे

(d) भोजन प्रेम-पूर्वक ग्रहण करेंगे

उत्तरमाला

1	2	3	4	5	6	7	8	9	10
(b)	(d)	(d)	(b)	(b)	(c)	(d)	(c)	(a)	(d)

11	12	13	14	15	16	17	18	19	20
(a)	(c)	(c)	(c)	(d)	(a)	(d)	(c)	(c)	(d)
21	**22**	**23**	**24**	**25**	**26**	**27**	**28**	**29**	**30**
(c)	(d)	(c)	(b)	(d)	(c)	(b)	(c)	(d)	(b)
31	**32**	**33**	**34**	**35**	**36**	**37**	**38**	**39**	**40**
(d)	(b)	(a)	(a)	(a)	(b)	(a)	(d)	(b)	(a)
41	**42**	**43**	**44**	**45**	**46**	**47**	**48**	**49**	**50**
(a)	(a)	(b)	(d)	(a)	(b)	(a)	(c)	(b)	(c)
51	**52**	**53**	**54**	**55**	**56**				
(c)	(a)	(a)	(c)	(b)	(d)				

कुछ चुने हुए प्रश्नों के व्याख्यात्मक उत्तर

1. आपके मित्र को ऊँची-ऊँची शैक्षिक डिग्रियाँ मिलने के बावजूद नौकरी का न मिलना प्रदर्शित करता है कि आपके मित्र में अभी भी कुछ कमी विद्यमान है। अतः आप उन्हें समझायें कि अपनी कमी का पता लगाये तथा अपने अन्दर अपेक्षित सुधार लाए।

2. प्रत्येक व्यक्ति की सर्वोपरि इच्छा होती है कि उसे समाज में मान-सम्मान मिले, इसके लिए आवश्यक है कि वह अपने व्यक्तिगत स्वार्थ का त्याग करें तथा जनहित में कार्य करें। सभी सम्मानित व्यक्तियों या असामाज़िक व्यक्तियों से सम्पर्क बनाने से किसी को मान-सम्मान नहीं मिलता है।

8. राष्ट्रीय एकता को सुदृढ़ करने के लिए शिक्षा को किसी धर्म या जाति से न जोड़कर देश की सभ्यता एवं संस्कृति से जोड़ने का प्रयास करना आवश्यक है। इस तरह से, धर्म व जातिवाद की समस्या समाप्त होगी तथा राष्ट्रीय एकता मज़बूत होगी।

15. किसी कार्य योजना का निर्माण करते वक्त बहुत सी बातों को तब की तब सोची जाएगी, यह एक अविवेकपूर्ण विचार है। अतः किसी कार्य को ठीक व सुच.रू रूप से करने से पहले उसके सभी गुण-दोषों का विश्लेषण करना अति आवश्यक है।

19. किसी व्यक्ति का आदर व सम्मान सदा उसके व्यवहार से होता है। अगर कोई योग्य व्यक्ति है, कोई आदर्श व्यक्ति है या कोई धनवान व्यक्ति है, परन्तु उनका व्यवहार सामाजिक परिप्रेक्ष्य में अनुकूल व वांछित नहीं है तो वे उचित मान-सम्मान प्राप्त नहीं करते हैं।

22. किसी कार्य की योजना बनाना, उस कार्य की सफलता का द्योतक है। योजना बनाने से समय का अपव्यय तो होता है परन्तु यह कार्य की सफलता के लिए आवश्यक कारक है। अतः विकल्प स्वरूप *(d)* ही उपयुक्त है।

25. वह शिक्षक अत्यधिक पसंद किये जाते हैं जिनकी वाणी मधुर हो, जो समय का पाबंद हो तथा जो अच्छी तरह अध्यापन कार्य करे। अतः विकल्प *(d)* उपयुक्त है।

37. ग्रामीण मूल के बच्चों को शहरी अध्यापक से डरना बिल्कुल स्वभाविक है। इस स्थिति में शिक्षक को उनके दुःख और सुख में भाग लेकर उनका विश्वास जीतने की पूरी कोशिश करनी चाहिए, इससे बच्चों में शिक्षक के प्रति सम्मान उत्पन्न होगा। इस प्रकार वे अच्छी तरह पढ़ाई कर सकेंगे।

45. आज शिक्षित लोगों में बेरोजगारी की समस्या अधिक व्याप्त है। इसे दूर करने के लिए वर्तमान शिक्षा को रोजगार से जोड़ दिया जाना आवश्यक है। इससे किसी व्यक्ति को नौकरी न मिलने की स्थिति में वह स्वयं अपना रोजगार करने में कामयाब हो सकता है।

50. शिक्षक राष्ट्र का भविष्य निर्माता माना जाता है। यदि उसके कहने और करने में अन्तर है तो निश्चित ही वह समाज दिशाहीन हो जायेगा।

55. पुत्र हो या पुत्री, दोनों के प्रति एक भाव रखना, पिता का कर्त्तव्य है। पुत्र की आकांक्षा रखना एक पिता की सहज भावना है, परन्तु यदि आप दो से अधिक बच्चे न हों के सिद्धान्त को मानते हैं, तो ऐसी स्थिति में आपका सिद्धान्त अधिक महत्त्वपूर्ण है, बनिस्बत पुत्र प्राप्ति की चाहत।

वांछित और अवांछित व्यवहार के प्रति अभिवृत्ति

1. यदि कोई छात्र परिश्रम करने से जी चुराता है तो आप–

(a) परिश्रम से व्यक्ति महान् बनता है, उसे बतायेंगे

(b) परिश्रम करने के लिए उसे प्रेरित करेंगे

(c) छात्र को दण्ड़ित करेंगे

(d) उसके माता-पिता से उसकी शिकायत करेंगे

2. यदि कोई छात्र ईमानदारीपूर्वक कार्य नहीं करे तो आप–

(a) ईमानदार छात्रों को पुरस्कृत करके उसे शर्मिन्दा करेंगे

(b) सख्त दण्ड देकर उसे ईमानदारीपूर्वक कार्य करने के लिए बाध्य करेंगे

(c) ईमानदारी सर्वोत्तम नीति है, उसे बतलायेंगे

(d) छात्र के अभिभावक को सूचित करेंगे

3. आप ट्रेन या बस में यात्रा कर रहे हैं, एक बालक बार-बार खिड़की खोलता व बन्द करता है तो आप–

(a) आप बालक को डाँट कर बैठा देंगे

(*b*) उसकी माँ को उसे बैठाने को कहेंगे

(*c*) उसे समझाने की कोशिश करेंगे कि ऐसा करने से उसे चोट लग सकती है

(*d*) तुरंत अपने पास बैठा लेंगे

4. आप ट्रेन या बस में यात्रियों से व्यवहार करते हैं–

(*a*) वृद्ध महिलाओं और वृद्ध पुरुषों को अपना स्थान बैठने के लिए देते हैं

(*b*) खड़े यात्रियों को देखकर मन ही मन मुस्कुराते हैं

(*c*) अगर कोई बैठने के लिए स्थान नहीं दे तो लड़ाई करते हैं

(*d*) सभी के साथ नम्रता से बातचीत करते हैं

5. आपके विद्यालय के कुछ उद्दण्ड छात्र बस रोकर जबरदस्ती चंदा इकट्ठा कर रहे हैं और आप बस में बैठे हैं उन छात्रों को देखकर आप चाहते हैं–

(*a*) उन्हें ऐसा न करने के लिए कहा जाय

(*b*) उनकी इस कार्य में मदद करनी चाहिए

(*c*) उन छात्रों को दोषी मानकर सजा दी जाए

(*d*) छात्रों व बस वालों में कोई समझौता हो जाए

6. आपके छोटे भाई-बहन समय का सही उपयोग नहीं करते हैं तथा पढ़ने के समय टी.वी. देखते हैं आप–

(*a*) टी.वी. देखने से मना करेंगे

(*b*) उन्हें समझायेंगे कि पढ़ने के समय टी.वी. न देखें

(*c*) टी.वी. देखने से होने वाली आँख की बीमारी के बारे में बतलायेंगे

(*d*) उन्हें समझायेंगे कि समय का सदुपयोग करें

7. आपको कुछ छात्र मैच देखने के लिए आमंत्रित करते हैं तो आप–

(*a*) मैच देखने चले जायेंगे

(*b*) उनके आमंत्रण को स्नेहपूर्वक ठुकरा देंगे

(*c*) कोई आवश्यक काम बतलाकर उनका निमंत्रण टाल देंगे

(*d*) समय निकाल पर मैच देखने आयेंगे, ऐसा कहेंगे

8. आपके कुछ साथी धूम्रपान करने के आदी हैं और आपको भी धूम्रपान करने की सलाह देते हैं तो आप–

(*a*) धूम्रपान से होने वाली बीमारियों के बारे में बतलायेंगे

(*b*) उनके साथ धूम्रपान करना पसंद करेंगे

(*c*) उनकी सलाह को एक दम से नहीं मानेंगे

(*d*) उनको समझायेंगे कि धूम्रपान करना स्वास्थ्य के लिए हानिकारक है

9. एक छात्र विद्यालय के बाहर सिगरेट पीता है और उसको आप बहुत प्यार करते

है क्योंकि वह पढ़ने में बहुत तेज है तो आप–

(*a*) उसे सिगरेट पीने से होने वाली बीमारियों से अवगत करायेंगे

(*b*) उनके साथ सिगरेट पीना पसंद करेंगे

(*c*) उसको सिगरेट पीने से मना करेंगे

(*d*) उसके अभिभावक से उसकी शिकायत करेंगे

10. आपके विद्यालय के कुछ छात्र लड़कियों पर छींटाकशी करते हैं तो आप–

(*a*) इसका उन्हें दण्ड देकर उनकी गंदी आदत को सुधारेंगे

(*b*) उन छात्रों की प्रधानाध्यापक से शिकायत करेंगे

(*c*) सर्वप्रथम सच्चाई की तह में जाने की कोशिश करेंगे

(*d*) उन्हें समझाएंगे कि लड़कियों से छेड़कानी करना गैर-कानूनी है

11. आप अक्सर विद्यालय रिक्शा से जाते हैं तथा आपके विद्यालय की एक छात्रा उस रास्ते से अकेले जा रही है तो आप–

(*a*) छात्रा को अपने साथ चलने को कहेंगे

(*b*) कोई बुरा न मान जाए इसलिए अपने साथ नहीं ले जायेंगे

(*c*) उसे दूसरी सवारी लेने की सलाह देंगे

(*d*) उसके साथ-साथ पैदल चलना पसंद करेंगे

12. आपको विद्यालय पहुँचने में कुछ देर हो चुकी है और प्रधानाचार्य आपसे देरी का कारण पूछते हैं, तो आप–

(*a*) चुपचाप उनकी बात सुन लेंगे

(*b*) देरी होने का उचित कारण बतलायेंगे

(*c*) देरी होने का गलत कारण बतलायेंगे

(*d*) देरी के लिए उनसे क्षमा मागेंगे

13. आपका एक मित्र आपके व्यवहार से हमेशा अप्रसन्न रहता है तो उससे मधुर संबंध बनाने के लिए आप–

(*a*) अपने दुर्व्यवहार के लिए क्षमा माँग लेंगे

(*b*) उसके मन के अनुकूल वार्तालाप करेंगे

(*c*) अपनी उस दुर्व्यवहारिता को जानने की कोशिश करेंगे तथा अपने में अपेक्षित सुधार करेंगे

(*d*) उससे हमेशा सद्व्यवहार करेंगे

14. आप अक्सर सिनेमा देखने में रूचि लेते हैं इस प्रकार कभी-कभी आवश्यक कार्य को भी टाल देते हैं। इस पर आपके कुछ मित्र सिनेमा न देखने की सलाह देते हैं तो आप–

(*a*) उनकी सलाह को नजरअंदाज कर देते हैं

(*b*) उनकी सलाह पर विचार करते हैं

(*c*) उनको भी अपने साथ सिनेमा देखने को प्रेरित करते हैं

(*d*) सबसे पहले अपने कार्य को प्राथमिकता देने का प्रयास करते हैं

15. आपके साथ रहने वाले मित्र को देर रात तक जागने की आदत है जिससे आपकी नींद खराब हो जाती है तो आप—

(*a*) उन्हें जल्दी सोने के लिए प्रेरित करेंगे

(*b*) उन्हें समझायेंगे कि अपने स्वास्थ्य पर ध्यान दें तथा समय पर सो जाएँ

(*c*) देर तक जागने से होने वाली बीमारियों से अवगत करायेंगे

(*d*) स्वस्थ रहने के नियमों की जानकारी देंगे

16. आप परीक्षा भवन में परीक्षा ले रहे हैं, कुछ छात्र बार-बार प्रश्नों के उत्तर पूछने चले आते हैं, तो आप—

(*a*) उसे स्वयं अपना कार्य करने को कहेंगे

(*b*) उसकी उपेक्षा कर देंगे

(*c*) नकल करने की छूट देंगे

(*d*) उन्हें समझायेंगे कि परीक्षा भवन में किसी को कुछ बतलाया नहीं जाता

17. आपके विद्यालय के कुछ छात्र जुआ खेलते हैं तो आप उनकी आदत को दूर करने के लिए—

(*a*) उन छात्रों के अभिभावकों को बुलाकर इनकी जानकारी देंगे

(*b*) इन आदतों से होने वाली कठिनाइयों से अवगत करायेंगे

(*c*) जुए की लत से बर्बाद हुए व्यक्तियों से मिलवायेंगे ताकि इसके दुष्परिणाम को समझ सकें

(*d*) उन छात्रों के जुआ खेलने के कारणों का पता लगायेंगे तथा फिर उचित कारवाई करेंगे

18. किसी व्यक्ति को शराब की लत पड़ी है आप उसकी लत को कैसे छुड़ा सकते हैं—

(*a*) उसे अच्छे समाज में रहना चाहिए

(*b*) शराब की दुकानों को बन्द कर देना चाहिए

(*c*) उसे नियमित योगाभ्यास करना चाहिए

(*d*) शराब व्यक्ति की जिदंगी को तबाह कर देती है उसे सहानुभूतिपूर्वक समझायेंगे

19. आपके विद्यालय के पास एक मंदिर है वहाँ पूजा के समय लाउडस्पीकर का प्रयोग किया जाता है जिससे बच्चों का ध्यान उस ओर चला जाता है तो आप—

(*a*) मंदिर के संचालक को स्पीकर बंद करने का आदेश देंगे

(*b*) सभी अभिभावकों को सूचित करेंगे कि वे इसका विरोध करें क्योंकि इससे बच्चों का अहित होता है

(*c*) मंदिर के संस्थापक को सलाह देंगे कि विद्यालय के समय लाउडस्पीकर का प्रयोग न करें

(*d*) इसकी प्रशंसा करेंगे क्योंकि इससे धर्म का प्रचार होता है

20. जब कोई विद्यार्थी सामाजिक समारोहों में भाग लेने से कतराता है तो आप–

(*a*) इसकी जानकारी उनके अभिभावक को देंगे

(*b*) उनके अभिभावक को समझायेंगे कि वे बच्चे को सामाजिक समारोहों में भाग लेने के लिए प्रेरित करें, इससे बच्चों में सामाजिक गुणों का विकास होता है

(*c*) शिक्षक स्वयं सामाजिक समारोहों में भाग लें तथा छात्रों को भाग लेने के लिए प्रोत्साहित करें

(*d*) उसके सभी क्रियाकलापों पर विशेष ध्यान देंगे

21. जब आप पढ़ने के लिए बैठते हैं तो टेलीफोन आ जाता है जिससे आपके कार्य बाधित (Disturb) हो जाते हैं, तो आप–

(*a*) टेलीफोन नहीं सुनेंगे

(*b*) रिसीवर नीचे रख देंगे

(*c*) टेलीफोन को दूसरे कमरे में लगा देंगे

(*d*) टेलीफोन सुनना पसंद करेंगे, शायद कोई जरूरी बात हो

22. यदि कोई छात्र हमेशा पैसे चुराकर विडियो गेम खेलता रहता है तो आप इस आदत को छुड़ाने के लिए–

(*a*) उसकी पीटाई करेंगे

(*b*) उसे समझाने की कोशिश करेंगे कि चोरी करना पाप है

(*c*) उसे पुलिस के हवाले करेंगे

(*d*) उसमें नैतिक गुणों का विकास करेंगे जिससे प्रेरित होकर वह चोरी जैसे कार्य करने से डरे

23. अगर कोई भिखारी आपसे भीख माँगे तो आप–

(*a*) उसे किसी दूसरे व्यक्ति से माँगने को कहेंगे

(*b*) पैसे खुल्ले होने पर भिखारी को दे देंगे

(*c*) पैसे खुल्ले नहीं हैं ऐसा बहाना कर देंगे

(*d*) भिखारी को समझायेंगे कि भीख माँगना कानूनी जुर्म है अतः भीख न माँगे

24. आप विद्यालय में पढ़ा रहे हैं और कोई छात्र आपकी कोई गलती पकड़ता है तो आप–

(*a*) छात्र को चुप रहने तथा बाद में मिलने के लिए कहते हैं

(*b*) छात्र को ही गलत साबित कर देते है लेकिन बाद में स्वयं सुधार लेते हैं

(*c*) सभी बच्चों के सामने उसकी खिल्ली उड़ाते हैं

(*d*) उस छात्र को समझाने की कोशिश करते हैं तथा गलती होने पर अपनी गलती स्वीकार कर लेते हैं

25. आप नैतिक शिक्षा का पाठ पढ़ा रहे हैं लेकिन कुछ छात्र अनैतिक कार्य (शोरगुल आदि) कर रहे हैं तो आप—

(*a*) उन्हें कक्षा से बाहर कर देंगे

(*b*) छात्र को कहेंगे कि पाठ समाप्त होने पर अनैतिक कार्य करें

(*c*) पाठ को रूचिकर बनाने का प्रयत्न करेंगे

(*d*) आप अपना कार्य बिना किसी बाधा के करते रहेंगे

26. आपकी परीक्षा सन्निकट है और आपका कोई मित्र अक्सर आपका समय बर्बाद करता है तो आप—

(*a*) उसे मना करेंगे कि वह उसका समय बर्बाद न करे

(*b*) केवल समय के ऊपर चर्चा करेंगे

(*c*) अपने किसी दूसरे मित्र द्वारा उस तक अपनी बात पहुँचाने को कहेंगे

(*d*) उसे एक किताब 'समय का सदुपयोग करें' पढ़ने के लिए देंगे

27. आपका लड़का आपके पॉकिट से कुछ रुपये चुरा ले तो आप—

(*a*) उसको घर के छोटे बच्चों से पिटवायेंगे

(*b*) उसको चोरी के दुष्परिणाम बतायेंगे

(*c*) उसे घर से निकाल देंगे

(*d*) उसे समझायेंगे कि अपने घर में चोरी नहीं करनी चाहिए

28. आपके कुछ मित्र पान-गुटका खाकर इधर-उधर थूकते हैं तो आप—

(*a*) उन्हें पीकदानी में थूकने को कहेंगे

(*b*) उन्हें समझाने की कोशिश करेंगे कि स्वच्छता का ध्यान रखें

(*c*) उस स्थान की सफाई कर देंगे

(*d*) दीवारों पर लिख देंगे कि यहाँ न थूकें

29. आपको देर से सोकर उठने की आदत है, इसका फायदा उठाकर आपका पड़ौसी आपका अखबार पढ़ लेता है तो आप—

(*a*) सुबह जल्दी उठने का प्रयत्न करेंगे ताकि स्वयं अखबार पढ़ें

(*b*) कहेंगे कि अखबार का आधा पैसा मुझे दे दो

(*c*) कहेंगे कि अखबार पढ़कर जल्दी दे दिया करें

(*d*) उससे कहेंगे अपना अखबार स्वयं खरीदकर पढ़ें

30. अगर कोई छात्र स्कूल पोशाक में नहीं आ रहा है तो आप—

(*a*) उसे स्कूल की पोशाक पहनने के महत्त्व को समझायेंगे

(*b*) उसे कक्षा में प्रवेश की अनुमति नहीं देंगे

(*c*) उसके अभिभावक को स्कूल पोशाक बनवाने के लिए कहेंगे

(*d*) उसे शारीरिक व आर्थिक दण्ड देंगे

31. जो छात्र विद्यालय की प्रातःकालीन सभा में भाग नहीं लेता है तो आप—

(*a*) विद्यालय से उसका नामांकन रद्द करवाने की पेशकश करेंगे

(*b*) प्रधानाचार्य से उसकी शिकायत करेंगे

(*c*) उसे समझाने का प्रयत्न करेंगे, यदि अनुशासन का पालन नहीं किया तो सख्त सजा देंगे

(*d*) उसे समझायेंगे कि कम-से-कम सप्ताह में चार दिन प्रातःकालीन सभा में भाग लें

32. अगर कोई खिलाड़ी (छात्र) खेल के नियमों को भंग करता है तो आप—

(*a*) उसे खेल के मैदान से बाहर निकाल देंगे

(*b*) उस पर आर्थिक जुर्माना लगा देंगे

(*c*) उसको एक बार सुधरने का मौका देंगे

(*d*) अनुशासन पर व्याख्यान देंगे

33. आपका पुत्र सड़क पर आते-जाते लोगों पर कंकड-पत्थर फेंकता है तो उसकी इस आदत को छुड़ाने के लिए आप—

(*a*) उसकी पीटाई करेंगे

(*b*) उसको इस कार्य को नहीं करने के लिए पैसे देंगे

(*c*) उसके साथ हमेशा रहेंगे ताकि उसे रोक सकें

(*d*) उसे समझायेंगे कि इस गंदी आदत को छोड़ दे

36. यदि कोई लड़का आपके घर में हो रहे समारोहों तथा कार्यक्रमों में व्यवधान डालता है तो आप—

(*a*) उसे घर से बाहर जाने के लिए बोलेंगे

(*b*) उसे उस स्थान से हटा देंगे जहाँ वह व्यवधान डालता है

(*c*) उसे टी.वी. देखने के लिए बोल देंगे

(*d*) उसे समझायेंगे कि काम में व्यवधान नहीं डालना चाहिए

37. अपने घर पर आए हुए अतिथियों के साथ कोई बालक अवांछित व्यवहार करता है तो आप—

(*a*) उसे डाँटते रहते हैं

(*b*) उसे बाहर खेलने के लिए भेज देते हैं

(*c*) बालक की पीटाई करते हैं

(*d*) अतिथियों के साथ अच्छा व्यवहार करना चाहिए उसे समझाने की कोशिश करते हैं

38. यदि किसी बालक में सभी तरह की गंदी आदतें विद्यमान हैं तो उसके व्यवहार में परिवर्तन लाने के लिए आप—

(a) पहले उसे दण्डित करना चाहेंगे

(b) उसकी गंदी आदतों के कारणों का पता लगाकर उसमें सुधार करना चाहेंगे

(c) उसे पुलिस के हवाले कर देना चाहेंगे

(d) इसमें से कोई नहीं

39. यदि किसी बच्चे को स्कूल जाने में रूचि नहीं है तो आप—

(a) उसे जबरदस्ती स्कूल भेजेंगे

(b) उसके शिक्षक को बुलायेंगे

(c) उसे समझाकर अपने साथ स्कूल ले जाएँगे

(d) उसमें रूचि पैदा करने के लिए सुझाव देंगे

40. कोई लड़का बार-बार खाना माँगता है तथा खाना मिलने पर थोड़ा खाकर छोड़ देता है तो आप—

(a) उसे खाना नहीं देंगे

(b) उसकी इस आदत को छुड़ाने के लिए भोजन नहीं देंगे

(c) उसके भोजन में मिर्च-मसाला डाल देंगे

(d) उसको एक बार में भर पेट खाने को कहेंगे

41. ग्रामीणों के दो गुटों में लड़ाई हो रही है दोनों अपने-अपने निर्णयों पर अडिग हैं तो आप—

(a) दोनों गुटों को समझाने का पूर्ण प्रयास करेंगे कि वाद-विवाद को त्याग कर उचित कदम उठायें

(b) उन्हें समझायेंगे कि लड़ाई-झगड़े से किसी समस्या का समाधान नहीं होता है

(c) दोनों गुटों को समझायेंगे कि आप लोगों का निर्णय उचित है

(d) उनकी उपेक्षा कर के चले जायेंगे

42. आपको मालूम हुआ है कि आपका पुत्र बुरी संगत में पड़ गया है इस तरह वह देर रात तक घर पहुँचता है तो आप—

(a) उसे घर में प्रवेश नहीं करने देंगे

(b) उसे समझायेंगे कि बुरी संगत से आपका भविष्य खराब हो जाएगा

(c) उसे सुधर जाने के लिए कहेंगे

(d) उसकी पीटाई करेंगे

43. कुछ बच्चे अपने से बड़ों के प्रति आदरसूचक शब्दों का प्रयोग नहीं करते हैं तो आप—

(a) मानवीय गुणों के बारे में व्याख्यान देंगे

(*b*) उन्हें शिष्ट व्यवहार करने के लिए प्रेरित करेंगे
(*c*) बड़ों के प्रति सम्मान व आदर करने के लिए कहेंगे
(*d*) उन्हें डांटकर बड़ों के प्रति आदर सूचक शब्दों का प्रयोग करने को कहेंगे

44. अगर कोई व्यक्ति बिल्ली द्वारा रास्ता काटने या अचानक किसी के छींक आने पर अपशकुन मानते हैं तो आप–
(*a*) उसे समझाने की कोशिश करेंगे कि यह अंधविश्वास है
(*b*) उसे बाहर नहीं निकलने को कहेंगे
(*c*) अंधविश्वास पर लम्बा-चौड़ा व्याख्यान देंगे
(*d*) अंधविश्वास से होने वाले नुकसान के बारे में बतायेंगे

45. अगर किसी छात्र का पढ़ने में मन नहीं लगता है तो आप–
(*a*) उसे कक्षा से बाहर जाने को कहेंगे
(*b*) मन न लगने के कारणों के बारे में जानेंगे
(*c*) उसे शीघ्र घर जाने के लिए कह देंगे
(*d*) उसके साथ बात-चीत करना शुरू करेंगे

46. यदि आपके बच्चे को नींद में पेशाब करने की आदत है तो आप उसकी इस आदत को कैसे छुड़ायेंगे ?
(*a*) उसे सोते समय बिस्तर गीला नहीं करने के लिए कहेंगे
(*b*) उसे सोते समय डाँट-फटकार करेंगे
(*c*) उसकी समस्या की प्रमुख वजह को जानेंगे
(*d*) उसकी डॉक्टरी जाँच करवायेंगे

उत्तरमाला

1	**2**	**3**	**4**	**5**	**6**	**7**	**8**	**9**	**10**
(*a*)	(*a*)	(*c*)	(*a*)	(*d*)	(*b*)	(*d*)	(*d*)	(*a*)	(*d*)
11	**12**	**13**	**14**	**15**	**16**	**17**	**18**	**19**	**20**
(*a*)	(*b*)	(*c*)	(*d*)	(*b*)	(*d*)	(*c*)	(*d*)	(*c*)	(*b*)
21	**22**	**23**	**24**	**25**	**26**	**27**	**28**	**29**	**30**
(*d*)	(*d*)	(*d*)	(*d*)	(*c*)	(*a*)	(*b*)	(*b*)	(*c*)	(*a*)
31	**32**	**33**	**34**	**35**	**36**	**37**	**38**	**39**	**40**
(*c*)	(*c*)	(*d*)	(*c*)	(*d*)	(*d*)	(*d*)	(*b*)	(*c*)	(*d*)
41	**42**	**43**	**44**	**45**	**46**	**47**	**48**	**49**	**50**
(*a*)	(*b*)	(*b*)	(*a*)	(*b*)	(*d*)				

कुछ चुने हुए प्रश्नों के व्याख्यात्मक उत्तर

1. यदि कोई छात्र परिश्रम करने से जी चुराता है तो यह आवश्यक है कि उसे परिश्रम करने हेतु प्रेरित किया जाए। परिश्रम पर भाषण देकर या दण्डित करके किसी छात्र

में परिश्रम करने की भावना को अपेक्षाकृत उत्पन्न नहीं किया जा सकता है।

4. ट्रेन या बस में यात्रा करते समय, यह ध्यान रखना आवश्यक है कि कहीं आपके पास कोई वृद्ध महिला या वृद्ध पुरुष खड़े तो नहीं हैं। अगर कोई ऐसा हो तो आपसे अपेक्षा की जाती है कि उन्हें अपना स्थान बैठने के लिए अवश्य दें। आपसे किसी प्रकार का अमानवीय व्यवहार अपेक्षित नहीं है।

8. किसी भी व्यक्ति के लिए धूम्रपान का सेवन करना हानिकार होता है। इसलिए आप अपने मित्र को समझाने का प्रवास करें कि धूम्रपान की आदत शीघ्र त्याज्य दें।

13. अगर आपके व्यवहार से कोई अप्रसन्न है तो आप उस व्यवहार को जानने की कोशिश करें जिससे वह अप्रसन्न रहता है तथा स्वयं के व्यवहार में अपेक्षित सुधार लाकर उससे मधुर संबंध बनायें।

24. कक्षा शिक्षण के दौरान, यदि आपसे कोई गलती हो जाए तो आपको अपनी गलती अवश्य स्वीकार कर लेनी चाहिए, अगर आपके शिक्षण में कोई गलती न हो तो उस छात्र को प्रेमपूर्वक समझायें। उस छात्र की खिल्ली उड़ाना शिक्षक के चरित्र के प्रतिकूल है।

30. अगर कोई छात्र स्कूल यूनिफार्म में नहीं आये तो आप उसे यूनिफार्म के महत्त्व को बतायें। यूनीफार्म में नहीं आने पर उस छात्र को शारीरिक व आर्थिक दण्ड देना कदापि उचित नहीं है।

34. यदि कोई लड़का अपने भाई-बहनों से प्रायः लड़ता-झगड़ता है तो आप उसे पड़ोस के उन बच्चों का उदाहरण दें जो लड़ाई-झगड़ा न करता हो। बच्चों में लड़ने-झगड़ने के स्वभाविक गुण होते हैं अतः उन्हें डाँट-फटकार कर उनकी आदत को छुड़ाना सम्भव नहीं है।

38. किसी भी बालक की गंदी आदत को छुड़ाने के लिए, सर्वथम गंदी आदत के कारणों को जानने का प्रयत्न करना आवश्यक है। उसके बाद ही उसमें अपेक्षित सुधार किया जा सकता है।

41. जब ग्रामीणों के दो गुटों में लड़ाई हो रही हो और दोनों पक्ष अपने-अपने निर्णय पर अड़िग हों तो एक स्वस्थ नागरिक के रूप में आपसे अपेक्षा है कि आप उन्हें अच्छी तरह समझागें तथा उनसे आग्रह करें कि आप दोनों वाद-विवाद को त्याग कर तथा अपनी समस्याओं को बात-चीत के द्वारा दूर करें।

विविध

1. आपके पुत्र की बोर्ड परीक्षा अगले दिन होने वाली है। आज टी.वी. पर एक आकर्षक कार्यक्रम दिखाया जाना है तो आप–

(*a*) उसे टी.वी. देखने से मना करेंगे

(b) उसे टी.वी. देखने के लिए प्रोत्साहित करेंगे

(c) उसे अपने साथ टी.वी. देखने के लिए कहेंगे

(d) मनोरंजन हेतु थोड़ी देर कार्यक्रम देखने के लिए कहेंगे

2. आपका पुत्र जन्मदिन मनाना चाहता है लेकिन आपके पास इतना पैसा नहीं है कि आप केक खरीद सकें तथा उसके मित्रों को निमंत्रण दे सकें तो आप—

(a) किसी से कर्ज लेकर उसका जन्मदिन मनायेंगे

(b) उसे अगले वर्ष जन्मदिन धूम-धाम से मनाने के लिए कहेंगे

(c) उसे समझा कर जन्मदिन मनाने से मना करेंगे

(d) उसे इस वर्ष जन्मदिन मनाने नहीं देंगे

3. आप विद्यालय के प्रधानाचार्य हैं। आपका पुत्र विद्यालय में पढ़ता है। जहाँ कार्यानुभव के अन्तर्गत सफाई, सिलाई व अन्य शिल्पकार्य होते हैं तो आप—

(a) अपने पुत्र को कार्य करने से मना करेंगे

(b) निर्धन बच्चों को ही कार्य करने के लिए प्रोत्साहित करेंगे

(c) अपने पुत्र को भी कार्य करने के प्रति प्रोत्साहित करेंगे

(d) कार्यानुभव शिक्षक से अनुरोध करेंगे कि मेरे पुत्र से सफाई कार्य न करायें

4. शिक्षा के स्तर को ऊँचा उठाने के लिए आप सुझाव देंगे—

(a) शिक्षा में मूलभूत परिवर्तन हो

(b) एक शिक्षा नीति बनायें, जिस पर सभी व्यक्ति अमल करें

(c) ईमानदारीपूर्वक निहित स्वार्थों से मुक्त रहकर निर्धारित कार्यक्रम को लागू किया जाये तथा उन पर अमल किया जाये

(d) प्रतिवर्ष शिक्षा आयोग गठित किया जाए तथा उनके सुझाव व नीतियों का पालन किया जाये

5. आप जे.बी.टी. कोर्स करना चाहते हैं। परन्तु इसकी प्रवेश परीक्षा आपको कठिन प्रतीत होती है तो आप—

(a) प्रवेश परीक्षा के लिए कोई कोचिंग करेंगे

(b) सफल हो या असफल प्रवेश परीक्षा में अवश्य बैठेंगे

(c) प्रवेश परीक्षा की पूरी तैयारी करेंगे

(d) रिश्वत देकर कोर्स करेंगे

6. छात्रों के लेख को प्रभावी बनाने के लिए आप क्या करेंगे ?

(a) उनमें प्रतिस्पर्धा का विकास करायेंगे

(b) समय-समय पर उनकी जाँच परीक्षा लेंगे

(c) श्यामपट्ट पर लेख लिखकर उसका अवलोकन करने के लिए कहेंगे

(d) उन्हें लिखने का नित्य अभ्यास करायेंगे

7. अगर आप महात्मा गाँधी जैसे होते तो विद्यार्थियों को सीखलाना चाहते–
(*a*) परोपकार करके सम्मान अर्जित करना (*b*) सच बोलकर महान् बनना
(*c*) सत्य एवं अहिंसा का पालन करना (*d*) छात्रों में अनुशासन लाना

8. अगर किसी बालक में गुड़ खाने की आदत है तो आप उसकी आदत को कैसे छुड़वायेंगे ?
(*a*) उसकी बेरहमी से पिटाई करके
(*b*) गुड़ खाने से होने वाले नुकसान बताकर
(*c*) गुड़ की जगह चीनी देकर
(*d*) उसको किसी छात्रावास में रखकर

9. आपके अनुसार किस प्रकार की शिक्षा विद्यार्थियों को आत्मनिर्भर बनाने में सक्षम है?
(*a*) किताबी ज्ञान की (*b*) व्यवहारिक ज्ञान की
(*c*) कुछ करके सीखने की (*d*) नकल करके सीखने की

10. पाठ्यक्रम में कार्यानुभव को स्थान मिलना चाहिए। इस संबंध में आपका विचार है–
(*a*) कार्यानुभव के द्वारा समय की बर्बादी होती है
(*b*) कार्यानुभव से छात्र पढ़ाई कम, काम ज्यादा करते हैं
(*c*) कार्यानुभव द्वारा छात्रों में हीन भावना जागृत होती है
(*d*) कार्यानुभव द्वारा प्राप्त ज्ञान स्थाई होता है

11. प्राथमिक विद्यालयों में महिलाओं को शिक्षक के रूप में ज्यादा पसंद किया जाता है। इस संबंध में आप का मत है–
(*a*) पुरुष शिक्षक को देखकर बच्चे डर जाते हैं
(*b*) बच्चों का ज्यादा लगाव महिलाओं से होता है
(*c*) पुरुष बच्चों पर कम ध्यान देते हैं
(*d*) इनमें से कोई नहीं

12. अगर आपके पड़ोस में आग लग गई हो तो आप–
(*a*) लोगों के साथ मिलकर आग का नजारा देखेंगे
(*b*) स्वयं घबड़ा जायेंगे
(*c*) इसकी सूचना तत्काल अग्निशमक विभाग को देंगे
(*d*) अपने घर में बने रहेंगे

13. आप निम्न में से एक पसंद करते हैं–
(*a*) दोस्तों के साथ भ्रमण करना (*b*) छात्र संघ का चुनाव लड़ना
(*c*) लेख और कहानियाँ लिखना (*d*) टी.वी. देखकर अपना ज्ञान बढ़ाना

14. माता के रूप में आप बच्चों के प्रति सोचते हैं–
(*a*) भाग्य में जो लिखा है वही होगा

(*b*) उसमें सद्‌गुण विकसित करने के लिए उसे प्रेरित करेंगे
(*c*) उसे पढ़ा-लिखाकर शिक्षक बनायेंगे
(*d*) उसको बहुत लाड़-प्यार देकर उसका पालन-पोषण करेंगे

15. विद्यालय में मानसिक रूप से अस्वस्थ बच्चों को आप—
(*a*) उनको प्रताड़ित करेंगे
(*b*) प्रतिदिन व्ययामशाला में ले जायेंगे
(*c*) उसने साथ सहानुभूतिपूर्वक बर्ताव करेंगे
(*d*) कभी-कभी उन्हें मानसिक चिकित्सकों के पास ले जायेंगे

16. बच्चों में सामान्य ज्ञान विकसित करने के लिए आप—
(*a*) सामान्य ज्ञान पढ़ायेंगे
(*b*) सामान्य ज्ञान जानने के लिए प्रेरित करेंगे
(*c*) रोज समाचार-पत्र पढ़ने के लिए कहेंगे
(*d*) पुस्तकालयों में जाने के लिए कहेंगे

17. आज के छात्र-छात्राओं में किस प्रकार का विचार उत्पन्न होना चाहिए—
(*a*) सुन्दर-सुन्दर पहनावे के प्रति लगाव होना चाहिए
(*b*) ज्यादा से ज्यादा टी.वी. सीरियलों को देखना चाहिए
(*c*) समाज की समस्याओं को दूर करने के प्रति जागरूक होना चाहिए
(*d*) मि॰ इण्डिया और मिस इण्डिया जैसी प्रतियोगिताओं में भाग लेने की तैयारी करनी चाहिए

18. धार्मिक शिक्षा से आपका तात्पर्य है—
(*a*) सभी धर्मों का आदर करना
(*b*) अपने-अपने धर्म के बारे में जानना
(*c*) अपने धर्म को श्रेष्ठ समझना
(*d*) बच्चों में धार्मिक भेद-भाव उत्पन्न करना

19. आपके अनुसार शिक्षा का उद्देश्य है—
(*a*) अधिक-से-अधिक जानकारी प्राप्त करना (*b*) पढ़-लिख कर नौकरी करना
(*c*) छात्रों का सर्वांगीण विकास करना (*d*) अध्यापकों को रोजगार देना

20. आजकल "नारी शिक्षा" पर जोर दिया जा रहा है, इस पर आपका विचार है—
(*a*) नारी ही पूरे समाज को बदल सकती है
(*b*) नारी पढ़ने में बहुत कमजोर होती है
(*c*) नारी भी नौकरी कर सके
(*d*) शिक्षित नारी अच्छा खाना बना सकती है

21. ''घर बच्चों का प्रथम विद्यालय है'' इस कथन से आपका अभिप्राय है कि–
(*a*) बच्चों को घर में ही पढ़ना चाहिए
(*b*) जन्म से लेकर स्कूल जाने तक बच्चा घर में ही सीखता है
(*c*) बच्चों को घर में ही रहना चाहिए
(*d*) इनमें से कोई नहीं

22. ''सीखना'' से आपका अभिप्राय है–
(*a*) स्कूल जाकर पढ़ना
(*b*) जो नहीं पढ़ते हैं वो कुछ नहीं सीखते हैं
(*c*) बच्चों में होने वाले सकारात्मक परिवर्तन ही सीखना है
(*d*) बूढ़े व्यक्ति सीखना बंद कर देते हैं

23. गाँधी जी के प्रति आपके मन में विचार आता है–
(*a*) देश को आजाद कराया (*b*) उच्च कोटि के दार्शनिक थे
(*c*) शिक्षा के क्षेत्र में अनेक सुधार किये (*d*) उपर्युक्त सभी

24. आप परीक्षा में निरीक्षक हैं तथा आपका पुत्र परीक्षार्थी है तो आप–
(*a*) अपने पुत्र को कठिन सवालों को हल करने में मदद करेंगे
(*b*) अपनी निरीक्षण अवधी में स्वच्छ परीक्षा लेने का प्रयास करेंगे
(*c*) उन सभी छात्रों की मदद करेंगे जिन्हें आप जानते हैं
(*d*) अपने पुत्र के अलावा अन्य छात्रों को भी नकल करने को कहेंगे

25. आजकल विद्यालयों में अनुशासनहीनता की घटनाएँ बढ़ रही हैं, एक शैक्षिक संस्था के प्रशासक के रूप में आप–
(*a*) स्थिति पर पूरा ध्यान केन्द्रित कर, कोई कथित विकल्प की खोज करेंगे
(*b*) सभी प्रधानाचार्यों की बैठक बुलाकर, सही रास्ता ढूँढेंगे
(*c*) कभी-कभी सख्त कदम उठायेंगे
(*d*) उचित अवसर की प्रतिक्षा करेंगे

26. आपका पुत्र पढ़ने के लिए घर से बाहर गया है वहीं वह विवाह करना चाहता है तो आप सोचते हैं–
(*a*) दहेज नहीं मिलेगा
(*b*) पुत्र बिगड़ गया है
(*c*) बहु को अपने घर में नहीं रखेंगे
(*d*) पुत्र की इच्छा से ही विवाह होना चाहिए

27. आपकी पुत्री हमेशा असामान्य स्थिति में रहती है तो आप–
(*a*) उसकी समस्याओं से अवगत होंगे, फिर उस का निराकरण करेंगे
(*b*) उसको डॉक्टर के पास ले जायेंगे

(*c*) उसका जल्दी विवाह कर देंगे

(*d*) उसकी इच्छाओं का सम्मान करेंगे

. "आदर्श माता-पिता" के बारे में आप सोचते हैं—

(*a*) बच्चों की शिक्षा पर ध्यान दें

(*b*) बच्चों की सभी आवश्यकताओं की पूर्ति करें

(*c*) बच्चों को अच्छा भोजन व वस्त्र दें

(*d*) बच्चों को पैसे दें

. आजकल शहरों के बच्चे श्रम को हेय दृष्टि से देखते हैं, इस संबंध में आपके विचार हैं—

(*a*) श्रम के महत्त्व को नहीं जानते

(*b*) बहुत धनी होते हैं

(*c*) शहरों में श्रमजीवी लोग कम होते है

(*d*) शहरों में लोग सभी कुछ खरीद लेते हैं जिससे उन्हें श्रम का महत्त्व नहीं मालूम पड़ता

. विद्यालय में "पर्यावरण शिक्षा" से आपका अभिप्राय है—

(*a*) छात्रों में पर्यावरण का ज्ञान हो जाय

(*b*) छात्रों का मनोरंजन हो

(*c*) पर्यावरण को दूषित होने से बचाया जा सके

(*d*) छात्रों पर अतिरिक्त बोझ डालना

. शिक्षा में भ्रष्टाचार फैल रहा है, इस सबंध में आपका मत है—

(*a*) शिक्षक कक्षा में नहीं पढ़ाकर, उन्हीं बच्चे को ट्यूशन पढ़ाते हैं

(*b*) विद्यालय में शिक्षकों की कमी

(*c*) शिक्षकों को कम वेतन मिलना

(*d*) शिक्षकों को पहले जैसा आदर न मिलना

. आपकी राय में कौन-सा व्यवसाय अच्छा है—

(*a*) जिसमें पैसा बहुत मिलता हो

(*b*) जिसमें रुतवा व अतिरिक्त कमाई हो

(*c*) जिसमें केवल आराम और सरल काम हो

(*d*) जिसमें सम्मान व आत्मसंतोष मिले

. आपके अनुसार किस विद्यालय का परीक्षाफल अच्छा होना चाहिए—

(*a*) सरकारी विद्यालयों की, जिसमें ऊच्च कोटि के शिक्षण डिप्लोमा प्राप्त शिक्षक व शिक्षिकाएं होती हैं

(*b*) सभी गैर-सरकारी विद्यालयों की जिसमें पढ़ाई की उत्तम व्यवस्था हो

(c) उन सभी विद्यालयों की जहाँ पढ़ाई अच्छी होती है

(d) उन सभी विद्यालयों की जहाँ पढ़ाई की सभी सहायक शिक्षण सामग्री उपल हो

34. आपके विद्यालय में कुछ नये शिक्षक नियुक्त हुए हैं तो आप उनके साथ व्यवह करेंगे—

(a) नये शिक्षकों का अनादर करके

(b) उनको अच्छी तरह पढ़ाने के लिए कह कर

(c) उनकी समस्याओं को सुलझाने में मदद करके

(d) उनकी योग्यता के अनुकूल सम्मान देकर

35. आप एक महत्त्वपूर्ण व्यक्ति हैं, जब आपको खाली समय मिलता है तो आप व करना पसन्द करेंगे—

(a) अपने बच्चों के साथ घूमना

(b) अपने सभी दोस्तों को सही सलाह देना

(c) तर्कपूर्ण बात-चीत करना

(d) समाज के लोगों की समस्याओं का निदान करने का प्रयत्न करना

36. शिक्षण अवधि में आप—

(a) भाषण देते रहते हैं तथा छात्र सुनते रहते हैं

(b) श्यामपट्ट पर लिख देते हैं तथा छात्र उसे अपनी उत्तर पुस्तिका में उतार त हैं

(c) पढ़ाने के दौरान बीच-बीच में प्रश्न पूछते रहते हैं

(d) उपर्युक्त सभी

37. पब्लिक स्कूलों का स्तर सरकारी स्कूलों से बहुत अच्छा है। आप मानते हैं कि

(a) सरकारी स्कूल के अध्यापक मेहनत कम करते हैं क्योंकि उनकी नौकरी पक रहती है

(b) पब्लिक स्कूल के अध्यापक कड़ी मेहनत करते हैं क्योंकि उन्हें डर रहता है कहीं मेहनत नहीं करने पर नौकरी से ना निकाल दिये जायें

(c) सरकारी स्कूलों में भ्रष्टाचार है

(d) पब्लिक स्कूलों में अधिक वेतन मिलता है

38. शिक्षा में गुणात्मक सुधार के लिए आपकी सोच है—

(a) अध्यापकों का वेतन बढ़ाया जाए

(b) सभी विद्यालयों का निजीकरण कर दिया जाए

(c) सभी कोंचिग को बंद कर दिया जाए

(d) विद्यालय को अधिक धन उपलब्ध कराया जाए

39. आदर्श शिक्षक के बारे में आपकी धारणा है कि–

(*a*) वह छात्रों को पढ़ने के लिए प्रेरित करता है

(*b*) वह केवल पढ़ाने में रूचि रखता है

(*c*) वह पढ़ाने के साथ-साथ अन्य कार्य भी करता है

(*d*) वह समय पर स्कूल जाता है

40. शिक्षकों को भी ट्रेनिंग की जरूरत पड़ती है। इस संबंध में आप सोचते हैं–

(*a*) शिक्षक पहले से ही ट्रेनिंग लिए रहते हैं अतः उन्हें ट्रेनिंग की आवश्यकता नहीं

(*b*) शिक्षकों को ट्रेनिंग की आवश्यकता है क्योंकि इससे वे अपने शिक्षण कला में सुधार ला सकते हैं

(*c*) इससे समय की बर्बादी होती है

(*d*) इनमें से कोई नहीं

41. यदि कोई लड़का किसी दुर्घटना में घायल हो जाता है तो आप शीघ्र ही–

(*a*) उसके माता-पिता को सूचित करते हैं

(*b*) उसका प्राथमिक उपचार करते हैं

(*c*) उसको डॉक्टर के पास ले जाते हैं

(*d*) पुलिस को सूचित करके वहाँ से चले जाते हैं

42. यदि कोई छात्र आपके प्रश्न का उत्तर नहीं देता है तो आप सोचते हैं–

(*a*) पढ़ाना बेकार है

(*b*) उसे कक्षा में खड़ा कर देना चाहिए

(*c*) उसे प्रश्नों का उत्तर खोजने के लिए प्रेरित करना चाहिए

(*d*) अन्य छात्रों से उत्तर पूछ लेना चाहिए

43. किसी व्यक्ति की सफलता के बारे में आपका विचार है कि–

(*a*) यह उसकी कठिन मेहनत और प्रयास का प्रतिफल है

(*b*) यह सफलता उसने बेईमानी से अर्जित की होगी

(*c*) वह अपना काम समय पर करता होगा

(*d*) उसमें सच्चाई होगी

44. छात्रों को यूनिफार्म में स्कूल आना चाहिए, इस विषय में आपकी राय है–

(*a*) यूनिफार्म में रहने पर छात्रों में अमीरी-गरीबी का भेद-भाव उत्पन्न नहीं होता

(*b*) छात्रों को रंग-बिरंगे ड्रेस में आना चाहिए

(*c*) छात्रों को अपनी पसंद के कपड़ों में स्कूल आना चाहिए

(*d*) गरीब बच्चों को यूनिफार्म में नहीं आना चाहिए

45. अदालत ने शिक्षकों द्वारा छात्रों की पीटाई पर रोक लगा दी है इस बारे में आपका

विचार है–

(a) अदालत ने गलत कदम उठाया है इससे छात्र उद्दण्ड होंगे

(b) कुछ शिक्षक छात्रों की पीटाई अत्यधिक करते हैं अतः अदालत का फैसला उचित है

(c) अब छात्रों को शिक्षक से भय नही रहेगा

(d) छात्र शिक्षकों का सम्मान नहीं करेंगे

46. आए दिन छात्र लड़कियों से छेड़-छाड़ करते हैं। आप इसका कारण मानते हैं–

(a) दोनों का साथ-साथ पढ़ना

(b) अदालत द्वारा पिटाई पर रोक लगाना

(c) केबल पर दिखाई गई अश्लील फिल्में

(d) कक्षा में नैतिक शिक्षा का अभाव

47. कोई छात्र कक्षा में बराबर अनुपस्थित रहता है, तो आप इसका कारण मानते हैं–

(a) उसके माता-पिता अनपढ़ हैं

(b) उसके माता-पिता बच्चे पर ध्यान नहीं देते

(c) वह शिक्षक से भयभीत रहता है

(d) इनमें से कोई नहीं

48. किसी भी नये काम को करने में आप–

(a) झिझकते हैं
(b) बहुत जोश से शुरूआत करते हैं
(c) योजना बनाकर शुरूआत करते हैं
(d) बड़ों का सुझाव लेते हैं

49. यदि दो व्यक्तियों में परस्पर झगड़ा हो रहा है तो आप–

(a) अपने परिचित व्यक्ति का साथ देंगे

(b) झगड़े के विषय में जानेंगे तथा उनके वाद-विवाद को शान्त करने का प्रयास करेंगे

(c) उनको आपस में झगड़ने देंगे

(d) पुलिस को सूचित कर देंगे

50. आप का विचार है कि उत्तम शिक्षा किसी व्यक्ति को–

(a) धनवान बनाती है
(b) महान् बनाती है
(c) विद्वान् बनाती है
(d) उपुर्यक्त सभी

51. बच्चों को अनुशासित रखने के लिए आप–

(a) अनुशासन पर भाषण देंगे

(b) छात्रों को पीटकर अनुशासन में रखेंगे

(c) स्वयं अनुशासित रहकर बालकों को अनुशासित रहने का निर्देश देंगे

(d) अनुशासन से संबंधित कहानियाँ सुनायेंगे

52. कम्प्यूटर युग में अध्यापक महत्त्वहीन हो रहा है, तो इस संबंध में आपका विचार है—

(*a*) अध्यापक कभी महत्त्वहीन नहीं हो सकता

(*b*) कम्प्यूटर कक्षा में नहीं पढ़ा सकता

(*c*) कम्प्यूटर के सहयोग से कक्षा-शिक्षण बेहतर किया जा सकता है

(*d*) उपर्युक्त सभी

53. सही शिक्षण के लिए आप—

(*a*) कक्षा में सहायक सामग्री के साथ पढ़ायेंगे

(*b*) विद्यार्थी की मानसिक और आन्तरिक क्षमता को जानेंगे

(*c*) कक्षा में विद्यार्थियों से केवल प्रश्न पूछेंगे

(*d*) कक्षा में विद्यार्थियों को केवल लिखने का काम देंगे

54. प्रतिभाशाली बच्चे अध्यापन व्यवसाय पसंद नहीं करते, आप इसका कारण मानते हैं—

(*a*) अध्यापन व्यवसाय में पैसा कम है

(*b*) अध्यापन व्यवसाय में रूचि का न होना

(*c*) वे अधिक धन कमाना चाहते हैं

(*d*) अध्यापन व्यवसाय में रुतवा नहीं है

55. परीक्षा में नकल के लिए आप—

(*a*) शिक्षा प्रणाली को दोषी मानेंगे (*b*) शिक्षण व्यवस्था को दोषी मानेंगे

(*c*) अनुशासन का अभाव मानेंगे (*d*) शिक्षकों को दोषी मानेंगे

56. विद्यार्थियों एवं शिक्षकों के संबंध में आप सोचते हैं कि—

(*a*) दोनों का संबन्ध हमेशा एक-सा रहे

(*b*) विद्यार्थी शिक्षक का सम्मान करें

(*c*) शिक्षक विद्यार्थियों से दूरी बनाये रखें

(*d*) विद्यार्थियों एवं शिक्षकों में मित्रवत संबंध हों

उत्तमाला

1	2	3	4	5	6	7	8	9	10
(*d*)	(*c*)	(*c*)	(*c*)	(*c*)	(*d*)	(*c*)	(*b*)	(*c*)	(*d*)
11	**12**	**13**	**14**	**15**	**16**	**17**	**18**	**19**	**20**
(*b*)	(*c*)	(*c*)	(*b*)	(*c*)	(*b*)	(*c*)	(*a*)	(*c*)	(*a*)
21	**22**	**23**	**24**	**25**	**26**	**27**	**28**	**29**	**30**
(*b*)	(*c*)	(*d*,	(*b*)	(*b*)	(*d*)	(*a*)	(*a*)	(*d*)	(*c*)

31	32	33	34	35	36	37	38	39	40
(a)	*(d)*	*(c)*	*(c)*	*(d)*	*(c)*	*(b)*	*(b)*	*(a)*	*(b)*
41	**42**	**43**	**44**	**45**	**46**	**47**	**48**	**49**	**50**
(b)	*(c)*	*(a)*	*(a)*	*(b)*	*(d)*	*(b)*	*(c)*	*(b)*	*(d)*
51	**52**	**53**	**54**	**55**	**56**				
(c)	*(d)*	*(b)*	*(b)*	*(b)*	*(d)*				

कुछ चुने हुए प्रश्नों के व्याख्यात्मक उत्तर

1. प्रत्येक पिता का कर्त्तव्य है कि वह अपने पुत्र का उचित मार्गदर्शन करे। वह पुत्र के मनोरंजन हेतु अच्छे कार्यक्रम को देखने के लिए अवश्य कहे। परन्तु उसे उसके कर्त्तव्यों के प्रति भी सजग कर दे। यदि उसे टी.वी. देखने से मना किया जाए, तो हो सकता है उसका ध्यान पढ़ाई के प्रति न होकर के टी.वी. के प्रति हो, ऐसी स्थिति में थोड़ी देर कार्यक्रम देखने से मना नहीं किया जाना ही ठीक है।

3. प्रधानाचार्य विद्यालय का सर्वे-सर्वा होता है, उसका व्यक्तित्व सदा श्रेष्ठतम होना चाहिए। अतः उनसे अपेक्षित यही होगा कि वह अपने पुत्र को भी कार्यानुभव के प्रति रूचि उत्पन्न करे, इससे अन्य छात्रों पर भी अनुकूल प्रभाव पड़ेगा।

5. जे.बी.टी. कोर्स करने के लिए प्रवेश परीक्षा की उचित तैयारी आवश्यक है। कोचिंग मात्र कर लेने से प्रवेश परीक्षा पास कर लेना आवश्यक नहीं है जब तक उचित परिश्रम न किया जाए।

7. महात्मा गाँधी जैसे सत्य और अहिंसा के पुजारी थे। इसीलिए महात्मा गाँधी ने तो विद्यार्थियों में सत्य और अहिंसा का पालन करना सिखलाया। इसलिए विकल्प *(c)* जो गाँधी जी के व्यक्तित्व को अत्याधिक प्रभावित करता है।

9. विद्यार्थियों को आत्मनिर्भर बनाने के लिए उसे किसी कार्य को करने में दक्ष होना चाहिए। इसलिए कुछ करके सीखने पर विशेष ध्यान देने की आवश्यकता है। विकल्प के तौर पर किताबी ज्ञान और व्यवहारिक ज्ञान विद्यार्थियों को आत्मनिर्भर नहीं बना सकता।

11. बच्चों को ममत्व और प्यार की अत्यधिक आवश्यकता होती है जो एक महिला शिक्षक अच्छी तरह दे सकती है। इसीलिए बच्चों का ज्यादा लगाव महिलाओं से होता है। विकल्प के तौर पर पुरुष शिक्षक बच्चों पर कम ध्यान देते हैं तथा पुरुष शिक्षक को देखकर बच्चे डर जाते हैं, ऐसी कोई बात नहीं होती।

16. विद्यालय में कुछ ऐसे बच्चे पढ़ते हैं जो मानसिक रूप से अस्वस्थ होते हैं। उनको न कभी कोई दण्ड देना चाहिए न ही हतोत्साहित करना चाहिए बल्कि उनको प्यार और सहानुभूति चाहिए ताकि वे किसी हीन भावना के शिकार न हो सकें।

24. एक श्रेष्ठ निरीक्षक को सदैव स्वच्छ परीक्षा लेने का प्रयास करना चाहिए। उसे किसी भी परीक्षार्थी को, चाहे उसका पुत्र ही क्यों न हो, किसी तरह की सहायता पहुँचाना एक अपराध के समान है।

27. यदि किसी की पुत्री हमेशा असामान्य स्थिति में रहती है तो इसके अनेक कारण हो सकते हैं। इसीलिए सर्वप्रथम उस पिता को उसकी समस्याओं से अवगत होना चाहिए, तत्पश्चात उसका निराकरण ढूँढना चाहिए। सच्चाई जाने बगैर किसी निर्णय पर पहुँचना, जल्दीबाजी होगी। इस प्रकार, पुत्री को जल्दी में न किसी डॉक्टर के पास ले जाना उचित है न ही उसके विवाह पर विचार करना उचित है। दूसरी तरफ विकल्प *(d)* उसकी इच्छाओं का सम्मान करेंगे, यह तभी संभव है जब हम उसकी इच्छाओं को जानेंगे। अतः *(a)* ही उपर्युक्त विकल्प है।

29. शहर के बच्चों में श्रम के प्रति सम्मान नहीं दिखता है क्योंकि उनके माता-पिता हर चीज खरीदकर लाते हैं। बच्चों को इसकी सदा जानकारी नहीं होती, इसलिए वे श्रम के महत्त्व को नहीं आंक पाते।

34. जब किसी विद्यालय में नये शिक्षकों की नियुक्ति होती है तो वे उस विद्यालय के परिवेश से बिल्कुल अनभिज्ञ होते हैं। उन्हें नयी-नयी समस्याएं तथा मुसीबतों को आए दिन झेलना पड़ता है, ऐसी स्थिति में उत्तम शिक्षक की भांति आपसे अपेक्षा है कि उनकी समस्याओं को यथासम्भव सुलझाने में उनकी सदैव मदद करें।

41. किसी दुर्घटनाग्रस्त लड़के का सर्वप्रथम प्राथमिक उपचार करना चाहिए, उसके पश्चात उसे डॉक्टर के पास उचित चिकित्सा हेतु ले जाना चाहिए, बाद में उसके माता-पिता को इसकी सूचना प्रेषित करनी चाहिए। पुलिस को सूचित कर उस स्थान से चले जाना एक जिम्मेदार व्यक्ति से अपेक्षित नहीं है। इसलिए प्रत्येक व्यक्ति से अपेक्षा है कि वे दुर्घटनाग्रस्त लड़का हो या लड़की को अपना पुत्र व पुत्री, भाई-बहन आदि समझें तथा तत्काल प्राथमिक उपचार करें।

45. अदालत ने शिक्षकों द्वारा छात्रों की पिटाई पर रोक लगादी है, इसकी मुख्य वजह यह है कि कभी-कभी शिक्षक छात्रों को निर्दयतापूर्वक शारीरिक दण्ड देते हैं जिससे छात्र किसी शारीरिक व मानसिक रोग से ग्रस्त हो जाते हैं और अंततः उनका भविष्य बिगड़ जाता है। इसीलिए शारीरिक दण्ड पर रोक लगाकर अदालत ने एक उचित फैसला किया है।

48. किसी नये कार्य की शुरुआत करने से पहले उसकी योजना बनाना, कार्य की सफलता का द्योतक है। कहा गया है कि 'Well begin is half done' अर्थात् कार्य की अच्छी शुरुआत से ही आधा कार्य सम्पन्न हो जाता है। यह अच्छी शुरुआत तभी हो सकती है जब आपकी कार्य योजना अच्छी व सुनियोजित हो।

50. उत्तम शिक्षा किसी व्यक्ति को महान्, विद्वान और धनवान तीनों बनाने में सहायक है। जिसके पास उत्तम विद्या है उसके पास लक्ष्मी और सरस्वती दोनों विद्यमान हैं और जिसमें दोनों हैं वह व्यक्ति महान् है।

51. बच्चों को अनुशासित रखने के लिए आपको स्वयं अनुशासन में रहना होगा। इसलिए विकल्प *(c)* उपयुक्त उत्तर है। बच्चों को मार-पीटकर अनुशासन में रखना कदापी सम्भव नहीं लगता है। बच्चों को अनुशासन पर भाषण देकर तथा कहानियाँ सुनाकर अनुशासित रखना ज्यादा प्रभावशाली होता है।

GENERAL ENGLISH

3

NOUN

		Answer
1.	She had no **rupees**.	*money*
2.	It is a nice **poetry** written by William Wordsworth.	*poem*
3.	The **sceneries** of Kashmir is beautiful.	*scenery*
4.	Four **dozens** eggs have been sold today.	*dozen*
5.	**Polices** are interrogating the thives.	*The police*
6.	My **son-in-laws** are leaving for Mumbai tomorrow.	*sons-in-law*
7.	She has got ten **rupees** note.	*a ten-Rupee*
8.	This is one of the **photograph** I like the most.	*photographs*
9.	The **spectacle** I brought yesterday is not mine.	*spectacles*
10.	He has ordered **bricks** for the proposed hotel and bar.	*for bricks*
11.	She uses a fine quality of shampoo and so, her **hairs** are black.	*hair*
12.	Your **advise** is a proof of your discriminating mind and pragmative approach.	*advice*

SUBJECT AND PREDICATE

The use of mathematical instruments **are** allowed now. *(is)*

The members of the committee **has** resigned. *(have)*

Ram **as well as** Shyam **were** present. *(was)*

'Travels with a Donkey' **were** written by stevenson. *(was)*

Many a man **have** acted so. *(has)*

Rice and curry **form** our staple diet. *(forms)*

The ship, with all its passengers, **were** sunk *(was)*

This is one of the cars that **was** damaged. *(were)*

These news **have** gladdened us. *(This news has)*

The Secretary and Treasurer **were** absent. *(was)*

Note: *Only **one** person is implied by "**the** Secretary and Treasurer." **Two** persons are implied by "**the** Secretary and **the** Treasurer."*

Neither of the applicants **are** eligible. *(is)*

N.B.: *If two singular subjects are separated by **or** or **nor,** the verb agrees with the nearer subject:*

*(1) Either you or **he has** done this.*

*(2) Neither Raju nor **I know** you.*

You as well as **I are** in the wrong. *(am, or You are in the wrong as well as I)*

Everyone of you **have** to pay the fine. *(has)*

Each of the children **were** given a packet of sweets. *(was)*

Each hour and each minute **draw** us nearer the grave. *(draws)*

Every boy and every girl **have** to write these lines. *(has)*

Note: *A singular verb is used with two singular nouns qualified by* **each** *and* **every** *even though connected by* **and.**

Everybody **seem** satisfied with the award. *(seems)*

Our greatest need at the present moment **are** funds. *(is)*

Politics **are** not meant for you. *(is)*

Your data **is** incorrect. *(are)*

Fifty rupees **were** given to him. *(was)*

His poultry **has** been sold out. *(have)*

The jury **were** unanimous in its decision. *(was)*

Nothing but mischief and pranks **please** him. *(pleases)*

One or the other of you **have** to answer for this. *(has)*

Here is a list of what **is** considered to be offences against the law. *(are)*

Her happiness was only short-lived, her **suffering** long and pitiful. *(sufferings)*

He has been given three books and **two** lost. *(two have been)*

I have always **been** and shall ever continue to, help the needy. *(been helping)*

I am no stranger to you; **isn't it**? *(am I?)*

He looks after you well, **isn't it?** *(doesn't he?)*

NUMBER

Many **poetries** describe beautiful sceneries. *(poems; scenery)*

We can do your **works** without your **advices.** *(work; advice)*

N.B.: ***Furniture, folk, gram, mischief, cannon*** *are similarly misused.*

I have four **dozens** pencils. *(dozen)*

This car has cost me three **thousands** rupees. *(thousand)*

N.B.: **Gross, hundred weight, pair, hundred, score,** *etc., should be used in the singular after numeral adjectives.*

There were many people on either **sides** of the road. *(side)*

CASE

I am stronger than **him**. *(he)*

There is no disagreement between you and **I**. *(me)*

Whom, do you think, has taken my pen? *(who)*

Ram's dog is better than **Shyam.** *(Shyam's)*

It was **him** that broke the glass not **me.** *(he; I)*

I took it to be **him.** *(he)*

No one knew the answer but **I.** *(me)*

He bought some toys for you and **myself.** *(me)*

We scored as many runs as **them.** *(they)*

Is it my friend **who** you are talking of? *(of whom)*

Let Mahesh and **I** do this for you. *(who)*

Somebody gave me this note, I forgot **whom.** *(who)*

I gave it to somebody, I forgot **who.** *(whom)*

It is yet a matter of speculation as to **whom** will be our Prime Minister. *(who)*

I never knew so clever a singer as **she.** *(her)*

He is a relative of my **father's.** *(father)*

PRONOUNS

Each of the actors did **their** part well. *(his)*

Every soldier and every sailor must be given **their** just reward. *(his)*

Either Rajbir or Ranjeet has not paid **their** money. *(his)*

Prem and **myself** have paid the money. *(I)*

Both my father and **self** are keeping well. *(I)*

He went to Kolkata with his brother and **myself.** *(me)*

Two brothers quarrelled with **one another.** *(each other)*

They who are meek shall be exalted. *(Those)*

I am one of **them** that attended the meeting. *(those)*

I am shorter than **either** of my three sisters. *(any)*

He ruined himself and **family** by drinking. *(his family)*

One must do **his** work **himself.** *(one's; oneself)*

RELATIVE PRONOUNS

What is it **which** you want? *(that)*

Do you know my mother **that** lives at Kanpur? *(who)*

Solomon was one of the wisest men **who** ever lived. *(that)*

It is only the blind **who** will not see this. *(that)*

This is the same person **who** came to see you yesterday. *(that)*

I am not one of those who **is** interested in matters that do not concern **me.** *(are; them)*

This is the house built by my brother during the war **and** which cost him a tidy sum. (omit *and)*

He offered me a job on his estate **but** which I declined. (omit *but)*

Hitler prepared for such a war **which** he thought would make him master of the world. *(as)*

This is a fine place **in which to live.** *(to live in)*

We have no rice **with which** to feed so many. (omit *with which)*

He was not allowed to put up any building on **that** land reserved for the military. *(the; or that land which is)*

ADJECTIVES

I have **fewer** money than you. *(less)*
I have **less** marbles than you. *(fewer)*
How **much** goals did you score? *(many)*
We have **many works** today. *(much work)*

N.B.: ***Much** and **less** refer to Quantity or Degree; **Many** and **fewer** to number.*

Of the three boys Ram, Shyam and Dinesh, the **latter** is the smallest. *(last)*
Gopal and Raju are here; the **later** has a hat. *(latter)*

N.B.: ***Later** and **latest** refer to time; **latter** and **last** to position.*

I gave him **a verbal** message. *(an oral)*
If you do not work you are **liable** (or **apt**) to fail. *(likely)*
I was not interested in the **future** developments. *(subsequent)*
Our **mutual** friend is in difficulties. *(common)*

N.B.: ***Our mutual friendship** means the friendship we both feel for each other, **our common friendship** means the friendship we both feel for another.*

He looks very **smartly** in this new dress. *(smart)*
I like these **kind of biscuits.** *(biscuits of this kind; this kind of biscuits)*
Quinine was rushed to **such** places where malaria was raging. *(the* or *those)*
A **comparatively** few know the principle of the atomic bomb. *(comparative* or *comparatively few people know)*
No further threats, economic or **otherwise** were held out. *(other threats)*

Note: *Otherwise is an **adverb** and cannot do the work of a **noun** or an **adjective.***

There was **quite** a crowd at the fair. *(big* or *large)*
He gave us **farther** proofs of his innocence. *(further)*
Amritsar is **further** from Delhi than Aligarh. *(farther)*
The boys **each** have ten oranges. *(have ten oranges each)*
Only the **two first** boys were given prizes. *(first two)*

COMPARISON OF ADJECTIVES

Ram is a **cleverest** boy. *(very clever)*
Of the two brothers the **eldest** runs **fastest.** *(elder; faster)*
Iron is the most useful of all **other** metals. (omit *other)*
The lion is more ferocious than **any** animal. *(any other)*
I am **taller than all the boys.** *(taller than any other boy; taller than all the other boys;* or *the tallest of all the boys)*
Hitler was **bolder** than prudent. *(more bold)*
The fox is **cunning** than the bear. *(more cunning)*
Gulmarg is a far **more** better place than Srinagar. (omit *more)*
Peace is **more preferable than** war. *(preferable to)*

I am **senior thán** you in service. *(senior to)*

Dr Ray has **the best practice of any** medical practitioner here. *(a better practice than any other)*

The speed of a motor car is greater **than** a bicycle. *(than that of)*

THE ARTICLES

A elephant is bigger than **an** ewe. (Interchange *a* and *an*)

An European visits us once **an** year. (*a* in both places)

The bulls eat **the** grass. (omit *the* in both places)

Does your son attend **the** school? (omit *the*)

Lion is king of the beasts. *(The lion is the king of beats)*

The man is mortal. (Omit *The*)

The virtue is better than the wealth (Omit both *The's*)

The boys are fond of **the games** (Omit *the* in both places)

Krishan is **a best** runner in our school. *(the best)*

I read **the** most interesting book. *(a)*

The iron is more useful than **the** gold. (omit both *the's*)

Ganges rises in **Himalayas.** *(The Ganges; the Himalayas)*

Sun is bigger than **earth.** *(The sun; the earth)*

He gave me **few** paise he had. *(the few)*

Rich must help poor. *(The rich; the poor)*

Yours is **more pressing a need** than mine. *(a more pressing need)*

I sent him **the** word that you were sent to **the** prison. (omit *the* in both places)

What kind of **a** person is he? (omit *a*)

The patient is **little** better now. *(a little)*

The black and **brown** pup were sold. *(the brown)*

Churchill was a greater war leader than **a** statesman. (omit *a*)

A teacher and **student** are involved in this matter. *(a student)*

I drink **half** bottle of milk every morning. *(half a)*

N.B.:

1. *A is used as **an** before a word beginning with a **vowel** sound.*
2. *The is used (a) to particularise a person or thing (**the** man); (b) before geographical names excepting names of towns. (**the** Ganges); (c) before an adjective used as a noun (**the** wicked); (d) before a superlative (**the** best place); (e) before a noun, to give it emphasis, (**the** man of the day); (f) as an adverb before a comparative (**The** more, **the** merrier); (g) before a singular noun representing a whole class (**the** lion is a carnivoroys animal.)*
3. *The is omitted (a) before proper nouns (Ram); (b) before abstract nouns used in a general sense (Truth conquers); (c) before material nouns (Gold is*

precious); (d) before a noun used in its widest sense (Man is mortal; tigers eat flesh); (e) before a noun following 'kind of' (What kind of man is he?); (f) in some phrases having a transitive verb followed by its object (to give ear); (g) in certain phrases having a preposition followed by its object (in bed).

4. *The* **Indefinite Article** *is used (a) in its original numeral sense of* **one** *(***a** *pen,* **an** *egg); (b) in a sense of indefiniteness (One day* **a** *man came to a house); (c) in the sense of* **any** *(A cow will give milk); (d) to make a common noun of a proper noun (A Shakespeare).*

VERBS

You must **lay** quietly on bed. *(lie)*
I **laid** unconscious for more than an hour. *(lay)*
I shall **go** to see you next week. *(come)*
My father **took** me to this hospital a week ago. *(brought)*
I was **drowned** but a man saved me. *(about to drown)*
The man who **committed suicide** was charged by the Police. *(attempted to commit suicide)*
The picture was **hanged** on the wall. *(hung)*

TENSES

He said that he **is** not well. *(was)*
I **have** posted your letter yesterday. (omit *have)*
They **had gone** to Kolkata last month. *(went)*
No sooner **the bell was rung** than we came to school.
(had the bell been rung or *As soon as the bell was rung we came to school)*
I hope that you **would** succeed. *(will)*
I shall have been the first **to have greeted** you. *(to greet)*
I met him while **I came** home. *(was coming)*
He said that the earth **went** round the Sun. *(goes)*
The man, who **had been** arrested, **has admitted** the charge.
(...who was arrested etc., or *omit has)*
We eat so that we **might** live. *(may)*
I sent him word that I **can** attend the meeting. *(could)*
Although he **is** away from home for two months, yet he has not written to us. *(smart)*
I told him that many had failed in their duty; he **seemed** to have misunderstood me. *(seems)*
My father **did not come** home yet. *(has not come)*
I **did not see** you since Monday. *(have not seen)*

I am suffering from fever since Monday. *(have been)*

I was ill since two days. *(have been ill for; or was ill for)*

I did not see you for the last five days. *(have not seen)*

VOICE

This war **will not be ended** this year. *(will not end)*

The universe **is consisted of** several planets. *(consists of)*

The earth **is rotated** round the Sun. *(rotates)*

The **Sun is set** in the evening. *(Sun sets)*

This **was happened** long ago. (Omit *was)*

I know what **to say.** *(is to be said)*

The ship **wrecked** near London. *(was wrecked)*

This match is hard **to be won.** *(to win)*

This is claimed to be the best pen in the market. *(They claim that this is)*

ADVERBS

I am **much** grateful to you. *(very)*

He was **very** interested in the game. *(much)*

The weather is **too** warm today. *(very)*

I am **quite** sorry for you. *(very)*

He **fell down** on the ground. (Omit *down)*

We shall **likely** meet again. *(probably)*

He hit me **hardly** on the face. *(hard)*

At once the car stopped. *(suddenly)*

I brought the doctor **suddenly.** *(at once)*

Read the lesson **loud.** *(aloud)*

On seeing him we **literally** laughed. *(actually)*

He **scarcely** did not see me. (Omit *scarcely* or say *scarcely saw me)*

Presently, there is a war in Europe. *(At present)*

Please take **out** your coat. *(off)*

Please kindly give me a Rupee. (Omit *please* or *kindly)*

I knew this long **before.** *(ago)*

We did the work **quicker** than usual. *(more quickly)*

My friend's death made me **so** sad. *(very)*

The weather was **exceeding** cold at the time. *(exceedingly)*

We are **too** occupied now to undertake fresh work. *(too much)*

From thence we went to the museum. (Omit *From;* or *From there)*

MISCELLANEOUS

Have you **a match-box**, please? *(a box of matches)*
At **his sight** the thief ran away. *(sight of him)*
I refrained **myself** from expressing my views. (Omit *myself*)
Due to the long drought the crop has failed. *(Owing to)*

Note: ***Owing to*** *can be either adjectival or* ***adverbial*** *in force;* ***due to*** *can only be* ***adjectival.***

I shall try **and** help you this time too. *(to)*
I am not certain **as to** whether he will agree. (Omit *as to*)
As far as the funds needed for putting up this building there will be no difficulty. (Read *are concerned after building*)
While **being** in full agreement with what you say, I confess I cannot assist you. *(I am)*
This is worth **while** saying. (Omit *while*) - Fowler
Tell me how **did you go** home. *(you went)*
Do you know **to swim**? *(how to swim)*
He went to India **on** his own accord. *(of)*

(i) PARTICIPLES

The stream has **overflown** its banks. *(overflowed)*
I was **awoke** by the report of a gun. *(awakened)*
We could have **laid** there all day. *(lain)*
The table has been **laid** for two. (laid)

(ii) UNRELATED PARTICIPLES

Entering the room, a dog sprang at me. (*While I was entering* or *When I entered*)
Having caught the thieves, **the headman was sent for.** *(... we sent for the headman)*
While going to the market, **my purse was lost.** *(... I lost my purse)*
Being my birthday, I received many presents. *(It being)*
Encouraged by recent successes, **several new industrial schemes are under contemplation.** *(...we are contemplating several... schemes)*
My father left for Singapore on Monday, **arriving** there on Friday. *(and arrived)*
Since writing this, **your parcel has been delivered to me.** *(... I have received your parcel)*
Whilst admitting that this is an ideal scheme, it is absurd to suggest that it can be put into immediate operation. *(Whilst we admit)*

(iii) GERUNDS

I do not object to **you** joining the army. *(your)*
He has no objection to his **brother** taking part in the concert. *(brother's)*

Do you remember **Ram** writing me a letter? *(Ram's)*
There is little danger of this **rule** being broken. *(rule's)*
The State Council approved of the **Board of Ministers** levying this tax. *(Board of Ministers')*

(iv) GERUNDS AND INFINITIVE CONFUSED

Please assist me **to do** this work. *(in doing)*
You have no excuse **to be** late. *(for being)*
You may now commence **to write.** *(writing)*
You are prohibited **to ask** favours. *(from asking)*
I have thought **to buy** a new car. *(of buying)*
All right thinking people will condemn school children's habit **to go** on strikes. *(of going)*
We look forward **to meet** old friends at the rally. *(to meeting)*
I reminded the Scouts of their chief duty **to do** a good turn every day. *(of doing)*
The income tax payers object **to pay** the new tax. *(to paying)*
This land was bought with a view **to build** a school. *(to building)*
Our efforts are aimed **to bring** about a reconciliation. *(to bringing)*

(v) SPLIT INFINITIVE

I shall try **to once again help** you. *(to help you once again)*
It is difficult **to amicably settle** their grievances. *(to settle their grievances amicably)*

N.B.: *Sometimes the split position is preferable; e.g., (1) "The object of this measure is to partly keep out foreign trade." (2) "Such men are powerless to correctly analyse agricultural conditions."*

(vi) SHALL AND WILL: SHOULD AND WOULD

I hope I **will** be able to see you. *(shall)*
Shall he also be present? *(will)*
The judge said to the prisoner, "You **will** be punished for your atrocious crime!" *(shall)*
I **will** be drowned; no one **shall** save me. *(shall; will)*
We **shall** win, or die in the attempt! *(will)*

N.B.: *(a)* ***SHALL** in the **First Person** and **WILL** in the **Second** and **Third Persons** express **simple futurity**.*
(b) ***WILL** in the **First Person** and **SHALL** in the **Second** and **Third Persons** express **determination, desire** or **promise**.*

I think this **would** suit you. *(will)*
I **would** like to meet old friends. *(should)*
If I were you, I **should** not do that. *(would)*
You **would** obey your elders at all times. *(should)*
My friend **should** sit and dream all the day. *(would)*

I intervened lest you **might** be punished. (*should*)
If it **would** rain, the match will not come off. (*should*)
I **would** certainly prefer the train to the bus. (*should*)

Note: ***Should, not would****, is the right form before the verbs* ***prefer, like, be glad, be inclined*** *etc., in first person conditional statements. — Fowler*

It looks (or seems) as if the Labour Party **will** come to power (*would*)
The ministers are anxious that there **will** be no unemployment after the war. (*shall*)

Note: ***That*** *clauses after* ***intend*** *or* ***intention, desire, demand, be anxious*** *etc. have* ***shall*** *and* ***should*** *for all persons. — Fowler*

(vii) CONJUCTIONS

I **neither** know you nor him. (*know neither you nor him*)
He had scarcely (or hardly) finished eating **than** he collapsed. (*when*)
He says **that,** if you promise to help him, **that** he will continue his studies. (Omit the second *that*)
He was no other person **but** our friend (*than*)
I did nothing else *than* rat. (*but*)
He was not only a good general, but a firm ruler. (*but also*)
Although he wrongs me, I love him (*yet* I love him)
Do this **like** I do. (*as*)
I shall not speak to you **except** you apologise to me. (*unless*)
Your essay is as **good,** if not better than, mine. (*as good as*)
It was not long **until** the good news came. (*when*)
Directly the bell rang, we went to the play ground. (*As soon as*)
The reason for his sudden departure is **because** his brother is very ill. (*that*)
Was it ten years ago **since** you visited Delhi. (*that*)
There is nothing praiseworthy **or** nothing blameworthy in his conduct. (*and*)

(viii) MISPLACEMENT

He **both gave me** food and clothes. (*gave me both*)
The boys were **given an apple each**. (*each given an apple*)
The boy was caned by the Principal who was absent yesterday. (*The boy who was absent...*)
He only caned me once. (*He caned me only once*)
He will succeed in his attempt **certainly.** (*will certainly*)
Haven't you any **other suggestion than this.** (*suggestion other than*)

(ix) REDUNDANCY

We returned **back** the same day. (Omit *back*)
This is a **universal** fact, **which all people know.** (Omit either *universal* or *which all people know*)

We restored him to life **again.** (Omit *again*)

As a rule, I **often** go for a change. (Omit *often*)

He stamped **with his foot** on the ground. (Omit *with his foot*)

It is **quite all** right. (Omit *quite* or *all*)

Most of our councillors are not sure of being returned **if and** when a general election is held. (Omit *if and*)

We shall not help you **unless and** until you reform your ways. (Omit *unless and*)

As you have neither paid the money nor have made any effort to do so, **therefore** the land will not be given to you. (Omit *therefore*)

We are **equally** as guilty as you. (Omit *equally*)

Our friends **continue to remain** optimistic. (Say *continue to be*)

He disobeys **both** his father **as well as** his mother. (Omit *both* or say *both his father and his mother*)

This happened **just exactly** ten years ago. (Omit either *just* or *exactly*)

Most men think that money **alone** is the **only** thing that matters. (Omit either *alone* or *only*)

We came back at 8 A.M. time this morning. (Omit time)

This behaviour is **somewhat** extraordinary. (Omit *somewhat*)

The effect of this drought is likely to be **productive of** a famine. (Omit *either 'the effect of'* or *'productive of'*)

This is a **most** unique event in our history. (Omit *most*)

Note: *Perfect, universal, round, ideal, wooden, square, right, etc., admit of no comparison.*

CORRECT USE OF VERBS

Under each sentence, four forms of verbs have been suggested. Choose and mark the one that will most suitably fill in the blank in the sentence.

1. The opening sentence of the passage ..... that a city provides better opportunities for good life.

A. has implied B. has been implying
C. is implied D. implies

2. I ..... a dream and there is none that can interpret it.

A. have dreamed B. am dreaming
C. have been dreaming D. am dreamed

3. I searched the village for a carpenter, but not a single one ..... .

A. found B. is to be found
C. was to be found D. was found

4. Many years ..... since I last ate mangoes.

A. passed B. had passed
C. have passed D. have been passed

5. Someone must ..... this message with a very scratchy pen.
A. write B. have written
C. had written D. had been written

6. The two gunmen ..... by the police at the airport.
A. were caught B. are caught
C. have caught D. had caught

7. Someone or the other must ..... it.
A. had stolen B. steal
C. have stolen D. be stolen

8. How would that situation ..... us?
A. helps B. had helped
C. have helped D. did help

9. He ..... in this town for many years, so he is likely to know it well.
A. has lived B. had lived
C. lived D. has been living

10. These letters ..... already.
A. have signed B. are signed
C. had signed D. have been signed

11. If I ..... to sell my house, I will depart next month.
A. managed B. have managed
C. will manage D. manage

12. The two boys ..... the weather will be all right tomorrow.
A. had hoped B. hope
C. hoped D. have hoped

13. They ..... you next month.
A. will pay B. pay
C. have paid D. paid

14. I must have your agreement before I ..... this document.
A. am signing B. sign
C. signed D. have signed

15. You must buy a ticket if you ..... to enter the theatre.
A. wanted B. are wanting
C. want D. have wanted

16. If Ram ..... them, he would have told them the news.
A. saw B. had seen
C. have seen D. see

17. If the examination is cancelled, I will let you .....
A. know B. known
C. knew D. have known

18. I will let you have this money. But you must ..... to sign this paper.
A. agree B. have agreed
C. agreed D. had agreed

19. His eyesight ..... . A small object got into his eye while he was swimming.
A. damaged B. was damaged
C. had damaged D. is damaged

20. Although the price was very high, she ..... to buy it.
A. agrees B. had agreed
C. agreed D. has agreed

21. It started raining heavily while we ..... tennis.
A. are playing B. were playing
C. had played D. play

22. My brother ..... here for the last five years.
A. has been working B. works
C. is working D. worked

23. If Charu appears in this paper, she ..... through the examinations.
A. gets B. will get
C. is getting D. has got

24. If I were a bird, I ..... in the sky.
A. would fly B. will fly
C. was flying D. had flied

25. If I had received the parcel, I ..... immediately.
A. would reply B. would have been replied
C. would have replied D. were replied

26. No sooner had she completed her work than she ..... for shopping.
A. gets prepared B. get prepared
C. prepared D. got prepared

27. As soon as India got freedom, she ..... to strengthen her power.
A. has started B. had started
C. started D. starts

28. Until the examination comes to an end, we ..... no time for starting any fresh work.
A. will spare B. spare
C. will be sparing D. will have spared

29. The old man, who is sitting here, ... in this room for more than a month.
A. lived B. was living
C. has lived D. is living

30. I ..... him for ten years but I do not know where he lives.
A. have been knowing B. have known
C. was knowing D. knew

31. It is time you ..... your children to school.
A. took B. have taken
C. had taken D. were taking

32. He informed me about the accident, which ..... two days before.
   A. has occured
   B. had occured
   C. was occured
   D. occured
33. Did you think you ..... me somewhere before?
   A. have seen
   B. had seen
   C. were seeing
   D. see
34. Many observations indicate that the number of drug addicts ..... day by day.
   A. is grew
   B. is growing
   C. has grown
   D. have growing
35. I have come to know that your father ..... last week.
   A. has died
   B. had died
   C. died
   D. dies

ANSWERS

1	2	3	4	5	6	7	8	9	10
D	A	C	C	B	A	C	C	D	D
11	**12**	**13**	**14**	**15**	**16**	**17**	**18**	**19**	**20**
D	B	A	B	C	B	A	A	B	C
21	**22**	**23**	**24**	**25**	**26**	**27**	**28**	**29**	**30**
B	A	B	A	C	D	C	A	C	B
31	**32**	**33**	**34**	**35**					
A	B	B	B	C					

PREPOSITION

The Preposition is the most important part of English Language Test in various Competitive Examination. The questions based on prepositions primarily test a candidate's understanding of the correct usage of Prepositions. The questions asked in examinations are always followed by four options as answers in which, at times, two answers may seem to be correct. Hence, it becomes very difficult to select a right answer. Therefore, a candidate is required to get acquainted with the maximum number of preposition and phrases to avoid any confusion.

A preposition is a word placed before a noun or a pronoun to show in what relation the person or thing denoted by it stands in regard to something else.

For Example:

1. There is a book **on** the table.

   Explanation: Here the word 'on' shows the relationship between two things – **book** or **table**.

2. She is fond **of** flowers.

   Explanation: Here the word **of** shows the relationship between the attribute expressed by the objective **fond** and the noun a **flower**.

3. The fox jumped **off** the table.

Explanation: Here the word **off** shows the relationship between the action expressed by the verb **jumped** and noun **table.**

Now, let us discuss some commonly used prepositions. These examples would give you a fair idea about the types of prepositions being asked in the ETE examination.

Examples:

1. **Agree with a person:** I entirely agree with him.
2. **Agree to a proposal:** She is not agreeing to my proposal.
3. **Apologise for:** She must apologise for offending you.
4. Bad **at:** I am bad at cricket.
5. Congratulate **on** something: I congratulate you on your success in the ETE entrance examination.
6. Depend **on:** I depend on my parents.
7. Disappointed **with** somebody: My mother never showed as if she were disappointed with me.
8. Explain something **to** somebody: Could you explain this sentence to me?
9. **Good at:** She is good at tennis.
10. Impress **with/by:** I am very much impressed with/by her work.
11. Interest **in:** I have no interest in [illegible] arts.
12. Kind **to:** People have always been very kind to me.
13. Look **after:** His mother always looks after her son.
14. Look **for:** Can you help me look for my spectacles?
15. Get married **to:** I still hope to get married to Anjali.
16. Popular **with:** Saurabh is popular with his friends.
17. Responsible/responsiblity **for:** Who should be made responsible for this mishap?
18. Shocked **by/at:** I was terribly shocked at/by the news of Sonu's accident.
19. Suffer **from:** She is suffering from cold.
20. Take part **in:** I don't want to take part in any more conferences.
21. Typical **of:** The food was typical of the region.
22. Wrong **with:** What is wrong with Geetika today?

In the exercise that follows, forty questions have been appended for practice. Read each sentence carefully and identify the preposition, from amongst the options given, which would be suitable at the blank space in the sentence. S[illegible] a preposition would make the "right sense," though you may find other suit[illegible] prepositions as well that could be placed in the blank space.

Read the sentences *carefully* and choose suitable *prepositions* for the purpose.

1. She is proud ..... her beauty.
   A. at B. on C. of D. about
2. Mohan belongs ..... the upper strata of the society.
   A. from B. for C. to D. of
3. We offer heartiest congratulation ..... your success.
   A. at B. on C. upon D. for
4. M/s Ram Avtar & Sons are the famous dealers ..... sugar and wheat.
   A. of B. in C. at D. for
5. So far that case is concerned I have not dealt ..... it.
   A. No preposition is required B. in
   C. into D. with
6. The man killed ..... road accident was a stranger.
   A. of B. by C. in D. on
7. He did not go ..... the right direction.
   A. to B. by C into D. in
8. The train reached ..... the station right time.
   A. to B. by
   C. on D. No preposition is required
9. He slipped away ..... the crowd to avoid arrest.
   A. of B. from C. by D. with
10. The man died ..... heart attack without receiving any treatment.
    A. of B. with C. in D. by
11. This remark is not ..... your favour.
    A. to B. for C. in D. of
12. Parole can be granted ..... any convict under the provisions of law.
    A. for B. to C. unto D. upon
13. An appeal has been admitted ..... the Supreme Court.
    A. by B. into C. with D. in
14. When I entered the room he was lying ..... bed.
    A. over B. at C. on D. in
15. Please accompany me ..... my room to collect the material.
    A. for B. to C. upto D. into
16. This item has been included ..... the agenda of the meeting.
    A. into B. in C. on D. with
17. Indian team had played ..... the MCC last year.
    A. with B. upon C. against D. of
18. The fare to Mumbai has been increased ..... six rupees from here recently.
    A. to B. by C. with D. upto
19. He is good ..... chess.
    A. for B. at C. on D. with

20. Payments were made ..... cash at the Head Office.
A. in B. by
C. through D. No preposition required

21. He entrusted me ..... some work.
A. from B. at C. of D. with

22. The girl said that she preferred the blue gown ..... the red one.
A. to B. than C. from D. in

23. The article deals ..... the burning problems of the society.
A. in B. of C. with D. against

24. Her mother is sick but he does not look ..... her.
A. into B. after C. at D. to

25. The teacher distributed sweets ..... his students.
A. from B. among C. between D. in

26. The poet describes the beauty of the nature ..... students.
A. of B. in C. to D. among

27. The villagers saved me ..... being drowned in the river.
A. to B. from C. with D. of

28. My father was angry ..... the servant due to his rude behaviour.
A. of B. into C. at D. with

29. Mohan is also sick because he does not take care ..... his health.
A. of B. to C. from D. off

30. Thousands of patriots died ..... the sake of their country.
A. for B. of C. from D. in

31. This is a secret plan ..... you and me.
A. among B. of C. between D. to

32. Some animals became extinct because they could not adapt ..... new surroundings.
A. of B. to C. from D. than

33. My mother always prays to God ..... my success.
A. of B. for C. from D. to

34. The English nation ruled ..... many countries of the world.
A. of B. over C. on D. into

35. The Principal was ashamed ..... his students' misconduct.
A. of B. to C. from D. with

36. The meeting was adjourned ..... 5 o'clock in the evening.
A. by B. at C. for D. [illegible]

37. The train was running ..... a speed of sixty kilometres per hour.
A. by B. of C. into D. at

38. She looked very different ..... the photograph I had of her.
A. of B. than C. from D. to

39. The health conscious people should take precaution ..... infection.
A. against B. with C. at D. from

40. The employee got an opportunity ..... going abroad.
A. from B. of C. for D. to

ANSWERS

1	2	3	4	5	6	7	8	9	10
C	C	B	B	D	E	D	D	B	A
11	**12**	**13**	**14**	**15**	**16**	**17**	**18**	**19**	**20**
C	B	A	D	B	A	C	B	B	A
21	**22**	**23**	**24**	**25**	**26**	**27**	**28**	**29**	**30**
D	A	C	B	B	C	B	D	A	A
31	**32**	**33**	**34**	**35**	**36**	**37**	**38**	**39**	**40**
C	B	B	B	A	B	D	C	A	C

FILL IN APPROPRIATE WORDS

Pick out the most effective word from the given words to fill in the blanks to make the sentence meaningfully complete in the context of the sentence.

1. The government in our state has been from the beginning ineffective, if not ..... in combating the lawlessness.
A. deficient B. depressing
C. reluctant D. proficient
E. dishonest

2. Environmental pollution has assumed ..... proportion of late.
A. alarming B. depressing
C. critical D. enlarged
E. disappointing

3. Now that you have ..... me, I shall have nothing to do with you in future.
A. prohibited B. deprived
C. retaliated D. abdicated
E. deserted

4. My ten-year-old son was talking in such an impudent manner that I lost patience and ..... him soundly
A. warned B. thrashed
C. admonished D. reprimanded
E. scolded

5. The plea for a separate State is too serious a matter to be treated .....
A. rationally B. cavalierly
C. professionally D. quickly
E. politically

6. We witness a sad ..... of terrorism in the State taking the lives of innocent people.
A. danger B. calamity
C. spectacle D. encounter
E. fortitude

7. Your education has been in vain if it has not ..... in you the habit of clear and independent thinking.
A. established B. involved
C. indulged D. practised
E. fostered

8. Since the unity of the country is regarded as ..... the States are vested only with limited powers.
A. categorical B. durable
C. inalienable D. paramount
E. inexorable

9. Which of the following is most nearly the same in meaning as the word despised?
A. appreciated B. criticized
C. regarded as laudable D. regarded as worthless
E. regarded as objectionable

10. The facts ..... to my report in your newspaper are wrong.
A. contributed B. attributed
C. alleged D. affirmed
E. attached

11. It has been observed that income ..... has widened between urban and rural areas.
A. accretion B. tax
C. disparity D. deviation
E. disbursement

12. Government might ..... whether it will be safe to make a completely dependent organisation suddenly wholly independent.
A. think B. report
C. ignore D. consult
E. consider

13. He was visibly unnerved when he was ..... with the documents bearing his own signature.
A. shown B. challenged
C. confronted D. questioned
E. produced

14. I recommend a severe punishment so that he ..... from drinking in future.
A. desists B. avoids
C. withdraws D. recoils

E. retracts

15. This investigation revealed ..... evidence, all pointing to murder.

A. dangerous B. intimidatory
C. doubtful D. frivolous
E. incriminating

16. Because of the poor ..... in the hall, the singers were barely audible.

A. acoustics B. visibility
C. quality D. tone
E. lighting

17. His ..... handling of the situation landed his own party into trouble.

A. inept B. inspired
C. skillful D. sophisticated
E. uncouth

18. Even after hearing for a fairly long time, we were at a loss to know what he was driving .....

A. to B. on
C. in D. at
E. after

19. Chitra looks ..... the sapling as if it were her own child.

A. upon B. over
C. for D. at
E. after

20. Barring last minute surprises, he is ..... to become the President.

A. designated B. poised
C. endorsed D. elected
E. selected

21. The accused persons were ..... from the jail in the dark of night.

A. escaped B. released
C. bailed D. freed

22. The President of our country ..... an excellent speech yesterday.

A. gave B. said
C. delivered D. produced

23. There are many ..... spaces in the passage with answers below it.

A. vacant B. blank
C. hollow D. gap

24. We have to ..... old considerations if we want to survive in modern age.

A. forswear B. renounce
C. recant D. leave out

25. The people took the step of ..... against the misrule of the administration in my district.

A. insurrection B. hatred

C. hostility D. revolution

26. There is ..... interpretation in most of the romantic poems.

A. sensual B. sensuous
C. sensational D. rational

27. There is ..... attitude of various writers upon me.

A. rancour B. hostility
C. animosity D. antagonist

28. We paid our sympathetic ..... to the family of deceased.

A. mercy B. grace
C. charity D. homage

29. A beautiful morning ..... and the young boys left their beds.

A. came B. happened
C. occured D. appeared

30. Own your wagon, own your container is another new scheme ..... by the railways this year.

A. launched B. devised
C. broadcasted D. moved
E. manipulated

31. Instances of security ..... over the past few years are too familiar.

A. lapse B. actions
C. acts D. steps

32. We ..... the family members after expressing our grief at the tragedy.

A. mourned B. condoled
C. satisfied D. consoled

33. The country needs ..... government to tackle the challenges it faces today.

A. stable B. stationary
C. stagnant D. sustained

34. The General said that the position must be ..... at all costs.

A. arrested B. caught
C. captured D. possessed

35. The nation decided to erect a fire ..... in honour of the martyrs.

A. museum B. monument
C. momentum D. monastery

36. He returned the lost bag to its rightful owner and we handsomely rewarded for his ..... .

A. foresight B. wisdom
C. honesty D. intelligence

37. The payment was ..... delayed this time because some of the supporting documents for the claim were missing.

A. unjustifiably B. undeseruedly

C. untoreseemly D. unduly

38. A glue produced by bees to ..... their hives appears to contain antibiotic substances.

A. decorate B. structure
C. design D. build

39. Automobile manufacturers are reviving upto launch a compaign designed to increase consumer ..... about the new emission control.

A. education B. awareness
C. capacity D. production

40. Some illegal organizations have ..... practices which are known only to members.

A. esoteric B. serctive
C. exotic D. subservient

41. Sonali had a dreadful night caused by an ..... while she was sleeping.

A. euthanasia B. inclubus
C. insonciance D. insipidity

42. The experts group would .... the issue relating to redevelopment of forces.

A. tackle B. handle
C. manipulate D. administer

43. Two nations have decided to sign a new trade ..... to be affected from next month.

A. paper B. business
C. proposal D. agreement

44. Sita was badly ..... by the information which she got in the letter.

A. shaken B. petrified
C. revamped D. evaded

45. We are not ..... with this area so we cannot say more about it.

A. familiar B. attached
C. introduced D. related

ANSWERS

1	2	3	4	5	6	7	8	9	10
C	A	E	B	B	C	E	C	D	B
11	**12**	**13**	**14**	**15**	**16**	**17**	**18**	**19**	**20**
C	E	C	A	E	A	A	D	E	B
21	**22**	**23**	**24**	**25**	**26**	**27**	**28**	**29**	**30**
A	C	B	C	A	B	A	D	A	A
31	**32**	**33**	**34**	**35**	**36**	**37**	**38**	**39**	**40**
A	D	A	C	B	C	C	D	B	B
41	**42**	**43**	**44**	**45**					
A	A	D	A	C					

TEST OF ANTONYMS

An Antonym is also a common test in the English Language Tests. In this test, a candidate is asked to select an appropriate opposite word of a particular word, printed in bold letter in the question, from among the given four alternatives. Among those alternatives, one will find some relatively opposite and some relatively similar words of the particular word. There can also be some unrelated words. Therefore, a candidate is required to consider each one of the words carefully and choose that word, which is most nearly the opposite of the particular word, thus ignoring those unnecessary words.

For Example:

Old and new are antonyms of each other.

For Example:

Choose the right antonym of ABUNDANCE.

A. scarcity B. respect
C. reject D. fullness

Answer: A

Explanation: 'Abundance' means plenty or enough. Since option (A) 'scarcity' means shortage which is the most nearest antonym of the particular word. Option (B) 'respect' stands for admire somebody. Option (C) 'reject' means refuse to accept and lastly, option (D) 'fullness' expresses the nearest synonym of the given word. Hence, all other options except (A) are incorrect. Therefore option (A) 'scarcity' is the appropriate antonym of 'abundance'.

In the following exercise you are given *words* and below each one of them, there is a set of four words. You are required to choose one word from each set, which is an *antonym* of the word given in question. Remember that an antonym means the word that is opposite to the given word. There may not exist exact antonyms of certain words or certain words may not be antonyms of the given words in the absolute term. The term is *relative* and a choice has to be made from the given set of words.

1. Abandon
A. Give up B. Abdicate
C. Desert D. Uphold

2. Abate
A. Dwindle B. Aggravate
C. Mitigate D. Ebb

3. Abbreviate
A. Enlarge B. Reduce
C. Abridge D. Contract

4. Abeyance
A. Expectancy
B. Suspension
C. Dormancy
D. Action

5. Baffle
A. Balk B. Foil
C. Outwit D. Abet

6. Becoming
A. Congruous
B. Seemly
C. Awkward

D. Decent

7. Bleak

A. Exposed B. Bright

C. Dull D. Cold

8. Candid

A. Frank

B. Transparent

C. Straight forward

D. Crafty

9. Deception

A. Equivocation

B. Honesty

C. Dissimulation

D. Falsehood

10. Defile

A. Contaminate B. Disinfect

C. Pollute D. Spoil

11. Eager

A. Earnest B. Cool

C. Animated D. Anxious

12. Enmity

A. Harmony B. Animosity

C. Acrimony D. Bitterness

13. Fallacy

A. Refinement B. Sophism

C. Sureness D. Subterfuge

14. Fickle

A. Capricious

B. Firm

C. Ever changing

D. Fluctuating

15. Formidable

A. Dangerous

B. Impregnable

C. Powerless

D. Invincible

16. Frugality

A. Miserliness

B. Extravagance

C. Percimony

D. Providence

17. Heterogeneous

A. Mingled

B. Unhomogeneous

C. Identical

D. Conglomerate

18. Incongruous

A. Conflicting

B. Contradictor

C. Ill-matched

D. Compatible

19. Inherent

A. Congenital

B. Indispensable

C. Innate

D. Accidental

20. Inquisitive

A. Careless B. Intrusive

C. Meddling D. Peeping

21. Latent

A. Undeveloped B. Apparent

C. Hidden D. Implied

22. Pity

A. Compassion

B. Ferocity

C. Sympathy

D. Tenderness

23. Prejudice

A. Reasoning

B. Preconception

C. Prepossession
D. Presumption

24. Reproof
A. Approbation
B. Comment
C. Condemnation
D. Criticism

25. Vigilant
A. Cautious B. Heedless
C. Awake D. Careful

26. Acquaint
A. Compel B. Deceive
C. Accustom D. Coincide

27. Brevity
A. Conciseness
B. Elongation
C. Terseness
D. Accuracy

28. Celestial
A. Arraign B. Private
C. Terrestrial D. Divine

29. Disdain
A. Honour B. Judgement
C. Scorn D. Dogma

30. Eccentric
A. Regular B. Effective
C. Anomalous D. Particular

31. Epitome
A. Amplification
B. Undervalue
C. Superfluous
D. Summary

32. Gracious
A. Lofty
B. Benevolent
C. Arrogant
D. Courteous

33. Hypocrisy
A. Despise
B. Optimistic
C. Deception
D. Candour

34. Ignominious
A. Honourable
B. Infamous
C. Disgraceful
D. Impressive

35. Lascivious
A. Slay
B. Blithe
C. Chaste
D. Libidinous

36. Magnanimous
A. Condour B. Assuage
C. Selfish D. Lofty

37. Obsolete
A. Inadvertence
B. Modern
C. Disregard
D. Old-fashioned

38. Prelude
A. Epilogue B. Subvert
C. Conclusion D. Preface

39. Recess
A. Refresh B. Restore
C. Projection D. Vacation

40. Solitary
A. Decipher B. Implicit
C. Accompanied D. Lonely

41. Transcend
A. Proxy
B. Incredulity
C. Fail
D. Overstep

42. Unanimous
A. Auspicious
B. Proficiency
C. Disagreeing
D. Like-minded

43. Vigorous
A. Passion B. Denounce
C. Weak D. Powerful

44. Vivacious
A. Dusky B. Somber
C. Brisk D. Languid

45. Worthy
A. Erroneous B. Equity
C. Worthless D. Deserving

ANSWERS

1	2	3	4	5	6	7	8	9	10
D	B	A	D	D	C	B	D	B	B
11	**12**	**13**	**14**	**15**	**16**	**17**	**18**	**19**	**20**
B	A	C	B	C	B	C	D	D	A
21	**22**	**23**	**24**	**25**	**26**	**27**	**28**	**29**	**30**
B	B	A	A	B	B	B	C	A	A
31	**32**	**33**	**34**	**35**	**36**	**37**	**38**	**39**	**40**
A	C	D	A	C	C	B	A	C	C
41	**42**	**43**	**44**	**45**					
C	C	C	D	C					

TEST OF SYNONYMS

Test of Synonyms is the most common test in the English language. In this test, a candidate is asked to choose a suitable word that is most nearly similar to the word given in the question. There are four alternatives. From amongst those alternatives, a relative/a similar word, an opposite word of the particular word and sometimes, even unrelated words in the set of alternatives. Therefore, a candidate is required to consider each alternative very carefully and select the most Apposite (similar) word of that particular word ignoring all other words.

For Example:

Slay and kill are synonyms of each other.

Explanation:

'Slay' means to kill in a violent manner. Therefore, 'kill' is the appropriate synonym of 'slay'.

For Example:

Choose the synonym of **ADIEU** from the options given below:

A. Farewell B. Kind C. Welcome D. Divert

Answer: A

Explanation: 'ADIEU' means good-bye. Option (A) 'Farewell' expresses nearly the same meaning of the particular word. Farewell is a term applied for someone's departure. Option (B) 'Kind' means friendly towards and thoughtful for others. Option (C) 'Welcome' stands for receiving with warmth and pleasure. Hence, it is nearest to the apposite of the particular word. And lastly, option (D) 'Divert' means turn somebody or something from one course to another or change. Therefore option (A) 'Farewell' is the most appropriate synonym of 'ADIEU.'

In this exercise you are given words and below each one of them is a set of four words. You are required to choose one word from each set, which is the synonym of the word given in question. Remember that exact synonym of any word can be rarely located. What we mean by synonym here is the word that is most near to the meaning or sense of the word in question.

1. Adapt
A. Confound B. Confuse
C. Disjoint D. Adjust

2. Allure
A. Deter
B. Drive away
C. Captivate
D. Dissuade

3. Amiable
A. Acrimonious
B. Churlish
C. Attractive
D. Disagreeable

4. Anticipation
A. Expectation
B. Doubt
C. Despair
D. Confidence

5. Anxiety
A. Apathy B. Calmness
C. Assurance D. Concern

6. Augur
A. Assure B. Predict
C. Determine D. Insure

7. Brutish
A. Elevated B. Base
C. Exalted D. Grand

8. Catastrophe
A. Disaster B. Boon
C. Favour D. Blessing

9. Clear
A. Ambiguous B. Dubiuous
C. Mysterious D. Explicit

10. Deception
A. Candour B. Duplicity
B. Frankness D. Honesty

11. Difference
A. Agreement B. Identity
C. Uniformity D. Variation

12. Docile
A. Determined B. Submissive
C. Inflexible D. Obstinate

13. Endure
A. Give up B. Succumb
C. Sustain D. Break

14. Enthusiasm
A. Fervency B. Passion
C. Intensity D. Ardour

15. Equivocal
A. Indisputable
B. Manifest
C. Indeterminate
D. Unquestionable

16. Abroad
A. Inaccessible
B. Away
C. Inattentive
D. Nearby

17. Absolute
A. Sudden
B. Immediate
C. Imperative
D. Relative

18. Adjacent
A. Neighbouring
B. Separate
C. Remote
D. Indoors

19. Compassionate
A. Cruel
B. Benevolent
C. Remunerate
D. Compensate

20. Destitute
A. Poor
B. Wretched
C. Prosperous
D. Lewd

21. Eclipse
A. Solistice
B. Eventual
C. Shade
D. Enhancement

22. Embrace
A. Leisure
B. Except
C. Clasp
D. Prescribe

23. Frivolous
A. Soothe B. Meagre
C. Trivial D. Generous

24. Gorgeous
A. Superb B. Shabby
C. Impious D. Infinite

25. Hazard
A. Obstacle B. Gravity
C. Guard D. Tedious

26. Imperious
A. Jealousy
B. Solemnity
C. Authoritative
D. Confluence

27. Juvenile
A. Adolescent B. Matured
C. Affection D. Adulthood

28. Lassitude
A. Ephemeral B. Emotion
C. Weariness D. Activity

29. Mutual
A. Independent
B. Interchangeable
C. Disciplined
D. Divided

30. Pacific
A. Agonise
B. Agonising
C. Peaceful
D. Turbulent

31. Plea
A. Excuse
B. Exonerate
C. Vindicate
D. Impiety

32. Reluctant
A. Exquisite
B. Restore
C. Unwilling
D. Willing

33. Scorn
A. Contempt
B. Penetrate
C. Impregnate
D. Honour

34. Tangible
A. Savoury
B. Eudlogy
C. Substantial
D. Impalpable

35. Treaty
A. Negotiation
B. Neutrality
C. Negligible
D. Auspicious

36. Utmost
A. Farthest
B. Megnanimous
C. Distinct
D. Approximate

37. Vague
A. Specific B. Prodigious
C. Undetermind D. Definite

38. Vindictive
A. Assert B. Vicious
C. Unforgiving D. Wilderness

39. Vouch
A. Pivot B. Pounce
C. Asssure D. Smack

40. Withstand
A. Involute B. Submit
C. Endure D. Abandon

ANSWERS

1	2	3	4	5	6	7	8	9	10
D	C	C	A	D	B	B	A	D	B
11	**12**	**13**	**14**	**15**	**16**	**17**	**18**	**19**	**20**
D	C	C	D	C	B	C	A	B	B
21	**22**	**23**	**24**	**25**	**26**	**27**	**28**	**29**	**30**
C	C	C	A	A	C	A	C	B	C
31	**32**	**33**	**34**	**35**	**36**	**37**	**38**	**39**	**40**
A	C	A	C	A	A	C	C	C	C

ONE WORD SUBSTITUTION

In each one of the following questions, there is a definition / expression followed by five words. Select the word that fits the definition/expression most closely.

1. Ask too much money for something
A. Bargain B. Cheap
C. Overcharge D. Price
E. Prize

2. Border made up of wood or other material
A. Boundary B. Frame
C. Outline D. Ring
E. Room

3. Children, grandchildren, great-grand-children, etc.
A. Descendants B. Family
C. Followers D. Outcome
E. Youth

4. Coming at the right time
A. Early B. Lucky
C. Occasion D. Often
E. Punctuality

5. Demand as a right
A. Borrow B. Claim
C. Earn D. Insure
E. Owe

6. Doing what one is told
A. Citizen
B. Commanding
C. Lawful
D. Listen
E. Obedience

7. Larger to make progress
A. Advanced B. Ambitious
C. Anxious D. Forward
E. Greedy

8. Easily hurt
A. Bad of tempered
B. Damaged
C. Painful
D. Sensible

E. Sensitive

9. An inner feeling that tells one what is right or wrong

A. Cleverness
B. Conscience
C. Consciousness
D. Fear
E. Virtue

10 Get one thing for another

A. Bargain B. Borrow
C. Change D. Exchange
E. Owe

11. A group of people who meet together to discuss and take decisions

A. Class B. Club
C. Committee D. Rat
E. Seat

12. To have enough money to be able to buy

A. Afford B. Borrow
C. Last D. Offer
E. Owe

13. A line/boundary that cannot be crossed

A. Border B. Edge
C. Limit D. Mark
E. Stop

14. A person who receives guests

A. Fellow B. Friend
C. Gentleman D. Host
E. Inviting

15. The name of a book

A. Headline B. Printed
C. Style D. Text
E. Title

16. Not in one's own country

A. Aboard B. Abroad
C. At sea D. Foreign
E. Strange

17. One of the bones in which, the teeth are set

A. Ankle B. Chew
C. Jaw D. Muscle
E. Throat

18. A person who is accused of something and brought before a judge

A. Accuser B. Criminal
C. Defendant C. Justice
E. Lawyer

19. A person who saw an event

A. Eye-sight B. Report
C. Scene D. Theatre
E. Witness

20. A piece of wood supporting a roof

A. Bar B. Beam
C. Mast D. Stock
E. Strip

21. A person who never tires of doing something

A. Magnanimous
B. Obdurate
C. Indefatigable
D. Compunctious

22. Excessive fear of the night time or darkness

A. Bibliomania
B. Agromania
C. Dipsomania
D. Nyctophobia

23. A person who advocates extreme patriotism believes in

A. Chauvinism B. Fascism
C. Communism D. Egoism

24. A person who is indifferent to pains and pleasures follows

A. Stoicism

B. Polytheism
C. Nepoticm
D. Liberation

25. A summary giving a general view of the whole
A. Tacit B. Synopsis
C. Taciturnity D. Syllabus

26. Suitable for daily conversation
A. Synod B. Synthesis
C. Colloquial D. Tacit

27. The one that is outdated or out of use of fashion
A. Modern
B. Obsolete
C. Typical
D. Homogeneous

28. A government where the powers are concentrated in the hands of one person
A. Plutocracy B. Democracy
C. Oligarchy D. Autocracy

29. A letter or a document which does not bear the name of its writer
A. Pseudonym
B. Anonymous
C. Acknowledge
D. Elite

30. Murder of one man by another man.
A. Suicide B. Homicide
C. Genocide D. Insecticide

ANSWERS

1	2	3	4	5	6	7	8	9	10
C	B	A	E	B	E	B	E	B	D
11	**12**	**13**	**14**	**15**	**16**	**17**	**18**	**19**	**20**
C	A	C	D	E	B	C	C	E	B
21	**22**	**23**	**24**	**25**	**26**	**27**	**28**	**29**	**30**
C	D	A	A	B	C	B	D	B	B

COMMON ERRORS IN SENTENCES

Identifying common errors is the most important feature of English Language Tests of various competitive examinations. The questions based on common errors are always expected in the entrance test of the JBT Examination. The common error test is designed to test whether a candidate is capable of sorting out an error related to the rules of grammar,. The errors or related to subject-verb-agreement, numbers, cases, nouns, pronouns, adjectives, verbs, adverbs, prepositions, tenses etc., are generally embedded. These have to be identified within the limited hours. Therefore, a candidate is required to know the basic rules of English grammar. Keeping fact view, this guide common errors related to all the aforesaid parts or speech. There are forty questions related to common errors, with short answers have also been incorporated to guide the student.

In this exercise each sentence has been divided into four parts — A, B, C, D. Out of these four parts, one has a mistake. While answering the question, you will quote that part A, B, C or D (as the case may be) that contains the mistake. In case you find the whole sentence to be completely correct, your answer will be "E". The following examples will make you understand it practically :

(i) (A) We/(B) availed to/(C) the services of /(D) a lawyer for appeal. (E) All correct.

Answer with reasoning : (B) contains the mistake. It should be 'availed ourselves of' and not availed to; 'availed of' means benefited from or utilised.

(ii) (A) the parties/(B) agreed to/(C) the terms/(D) of the draft. (E) All correct

Answer with reasoning : A careful examination of the sentence leads us to the conclusion that there is no mistake in any part of this sentence.

Now answer the following questions:

1. (A) She was conscious to/(B) all that/(C) was going on/(D) around her./ (E) All correct

2. (A) The soldier aimed at/(B) the target and went on firing shots/(C) till it was hit rightly/(D) in the centre./(E) All correct

3. (A) Our mother told us fairy tales/(B) before we go to sleep/(C) in bed/ (D) and we do not miss to listen it any day./(E) All correct

4. (A) Mohan is ungrateful of/(B) his uncle for the moral/(C) and material support on his part/(D) to enable him continue higher studies./(E) All correct

5. (A) Early in the morning/(B) one enemy vessel had sunk in the sea/(C) off Bombay port/(D) in an encounter./(E) All correct

6. (A) The court awarded/(B) death sentence for/(C) all the three accused/ (D) in the triple murder case./(E) All correct

7. (A) We use to go/(B) to play hockey/(C) in the college ground/(D) every evening./(E) All correct

8. (A) This pen is better/(B) from your pen/(C) as it writes/(D) quite fluently./ (E) All correct

9. (A) I am interested/(B) to any subject which/(C) is dry and requires/ (D) hard labour to prepare for examination./(E) All correct

10. (A) The teacher entered the class room/(B) and asked the boys to/(C) do dictation/(D) at a higher speed./(E) All correct

11. (A) We do not want/(B) to go for/(C) participating into the rally on the/ (D) boat club./(E) All correct

12. (A) Floods has taken/(B) a toll of fifty lives/(C) in Uttar Pradesh and/ (D) have made much havoc in the state./(E) All correct

13. (A) There were long queues/(B) on the booking windows/(C) of cinema halls/(D) on the eve of Holi./(E) All correct

14. (A) Mohan was suffering with fever/(B) for the last three days/(C) and had not come/(D) to school./(E) All correct

15. (A) He was taken/(B) with surprise/(C) to see me wearing/(D) a new uniform./ (E) All correct

16. (A) The proceedings of the case/(B) were stalled with an order/(C) of the High Court, admitting/(D) a writ petition of the accused./(E) All correct

17. (A) If you are not conversant/(B) with the job/(C) how can you do your routine/(D) office work in that department./(E) All correct

18. (A) He got tired/(B) walking over/(C) a distance of ten kilometers and/(D) avoided seeing people of talking to them./(E) All correct

19. (A) As soon as the captain/(B) alighted by the coach,/(C) the syce drove it away/(D) from the portico./(E) All correct

20. (A) He cannot distinguish/(B) in wrong and right/(C) and therefore he is very simple person,/(D) not a dishonest one./(E) All correct

21. (A) What do you think/(B) for the person/(C) I had recommended for a job/(D) in your office./(E) All correct

22. (A) Make good preparation/(B) by studying hard/(C) to get from the university examination/(D) in first attempt./(E) All correct

23. (A) He was stabbed on the back/(B) and was removed to/(C) the hospital by the police/(D) in an ambulance./(E) All correct

24. (A) The thieves broke up the house/(B) while he had gone/(C) out of station/(D) on a business tour./(E) All correct

25. (A) He was in need of money and/(B) sold his pen/(C) for Rs. 10/(D) to one of his friends./(E) All correct

26. (A) I am obliged with you/(B) and your entire family/(C) for showing kindness/ (D) and generosity towards us./(E) All correct

27. (A) Not only he, but/(B) also his sons were/(C) blamed for the./(D) act and rightly so./(E) All correct

28. (A) The economical condition/(B) of our country is bad/(C) and unlikely to improve/(D) in the near future./ (E) All correct

29. (A) I and he will/(B) proceed on journey tomorrow/(C) as it is an auspicious day/(D) according to my father.(E) All correct

30. (A) He will certainly/(B) help you if/(C) you will ask him/(D) in a pleasant manner/(E) All correct

31. (A) The defence minister has said that/(B) India would not have spent so much on defence/(C) if some of the neighbouring countries./(D) adopted the policy of restricting defence expenditure./(E) All correct

32. (A) Being a nice day/(B) we visited the/(C) zoo where we found/(D) the spectacle of nature/(E) All correct

33. (A) He is well-known for both/(B) his kindness/(C) as well as./(D) his understanding./(E) All correct

34. (A) The waitor came to us/(B) and inform that no snacks/(C) were available but/(D) he could give us some cold drinks./(E) All correct

35. (A) It is necessary to check every passenger for security/(B) and do not load his luggage/(C) on to the aircraft/(D) unless he identifies it/(E) All correct

36. (A) In case you apologize/(B) for having /(C) broke your promise,/(D) I shal forgive you./(E) All correct

37. (A) His elder brother/(B) is afraid from /(C) of dogs though he./(D) is twenty years old./(E) All correct
38. (A) No sooner had he reached home/(B) than all the villagers/(C) gathered at his house/(D) to listen to his story./(E) All correct
39. (A) The instructor told me/(B) that if I/(C) took lessons regularly, I would/(D) certainly get good marks./(E) All correct
40. (A) A cousin sister/(B) of the manager said that she would/(C) like to succeed him/(D) when his term expired./(E) All correct

EXPLANATORY ANSWERS

1. (B) It should be "conscious of" and not "conscious to".
2. (C) After "till", simple past tense is required.
3. (A) 'Told' should he replaced by 'tells'.
4. (A) It should be "ungrateful to" and not "ungrateful of".
5. (B) Simple part tense is required here.
6. (B) "for" should be replaced by 'of'.
7. (C) "used to" should be used in place of "use to."
8. (B) "from" should be replaced by "than".
9. (B) "interested in" is the correct prepositional phrase.
10. (C) Use "write" in place of "do".
11. (C) "participate in" is the correct prepositional phrase
12. (D) "has" is inappropriate here.
13. (B) "on" should be replaced by "at".
14. (A) "with" should be replaced by "from".
15. (B) "with" should be replaced by "by".
16. (B) "with" should be replaced by "by".
17. (E) The sentence is correct.
18. (B) "tired of" is the correct prepositional phrase.
19. (B) "by" should be replaced by "from".
20. (B) "in" should be replaced by "between".
21. (B) "think about (somebody)" should be the correct prepositional phrase.
22. (C) "by/through" should be used in place of "from".
23. (A) "on" should be replaced by "in".
24. (A) It should be "broke into" and not broke up.
25. (E) The sentence is correct.
26. (A) "obliged with" should be replaced by "obliged to".
27. (E) The sentence is correct.
28. (A) "economical" should be replaced by economic.
29. (A) "I and he" should be replaced by "he and I".
30. (C) Delete "will", because present tense is required here.
31. (D) "adopted" should be preceded by "had".

32. (C) "being a nice day" should be replaced by "it being a nice day".
33. (C) "as well as" should be replaced by "and".
34. (B) "inform" should be replaced by "informed".
35. (B) It should be "not to load."
36. (C) It should be "for having broken".
37. (B) "afraid of" should be used in place of "afraid form".
38. (A) No sooner + had + V_3 .... structure should be followed.
39. (C) "do" should be replaced by "died".
40. (A) "sister" is superfluous here.

SENTENCE ARRANGEMENT

Sentence arrangement is an important test of English language. The questions based on sentence arrangement consist of four parts 1, 2, 3, 4 of each of the sentence. These four parts of the sentence from four combinations out of which, one is correct. Therefore, the candidate is required to read each one of the fragments of the sentence very carefully and try to understand its meaning to reorganise them rightly in order to make a meaningful sentence. After that the candidate is expected to find out, which one of the four combinations is suitable. One should always keep it in mind that he or she will require adequate practices in order to be perfect in the skill of arranging the sentence. For example, a question of this kind has been illustrated here as :

1. From a distance 1/ of the Taj Mahal 2/ the beautiful dome 3/ can be seen 4/
   (A) 3, 4, 2, 1 (B) 3, 1, 2, 4
   (C) 3, 2, 4, 1 (D) 3, 4, 1, 2
   Answer - (C)

Only option (C) makes a meaningful and systematic sentence, for it follows all the grammatical rules, which are as follows :
Adj. noun + of + noun + verb + complement. However other option do not follow any rule. Therefore, option(C) is appropriate.

Direction : *In the following questions, a disarranged sentence is given in which, words or phrases are given as 1, 2, 3 and 4. Arrange these parts to form meaningful sentences. Then, point out the correct combinations from amongst the options.*

1. In sports 1/ a killing 2/if you have the talent 3/you can make 4/
   (A) 1, 2, 4,3 (B) 2, 4, 3, 1
   (C) 4, 3, 2, 1 (D) 1, 3, 4, 2
2. In Kutch 1/ that law and order 2/ first hand reports suggest 3/ has completely broken down 4/
   (A) 2, 1, 3, 4 (B) 4, 2, 1, 3
   (C) 3, 2, 4, 1 (D) 3, 2, 1, 4
3. Defence Minister on Tuesday said 1/ could exceed one lakh 2/ that devastated Gujart 3/ the final toll in Friday's killer quake 4/
   (A) 1, 4, 3, 2 (B) 4, 1, 2, 3
   (C) 1, 3, 4, 2 (D) 4, 3, 2, 1

4. To keep awake 1/the city has not slept 2/and everyone has his own reason 3/ since Black Friday 4/

(A) 2, 3, 1, 4 (B) 4, 2, 1, 3

(C) 2, 4, 3, 1 (D) 1, 3, 2, 4

5. Who should be involved in the selection process 1/ and I think experienced players are the ones /2 out into the arean /3 the indian selectors have not been able to bring the best played /4

(A) 2, 1, 3, 4 (B) 4, 3, 2, 1

(C) 4, 2, 1, 3 (D) 2, 3, 4, 1

6. Indian skipper 1/ to promote himself 2/ would do well 3/ in batting order in Test Matches 4/

(A) 1, 3, 2, 4 (B) 1, 2, 3, 4

(C) 1, 2, 4, 3 (D) 4, 1, 2, 3

7. It would develop 1/ by the end of the year 2/ Japanese Video game maker on Wednesday said 3/ games for Palm Inc's handheld computers 4/

(A) 3, 2, 4, 1 (B) 1, 2, 4, 3

(C) 3, 1, 4, 2 (D) 3, 4, 2, 1

8. Of News and Events 1/ which is a popular magazine 2/ a dozen copies 3/ he has bought 4/

(A) 3, 4, 2, 1 (B) 1, 3, 4, 2

(C) 2, 4, 1, 3 (D) 4, 3, 1, 2

9. Why did you not deem fit 1/ while you were in power 2/ as a popularly elected leader 3/ to share this information with the people of the nation?/4

(A) 3, 1, 4, 2 (B) 1, 4, 2, 3

(C) 2, 4, 1, 3 (D) 3, 4, 2, 1

10. During your first tenure 1/ can you provide more examples of 2/ operated to destabilise democracy 3/ how the military establishment and the intelligence agencies 4/

(A) 2, 1, 3, 4 (B) 2, 3, 4, 1

(C) 4, 3, 1, 2 (D) 2, 4, 3, 1

11. Healthy and fresh 1/ a two-mile walk 2/ he says that 3/ always keeps him 4/

(A) 4, 2, 1, 3 (B) 3, 2, 4, 1

(C) 3, 2, 1, 4 (D) 1, 2, 4, 3

12. Medical treatment for a long time 1/ the doctor declared that 2/ the patient's intestine was 3/ not working properly and so he needed 4/

(A) 2, 3, 4, 1 (B) 1, 3, 4, 2

(C) 2, 4, 3, 1 (D) 3, 4, 2, 1

13. The beautiful surroundings 1/ of the palace 2/ attracted a large number of tourists 3/ coming from abroad /4

(A) 3, 2, 1, 4 (B) 4, 2, 3, 1

(C) 1, 2, 3, 4 (D) 1, 2, 4, 3

14. The wall of this magnificent 1/ building is 2/ are very striking 3/ fifty feet high and its painting 4/

(A) 4, 3, 1, 2 (B) 1, 2, 4, 3

(C) 2, 1, 3, 4 (D) 4, 3, 1, 2

15. Not even 1/ to take drugs and drive 2/ basketball legends 3/ nobody has the licence 4/

(A) 1, 3, 2, 4 (B) 3, 2, 4, 1

(C) 4, 2, 1, 3 (D) 1, 2, 3, 4

16. At Lord's in 1932 was inevitable 1/ were so sublime that 2/ Amar Singh's performances in domestic cricket 3/ his selection and inclusion for India's debut Test 4/

(A) 3, 2, 4, 1 (B) 1, 2, 3, 4

(C) 4, 1, 2, 3 (D) 3, 4, 2, 1

17. Situation towards the end of the eighteenth century 1/ that woman's life was almost like that of a beast 2/ was so bad 3/ be used and beaten up like any other farm animals 4/

(A) 2, 3, 1, 4 (B) 1, 3, 4, 2

(C) 1, 4, 3, 2 (D) 1, 3, 2, 4

18. A young person Saurabh 1/ one day 2/ along with his friend Anjali 3/ come to his dispensary 4/

(A) 1, 3, 2, 4 (B) 1, 2, 4, 3

(C) 2, 1, 3, 4 (D) 1, 2, 3, 4

19. As soon as 1/ Amitabh and Rahul rushed in 2/ the patient came out 3/ from the doctor's cabin 4/

(A) 1, 3, 4, 2 (B) 2, 1, 4, 3

(C) 1, 2, 3, 4 (D) 4, 3, 1, 2

20. The limitation of western allopathic medicine 1/ during the last two decades 2/ have begun to discover 3/ physician and mental health professionals 4/

(A) 1, 2, 3, 4 (B) 4, 3, 2, 1

(C) 2, 3, 4, 1 (D) 2, 4, 3, 1

ANSWERS

1	2	3	4	5	6	7	8	9	10
D	C	A	C	B	A	C	D	A	D
11	12	13	14	15	16	17	18	19	20
B	A	C	B	C	A	D	C	A	D

COMPREHENSION

Read the following passages carefully and choose the best answer to each of the questions out of the four alternatives.

I

A British survey found that 44 per cent of firms, which started using robots, met with initial failure and 22 per cent abandoned them altogether, mainly because of inadequate technological know-how and skills at all plant levels.

Robotisation is by and large a viable proposition. These machines can work round the clock, raise output, protect quality and enhance industrial competitiveness.

One robot can replace between two and five production workers, while providing, cheaper labour. In the US car industry, a man-hour costs around $ 23 but a robot-hour costs only $ 6.

Certain jobs, mostly simple or hazardous ones, are irretrievably lost to robotics. Thus spot welders, press operators, spray painters, cleaners, machine leaders and operator of grinding and polishing machines are endangered species.

QUESTIONS

1. In the first para the writer says that in view of initial failure :

(A) 50 per cent of the firms, which started using robots, abandoned them

(B) half of the 44 per dent of firms, which started using robots, stopped the practice

(C) 22 per cent of the total number of firms, which had used robots, abandoned their use

(D) British companies stopped the use of robots

2. In the second para, the word 'robotisation' is used in the sense of:

(A) making robots

(B) marketing robots

(C) introducing the use of robots

(D) total replacement of human workers with robots

3. 'A viable proposition' is :

(A) a workable idea

(B) a fanciful idea

(C) an imaginative idea

(D) an unworkable idea

4. Robots are a substitute for :

(A) planners

(B) production workers

(C) motor / cars

(D) any kind of labour

5. In the context of the passage, the expression "endangered species" means that :

(A) workers like spot welders are in danger

(B) robots might destroy the workers mentioned

(C) robots may replace the workers in future

(D) we may not get workers after a few years

II

The report that the union cabinet considered the draft of a Bill to prohibit the denigration of women in photographs, advertisement and films, is welcome. There has been for sometime, growing criticism of projection of women in these three media. Advertisement in the print media, as well as in films and television, frequently rely on feminine sex appeal to attract attention to products or to suggest that these products make Casanovas of ordinary mortals. Things are even worse in films. Some of these unabashedly rely on sex for box office success, showing scantily-attired women in provocative postures. In these, as well as in many advertisement, women clearly appear as objects of erotic stimulation. By showing heroes misbehaving with heroines and getting away with it, films invite emulation in real life and this results in the molestation of women in public places.

QUESTIONS

1. The passage says that the bill to prohibit media exploitation of women :
(A) has been made a law
(B) has been discussed in the Union Cabinet
(C) is being drafted
(D) is going to create a lot of controversy

2. 'Denigration' in the phrase 'denigration of women' means :
(A) abuse
(B) ill-treatment
(C) scandalizing
(D) tarnishing the good image

3. Feminine sex appeal is used in advertisement
(A) entertain the customers
(B) distract the customers' attention
(C) get the attention of prospective customers
(D) show how women at home would like the product

4. 'Unabashedly' means :
(A) with great shyness
(B) openly
(C) indifferently
(D) with no sign of being ashamed

5. The last sentence of the passage underlines :
(A) the healthy influence of films
(B) harmful effect of bad films
(C) the fact that films have nothing to do with a society's morals
(D) the need to teach morals through films

ANSWERS

Passage I

1	2	3	4	5
C	D	A	B	D

Passage II

1	2	3	4	5
C	D	C	B	B

IDIOMS & PHRASES

Directions: *In the following questions, four alternatives have been given for the bold idiom/phrase, choose the alternative, which best expresses the meaning of the bold idiom/phrase.*

1. I don't believe him, he has always **an axe to grind.**
   (A) an intention of killing a man (B) a plan to work diligently
   (C) an evil intention (D) a private end to serve

2. He left the town **under a cloud.**
   (A) of his own accord (B) in disgrace
   (C) with a heavy heart (D) when it wasy raining

3. He is an indifferent student. He is often **all at sea.**
   (A) very knowledgeable (B) completely confused
   (C) in a state of ignorance (D) in a state of shock

4. Biased umpiring can create **bad blood** between the two competing teams.
   (A) violence (B) mischief
   (C) suspicion (D) hostility

5. Through he challenged him for a match, he had to **eat a humble pie.**
   (A) to starve (B) to carry on the battle
   (C) to humiliate himself (D) be friendly

6. He sold his house **for a song.**
   (A) at a reasonable price (B) at a discount
   (C) very cheaply (D) at a premium

7. He went to his friend's house in the evening as **was his want.**
   (A) as usual (B) as he wanted
   (C) as his want was (D) as he wanted that day.

8. As a politician, he is used to being in the **limelight all the time.**
   (A) giving speeches (B) the object of administration
   (C) the centre of attraction (D) an object of public notice

9. Why must you look **a gift horse in the mouth ?**
   (A) welcome a gift (B) find fault with a gift
   (C) be fastidious (D) examine a gift carefully

10. Companies producing goods **play to the gallery to boost their sales.**

(A) advertise

(B) cater to the public taste

(C) attempt to appeal to the popular caste

(D) depend on the public for approval

11. The thief **took to heels** as he saw the police.

(A) ran away (B) moved back

(C) put on the shoes (D) put off the shoes

12. **In the long run**, honesty is the best policy.

(A) occasionally (B) usually

(C) ultimately (D) casually

13. After forty years of age, many ladies tent to **put on flesh.**

(A) wear bright clothes (B) be angry

(C) become light (D) grow fat

14. It is difficult for me to believe you, please put down everything in **black-and-white**.

(A) simple expression (B) colourless way

(C) pictorial shape (D) written form

15. Very often, the ancestral property becomes a **bone of contention** among brothers.

(A) source of income (B) cause of quarrel

(C) back-bone of unity (D) pitfall for corruption

16. *Sodhus* are not interested in the question of **bailing out** one political party or another.

(A) pleasing (B) protecting

(C) promoiling (D) helping

17. Ram has **made amends** for insolance of his past.

(A) suffered (B) felt

(C) regretted (D) compensated for wrong or damage

18. Nobody prepared then for **winds of change.**

(A) changing conditions (B) different weather

(C) the hurricane D) deteriorating state

19. The opposition will not **fight shy of** rejecting any economic policy that makes life difficult for the poorest of the poor.

(A) avoid (B) feel ashamed of

(C) be afraid of (D) hesitate

20. I told him that I was prepared to **show my hand** provided he also agreed to do the same.

(A) forget and forgive (B) fight it out

(C) agree to a settlement (D) reveal my plan of action

21. **"Too clever by half"** is what the director thought when Ram gave him some advice.

(A) deeply intelligent (B) superficial show of knowledge

(C) knows half the facts (D) party knowledgeable

22. It is not surprising to see a teacher in India living **from hand to mouth.**

(A) in miserly conditions

(B) in an independent way

(C) without any provision for the future

(D) without any regard for ideals

23. The escaped prisoner **was making for** the railway station.

(A) running towards (B) thinking of going to

(C) asking the way to (D) travelling towards

24. The detective went abroad in search of a culprit but his journey proved to be **a wild goose chase.**

(A) expensive (B) unprofitable adventure

(C) full of difficulties (D) ill-advised

25. He worked hard in his attempt to **keep the wolf from the door.**

(A) avert danger (B) remain happy

(C) protect himself (D) avoid starvation

ANSWERS

1	2	3	4	5	6	7	8	9	10
D	B	B	D	C	C	A	D	B	B
11	12	13	14	15	16	17	18	19	20
A	C	D	D	B	C	D	A	A	D
21	22	23	24	25					
B	A	A	D	D					

WORD POWER

Against each word (key word printed in CAPITAL letters) four meanings have been given in four options. Select and mark the one, which means almost nearly the same as the key word.

1. ARGUE
   (A) to talk loudly
   (B) to disobey
   (C) to dispute
   (D) to agree
2. BASIC
   (A) serious
   (B) deep
   (C) rough
   (D) fundamental
3. COLLUDE
   (A) to conspire
   (B) to conceal
   (C) to strike
   (D) to allege
4. DECEIVE
   (A) to falsify
   (B) to decline
   (C) to cheat
   (D) to entice
5. ENORMOUS
   (A) deadly
   (B) immense
   (C) hostile
   (D) definite
6. FIRMLY
   (A) permanently
   (B) forcefully
   (C) fondly
   (D) steadfastly
7. GAOL
   (A) destination
   (B) jail
   (C) garden
   (D) a sea-bird
8. HANDY
   (A) small
   (B) popular
   (C) portable
   (D) convenient
9. INDELIBLE
   (A) that cannot be effaced
   (B) that cannot be expanded
   (C) that cannot be delayed
   (D) that cannot be rectified
10. JOLLY
   (A) gay
   (B) peusive
   (C) talkative
   (D) buffoon
11. KIDNAP
   (A) to steal
   (B) to waylay
   (C) to ambush
   (D) to abduct
12. LEAST
   (A) meanest
   (B) smallest

(C) last
(D) farthest

13. MILD
(A) soft
(B) sharp
(C) cowardly
(D) docile

14. NAIVE
(A) unfurnished
(B) clever
(C) simple
(D) skilful

15. ONCE FOR ALL
(A) seldom
(B) immediately
(C) at one time
(D) finally

16. PERFUNCTORILY
(A) in a careless manner
(B) in a ceremonious fashion
(C) in a professional manner
(D) in a laborious manner

17. REDRESS
(A) to make reparation for
(B) to dress again
(C) to subdue again
(D) to describe again

18. SCANT
(A) not enough
(B) malicious
(C) progressive
(D) unplanned

19. TIMID
(A) shy
(B) boastful

(C) courageous
(D) fierce

20. VEX
(A) to implicate
(B) to exclude
(C) to appease
(D) to irritate

21. ACQUAINTANCE
(A) knowledge
(B) preference
(C) danger
(D) pretext

22. ANIMOSITY
(A) similarity
(B) honesty
(C) chastity
(D) hostility

23. ARID
(A) acrid
(B) fertile
(C) uninteresting
(D) unlawful

24. ACUMEN
(A) prudence
(B) accuracy
(C) a man with acute vision
(D) sharpness of mind

25. CATASTROPHE
(A) fierce battle
(B) ruin
(C) boom
(D) adversity

26. ESCHEW
(A) chew
(B) crumble

(C) to keep a secret

(D) abstain

27. ENIGMA

(A) openness

(B) mystery

(C) problem

(D) hard days

28. IMPUNITY

(A) free from any punishment

(B) purity

(C) frankness

(D) fallacy

29. LANGUOR

(A) wickedness

(B) fatigue

(C) length

(D) outery

30. MERETRICIOUS

(A) false

(B) deserving praise

(C) stern

(D) falsely attractive

31. MEAGRE

(A) much

(B) ordinary

(C) a bit

(D) sharp

32. NAUSEA

(A) cheerfulness

(B) calmness

(C) sickness

(D) sleepiness

33. OSCILLATE

(A) swing to and fro

(B) escalate

(C) erase

(D) fear

34. PAMORAMA

(A) constantly changing

(B) scene

(C) preference

(D) pungency

35. QUIESCENT

(A) motionless

(B) happy

(C) dreadful

(D) empty

36. QUINTESSENCE

(A) quotable example

(B) perfection

(C) move

(D) material

37. RAPPORT

(A) discord

(B) conflict

(C) dympathetic relationship

(D) noise

38. RETRIBUTION

(A) fluster

(B) vengeance

(C) condiment

(D) alacrity

39. SANGUINE

(A) severe

(B) hatred

(C) hopeful
(D) tolerant

40. STOICISM
(A) fearlessness
(B) great courage
(C) unemotionality
(D) rationality

ANSWERS

1	2	3	4	5	6	7	8	9	10
C	D	A	C	B	D	B	D	A	A
11	**12**	**13**	**14**	**15**	**16**	**17**	**18**	**19**	**20**
D	B	A	C	D	A	A	A	A	D
21	**22**	**23**	**24**	**25**	**26**	**27**	**28**	**29**	**30**
A	D	C	D	B	D	B	A	B	D
31	**32**	**33**	**34**	**35**	**36**	**37**	**38**	**39**	**40**
C	C	A	A	A	A	C	B	C	C

खण्ड I- अध्ययन सामग्री

अध्याय 1

हिन्दी भाषा और व्याकरण

भाषा

भाषा अभिव्यक्ति का समर्थ साधन है। इसका विकास कालान्तर में आवश्यकतानुसार हुआ है। संसार की सभी भाषाओं के बारे में यह तथ्य लागू होता है। आदिकाल से लेकर अब तक भाषा के अनेक रूप रहे हैं।

भाषा का नाम उसे दिया जाता है, जो आम जनता के व्यवहार में आती हो। इसमें लोक व्यवहार के शब्दों का बाहुल्य होता है। लिखने-पढ़ने और बोलने की भाषा में सामान्यतया अन्तर पाया जाता है। लिखने-पढ़ने की भाषा व्याकरण के नियमों से बँधी होती है और उसमें शुद्धाशुद्ध का ध्यान रखा जाता है। बोलने की भाषा में व्याकरण के नियमों का बन्धन अधिक कठोर नहीं होता।

हिन्दी भाषा के विकासक्रम में आरम्भ में अर्थात् आदि काल में हिन्दी भाषा पर अपभ्रंश का अधिक प्रभाव था। साथ ही देशज शब्दों के प्रयोग की भी भरमार थी। मध्यकाल में अपभ्रंश के स्थान पर संस्कृत का प्रयोग बढ़ने लगा और देशज शब्दों के स्थान पर तत्सम शब्दों का प्रयोग अधिक होने लगा। इस काल में ब्रज और अवधी का खूब विकास हुआ। 'खड़ी बोली' कही जाने वाली भाषा का विकास आधुनिक युग में हुआ। इस काल में गद्य-पद्य दोनों के लिए खड़ी बोली का प्रयोग हुआ।

आज हिन्दी–भाषी क्षेत्र में बोली जाने वाली प्रमुख बोलियाँ हैं– बाँगरू, खड़ी बोली, ब्रजभाषा, बुन्देली, कन्नौजी, अवधी, बघेली, छत्तीसगढ़ी और भोजपुरी।

मानव-व्यवहार विचारों के आदान-प्रदान के बिना नहीं चल सकता। संकेत कुछ हद तक ही विचारों के आदान-प्रदान का माध्यम बन सकते हैं। गूँगा आदमी लाख प्रयत्नों के बावजूद अपने मन की बात या भाव को पूरी तरह समझा सकने में असमर्थ होता है। अतः दूसरों की बात समझने और अपनी बात समझाने का समर्थ साधन भाषा ही है। भाषा का प्रयोग दो प्रकार से होता है– बोलकर और लिखकर। बोलने में ध्वनियों का सहारा लिया जाता है और लिखने में लिपि का व्यवहार होता है।

व्याकरण

व्याकरण वह विद्या है, जिससे भाषा का प्रयोग करना सीखा जाता है। यह विद्या हमें शुद्ध उच्चारण, शुद्ध लिखने, शुद्ध बोलने और शुद्ध पढ़ने का ज्ञान प्रदान करती है। व्याकरण में भाषा का वैज्ञानिक अध्ययन होता है। इसमें भाषा से जुड़े हुए नियम आदि होते हैं। व्याकरण के नियमों से भाषा का सर्वमान्य रूप निर्धारित होता है।

वर्ण–वर्ण का अर्थ है अक्षर। वर्ण या अक्षर वह मूल ध्वनि है जिसके खण्ड या टुकड़े नहीं किए जा सकते, जैसे अ, इ, उ आदि। वर्णों के समूह को वर्णमाला कहते हैं।

हिन्दी वर्णमाला में 46 वर्ण या अक्षर हैं–

स्वर–	अ आ इ ई उ ऊ ऋ ए ऐ ओ औ	(11 स्वर)
व्यंजन–	क ख ग घ ङ कवर्ग	
	च छ ज झ ञ चवर्ग	
	ट ठ ड ढ ण टवर्ग	(33 व्यंजन)
	त थ द ध न तवर्ग	
	प फ ब भ म पवर्ग।	
	य र ल व श ष स ह	
अयोगवाह–	अं (अनुस्वार)	
	अः (विसर्ग)	

अनुस्वार और विसर्ग– अनुस्वार का चिन्ह (ं) है और विसर्ग का चिन्ह (:) है। ये दोनों व्यंजन हैं; क्योंकि इनका प्रयोग (उच्चारण) स्वर की सहायता के बिना नहीं किया जा सकता। ध्यान रहे कि चन्द्रबिन्दु (ँ) और अनुस्वार दोनों अलग-अलग हैं। चन्द्रबिन्दु (ँ) का उच्चारण मुँह और नासिका दोनों की मदद से होता है, जैसे हँसना। अनुस्वार का उच्चारण केवल नासिका से किया जाता है, जैसे हंस।

वर्ण दो प्रकार के होते हैं– स्वर और व्यंजन।

स्वर– स्वर मूल ध्वनि हैं। इन्हें किसी अन्य ध्वनि की सहायता के बिना उच्चरित किया जा सकता है, जैसे–अ, इ, उ। स्वरों की संख्या 11 है– अ, आ, इ, ई, उ, ऊ, ऋ, ए, ऐ, ओ और औ। उच्चारण में लगने वाले समय के अनुसार स्वरों को तीन भागों में बाँटा जा सकता है– (i) ह्रस्व स्वर, (ii) दीर्घ स्वर, और (iii) प्लुत स्वर। जिन स्वरों के उच्चारण में 'अ' के उच्चारण के बराबर समय लगता है, उन्हें ह्रस्व स्वर कहा जाता है। अ, इ, उ, ऋ ह्रस्व स्वर हैं। जिन स्वरों के उच्चारण में 'आ' के उच्चारण के बराबर समय लगता है, उन्हें दीर्घ स्वर कहा जाता है। आ, ई, ऊ, ओ और औ दीर्घ स्वर हैं। प्लुत स्वरों के उच्चारण में तीन मात्राओं के उच्चारण के बराबर समय लगता है। सतीश में 'ती' के उच्चारण और ओम में 'ओ' के उच्चारण में तीन मात्राओं के उच्चारण के बराबर समय लगता है।

रचना के आधार पर स्वरों को दो भागों में बाँटा जा सकता है– (i) मूल स्वर और (ii)

संयुक्त स्वर। मूल स्वर हैं– अ, इ, उ, ऋ और संयुक्त स्वर हैं– **अ + अ = आ**, अ + **इ** = ए, अ + ए = ऐ, अ + उ = ओ आदि।

व्यंजन– व्यंजन उन वर्णों को कहते हैं, **जिनके उच्चारण में** स्वरों **की सहायता** ली जाती हैं। क् + अ = क, च् + अ = **च**, त् + **अ = त**– ये **सब व्यंजन के उदाहरण हैं। यहाँ क**, च और त के उच्चारण में 'अ' **की** सहायता **ली** गई है।

हिन्दी **में** तीन **संयुक्त** व्यंजन **हैं– क्ष**, त्र, **और ज्ञ**। इनको निर्माण इस प्रकार होता है– क् + **ष = क्ष**; त् + **र** = त्र और **ज्** + ञ = **ज्ञ**।

व्यंजन **तीन** प्रकार **के होते** हैं– (i) स्पर्श, (ii) अन्तस्थ और (iii) ऊष्म। क से म तक 25 वर्ण **स्पर्श कहलाते** हैं; य, र, ल, व अन्तस्थ कहे जाते हैं और श, ष, स, ह ऊष्म कहे जाते **हैं**।

उच्चारण स्थान के आधार पर वर्णों का वर्गीकरण इस प्रकार होता है–

(1) **कण्ठ्य**– अ, आ, कवर्ग (क, ख, ग, घ, ङ), ह और विसर्ग के उच्चारण में जिह्वा कण्ठ छूती है।
क, ख, ग–इनका उच्चारण कण्ठ और जिह्वा मूल से होता है।

(2) **तालव्य**– इ, ई, चवर्ग (च, छ, ज, झ, ञ), य और श केवल तालु से बोले जाते हैं।

(3) **मूर्द्धन्य**– ऋ, टवर्ग (ट, ठ, ड, ढ ण), र, ष तथा ड़ और ढ़ का उच्चारण मूर्द्धा से होता है।

(4) **दन्त्य**– तवर्ग (त, थ, द, ध, न), ल और स का उच्चारण दाँतों के साथ जिह्वा के मेल से होता है।

(5) **ओष्ठ्य**– उ, ऊ (प, फ, ब, भ, म) का उच्चारण ओठों से होता है।

(6) **कण्ठन्तालु**– ए, ऐ का उच्चारण कण्ठ और तालु के मेल से होता है।

(7) **कण्ठोष्ठ**– ओ, औ का उच्चारण कण्ठ और ओठों के मेल से होता है।

(8) **दन्तोष्ठ**– व (फ) का उच्चारण दाँत और ओठों से होता है।

(9) **अनुनासिक**– ङ, ञ, ण, न, म का उच्चारण मुँह और नाक से होता है।

(10) **नासिका**– सभी अनुस्वार नाक से बोले जाते हैं।

शब्द

उन ध्वनियों को शब्द कहते हैं, जो एक या एक से अधिक वर्णों से मिलकर बनी हों और जिनका कुछ अर्थ निकलता हो।

अर्थ की दृष्टि से शब्द दो प्रकार के होते हैं– (1) सार्थक और (2) निरर्थक। सार्थक शब्द वे हैं, जिनसे किसी अर्थ का बोध होता हो, जैसे, कुत्ता, गाय, जंगल, कमीज, पुस्तक आदि। निरर्थक शब्द वे हैं, जिनसे किसी अर्थ का बोध नहीं होता, जैसे पशुओं और पक्षियों की आवाजें।

व्युत्पत्ति के आधार पर शब्दों के तीन भेद हैं– (i) रूढ़, (ii) यौगिक और (iii) योगरूढ़। रूढ़ शब्द उन्हें कहते हैं जो दूसरे शब्दों के मिलने से नहीं बनते; जिनकी अपनी स्वतंत्र स्थिति होती है और जिनके सार्थक खण्ड नहीं हो सकते। रूढ़ शब्दों के उदाहरण हैं–घर, जल, मोर, घोड़ा आदि। यौगिक शब्द उन्हें कहते हैं जो दो या दो से अधिक शब्दों के योग से बनते हैं और जिनके सार्थक खण्ड हो सकते हैं। यौगिक शब्दों के उदाहरण हैं– पाठशाला (पाठ + शाला), हिमालय (हिम + आलय) आदि। योगरूढ़शब्द उन्हें कहते हैं जो यौगिक हों और जिनका विशेष अर्थ निकलता हो। नीलकंठ योगरूढ़ है। इसमें नील + कंठ का योग है और इसका अर्थ है 'शिव'।

उत्पत्ति के आधार पर शब्दों के चार भेद किये जाते हैं– (i) तत्सम, (ii) तद्भव, (iii) देशज और (iv) विदेशी। तत्सम शब्द वे हैं, जो संस्कृत के हैं और हिन्दी में उन्हें ज्यों-का-त्यों प्रयोग किया जाता है, जैसे – मित्र, अग्नि आदि। तद्भव शब्द संस्कृत मूल के हैं, लेकिन हिन्दी में उन्हें कुछ बदल कर इस्तेमाल किया जाता है, जेसे – 'क्षेत्र' का 'खेत', 'दुग्ध' को 'दूध', 'चूर्ण' का 'चूरन' आदि। देशज शब्द संस्कृत मूल के नहीं हैं, जैसे – पेट, जिन्दगी आदि। विदेशी शब्द विदेशी भाषाओं के हैं, जिन्हें हिन्दी में स्वीकार कर लिया गया है, जैसे कोट, डॉक्टर, प्लेटफार्म आदि।

अर्थ के आधार पर शब्दों का वर्गीकरण इस प्रकार किया गया है– (i) वाचक, (ii) लाक्षणिक, (iii) व्यंजक। साधारण, लोक-प्रसिद्ध अर्थ देने वाले शब्दों को वाचक शब्द कहते हैं, जैसे– गौ भारत का पवित्र पशु है। यहाँ 'गौ' का जो सामान्य लोक-प्रसिद्ध अर्थ है, वह हम सभी समझते हैं। लाक्षणिक शब्द लोक-प्रसिद्ध अर्थ से हटकर लक्षण बोध कराता है, जैसे गोविन्द गधा है। यहाँ 'गधा' शब्द बुद्धिहीनता का द्योतक है। ऐसे शब्दों को व्यंजक कहते हैं, जो वाचक और लाक्षणिक अर्थ से हटकर व्यंजक अर्थ प्रकट करें, जैसे घंटी बज गई। इसका व्यंजक अर्थ है 'छुट्टी हो गई'।

वाक्य में प्रयोग के अनुसार शब्दों के आठ भेद हैं–

(1) संज्ञा, (2) सर्वनाम, (3) विशेषण, (4) क्रिया, (5) क्रिया-विशेषण, (6) संबंधबोधक, (7) योजक और (8) विस्मयादिबोधक।

इनके संबंध में अध्ययन करने से पूर्व हम संक्षेप में लिंग और वचन के बारे में पढ़ेंगे।

लिंग

हिन्दी में दो लिंग होते हैं– स्त्रीलिंग और पुल्लिंग। जो शब्द स्त्री जाति का बोध कराते हैं, उन्हें स्त्रीलिंग कहा जाता है जैसे– राधा, लड़की, पुत्री, पुस्तक, शेरनी, चिड़िया आदि। इसके विपरीत जो शब्द पुरुष जाति का बोध कराते हैं, उन्हें पुल्लिंग कहा जाता है, जैसे– कृष्ण, शेर, बैल, गीदड़, पुत्र, लड़का। ध्यान रहे कि नपुंसक लिंग का प्रयोग संस्कृत में होता है, हिन्दी में नहीं होता।

कुछ शब्द जो प्रायः स्त्रीलिंग ही होते हैं–

(1) ईकारान्त शब्द। जैसे– चिट्ठी, पत्री, लेखनी, पोथी, बोली, गोली, चोली, डोली इत्यादि।

अपवाद– मोती, घी, जी, पानी आदि शब्द पुल्लिंग हैं।

(2) नदियों के नाम। जैसे– गंगा, यमुना, सरस्वती, रावी इत्यादि। प्रायः सभी नदियों के साथ नदी शब्द का प्रयोग किया जा सकता है।

(3) संस्कृत के स्त्रीलिंग और नपुंसक लिंग। जैसे– आशा, माता, दिशा इत्यादि।

(4) राशियों, तिथियों और नक्षत्रों के नाम। जैसे– मेष, वृष, मिथुन, कन्या, तीज, प्रतिपदा, आश्विन, रोहिणी आदि।

(5) धातुओं के नाम जैसे– चाँदी, मिट्टी, धातु आदि।

(6) कुछ समुदायवाचक संज्ञाएँ। जैसे– सेना, शाला, फौज, टोली, सभा, श्रेणी, कक्षा इत्यादि।

(7) अनाज, दालें इत्यादि। जैसे– अरहर, मकई आदि।

(8) कुछ प्राणीवाचक शब्द। जैसे– भगिनी, गाय, कोयल, चील, मैना, बिल्ली आदि।

कुछ शब्द जो प्रायः पुल्लिंग ही होते हैं-

(1) पर्वतों आदि के नाम। जैसे– हिमालय, शिवालिक, विंध्याचल आदि।

(2) भाववाचक संज्ञाएँ– जिनके अन्त में आव, पन, पा, त्व हों। जैसे– चढ़ावा, बहाव, बड़प्पन, बचपन, रंडापा, बुढ़ापा, महत्व, पुरुषत्व।

(3) महीने और दिनों के नाम। जैसे– ज्येष्ठ, बैसाख, चैत्र, मंगलवार, रविवार।

(4) ग्रहों के नाम। जैसे– मंगल, बुध, राहु, केतु आदि।

(5) वर्णमाला के सभी अक्षर – केवल इ, ई और ऋ को छोड़कर।

(6) संस्कृत के नपुंसक लिंग। जैसे– दही, मधु आदि।

(7) पेड़, अनाज सम्बन्धी शब्द। जैसे– बड़, पीपल, आम, चावल, गेहूँ, बाजरा उड़द।

(8) द्रव्यवाचक शब्द। जैसे– सोना, ताँबा, लोहा, मोती, माणिक आदि।

पुल्लिंग से स्त्रीलिंग बनाने के नियम–

(1) अकारान्त और आकारान्त शब्दों के अन्त में ई जोड़ देने से स्त्रीलिंग बन जाता है, जैसे–

नाना–नानी	लड़का–लड़की	दादा–दादी
चाचा–चाची	पुत्र–पुत्री	देव–देवी
गीदड़–गीदड़ी	कबूतर–कबूतरी	नट–नटी

(2) कुछ आकारान्त शब्दों के अन्त का 'आ' हटा कर 'इया' जोड़ दिया जाता है, जैसे–

चिड़ा–चिड़िया	चूहा–चुहिया	डिब्बा–डिबिया
कुत्ता–कुतिया	बेटा–बिटिया	बूढ़ा–बुढ़िया

(3) कुछ व्यवसाय-सूचक (अकारान्त, आकारान्त, इकारान्त) शब्दों के पीछे 'इन' प्रत्यय लगाकर स्त्रीलिंग बनाते हैं, जैसे–

जुलाहा–जुलाहिन धोबी–धोबिन कहार–कहारिन

माली–मालिन ठठेरा–ठठेरिन ग्वाला–ग्वालिन

(4) कुछ प्राणीवाचक शब्दों के पीछे 'नी' या 'इनी' प्रत्यय लगाया जाता है, जैसे–

हंस–हंसिनी जाट–जाटिनी हाथी–हथिनी

शेर–शेरनी

(5) कुछ प्राणीवाचक शब्दों के पीछे 'आनी' प्रत्यय भी लगाया जाता है, जैसे–

नौकर–नौकरानी जेठ–जेठानी देवर–देवरानी

चौधरी–चौधरानी सेठ–सेठानी मेहतर–मेहतरानी

(6) कुछ अकारान्त शब्दों के अन्त में 'आ' प्रत्यय लगाया जाता है, जैसे–

शिव–शिवा शूद्र–शूद्रा प्रिय–प्रिया

बाल–बाला सुत–सुता

(7) कुछ शब्दों के अन्त में 'वती' या 'मती' लगाया जाता है, जैसे–

भगवान्–भगवती गुणवान्–गुणवती श्रीमान्–श्रीमती

रूपवान्–रूपवती बुद्धिमान–बुद्धिमती धनवान्–धनवती

(8) कुछ उपनाम सम्बन्धी शब्दों के अन्त में 'आइन' प्रत्यय लगाया जाता है,

लाला–ललाइन ठाकुर–ठकुराइन बाबू–बबुआइन

दुबे–दुबाइन पण्डित–पण्डिताइन

(9) कुछ शब्दों के अन्त में 'अक' आता है। उनको स्त्रीलिंग बनाने के लिए 'अक' प्रत्यय का 'इका' कर लिया जाता है, जैसे–

अध्यापक–अध्यापिका सेवक–सेविका नायक–नायिका

बालक–बालिका प्रेषक–प्रेषिका लेखक–लेखिका

(10) कुछ शब्दों के अन्त में 'त्री' लगाने से स्त्रीलिंग बन जाता है। जैसे–

कवि–कवयित्री कर्ता–कर्त्री

(11) कुछ इकारान्त शब्दों के अन्त में 'ई' प्रत्यय को 'इ' करके और उसके बाद 'णी' जोड़कर स्त्रीलिंग बना लिया जाता है, जैसे–

परोपकारी–परोपकारिणी अधिकारी–अधिकारिणी

सहधर्मी–सहधर्मिणी कल्याणकारी–कल्याणकारिणी

(12) कुछ पुल्लिंग शब्दों के स्त्रीलिंग सर्वथा भिन्न होते हैं, जैसे–

पिता–माता वर–वधू राजा–रानी

विद्वान–विदुषी बेटा–बेटी पुत्र–पुत्री

भाई–बहन पति–पत्नी

वचन

वचन शब्द संख्या-द्योतक है। वचन दो होते हैं– (1) एकवचन और (2) बहुवचन।

जिस शब्द से एक संख्या का बोध हो, उसे एक वचन कहते हैं, जैसे– पुस्तक, लड़का, कुत्ता, घोड़ा, कमीज, सड़क आदि।

जिस शब्द से एक से अधिक संख्या को बोध हो, उसे बहुवचन कहते हैं, जैसे– पुस्तकें, लड़के, कुत्ते, घोड़े, कमीजें, सड़कें आदि।

बहुवचन बनाने के नियम–

(1) आकारान्त पुल्लिंग शब्दों में 'ए' जोड़ देने से वे बहुवचन बन जाते हैं, जैसे–
कपड़ा–कपड़े, घोड़ा–घोड़े, बेटा–बेटे

(2) आकारान्त स्त्रीलिंग शब्दों के अन्त में 'अ' को 'ए' कर देने से वे बहुवचन बन जाते हैं, जैसे–
आँख–आँखें, बहिन–बहिनें, सड़क–सड़कें

(3) आकारान्त स्त्रीलिंग शब्दों के अन्त में 'आ' के बाद 'ए' कर देने से वे बहुवचन बन जाते हैं, जैसे–
सूचना–सूचनायें कन्या–कन्याएँ माता–माताएँ

(4) इकारान्त और ईकारान्त शब्दों के अन्त में 'याँ' जोड़ देने से वे बहुवचन बन जाते हैं। ऐसा करते समय दीर्घ ई का इ हो जाता है, जैसे–
रीति–रीतियाँ पुत्री–पुत्रियाँ टोपी–टोपियाँ स्त्री–स्त्रियाँ

(5) जिन शब्दों के अन्त में 'या' हो, उनमें 'या' को याँ कर देने से बहुवचन बन जाता है, जैसे–
डिबिया–डिबियाँ गुड़िया–गुड़ियाँ

(6) उकारान्त, ऊकारान्त और ओकारान्त शब्दों के अन्त में 'एं' जोड़ देने से वे बहुवचन बन जाते हैं, जैसे–
बहू–बहुएँ गौ–गौएँ

(7) कुछ अकारान्त, आकारान्त और एकारान्त शब्दों को बहुवचन बनाने के लिए उनके अन्त में 'ओ' लगा देते हैं, जैसे–
लड़का–लड़कों चोर–चोरों
कुछ विदेशी शब्दों के बहुवचन इस प्रकार होते हैं:–
स्टेशन–स्टेशनों लालटेन–लालटेनों

कुछ विशेष नियम–

(1) बहुवचन बनाने के लिए गण, जन, लोग आदि जोड़ लिए जाते हैं। जैसे– पाठक से पाठकगण। आर्य से आर्यजन। क्षत्रिय से क्षत्रिय लोग।

(2) आदर प्रकट करने के लिए एकवचन को बहवचन की भाँति प्रयक्त करते हैं। **जैसे– दादाजी आये हैं। भगवान शकर जग के कल्याणकारा थ। ऋाष दयानन्द संसार का उद्धार करने के लिए आए थे।**

(3) केवल क्रिया को एकवचन से बहुवचन बनाने पर कत्ता और कमे आदे शब्द

बहुवचन बन जाते हैं। जैसे मनुष्य (एकवचन) जाता है। मनुष्य (बहुवचन) जाते हैं। सतीश ने आम (एकवचन) खाया। सतीश ने आम (बहुवचन) खाये।

संज्ञा

जो शब्द किसी व्यक्ति, वस्तु स्थान आदि का बोध कराते हैं, उन्हें संज्ञा कहते हैं, जैसे– शुभा, मनुष्य, कुर्सी, बाजार, पाठशाला, रंगमंच, पुस्तक आदि।

संज्ञा के पाँच भेद होते हैं– (1) व्यक्तिवाचक संज्ञा, (2) जातिवाचक संज्ञा, (3) समुदायवाचक संज्ञा, (4) द्रव्यवाचक संज्ञा और (5) भाववाचक संज्ञा।

व्यक्तिवाचक संज्ञा– उस संज्ञा को कहते हैं, जो किसी विशेष स्त्री, पुरुष अथवा स्थान का बोध कराये, जैसे– मालिनी, सतीश, बनारस आदि।

जातिवाचक संज्ञा– उस संज्ञा को कहते हैं जो किसी एक जाति की वस्तुओं, मनुष्यों आदि का बोध कराये, जैसे– स्त्री, पुरुष, जानवर, नदी, पुस्तक, पर्वत, मकान आदि।

समुदायवाचक संज्ञा– उस संज्ञा को कहते हैं जो किसी समुदाय या समूह का बोध कराये, जैसे– सेना, कक्षा, संघ आदि।

द्रव्यवाचक संज्ञा- उस संज्ञा को कहते हैं, जो किसी द्रव्य (धातु) का बोध कराये, जैसे– सोना, लोहा, ताँबा, तेल, पानी आदि।

भाववाचक संज्ञा– उस संज्ञा को कहते हैं, जो किसी पदार्थ के गुण, दोष, अवस्था, कार्य-व्यापार आदि का बोध कराये, जैसे– दया, चोरी, दुबे, सुख, दुख, यौवन, बचपन आदि।

जातिवाचक संज्ञा, सर्वनाम, विशेषण और क्रिया से भाववाचक संज्ञा बना सकते हैं, जैसे– पशु से पशुता, शत्रु से शत्रुता, लड़का से लड़कपन, मनुष्य से मनुष्यता, अपना से अपनापन, निज से निजत्व, मीठा से मिठास, मूर्ख से मूर्खता, चढ़ना से चढ़ाई, पढ़ना से पढ़ाई, सजाना से सजावट आदि।

कारक– संज्ञा या सर्वनाम के जिस रूप से वाक्य के दूसरे शब्दों के साथ सम्बन्ध जाना जाये, उसे कारक कहते हैं। संज्ञा या सर्वनाम के साथ जो शब्द लगाये जाते हैं, उन्हें विभक्ति कहते हैं, जैसे– राम ने फल खाया। गोविन्द को पाठशाला जाना है।

हिन्दी में आठ कारक हैं–

	कारक	**विभक्ति (चिन्ह)**
1.	कर्त्ता	ने (राम ने खाया)
2.	कर्म	को (हरी ने कुत्ते को बचाया)
3.	करण	से, के द्वारा (माध्यम से) (बाण से मारा; पेन से लिखा)
4.	सम्प्रदान	को, के लिए, के वास्ते (सुधा के लिए फल खरीदो)
5.	अपादान	से (पृथक करने के लिए) (आसमान से गिरा; पेड़ से पत्ता गिरा।)
6.	सम्बन्ध	का, के, की : ना, ने, नी (लड़के का भाई; लड़के के दोस्त)
7.	अधिकरण	में, पर (कमरे में, सड़क पर, टेबुल पर)
8.	सम्बोधन	हे!, हो!, अरे!, हा!, ओ! (हे राम! रक्षा करो।)

सर्वनाम

सर्वनाम उन शब्दों को कहते हैं, जिनका प्रयोग संज्ञा के स्थान पर किया जाता है, जैसे– राम परिश्रम करेगा, तो वह अवश्य सफल होगा। इसी प्रकार मैं, हम, आप, तुम, वे आदि भी सर्वनाम हैं।

सर्वनाम छः प्रकार के होते हैं– 1. पुरुषवाचक सर्वनाम, 2. निजवाचक सर्वनाम 3. निश्चयवाचक सर्वनाम, 4. अनिश्चयवाचक सर्वनाम, 5. सम्बन्धवाचक सर्वनाम और 6. प्रश्नवाचक सर्वनाम।

पुरुषवाचक सर्वनाम उन्हें कहते हैं, जिनसे वक्ता, श्रोता या प्रसंगाधीन व्यक्ति का बोध होता है। पुरुषवाचक सर्वनाम तीन प्रकार के होते हैं– (i) उत्तम पुरुष (ii) मध्यम पुरुष (iii) अन्य पुरुष। उत्तम पुरुष के उदाहरण हैं– मैं, हम; मध्यम पुरुष के उदाहरण हैं– आप, तुम; और अन्य पुरुष के उदाहरण हैं– वह, वे आदि।

निजवाचक सर्वनाम उन्हें कहते हैं। जिससे स्वयं अर्थ का बोध हो जाता है, जैसे– आप, स्वयं, खुद।

निश्चयवाचक सर्वनाम उन्हें कहते हैं, जो किसी वस्तु विशेष का निश्चय करते हैं, जैसे– यह, वह, ये, वे आदि।

अनिश्चयवाचक सर्वनाम उन्हें कहते हैं, जो किसी वस्तु का निश्चय न करें, जैसे– सब, कुछ और कोई।

सम्बन्धवाचक सर्वनाम उन्हें कहते हैं, जो पहले या बाद के उपवाक्य में आये संज्ञा या सर्वनाम से सम्बन्ध बताये और दोनों उपवाक्यों को जोड़ें, जैसे– जो जैसा करेगा, वह वैसा भरेगा।

प्रश्नवाचक सर्वनाम उन्हें कहते हैं, जिनका प्रयोग किसी बारे में प्रश्न करने के लिए किया जाए, जैसे– क्या, कौन।

विशेषण

जो शब्द संज्ञा या सर्वनाम की विशेषता प्रकट करते हैं, उन्हें विशेषण कहते हैं, जैसे– सुन्दर, मोटा, काला, ऊँचा, भव्य आदि। विशेषण जिस संज्ञा या सर्वनाम की विशेषता बताते हैं, उसे विशेष्य कहते हैं। 'सुन्दर बाग' में सुन्दर विशेषण है और बाग विशेष्य है।

विशेषण चार प्रकार के होते हैं–

1. गुणवाचक विशेषण, 2. संख्यावाचक विशेषण, 3. परिमाणवाचक विशेषण और 4. संकेतवाचक विशेषण।

गुणवाचक विशेषण उसे कहते हैं जो किसी संज्ञा या सर्वनाम के गुण, रंग, आकार, अवस्था आदि का बोध कराये, जैसे– लाल, पीला, दुबला, मोटा, सुशील, दुष्ट, भारतीय, जापानी, ऊँचा, नीचा आदि।

संख्यावाचक विशेषण उसे कहते हैं, जो संज्ञा या सर्वनाम की संख्या, गणनाक्रम, समूह आदि का बोध करते हैं, जैसे– **चार** कि॰ग्रा॰, **दो** हाथी, **तीसरा** मकान।

संख्यावाचक विशेषण तीन प्रकार के होते हैं–

(i) निश्चित सख्यावाचक विशेषण, (ii) अनिश्चित संख्यावाचक विशेषण, (iii) विभाग वाचक विशेषण।

(i) निश्चित संख्यावाचक, जैसे– एक, दो, तीन, पहला, दूसरा, तीसरा, दोगुना, चौगुना, दोनों, तीनों आदि।

(ii) अनिश्चित संख्यावाचक, जैसे– बहुत, कुछ, थोड़ा आदि।

(iii) विभाग वाचक, जैसे– प्रत्येक, हर एक आदि।

परिमाणवाचक विशेषण उसे कहते हैं, जो किसी संज्ञा या सर्वनाम का **परिमाण बताये**, जैसे– **थोड़ा** दूध, **अधिक** वर्षा आदि।

संकेतवाचक विशेषण उसे कहते हैं, जो संज्ञा या सर्वनाम की ओर संकेत करे, जैसे– ऐसा, उस, यह, वैसा, उतना, जो, जिस, आदि।

विशेषण बनाने की रीति–संज्ञा के अन्त में ई, भर, भरा, युक्त, मान्, रूपी, शाली, रहित, वाला, पूर्वक, हरी, हरा, हीन, सा आदि लगा देने से विशेषण बन जाता है। जैसे–बुद्धिहीन, शक्तिशाली, स्नेहपूर्वक, ज्ञानरहित, घोड़ेवाला, गुणवान्, गुणी, बुद्धिमान, कटोराभर, रसभरा, पशुरूपी, स्नेहयुक्त, सुनहरी, सुनहरा आदि।

विशेषणों के रूप में परिवर्तन–हिन्दी में लिंग और वचन के कारण विशेषण के रूप में परिवर्तन आ जाता है। जैसे–छोटा लड़का, छोटे लड़के, छोटी लड़की। परिवर्तन के नियम निम्न हैं:

(क) अकारान्त और उकारान्त शब्दों में कोई अन्तर नहीं होता। जैसे–सुशील लड़का, सुशील लड़की, भीरु स्त्री, भीरु स्त्रियाँ, भीरु आदमी आदि।

(ख) **अकारान्त** शब्द का 'आ' स्त्रीलिंग में 'ई' और पुल्लिंग में 'ए' हो जाता है। जैसे–काला कुत्ता, काले कुत्ते; काली घोड़ी, काली घोड़ियाँ आदि।

क्रिया

जिस शब्द से किसी कार्य के होने का बोध हो, उसे क्रिया कहते हैं। जैसे– वह लिखता है। इसमें *लिखना* शब्द क्रिया का द्योतक है।

(हर वाक्य में क्रिया का होना अनिवार्य होता है।)

क्रियाएँ दो प्रकार की होती हैं– (i) अकर्मक और (ii) सकर्मक।

(i) अकर्मक क्रिया–उसे कहते हैं जिसका कर्म नहीं होता और जिसका फल व प्रभाव कर्त्ता पर ही पड़ता है, जैसे– वह जाता है, वे खेलते हैं, तुम रोते हो, लड़कियाँ खेलती हैं, राम सोता है, पूर्णिमा हँसती है।

(ii) सकमर्क क्रिया–उसे कहते हैं, जिसका प्रभाव या फल कर्म पर पड़े; अर्थात् सकर्मक क्रिया के साथ कर्म होता है, जैसे–राम पुस्तकें पढ़ता है, राम ने रावण को मारा।

कुछ अकर्मक क्रियाओं को सकर्मक बनाया जा सकता है, जैसे–पिसना से पिसाना और गड़ना से गाड़ना आदि।

क्रिया के सम्बन्ध में जानने के साथ ही हम काल के सम्बन्ध में भी कुछ जान लें।

काल– काल क्रिया का समय काल बताता है। काल तीन होते हैं– (i) भूतकाल, (ii) वर्तमान काल और (iii) भविष्यत् का ल।

यदि क्रिया पहले हो चुकी हो, तो वह भूतकाल होता है, जैसे उसने पत्र लिख लिया; वह

दिल्ली गया था; वे सो रहे थे।

यदि क्रिया इस समय हो रही हे तो वह वर्तमान काल होता है, जैसे– बच्चे खेलते हैं, मैं पढ़ रहा हूँ।

यदि क्रिया आगे आने वाले समय में होने वाली हो, तो वह भविष्यत् काल होता है, जैसे– मैं जाऊँगा, वह खेलेगा।

क्रिया के लिंग, वचन और पुरुष– क्रिया के लिंग, वचन और पुरुष कहीं कर्त्ता के अनुसार, कहीं कर्म के अनुसार और कहीं अपने स्वाधीन ढंग से होते हैं।

क्रिया-विशेषण

क्रिया-विशेषण ऐसे शब्द होते हैं, जिनसे क्रिया की विशेषता विदित हो। इन शब्दों (क्रिया-विशेषणों) का रूप बदलता नहीं, अतः इन्हें अविकारी और अव्यय भी कहते हैं। जोर से, कल, धीरे-से, वैसा, जैसा, सचमुच, ऊपर, नीचे, भीतर, बाहर, अवश्य, ठीक, नहीं, अतः अतएव, किसलिए, अचानक, निकट, क्रमश, ज्यों, त्यों, बहुधा, सुबह, शाम, एकदम आदि क्रिया-विशेषण के उदाहरण हैं।

क्रिया-विशेषण स्थानवाचक, कालवाचक, रीतिवाचक और परिमाणवाचक होते हैं। स्थान वाचक क्रिया विशेषण स्थान या स्थिति का बोध कराते हैं, जैसे पास, दूर, यहाँ, वहाँ, सामने, नीचे, दायें, बायें, इधर, उधर आदि।

कालवाचक क्रिया-विशेषण काल (समय) का बोध कराते हैं, जैसे आज, कल, सदा, शीघ्र, प्रायः, दिन भर, सबेरे, अब, कब, तभी आदि। रीतिवाचक क्रिया-विशेष्ण क्रिया की अवस्था (स्थिति) का बोध कराते हैं, जैसे धीरे-धीरे, अचानक, अच्छी तरह आदि। परिमाणवाचक क्रिया-विशेषण परिमाण या मात्रा का बोध कराते हैं, जैसे मात्र, थोड़ा, बहुत, तनिक, इतना, उतना आदि।

संबंधबोधक

संज्ञा या सर्वनाम के साथ संबंध स्थापित करने हेतु उनके ठीक बाद में जोड़े जाने वाले शब्द संबंधबोधक कहलाते हैं, जैसे ने, को, से, के लिए, का, के, की आदि

योजक

संज्ञा या सर्वनाम का दूसरे शब्दों के साथ संबंध स्थापित करने हेतु उनके बाद में इस्तेमाल किए जाने वाले शब्द योजक कहे जाते हैं, जैसे और, एवं, तथा, जो आदि।

विस्मयादि बोधक

हर्ष, शोक आश्चर्य, घृणा आदि भावों को व्यक्त करने वाले शब्द विस्मयादि बोधक कहलाते हैं, जैसे अहा, वाह-वाह (हर्ष), अरे! हैं! क्या (आश्चर्य), हाय, आह, उफ (शोक), छिः, थू, धिक्कार (घृणा)।

अध्याय 2

वर्तनी

लिखने में वर्तनी का बड़ा महत्व है। विद्यार्थी लिखने में प्रायः वर्तनी की अशुद्धियाँ करते हैं। इन अशुद्धियों से बचने का यही उपाय है कि शुद्ध वर्तनी का ज्ञान हो। नीचे कुछ शब्दों की शुद्ध और अशुद्ध वर्तनियाँ दी जा रही हैं। इन्हें पढ़कर सही वर्तनी समझ लें और इसका अभ्यास करें। बाद में शुद्ध वर्तनी के सम्बन्ध में प्रश्न दिए गए हैं।

साधारण अशुद्धियाँ

अशुद्ध	शुद्ध	अशुद्ध	शुद्ध
मुनी	मुनि	ह्रिदय	हृदय
साधू	साधु	क्रितज्ञ	कृतज्ञ
दुध	दूध	ऋन	ऋण
निरिप	नृप	प्रिथ्वी	पृथ्वी
बहूत	बहुत	त्रण	तृण
हिन्दु	हिन्दू	म्रिग	मृग
क्रषि	कृषि	श्रृष्टि	सृष्टि
विधी	विधि	उक्ती	उक्ति
उत्पती	उत्पत्ति	शुद्धी	शुद्धि
रवी	रवि	वृद्धी	वृद्धि
छवी	छवि	ऋिषि	ऋषि
आदी	आदि	कवी	कवि
अधिन	अधीन	विपत्ती	विपत्ति
अती	अति	योज्ञ	योग्य
मनू	मनु	घनिष्ट	घनिष्ठ
रूचि	रुचि	अत्याधिक	अत्यधिक
घ्रित	घृत	पौत्रिक	पैतृक
क्रिपा	कृपा	रुग्न	रुग्ण
किर्या	क्रिया	शिक्क्षा	शिक्षा
आपत्ती	आपत्ति	दीक्क्षा	दीक्षा
पुत्रि	पुत्री	व्योहार	व्यवहार

अशुद्ध	शुद्ध
आचय्र	आचार्य
प्रन्तु	परन्तु
प्रांगन	प्रांगण
विशाद	विषाद
बृजभाषा	ब्रजभाषा
प्रतयुत	प्रत्युत
पर्गट	प्रकट
धियान	ध्यान
पक्क्ष	पक्ष
नमश्कार	नमस्कार
तिरष्कार	तिरस्कार
निश्फल	निष्फल
महतव	महत्त्व
भग्त	भक्त
पुरश्कार	पुरस्कार
रामायन	रामायण
भगीरथी	भागीरथी
अभिशेक	अभिषेक
लक्क्षमन	लक्ष्मण
आरोज्ञ	आरोग्य
प्रत्यन	प्रयत्न
संष्कृत	संस्कृत
पछ्छी	पक्षी

त्र की अशुद्धियाँ

अशुद्ध	शुद्ध
पवितृ	पवित्र
पतृ	पत्र
पतृका	पत्रिका
विचितृ	विचित्र

ण की अशुद्धियाँ

अशुद्ध	शुद्ध
हरन	हरण
शरन	शरण
आचरन	आचरण

अशुद्ध	शुद्ध
ग्रामीन	ग्रामीण
अपर्न	अर्पण
गृहण	ग्रहण

र की अशुद्धियाँ

अशुद्ध	शुद्ध
करम	कर्म
धरम	धर्म
परव	पर्व
विकर्म	विक्रम
दरशन	दर्शन
पर्भाव	प्रभाव
अरक	अर्क
परवत	पर्वत

श, ष, स की अशुद्धियाँ

अशुद्ध	शुद्ध
शेश	शेष
दोश	दोष
समरपण	समर्पण
हर्श	हर्ष
श्नेह	स्नेह
शश्त्र	शस्त्र
श्नान	स्नान
कुषल	कुशल
पुरुश	पुरुष

अन्य सामान्य अशुद्धियाँ

अशुद्ध	शुद्ध
अस्नान	स्नान
ग्यानी	ज्ञानी
द्रष्टि	दृष्टि
पुश्टि	पुष्टि
सग्या	संज्ञा
विग्य	विज्ञ
विग्यापन	विज्ञापन
अनुवादित	अनूदित
अकस्मात्	आकस्मात

अशुद्ध	शुद्ध	अशुद्ध	शुद्ध
अन्तेष्टि	अन्त्येष्टि	प्रतीकार	प्रतिकार
उषा	ऊषा	प्रशाद	प्रसाद
क्षत्र	छत्र	दंपति	दम्पत्ति
क्षात	छात्र	दक्क्ष	दक्ष
तृकाल	त्रिकाल	धनुस	धनुष
छमा	क्षमा	मध्यान्ह	मध्याह्न
छमिय	क्षमिय	यसस्वी	यशस्वी
निकलंक	निष्कलंक	रिण	ऋण
निर्वान	निर्वाण	रिशि	ऋषि
निसन्देह	निस्संदेह	विषेश	विशेष
निष्चेष्ठ	निश्चेष्ट	व्रिद्धि	वृद्धि
परिक्षा	परीक्षा	समवेदना	सम्वेदना
प्रक्रिति	प्रकृति	सन्सकार	संस्कार
प्रतिद्वन्दी	प्रतिद्वन्द्वी	सौहार्द्र	सौहार्द

अध्याय 3

उपसर्ग और प्रत्यय

उपसर्ग

उपसर्ग (prefix) शब्दांश होते हैं। इनका प्रयोग स्वतंत्र रूप से नहीं किया जा सकता। किसी शब्द के प्रारंभ में उपसर्ग जोड़ने से उस शब्द का अर्थ बदल जाता है। हिन्दी का शब्द **अज्ञान** है। इसमें अ उपसर्ग है। ज्ञान शब्द में अ उपसर्ग जोड़ कर अज्ञान बना है। अ उपसर्ग जोड़ने से ज्ञान शब्द का अर्थ उल्टा हो गया है। इसी प्रकार कर्म शब्द में कु उपसर्ग जोड़ने से कुकर्म शब्द बन जाता है, जिसका अर्थ कर्म से भिन्न हो गया है। गुण शब्द में अव उपसर्ग जोड़ने से अवगुण शब्द बनता है। उपसर्ग लगाकर नए-नए शब्द बनाये जाते हैं। अतः इसका अध्ययन महत्त्वपूर्ण है।

चूंकि हिन्दी में संस्कृत और अरबी-फारसी के शब्दों का भी प्रयोग होता है, अतः इनके उपसर्गों के बारे में भी जानना आवश्यक है।

1. संस्कृत उपसर्ग

यहाँ संस्कृत के केवल उन्हीं उपसर्गों को दिया जा रहा है, जिनका प्रयोग हिन्दी में बिना झिझक होता है।

अति (अर्थ = अधिक या परे)– अतिवृष्टि, अतिक्रमण, अतिमानव, अतिशय

अधिक (अर्थ = ऊपर या अधिक)– अधिराज, अधिनायक, अधिकरण, अधिमास

अनु (अर्थ = पीछे या समान)– अनुताप, अनुकरण, अनुज, अनुकूल, अनुचर

अप (अर्थ = बुरा, उल्टा)– अपयश, अपशकुन, अपव्यय अपकर्ष, अपशब्द

अभि (अर्थ = विशेष, पास)– अभिवादन, अभिभाषण, अभिमुख, अभीष्ट, अभिशंसा, अभिराम

अव (अर्थ = बुरा, उल्टा)– अवगुण, अवरोध, अवलोकन अवनति, अवसाद, अवज्ञा

आ (अर्थ = तक, से)– आजन्म, आमरण, आरंभ, आकर्षण, आमोद

उत् (अर्थ = ऊपर, श्रेष्ठ)– उत्कर्ष, उन्माद, उल्लास, उत्थान, उत्कृष्ट, उत्सर्ग, उन्नति

उप (अर्थ = पास (निकट), सहायक (छोटा)– उपनिषद, उपन्यास, उपमंत्री, उप-समिति, उपभेद

दुः (अर्थ = कठिन, बुरा, विपरीत)– दुर्गम, दुर्जेय दुर्लभ दुर्जन, दुर्गुण, दुर्गति, दुस्साहस, दुर्दशा, दुराशा

नि (अर्थ = विशेष, निषेध)– निपुण, निवास, नियोजन, निषेध, निरोध, निलम्बन

निः (अर्थ = बिना)– निरादर, निर्दोष, निराकार, निरुपाय, निर्बल, नीरव, निर्विरोध, निष्फल

परि (अर्थ = चारों ओर)– परिक्रमा, परिधान, परिधि, पर्यावरण

प्र (अर्थ = आगे, अधिक)– प्रगति, प्रचार, प्रचुर, प्रगाढ़, प्रबल

प्रति (अर्थ = विपरीत, प्रत्येक)– प्रतिवादी, प्रतिकूल, प्रतिवाद, प्रतिदिन, प्रत्येक, प्रतिशत

वि (अर्थ = विशेष)– विख्यात, विज्ञान, विनय, विभेद, विकृत

सम् (अर्थ = पूर्ण, शुद्ध, साथ)– सम्पूर्ण, सन्तोष, सन्लग्न, सम्पर्क, समन्वय

सु (अर्थ = अच्छा, विशद)– सुमार्ग, सुगन्ध, सुजन, सुगति, सुलभ, सुशील, सुपरिचित

2. अरबी-फारसी के उपसर्ग

अल – अलमस्त

ऐन (अर्थ = ठीक) – ऐनवक्त, ऐनमौका

कम (अर्थ = न्यून) – कमअक्ल, कमसिन

खुश (अर्थ = अच्छा) – खुशखबरी, खुशबू, खुशकिस्मत

गैर (अर्थ = बिना) – गैर-कानूनी, गैर-जिम्मेदार

ब (अर्थ = साथ) – बमुश्किल, बदस्तूर, बतौर, बखूबी

बद (अर्थ = बुरा) – बदचलन, बदनाम, बदबू, बदकिस्मत

बा (अर्थ = के साथ) – बाकायदा, आअदब, बाइज्ज़त

बे (अर्थ = बिना) – बेहद, बेदर्द, बेचारा, बेलाग, बेवफा

ला (अर्थ = बिना) – लापता, लावारिस, लाइलाज

ना (अर्थ = बिना) – नाखुश, नापाक, नापसन्द, नालायक

हम (अर्थ = समान) – हमदर्द, हमवतन, हमसफर

3. हिन्दी उपसर्ग

अ (अर्थ = नहीं, बिना, विहीन) – अचेत, अपच, अचल, अटल

अन (अर्थ = बिना) – अनहित, अनमेल, अनपढ़, अनहोनी

अध (अर्थ = आधा) – अधपका, अधमरा, अधजला

कु (अर्थ = बुरा) – कुपूत, कुठौर

नि (अर्थ = बिना) – निडर, निकम्मा

सु (अर्थ = अच्छा) – सुजन, सुघड़, सुडौल

भर (अर्थ = पूरा, भरके) – भरपूर, भरपेट, भरसक

प्रत्यय

उपसर्ग (prefix) की ही भाँति प्रत्यय (suffix) भी स्वतंत्र रूप से प्रयोग में नहीं आते, पर शब्द के बाद में इनको जोड़ देने से शब्द के अर्थ में परिवर्तन आ जाता है। उपसर्गों की भाँति ही प्रत्यय लगाकर नए-नए शब्द बनाये जाते हैं। अतः इनका अध्ययन महत्त्वपूर्ण है।

प्रत्यय दो प्रकार के होते हैं– **कृत् प्रत्यय** और **तद्धित प्रत्यय।** कृत प्रत्यय धातु के अन्त में लगते हैं और उनसे निर्मित शब्दों को कृदन्त कहा जाता है। तद्धति प्रत्यय संज्ञा, सर्वनाम और विशेषण के अन्त में लगते हैं और उनसे बनने वाले शब्द तद्धितान्त कहलाते हैं।

कृत प्रत्यय

हिन्दी में 5 प्रकार के कृत प्रत्यय हैं–(i) कर्तृवाचक, (2) कर्मवाचक, (3) कारकवाचक, (4) भाववाचक, (5) क्रियावाचक।

1. कर्तृवाचक

अक = जात से जातक
लिख से लेखक
पाठ से पाठक

आऊ = चल से चलाऊ
टिक से टिकाऊ
दिख से दिखाऊ

आकू = लड़ से लड़ाकू
पढ़ से पढ़ाकू

ई = हँस से हँसी
बोल से बोली

ता = दा से दाता
भा से भाता
ज्ञा से ज्ञाता
श्रु से श्रोता

2. कर्मवाचक

औना = खेल से खिलौना
बिछ से बिछौना

ना = गा से गाना
दा से दाना

नी = चल से चलनी
ओढ़ से ओढ़नी

3. करणवाचक

आ = झूल से झूला
मेल से मेला
ठेल से ठेला

ई = गागर से गगरी
रेत से रेती

ऊ = झाड़ से झाड़ू
बाजार से बाजारू

न = चुभ से चुभन
झाड़ से झाड़न

नी = लेख से लेखनी
छल से छलनी

4. भाववाचक

अत = बच से बचत
पढ़ से पढ़त

अन = चल से चलन
घुट से घुटन

आऊ बिक से बिकाऊ
टिक से टिकाऊ

आई = लिख से लिखाई
चढ़ से चढ़ाई
सच से सचाई
लड़ से लड़ाई

5. क्रियावाचक

हुआ = पढ़ से पढ़ता हुआ
सुन से सुनता हुआ

तद्धित प्रत्यय

तद्धित प्रत्यय छह प्रकार के हैं– (1) कर्त्तावाचक (2) भाववाचक (3) गुणवाचक, (4) अपत्यवाचक, (5) ऊनतावाचक, (6) स्त्रीवाचक

1. कर्त्तावाचक

आर = लोहा से लुहार
सोना से सुनार
कह से कहार

ई = तेल से तेली
भेद से भेदी

ची = खजान से खजानची
नकल से नकलची

वाला = घर से घरवाला
दूध से दूधवाला

2. भाववाचक

आई = भला से भलाई
बुरा से बुराई
चौड़ा से चौड़ाई

आपा = बूढ़ा से बुढ़ापा
मोटा से मुटापा

आस = खट्टा से खटास
मीठा से मिठास

इमा = लाल से लालिमा
अरुण से अरुणिमा
हरित से हरीतिमा

ई = खुश से खुशी
लाल से लाली
चोर से चोरी

त = बढ़ से बढ़त
रंग से रंगत
संग से संगत

ता = लघु से लघुता
मित्र से मित्रता
शत्रु से शत्रुता

त्व = बन्धु से बन्धुत्व
गुरु से गुरुत्व

पन = भोला से भोलापन
पागल से पागलपन

गुणवाचक

आ = भूख से भूखा
प्यास से प्यासा

इन = कठ से कठिन
मल से मलिन

आलु = दया से दयालु
कृपा से कृपालु

इक = देव से दैविक
पशु से पाशविक
मूल से मौलिक
देह से दैहिक
वेद से वैदिक
विकल्प से वैकल्पिक

इत = द्रव से द्रवित
फल से फलित

इष्णु = सह से सहिष्णु
प्रभाव से प्रभविष्णु

ई = हठ से हठी
ध्यान से ध्यानी
दुख से दुखी

ईला = रस से रसीला
हठ से हठीला
रंग से रंगीला

ईय = मानव से मानवीय
राष्ट्र से राष्ट्रीय

उक = भाव से भावुक
भिक्षु से भिक्षुक

मान = बुद्धि से बुद्धिमान
मूर्ति से मूर्तिमान

वान = धन से धनवान
गुण से गुणवान

4. अपत्यवाचक

अ = वसुदेव से वासुदेव
पाण्डु से पाण्डव
यदु से यादव

इ = दशरथ से दाशरथि
मारुत से मारुति

एय = गंगा से गांगेय
कुन्ती से कौन्तेय

5. ऊनतावाचक

आ = बाबू से बबुआ

इया = बेटी से बिटिया

लाठी से लठिया
डिब्बा से डिबिया

ड़ा, ड़ी = दुख से दुखड़ा
आँत से अँतड़ी

6. स्त्रीवाचक

आ = प्रिय से प्रिया
सुत से सुता

आइन = पंडित से पंडिताइन
ठाकुर से ठकुराइन

आनी = नौकर से नौकरानी
इन्द्र से इन्द्राणी

इका = लेखक से लेखिका
अध्यापक से अध्यापिका

इया = कुत्ता से कुतिया
बन्दर से बन्दरिया

ई = देव से देवी
घोड़ा से घोड़ी

नी = नट से नटनी
शेर से शेरनी

अन्य महत्त्वपूर्ण प्रत्यय

कर = दिन से दिनकर
रुचि से रुचिकर

चर = जल से जलचर
थल से थलचर
गो से गोचर

चित = कदा से कदाचित
कः से कश्चित

ज = अम्बु से अम्बुज
पयः से पयोज
वारि से वारिज
नीर से नीरज

जा = गिरि से गिरिजा
शैल से शैलजा

ज्ञ = सर्व से सर्वज्ञ
मर्म से मर्मज्ञ

तः = मूल से मूलतः
अन्त से अन्ततः

द = जल से जलद
नीर से नीरद
वारि से वारिद
मान से मानद

इ, ई, ए, ऐ = विराग से वैराग्य
विधव से वैधव्य

उ, ऊ, ओ, औ = सुन्दर से सौन्दर्य
उदार से औदार्य

ल = मंजु से मंजुल
उर्मि से उर्मिल

स्थ = तट से तटस्थ
कण्ठ से कण्ठस्थ

अध्याय 4

संधियाँ और समास

संधियाँ

दो वर्णों के मेल को संधि कहते हैं। संधि तीन प्रकार की होती हैं–

स्वर संधि : जिसमें दो स्वरों का मेल होता है।

व्यंजन संधि : जिसमें दो व्यंजनों का मेल होता है।

विसर्ग संधि : विसर्ग के साथ स्वर या व्यंजन के मेल को विसर्ग संधि कहते हैं।

इन उपर्युक्त तीनों प्रकार की संधियों की संक्षिप्त व्याख्या नीचे दी जा रही है–

I. स्वर संधि

अ से औ तक जिसमें ऋ तथा लृ भी सम्मिलित हैं, स्वर कहलाते हैं। इनके परस्पर मेल को स्वर संधि कहते हैं। इसके सात भेद हैं– दीर्घ, गुण, वृद्धि, परस्पर, पूर्वरूप, यण, अयादि।

दीर्घ संधि : जब अ + अ का योग हो, तो 'आ' हो जाता है; जब अ + आ का योग हो, तो 'आ' हो जाता है; जब आ + आ का योग हो तो 'आ' हो जाता है; जब आ + अ का योग हो तो 'आ' हो जाता है। इसी प्रकार, जब इ + इ का योग हो, तो 'ई' हो जाता है; जब इ + ई का योग हो, तो 'ई' हो जाता है; जब ई + ई का योग हो, तो 'ई' हो जाता है; जब ई + इ का योग हो, तो 'ई' हो जाता है। जब उ + उ का योग हो, तो 'ऊ' हो जाता है जब उ + ऊ का योग हो तो ऊ हो जाता है; जब ऊ + ऊ का योग हो, तो 'ऊ' हो जाता है; जब ऊ + उ का योग हो तो 'ऊ' हो जाता है। नीचे इनके उदाहरण देकर समझाया गया है। जैसे–

अ + अ = आ → धर्म + अर्थ = धर्मार्थ
अ + आ = आ → परम + आनन्द = परमानन्द
आ + आ = आ → नाना + आकार = नानाकार
आ + अ = आ → महा + अर्णव = महार्णव
इ + इ = ई → रवि + इन्द्र = रवीन्द्र
इ + ई = ई → कपि + ईश = कपीश
ई + ई = ई → मही + ईश = महीश
ई + इ = ई → मही + इन्द्र = महीन्द्र
उ + उ = ऊ → लघु + उत्तम = लघूत्तम
उ + ऊ = ऊ → सिंधु + ऊर्मि = सिंधूर्मि
ऊ + ऊ = ऊ → भू + ऊर्जा = भूर्जा

ऊ + उ = ऊ → वधू + उत्सव = वधूत्सव

गुण संधि : जब अ + इ का योग हो, तो 'ए' हो जाता है; जब अ + ई का योग हो, तो 'ए' हो जाता है; जब आ + इ का योग हो, तो 'ए' हो जाता है; जब आ + ई का योग हो, तो 'ए' हो जाता है; जब अ + उ को योग हो, तो 'ओ' हो जाता है; जब अ + ऊ का योग हो, तो 'ओ' हो जाता है; जब आ + उ का योग हो, तो 'औ' हो जाता है, जब अ + ऋ का योग हो, तो 'अर्' हो जाता है, जब आ + ऋ को योग हो तो 'अर' हो जाता है। नीचे इनके उदाहरण देकर समझाया गया है, जैसे–

अ + इ = ए → देव + इन्द्र = देवेन्द्र

अ + ई = ए → सुर + ईश = सुरेश

आ + इ = ए → महा + इंन्द्र = महेन्द्र

आ + ई = ए → उमा + ईश = उमेश

अ + उ = ओ → देव + उत्सव = देवोत्सव

अ + ऊ = ओ → सागर + ऊर्मि = सागरोर्मि

आ + उ = ओ → महा + उत्सव = महोत्सव

आ + ऊ = ओ → महा + ऊर्जा = महोर्जा

अ + ऋ = अर् → देव + ऋषि = देवर्षि

आ + ऋ = अर् → महा + ऋषि = महर्षि

वृद्धि संधि : जब अ + ए का योग हो, तो 'ऐ' हो जाता है; जब आ + ए का योग हो, तो 'ऐ' हो जाता है; जब आ + ऐ का योग हो तो 'ऐ' हो जाता है; जब अ + ओ का योग हो, तो 'औ' हो जाता है; जब आ + औ का योग हो, तो 'औ' हो जाता है। नीचे इनके उदाहरण देकर समझाया गया है, जैसे–

अ + ए = ऐ → एक + एक = एकैक

आ + ए = ऐ → सदा + एव = सदैव

आ + ऐ = ऐ → महा + ऐश्वर्य = महैश्वर्य

अ + ओ = औ → पक्व + ओदन = पक्वौदन

आ + औ = औ → महा + औषधि = महौषधि

पररूप संधि : जब अ + ए का योग हो, तो 'ए' हो जाता है, और जब अ + ओ का योग हो, तो 'ओ' हो जाता है। नीचे इनके उदाहरण देकर समझाया गया है, जैसे–

अ + ए = ए → सप + एरा = सपेरा

अ + ओ = ओ → दन्त + ओष्ठ = दन्तोष्ठ

पूर्वरूप संधि : जब ए + अ का योग हो, तो 'एऽ' हो जाता है; जब इ + अ का योग हो, तो 'ओंऽ' हो जाता है, जैसे–

ए + अ = एऽ → ते + अपि = तेऽपि

ओ + अ = ओऽ → सो + अनुमानै = सोऽनुमानै

जब इ + उ का योग हो, तो 'य' हो जाता है; जब इ + अ का योग हो, तो 'ये' हो जाता है; जब उ + अ का योग हो, तो 'व' हो जाता है; जब उ + आ का योग हो, तो 'वा' हो जाता है; जब उ + ए का योग हो, तो 'वे' हो जाता है; और जब ऋ + आ का योग हो, तो 'रा' हो जाता है। नीचे इनके उदाहरण देकर समझाया गया है,

इ + अ = य → यदि + अपि = यद्यपि
इ + आ = या → इति + आदि = इत्यादि
इ + उ = यु → प्रति + उपकार = प्रत्युपकार
इ + ए = ये → प्रति + एक = प्रत्येक
उ + अ = व → अनु + अर्थ = अन्वर्थ
उ + आ = वा → सु + आगत = स्वागत
उ + ए = वे → अनु + एषण = अन्वेषण
ऋ + आ = रा → मातृ + आनन्द = मात्रानन्द

नोट : हिन्दी में पररूप सन्धि और पूर्वरूप सन्धि से निर्मित शब्दों का प्रयोग नहीं के बराबर होता है।

अयादि सन्धि : जब ए + अ का योग हो, तो 'अय' हो जाता है; जब ऐ + अ का योग हो, तो 'आय' हो जाता है; जब ऐ + इ का योग हो, तो 'आयि' हो जाता है; जब ओ + अ का योग हो, तो 'अव' हो जाता है; जब ओ + इ का योग हो, तो 'अवि' हो जाता है; जब ओ + ई का योग हो, तो 'अवी' हो जाता है, जब औ + अ का योग हो, तो 'आव' हो जाता है; जब औ + इ का योग हो, तो 'आउ' हो जाता है। नीचे इनके उदाहरण देकर समझाया गया है, जैसे–

ए + अ = अय → ने + अन = नयन
ऐ + अ = आय → नै + ाक = नायक
ऐ + इ = आयि → नै ़ इका = नायिका
ओ + अ = अव → पो + अन = पवन
ओ + इ = अवि → पो + इत्र = पवित्र
ओ + ई = अवी → गो + गवीश = गवीश
औ + अ = आव → पौ + अक = पावक
औ + ई = आवि → नौ + इक = नाविक
औ + उ = आउ → भौ + उक = भावुक

II. व्यंजन संधि

व्यंजन के साथ किसी व्यंजन अथवा स्वर के मेल (योग) को व्यंजन सधि कहते हैं। इसके उदाहरण निम्नलिखित हैं–

यदि क्, च्, ट्, प् के साथ अनुनासिक के अतिरिक्त कोई स्वर अथवा वर्ग का तीसरा,

चौथा अथवा पाँचवाँ अक्षर आता हैं तो उसके स्थान पर वर्ग का तीसरा अक्षर हो जाता है, जैसे–

वाक् + मय = वाङ्मय षट् + मास = षण्मास

जगत् + नाथ = जगन्नाथ

त्, व्, द्, के आगे च, व, छ हो तो त्, व्, द् के स्थान में 'च' होता है; ज अथवा झ आए तो 'ज' होता है; ट, व, ठ हो तो 'ट्'; ड, व, ढ हो तो 'ड्' तथा 'ल' आए तो ल् हो जाता है, यथा–

उत् + चरण = उच्चारण बृहत् + टीका = बृहट्टीका

शरद् + चन्द्र = शरच्चन्द्र उत् + डयन = उड्डयन

विपद् + जाल = विपज्जाल उत् + लास = उल्लास

त्, वा, द् के आगे यदि 'श' आवे तो त् व द् के स्थान पर 'च्' और श की जगह 'छ' हो जाता है और ह हो तो त्, व, द् की जगह 'द्' तथा ह की जगह 'ध' हो जाता है, यथा–

उत् + शिष्ट = उच्छिष्ट तत् + हित = तद्धित

छ के पूर्व यदि स्वर हो तो छ के स्थान पर 'च्छ' हो जाता है, जैसे–

परि + छेद = परिच्छेद स्व + छन्द = स्वच्छन्द

म् के आगे यदि व्यंजन हो तो म के बदले अनुस्वार अथवा उसी वर्ग का अनुनासिक व्यंजन हो जाता है, यथा–

अलम् + कार = अलङ्कार (अलंकार); किम् + चित् = किञ्चित (किंचित)

'म' के आगे यदि ऊष्म वर्ण, श, ष, स, ह अथवा अन्तस्थ वर्ण य, र, ल, व आवे तो 'म' अनुस्वार में बदल जाता है, जैसे-

सम् + शय = संशय सम् + सार = संसार

सम् + हार = संहार सम् + योग = संयोग

सम् + रक्षक = संरक्षक सम् + लग्न = संलग्न

सम् + वाद = संवाद

यदि ऋ, र अथवा ष के आगे 'न' आवे तो स्वर, कवर्ग एवं अन्तस्थ य र ल व ऊष्म 'ह' के बीच में रुकावट होने पर भी र्, या ष् से परे न् का ण् हो जाता है, यथा–

परि + नाम = परिणाम ऋ + न = ऋण

'स' से प्रारम्भ होने वाले शब्दों से पूर्व 'अ' व 'आ' को छोड़कर यदि कोई स्वर आता है तो 'स' के स्थान पर साधारणतया 'ष' हो जाता है, जैसे–

वि + सम = विषम सु + सुप्ति = सुषुप्ति

इस नियम के अपवाद भी हैं, जैसे–

अनु + स्वार = अनुस्वार वि + स्मरण = विस्मरण

ष के बाद 'त' व 'थ' वर्ण आने पर उनके स्थान में क्रमशः ट व ठ हो जाता है, जैसे–

पुष् + त = पुष्ट पृष + थ = पृष्ठ

ह्रस्व के बाद र् से परे यदि र् हो तो पहले र् का लोप हो जाता है और पहला ह्रस्व स्वर दीर्घ हो जाता है, जैसे–

निर् + रस = नीरस　　　　निर् + रोग = नीरोग

III. विसर्ग संधि

विसर्ग के साथ स्वर या व्यंजन के मेल को विसर्ग संधि कहते हैं। विसर्ग के सामनेयदि च या छ से प्रारम्भ होने वाले शब्द आवें तो विसर्ग 'श' में बदल जाता है, सामने ट व ठ आवें तो विसर्ग 'ष' में बदलते हैं तथा सामने त व थ वर्ण हों तो विसर्ग का 'स' हो जाता है, यथा–

निः + चिन्त = निश्चिन्त　　　　निः + छल = निश्छल

धनु + टंकार = धनुष्टंकार　　　　निः + ठुर = निष्ठुर

दुः + तर = दुस्तर　　　　प्रियः + थल = प्रियस्थल

विसर्ग के बाद यदि श, ष, स वर्ण हों तो विसर्ग यथावत् बना रहता है अथवा उसके स्थान पर उक्त तीनों वर्ण अपने-अपने स्थान पर ड्योढ़े हो जाते हैं, जैसे–

दुः + शासन = (दुःशासन) अथवा दुश्शासन

निः + संशय = (निःसंशय) अथवा निस्संशय

दुः + षण्ड = (दुःषण्ड) अथवा दुष्षंड

यदि विसर्ग के पूर्व अ हो तथा उसके आगे क, ख और प, फ हों तो विसर्ग में परिवर्तन नहीं होता; जैसे–

रजः + कण = रजःकण　　　　पयः + पान = पयःपान

विसर्ग से पहले ई अथवा उ हो और उसके आगे क, ख अथवा प, फ हो तो विसर्ग 'ष' में बदल जाता है, जैसे–

निः + कलंक = निष्कलंक　　　　निः + फल = निष्फल

निः + पाप = निष्पाप

विसर्ग से पूर्व अ और उसके आगे घोष व्यंजन (वर्ग का 3रा, 4था तथा 5वां वर्ण तथा य र ल व ह) होने पर विसर्ग की जगह 'ओ' हो जाता है, जैसे–

अधः + गति = अधोगति　　　　तमः + गुण = तमोगुण

मनः + रथ = मनोरथ　　　　तपः + वन = तपोवन

विसर्ग से पहले अ, आ को छोड़कर कोई अन्य स्वर होने पर विसर्ग 'र' में बदल जाता है, जैसे–

निः + गुण = निर्गुण　　　　दुः + दशा = दुर्दशा

अन्त का अक्षर 'र' होने पर आगे अघोष व्यंजन आवे तो र् के बदले विसर्ग हो जाता है; जैसे–

अन्तर् + करण = अन्तःकरण　　पुनर् + संस्कार = पुनःसंस्कार

अन्तर् + पुर = अन्तःपुर

समास

जब दो या दो से अधिक शब्द मिलकर किसी नए शब्द की रचना करते हैं तो इस क्रिया को समास कहा जाता है। इस प्रकार मिले हुए शब्दों को 'समस्त पद' भी कहा जाता है। समास में विभक्तियों, अथवा और, आदि का लोप हो जाता है, जैसे–शिवालय = शिव का आलय, इसमें 'का' विभक्ति का लोप होकर शिवालय बना, अतएव इसे सम्बन्ध तत्पुरुष समास कहा जाएगा।

संधि तथा समास में अंतरः संधि होने पर किसी एक या दो वर्णों में विकार होता है। समास होने पर अनेक शब्द मिलकर एक शब्द बन जाता है और बीच की विभक्ति का लोप हो जाता है।

समस्त पद जिन शब्दों से बनता है वे शब्द खण्ड कहे जाते हैं। समस्त पद के खण्ड करके उनका परस्पर सम्बन्ध दिखाने की रीति को 'विग्रह' कहते हैं, जैसे–राजकुमार; इस समस्त पद का विग्रह होगा 'राजा का कुमार'।

समासों के मुख्यतया चार भेद माने जाते हैं, यथा–

(1) अव्ययीभाव (2) तत्पुरुष

(4) बहुब्रीहि (4) द्वन्द्व

कर्मधारय तथा द्विगु को भी समास माना गया है। इससे समासों की संख्या छह हो जाती है किन्तु ये समास वस्तुतः तत्पुरुष के ही भेद हैं।

अव्ययीभाव समास : जिस समास में अर्थ की दृष्टि से पहला पद प्रधान होता है है उसे अव्ययी भाव समास कहा जाता है। इसका पहला पद अव्यय होता है जिसमें लिंग, वचन आदि के कारण कोई परिवर्तन नहीं होता, जैसे–

प्रतिदिन – (दिन-दिन)
यथाशक्ति – (शक्ति के अनुसार)
आजन्म – (जीवन पर्यन्त, जीवन भर)
सर्वप्रथम – (सबसे पहले)
प्रतिदिन – (हर (प्रति) दिन)
प्रत्येक – (हर (प्रति) एक)
साफ-साफ – (बिल्कुल साफ)
एकाएक – (एक के तुरन्त बाद एक)
रातोंरात – (रात ही रात में)
घर-घर – (हर घर में)
हाथों हाथ – (हाथ ही हाथ में)
लाजवाब – (जिसका कोई जवाब न हो)
अकारण – (बिना कारण के)

घड़ी-घड़ी	–	(हर समय)
पहले-पहल	–	(सबसे पहले)
पल-पल	–	(हर पल)
बेखटके	–	(खटके के बिना)
निःशंक	–	(शंका से रहित)

उक्त उद्धरणों में पहल् पद प्रधान है और दूसरा पद संज्ञा है। समस्त पद अव्यय हो जाने पर इसमें कोई परिवर्तन नहीं हो सकता इसलिए उक्त मेल को अव्ययीभाव समास कहा जाता है।

तत्पुरुष समास : जिस समास में दूसरा पद प्रधान होता है तथा पहले खण्ड के विभक्ति चिन्ह का लोप कर दिया जाता है उसे तत्पुरुष समास कहा जाता है, जैसे–हिमालय अर्थात् हिम (बर्फ) का आलय (घर), शरणागत् अर्थात् शरण में आया हुआ। उक्त एक में 'का' विभवित तथा दूसरे 'में' विभक्ति का लोप हुआ है।

तत्पुरुष समास के दो प्रमुख भेद हैं:–

(क) व्यधिकरण तत्पुरुष

(ख) समानाधिकरण तत्पुरुष

(क) व्यधिकरण तत्पुरुष : इसमें समस्त पदों का विग्रह करके अलग-अलग विभक्तियाँ (कारक चिन्ह) लगाई जाती हैं, जैसे–

पुस्तकालय–पुस्तकों का घर (भवन), इसमें सम्बन्ध कारक की छठी विभक्ति है जिसका लोप किया गया।

आनन्दमग्न–आनन्द में मग्न, इसमें अधिकरण तत्पुरुष सूचक 'में' शब्द का लोप किया गया है।

(ख) समानाधिकरण तत्पुरुष : जिसमें समस्त पदों के विग्रह करने पर दोनों खण्डों में कर्त्ता कारक प्रथम विभक्ति ही रहे, जैसे–

अरुण कमल अर्थात् अरुण जो है कमल। इन दोनों शब्दों में विभक्ति एक ही है। व्यधिकरण तत्पुरुष ही सामान्यतया तत्पुरुष समास कहा जाता है और समानाधिकरण तत्पुरुष को कर्मधारय कहते हैं।

व्यधिकरण तत्पुरुष : इस समास के पहले खण्ड में जिस कारक की विभक्ति का लोप हुआ हो, उस कारक या विभक्ति के नाम से इस समास का नाम होता है। इस प्रकार की विभक्तियों के अनुसार इसके छह भेद किए गए हैं :

1. कर्म तत्पुरुष, 2. करण तत्पुरुष, 3. सम्प्रदान तत्पुरुष, 4. अपादान तत्पुरुष, 5. सम्बन्ध तत्पुरुष, 6. अधिकरण तत्पुरुष।

1. कर्म तत्पुरुष–इसमें कर्म के कारक चिन्ह 'को' का लोप होता है, जैसे–

गिरहकट	–	गिरह (गांठ) को काटने वाला
नरभक्षी	–	नर को भक्षण करने वाला
जलपिपासु	–	जल को पीने की इच्छा वाला
मुँहतोड़	–	मुँह को तोड़ने वाला
सर्वज्ञ	–	सब को जानने वाला

2. करण तत्पुरुष– इसमें करण कारक के चिन्ह 'से', 'के द्वारा' का लोप होता है, जैसें–

तुलसीकृत	–	तुलसी द्वारा लिखा गया
रससिक्त	–	रस से सिक्त
शोकाकुल	–	शोक से आकुल
कष्टसाध्य	–	कष्ट से साध्य
ईश्वरदत्त	–	ईश्वर द्वारा दिया गया

3. सम्प्रदान तत्पुरुष–इसमें सम्प्रदान कारक के चिन्ह 'के लिए' का लोप होता है, जैसे–

गोशाला	–	गाय के लिए शाला
देशभक्ति	–	देश के लिए भक्ति
सभामंडप	–	सभा के लिए मंडप
रसोईघर	–	रसोई के लिए घर
बालामृत	–	बालकों के लिए अमृत

4. अपादान तत्पुरुष– इसमें अपादान कारक के चिन्ह 'से' (अलग होने के अर्थ में) का लोप होता है, जैसे–

धनहीन	–	धन से हीन
गुणरहित	–	गुण से रहित
दोषमुक्त	–	दोष से मुक्त
जन्मान्ध	–	जन्म से अन्धा
सेवानिवृत्त	–	सेवा से निवृत्त

5. संबंध तत्पुरुष– इसमें संबंध कारक के चिन्हों 'का', 'के', 'की' का लोप होता है, जैसे–

हरिजन	–	हरि का जन
राष्ट्रपति	–	राष्ट्र का पति
मंत्रिपरिषद	–	मंत्रियों की परिषद
परधन	–	दूसरे का धन
गंगाजल	–	गंगा का जल

6. अधिकरण तत्पुरुष– इसमें अधिकरण कारक के चिन्हों 'में', 'पर' का लोप होता है, जैसे–

निशाचर	–	निशा में विचरण करने वाला
ईश्वराधीन	–	ईश्वर पर आधीन
नराधम	–	नरों में अद्यम
आपबीती	–	अपने पर बीती
युद्धरत	–	युद्ध में रत

7. कर्मधारय या समानाधिकरण तत्पुरुष– इसमें दूसरे पद का अर्थ प्रधान होता है। पहला पद विशेषण अथवा उपमान और दूसरा पद विशेष्य अथवा उपमेय होता है। जैसे

मुखचन्द्र	–	चन्द्रमा के समान मुख
चरणकमल	–	कमल के समान चरण

मुखारविन्द – अरविन्द के समान मुख
नरशार्दूल – नरों में सिंह के समान

विशेषण-विशेष्य–नीलकमल–नील विशेषण कमल विशेष्य (संज्ञा); पीताम्बर–पीत विशेषण, अम्बर विशेष्य (संज्ञा)।

उपमेय और उपमान– जिस शब्द की किसी से समता बताई जाए उसे उपमेय और जिससे समता बताई जाए उसे उपमान कहते हैं। वारिजनयन अर्थात् कमल के समान नेत्र इसमें उपमेय नयन तथा उपमान कमल है। इसी प्रकार अन्य शब्द हो सकते हैं–मृगनयनी, चन्द्रमुखी आदि।

द्विगु समास– जिस समास का पहला पद संख्यावाची हो और जिससे किसी समुदाय का बोध होता हो उसे द्विगु समास कहा जाता है, जैसे–त्रलोक्य (तीन लोकों का समूह), सतसई (सात सौ का समूह), इस प्रकार के शब्द हैं–पंचानन, अधमरा, नवग्रह, पंचवटी, अष्टाध्यायी आदि। ये सभी द्विगु समास का बोध कराते हैं। अन्य उदाहरण हैं–चौराहा, अठन्नी, षडऋतु, तिमंजिला, दुभाषिया, तिपहिया, त्रिवेणी, चतुर्वेदी, चौपाई, नौलखा, पंचतत्व, नवरत्न, सप्तसिन्धु, छप्पय, शतांश आदि।

बहुब्रीहे समास– जिस सयुक्त शब्द का कोई खण्ड प्रधान न होकर समान रूप से महत्त्व के होते हुए किसी अन्य शब्द, पदार्थ अथवा वस्तु का बोध कराते है, उसे बहुब्रीहि समास कहा जाता है। जैसे–

चतुर्भुज–चार भुजाएँ हैं जिनके अथवा चार भुजा धारी–विष्णु।
चन्द्रमौलि–चन्द्रमा है सिर पर जिनके अर्थात् 'शिव'।
दुष्टात्मा–दुष्ट है आत्मा जिसकी।
बारहसिंगा–बारह हैं सींग जिसके अर्थात् एक प्रकार का हिरण।

अन्य उदाहरण हैः–एकदन्त (गणेश), दशमुख (रावण), गिरधर, (कृष्ण), धनञ्जय (अर्जुन), लम्बोदर, (गणेश), नीलकंठ (शिव), घनश्याम (कृष्ण), पंचशर (कामदेव),

द्वन्द्व समास– जिस समास के दोनों खण्ड समान महत्त्व के होते हैं, उसे द्वन्द्व समास कहते हैं, जैसे– रोटी–दाल, माता–पिता, लोक–परलोक, दिन–रात

अन्य उदाहरण हैं–आजकल, अन्न-जल, बाप-दादा, खान-पान, घास-फूस, दाना-पानी, राग-द्वेष, धनी-मानी, हार-जीत, उछल-कूद, लेन-देन, हानि-लाभ, यश-अपयश, चढ़ाव-उतार, घट-बढ़ आदि।

बहुब्रीहि और कर्मधारयः बहुब्रीहि और कर्मधारय समास में मुख्य अंतर यह है कि कर्मधारय में समस्त पद का एक खण्ड दूसरे का विशेषण होता है जबकि बहुब्रीहि में समास के दोनों खण्ड अपने से भिन्न किसी अन्य अर्थ का संकेत देते हैं। जैसे अरुण कमल में अरुण शब्द कमल का विशेषण है, इसलिए यह कर्मधारय समास है; किन्तु जब हम पीताम्बर कहते हैं और यदि हमारा अभिप्राय केवल पीले कपड़े से है तो यह कर्मधारय होगा; लेकिन जब इसका अर्थ होगा पीला है अम्बर जिसका (पीत + अम्बर वाला है जो श्रीकृष्ण) अर्थात् श्रीकृष्ण तो यह बहुब्रीहि समास बन जाएगा। इसलिए इन दोनों समासों–कर्मधारय एवं बहुब्रीहि के मध्य ज्यादा अन्तर नहीं है।

व्याख्यात्मक उत्तर

1. C: चित्र C में से क्रास बनाने वाली दो लाइनें एवं ऊपरी लाइन हटाने पर प्रश्न चित्र जैसा चित्र मिल जाता है।

2. A: चित्र (A) में ऊपर की लाइन व दोनों ऊर्ध्वाधर लाइन हटाने पर प्रश्न चित्र जैसा चित्र मिल जाता है।

3. A: चित्र (A) में वृत्त हटाने पर प्रश्न जैसा चित्र मिल जाता है।

4. D: चित्र (D) में से ऊपर की बाहरी लाइनें हटाने पर प्रश्न जैसा चित्र मिल जाता है।

5. C: चित्र (C) में से नीचे ज्यादा कोण बनाने वाली लाइन हटा देने पर प्रश्न चित्र जैसा चित्र मिल जाता है।

6. B: चित्र (B) में से त्रिभुज हटाने पर प्रश्न चित्र जैसा चित्र मिलेगा।

7. B: चित्र (B) में से नीचे की तीन लाइन हटाने पर प्रश्न चित्र जैसा चित्र मिल जाता है।

8. D: चित्र (D) में से बाईं तरफ की लाइन हटाने पर प्रश्न चित्र जैसा चित्र मिलता है।

9. B: चित्र (B) में से बाईं लाइनें व आधार हटाने पर प्रश्न चित्र जैसा चित्र मिल जाता है।

10. D: चित्र (D) में से दाईं-बाईं ओर की लाइनें एवं ऊपर की दो लाइनें हटाने पर प्रश्न चित्र जैसा चित्र मिलता है।

11. B: चित्र (B) प्रश्न चित्र जैसा ही चित्र है।

12. C: यदि चित्र (C) में से दाईं-बाईं की टेढ़ी लाइन हटा दें तब प्रश्न चित्र जैसा चित्र मिल जायेगा।

13. B:

14. B: यदि चित्र (B) में से नीचे का दायां भाग हटा दें तो प्रश्न चित्र जैसा चित्र मिलेगा।

15. A: यदि चित्र (A) में से बाईं ओर की टेढ़ी लाइनें एवं दाईं ओर की दोनों टेढ़ी लाइनें हटा दें तब प्रश्न चित्र जैसा चित्र मिलेगा।

16. B:

17. B: यदि चित्र (B) में से बाहरी ऊर्ध्वाधर एवं ऊपर-नीचे की क्षैतिज रेखा व बाईं ओर की अन्दर की टेढ़ी लाइन हटा दें तब प्रश्न चित्र जैसा चित्र मिलेगा।

18. B: यदि चित्र (B) में से बाहरी ऊपर-नीचे व बायें की क्षैतिज लाइन व बाईं ओर की अन्दर की टेढ़ी लाइन हटा दें तब प्रश्न चित्र जैसा चित्र मिलेगा।

19. B: यदि चित्र (B) में से ऊपर व नीचे की दोनों क्षैतिज लाइनें हटा दें तब प्रश्न चित्र जैसा चित्र मिल जाता है।

20. A: यदि चित्र (A) में से दायें-बायें की टेढ़ी लाइन व बीच की टेढ़ी लाइन हटा दें तब प्रश्न चित्र जैसा चित्र मिल जाता है।

21. A:

22. B: यदि चित्र (B) की दायें-बायें की टेढ़ी लाइन हटा दें तब प्रश्न चित्र जैसा चित्र मिल जाता है।

23. C: यदि चित्र (C) की बाहरी लाइन हटा दें तो ऊपर प्रश्न चित्र जैसा चित्र मिलेगा।

24. C: तीसरे चित्र के बीच के भाग में से दो टेढ़ी लाइन हटाने पर प्रश्न चित्र जैसा चित्र मिलेगा।

25. D: यदि (D) में से नीचे की क्षैतिज लाइन, बाईं तरफ की ऊर्ध्वाधर लाइन व बीच में से काटती हुई टेढ़ी लाइन हटा दें, तो प्रश्न चित्र जैसा चित्र मिल जाता है।

सारणी व ग्राफ

निर्देश (प्रश्न 1 से 5) : *नीचे दिये गये ग्राफ का सावधानीपूर्वक अध्ययन कीजिए तथा दिये गये प्रश्नों का उत्तर दीजिए।*

वर्षानुवर्ष एक कम्पनी द्वारा तीन विभिन्न प्रकार के टायरों का उत्पादन (लाखों में)

टाईप A   टाईप B   टाईप B

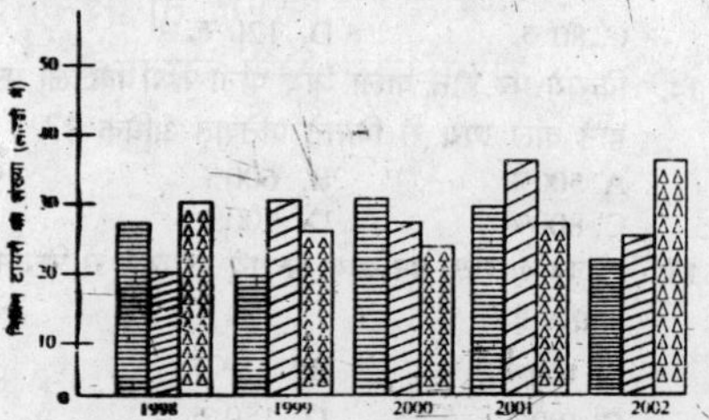

1. वर्ष 1999 में वर्ष 2000 तक निर्मित C टाइप के टायरों की संख्या में कितने प्रतिशत की गिरावट रही?

A. 25   B. 10
C. 15   D. 2.5

2. वर्ष 2000 तथा 2001 के दरम्यान निर्मित B टाइप के टायरों की संख्या में क्या अन्तर था?

A. 100000   B. 200000
C. 1000000   D. 1500000

3. निम्नलिखित में से किस वर्ष सभी तीन प्रकार के टायरों की कुल संख्या के निर्माण में सर्वाधिक कमी रही?

A. 2001   B. 2002
C. 1998   D. 2000

4. निम्नलिखित में से किस वर्ष में B प्रकार के टायरों का उत्पादन प्रतिशत C टाइप के टायरों से अधिकतम रहा?

A. 2000   B. 2001
C. 2002   D. 1999

5. वर्ष 1998 और 1999 में मिलाकर C टाइप के टायरों का कुल उत्पादन वर्ष 2000 में B टाइप के टायरों के उत्पादन का क्या प्रतिशत था?

A. 50   B. 100
C. 150   D. 200

निर्देश (प्रश्न 6 से 10) : *निम्नांकित ग्राफ को पढ़िए और नीचे दिए गए प्रश्नों का उत्तर दीजिए।*

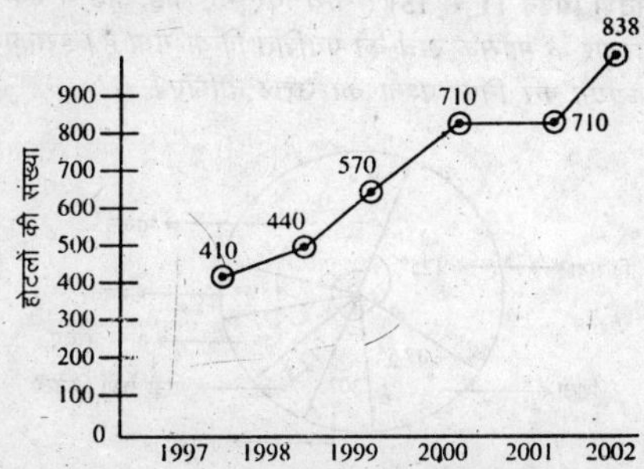

6. किस वर्ष होटलों की संख्या में वृद्धि अपने पूर्व वर्ष की अपेक्षा उच्चतम थी?

A. 1998   B. 1999
C. 2000   D. 2002

7. यदि 2001 से 2002 तक होटलों की वृद्धि इस तरह 2003 तक जारी रही तो 2003 में कितने नये होटल की संभावना है?

A. न्यूनतम 75   B. न्यूनतम 150
C. न्यूनतम 70   D. न्यूनतम 80

8. 1997 की अपेक्षा 2002 में पर्यटक होटलों की संख्या में प्रतिशत वृद्धि आसन्नतः कितनी है?

A. 95   B. 100
C. 125   D. 150

9. यदि 1999 से 2000 तक पर्यटक होटलों की संख्या में प्रतिशत वृद्धि P है और 2000 से 2003 तक पर्यटक होटलों की संख्या में प्रतिशत वृद्धि Q है, तो P व Q के सम्बन्ध में कौन-सा कथन सत्य है?

A. आंकड़े अपर्याप्त हैं
B. P = Q
C. P > Q
D. P < Q

10. यदि 1999 में नवनिर्मित होटलों की संख्या में 10 की कमी होती, तो 1998 और 1999 में नए होटलों की संख्या में क्या अनुपात था?

A. 4 : 1　　B. 3 : 4
C. 4 : 5　　D. 1 : 4

निर्देश (प्रश्न 11 से 15) : *नीचे दिए गए पाई चार्ट में एक परिवार के मासिक खर्च को प्रदर्शित किया गया है। इसका अध्ययन कर निम्न प्रश्नों का उत्तर दीजिए।*

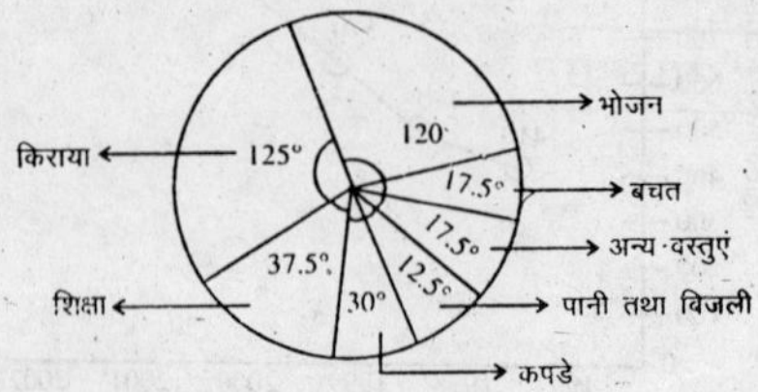

11. यदि वस्त्रों पर खर्च 190 रु. हो तो किराये पर व्यय ज्ञात कीजिए।

A. 350 रु.　　B. 400 रु.
C. 500 रु.　　D. 600 रु.

12. कुल बजट का कितने प्रतिशत किराये पर खर्च होता है। (लगभग)

A. 30%　　B. 40%
C. 35%　　D. 25%

13. व्यक्ति की बचत की राशि ज्ञात कीजिए

A. 50 रु.　　B. 70 रु.
C. 80 रु.　　D. 120 रु.

14. किराये पर होने वाला व्यय पानी तथा बिजली पर होने वाले व्यय से कितने प्रतिशत अधिक है?

A. 500%　　B. 600%
C. 800%　　D. 900%

15. भोजन व शिक्षा पर व्यय, किराये पर व्यय से कितना अधिक है?

A. 100 रु.　　B. 120 रु.
C. 180 रु.　　D. 150 रु.

निर्देश (प्रश्न 16 से 20) : *नीचे दी गयी सारणी का सावधानीपूर्वक अध्ययन कर निम्न प्रश्नों का उत्तर दीजिए सारणी मे कुछ वर्षों में खनिजों का उत्पादन दिखाया गया है।*

(उत्पादन हजार टन में)

वर्ष	एल्युमीनियम	सीसा	निकिल	ताँबा	अभ्रक	जस्ता	लौह अयस्क
1994-95	200	48	226	222	56	94	100
1995-96	248	112	232	310	68	98	112
1996-97	306	160	238	298	60	108	122
1997-98	364	126	248	288	76	96	132
1998-99	410	188	246	314	84	114	116
1999-2000	560	208	278	328	100	110	124
2000-2001	620	234	368	372	92	120	142

16. वर्ष 1994-95 से 2000-2001 तक सीसे के उत्पादन का वार्षिक औसत कितना है? (लगभग हजार टन)

A. 154　　B. 158
C. 160　　D. 164

17. वर्ष 1994-95 में निकिल का उत्पादन 2000-2001 में हुए निकिल उत्पादन का कितने प्रतिशत है? (लगभग)

A. 50%　　B. 55%
C. 60%　　D. 70%

18. वर्ष 2000-2001 में लौह अयस्क का उत्पादन इसके कुल उत्पादन का कितना प्रतिशत है?

A. 10%　　B. 15%
C. 20%　　D. 30%

19. वर्ष 1996-97 में अभ्रक का उत्पादन कुल उत्पादन का कितने प्रतिशत है?

A. 5%　　B. 10%

अध्याय 5

अलंकार

अलंकार विभूषित करते हैं। अलंकार से उक्ति की शोभा बढ़ जाती है। सुन्दर उक्ति सबको मनभाती है। अलंकार काव्य का वह गुण-धर्म है, जिससे काव्य की शोभा बढ़ती है। आचार्य मम्मट ने अलंकारों के सम्बन्ध में कहा है कि जैसे हार आदि आभूषण से कंठ की शोभा बढ़ जाती है वैसे ही उपमा और अनुप्रास आदि अलंकारों से काव्य के सौन्दर्य में वृद्धि हो जाती है। काव्य की आत्मा रस है, किन्तु उसका भूषण अलंकार है। इसीलिए अलंकार को काव्य का अस्थिर धर्म-गुण माना जाता है। अतः अलंकार साध्य नहीं, साधन है।

अलंकारों के दो भेद हैं– (1) शब्दालंकार और (2) अर्थालंकार। शब्दालंकार काव्य में शब्दों में चमत्कार पैदा करते हैं, जबकि अर्थालंकार काव्य में अर्थ सम्बन्धी विशेषता उत्पन्न करते हैं। कुछ अलंकार शब्द और अर्थ दोनों विशेषता उत्पन्न करते हैं। ऐसे अलंकारों को उभयालंकार कहा जाता है।

अलंकार असंख्य हैं। यहाँ केवल थोड़े-से विशिष्ट अलंकारों का वर्णन किया जायेगा।

शब्दालंकार

जहाँ शब्दों के कारण काव्य में सौन्दर्य उत्पन्न हो, वहाँ शब्दालंकार होता है। मुख्य-मुख्य शब्दालंकारों का वर्णन नीचे दिया गया है।

अनुप्रास– जब किसी पद में एक व्यंजन या कई व्यंजन एक ही क्रम में एक से अधिक बार आयें अर्थात् उसकी आवृत्ति हो, तो वह अनुप्रास कहा जाता है। यदि व्यंजन के अतिरिक्त शब्द या वाक्यांश की आवृत्ति हो, तो वहाँ भी अनुप्रास होता है।

जैसे, केलिन के कूलन कछारन में, कुंजन में

यहाँ 'क' और 'न' की पाँच और तीन आवृत्तियाँ हैं

एक अन्य उदाहरण–

'काली लहर कल्पना काली
मेरी काल कोठरी काली'

इसमें 'क' की 6 बार आवृत्ति हुई है।

कभी-कभी पूरे वाक्य की पुनरावृत्ति होती है, जैसे–

पूत संपूत तो क्या धन संचय।
पूत कपूत तो क्या धन संचय।।

अनुप्रास के कई भेद हैं–छेकानुप्रास, वृत्यानुप्रास, लाटानुप्रास, श्रुत्यानुप्रास और अन्त्यानुप्रास।

इसमें लाटानुप्रास में शब्दों अथवा वाक्यों की पुनरावृत्ति होती है, जैसे कि ऊपर के "पूत सपूत सो क्या धन संचय। पूत कपूत तो क्या धन संचय"।। उदाहरण में है।

यमक–ऊपर हमने देखा कि लाटानुप्रास में शब्दों अथवा वाक्यों की पुनरावृत्ति होती है किन्तु शब्द का अर्थ वही रहता है; अर्थात् शब्दों के अर्थ में भेद या अन्तर नहीं होता। किन्तु यमक में जो शब्द दोबारा आते हैं, उनके अर्थ बदल जाते हैं। जैसे–

कनक कनक ते सौ गुनी मादकता अधिकाय।
वा खाये बौराय जग या पाये बौराय।।

यहाँ कनक शब्द दो बार आया है। दोनों स्थानों पर कनक शब्द का अर्थ अलग-अलग है। पहले स्थान पर इसका अर्थ है 'स्वर्ण' और दूसरे स्थान पर इसका अर्थ है 'धतूरा'। इसी प्रकार 'बौराय' शब्द भी दो बार आया है और दोनों स्थानों पर इस शब्द का अर्थ अलग-अलग है। पहले स्थान पर इसका अर्थ है–सम्पन्न होना और दूसरे स्थान पर इसका अर्थ है 'पागल होना'।

श्लेष–यमक अलंकार में एक ही शब्द एक से अधिक बार प्रयुक्त होता है, परन्तु अलग-अलग स्थान पर इसका अर्थ भी अलग-अलग होता है, जैसा कि आप पढ़ चुके हैं। इसके विपरीत श्लेष में एक शब्द एक ही बार प्रयुक्त होता है, लेकिन उसके दो या अधिक अर्थ निकलते हैं। जैसे–

"चिर जीवै जोड़ी युगल, क्यों न सनेह गंभीर।
को घटि ये वृषभानुजा, वे हलधर के बीर।।"

उक्त पंक्तियों में 'वृषभानुजा' और 'हलधर' में श्लेष अलंकार है। 'वृषभानुजा' का अर्थ है 'राधा' और यदि 'वृषभानुजा' शब्द को तोड़कर इसका अर्थ निकाला जाये, तो अर्थ होगा 'वृषभ + अनुजा' अर्थात् 'बैल की बहन'। इसी प्रकार हलधर के दो अर्थ 'बैल' और 'बलराम' हैं। इस प्रकार एक अर्थ के अनुसार राधा वृषभानु की पुत्री है और दूसरे अर्थ के अनुसार बैल की बहन। दूसरी ओर कृष्ण एक ओर बलराम के भाई हैं, तो दूसरी ओर बैल के भाई।

अर्थालंकार

जब भाषा के प्रयोग से अर्थ में चमत्कार पैदा हो, तो वहाँ अर्थालंकार होता है। नीचे प्रमुख अर्थालंकारों का वर्णन किया जाता है–

उपमा–जहाँ दो वस्तुओं के बीच साम्य अथवा समानता का भाव व्यक्त किया जाये, वहाँ उपमा अलंकार होता है। जैसे, "सीता का मुख चन्द्रमा के समान सुन्दर है।"

यहाँ सीता के मुख की सुन्दरता की तुलना चन्द्रमा की सुन्दरता से की गई है।

सामान्यतया उपमा के चार अंग होते हैं– (1) उपमेय, (2) उपमान, (3) धर्म, और (4) वाचक। अब इन चारों को समझिए। जिसकी तुलना की जाये, उसे **उपमेय** कहते हैं। यहाँ सीता का मुख उपमेय है। जिससे तुलना की जाये, उसे **उपमान** कहते हैं। यहाँ चन्द्रमा उपमान (अप्रस्तुत) है। जिस बात में तुलना की जाये, उसे **धर्म** कहते हैं। यहां

सुन्दर धर्म है। जिस शब्द से तुलना की जाये, उसे **वाचक** कहते हैं। यहाँ 'के समान' वाचक है।

जहाँ काव्य में उपमा के चारों अंगों की उपस्थिति हो, उसे पूर्णोपमा कहते हैं।

जहाँ उपमा के इन चारों अंगों में से कोई अंग लुप्त होता है, उसे लुप्तोपमा कहते हैं। जो अंग लुप्त होता है, उसी के आधार पर इसका नामकरण हो जाता है, जैसे, **उपमेय लुप्तोपमा**–इसमें उपमेय लुप्त होता है, **उपमान लुप्तोपमा**–इसमें उपमान लुप्त होता है, **धर्म लुप्तोपमा**–इसमें धर्म लुप्त होता है, और **वाचक लुप्तोपमा**–इसमें वाचक लुप्त होता है। **मालोपमा** वहाँ होती है, जहाँ कई-कई उपमान हों, जैसे,

क्या कहें कि कैसी है उसकी कमनीय कान्ति।
कुन्दन-सी, कुंद-सी या कंज सी निकाई है।

रूपक–इस अलंकार में लक्षण से चमत्कार प्रकट होता है। इसमें उपमेय पर उपमान का आरोप होता है। इसमें उपमेय और उपमान दोनों को एक रूप में प्रदर्शित किया जाता है। इसका एक उदाहरण देखिए–

अम्बर पनघट में डुबो रही, तारा घट ऊपा नागरी।

यहाँ अम्बर में पनघट का आरोप है; तारा में घट का आरोप है और ऊपा में नागरी का आरोप है।

अनन्वय–जब उपमेय की तुलना के लिए कोई उपमान होता ही नहीं और उपमेय के समान उपमेय ही कहा जाता है, तो अनन्वय अलंकार होता है। जैसे–

'राम से राम सिया सी सिया सिर मौर विरचि विचारि सँवारे'

यहाँ राम की उपमा देने के लिए कोई शब्द नहीं था, अतः राम की तुलना राम से की गई है। इसी प्रकार सीता की तुलना सीता से की गई है।

प्रतीप–इस अलंकार में प्रसिद्ध उपमानों को उपमेय का स्थान दे दिया जाता है। जैसे–

'दोनों का तन-तेज एक-से-एक प्रखर था।
उनके आगे पड़ा हुआ दिनकर फीका था।।'

सूर्य का तेज प्रसिद्ध उपमान है। लेकिन उपरोक्त पंक्तियों में 'तन-तेज' के सामने 'सूर्य का तेज' फीका पड़ गया है।

व्यतिरेक–जहाँ उपमेय को उपमान से बढ़ाकर अथवा उपमान को उपमेय से घटाकर वर्णन किया जाये, वहाँ व्यतिरेक अलंकार होता है। जैसे–

स्वर्ग की तुलना उचित ही है यहाँ
किन्तु सुरसरिता कहाँ, सरयू कहाँ?
यह मरों को मात्र पार उतारती
यह यहीं से जीवितों को तारती।

इन पंक्तियों में अयोध्या की तुलना स्वर्ग से की गई है। स्वर्ग में सुरसरिता (देव गंगा) केवल मृतकों को पार उतारती है। जबकि अयोध्या में सरयू जीवितों का ही उद्धार (मुक्ति प्रदान) कर देती है। यहाँ सरयू (उपमेय) को सुरसरिता से बढ़ाकर दिखाया गया है; या **यूँ** कहे कि सरसरिता को हलका करके दिखाया गया है।

भ्रान्तिमान–जब किसी वस्तु को देखकर वैसी ही किसी अन्य वस्तु का भ्रम हो, तो वहाँ भ्रान्तिमान अलंकार होता है। जैसे–

नाक का मोती अधर की कान्ति से
बीज दाड़िम का समझकर भ्रान्ति से
देखकर सहसा हुआ शुक मौन है
सोचता है अन्य शुक यह कौन है?

यहाँ नाक के मोती पर ओठों की लालिमा पड़ने से मोती अनार के दाने जैसा दिखाई पड़ता है। इसे देखकर एक तोता नाक को (लाल चोंच देखकर) भ्रमवश दूसरा तोता मान बैठता है। इसलिए उक्त पंक्तियों में भ्रान्तिमाम अलंकार है।

उत्प्रेक्षा–इस अलंकार में उपमेय में उपमान की सम्भावना की कल्पना की जाती है। इसमें प्रायः जनु, मनु, मानो, जानो जैसे शब्दों का प्रयोग किया जाता है। जैसे–

"सोहत ओढ़े पीत पट श्याम सलोने गात
मनो नील मनि शैल पर आतप पर्‌यो प्रभात्।"

श्री कृष्ण पीताम्बर पहने हुए हैं। उनके शरीर को देखकर ऐसा लगता है (मानो) नील पर्वत पर प्रभात के सूर्य का प्रकाश (पीले रंग का) पड़ रहा हो। यहाँ उपमेय (श्रीकृष्ण) में उपमान (नील पर्वत पर सूर्य का प्रकाश) की सम्भावना है।

उत्प्रेक्षा तीन प्रकार की होती है–(1) वस्तु उत्प्रेक्षा, (2) हेतु उत्प्रेक्षा और (3) फल उत्प्रेक्षा।

अतिशयोक्ति–वर्ण्य विषय का अतिरंजित चित्रण अतिशयोक्ति कहलाता है। इसमें वर्णन बहुत बढ़ा-चढ़ाकर किया जाता है। जैसे–

'हनुमान की पूँछ में, लगन न पाई आग।
लंका सारी जल गई, गए निशाचर भाग।।

अतिशयोक्ति के कई भेद हैं– (1) रूपकातिशयोक्ति, (2) भेदकाशयोक्ति (3) सम्बन्धाशयोक्ति, (4) असम्बन्धाशयोक्ति, (5) अक्रमातिशयोक्ति, (6) चपलातिशयोक्ति, (7) अत्यन्तातिशयोक्ति।

यहाँ एक उदाहरण देकर कुछ अलंकारों के बीच का सूक्ष्म अन्तर समझाया गया है। जैसे–

(1) सीता का मुख चन्द्रमा के समान सुन्दर है (उपमा अलंकार)
(2) चन्द्रमा सीता के मुख के समान सुन्दर है (प्रतीप)
(3) सीता के मुख के सामने चाँद फीका है (व्यतिरेक)
(4) सीता का मुख चन्द्रमा है (रूपक)
(5) सीता का मुख मानों चन्द्रमा है (उत्प्रेक्षा)
(6) सीता के मुख को चकोर ने चन्द्रमा समझा और एकटक देखता रहा (भ्रान्तिमान)

व्याज स्तुति–जहाँ देखने में प्रशंसा लगे पर वास्तव में निंदा हो या देखने में निंदा लगे पर वास्तव में प्रशंसा हो, वहाँ ब्याज स्तुति अलंकार होता है। जैसे–

"काशी पुरी की कुरीति बुरी, जह देह दिये पुनि देह न पाइये"

काशी नगर की सबसे बुरी बात यह है कि यहाँ शरीर त्याग करने वाला पुनः शरीर धारण नहीं करता (जन्म-मरण के बन्धन से मुक्त हो जाता है)।

लगता है कि यह काशी नगरी की निन्दा है, किन्तु वास्तव में यह इस पवित्र नगरी की महान प्रशंसा (स्तुति) है।

विरोधाभास–जब दो परस्पर विरोधी क्रियाओं से उल्टी क्रिया या परिणाम हो, तो विरोधाभास अलंकार होता है। जैसे–

"या अनुरागी चित्त की, गति समुझै नहिं कोई।
ज्यों-ज्यों बूड़े श्याम रंग, त्यों-त्यों उज्जवल होई।।"

यहाँ कहा गया है कि श्याम रंग (काले रंग) में मन जितना अधिक डूबता है, उतना ही अधिक उज्जवल होता जाता है (जबकि काले रंग में डूबने पर काला होना चाहिए)।

खण्ड-II वस्तुनिष्ठ प्रश्न

भाषा और व्याकरण

1. हिन्दी वर्णमाला में कुल कितने अक्षर होते हैं?
   (क) 44 (ख) 33
   (ग) 46 (घ) 43
2. वर्तमान समय में हिन्दी का कौनसा रूप प्रचलित है?
   (क) अवधी (ख) ब्रज
   (ग) खड़ी बोली (घ) देवनागरी
3. हिन्दी निम्नलिखित में से किस लिपि में लिखी जाती है?
   (क) गुरुमुखी (ख) ब्राह्मी
   (ग) देवनागरी (घ) खरोष्ठी
4. हिन्दी में कुल कितने स्वर होते हैं?
   (क) दस (ख) आठ
   (ग) ग्यारह (घ) बारह
5. वर्ण को कहते हैं :
   (क) मौखिक ध्वनि
   (ख) लघुत्तम अक्षर
   (ग) मूल ध्वनियाँ
   (घ) बृहत्तम अक्षर
6. निम्नलिखित में अन्तःस्थ व्यंजन कौनसा है?
   (क) य र ल व
   (ख) आ ई ऊ ऋ
   (ग) प फ ब भ म
   (घ) ट ठ ड ढ ण
7. अयोगवाह के अन्तर्गत अनुस्वार का चिन्ह है :
   (क) (:)
   (ख) (∴)
   (ग) (˙)
   (घ) इनमें से कोई नहीं
8. उ, इ, उ, ऋ कौनसा स्वर है :
   (क) ह्रस्व स्वर
   (ख) प्लुत स्वर
   (ग) दीर्घ स्वर
   (घ) इनमें से कोई नहीं
9. श ष स ह कहलाते हैं :
   (क) ऊष्म व्यंजन
   (ख) संयुक्त व्यंजन
   (ग) प्लुत स्वर
   (घ) टीर्घ स्वर
10. निम्नलिखित में से किस अक्षर का उच्चारण मुँह और नाक से नहीं होता है?
    (क) ङ (ख) ञ
    (ग) म (घ) ब
11. उत्पत्ति के आधार पर शब्दों के कितने भेद होते हैं?
    (क) पाँच (ख) छह
    (ग) चार (घ) तीन
12. निम्नलिखित में से किस अक्षर का उच्चारण होठों से नहीं होता है?
    (क) उ (ख) फ
    (ग) ऊ (घ) त
13. आ, ई, ऊ, ओ और औ निम्नलिखित

में से कौनसा स्वर है?
(क) प्लुत स्वर
(ख) ह्रस्व स्वर
(ग) दीर्घ स्वर
(घ) इनमें से कोई नहीं

14. प्रयोग के अनुसार शब्दों के कितने भेद होते हैं?
(क) चार (ख) 8
(ग) तीन (घ) छह

15. भाषा किसका साधन है?
(क) बोलने का
(ख) अध्ययन का
(ग) लिखने का
(घ) अभिव्यक्ति का

16. जिन स्वरों के उच्चारण में 'अ' के उच्चारण के बराबर समय लगता है, उन्हें कहते हैं :
(क) प्लुत स्वर (ख) पूर्ण स्वर
(ग) ह्रस्व स्वर (घ) दीर्घ स्वर

17. व्यंजन तीन प्रकार के होते हैं : पहला स्पर्श, दूसरा अन्तस्थ और तीसरा :
(क) नासिका (ख) कण्ठ्य
(ग) ऊष्म (घ) दन्तोष्ठ

18. संयुक्त स्वर का एक उदाहरण है :
(क) इ (ख) उ
(ग) अ (घ) आ

19. एक या एक से अधिक वर्णों के संयोग से बनी ध्वनियों को क्या कहते हैं?
(क) शब्द (ख) व्यंजन
(ग) रूढ़ (घ) स्वर

20. 'पाठशाला' शब्द किस वर्ग का है?
(क) रूढ़ि
(ख) योगरूढ़ि
(ग) यौगिक
(घ) इनमें से कोई नहीं

21. त, थ, द, ध का उच्चारण :
(क) केवल ओठों से होता है
(ख) दाँतों के साथ जिह्वा के मेल से होता है
(ग) जीभ के प्रयोग के बिना होता है
(घ) कंठ व ओठों के मेल से होता है

22. महेश 'गधा' है। यहाँ गधा शब्द है:
(क) वाचक
(ख) लाक्षणिक
(ग) व्यंजक
(घ) इनमें से कोई नहीं

23. 'नीलकंठ' शब्द किस वर्ग का है?
(क) रूढ़ि
(ख) योगरूढ़
(ग) यौगिक
(घ) इनमें से कोई नहीं

24. "गौ" शब्द किस कोटि का है?
(क) लाक्षणिक
(ख) व्यंजक
(ग) वाचक
(घ) इनमें से कोई नहीं

25. हिन्दी में कितने 'कारक' होते हैं?
(क) पाँच (ख) दस
(ग) छह (घ) आठ

26. व्याकरण की दृष्टि से 'बुढ़ापा' क्या है?
(क) भाववाचक संज्ञा
(ख) व्यक्तिवाचक संज्ञा
(ग) क्रिया-विशेषण
(घ) जातिवाचक संज्ञा

27. 'हम' छात्र हैं। इसमें 'हम' पुरुषवाचक सर्वनाम है। यह है
(क) उत्तम पुरुष
(ख) प्रथम पुरुष
(ग) मध्यम पुरुष
(घ) इनमें से कोई नहीं

28. सीमा दौड़ती है। यहाँ 'दौड़ती है' कैसी क्रिया है?
(क) द्विकर्मक
(ख) सकर्मक
(ग) अकर्मक
(घ) इनमें से कोई नहीं

29. व्याकरण की द्रृष्टि से 'सौन्दर्य' क्या है?
(क) संज्ञा
(ख) सर्वनाम
(ग) विशेषण
(घ) क्रिया-विशेषण

30. 'पुरुष' कितने प्रकार के होते हैं?
(क) तीन (ख) पाँच
(ग) दो (घ) चार

31. विशेषण उन शब्दों को कहते हैं, जो:
(क) क्रिया की विशेषता प्रकट करें
(ख) संज्ञा के स्थान पर प्रयोग किये जायें
(ग) संज्ञा की विशेषता प्रकट करें
(घ) सर्वनाम की विशेषता बताएँ

32. संज्ञा के कितने भेद होते हैं?
हे?
(क) तीन (ख) पाँच
(ग) चार (घ) दो

33. जिन शब्दों में किसी प्रकार का विकार या परिवर्तन नहीं होता उन्हें क्या कहते हैं?
(क) धातु (ख) मूल शब्द
(ग) तत्सम (घ) अव्यय

34. निम्नलिखित में से कौनसा शब्द विशेषण है?
(क) चातुर्य (ख) पशुता
(ग) दुष्ट (घ) यौवन

35. 'ने' किस कारक की विभक्ति है?
(क) कर्त्ता (ख) करण
(ग) सम्प्रदाय (घ) कर्म

36. हिन्दी भाषा में कितने लिंग माने जाते हैं?
(क) तीन (ख) चार
(ग) पाँच (घ) दो

37. निम्नलिखित वाक्यों में किस वाक्य में अकर्मक क्रिया है?
(क) श्याम आम खाता है
(ख) ज्योति रोती है
(ग) मैंने उसे पुस्तक दी
(घ) उसने कमीज पहनी

38. मुख्यतः काल कितने हैं?
(क) तीन (ख) दो
(ग) चार (घ) पाँच

39. जिस शब्द के कई सार्थक खण्ड हो सकें, उन्हें क्या कहते हैं?
(क) रूढ़ (ख) संयुक्त
(ग) मिश्रित (घ) यौगिक

40. मूल क्रिया के अतिरिक्त वाक्य में जितनी भी क्रियाएँ आती हैं, उन्हें क्या कहते हैं?
(क) गौण क्रिया
(ख) रंजक क्रिया
(ग) अकर्मक क्रिया

(घ) सहायक क्रिया

41. निम्नलिखित शब्दों में से कौनसा शब्द अविकारी है?

(क) आजकल (ख) घोड़ा

(ग) नदी (घ) संकेत

42. 'कक्षा' कौनसी संज्ञा है?

(क) समुदायवाचक

(ख) भाववाचक

(ग) व्यक्तिवाचक

(घ) जातिवाचक

43. 'सीता तेज दौड़ती है'। इसमें तेज शब्द क्या है?

(क) विशेषण

(ख) क्रिया

(ग) क्रिया-विशेषण

(घ) इनमें से कोई नहीं

44. निम्न में से कौनसा शब्द सर्वनाम है?

(क) हमारे

(ख) मेरी

(ग) उन्होंने

(घ) उपरोक्त तीनों

45. निम्नलिखित में से कौनसी अकर्मक क्रिया है?

(क) हँसना (ख) चुराना

(ग) माँगना (घ) लेना

46. व्याकरण की दृष्टि से 'प्रेम' शब्द क्या है?

(क) अव्यय

(ख) भाववाचक संज्ञा

(ग) क्रिया

(घ) विशेषण

47. सर्वनाम का प्रयोग किसके बदले में किया जाता है?

(क) क्रिया

(ख) क्रिया-विशेषण

(ग) संज्ञा

(घ) विशेषण

48. विशेषण किसकी विशेषता बताता है?

(क) सर्वनाम की

(ख) क्रिया की

(ग) संज्ञा की

(घ) संज्ञा एवं सर्वनाम दोनों की

लिंग

निर्देशः *नीचे दिए गए चार शब्दों में से विपरीत लिंग ज्ञात करो।*

49. गीदड़

(क) गीदड़

(ख) गीदड़ी

(ग) गीदड़ीन

(घ) इनमें से कोई नहीं

50. कहार

(क) कहारिन (ख) कहारी

(ग) कहार (घ) कहरियाँ

51. नट

(क) नटिया

(ख) नटी

(ग) नटाईन

(घ) इनमें से कोई नहीं

52. जुलाहा

(क) जुलाही

(ख) जुलाहिन

(ग) जुलहनिया

(घ) इनमें से कोई नहीं

53. ठठेरा

(क) ठठेरिन (ख) ठठेरी

(ग) ठठेराइन (घ) ठठेरन

54. जाट
(क) जटाइन (ख) जातिनी
(ग) जाटी (घ) जाटेरन

55. चौधरी
(क) चौधरानी
(ख) चौधराइन
(ग) चौधरिन
(घ) इनमें से कोई नहीं

56. जेठ
(क) जेठानी (ख) जेठी
(ग) जेठरानी (घ) जेठाइन

57. देवर
(क) देवरी (ख) देवरानी
(ग) देवराइन (घ) देवरिन

58. प्रिय
(क) प्रियसी (ख) प्रियतम
(ग) प्रिया (घ) प्रिये

59. बाल
(क) बाली (ख) बाला
(ग) बालीन (घ) बालिके

60. रूपवान
(क) रूपमती (ख) रूपवानी
(ग) रूपवाइन (घ) रूपवती

61. धनवान
(क) धनवाइन (ख) धनवानी
(ग) धनवती (घ) धनमती

62. बाबू
(क) बाबूनी (ख) बाबूरानी
(ग) बबुआइन (घ) बाबूरिन

63. दुबे
(क) दुबी (ख) दुबाइन
(ग) दुबीन (घ) दुबिआइन

64. प्रेषक
(क) प्रेषकी (ख) प्रेषिका
(ग) प्रेषिकाइन (घ) प्रेषिकिन

65. विद्वान
(क) विद्वानी (ख) विद्वनी
(ग) विदुषी (घ) विद्ववाइन

वचन

निर्देशः *निम्नलिखित शब्दों का बहुवचन ज्ञात करो।*

66. शक्ति
(क) शक्तियाँ (ख) शक्ती
(ग) शक्ते (घ) शक्तियें

67. डिबिया
(क) डिबियाँ (ख) डिबियाएँ
(ग) डिबियों (घ) डिबियाओं

68. खूंटी
(क) खूंटे (ख) खूंटियाँ
(ग) खूंटियाएँ (घ) खूंटियाओं

69. गुड़िया
(क) गुड़ियाँ (ख) गुड़ियें
(ग) गुड़ियों (घ) गुड़ियाएँ

70. बहू
(क) बहुओं (ख) बहुएँ
(ग) बहू (घ) बहुआएँ

71. रीति
(क) रीते (ख) रीतियें
(ग) रीतियाँ (घ) रीतियों

72. श्रीमती
(क) श्रीमते (ख) श्रीमतिएँ
(ग) श्रीमतियाँ (घ) श्रीमतीने

73. लालटेन
(क) लालटेनों
(ख) लालटेनें
(ग) लालटेन
(घ) इनमें से कोई नहीं

74. चोर
(क) चोरें (ख) चोरों
(ग) चोरियाँ (घ) चोर

75. गौ
(क) गौवाँ (ख) गौएँ
(ग) गौवन (घ) गौवें

76. आँख
(क) अंखियाँ (ख) आँखें
(ग) आँखों (घ) अँखियाएँ

77. भाई
(क) भाइया (ख) भाइयाँ
(ग) भाइयों (घ) भाइएँ

78. सिपाही
(क) सिपाहियों (ख) सिपाहियाँ
(ग) सिपहिये (घ) सिपाहें

79. घर
(क) घरों (ख) घरें
(ग) घराएँ (घ) घरे

80. कन्या
(क) कन्याएँ (ख) कन्याओं
(ग) कन्याइयाँ (घ) कन्ये

81. लड़का
(क) लड़के (ख) लड़काओं
(ग) लड़कों (घ) लड़काएँ

82. मैं
(क) हम (ख) मैंने
(ग) हमारा (घ) मेरा

83. चुहिया
(क) चुहियों (ख) चुहिए
(ग) चुहियाओं (घ) चुहियाँ

84. भेड़िया
(क) भेड़ियों (ख) भेड़ियाँ
(ग) भेड़ियाएँ (घ) भेड़िए

85. आत्मा
(क) आत्माओं (ख) आत्माएँ
(ग) आत्में (घ) आत्माँ

भाववाचक शब्द

निर्देश: *निम्नलिखित शब्दों में से भाववाचक शब्द छाँटो।*

86. भ्राता
(क) भ्रातृ
(ख) भ्रातृत्व
(ग) भ्राताश्री
(घ) इनमें से कोई नहीं

87. तपस्वी
(क) तपस्या (ख) तप
(ग) तपस्वरी (घ) तपस्वीया

88. भारत
(क) भरत (ख) भारतीय
(ग) भारतीयता (घ) भारतीए

89. अहम्
(क) मैं (ख) अहंकार
(ग) अहंकर (घ) अहंकारे

90. उचित
(क) औचित्य (ख) जायज
(ग) उपयुक्त (घ) उचितया

91. कठिन
(क) कठिनतम (ख) कठिनता
(ग) कठिनाइयाँ (घ) कठिनाई

92. चतुर
(क) चतुराई (ख) चालाक
(ग) चतुरे (घ) चतुर

93. बूढ़ा
(क) बुढ़ापा (ख) वृद्धा
(ग) बुढ़ावी (घ) बुढ़ौती

94. बड़ा
(क) बड़प्पन (ख) युवा
(ग) बड़े (घ) बुजुर्ग

95. कृपण
(क) कृपाण (ख) कृपालु
(ग) कृपणता (घ) कृपणे

96. युवा
(क) युवक (ख) यौवन
(ग) युथ (घ) नवयुवक

97. व्यक्ति
(क) व्यक्तित्त्व (ख) प्राणी
(ग) व्यक्तित्त्वता (घ) व्यक्तिगत

98. मरना
(क) मृत्यु (ख) मिथ्या
(ग) मरण (घ) परलोक

99. शूर
(क) शूरत्व (ख) शूरवीर
(ग) शौर्य (घ) शूरमा

100. अपना
(क) अपनत्व (ख) अपनापन
(ग) अर्पण (घ) अर्पित

101. महान
(क) महन्ता (ख) महानता
(ग) महामना (घ) महन्त

102. आलसी
(क) अलसस्य (ख) आलस्य
(ग) अलसे (घ) आलसीया

103. कंजूस
(क) कंजूसी
(ख) कंजूसता
(ग) कंजूसई
(घ) इनमें से कोई नहीं

104. कहना
(क) कथन (ख) कथनीय
(ग) कहावत (घ) कथानक

105. ईश्वर
(क) ऐश्वर्य (ख) ईश्वरीय
(ग) दैवी (घ) ईश्वरता

विशेषण

निर्देशः *निम्नलिखित शब्दों के विशेषण छांटोः*

106. उत्कर्ष
(क) उत्कर्षी (ख) उत्कृष्ट
(ग) उत्कर्षे (घ) अत्कर्षा

107. घना
(क) घनाकार (ख) घनी
(ग) घनघोर (घ) घनयुक्त

108. अग्नि
(क) अग्निकार (ख) आग्नेय
(ग) अग्निकृत (घ) अग्निवेष

109. ऐश्वर्य
(क) ऐश्वर्यरे (ख) ऐश्वर्यवान
(ग) एकेश्वर (घ) ईश्वरीय

110. ह्रदय
(क) ह्रदयता (ख) हार्दिक
(ग) ह्रदयी (घ) ह्रदया

111. कुल
(क) कुलीन (ख) कुले
(ग) कुलता (घ) कुलरूपी

112. अभ्यास
(क) अभ्यस्थ (ख) अभ्यस्थता
(ग) अभ्यस्त (घ) अभासी

113. कृतघ्नता
(क) कृतज्ञ (ख) कृतघन
(ग) कृपालु (घ) कृतघ्न

114. चिन्ता
(क) चिन्तनीय (ख) चिन्तित
(ग) चिन्तामणि (घ) चिन्ताहरी

115. जिज्ञासा
(क) जिज्ञासु (ख) जिज्ञास
(ग) जिज्ञासपूर्ण (घ) जिज्ञासी

116. अर्थ
(क) अर्थे (ख) अनर्थ
(ग) आर्थिक (घ) अर्थक

117. धर्म
(क) धर्मज्ञ (ख) धर्मस्थ
(ग) धर्मात्मा (घ) धार्मिक

118. ज्योति
(क) ज्योतिष (ख) ज्योतिका
(ग) ज्यातिर्गमय (घ) ज्योतिके

119. दूर
(क) दुरता (ख) दूरियाँ
(ग) दूरस्थ (घ) दूरतम

120. प्रकृति
(क) प्राकृतिक (ख) प्रकृति
(ग) प्राकृत (घ) प्रकृतम

121. राष्ट्र
(क) राष्ट्रीयता (ख) राष्ट्रीय
(ग) राष्ट्रे (घ) राष्ट्रतम

122. प्रशंसा
(क) प्रशंसनीय (ख) प्रशंसे
(ग) प्रशंसा (घ) प्रसन्नतम

123. यश
(क) यशस्वी (ख) तेजस्वी
(ग) यश (घ) ओजस्वी

124. सूर्य
(क) सूर्या (ख) सूरज
(ग) सौर (घ) सूरय

125. प्यास
(क) प्यासा (ख) प्यासी
(ग) प्याश (घ) प्यासम

126. गृह
(क) गृहणी (ख) गृहस्थी
(ग) गृहीनी (घ) गृहस्थ

127. प्रयत्न
(क) प्रयत्नशील (ख) प्रयत्नी
(ग) प्रयास (घ) चेष्टा

128. निन्दा
(क) निन्दनीय (ख) नृद्रा
(ग) निन्दगीय (घ) निन्दा

129. विपत्ति
(क) विपरीत (ख) विपत्ति
(ग) विपदा (घ) विपन्न

130. भीख
(क) भिक्षा (ख) भिखारी
(ग) भिक्षावृत्ति (घ) भिखमंगा

क्रिया-विशेषण

131. क्रिया-विशेषण उन शब्दों को कहते हैं, जो–
(क) क्रिया की विशेषता बतायें
(ख) क्रिया का काल बतायें
(ग) क्रिया और विशेषण का काम करें
(घ) क्रिया से बने हों

132. 'जोर से बोलिए'। इसमें क्रिया-विशेषण क्या है?
(क) जोर (ख) से
(ग) जोर से (घ) बोलिये

133. 'वह कल अवश्य आयेगा'। इसमें क्रिया-विशेषण क्या है?
(क) आयेगा (ख) वह
(ग) कल (घ) अवश्य

134. 'उसे इधर आना है।' इसमें क्रिया-

विशेषण क्या है?
(क) उसे (ख) आना है
(ग) इधर (घ) उसे इधर

135. 'चोर धीरे-से खिसक गया' इसमें क्रिया-विशेषण क्या है?
(क) खिसक गया
(ख) धीरे-से खिसक गया
(ग) धीरे-से
(घ) चोर धीरे-से खिसक गया

136. कर्त्ता कारक की विभक्ति कौन-सी है?
(क) को (ख) ने
(ग) से (घ) में

137. टेबुल पर पुस्तकें रखी हैं? इस वाक्य में 'पर' किस कारक का चिन्ह है?
(क) कर्त्ता कारक
(ख) अधिकरण कारक
(ग) सम्प्रदान कारक
(घ) करण कारक

138. मुन्ना के लिए फल खरीद लो। इसमें 'के लिए' किस कारक का चिन्ह है?
(क) करण कारक
(ख) अपादान कारक
(ग) कर्म कारक
(घ) सम्प्रदान कारक

139. संबंध कारक की विभक्ति कौन-सी है?
(क) का, के, की
(ख) को
(ग) हे
(घ) उपरोक्त सभी

140. हरी ने कुत्ते को बचाया। इसमें 'को' किस कारक की विभक्ति है?
(क) संबंध कारक
(ख) कर्मकारक
(ग) अपादान कारक
(घ) सम्प्रदान कारक

141. हिन्दी की लिपि कौनसी है?
(क) देवनागरी (ख) गुरुमुखी
(ग) रोमन (घ) फारसी

142. 'च, छ, ज, झ' के उच्चारण को मुखांगों के व्यवहार के आधार पर क्या नाम दिया जाता है?
(क) तालव्य (ख) मूर्धन्य
(ग) दन्त्य (घ) ओष्ठ्य

143. 'प, फ, ब, भ' के उच्चारण को मुखांगों के व्यवहार के आधार पर क्या नाम दिया जाता है?
(क) कण्ठ्य (ख) तालव्य
(ग) दन्त्य (घ) ओष्ठ्य

144. मौखिक ध्वनियों को प्रकट करने वाले अथवा प्रकट करने के लिए निश्चित किए गए चिन्हों को क्या कहते हैं?
(क) व्याकरण
(ख) भाषा
(ग) लिपि
(घ) उपरोक्त सभी

145. 'बुढ़ापा' कौनसी संज्ञा को प्रकट करता है?
(क) द्रव्यवाचक
(ख) व्यक्तिवाचक
(ग) भाववाचक
(घ) जातिवाचक

146. 'प्रेम' कौनसी संज्ञा है?
(क) द्रव्यवाचक
(ख) जातिवाचक
(ग) भाववाचक
(घ) व्यक्तिवाचक

147. 'कक्षा' संज्ञा है :
(क) समूहवाचक
(ख) जातिवाचक
(ग) व्यक्तिवाचक
(घ) उपरोक्त सभी

148. कारक के कितने भेद हैं?
(क) चार (ख) सात
(ग) आठ (घ) तीन

149. 'छत के ऊपर मत जाओ' वाक्य में कौनसा कारक है?
(क) कर्त्ता (ख) करण
(ग) अधिकरण (घ) सम्बोधन

150. 'अजी भाई साहब, बात सुनना', वाक्य में कारक बताएँ।
(क) कर्म (ख) अपादान
(ग) अधिकरण (घ) सम्बोधन

151. सर्वनाम के कितने भेद हैं?
(क) चार (ख) आठ
(ग) छः (घ) नौ

152. 'जो प्रयत्न करता है, वह फल भी पाता है'। इस वाक्य में कौनसा सर्वनाम है?
(क) प्रश्नवाचक सर्वनाम
(ख) सम्बन्धवाचक सर्वनाम
(ग) पुरुषवाचक सर्वनाम
(घ) निजवाचक सर्वनाम

153. 'आप भला तो जग भला'–उक्त वाक्य में कौनसा सर्वनाम है?
(क) प्रश्नवाचक
(ख) सम्बन्धवाचक
(ग) निजवाचक
(घ) पुरुषवाचक

154. जो शब्द संज्ञा अथवा सर्वनाम की विशेषता प्रकट करे, उसे कहते हैं:
(क) संज्ञा (ख) विशेषण
(ग) प्रत्यय (घ) लिंग

155. 'राम आम खाता है'–उक्त वाक्य में कौनसी क्रिया है?
(क) अकर्मक
(ख) सकर्मक
(ग) संयुक्त
(घ) उपरोक्त सभी

वर्तनी

निर्देशः *नीचे के प्रश्नों में एक शब्द की चार अलग-अलग वर्तनियां दी हुई हैं। इनमें से सही वर्तनी छाँटकर उस पर निशान लगाइयेः*

1. (क) अधम्र (ख) अध्रम
(ग) अधर्म (घ) अधृम

2. (क) अधिकृत (ख) अधिक्रित
(ग) अधिक्रित्त (घ) अधिर्कित

3. (क) अनुकृम (ख) अनुक्रम
(ग) अनुकर्म (घ) अनुकम्र

4. (क) अनवेषण (ख) अन्वेषण
(ग) अन्वेछण (घ) अन्वेशण

5. (क) अभिशेक (ख) अभिषेख
(ग) अभिषेक (घ) अभीषेक

6. (क) इच्छुक (ख) इक्षुक
(ग) इक्छुक (घ) इच्छिक

7. (क) इन्दिंय (ख) इन्द्रिय
(ग) इन्दिय (घ) इन्द्रिय

8. (क) ईष्या (ख) ईर्श्या
(ग) इर्ष्या (घ) ईर्ष्या

9. (क) उतकण्ठा (ख) उत्कण्ठा
(ग) उत्क्णठा (घ) उत्कन्ठा

10. (क) उमृिला (ख) उम्रिला
(ग) उमिर्ला (घ) उर्मिला

11. (क) रिषि (ख) ऋषि
(ग) र्त्रिषि (घ) ऋशि

12. (क) एकागृ (ख) एकाग्र
(ग) एकार्ग (घ) एक्राग्र

13. (क) ओजश्वि (ख) ओजस्वी
(ग) ओजश्वी (घ) ओजष्वी

14. (क) औशधी (ख) औषधी
(ग) औषधि (घ) औष्धि

15. (क) करम (ख) क्राम
(ग) कम्र (घ) कर्म

16. (क) ग्रिहीत (ख) ग्रहीत
(ग) गृहीत (घ) गर्हित

17. (क) कृतज्ञ (ख) क्रतज्ञ
(ग) क्रितज्ञ (घ) क्रितग्य

18. (क) चतुदर्श (ख) चर्तुदश
(ग) चतुर्दश (घ) चतुद्रश

19. (क) जर्जर (ख) जरर्जर
(ग) जज्रर (घ) जरजर

20. (क) जघ्नय (ख) जघ्रय
(ग) जघन्य (घ) जघन्य

21. (क) जेष्ठ (ख) ज्येश्ठ
(ग) ज्येष्ठ (घ) ज्येस्ठ

22. (क) ज्योतस्ना (ख) ज्योत्शना
(ग) ज्योस्तना (घ) ज्योत्स्ना

23. (क) तपस्वनी (ख) तपस्विनी
(ग) तपिस्वनी (घ) तपिस्विनी

24. (क) तादातमय (ख) तदात्म्य
(ग) तादात्म्य (घ) तादात्यम

25. (क) तृष्णा (ख) तिृष्णा
(ग) त्रिष्णा (घ) तृशणा

26. (क) त्रिमूर्ती (ख) त्रिमुर्ति
(ग) त्रिमूर्ति (घ) त्रृमूर्ति

27. (क) दक्छ (ख) दक्च्छ
(ग) दक्ष (घ) दज्ञ

28. (क) द्रर्पन (ख) दर्पन
(ग) दपर्ण (घ) दर्पण

29. (क) दामपत्य (ख) दम्पत्य
(ग) दाम्पत्य (घ) दाम्पत

30. (क) दीप्पित (ख) दीपति
(ग) दीप्ति (घ) दीप्ती

31. (क) दीर्घायु (ख) दीरघायु
(ग) दीघार्यु (घ) दीर्घियु

32. (क) दुर्निती (ख) दुनीर्ति
(ग) दुरनीति (घ) दुर्नीति

33. (क) दुर्दषा (ख) दुहशा
(ग) दुर्दशा (घ) दुद्रशा

34. (क) दुर्योधन (ख) दुयोधन
(ग) द्ररयोधन (घ) द्रुयोधन

35. (क) दुरबुद्धि (ख) दुर्बुधि
(ग) दुबुद्धि (घ) दुर्बुद्धि

36. (क) धनुष्विद्या (ख) धनुर्विद्या
(ग) धर्नुविद्या (घ) धनुर्वेद्या

37. (क) इकट्ठा (ख) एकट्ठा
(ग) एकठा (घ) एकाट्ठा

38. (क) गायकी (ख) गोयिका
(ग) गायिका (घ) गायीका

39. (क) नर्म्रदेश्वर (ख) नम्रदेश्वर
(ग) नमर्देश्वर (घ) नर्मदेश्वर

40. (क) निश्क्षेप (ख) निक्क्षेप
(ग) निक्षेप (घ) निक्छेप

41. (क) निर्गह (ख) नृग्रह
(ग) निग्रह (घ) निगर्ह

42. (क) निरजीव (ख) निर्जीव
(ग) नृिजीव (घ) निज्रीव

43. (क) निम्रूल (ख) निर्मूल
(ग) निरमूल (घ) नृर्मूल

44. (क) निवृत्त (ख) निव्रत्त
(ग) निवृत (घ) नृिवत्त

45. (क) प्रिक्रमा (ख) परीक्रमा
(ग) परिकृमा (घ) परिक्रमा

46. (क) प्रयटन (ख) पृयटन
(ग) पर्यटन (घ) प्रर्यटन

47. (क) प्रक्रिति (ख) प्रकृति
(ग) प्रक्रति (घ) पृक्रति

48. (क) बर्हिमुख (ख) बहिर्मुख
(ग) बहिम्रुख (घ) बहिमुर्ख

49. (क) भरतस्ना (ख) भर्त्सना
(ग) भर्तसना (घ) भर्तृसना

50. (क) मूर्ती (ख) मूर्ति
(ग) मूर्तृ (घ) मूरती

51. (क) इकतारा (ख) एकतारा
(ग) इकेतारा (घ) एकातारा

52. (क) र्निजीव (ख) निरजीव
(ग) निर्जीव (घ) निज्रीव

53. (क) निर्मूल (ख) नृमूल
(ग) निम्रूल (घ) नृम्रूल

54. (क) पार्थिव (ख) पार्थ्रिव
(ग) पार्थीव (घ) पाथिर्व

55. (क) विदूश्क (ख) विदूष्क
(ग) विदूशक (घ) विदूषक

56. (क) र्फुतीला (ख) फुर्तीला
(ग) फुर्तिला (घ) फुर्तला

57. (क) वर्ज (ख) वज्र
(ग) वजृ (घ) वज्रृ

58. (क) सीन्दूर (ख) सिन्दुर
(ग) सिन्दूर (घ) सीनदूर

59. (क) ब्रम्हचर्य (ख) ब्रह्मचर्य
(ग) बृह्मचर्य (घ) ब्रह्मर्चय

60. (क) भ्रर्तस्ना (ख) भर्तस्ना
(ग) भर्त्सना (घ) भंत्सना

61. (क) मत्स्य (ख) मतस्य
(ग) मत्सत्य (घ) मत्श्य

62. (क) भ्रित्य (ख) भर्त्य
(ग) भृत्य (घ) भ्रत्य

63. (क) निग्रंध (ख) निर्गंध
(ग) र्निगंध (घ) नृगंध

64. (क) प्रकिति (ख) प्रक्रिति
(ग) पृकृति (घ) प्रकृति

65. (क) प्रकर्श (ख) प्रकर्ष
(ग) पृकर्श (घ) पृकर्ष

66. (क) भद्र (ख) भदृ
(ग) भृर्द्र (घ) भर्द

67. (क) मंजूशा (ख) मंजूषा
(ग) मंजुषा (घ) मंजुशा

68. (क) मुर्मूषु (ख) मुमुर्षू
(ग) मुमुर्षु (घ) मुमूर्षु

69. (क) ब्राह्मण (ख) ब्राह्मण
(ग) ब्राम्हण (घ) बृहम्ण

70. (क) चतुदर्शी (ख) चर्तुदशी
(ग) चतुर्दशी (घ) चर्तुदशी

71. (क) तिर्स्कृत (ख) तिरस्कृत
(ग) तिरस्क्रत (घ) तिरिस्क्रित

72. (क) तरंगिणि (ख) तरंगणी
(ग) तरंगिणी (घ) तरंग्णी

73. (क) तार्क्रिक (ख) तार्किक
(ग) ताकृिक (घ) ताक्रिक

74. (क) दरपन (ख) दप्रण
(ग) दपर्ण (घ) दर्पण

75. (क) दर्रिद्र (ख) दरिद्र
(ग) दरिर्द्र (घ) दरिद्य

76. (क) ज्योत्स्ना (ख) ज्योत्सना
(ग) जयोत्स्ना (घ) ज्योस्त्ना

77. (क) प्रर्दशनी (ख) पृदर्श्नी
(ग) पृदर्शनी (घ) प्रदर्शनी

78. (क) परिकर्म्रा (ख) परिक्रमा
(ग) परिकृमा (घ) प्ररिक्रमा

79. (क) निषृद्ध (ख) निषिद्ध
(ग) निशिद्ध (घ) निषिद्द

80. (क) प्रभृति (ख) पृभृति
(ग) पृभ्रति (घ) प्रभिति

81. (क) परवीण (ख) प्रवीण
(ग) प्रवीर्ण (घ) परविण

82. (क) पृथिवी (ख) पृथ्वी
(ग) पृथ्वी (घ) प्रिथ्वी

83. (क) धम्र (ख) धरम
(ग) धर्म (घ) धृर्म

84. (क) ध्रुव (ख) ध्रव
(ग) ध्रुर्व (घ) धुर्व

85. (क) ध्रिष्ट (ख) धृश्ट
(ग) धृष्ट (घ) ध्रिस्ट

86. (क) नक्छत्र (ख) नक्क्षत्र
(ग) नछत्र (घ) नक्षत्र

87. (क) निर्मल (ख) निरमल
(ग) निमर्ल (घ) निम्रल

88. (क) पैतृर्क (ख) पैत्रिक
(ग) पैत्रक (घ) पैतृक

89. (क) न्रतक (ख) नृतक
(ग) नर्तक (घ) नतर्क

90. (क) निर्विघ्न (ख) निरविघ्न
(ग) निर्व्रिघ्न (घ) निरविघ्न

91. (क) निश्क्रिय (ख) निष्क्रिय
(ग) निस्कृिय (घ) निष्कृय

92. (क) ध्रूर्त (ख) धूर्त
(ग) ध्रुर्त (घ) धूतृ

93. (क) आगृह (ख) आग्रह
(ग) आर्गह (घ) आगहर्य

94. (क) सत्क्रम (ख) सतक्रम
(ग) सत्कर्म (घ) सत्कम्र

95. (क) विस्तृित (ख) वृस्तृत
(ग) विस्त्रित (घ) विस्तृत

96. (क) वृशभ (ख) व्रशभ
(ग) वृषभ (घ) व्रषभ

97. (क) यशश्वी (ख) यशस्वी
(ग) यशष्वी (घ) यशस्वि

98. (क) रोद्दर (ख) रोद्र
(ग) रौद् (घ) रौद्र

99. (क) स्म्रति (ख) स्मृति
(ग) सृमिति (घ) स्त्रमिति

100. (क) पृारंभ (ख) प्रारम्भ
(ग) पृारम्भ (घ) प्राम्भि

101. (क) श्रींग (ख) शृंग
(ग) श्रिंग (घ) श्रंग

102. (क) विभ्रम्म (ख) विभर्म
(ग) विभृम (घ) विभ्रम

103. (क) वक्रृ (ख) वकृ
(ग) वक्र (घ) व्रक्र

104. (क) वर्तलु (ख) ब्रर्तुल
(ग) व्रतुल (घ) वर्तुल

105. (क) द्रश्य (ख) दृश्य
(ग) दृष्य (घ) द्रिश्य

106. (क) सन्धिग्द (ख) संदिग्द
(ग) संदिग्ध (घ) सदिग्द्ध

107. (क) यथेश्ठ (ख) यथेष्ट
(ग) यथेष्ठ (घ) यथेस्ठ

108. (क) शार्दलू (ख) शाद्रूल
(ग) शार्दूल (घ) शार्द्रूल

109. (क) व्यिग्रर (ख) व्यगर
(ग) व्यगृ (घ) व्यग्र

110. (क) सुकृर्म (ख) सुक्रर्म
(ग) सुकर्म (घ) सुक्रम

111. (क) स्निग्ध (ख) स्निज्ध
(ग) श्निग्ध (घ) षिनिग्ध

112. (क) स्पृिहा (ख) स्प्रिहा
(ग) स्पृहा (घ) स्प्रीहा

113. (क) परीशिष्ट (ख) परिशिष्ट
(ग) प्रीशिष्ट (घ) परशिष्ट

114. (क) आशीवादं (ख) आशीर्वाद
(ग) आशिर्वाद (घ) आर्शीवाद

115. (क) यज्य (ख) यग्य
(ग) यज्ञ (घ) यज्ञ्य

116. (क) शुर्श्रुषा (ख) शुशूषा
(ग) श्रूशुषा (घ) शुश्रूषा

117. (क) प्रत्यक्ष (ख) प्रत्यक्ष्य
(ग) पृत्यक्ष (घ) प्रत्यक्छ

118. (क) अन्ताछरी (ख) अन्ताक्षरी
(ग) अन्त्याछरी (घ) अन्त्याक्षरी

119. (क) रचइता (ख) रचयिता
(ग) रचियता (घ) रचियिता

120. (क) वैयक्तिक (ख) वयक्तिक
(ग) वैयकतिक (घ) व्यक्तिक

121. (क) द्वन्ध्व (ख) द्वन्द
(ग) द्वन्द्व (घ) दन्द्व

122. (क) यथाशक्ती (ख) यथाशक्ति
(ग) यथाषक्ति (घ) यथासक्ति

123. (क) क्षत्रीय (ख) क्षत्रिय
(ग) छत्रिय (घ) क्षतृय

124. (क) राशी (ख) राषि
(ग) राशि (घ) रासि

125. (क) लक्ष्मि (ख) लक्ष्मि
(ग) लक्छमी (घ) लक्ष्मी

126. (क) रोस (ख) रोश
(ग) रोष (घ) रूष

127. (क) ग्यानशुन्य (ख) ग्यानशून्य
(ग) ज्ञानशून्य (घ) ज्ञानशुन्य

128. (क) मोहनि (ख) मोहिनि
(ग) मोहिनी (घ) मोहनी

129. (क) धनूष (ख) धनुस
(ग) धनुश (घ) धनुष

130. (क) अश्यर्च (ख) आश्र्चाय
(ग) आर्श्चय (घ) आश्चर्य

131. (क) क्रोंध (ख) कृोध
(ग) क्रोध (घ) कृौध

132. (क) स्फर्ति (ख) श्फूर्ति
(ग) स्फूर्ती (घ) स्फूर्ति

133. (क) विकृत् (ख) विकर्त
(ग) विक्रत (घ) विकृत

134. (क) राश्ट्रिय (ख) राष्ट्रिय
(ग) राष्ट्रीय (घ) राश्ट्रीय

135. (क) सव्रज्ञ (ख) सर्वज्ञ
(ग) सर्वग्य (घ) सर्वग

136. (क) निष्पक्छ (ख) निस्पक्ष
(ग) निश्पक्ष (घ) निष्पक्ष

137. (क) शाष्वत (ख) शास्वात
(ग) शास्वत (घ) शाश्वत

138. (क) निरदोश (ख) निद्रोस
(ग) निर्दोष (घ) निद्रोश

139. (क) तिरभुवन (ख) त्रिभुवान
(ग) तृभुवन (घ) त्रिभुवन

140. (क) नीष्काम (ख) निश्काम
(ग) निष्काम (घ) निस्काम

प्रत्यय और उपसर्ग

1. उपसर्ग लग जाने से मूल शब्द :
(क) का अर्थ नहीं बदलता
(ख) का अर्थ बदल जाता है
(ग) सदैव उल्टा अर्थ देता है
(घ) सदैव नाकारात्मक बन जाता है

2. उपसर्ग शब्द के :
(क) आरम्भ में जोड़े जाते है
(ख) अन्त में जोड़े जाते हैं
(ग) बीच में जोड़े जाते हैं
(घ) कभी आरम्भ में और कभी अन्त में जोड़े जाते हैं

उपसर्ग कितने प्रकार के माने गए हैं?
(क) एक (ख) दो
(ग) तीन (घ) चार

4. उपसर्ग :
(क) शब्दों को शुद्ध बनाते हैं
(ख) शब्दों का रूप बिगाड़ देते हैं
(ग) शब्द की व्याख्या करते हैं
(घ) उपरोक्त में से कोई भी नहीं

5. 'नि' उपसर्ग लगाने से शब्द का अर्थ :
(क) स्पष्ट हो जाता है
(ख) उल्टा हो जाता है
(ग) विशिष्ट हो जाता है
(घ) असामान्य हो जाता है

6. प्रत्यक्ष में कौन-सा उपसर्ग है?
(क) प्रति
(ख) प्र
(ग) प्रत्य
(घ) उपरोक्त में से कोई नहीं

7. 'दुर्गम' कैसा उपसर्ग है?
(क) तत्सम (ख) तद्भव
(ग) विदेशी

8. 'सरस' कैसा उपसर्ग है?
(क) तद्भव (ख) तत्सम
(ग) विदेशी

9. 'बेखबर' कैसा उपसर्ग है?
(क) तत्सम (ख) तद्भव
(ग) विदेशी

10. 'चतुराई' में क्या प्रत्यय जोड़ा गया है?
(क) राई (ख) ई
(ग) आई

11. 'अधिकार' में उपसर्ग क्या है?
(क) अ (ख) अधिक
(ग) अधि

12. 'अपशकुन' कैसा उपसर्ग है?
(क) तत्सम (ख) तद्भव
(ग) विदेशी

13. 'चौपाया' कैसा उपसर्ग है?
(क) तत्सम (ख) तद्भव
(ग) विदेशी

14. 'स्वदेश' कैसा उपसर्ग है?
(क) तत्सम (ख) तद्भव
(ग) विदेशी

15. 'बेईमान' कैसा उपसर्ग है?
(क) तद्भव (ख) तत्सम
(ग) विदेशी

16. 'विज्ञान' में कौन-सा उपसर्ग जोड़ा गया है?
(क) विज्ञ (ख) ज्ञान
(ग) वि (घ) अन

17. 'चिरायु' में कौन-सा उपसर्ग जोड़ा गया है?
(क) चि (ख) चिर
(ग) यु (घ) आयु

18. 'अवनत' में कौन-सा उपसर्ग जोड़ा गया है?
(क) नत (ख) अ
(ग) अव (घ) अवन

19. 'कुसंगी' कैसा उपसर्ग है?
(क) तत्सम (ख) तद्भव
(ग) विदेशी

20. 'बेपर्दा' कैसा उपसर्ग है?
(क) तद्भव (ख) विदेशी
(ग) तत्सम

21. 'अपकर्ष' में कौन-सा उपसर्ग जोड़ा गया है?
(क) अ (ख) अप
(ग) कर्ष

22. 'होनी' में कौन-सा उपसर्ग जोड़ा जाएगा?
(क) अ (ख) अनु
(ग) अन (घ) अप

23. 'जीवन' में आ उपसर्ग जोड़कर आजीवन बना है। इसका अर्थ है:
(क) जीवन-भर
(ख) जीवन के लिए
(ग) सुखी जीवन
(घ) उद्धार

24. 'दरअसल' कैसा उपसर्ग है?
(क) तत्सम
(ख) तद्भव
(ग) विदेशी

25. 'निरपराध' में कौन-सा उपसर्ग जोड़ा गया है?
(क) नि (ख) निः
(ग) निर

26. 'सदाचारी' कैसा उपसर्ग है?
(क) तत्सम
(ख) विदेशी
(ग) तद्भव

27. कुशासन में कु उपसर्ग जोड़ा गया है। इसका अर्थ है – बुरा शासन। शासन में कौन-सा उपसर्ग जोड़कर हम उसे अच्छा शासन बना सकते हैं?
(क) वि (ख) सु
(ग) अन (घ) अभि

28. 'अनपढ़' कैसा उपसर्ग है?
(क) तत्सम (ख) तद्भव
(ग) दिदेशी

29. 'अनजान' में कैसा उपसर्ग है?
(क) विदेशी (ख) तत्सम
(ग) तद्भव

30. 'अधमरा' कैसा उपसर्ग है?
(क) तत्सम (ख) तद्भव
(ग) विदेशी

31. 'रस' में कौन-सा उपसर्ग लगाने से इसका अर्थ उल्टा हो जायेगा?
(क) अन (ख) अ
(ग) वि (घ) नि

32. 'अनमोल' में कैसा उपसर्ग है?
(क) विदेशी (ख) तत्सम
(ग) तद्भव

33. अदब में 'बे' उपसर्ग लगाकर बेअदब बना है। इसका उल्टा अर्थ देने के लिए कौन-सा उपसर्ग जोड़ेंगे?
(क) दर (ख) बा
(ग) अन (घ) बद

34. नीचे दिए गए शब्दों में किस शब्द में तत्सम उपसर्ग जुड़ा है?
(क) बिलावजह (ख) अनकही
(ग) अज्ञात (घ) निपूता

35. 'निरंकुश' में कैसा उपसर्ग है?
(क) तत्सम (ख) तद्भव
(ग) विदेशी

36. 'बेडौल' में कैसा उपसर्ग है?
(क) तत्सम (ख) विदेशी
(ग) तद्भव

37. नीचे दिए गए शब्दों में से किस शब्द में तद्भव उपसर्ग जुड़ा है?
(क) अखाद्य (ख) बेरहम
(ग) अनमोल (घ) विशुद्ध

38. 'नादान' में कैसा उपसर्ग है?
(क) तत्सम (ख) तद्भव

(ग) विदेशी

39. 'अनिष्ट' में कौन-सा उपसर्ग जुड़ा है?
(क) अ (ख) अनि
(ग) अन

40. नीचे दिए गए शब्दों में किस शब्द में उपसर्ग नहीं है?
(क) आलोक (ख) आरोहण
(ग) आमरण (घ) आपूर्ति

41. 'रोग' शब्द में कौन-सा उपसर्ग लगेगा?
(क) ई (ख) वि
(ग) त्रि (घ) अ

42. 'परवाह' में कौन-सा उपसर्ग जोड़ा जायेगा?
(क) ना (ख) ला
(ग) बा (घ) अव

43. 'निहत्था' में कैसा उपसर्ग है?
(क) तत्सम (ख) तद्भव
(ग) विदेशी

44. 'अनुज' में क्या उपसर्ग जोड़ा गया है?
(क) अ (ख) अनु
(ग) ज (घ) अन

45. 'निस्वार्थ' में कैसा उपसर्ग है?
(क) तत्सम (ख) तद्भव
(ग) विदेशी

46. 'वियोग' में कैसा उपसर्ग है?
(क) तद्भव (ख) विदेशी
(ग) तत्सम

7. 'प्रत्युपकार' में कैसा उपसर्ग है?
(क) विदेशी (ख) तत्सम
(ग) तद्भव

48. 'गुण' का अर्थ उलटने के लिए क्या उपसर्ग जोड़ा जायेगा?
(क) अ (ख) अन
(ग) अप (घ) अव

49. अधिग्रहण में क्या उपसर्ग जोड़ा गया है?
(क) अ (ख) अधि
(ग) अध्य (घ) अधिग्र

50. 'दुर्दिन' में क्या उपसर्ग जोड़ा गया है?
(क) दु (ख) दुर्
(ग) दुः (घ) दुरः

51. प्रत्यय लगाने से मूल शब्द का अर्थ :
(क) उलट जाता है
(ख) हल्का पड़ जाता है
(ग) विशिष्ट हो जाता है
(घ) संज्ञा, विशेषण या क्रिया-विशेषण आदि का रूप धारण कर लेता है

52. प्रत्यय कहाँ जोड़े जाते हैं?
(क) शब्द के आरम्भ में
(ख) शब्द के अन्त में
(ग) शब्द के बीच में
(घ) शब्द के उस भाग में, जहाँ उपयुक्त लगे

53. 'कद्रदान' में कौन-सा प्रत्यय है?
(क) तत्सम (ख) तद्भव
(ग) देशज (घ) विदेशी

54. 'पागलपन' शब्द में क्या प्रत्यय जोड़ा गया है?
(क) पागल
(ख) पन
(ग) पा
(घ) उपरोक्त में से कोई नहीं

55. निम्नलिखित में से कौन-सा प्रत्यय संज्ञा बनाने के लिए प्रयुक्त होता है?

(क) आवट (ख) इक

(ग) पूर्वक (घ) वाला

56. 'पेटू' में कैसा प्रत्यय जोड़ा गया है?

(क) तत्सम (ख) विदेशी

(ग) देशज (घ) तद्भव

57. 'मोटा' में 'पा' प्रत्यय जोड़ने से मोटापा कैसा शब्द बन गया?

(क) विशेषण

(ख) क्रिया-विशेषण

(ग) संज्ञा

(घ) लघुताबोधक

58. 'पन' प्रत्यय लगाकर कौन-सा शब्द बना है?

(क) असलीपन (ख) मोटापन

(ग) बचपन (घ) मीठापन

59. 'ता' प्रत्यय लगाकर कौन-सा शब्द बना है?

(क) सरलता (ख) कर्ता

(ग) कुरता (घ) धीरता

60. निम्नलिखित में कौन लघुताबोधन प्रत्यय का परिणाम है?

(क) डिबिया (ख) माया

(ग) घटिया (घ) आदरणीया

61. नीचे के किस शब्द में 'ई' प्रत्यय लगा है?

(क) रानी (ख) राजधानी

(ग) सावधानी (घ) मेहरबानी

62. पुष्पित शब्द में लगा प्रत्यय कैसा है?

(क) तद्भव (ख) देशज

(ग) विदेशी (घ) तत्सम

63. 'धुँधला' में क्या प्रत्यय जोड़ा गया है?

(क) धुँध

(ख) ला

(ग) धुँ

(घ) उपरोक्त में से कोई नहीं

64. गौरव को विशेषण बनाने हेतु क्या प्रत्यय जोड़ेंगे?

(क) त्व (ख) शाली

(ग) पूर्वक (घ) ता

65. माया को विशेषण बनाने हेतु क्या प्रत्यय जोड़ेंगे?

(क) पन (ख) वाला

(ग) वी (घ) वा

66. 'बतियाना' में लगा प्रत्यय कैसा है?

(क) देशज (ख) विदेशी

(ग) तत्सम (घ) तद्भव

67. 'साधारण' में तः प्रत्यय लगाने से 'साधारणतः' क्या बन गया?

(क) संज्ञा

(ख) विशेषण

(ग) क्रिया-विशेषण

(घ) क्रिया

68. 'सालाना' और 'फकीराना' में कौन-सा प्रत्यय जोड़ा गया है?

(क) ना

(ख) आना

(ग) अना

(घ) उपरोक्त में से कोई नहीं

69. 'मूलतः' में जुड़ा प्रत्यय कैसा है?

(क) विदेशी (ख) देशज

(ग) तत्सम (घ) तद्भव

70. निम्नलिखित में कौनसा शब्द 'आ' प्रत्यय लगाकर नहीं बना है?

(क) भूखा (ख) मेला

(ग) प्यारा (घ) सरलता

71. 'धार्मिक' में कौन-सा प्रत्यय जुड़ा है?
(क) ध (ख) क
(ग) इक (घ) ईक

72. 'पुराण' शब्द संज्ञा है। इसमें 'इक' प्रत्यय लगाने से यह शब्द क्या बन जायेगा?
(क) संज्ञा ही रहेगा
(ख) क्रिया-विशेषण बन जायेगा
(ग) विशेषण बन जायेगा

73. 'चतुराई' में कैसा प्रत्यय जोड़ा गया है?
(क) देशज (ख) तद्भव
(ग) तत्सम (घ) विदेशी

74. 'शिशुता' में क्या प्रत्यय जोड़ा गया है?
(क) अ (ख) आ
(ग) ता (घ) उता

75. 'सुन्दरता' में कौन-सा प्रत्यय जोड़ा गया है?
(क) तत्सम (ख) देशज
(ग) विदेशी (घ) तद्भव

76. हर्ष में 'इत' प्रत्यय जोड़ने से क्या शब्द बनेगा?
(क) हर्षीत (ख) हर्षित
(ग) हर्षइत

77. 'तपस्वी' में क्या प्रत्यय जोड़ा गया है?
(क) ई
(ख) वी
(ग) स्वी
(घ) उपरोक्त में से कोई नहीं

78. 'राष्ट्रीय' में क्या प्रत्यय जोड़ा गया है?
(क) य (ख) ट्रीय
(ग) ईय (घ) इय

79. 'नैतिक' में क्या प्रत्यय जोड़ा गया है?
(क) क (ख) तिक
(ग) इक (घ) नै

80. 'बाजार' में किस प्रकार का प्रत्यय जोड़ा गया है?
(क) तत्सम (ख) तद्भव
(ग) देशज (घ) विदेशी

81. 'नकल' में प्रत्यय लगाकर क्या शब्द बनेगा?
(क) नकलची (ख) नकली
(ग) नकलत्व (घ) नकलता

82. निम्नलिखित में से विदेशी प्रत्यय वाले शब्द को छाँटिये :
(क) दयावान (ख) बाजीगर
(ग) पंडिताइन (घ) मुख्यतया

83. निम्नलिखित में से तद्भव प्रत्यय वाले शब्द को छाँटिये :
(क) झगड़ालू (ख) कुपित
(ग) फूलदान (घ) बुढ़िया

84. 'बबुआइन' शब्द में कैसा प्रत्यय जोड़ा गया है?
(क) विदेशी (ख) तत्सम
(ग) तद्भव (घ) देशज

85. 'घबराहट' में क्या प्रत्यय जोड़ा गया है?
(क) हट (ख) राहट
(ग) आहट (घ) अहट

86. 'रसीला' में क्या प्रत्यय जोड़ा गया है?
(क) आ (ख) ला
(ग) सीला (घ) ईला

87. निम्नलिखित में से किसमें 'क' प्रत्यय नहीं लगा है?
(क) सड़क (ख) गायक
(ग) लेखक (घ) पालक

88. 'बिटिया' में कैसा प्रत्यय जोड़ा गया है?
(क) देशज (ख) तत्सम
(ग) तद्भव (घ) विदेशी

89. 'जुआड़ी' में कैसा प्रत्यय जोड़ा गया है?
(क) देशज (ख) विदेशी
(ग) तत्सम (घ) तद्भव

90. 'धैर्य' से क्रिया-विशेषण बनाने हेतु क्या प्रत्यय जोड़ा जायेगा?
(क) वान (ख) ता
(ग) पूर्वक (घ) मान

91. 'कवित्व' में क्या प्रत्यय जोड़ा गया है?
(क) व (ख) त्व
(ग) इत्व (घ) यत्व

92. 'दर्शनीय' में क्या प्रत्यय जोड़ा गया है?
(क) य (ख) नीय
(ग) ईय

93. 'चालू' में क्या प्रत्यय जोड़ा गया है?
(क) उ (ख) ऊ
(ग) लू (घ) लऊ

94. निम्नलिखित शब्दों में से कौन-सा शब्द देशज प्रत्यय से बना है?
(क) महिमा (ख) मिलावट
(ग) मरियल (घ) महकदार

95. 'पढ़ाई-लिखाई' में कैसा प्रत्यय जुड़ा हुआ है?
(क) देशज (ख) विदेशी
(ग) तत्सम (घ) तद्भव

96. 'क्रोधी' शब्द में कौन-सा प्रत्यय जोड़ा गया है?
(क) इ (ख) धी
(ग) ई

97. 'डिबिया' में क्या प्रत्यय जोड़ा गया है?
(क) या (ख) इया
(ग) ईया (घ) बिया

98. 'मासिक' में क्या प्रत्यय जोड़ा गया है?
(क) क (ख) सिक
(ग) इक

99. निम्नलिखित में से कौन-सा शब्द विदेशी प्रत्यय जोड़कर बना है?
(क) कोटिशः (ख) लाडला
(ग) पेटू (घ) अकलमंद

100. निम्नलिखित में से कौन-सा शब्द तद्भव प्रत्यय जोड़कर बना है?
(क) मनुष्यता (ख) अड़ियल
(ग) कंटीला (घ) कष्टप्रद

संधि विचार

1. 'महोत्सव' में कौन-सी संधि है?
(क) स्वर संधि (ख) व्यंजन संधि
(ग) विसर्ग संधि

2. 'तपोवन' में कौन-सी संधि है?
(क) स्वर संधि (ख) व्यंजन संधि
(ग) विसर्ग संधि

3. 'निष्फल' में कौन-सी संधि है?
(क) विसर्ग संधि
(ख) व्यंजन संधि
(ग) स्वर संधि

4. 'नमस्ते' में कौन-सी संधि है?
(क) व्यंजन संधि (ख) स्वर संधि
(ग) विसर्ग संधि

5. उच्छवास का संधि-विग्रह है :
(क) उच + श्वास
(ख) उत् + श्वास
(ग) उद् + श्वास
(घ) उछ् + श्वास

6. 'रामावतार' में कौन-सी संधि है?
(क) स्वर संधि
(ख) व्यंजन संधि
(ग) विसर्ग संधि

7. 'कपीश' का संधि-विग्रह है :
(क) कप + ईश
(ख) कपि + इश
(ग) कपि + ईश
(घ) उपरोक्त में से कोई नहीं

8. 'दिगम्बर' में कौन-सी संधि है?
(क) व्यंजन संधि
(ख) विसर्ग संधि
(ग) स्वर संधि

9. 'अन्वेषण' का संधि-विग्रह है:
(क) अन् + वेषण
(ख) अन्व + एषण
(ग) अनु + ऐषण
(घ) अनु + एषण

10. संचय का संधि-विग्रह है:
(क) सत् + चय
(ख) सम् + चय
(ग) सं + चय
(घ) सः + चय

11. महा + ईश की संधि से क्या बनेगा?
(क) महीश (ख) महेश
(ग) महिष (घ) महाईश

12. प्रत्युत्तर का संधि-विग्रह है :
(क) प्र + त्युत्तर
(ख) प्रति + युत्तर
(ग) प्रति + उत्तर
(घ) प्रत्यु + उत्तर

13. 'नीलाम्बर' में कौन-सी संधि है?
(क) स्वर संधि
(ख) व्यंजन संधि
(ग) विसर्ग संधि

14. अभीष्ट का संधि-विग्रह है :
(क) अभी + ईष्ट
(ख) अभी + इस्ट
(ग) अभि + ईस्ट
(घ) अभि + इस्ट

15. अति + अंत की संधि से बनेगा :
(क) अतीन्त
(ख) अत्यन्त
(ग) अतिन्त
(घ) अत्येन्त

16. मनः + हर की संधि से बनेगा :
(क) मनहर (ख) मनोहर
(ग) मनःहर (घ) मन्हर

17. मतैक्य का संधि-विग्रह है :
(क) मत + एक्य
(ख) मत + ऐक्य
(ग) मतः + एक्य
(घ) मत + इक्य

18. 'पुनर्जन्म' में कौन-सी संधि है?
(क) स्वर संधि
(ख) व्यंजन संधि
(ग) विसर्ग संधि

19. स्वागत का संधि-विग्रह है :
(क) स्वा + गत
(ख) स्व + आगत
(ग) स्वा + आगत
(घ) सु + आगत

20. 'हिमालय' में कौन-सी संधि है?
(क) स्वर संधि
(ख) व्यंजन संधि
(ग) विसर्ग संधि

21. तथा + एव की संधि से बनेगा :
(क) तदैव (ख) तथेव
(ग) तथैव (घ) तदेव

22. 'मुनीश' का संधि विग्रह है :
(क) मुनी + ईश
(ख) मुनि + इश

(ग) मुनि + ईश
(घ) मुनः + ईश

23. 'भावार्थ' का संधि-विग्रह है :
(क) भाव + अर्थ
(ख) भावः + अर्थ
(ग) भावा + अर्थ
(घ) भावा + र्थ

24. 'गणेश' में कौन-सी संधि है?
(क) स्वर संधि (ख) व्यंजन संधि
(ग) विसर्ग संधि

25. 'उल्लास' का संधि-विग्रह है :
(क) उद् + लास
(ख) उत् + लास
(ग) उल् + लास
(घ) उल्ल + लास

26. भारतेन्दु का संधि-विग्रह है :
(क) भार + तेन्दु
(ख) भारत + इन्दु
(ग) भरत + इन्दु
(घ) भारतः + इन्दु

27. चन्द्रोदय का संधि-विग्रह है :
(क) चन्द्रो + दय
(ख) चन्द्रो + उदय
(ग) चन्द्रः + उदय
(घ) चन्द्र + उदय

28. नीरोग का संधि विग्रह है :
(क) निः + रोग
(ख) नी + रोग
(ग) निर् + रोग
(घ) नि +रोग

29. 'सम्राट' में कौन-सी संधि है?
(क) स्वर संधि (ख) व्यंजन संधि
(ग) विसर्ग संधि

30. संरक्षक का संधि-विग्रह है :
(क) सत् + रक्षक
(ख) सं + रक्षक
(ग) सम् + रक्षक
(घ) सन् + रक्षक

31. सूर्योदय का संधि-विग्रह है :
(क) सूर्यो + योदय
(ख) सूर्य + दय
(ग) सूर्यः + उदय
(घ) सूर्य + उदय

32. इति + आदि की संधि से बनेगा :
(क) इत्यादि (ख) इत्यदि
(ग) इतिआदि (घ) इत्यादी

33. 'निराश' का संधि-विग्रह है :
(क) निः + आश
(ख) नि + राश
(ग) निर + आश
(घ) निरा + श

34. 'नीरव' में कौन-सी संधि है?
(क) स्वर संधि (ख) व्यंजन संधि
(ग) विसर्ग संधि

35. धर्मार्थ का संधि-विग्रह है :
(क) धर्मा + र्थ
(ख) धर्मा + अर्थ
(ग) धम्र + अर्थ
(घ) धर + मार्थ

36. 'दुष्कर' में कौन-सी संधि है?
(क) स्वर संधि
(ख) व्यंजन संधि
(ग) विसर्ग संधि

37. विद्यार्थी का संधि-विग्रह है :
(क) विद्या + रथी
(ख) विद्य + अर्थी
(ग) विद्य + रथी
(घ) विद्या + अर्थी

38. 'संतोष' का संधि-विग्रह है :
(क) सं + तोष
(ख) सन् + तोष
(ग) सम् + तोष
(घ) सन + तोष

39. 'जगन्नाथ' में कौन-सी संधि है?
(क) स्वर संधि (ख) व्यंजन संधि
(ग) विसर्ग संधि

40. उल्लेख का संधि-विग्रह है :
(क) उः + लेख
(ख) उत् + लेख
(ग) उल + लेख
(घ) उद् + लेख

41. पवन का संधि-विग्रह है :
(क) पव + न
(ख) प + वन
(ग) पव + अन
(घ) पो + अन

42. भानु + उदय की संधि से बनेगा :
(क) भानुदय (ख) भानूदय
(ग) भान्योदय (घ) भानुउदय

43. अति + इव की संधि से बनेगा :
(क) अतएव (ख) अतैव
(ग) अतीव (घ) अतेव

44. 'सच्चरित्र' में कौन-सी संधि है?
(क) स्वर संधि (ख) व्यंजन संधि
(ग) विसर्ग संधि

45. 'नमस्ते' का संधि-विग्रह है :
(क) नम + स्ते (ख) नम् + स्ते
(ग) नमः + ते (घ) नमः + स्ते

46. 'निर्जन' में कौन-सी संधि है?
(क) स्वर संधि
(ख) व्यंजन संधि
(ग) विसर्ग संधि

47. 'सज्जन' का संधि-विग्रह है :
(क) सज् + जन
(ख) सद् + जन
(ग) सत् + जन
(घ) सत + जन

48. यद्यपि का संधि-विग्रह है :
(क) यद्य + अपि
(ख) यद्य + पि
(ग) यदि + अपि
(घ) यद् + अपि

49. 'दुर्गुण' का संधि-विग्रह है:
(क) दुर + गुण
(ख) दुः + गुण
(ग) दुर् + गुण
(घ) दुप् + गुण

50. 'उल्लास' में कौन-सी संधि है?
(क) स्वर संधि
(ख) व्यंजन संधि
(ग) विसर्ग संधि

51. परम + अर्थ की संधि से बनेगा :
(क) परमार्थ (ख) परामार्थ
(ग) परमअर्थ (घ) परमोर्थ

52. यथा + अर्थ की संधि से बनेगा :
(क) यथाअर्थ (ख) यथार्थ
(ग) यदार्थ (घ) यथारथ

53. आच्छादनका संधि-विग्रह है :
(क) आ + छादन
(ख) आच + छादन
(ग) आच् + छादन
(घ) आच्छा + आदन

54. 'कपीश' में कौन-सी संधि है?
(क) स्वर संधि
(ख) व्यंजन संधि
(ग) विसर्ग संधि

55. निर्विकार का संधि-विग्रह है :
(क) निर + विकार
(ख) निर + अविकार
(ग) निः + विकार
(घ) निः + अविकार

56. 'निष्कलंक' का संधि-विग्रह हैः
(क) नि + कलंक
(ख) निः + कलंक
(ग) निप् + कलंक
(घ) निष + कलंक

57. निश्छल में कौन-सी संधि है?
(क) स्वर संधि (ख) व्यंजन संधि
(ग) विसर्ग संधि

58. 'संहार' का संधि-विग्रह है :
(क) सं + हार
(ख) सम् + हार
(ग) सम + हार
(घ) सन् + हार

59. 'वयोवृद्ध' में कौन-सी संधि है?
(क) स्वर संधि (ख) व्यंजन संधि
(ग) विसर्ग संधि

60. 'हरिश्चन्द्र' का संधि-विग्रह है :
(क) हरि + चन्द्र
(ख) हरी + चन्द्र
(ग) हरिः + चन्द्र
(घ) हरिश + चन्द्र

61. 'सन्मार्ग' में कौन-सी संधि है?
(क) स्वर संधि (ख) व्यंजन संधि
(ग) विसर्ग संधि

62. 'महर्षि' में कौन-सी संधि है?
(क) स्वर संधि (ख) व्यंजन संधि
(ग) विसर्ग संधि

63. 'पावक' का संधि-विग्रह है :
(क) पा + वक (ख) पो + वक
(ग) पौ + वक (घ) पाव + क

64. 'स्वल्प' का संधि-विग्रह है :
(क) स्व + अल्प
(ख) स्वा + अल्प
(ग) सु + अल्प
(घ) सः + अल्प

65. 'सन्ध्या' का संधि-विग्रह है :
(क) सन् + ध्या
(ख) सम + ध्या
(ग) सं + ध्या
(घ) सन + ध्या

66. 'दुरुपयोग' में कौन-सी संधि है?
(क) स्वर संधि (ख) व्यंजन संधि
(ग) विसर्ग संधि

67. 'मनोरथ' में कौन-सी संधि है?
(क) व्यंजन संधि
(ख) स्वर संधि
(ग) विसर्ग संधि

68. 'दुष्कर' में कौन-सी संधि है?
(क) विसर्ग संधि
(ख) व्यंजन संधि
(ग) स्वर संधि

69. 'यशोदा' में कौन-सी संधि है?
(क) स्वर संधि
(ख) विसर्ग संधि
(ग) व्यंजन संधि

70. 'निश्चल' में कौन-सी संधि है?
(क) विसर्ग संधि
(ख) स्वर संधि
(ग) व्यंजन संधि

समास विचार

71. समास मुख्यतः कितने प्रकार के होते हैं?
(क) पाँच (ख) आठ
(ग) चार (घ) सात

72. किस समास में पूर्व पद प्रधान होता है?
(क) द्वन्द्व (ख) बहुब्रीहि

(ग) अव्ययीभाव (घ) तत्पुरुष

73. तत्पुरुष समास में कौन-सा पद पद प्रधान होता है?
(क) पूर्व पद
(ख) उत्तर पद
(ग) दोनों पद
(घ) कोई अन्य पद

74. 'नीलकमल' कौन-सा समास है?
(क) बहुब्रीहि (ख) तत्पुरुष
(ग) कर्मधारय (घ) द्विगु

75. 'चतुर्भुज' कौन-सा समास है?
(क) द्वन्द्व (ख) द्विगु
(ग) तत्पुरुष (घ) बहुब्रीहि

76. जिस समास का पहला पद संख्यावाचक विशेषण होता है, वह कौन-सा समास है?
(क) द्विगु (ख) तत्पुरुष
(ग) द्वन्द्व (घ) बहुब्रीहि

77. 'चौराहा' कौन-सा समास है?
(क) बहुब्रीहि (ख) तत्पुरुष
(ग) द्विगु (घ) कर्मधारय

78. 'भाई-बहिन' कौन-सा समास है?
(क) द्वन्द्व (ख) बहुब्रीहि
(ग) द्विगु (घ) तत्पुरुष

79. 'जन्मान्ध' कौन-सा समास है?
(क) तत्पुरुष (ख) द्वन्द्व
(ग) बहुब्रीहि (घ) अव्ययीभाव

80. अव्ययीभाव समास में :
(क) पूर्व पद प्रधान होता है
(ख) उत्तर पद प्रधान होता है
(ग) दोनों पद प्रधान होते हैं
(घ) उपरोक्त में से कोई भी नहीं

81. 'प्रतिदिन' कौन-सा समास है?
(क) द्विगु (ख) द्वन्द्व
(ग) अव्ययीभाव (घ) तत्पुरुष

82. किस समास में दोनों पद प्रधान होते हैं?
(क) द्विगु (ख) द्वन्द्व
(ग) अव्ययीभाव (घ) कर्मधारय

83. कौन-से दो समास तत्पुरुष के अन्तर्गत माने जाते हैं?
(क) द्विगु और द्वन्द्व
(ख) द्विगु और बहुब्रीहि
(ग) द्विगु और कर्मधारय
(घ) द्विगु और अव्ययीभाव

84. 'रातों-रात' कौन-सा समास है?
(क) तत्पुरुष (ख) अव्ययीभाव
(ग) द्वन्द्व (घ) द्विगु

85. निम्नलिखित में से कौन-सा बहुब्रीहि समास है?
(क) देशाटन (ख) दशानन
(ग) धर्माचार्य (घ) अनिद्रा

86. अव्ययीभाव समास का एक उदाहरण है :
(क) प्रतिदिन (ख) रेखाकित
(ग) धर्माचार्य (घ) अनिद्रा

87. 'पंचवटी' कौन-समास है?
(क) अव्ययीभाव (ख) द्विगु
(ग) कर्मधारय (घ) बहुब्रीहि

88. 'शरतचन्द्र' कौन-सा समास है?
(क) कर्मधारय (ख) बहुब्रीहि
(ग) तत्पुरुष (घ) द्विगु

89. 'दुनाली' कौन-सा समास है?
(क) बहुब्रीहि (ख) द्विगु
(ग) तत्पुरुष (घ) द्वन्द्व

90. 'भयभीत' कौन-सा समास है?
(क) द्विगु (ख) अव्ययीभाव
(ग) कर्मधारय (घ) तत्पुरुष

91. 'तुलसीकृत' कौन-सा समास है?
(क) बहुब्रीहि (ख) अव्ययीभाव
(ग) कर्मधारय (घ) तत्पुरुष

92. 'त्रिवेणी' कौन-सा समास है?
(क) द्वन्द्व (ख) अव्ययीभाव
(ग) द्विगु (घ) कर्मधारय

93. 'जातिभ्रष्ट' कौन-सा समास है?
(क) तत्पुरुष (ख) बहुब्रीहि
(ग) द्विगु (घ) अव्ययीभाव

94. निम्नलिखित में से कौन-सा द्वन्द्व समास है?
(क) नौचंदी (ख) राजपुत्र
(ग) प्रतिदिन (घ) सीताराम

95. 'पदच्युत' कौन-सा समास है?
(क) द्वन्द्व (ख) तत्पुरुष
(ग) कर्मधारय (घ) बहुब्रीहि

96. किस समास में दोनों पद प्रधान होते हैं?
(क) द्वन्द्व (ख) बहुब्रीहि
(ग) तत्पुरुष (घ) अव्ययीभाव

97. 'भला-बुरा' कौन-सा समास है?
(क) द्विगु (ख) द्वन्द्व
(ग) अव्ययीभाव (घ) बहुब्रीहि

98. 'महात्मा' कौन-सा समास है?
(क) अव्ययीभाव (ख) बहुब्रीहि
(ग) द्वन्द्व (घ) कर्मधारय

99. 'लम्बोदर' कौन-सा समास है?
(क) तत्पुरुष (ख) द्वन्द्व
(ग) बहुब्रीहि (घ) अव्ययीभाव

100. किस समास में दोनों पदों से भिन्न कोई अन्य पद प्रधान होता है?
(क) तत्पुरुष (ख) द्वन्द्व
(ग) अव्ययीभाव (घ) बहुब्रीहि

101. जिस समास में दोनों पद प्रधान होते हैं, उसे क्या कहते हैं?
(क) तत्पुरुष (ख) द्विगु
(ग) द्वन्द्व (घ) कर्मधारय

102. 'विद्यालय' कौन-सा समास है?
(क) तत्पुरुष (ख) बहुब्रीहि
(ग) कर्मधारय (घ) द्विगु

103. 'पशुपति' कौन-सा समास है?
(क) तत्पुरुष (ख) बहुब्रीहि
(ग) कर्मधारय (घ) अव्ययीभाव

104. 'राष्ट्रपति' कौन-सा समास है?
(क) बहुब्रीहि (ख) कर्मधारय
(ग) तत्पुरुष (घ) अव्ययीभाव

105. 'पीताम्बर' कौन-सा समास है?
(क) द्वन्द्व (ख) अव्ययीभाव
(ग) द्विगु (घ) बहुब्रीहि

106. 'पंचतत्व' कौन-सा समास है?
(क) तत्पुरुष (ख) अव्ययीभाव
(ग) द्वन्द्व (घ) द्विगु

107. 'सप्तऋषि' कौन-सा समास है?
(क) द्विगु (ख) द्वन्द्व
(ग) अव्ययीभाव (घ) बहुब्रीहि

108. 'क्षण-क्षण' कौन-सा समास है?
(क) तत्पुरुष (ख) अव्ययीभाव
(ग) बहुब्रीहि (घ) द्वन्द्व

109. 'चतुर्भुज' बहुब्रीहि समास है, क्योंकि इसमें :
(क) पूर्व पद प्रधान है
(ख) उत्तर पद प्रधान है
(ग) दोनों पद प्रधान हैं
(घ) दोनों के अतिरिक्त कोई अन्य पद प्रधान है

110. 'रुपया-पैसा' द्वन्द्व समास है, क्योंकि इसमें :
(क) पूर्व पद प्रधान है

(ख) उत्तर पद प्रधान है
(ग) दोनों पद प्रधान है
(घ) दोनों के अतिरिक्त कोई अन्य पद प्रधान है

111. तत्पुरुष समास में कौन-सा पद प्रधान होता है?
(क) पूर्व पद
(ख) उत्तर पद
(ग) दोनों पद
(घ) दोनों के अतिरिक्त कोई अन्य पद

112. 'भरपेट' कौन-सा समास है?
(क) अव्ययीभाव (ख) कर्मधारय
(ग) द्विगु (घ) द्वन्द्व

113. 'हस्तलिखित' कौन-सा समास है?
(क) बहुब्रीहि (ख) तत्पुरुष
(ग) अव्ययीभाव (घ) द्विगु

114. 'गजानन' कौन-सा समास है?
(क) बहुब्रीहि (ख) अव्ययीभाव
(ग) द्विगु (घ) द्वन्द्व

115. जिस समास का पहला पद संख्यावचक विशेषण हो, उसे क्या कहते हैं?
(क) अव्ययीभाव (ख) द्वन्द्व
(ग) द्विगु (घ) बहुब्रीहि

116. 'त्रिलोकी' कौन-सा समास है?
(क) द्विगु (ख) बहुब्रीहि
(ग) अव्ययीभाव (घ) तत्पुरुष

117. 'सेनानायक' कौन-सा समास है?
(क) तत्पुरुष (ख) अव्ययीभाव
(ग) बहुब्रीहि (घ) कर्मधारय

118. 'ऋणमुक्त' कौन-सा समास है?
(क) अव्ययीभाव (ख) तत्पुरुष
(ग) बहुब्रीहि (घ) कर्मधारय

119. 'चन्द्रमुख' कौन-सा समास है?
(क) तत्पुरुष (ख) कर्मधारय
(ग) बहुब्रीहि (घ) अव्ययीभाव

120. 'ग्रंथकर्ता' कौन-सा समास है?
(क) बहुब्रीहि (ख) द्वन्द्व
(ग) द्विगु (घ) तत्पुरुष

121. 'काम-काज' कौन-सा समास है?
(क) द्वन्द्व (ख) द्विगु
(ग) कर्मधारय (घ) अव्ययीभाव

122. 'जन्मांध' कौन-सा समास है?
(क) बहुब्रीहि (ख) द्वन्द्व
(ग) कर्मधारय (घ) तत्पुरुष

123. 'चरणकमल' कौन-सा समास है?
(क) कर्मधारय (ख) द्विगु
(ग) बहुब्रीहि (घ) अव्ययीभाव

124. 'जानकीनाथ' कौन-सा समास है?
(क) अव्ययीभाव (ख) तत्पुरुष
(ग) बहुब्रीहि (घ) द्वन्द्व

125. निम्नलिखित में से किस समास में अन्य पद प्रधान नहीं है?
(क) सप्तऋषि (ख) दशानन
(ग) गजानन (घ) चतुर्भुज

अलंकार

1. अलंकार के कितने मुख्य भेद होते हैं?
(क) दो (ख) तीन
(ग) चार (घ) पाँच

2. काव्य का अस्थिर धर्म क्या है?
(क) रस (ख) शब्द शक्ति
(ग) अलंकार (घ) छंद

3. जहाँ एक साथ शब्द और अर्थ दोनों में विशेषता हो, वहाँ—
(क) शब्दालंकार होता है
(ख) अर्थालंकार होता है
(ग) अनुप्रास अलंकार होता है
(घ) उभयालंकार होता है

4. जब किसी कविता में एक शब्द का

एक ही प्रयोग हो, परन्तु उसके दो या अधिक अर्थ हों, तब कौन-सा अलंकार होता है?

(क) रूपक (ख) उपमा
(ग) प्रतीप (घ) श्लेष

5. निम्न में कौन-सा शब्दालंकार नहीं है?

(क) उपमा, रूपक
(ख) व्यतिरेक, दृष्टांत
(ग) अनुप्रास, यमक
(घ) श्लेष, वक्रोक्ति

6. 'कुन्द इन्दु सम देह, उमा रमन करुण अयन'

उक्त पद में कौन-सा अलंकार है?

(क) श्लेष (ख) उपमा
(ग) अनुप्रास (घ) रूपक

7. 'कनक कनक ते सौ गुनी मादकता अधिकाय। वा खाये बौराय जग या पाये बौराय।'

उक्त पद में कौन-सा अलंकार है?

(क) यमक (ख) अनुप्रास
(ग) रूपक (घ) प्रतीप

8. 'स्वर्ग की तुलना उचित ही है यहाँ किन्तु सुरसरिता कहाँ सरयू कहाँ? वह मरों को मात्र पार उतारती, यह यहाँ से जीवितों को तारती।'

उक्त प्रद में कौन-सा अलंकार है?

(क) श्लेष (ख) व्यतिरेक
(ग) रूपक (घ) भ्रान्तिमान

9. 'हनुमान की पूँछ में लगन न पाई आग। लंका सिगरी जल गई, गए निसाचर भाग।'

उक्त पद में कौन-सा अलंकार है?

(क) उत्प्रेक्षा
(ख) भ्रान्तिमान
(ग) दृष्टान्त
(घ) अतिशयोक्ति

10. 'एक राज्य न हो तो बहुत से हों जहाँ, राष्ट्र का बल बिखर जाता है वहाँ, बहुत तारे थे अँधेरा कब मिटा, सूर्य का आना सुना जब तब मिटा।'

उक्त पद में कौन-सा अलंकार है?

(क) दृष्टांत (ख) व्यतिरेक
(ग) भ्रान्तिमान (घ) उपमा

11. 'मेरी भव बाधा हरौ, राधा नागरि सोई। जो तन की झाईं परत, स्यामु हरित दुति होई।'

उक्त पद में कौन-सा अलंकार है?

(क) व्यतिरेक (ख) श्लेष
(ग) उपमा (घ) अनुप्रास

12. जब शब्द (पद) में एक या कई व्यंजन एक से अधिक बार एक ही क्रम में आएँ, वह कौन-सा अलंकार होता है?

(क) यमक (ख) दृष्टान्त
(ग) भ्रांतिमान (घ) अनुप्रास

13. काव्य में शब्दगत और अर्थगत सौंदर्य की वृद्धि उत्पन्न वाले साधन को क्या कहते हैं?

(क) अलंकार (ख) रस
(ग) छन्द (घ) शब्द-शक्ति

14. निम्न पंक्तियों में कौन-सा अलंकार है? ''बहुरि अंजली बांधि ध्यान विधि को विधिवत गहि। माँगी गंग उमंग सहित पूरब प्रसंग कहि।।''

(क) अनुप्रास (ख) उत्प्रेक्षा
(ग) मालोपमा (घ) भ्रान्तिमान

15. अनुप्रास के कितने भेद होते हैं?

(क) दो (ख) तीन
(ग) चार (घ) पाँच

16. जब कविता में एक ही शब्द दो या अधिक बार आये और हर बार उसका अर्थ भिन्न हो, तो कौन-सा अलंकार होता है?

(क) यमक
(ख) अतिशयोक्ति
(ग) अनुप्रास
(घ) प्रतीप

17. किस अलंकार में लक्षण से चमत्कार घटित होता है?
(क) प्रतीप
(ख) रूपक
(ग) अतिशयोक्ति
(घ) अनन्वय

18. किस अलंकार में प्रसिद्ध उपमानों को उपमेय के रूप में कर लिया जाता है?
(क) रूपक (ख) अनुप्रास
(ग) प्रतीप (घ) उपमा

19. प्रस्तुत वर्ण्य-विषय को बढ़ा-चढ़ाकर अतिरंजित रूप में अभिव्यक्त करने से कौन-सा अलंकार होता है?
(क) अतिशयोक्ति
(ख) दृष्टान्त
(ग) विभावना
(घ) विशेषोक्ति

20. किस अलंकार में कविता में उपमेय और उपमान बिंब-प्रतिबिंब भाव से होते हैं?
(क) अतिशयोक्ति
(ख) प्रतीप
(ग) विशेषोक्ति
(घ) दृष्टान्त

21. जब भ्रमवश किसी एक चीज को देखकर उसके समान की किसी अन्य वस्तु का भ्रम हो तो कौन-सा अलंकार होता है?
(क) विभावना (ख) उत्प्रेक्षा
(ग) भ्रान्तिमान (घ) विशेषोक्ति

22. उपमान की अपेक्षा उपमेय के वर्णन में जब उत्कृष्टता दिखाइ जाती है, तो कौन-सा अलंकार होता है?
(क) प्रतीप (ख) विभावना
(ग) उत्प्रेक्षा (घ) व्यतिरेक

23. किस अलंकार में उपमेय में उपमान की सम्भावना की जाती है?
(क) उत्प्रेक्षा (ख) विभावना
(ग) प्रतीप (घ) अनुप्रास

24. कविता में जब बिना पर्याप्त कारण के कार्य सम्पन्न होने का चमत्कार घटित होता है, तो कौन-सा अलंकार होता है?
(क) प्रतीप
(ख) उत्प्रेक्षा
(ग) अतिशयोक्ति
(घ) विभावना

25. प्रबल कारणों के उपस्थित होते हुए भी जब कार्य सिद्ध न होने का वर्णन किया जाए तो कौन-सा अलंकार होता है?
(क) विशेषोक्ति (ख) विभावना
(ग) व्यतिरेक (घ) प्रतीप

26. जहाँ किसी उक्ति में वक्ता के अभिप्रेत आशय से भिन्न अर्थ की कल्पना की जाये, वहाँ कौन-सा अलंकार होता है?
(क) प्रतीप (ख) अनुप्रास
(ग) वक्रोक्ति (घ) विभावना

27. जहाँ सादृश्य के कारण किसी वस्तु को देखकर यह निश्चय न हो सके कि यह वही वस्तु है या अन्य; अर्थात् दोनों में दुविधा बनी रहे, वहाँ कौन-सा अलंकार होता है?
(क) भ्रान्तिमान (ख) विभावना
(ग) सन्देह (घ) प्रतीप

28. जहाँ सामान्य कथन का विशेष कथन द्वारा और विशेष कथन का सामान्य कथन द्वारा समर्थन किया जाता है,

वहाँ कौन-सा अलंकार होता है?
(क) विशेषोक्ति (ख) विभावना
(ग) अर्थान्तरन्यास (घ) वक्रोक्ति

29. जहाँ कविता में एक ही चीज उपमान और उपमेय भाव से कही जाती है, वहाँ कौन-सा अलंकार होता है?
(क) प्रतीप (ख) अनन्वय
(ग) अनुप्रास (घ) रूपक

30. वर्णन में जो प्रस्तुत विषय के रूप में होता है (जैसे सीता का मुख) उसे क्या कहते हैं?
(क) उपमेय (ख) उपमान
(ग) धर्म (घ) वाचक

31. वर्ण्य वस्तु की शोभा बढ़ाने के लिए जिस अप्रस्तुत (जैसे चन्द्रमा) की कल्पना की जाती है, उसे क्या कहते हैं?
(क) धर्म (ख) वाचक
(ग) उपमान (घ) उपमेय

32. जिस गुण के कारण उपमेय और उपमान में समानता स्थापित की जाती है (जैसे सुन्दर), उसे क्या कहते हैं?
(क) उपमेय (ख) उपमान
(ग) वाचक (घ) धर्म

विपरीतार्थक शब्द

विपरीतार्थक शब्द वे शब्द होते हैं जो किसी शब्द के ठीक विपरीत अथवा उल्टा अर्थ प्रकट करते हैं। इन्हें विलोम और विपर्याय भी कहा जाता है। अंग्रेजी में ऐसे, शब्द 'एण्टानिम्स' कहे जाते हैं।

निर्देश : *चार विकल्पों में से सही विपरीतार्थक शब्द छांट कर उस पर निशान लगाइये।*

1. अकथ
(क) कथनीय (ख) मान्य
(ग) कथ्य (घ) चिन्तनीय

2. अचल
(क) अस्थिर (ख) चल
(ग) जंगम (घ) कंपायमान

3. अटल
(क) अस्थिर (ख) चल
(ग) टलना (घ) अदृढ़

4. अति
(क) न्यून (ख) कम
(ग) अल्प (घ) नगण्य

5. अथ
(क) अन्त (ख) समाप्ति
(ग) इति (घ) विश्राम

6. अन्त
(क) आरम्भ (ख) आदि
(ग) अथ (घ) शुरुआत

7. अदूरदर्शी
(क) गीध दृष्टि (ख) दूर दृष्टि
(ग) दूरदर्शी (घ) भविष्य दृष्ट

8. अदूषित
(क) कलुषित (ख) पंकिल
(ग) रुग्ण (घ) दूषित

9. अलभ्य
(क) मिलना (ख) लभ्य
(ग) आशा (घ) प्राप्त

10. अधर्म
(क) धर्मयुत (ख) सुधर्म
(ग) धर्म (घ) आपद्धर्म

11. अमावस्या
(क) प्रतिपदा (ख) प्रदोष
(ग) चतुर्दशी (घ) पूर्णिमा

12. अमृत
(क) काटकूट (ख) विष
(ग) गरल (घ) हलाहल

13. अशक्य
(क) शक्य (ख) साध्य
(ग) सुगम (घ) संभव

14. आकर्षण
(क) घृणा (ख) जुगुप्सा
(ग) पलायन (घ) विकर्षण

15. आकांक्षा
(क) अनिच्छा (ख) अनाकांक्षा
(ग) विमुखता (घ) घृणा

16. आकाश
(क) गगन (ख) पाताल
(ग) धरा (घ) रसातल

17. आग
(क) शीत
(ख) पानी
(ग) बर्फ
(घ) उपल (ओला)

18. आमिष
(क) शाक (ख) अन्न
(ग) निरामिष (घ) भोज्य

19. आमोद
(क) अप्रसन्नता (ख) विषाद
(ग) क्रोध (घ) निर्गंध

20. आय
(क) व्यय (ख) खर्च
(ग) मितव्यय (घ) बचत

21. आरोहण
(क) अपरोहण (ख) अवरोहण
(ग) पतन (घ) विनाशन

22. आर्य
(क) असभ्य (ख) अजान
(ग) अनार्य (घ) दस्यु

23. आश्रय
(क) आलंबहीन (ख) निरालंब
(ग) निराश्रय (घ) बेसहारा

24. इष्ट
(क) अप्रिय (ख) अवांछित
(ग) अनिष्ट (घ) शुभ

25. ईर्ष्या
(क) स्नेह (ख) प्रसन्नता
(ग) उत्फुल्लता (घ) शीतलता

26. उगलना
(क) लील जाना (ख) निगलना
(ग) खाना (घ) चबाना

27. उग्र
(क) विनम्र (ख) शान्त
(ग) भीरु (घ) विनयी

28. उत्कर्ष
(क) पराभव (ख) अनुत्कर्ष
(ग) अवनति (घ) पतन

29. उत्कृष्ट
(क) निम्न (ख) असुन्दर
(ग) क्षुद्र (घ) निकृष्ट

30. उत्साह
(क) अनुत्साह (ख) उत्साहहीन
(ग) आलसी (घ) भीरु

31. उदय
(क) पराभव (ख) अस्त
(ग) अवसान (घ) ग्रस्त

32. उल्लास
(क) ह्रास (ख) म्लानता
(ग) कष्ट (घ) अप्रसन्नता

33. ऊर्ध्व
(क) निम्न (ख) लघु
(ग) अधो (घ) अल्प

34. एकता
(क) अनेकता (ख) विभिन्नता
(ग) असहयोग (घ) अलग-अलग

35. एकांत
(क) भीड़-भाड़ (ख) जन संकुल
(ग) मेला (घ) बाजार

36. एकीकरण
(क) अलगाव
(ख) विभाजन

(ग) विलगीकरण
(घ) फैलाना

37. ओजस्वी
(क) कान्तिहीन (ख) म्लान
(ग) रोगी (घ) कामुक

38. औचित्य
(क) अनुचित (ख) बुरा
(ग) अनौचित्य (घ) अनुपयुक्त

39. कंजूस
(क) उदार
(ख) फिजूलखर्ची
(ग) बहुव्ययी
(घ) व्यर्थव्ययी

40. कटु
(क) कषाय (ख) मधु
(ग) नमकीन (घ) मधुर

41. कदाचित्
(क) निश्चित (ख) प्रायः
(ग) अवश्यमेव (घ) नित्य

42. कन्या
(क) औरत (ख) महिला
(ग) पुरुष (घ) वर

43. कनिष्ठ
(क) ज्येष्ठ (ख) समवयस्क
(ग) मध्यम (घ) वृद्ध

44. कायर
(क) शायर (ख) शूर/वीर
(ग) बहादुर (घ) उत्साही

45. किशोर
(क) बाल (ख) प्रौढ़
(ग) वृद्ध (घ) रुग्ण

46. कुटिल
(क) दुष्ट (ख) सरल
(ग) मृदुल (घ) चंचल

47. कुकृत्य
(क) सुकर्म (ख) भलाई
(ग) शुभकर्म (घ) सुकृत्य

48. कुमति
(क) मन्दमति (ख) सन्मति
(ग) मतिवान (घ) सुमति

49. कुशाग्र
(क) मन्द (ख) नीच
(ग) मूढ़ (घ) अल्प

50. कुसंग
(क) सुसंग/सत्संग
(ख) भक्ति
(ग) शुभ संग
(घ) साधु संग

51. खाद्य
(क) अखाद्य (ख) नीरस
(ग) अभक्ष्य (घ) अग्राहृय

52. खोटा
(क) अच्छाई (ख) अदूषण
(ग) खरा (घ) निर्दोष

53. गद्य
(क) पद्य (ख) काव्य
(ग) तुकबन्दी (घ) कवित्त

54. गप
(क) सही (ख) ठीक
(ग) सच (घ) उचित

55. गायन
(क) वादन (ख) रुदन
(ग) नर्त्तन (घ) हास्य

56. घरेलू
(क) बाहरी (ख) शहरी
(ग) बाजारू (घ) आपसी

57. चंचल
(क) अचंचल (ख) स्थिर
(ग) शान्त (घ) गंभीर

58. चन्द्रमा
(क) प्रकाश (ख) धूप
(ग) ऊषा (घ) सूर्य

59. चिढ़ना
(क) प्रसन्न होना (ख) हँसना

(ग) मुस्कराना (घ) रोना

60. छली
(क) साधु (ख) सज्जन
(ग) भला (घ) निश्छली

61. जंगम
(क) स्थिर (ख) स्थावर
(ग) ठहराव (घ) पंगु

62. ज्ञान
(क) विज्ञान (ख) अज्ञान
(ग) मूर्खता (घ) सीमित ज्ञान

63. ज्ञेय
(क) अनबूझ (ख) अज्ञेय
(ग) नासमझ (घ) विज्ञेय

64. ज्येष्ठ
(क) कनिष्ठ (ख) लघु
(ग) अल्प (घ) छोटा

65. ज्योतिर्मय
(क) श्याममय
(ख) कालिमायुक्त
(ग) अंधकारमय
(घ) धुंधयुक्त

66. झूठ
(क) सत्य (ख) अर्द्धसत्य
(ग) यथार्थ (घ) नग्नसत्य

67. टाट
(क) मखमल
(ख) कपड़ा (सूती)
(ग) रेशम
(घ) कीनखाब

68. टोटा
(क) लाभ (ख) फायदा
(ग) मुनाफा (घ) बचत

69. ठण्डा
(क) गर्म
(ख) शीतोष्ण
(ग) समशीतोषण
(घ) तापित

70. ढीठ
(क) सज्जन (ख) शरीफ
(ग) भला (घ) विनयी

71. तनय
(क) भगिनी (ख) अनुजा
(ग) तनया (घ) भतीजी

72. तप्त
(क) शीतल (ख) अतप्त
(ग) अदग्ध (घ) ठंडा

73. तमोगुण
(क) रजोगुण (ख) शतोगुण
(ग) अवगुण (घ) गुणाक गुण

74. तिक्त
(क) कषाय (ख) मधुर
(ग) अम्ल (घ) लावण्य

75. तिरस्कार
(क) स्वागत (ख) सम्मान
(ग) आदर (घ) प्रशंसा

76. त्यागना
(क) मिला लेना
(ख) लेना
(ग) अपनाना
(घ) ग्रहण करना

77. थकान
(क) स्वस्थ
(ख) प्रसन्न
(ग) थकान रहित
(घ) स्फूर्ति

78. दक्षिण
(क) पूर्व (ख) पश्चिम
(ग) उत्तर (घ) सर्वत्र

79. दानव
(क) मानव (ख) देव
(ग) यक्ष (घ) किन्नर

80. दरिद्र
(क) सम्पन्न
(ख) समृद्धिशाली

(ग) भूपति
(घ) श्रीपति

81. **दुर्बल**
(क) तपोबले (ख) आत्मबल
(ग) धनबल (घ) सबल

82. **दुर्भाग्य**
(क) निर्भाग (ख) सौभाग्य
(ग) भाग्यवान (घ) भाग्यशाली

83. **दुश्चरित्र**
(क) सच्चरित्र (ख) सदाचारी
(ग) भद्र (घ) सुशील

84. **दृश्य काव्य**
(क) श्रव्यकाव्य (ख) खण्डकाव्य
(ग) महाकाव्य (घ) गीतिकाव्य

85. **देशी**
(क) प्रान्तीय
(ख) ग्रामीण
(ग) शहरी/नगरीय
(घ) विदेशी

86. **धनवान**
(क) गरीब (ख) निर्धन
(ग) फकीर (घ) भिखारी

87. **धर्म**
(क) अधर्म (ख) पाप
(ग) पातक (घ) अघ

88. **धूप**
(क) छाँव (ख) बरसात
(ग) रात (घ) चाँदनी

89. **स्वर्ग**
(क) कान
(ख) मृत्युलोक
(ग) पाताललोक
(घ) नरक

90. **नायक**
(क) नायिका (ख) युवती
(ग) प्रेमिका (घ) सुन्दरी

91. **नास्तिक**
(क) व्यावहारिक (ख) आस्तिक
(ग) बौद्धिक (घ) भौतिक

92. **निराश**
(क) आशा (ख) आशान्वित
(ग) आशामय (घ) आशावन

93. **निःश्वास**
(क) श्वासहीन (ख) मृतक
(ग) उच्छवास (घ) ऊर्ध्वश्वास

94. **निशाचर**
(क) देव (ख) मनुष्य
(ग) दिवाचर (घ) खेचर

95. **निशि**
(क) दिवा (ख) दिन
(ग) दिवस (घ) सवेरा

96. **निश्चय**
(क) अनिश्चय (ख) विनिश्चय
(ग) सुनिश्चय (घ) कुनिश्चय

97. **निस्संकोच**
(क) संकोच (ख) संतोषी
(ग) सलज्ज (घ) संकोचवान

98. **निष्पाप**
(क) अपवित्र (ख) पापात्मा
(ग) पापी (घ) अघी

99. **नूतन**
(क) पुराना (ख) जीर्ण
(ग) वृद्ध (घ) पुरातन

100. **नृशंस**
(क) दयावान (ख) करुणापूर्ण
(ग) मेहरबान (घ) कृपालु

101. **नेक**
(क) बुरा (ख) निर्दय
(ग) पापी (घ) हीन

102. **नेत्रवान**
(क) नेत्ररहित (ख) अज्ञानी
(ग) नेत्रहीन (घ) अंधा

103. **नैसर्गिक**
(क) कृत्रिम (ख) बनावटी

(ग) रचित (घ) विरचित

104. न्याय
(क) अन्याय (ख) अनर्थ
(ग) बेइंसाफी (घ) बुरा बर्ताव

105. न्यून
(क) अत्यधिक (ख) पर्याप्त
(ग) बहुत (घ) अधिक

106. पत्थर
(क) कुसुम (ख) पादप
(ग) फूल (घ) काष्ठ

107. परमात्मा
(क) धर्मात्मा (ख) पापात्मा
(ग) आत्मा (घ) महात्मा

108. परिचित
(क) अपरिचित (ख) अनजान
(ग) अभिज्ञ (घ) अज्ञात

109. परिपक्व
(क) अधपका (ख) सुपक्व
(ग) कच्चा (घ) पक्व

110. परिहार्य
(क) अपरिहार्य (ख) अनिवार्य
(ग) आवश्यक (घ) अटल

111. पर्दा
(क) खुला
(ख) अबाध
(ग) आवरण विहीन
(घ) बेपर्दा

112. पवित्र
(क) चरित्र (ख) अपवित्र
(ग) अपावन (घ) अशौच

113. पारदर्शी
(क) अल्पदर्शी (ख) अपारदर्शी
(ग) दूरदर्शी (घ) स्वप्नदर्शी

114. पार्थिव
(क) स्वप्निल (ख) अलौकिक
(ग) असंसारी (घ) अपार्थिव

पैर
(क) मस्तक (ख) सिर
(ग) हाथ (घ) ललाट

116. प्रचं
(क) शान्त (ख) विनम्र
(ग) निर्बल (घ) सहय

117. प्रिय
(क) द्वैषी (ख) अप्रिय
(ग) बैरी (घ) दुश्मन

118. प्रीति
(क) वैर (ख) दुश्मनी
(ग) शत्रुता (घ) द्वैष

119. प्रेम
(क) विराग (ख) स्नेहहीन
(ग) घृणा (घ) कलह

120. प्रत्याशा
(क) अप्रत्याशा (ख) निराशा
(ग) आशारहित (घ) हताशा

121. प्रत्यय
(क) अज्ञान (ख) मूर्खता
(ग) उपसर्ग (घ) असम्मति

122. प्राप्य
(क) अनुपलब्ध (ख) अप्राप्य
(ग) दुर्गम (घ) अनुपस्थित

123. फायदेमन्द
(क) हानिप्रद (ख) नुकसान
(ग) बुरी (घ) अलाभकर

124. फूल
(क) कली (ख) बौर
(ग) पल्लव (घ) काँटा

125. बावला
(क) सज्ञान (ख) बुद्धिमान
(ग) संयमित (घ) चतुर

126. ब्रह्म
(क) जीव (ख) माया
(ग) जगत (घ) अज्ञान

127. भद्र
(क) असज्जन (ख) अभद्र

(ग) अवांछित (घ) धूर्त

128. भयंकर

(क) सौम्य (ख) कान्त
(ग) आकर्षक (घ) मनोहर

129. भिक्षु

(क) राजा (ख) नृप
(ग) भूप (घ) भूपाल

130. मंद

(क) तेज (ख) तीव्र
(ग) गतिमान (घ) गतिशील

131. मान

(क) अपमान (ख) अनादर
(ग) असम्मान (घ) बेइज्जती

132. मिट्टी

(क) राख (ख) सोना
(ग) चाँदी (घ) हीरामोती

133. मूक

(क) वाचाल (ख) बातून
(ग) बकवादी (घ) वक्ता

134. मूढ़

(क) बुद्धिमान (ख) योग्य
(ग) चतुर (घ) अक्लमन्द

135. मूर्त

(क) निराकार (ख) पिंडहीन
(ग) अमूर्त्त (घ) अशरीरी

136. मृत्यु

(क) जन्म (ख) पैदायश
(ग) आगमन (घ) उत्पत्ति

137. मृदु

(क) रूखा (ख) कठोर
(ग) पाषाणी (घ) काष्ठवत

138. योग

(क) विषयभोग (ख) आनन्द
(ग) सुख (घ) भोग

139. रंक

(क) नृप (ख) भूपति
(ग) नृपाल (घ) राजा

140. रवि

(क) चन्द्र (ख) सुधाकर
(ग) राकेश (घ) शशि

141. रीझना

(क) नाराज़ होना
(ख) दुखी होना
(ग) बुरा मानना
(घ) परेशान होना

142. रुदन

(क) हास्य (ख) प्रसन्नता
(ग) मुस्कान (घ) अट्टहास

143. रूपवान

(क) कुरूप (ख) असुन्दर
(ग) अंगहीन (घ) निर्लज्ज

144. लघु

(क) लम्बा (ख) दीघ
(ग) बृहद् (घ) गुरु

145. लज्जावान

(क) लज्जारहित
(ख) लज्जाहीन
(ग) निर्लज्ज
(घ) बेशर्म

146. लाचार

(क) समर्थ
(ख) सशक्त
(ग) सबल
(घ) सामर्थ्यशाली

147. लौकिक

(क) असंसारी
(ख) अस्वाभाविक
(ग) अलौकिक
(घ) दैवी

148. वर्तमान

(क) भविष्य
(ख) भूत
(ग) अनद्यतनभूत
(घ) कालहीन

149. बहिरंग
(क) अन्तरंग (ख) रंगारंग
(ग) जलतरंग (घ) रामरंग

150. हँसना
(क) रोना (ख) चिल्लाना
(ग) मौन रहना (घ) मुस्कराना

151. हट्टा-कट्टा
(क) कमजोर (ख) दुर्बल
(ग) निस्तेज (घ) असमर्थ

152. हर्ष
(क) क्रोध (ख) चिन्ता
(ग) शोक (घ) परेशान

153. हित
(क) अनहित (ख) अनुपकार
(ग) नुकसान करना
(घ) सताना

154. हिंसा
(क) अहिंसा (ख) निर्वैर
(ग) दयावान (घ) करुणा

155. हृदयहीन
(क) सहृदय (ख) दया
(ग) कठोर (घ) साधु

पर्यायवाची शब्द

समानार्थी शब्दों को पर्यायवाची शब्द भी कहा जाता है। प्रत्येक शब्द की अपनी अलग पहचान, गरिमा तथा विशिष्टता होती है। कमल के कई पर्यायवाची हैं, किन्तु उन सब की अपनी विशिष्टताएँ हैं, यथा–पुण्डरीक श्वेत कमल के लिए, इन्दीवर नील कमल के लिए, अरविन्द और सरसी रुह लाल कमल के लिए प्रयुक्त होते हैं। सभी प्रकार के कमलों के लिए प्रायः वारिज, पंकज, सरसिज आदि शब्दों का प्रयोग किया जाता है। यही बात दया, करुणा, कृपा आदि शब्दों के लिए भी कही जा सकती है। आम बोलचाल में इनका प्रयोग बोध होने पर इनका उपयुक्त प्रयोग करना सुलभ होता है।

निर्देश : *नीचे कुछ शब्द दिए गए हैं। प्रत्येक के पर्यायवाची के चार विकल्प दिए गए हैं। इनमें से एक विकल्प सही पर्यायवाची है, उसका चयन कीजिए :*

1. अग्नि
(क) अनिल
(ख) अनल
(ग) गर्म
(घ) ताप

2. अमृत
(क) पीयूष
(ख) गरल
(ग) सरस
(घ) जीवनदायनी

3. आँख
(क) लोचन
(ख) आस्थि
(ग) वदन
(घ) जलज

4. आकाश
(क) अनन्त
(ख) पाताल
(ग) वितल
(घ) तल

5. कपड़ा
(क) परिधान
(ख) पटिका
(ग) पीताम्बर
(घ) लहँगा

6. कमल
(क) सरोज
(ख) सरोवर
(ग) पंक
(घ) पुष्प

7. गंगा
(क) पाताल नदी
(ख) हिमनदी
(ग) भागीरथ
(घ) त्रिपथगा

8. चाँद
(क) मयंक
(ख) भानु
(ग) दिनकर
(घ) रवि

9. नदी
(क) सरिता
(ख) प्रवाह
(ग) धारा
(घ) जलधर

10. पर्वत
(क) पत्थर
(ख) चट्टान
(ग) शिखर
(घ) मेरू

11. पवन
(क) अनिल
(ख) अनल
(ग) अग
(घ) विहग

12. पति
(क) साजन
(ख) प्रिया
(ग) भार्या
(घ) दारा

13. पानी
(क) मही
(ख) मेदिनी
(ग) अम्बु
(घ) तरणी

14. पुत्र
(क) आत्मज
(ख) तनया
(ग) सुता
(घ) आत्मजा

15. पुत्री
(क) सुता
(ख) सुत
(ग) आत्मज
(घ) नन्दन

16. फूल
(क) बहार
(ख) मधु
(ग) माधव
(घ) सुमन

17. वृक्ष
(क) विटप
(ख) अभ्र
(ग) प्रसून
(घ) रसा

18. बादल
(क) अज
(ख) व्यामोह
(ग) नीरद
(घ) मधुप

19. बिजली

(क) चंचला

(ख) खटका

(ग) त्रास

(घ) संत्रास

20. माता

(क) धात्री

(ख) धरणी

(ग) धरित्री

(घ) श्यामा

21. घोषणा

(क) आवाज

(ख) पुकारना

(ग) ऐलान

(घ) ललकारना

22. उत्कर्ष

(क) आकर्षण

(ख) विकर्षण

(ग) उन्नति

(घ) निष्कर्ष

23. उदय

(क) अन्त

(ख) विकास

(ग) प्रगट

(घ) व्यस्त

24. दक्ष

(क) निपुण

(ख) समर्थ

(ग) कर्मठ

(घ) मेहनती

25. संवाद

(क) विवाद

(ख) झगड़ा

(ग) सम्बोधन

(घ) वार्तालाप

26. इन्द्र

(क) सुरेन्द्र

(ख) जगदीश

(ग) महीप

(घ) हरि

27. ईश्वर

(क) लम्बोदर

(ख) प्रभु

(ग) रवि

(घ) पन्नग

28. पक्षी

(क) खग

(ख) जलधर

(ग) सोम

(घ) कानन

29. पृथ्वी

(क) भू

(ख) अम्बा

(ग) गात

(घ) दारा

30. घर

(क) निलय

(ख) विपिन

(ग) अहि

(घ) भाग

31. जंगल

(क) अरण्य

(ख) नग

(ग) मारुत

(घ) रूख

32. दिन
(क) गूधर
(ख) हिय
(ग) वासर
(घ) गात

33. मनुष्य
(क) सुधाकर
(ख) भानु
(ग) करि
(घ) मनुज

34. हाथी
(क) वामा
(ख) हस्ती
(ग) हिया
(घ) भारती

35. मित्र
(क) तनय
(ख) सहचर
(ग) मयंक
(घ) पन्नग

36. राजा
(क) नृप
(ख) विनायक
(ग) देव
(घ) अमर

37. आनन्द
(क) लालसा
(ख) विधु
(ग) हर्ष
(घ) वृषा

38. आम
(क) रसाल
(ख) उत्पल
(ग) अंशु
(घ) सोम

39. आश्रम
(क) गृह
(ख) विहार
(ग) सदन
(घ) अचल

40. इच्छा
(क) मयूख
(ख) रासभ
(ग) स्पृहा
(घ) कुंमिल

41. इन्द्राणी
(क) शची
(ख) रश्मि
(ग) धनद
(घ) विधु

42. कामदेव
(क) सुरपग
(ख) कन्दर्प
(ग) यक्षराज
(घ) विनायक

43. क्रोध
(क) पटु
(ख) इषु
(ग) रोष
(घ) त्रिदश

44. गणेश
(क) भानु
(ख) मघवा
(ग) आदित्य
(घ) लम्बोदर

45. गधा
(क) वैशाखनन्दन
(ख) डागर
(ग) मार
(घ) आपगा

46. चोर
(क) रजनीचर
(ख) सारंग
(ग) अमर्ष
(घ) वृषा

47. यमुना
(क) तरिणी
(ख) तिया
(ग) अजा
(घ) कालिन्दी

48. दास
(क) गीर्वाण
(ख) निशाकर
(ग) नाराच
(घ) चाकर

49. द्रव्य
(क) धन
(ख) प्रसून
(ग) पाथ
(घ) सर

50. नर्क
(क) यमलोक
(ख) कटक
(ग) विहायस
(घ) मनुजाद

51. नौका
(क) अर्णव
(ख) दन्ती
(ग) जलधर
(घ) नाव

52. विष्णु
(क) जनार्दन
(ख) छायानाथ
(ग) चन्द्रशेखर
(घ) कणधर

53. समुद्र
(क) धराधर
(ख) द्विरेक
(ग) अण्डज
(घ) जलधि

54. सर्प
(क) भुजंग
(ख) हाटक
(ग) तपन
(घ) भूतेश

55. सोना
(क) सारंग
(ख) मनोहर
(ग) कंचन
(घ) दिनेश

56. सिंह
(क) केशरी
(ख) व्याल
(ग) बलाहक
(घ) अज

57. सुन्दर
(क) वारण
(ख) सुरम्य
(ग) समग्र
(घ) मुंचन

58. स्त्री
(क) करी
(ख) भारती
(ग) त्रियामा
(घ) वनिता

59. पत्नी
(क) भार्या
(ख) आपगा
(ग) अर्कजा
(घ) कौमुदी

60. बाण
(क) तुंग
(ख) विशिख
(ग) भृत्य
(घ) अनंग

61. पार्वती
(क) उमा
(ख) मेदिनी
(ग) तरणिजा
(घ) देवापगा

62. सब
(क) समग्र
(ख) हेम
(ग) भर्ता
(घ) वसु

63. घमण्ड
(क) वक्र
(ख) द्वेष
(ग) तन्तु
(घ) गर्व

64. लता
(क) बेलि
(ख) कैथ
(ग) भयद
(घ) लाख

65. बटोही
(क) पथिक
(ख) नृपाल
(ग) तात
(घ) सारंग

निर्देश : *नीचे चार-चार शब्दों के समूह दिए गए हैं। प्रत्येक समूह में एक शब्द बेमेल है तथा शेष तीन शब्द पर्यायवाची हैं, आपको उस शब्द का चयन करना है, जो बेमेल है :*

66. (क) तम
(ख) अंधकार
(ग) तिमिर
(घ) अंश

67. (क) अनल
(ख) आग
(ग) दहन
(घ) तमिस्त्रा

68. (क) अतुल
(ख) अद्वितीय
(ग) अनुपम
(घ) शुष्मा

69. (क) अहं
(ख) अहंकार
(ग) दर्प
(घ) निराला

70. (क) पता
(ख) खोज
(ग) जाँच
(घ) शोध

71. (क) गरल
(ख) पीयूष
(ग) सुधा
(घ) सोम

72. (क) कानन
(ख) जंगल
(ग) पादप
(घ) वन

73. (क) अश्व
(ख) गज

(ग) घोड़ा
(घ) तुरंग

74. (क) दानव
(ख) मानव
(ग) दैत्य
(घ) राक्षस

75. (क) आँख
(ख) चक्षु
(ग) नयन
(घ) मुख

76. (क) अन्तरिक्ष
(ख) वसुन्धरा
(ग) आसमान
(घ) गगन

77. (क) इच्छा
(ख) अभिलाषा
(ग) कामना
(घ) प्रयोजन

78. (क) कपड़ा
(ख) चीर
(ग) वसन
(घ) पोशाक

79. (क) अब्ज
(ख) कमल
(ग) राजीव
(घ) आम्र

80. (क) कोयल
(ख) पिक
(ग) वनचर
(घ) वनप्रिय

81. (क) गंगा
(ख) देवनदी
(ग) गोदावरी
(घ) भागीरथी

82. (क) गणेश
(ख) एकदन्त
(ग) देवराज
(घ) गणपति

83. (क) घर
(ख) निलय
(ग) निकेतन
(घ) झोपड़ी

84. (क) चाँद
(ख) हिमांशु
(ग) विनायक
(घ) सुधांशु

85. (क) नदी
(ख) तरणी
(ग) तटिनी
(घ) सरिता

86. (क) पक्षी
(ख) चिड़िया
(ग) सुमन
(घ) विहग

87. (क) पवन
(ख) अचला
(ग) वात
(घ) वायु

88. (क) समीर
(ख) पृथ्वी
(ग) भू
(घ) भूमि

89. (क) पानी
(ख) समीर
(ग) अम्बु
(घ) जल

90. (क) पुत्र
(ख) तनया

(ग) तनय
(घ) सुत

91. (क) पुत्र
(ख) तनया
(ग) सुता
(घ) कन्या

92. (क) गृहिणी
(ख) आदमी
(ग) पुरुष
(घ) नर

93. (क) मधु
(ख) फूल
(ग) पुष्प
(घ) सुमन

94. (क) माधव
(ख) तरु
(ग) पेड़
(घ) वृक्ष

95. (क) माता
(ख) अम्बु
(ग) अम्मा
(घ) जननी

96. (क) क्रोध
(ख) अमर्ष
(ग) स्वत्व
(घ) कोप

97. (क) मोर
(ख) केकी
(ग) शिखी
(घ) शिखण्डी

98. (क) अश्म
(ख) बृषभ
(ग) बलीवर्द
(घ) बैल

99. (क) सुषमा
(ख) शोभा
(ग) सुन्दरता
(घ) रमणी

100. (क) तरंगिणी
(ख) तटिनी
(ग) तरिणी
(घ) सरिता

101. (क) भवन
(ख) भुवन
(ग) निकेतन
(घ) सदन

102. (क) खगेश
(ख) श्रृंगाल
(ग) सियार
(घ) जम्बुक

103. (क) शशि
(ख) हिमकर
(ग) शशांक
(घ) रूपक

104. (क) हेरम्ब
(ख) गाय
(ग) भद्रा
(घ) धेनु

105. (क) द्रौपदी
(ख) द्रुपदसुता
(ग) पांचाली
(घ) रमणी

106. (क) द्रव्य
(ख) द्रव
(ग) सम्पदा
(घ) दौलत

107. (क) तनय
(ख) सुता
(ग) आत्मजा
(घ) दुहिता

108. (क) सरोज
(ख) अरविन्द
(ग) सलिल
(घ) पंकज

109. (क) जंगल
(ख) कान्ता
(ग) कान्तार
(घ) कानन

110. (क) तलवार
(ख) असि
(ग) कृपण
(घ) खड्ग

111. (क) पत्ता
(ख) पर्ण
(ग) पल्लव
(घ) प्रसून

112. (क) युद्ध
(ख) संग्राम
(ग) समर
(घ) सार

113. (क) सरस्वती
(ख) वीणापाणि
(ग) शारदा
(घ) धनद

114. (क) तुरंग
(ख) शेर
(ग) मृगराज
(घ) व्याघ्र

115. (क) झण्डा
(ख) पताका
(ग) प्रस्तर
(घ) ध्वज

116. (क) पत्नी
(ख) कलत्र
(ग) दौहित्र
(घ) भार्या

117. (क) जानकी
(ख) वैदेही
(ग) जनकसुता
(घ) वामा

118. (क) कुबेर
(ख) श्वान
(ग) कोषपाल
(घ) धनपति

119. (क) पुष्प
(ख) सुमन
(ग) प्रसून
(घ) निलय

120. (क) अग्र
(ख) अगला
(ग) ज्येष्ठ
(घ) दावा

121. (क) हनुमान
(ख) पवनपुत्र
(ग) बजरंगबली
(घ) यक्षपति

122. (क) रात
(ख) रैन
(ग) रजनी
(घ) कामिनी

123. (क) अरुण
(ख) आदित्य
(ग) दिनकर
(घ) महीप

124. (क) मोक्ष
(ख) मुक्ति
(ग) कैवल्य
(घ) कृतान्त

125. (क) संन्यासी
(ख) माधव
(ग) तापस
(घ) संत

शब्दार्थ

निर्देशः *चार विकल्पों में से सही अर्थ छाँटकर उस पर निशान लगाइये।*

1. **अंग सौष्ठव**
(क) शक्ति
(ख) सुकुमारता
(ग) कमनीयता
(घ) शारीरिक सौन्दर्य

2. **अन्तर्घट**
(क) घड़े का भीतरी-भाग
(ख) मन/हृदय
(ग) चित्त
(घ) अन्तःकरण

3. **अंतःशुद्धि**
(क) घर के भीतरी-भाग की स्वच्छता
(ख) मन की शुद्धि
(ग) समाज के विभिन्न अंगों में शुद्धता
(घ) शरीर के भीतरी भागों की सफाई

4. **अपकीर्त्ति**
(क) अप्रसिद्धि (ख) निन्दा
(ग) अनिष्ट (घ) नीचता

5. **अर्चना**
(क) आराधना
(ख) खींचना
(ग) याचना करना
(घ) उपार्जन करना

6. **अकूत**
(क) अछूत
(ख) लंबा-चौड़ा
(ग) बलशाली
(घ) जिसकी गिनती न की जा सके

7. **अनिच्छु**
(क) असहमत
(ख) जिसे चाह न हो
(ग) उदास
(घ) वैरागी

8. **अतिरेक**
(क) साहस
(ख) व्याकुलता
(ग) बहुत अधिकता
(घ) प्रचंडता

9. **अनित्य**
(क) अचूक
(ख) सदा न रहने वाला
(ग) आकस्मिक
(घ) जो डाँवाडोल न हो

10. **अनुपमेय**
(क) विचित्र
(ख) अपूर्व
(ग) विस्तीर्ण
(घ) जिसकी तुलना किसी से न की जा सके

11. **अनुर्वर**
(क) कमजोर (ख) अनुपजाऊ
(ग) कल्पित (घ) व्यर्थ

12. **अपंग**
(क) निर्जीव
(ख) सुन्न
(ग) बेहोश
(घ) जिसके किसी अंग में कमी हो

13. **आँकना**
(क) तोलना
(ख) परखना
(ग) मोलभाव करना
(घ) अनुमान लगाना

14. **आदृत**
(क) गुणी (ख) श्रद्धावान
(ग) सम्मानित (घ) समृद्ध

15. **इतस्ततः**
(क) इत्यादि (ख) सब जगह

(ग) इधर-उधर (घ) फैला हुआ

16. उपदेष्टा
(क) शिक्षक
(ख) उपदेश देने वाला
(ग) विद्वान
(घ) अधिकारी

17. उजागर
(क) निर्मल (ख) उजला
(ग) निष्पक्ष (घ) प्रकाशमान

18. उच्छिन्न
(क) पूरी तरह से नष्ट
(ख) निराश
(ग) नकली
(घ) जूठा

19. उपादान
(क) अल्प दान (ख) सामग्री
(ग) सूत्र (घ) कल-पुरजे

20. एकात्म
(क) संचित
(ख) जिसकी आत्मा एक हो
(ग) अकेला
(घ) निश्चित

21. ऋचा
(क) अध्याय (ख) पूजा
(ग) वेद-मंत्र (घ) कर्मकांड

22. कंठाग्र
(क) गरदन का ऊपरी भाग
(ख) चोंच
(ग) मुँहबोला
(घ) जबानी याद

23. कंटक
(क) हैरानी (ख) काँटा
(ग) बुरी दशा (घ) आपत्ति

24. कटाक्ष
(क) गुस्सा (ख) टेढ़ी नजर
(ग) हमला (घ) आक्षेप

25. कुयोग
(क) मुसीबत (ख) बुरा नतीजा
(ग) षड्यंत्र (घ) बुरी घड़ी

26. कतिपय
(क) शायद (ख) कुछ
(ग) अनेक (घ) न्यून

27. खगेश
(क) गिद्ध (ख) सिंह
(ग) गरुड़ (घ) इन्द्र

28. खचित
(क) खिंचा हुआ
(ख) जड़ा हुआ
(ग) छकड़ा
(घ) पुराना

29. गरिष्ठ
(क) अहंकारपूर्ण
(ख) क्रुद्ध
(ग) शान्त
(घ) भारी

30. गुरुतर
(क) विशाल
(ख) भीषण
(ग) श्रेष्ठ
(घ) जो अपेक्षाकृत अधिक भारी या महत्त्वपूर्ण हो

31 गतप्राण
(क) मरणासन्न
(ख) मृत
(ग) कम आयु वाला
(घ) शिथिल

32. गरिमा
(क) गौरव (ख) परिणाम
(ग) अनुकूलता (घ) लाभ

33. गूढ़ार्थ
(क) रहस्य
(ख) जटिल अभिप्राय
(ग) अंतर
(घ) मूर्खता

34. **गौरवान्वित**
(क) सुशोभित (ख) उन्नत
(ग) गर्वयुक्त (घ) सम्मानित

35. **गुम्फित**
(क) हर्षित
(ख) गुंथी हुई/गुंथा हुआ
(ग) बचा हुआ
(घ) छिपा हुआ

36. **ग्लानि**
(क) अरुचि
(ख) अवसन्न
(ग) क्रोध
(घ) मानसिक व्यथा

37. **गृहीत**
(क) अधिकृत
(ख) स्वीकृत/प्राप्त किया हुआ
(ग) सम्मानित
(घ) विदीत

38. **घृणित**
(क) घृणा से परे
(ख) घृणा करने वाला
(ग) घृणा के योग्य
(घ) घृणा का पात्र

39. **घ्राणेन्द्रिय**
(क) इन्द्रियों से अगोचर
(ख) रसबोध कराने वाली इन्द्रिय
(ग) स्पर्श कराने वाली इन्द्रिय
(घ) गन्ध बोध कराने वाली इन्द्रिय

40. **चरितावली**
(क) बहुत चरित्रों या जीवनियों का संकलन
(ख) आत्म-कथा
(ग) लोगों का गुणगान
(घ) किसी के चरित्र स्वभाव आदि का वर्णन

41. **चित्तवृत्ति**
(क) स्वभाव
(ख) मन की अवस्था
(ग) चंचलता
(घ) स्थिर मन

42. **चमत्कार**
(क) उत्सव
(ख) अनहोनी बात
(ग) अद्भुत बात
(घ) नाटक

43. **छलावा**
(क) दिखावट
(ख) धोखा
(ग) भूल
(घ) विश्वासघात

44. **छरहरा**
(क) अकेला
(ख) प्रसन्न
(ग) सुन्दर
(घ) इकहरे बदन का

45. **छद्मवेश**
(क) अभिनय
(ख) तड़क-भड़क
(ग) नकली-वेश
(घ) धोखाधड़ी

46. **जीवट**
(क) उत्साह (ख) साहस
(ग) श्रम (घ) कर्तव्य

47. **जलतरंग**
(क) लहर
(ख) बाजा
(ग) बड़वानल
(घ) उमंगों का अंत

48. **झकोरा**
(क) मंद हवा
(ख) पंखा
(ग) तूफानें
(घ) तेज हवा का झोंका

49. **ठनठन गोपाल**
(क) सुखी
(ख) चिंताहीन
(ग) मूर्ख
(घ) निर्धन व्यक्ति

50. **तत्त्वावधान**
(क) देखरेख (ख) संगठन
(ग) अनुपालन (घ) अनुग्रह

51. **दत्तक**
(क) रक्षित
(ख) गोद लिया हुआ
(ग) त्याज्य
(घ) दानी

52. **द्वंद्वातीत**
(क) लड़ाई से विमुख
(ख) चिन्तारहित
(ग) सुख दुःख से परे
(घ) विरक्त

53. **दावानल**
(क) मुठभेड़
(ख) जंगल की आग
(ग) मुकदमेंबाजी
(घ) विस्फोट

54. **धनैषणा**
(क) लालच
(ख) धन की लालसा
(ग) सम्पत्ति की चाह
(घ) मितव्यय

55. **धाराबद्ध**
(क) अधिक समय तक प्रवाही
(ख) निरंतर/सतत
(ग) धीरे-धीरे
(घ) बँधा हुआ

56. **धीरोदात्त**
(क) सदाचारी
(ख) धैर्यवान एवं उदार
(ग) पराक्रमी
(घ) विजयी

57. **धृष्ट**
(क) धीर (ख) स्थिरचित्त
(ग) निर्लज्ज (घ) उत्साही

58. **नकारना**
(क) रोकना
(ख) अस्वीकृत
(ग) इनकार करना
(घ) उलटना

59. **नमित**
(क) झुका हुआ
(ख) विनीत
(ग) जो कठोर न हो
(घ) जिसका दमन किया गया हो

60. **नैसर्गिक**
(क) स्वर्गिक (ख) सरल
(ग) सुन्दर (घ) प्राकृतिक

61. **निष्ठा**
(क) निष्ठुर (ख) वचनबद्ध
(ग) दृढ़
(घ) किसी में श्रद्धा रखने वाला

62. **निःस्व**
(क) धनहीन
(ख) दुर्बल
(ग) जिसे अभिमान न हो
(घ) स्वार्थरहित

63. **निठल्ला**
(क) बेकार
(ख) आलसी
(ग) बेईमान
(घ) बेकार/खाली

64. **पदरज**
(क) पाँव की धूल
(ख) पाँव तले की धूल
(ग) रास्ते की गर्द
(घ) पैरों से रौंदी गई कोई चीज़

65. **प्रतियोगी**
(क) साथ देने वाला

(ख) किसी मुकाबले में भाग लेने वाला
(ग) शत्रु
(घ) परिश्रमी

66. पुजापा
(क) पूजन की सामग्री
(ख) पूज्यभाव
(ग) भोग सामग्री
(घ) पूजा करना

67. बल
(क) शक्ति (ख) स्फूर्ति
(ग) चेतनता (घ) पौरुष

68. बतियाना
(क) बातून
(ख) बातचीत करना
(ग) समझाना-बुझाना
(घ) वाद-विवाद करना

भंगिमा
(क) अभिव्यक्ति (ख) चेष्टा
(ग) एक जाति (घ) संकेत

70. भंग
(क) टूटना (ख) परेशान
(ग) बांकपन (घ) विच्छेदन

71. भावबोध
(क) विचारधारा
(ख) कल्पना
(ग) किसी विचार का ज्ञान
(घ) भावना

72. भाराक्रान्त
(क) बोझ से दुखी
(ख) पीड़ित
(ग) परेशान
(घ) डरा हुआ

73. मनोरथ
(क) मनरूपी रथ
(ख) इच्छा/मनोकामना
(ग) मनोज्ञ
(घ) अभीष्ट

74. मीमांसा
(क) प्रतिपादन
(ख) प्रशंसा
(ग) मीन-मांस
(घ) गंभीर चिन्तन के बाद लिया गया निर्णय

75. यथेष्ट
(क) काफी मात्रा में
(ख) पर्याप्त
(ग) मनोनुकूल
(घ) प्रभूत

76. यातना
(क) कष्ट
(ख) बहुत अधिक वेदना
(ग) वह पीड़ा तथा कष्ट जो यमलोक में भोगनी पड़ती है
(घ) यात्रा

77. युवराज
(क) राजकुमार
(ख) राजकुमार जो भविष्य में राजा बनेगा
(ग) दो राजा
(घ) नया राज्य

78. रंक
(क) निर्धन (ख) रंग
(ग) कौड़ी (घ) उद्विग्न

79. रागारुण
(क) क्रोध से लाल हुआ
(ख) प्रेम से रक्तिम हुआ
(ग) रक्तवर्णी
(घ) परेशान

80. राजीव
(क) पद्म
(ख) नीलकमल
(ग) एक व्यक्ति विशेष

(घ) राजा का

81. राज्याभिषेक
(क) राजतिलक
(ख) राजा का स्नान
(ग) राजा का आक्रमण करने जाना
(घ) राजनिवास

82. लंपट
(क) लम्बा वस्त्र
(ख) एक प्रकार का जेवर
(ग) व्यभिचारी/धूर्त्त
(घ) भुक्खड़

83. ललाम
(क) मस्तक (ख) सुन्दर
(ग) वल्गा (घ) अद्‌भुत

84. लोहित
(क) कुंकुम (ख) रक्त
(ग) चितकबरा (घ) एक घास

85. वंचक
(क) कथा बाँचने वाला
(ख) धूर्त्त/ठग
(ग) तनिक/किंचित
(घ) एक नीव

86. वहिर्गमन
(क) विरोध स्वरूप बाहर चले जाना
(ख) देशाटन करने जाना
(ग) शौच जाना
(घ) बाहर चले जाना

87. विश्लेषण
(क) किसी पदार्थ के तत्त्वों को पृथक करना
(ख) संयोजन करना
(ग) अनुसंधान करना
(घ) समीक्षा करना

88. संरचना
(क) बनावट या गठन
(ख) सुघर
(ग) उपाचार
(घ) रचित

89. हस्तगत
(क) प्राप्त (ख) लिखावट
(ग) सहज (घ) हस्ताक्षर

90. होतव्यता
(क) प्रारब्ध (ख) सामर्थ्य
(ग) दाँव (घ) अभिप्राय

वाक्य/वाक्यांश के लिए एक शब्द

नीचे कुछ वाक्य या वाक्यांश दिये गये हैं। उनके नीचे चार अलग-अलग शब्द दिये गये हैं, जिनमें से एक का अर्थ वही है जो वाक्या या वाक्यांश का है। उस शब्द को छांटकर उस पर निशान लगाइये।

1 जो आयु में बड़ा हो–
(क) गुरु (ख) अग्रज
(ग) वरिष्ठ (घ) सहोदर

जो बिना समझे-बूझे किसी बात को सत्य मान कर उस पर विश्वास कर लेते हैं–
(क) विवेकहीन
(ख) मूर्ख
(ग) अज्ञानी
(घ) अन्धविश्वासी

जिस तर्क का कोई जवाब न हो–
(क) अकाट्य (ख) जोरदार
(ग) तीखा (घ) सटीक

4. जिसे आँखों से देखा न जा सके–
(क) सूक्ष्म
(ख) अगोचर
(ग) मायावी
(घ) अस्तित्वहीन

5. ऐसा मार्ग जिस पर जा सकना कठिन हो--
(क) ऊबड़-खाबड़
(ख) दुर्गम
(ग) असम
(घ) सँकरा

6. जिसका कोई शत्रु पैदा न हुआ हो–
(क) शत्रुहीन (ख) सर्वप्रिय
(ग) अजातशत्रु (घ) सर्वमित्र

7. जिसे जीता न जा सके–
(क) परमवीर (ख) अज्ञेय
(ग) अजेय (घ) अगम

8. जो ईश्वर में विश्वास न करता हो–
(क) अनीश्वर (ख) नास्तिक
(ग) राक्षस (घ) विधर्मी

9. जिस बालक के माँ-बाप न हों (मर चुके हों)–
(क) असहाय (ख) अनाथ
(ग) अबोध (घ) निरीह

10. छोटे भाई के लिए शब्द है–
(क) भैया (ख) अनुज
(ग) अग्रज (घ) भ्राता

11. किसी की लम्बी दुखपूर्ण कथा–
(क) राम कहानी (ख) विपदा
(ग) दुखड़ा (घ) विलाप

12. तीन वेदों को जानने वाला–
(क) द्विवेदी (ख) त्रिवेदी
(ग) विद्वान (घ) चतुर्वेदी

13. जिसकी उपमा न दी जा सके–
(क) अद्वितीय (ख) अनुपमेय
(ग) आदर्श (घ) अकथ्य

14. दूसरों पर अकारण अत्याचार करने वाला–
(क) पानी (ख) आततायी
(ग) हिंसक (घ) दुष्ट

15. जो सब कुछ जानने वाला है–
(क) धुरन्धर (ख) सर्वव्यापी
(ग) निष्णात (घ) सर्वज्ञ

16. जो रोग सम्पर्क से फैलता है–
(क) घातक (ख) सम्पर्क
(ग) असाध्य (घ) संचारी

17. पुराने जमाने में राजा-बादशाह जिस स्थान से अपनी प्रजा को दर्शन देते थे–
(क) वातायन (ख) कबन्ध
(ग) दरबार (घ) झरोखा

18. आकाश में उड़ने वाले जीव-जन्तु–
(क) पक्षी (ख) खगोल
(ग) नभचर (घ) गगनचुम्बी

19. जो एहसान न माने–
(क) कृतज्ञ (ख) कृतकार्य
(ग) कृतघ्न (घ) एहसानमंद

20. जो दूसरों की सहायता की अपेक्षा न करे–
(क) आत्मनिर्भर
(ख) पुरुषार्थी
(ग) आत्मविश्वासी
(घ) स्वाभिमानी

21. जो अपने ढंग का अनोखा हो–
(क) चमत्कारी (ख) विरला
(ग) असमान (घ) अद्वितीय

22. जो किसी का पक्ष न ले–
(क) न्यायी (ख) निस्वार्थी
(ग) निर्भर (घ) निष्पक्ष

23. जिसका अन्त न हो–
(क) अन्तस (ख) अनन्त
(ग) अनअन्त (घ) निअंत

24. उच्च कुल में जन्म लेने वाला–
(क) कुली (ख) कुलीन
(ग) कुलिश (घ) कुलिज

25. किसी वस्तु को प्राप्त करने की प्रबल इच्छा–
(क) लालच (ख) ललक
(ग) लोभ (घ) लाव

26. जो सेवा बिना वेतन, पारिश्रमिक या पारितोष के की जाये–
(क) अर्थहीन (ख) अनार्थिक
(ग) अवैतनिक (घ) निरर्थक

27. जिसका बध निषिद्ध हो–
(क) निर्बध
(ख) **अबध्य**
(ग) अनबध
(घ) बधहीन

28. जिसने गृहस्थ जीवन का त्याग कर दिया हो–
(क) साधु (ख) संन्यासी
(ग) योगी (घ) तपस्वी

29. जो या जिसे पहले न सुना गया हो–
(क) अश्रुत (ख) अश्रव्य
(ग) अश्राव्य (घ) अनश्रव्य

30. वह डण्डा या छड़ जिस पर पहिया घूमता है–
(क) धनुष (ख) धुर्र
(ग) धुरी (घ) धृति

शुद्ध वाक्य ढूँढना

निर्देशः *नीचे चार-चार वाक्यों के समूह दिये गये हैं। प्रत्येक समूह में एक वाक्य शुद्ध है। शुद्ध वाक्य छाँटकर उस पर निशान लगाइये।*

1. (क) निर्धनों के लिए दान दी जानी चाहिए
(ख) छमाही परीक्षा आरंभ होने वाला है
(ग) आजकल छतरी का फैशन नहीं है
(घ) खोदाई में अनेक वस्तुएँ निकाले गए

2. (क) शीला गाना गाती है
(ख) शीला को बाजा बजाया
(ग) शीला और मोहन आ रहा है
(घ) अध्यापक ने विद्यार्थी को कहानी सुनाया

3. (क) माँ ने नौकर को रुपये दिया
(ख) रमेश अभी आ गया
(ग) हम ऊँचे पर्वत पर जायेंगे
(घ) सूर्य उदय हो गया है

4. (क) हवा तेजी से चलती है
(ख) वर्षा होने लग गई
(ग) अनर्थ हो गया
(घ) तुमको यह बात किसने कहा?

5. (क) अनेकों लोग उनके साथ थे
(ख) लड़कियाँ खेल रही हैं
(ग) आपके एक-एक वाक्य प्रभावी होते हैं
(घ) हमारे घर पर बहुत आटा रखा है

6. (क) काम पर लगन रखो
(ख) राम, श्याम, मोहन ने आम खाया
(ग) आपकी वाणी के भीतर मिठास है
(घ) उसकी गाय बहुत दूध देती है

7. (क) आप उनको बोल दो
(ख) आज बादल घिर आई
(ग) बार-बार चालबाजी मत करो
(घ) श्याम ने वंशी बजाया

8. (क) जो सोते हैं, सो खायेंगे
(ख) अपने उनको क्या कह दिया?
(ग) यह उसके इज्जत का प्रश्न है
(घ) राधा ने नौकर को पीटा

9. (क) माली फूल को तोड़ते हैं
(ख) राम और श्याम कविता करते हैं
(ग) उन्हें कल स्कूल नही आना है
(घ) इस लिस्ट में 10 पुस्तकों के नाम हैं

10. (क) जी लगाकर काम को करो
(ख) गुरु में श्रद्धा रखो

(ग) मनुष्य एक सामाजिक प्राणी है
(घ) धर्म प्रेम का जड़ है

11. (क) मैं आपकी शृद्धा करता हूँ
(ख) शोभा काम से दौड़ती है
(ग) आपकी बहनजी आये हैं
(घ) इतने नम्बर बहुत हैं

12. (क) दीवार पर नहीं लिखो
(ख) आम के आम गुठलियों का दाम
(ग) मेरा वश न चला और मैंने रो दिया
(घ) यह काम आप ही कर सकते हैं

13. (क) बड़ों से आदर करना चाहिए
(ख) पढ़ने पर मन लगाओ
(ग) उसने बड़ी मेहनत से हिन्दी को सीखा
(घ) उसने अपना नाम बताया

14. (क) इस पर माता ने हँस दिया
(ख) स्वयं को खतरे में डालकर उसने बच्चे को बचाया
(ग) यह काम तुम्हारे लाभ की प्राप्ति का होगा
(घ) पुस्तक दे दो आप हमें

15. (क) हमारा काम तुमको करना पड़ा
(ख) धर्म जीवन की सार है
(ग) उसने स्कूल नहीं जाना है
(घ) तुम किसके साथ बात कर रहे हो

16. (क) वह पानी नहीं खाते हैं
(ख) उनके मन के भीतर बड़ा दुख है
(ग) संतों के उपदेश ध्यान देकर सुनो
(घ) उन्होंने हिन्दी सीखी

17. (क) गरीब से गरीब भी रोटी खा लेता है
(ख) तुम उधर को क्यों गए थे?
(ग) मेरे को उनसे कुछ लेना-देना नहीं है
(घ) इतने रुपयों में घर का खर्च कैसे चलेगा?

18. (क) वह स्वभाव का मितव्ययी है
(ख) उसने अपनी पुस्तक खो दिया
(ग) उसे बन्दीगृह में बन्दी बनाया गया
(घ) अपने कर्त्तव्य का पालन करो

19. (क) यह सब आप की कृपायें हैं
(ख) उनके नाम सूची में नहीं हैं
(ग) उसने गन्ने खरीदे
(घ) अहंकार विनाश का जड़ है

20. (क) मुझे हिन्दी सीखना है
(ख) क्या तुमने हिन्दी सीखा?
(ग) तुम्हारे को हिन्दी कौन पढ़ाता है?
(घ) तुम्हें हिन्दी आती है

21. (क) कृपया शीघ्र से पत्र का उत्तर दें
(ख) पढ़ने में आलस्य न करें
(ग) उनको मनीआर्डर आया है
(घ) अभी वह घर तक नहीं आया है

22. (क) यह सुनकर रानी ने हँस दिया
(ख) अब तुम जा सकते हो
(ग) कल इतवार है
(घ) उसनें मुझको चोरी लगाई

23. (क) वह धर्म का विश्वास नहीं करता
(ख) उसकी पत्नी ने हँस कर बोला
(ग) उसके फल हाथों-हाथ बिक गए
(घ) खीझ कर उसने रो दिया

24. (क) जल को गंदा मत करो
(ख) लगन से काम करने पर सफलता मिलेगी
(ग) दया धर्म की मूल है
(घ) इस पुस्तक की मूल्य बहुत है

25. (क) समय को व्यर्थ न गँवाओ
(ख) पुस्तक को जल्दी-जल्दी पढ़ो

(ग) दवात मत छुओ
(घ) धन का सदुपयोग करो

26. (क) कृष्ण वहाँ शाम जायेगा
(ख) इतना कहकर वह खिसक गया
(ग) उसके नाम पर तूती बोलती है
(घ) उसे अपने धन को लेकर बड़ा घमंड है

27. (क) गांधी जी ने अनेक उपदेश दिये
(ख) उनकी सारी करतूतों के पर्दे फंाश हो गए
(ग) दिन-रात की मेहनत से सेहत खराब होने का अंदेशा होगा
(घ) क्या तुमने परीक्षा दिया है?

28. (क) उसको बुलावा आया है
(ख) आपने जो देखा, वह सत्य नहीं थी
(ग) मैं हँस कर चल पड़ा
(घ) सभा में उनको बहुत अपमान हुआ

29. (क) सबने अपनी-अपनी राम कहानी सुनाया
(ख) इस मौसम में आम बहुत महंगे हैं
(ग) टेलीफोन पर व्यर्थ की बात नहीं करना चाहिए
(घ) आपने उनको सम्पर्क किया या नहीं?

30. (क) आपने अपना नाम नहीं बताया
(ख) कृपया ध्यान दें, किसी ने इस नल का पानी नहीं पीना है
(ग) पुस्तकों के लिए एक अलमारी खरीदा है
(घ) आपको सुपुत्र कौन-सी कक्षा में पढ़ते हैं

मुहावरे और लोकोक्तियाँ

निर्देशः *सही विकल्प पर निशान लगायें।*

1. **अंग-अंग ढीला होना**
(क) शिथिल कर देना
(ख) बहुत मारना
(ग) मालिश करना
(घ) सताना

2. **अंग-अंग मुस्काना**
(क) अत्यन्त प्रसन्न होना
(ख) भाव-विभोर होना
(ग) हाव भाव प्रकट करना
(घ) व्यायाम करना

3. **अंगारे उगलना**
(क) क्रोध में आकर कठोर शब्द कहना
(ख) आग फेंकना
(ग) लाल पीला होना
(घ) उतावली करना

4. **अंगारों पर लेटना**
(क) बहुत परेशान होना
(ख) दु:खी होना
(ग) चिन्ता करना
(घ) उतावली करना

5. **अँगुली उठाना**
(क) निन्दित होना
(ख) हानि पहुँचाना
(ग) बुराई करना
(घ) संकेत करना

6. **अँगुली पर नचाना**
(क) वश में रखना
(ख) इशारा करना
(ग) बहुत काम करना
(घ) संत्रास देना

7. **अंगूठा दिखाना**
(क) मौके पर काम न करना
(ख) चिढ़ाना

(ग) बेबस करना
(घ) परेशान करना

8. आँचल पसारना
(क) भीख माँगना
(ख) रक्षा की याचना करना
(ग) बहुत रोना
(घ) विनत हो जाना

9. अँतड़ियों में बल पड़ना
(क) बहुत रोना
(ख) बहुत हँसना
(ग) बीमार होना
(घ) दौड़ धूप करना

10. अंधा क्या चाहे दो आँखें
(क) आवश्यक वस्तु की प्राप्ति
(ख) आगे आना
(ग) मुराद पूरी होना
(घ) पशेमान होना

11. अंध बन जाना
(क) टाल देना
(ख) अनजान बन जाना
(ग) धोखे में आ जाना
(घ) लालायित होना

12. अंधेर नगरी चौपट राजा
(क) अव्यवस्था होना
(ख) किसी की बात न सुनना
(ग) किसी राजा की कहानी
(घ) बेपरवाह होना

13. अक्ल का दुश्मन
(क) बेवकूफ (ख) महा मूर्ख
(ग) पागल (घ) बुद्धिहीन

14. अक्ल चरने जाना
(क) बुद्धि से काम न करना
(ख) बाहर घूमने जाना
(ग) हाजिर जवाब होना
(घ) आमोद-प्रमोद करना

15. अक्ल बड़ी की भैंस
(क) सशक्त शरीर में ही बुद्धि का निवास नहीं होता
(ख) शक्ति-सम्पन्न ही मात्र बुद्धिमान होते हैं
(ग) भैंस और अक्ल का क्या मुकाबला
(घ) अक्लमन्द ही बड़े होते हैं भैस नहीं

16. अखाड़ा मारना
(क) हरा देना
(ख) विजय प्राप्त करना
(ग) कुश्ती लड़ना
(घ) परेशान करना

17. आग में घी डालना
(क) क्रोध बढ़ाना
(ख) हवन करना
(ग) उद्विग्न करना
(घ) प्रज्ज्वलित करना

18. अच्छे दिन देखना
(क) सुखपूर्वक यात्रा करना
(ख) तीर्थ दर्शन करना
(ग) सुख-सुविधा से जीवन यापन करना
(घ) शुभ मुहूर्त में उठना

19. अठखेलियाँ करना
(क) दिल्लगी करना
(ख) मजे में रहना
(ग) खेल खेलना
(घ) हँसना

20. अपने पाँव में कुल्हाड़ी मारना
(क) कष्ट सहना
(ख) अपना नुकसान खुद करना
(ग) बीमारी बुलाना
(घ) काम करते नुकसान होना

21. आँख उठाकर भी न देखना
(क) चुप रहना
(ख) जी चुराना
(ग) ध्यान तक न देना
(घ) अनसुनी करना

22. आँखें नीची होना
(क) आँखों की बीमारी होना
(ख) धूप सहन न करना
(ग) सोच समझकर चलना
(घ) शर्मिन्दा होना/लजा जाना

23. आँखें चुराना
(क) शर्म के कारण सामने न आना
(ख) जान बचाना
(ग) मारे-मारे फिरना
(घ) चुप बैठना

24. आँखें मिलाना
(क) प्यार करना
(ख) साहस करना
(ग) बदहवास होना
(घ) चिन्ता करना

25. आँखें बिछाना
(क) श्रद्धा करना
(ख) सम्मानपूर्वक प्रेम करना
(ग) प्रतीक्षा करना
(घ) स्वागत करना

26. आग लगने पर कुआँ खोदना
(क) मुसीबत बुलाना
(ख) पानी का प्रबंध करना
(ग) कठिनाइयों से निपटने के लिए तत्काल उपाय करना
(घ) आपत्ति आने पर उसका उपाय ढूँढना

27. आपे में न होना
(क) होश में न रहना
(ख) मिथ्या बकवाद करना
(ग) क्रोध में भड़क उठना
(घ) अपनी सुध खो देना

28. आस्तीन का साँप होना
(क) साँप पास रखना
(ख) छुपा दुश्मन होना
(ग) संकट सामने होना
(घ) दुश्मनी रखना

29. आसमान से बातें करना
(क) ऊपर उड़ान भरना
(ख) तेज गाड़ी चलाना
(ग) तेज दौड़ना/दौड़ाना
(घ) डींग हाँकना

30. इति श्री करना
(क) समाप्त करना
(ख) पूजा करना
(ग) पारायण करना
(घ) किसी चीज़ की माँग करना

31. इधर-उधर की लगाना
(क) निन्दा करना
(ख) चुगली करना
(ग) भेद खोलना
(घ) झगड़ा कराना

32. ईंट से ईंट बजाना
(क) तकरार करना
(ख) इमारत बनवाना
(ग) ध्वंस कर देना
(घ) बहादुरी दिखाना

33. उड़ती चिड़िया पहचानना
(क) पक्षियों की विशेषज्ञ होना
(ख) चालाकी भाँप जाना
(ग) सावधान रहना
(घ) अटकलें लगाना

34. उल्लू बनाना
(क) बेवकूफ बनाना
(ख) लुकाछिपी खेलना
(ग) परेशान करना
(घ) बे-सिर-पैर की बात सिखाना

35. उँची दुकान, फीका पकवान
(क) नाम अधिक वास्तविकता कम
(ख) नाम बड़े दर्शन थोड़े
(ग) वस्तु का बेजायका होना
(घ) कोरी विज्ञापन बाज़ी

36. ऊसर में बीज होना
(क) बेमतलब का काम करना

(ख) नुकसान उठाना
(ग) गलत जमीन में खेती करना
(घ) निरर्थक परिश्रम करना

37. एक पंथ दो काज
(क) एक रास्ते में दो काम करना
(ख) एक ढेले से दो पक्षी मारना
(ग) उठाई गिरी करना
(घ) एक उद्योग से दोहरा फायदा उठाना/कमाना

38. ओखली में सिर देना
(क) धान कूटते चोट लगना
(ख) आपत्तियाँ मोल लेना
(ग) जान बूझकर स्वयं को विपत्ति में फँसाना
(घ) परेशान होना

39. औंधी खोपड़ी
(क) निपट मूर्ख
(ख) बेवकूफ आदमी
(ग) खोपड़ी उल्टी होना
(घ) सोते रहना

40. कंघी चोटी से फुरसत न मिलना
(क) बनिज व्यापार करना
(ख) वेश बनाना
(ग) सदा सिंगार करते रहना
(घ) बेकार के काम करना

41. कंगाली में आटा गीला
(क) विपत्ति पर विपत्ति आना
(ख) कष्ट भोगना
(ग) गरीबी में गुजारा करना
(घ) बेबसी में सत्तू खाना

42. कंचन बरसना
(क) अच्छी बरसात होना
(ख) समय पर पानी बरसना
(ग) सुखपूर्वक जीवन यापन करना
(घ) अधिक धन की प्राप्ति होना

43. कपाल क्रिया करना
(क) अंतिम क्रिया करना
(ख) सिर फोड़ देना
(ग) सताना
(घ) मार-पीट करना

44. कच्चा चिट्ठा खोलना
(क) पूरी कथा कहना
(ख) हिसाब बताना
(ग) पोल खोलना
(घ) सही स्थिति बताना

45. कलेजा पसीजना
(क) दिल बैठ जाना
(ख) हाल खराब होना
(ग) गर्मी लगना
(घ) दया उत्पन्न होना

46. कलेजे से लगाकर रखना
(क) संभाल कर रखना
(ख) प्यार से रखना
(ग) बहुत प्रेम करना
(घ) छिपाए रखना

47. कागज़ी घोड़े दौड़ाना
(क) केवल लिखा-पढ़ी करते रहना
(ख) बेकार का काम करना
(ग) खिलौने बनाना
(घ) खबर फैलाना

48. काटो तो खून नहीं
(क) बहुत कमजोर होने की दशा
(ख) बहुत भयभीत होने की दशा
(ग) बेहोश हो जाने की दशा
(घ) मृतवत हो जाना

49. कानों में तेल डाकर बैठना
(क) किसी की बात न सुनना
(ख) खुदगर्ज़ होना
(ग) बेकार बैठना
(घ) कहीं न जाना

50. काम का न काज का दुश्मन अनाज का
(क) बेकार के काम करना
(ख) स्वार्थी होना

(ग) बकार का आदमी
(घ) किसी उपयोग लायक न होना

51. ख्याली घोड़े दौड़ाना
(क) सोचते रहना
(ख) विचार अधिक काम कम करना
(ग) कल्पनाएँ करते रहना
(घ) काम बताना

52. खिसियानी बिल्ली खंभा नोचे
(क) लज्जित होकर किसी दूसरे पर क्रोध करना
(ख) दूसरों से लड़ पड़ना
(ग) लज्जित होना
(घ) परेशान होना

53. खुशामदी टट्टू
(क) भार ढोना
(ख) बिना लाभ के काम करना
(ग) अमीरों की चापलूसी करना
(घ) खुशामद करना

54. खून उबलना
(क) भागकर जाना
(ख) बहुत क्रोध करना
(ग) उत्साह में भर जाना
(घ) साहसी होना

55. खून सूखना
(क) बहुत डर जाना
(ख) हार मानना
(ग) बेबस होना
(घ) गुमसुम हो जाना

56. खून से हाथ रँगना
(क) किसी को परेशान करना
(ख) किसी की हत्या करना
(ग) प्रताड़ित करना
(घ) हत्या में शामिल होना

57. खेल बिगाड़ना
(क) बना बनाया काम बिगाड़ना
(ख) खेल ठीक से न खेलना
(ग) हार जाना
(घ) ज़िद करना

58. गधों को हलवा खिलाना
(क) अनाज बरबाद करना
(ख) गलत भोजन देना
(ग) ऊट-पटाँग काम करना
(घ) नीचों का सत्कार करना

59. गरदन झुकाना
(क) रोगी होना
(ख) वृद्ध होना
(ग) गला टूट जाना
(घ) शर्मिन्दा होना

60. गला फँसना
(क) मौत सामने आना
(ख) लाचार होना
(ग) फेर में पड़ जाना
(घ) मुसीबत में पड़ना

61. घर आया कुत्ता भी नहीं निकाला जाता
(क) किसी का अपमान नहीं करना चाहिए
(ख) अतिथि का अपमान नहीं करना चाहिए
(ग) कितना भी हीन व्यक्ति क्यों न हो उसका निरादर नहीं करना चाहिए
(घ) घर में सबको स्थान देना चाहिए

62. घर का भेदी लंका ढावे
(क) घर का निकम्मा आदमी बोझ होता है
(ख) घर की फूट से घर का नाश होता है
(ग) जान-बूझकर घर बरबाद करना
(घ) बाहर का आदमी घर को बरबाद कर देता है

63. घर में नहीं दाने, बुढ़िया चली भुनाने
(क) झूठा आडम्बर करना
(ख) अधिक दिखावा करना

(ग) डींग हाँकना
(घ) मुश्किल से गुज़ारा करना

64. चंगुल में फँसना
(क) परवश होना
(ख) बेबस होना
(ग) मुसीबत मोल लेना
(घ) चपेट में आना

65. चिकना घड़ा
(क) जिस पर पानी का असर न हो
(ख) परिस्थितियों में सुरक्षित
(ग) निर्लज्ज
(घ) लापरवाह

66. चुल्लू भर पानी में डूब मरना
(क) लज्जावश मुँह न दिखाना
(ख) थोड़े पानी से काम चलाना
(ग) आत्महत्या करना
(घ) छोटे तालाब में डूब जाना

67. चोर चोर मौसेरे भाई
(क) एक ही पेशे तथा स्वभाव के व्यक्तियों का मेल
(ख) चोर आपस में रिश्तेदार होते हैं
(ग) बेईमान की मदद बेईमान करते हैं
(घ) नाता-रिश्ता जोड़ना

68. जंगल में मंगल
(क) वन में पूजा-पाठ
(ख) जंगल में मांगलिक कार्य
(ग) वन में महोत्सव
(घ) निर्जन स्थान में चहल-पहल

69. जिस डाल पर बैठना उसी को काटना
(क) आश्रयदाता का अनिष्ट करना
(ख) पेड़ की छाया खत्म करना
(ग) पेड़ की काट-छाँट करना
(घ) पेड़ों का विनाश करना

70. जी चुराना
(क) मोहित करना
(ख) डोरे डालना
(ग) सुस्ती करना
(घ) बचना

71. जीवन की घड़ियाँ गिनना
(क) वर्षगाँठ मनाना
(ख) मृत्यु का समीप आना
(ग) जीवन का हिसाब रखना
(घ) जीवन में खरीदी गई घड़ियों का हिसाब रखना

72. ज्यों-ज्यों भीजे कामरी, त्यों-त्यों भारी होय
(क) कमली भीगने पर भारी हो जाती है
(ख) जैसे जैसे कमली भीगती जाती है वह और भी भारी होती जाती है
(ग) कर्ज को चुकाते रहना चाहिए नहीं तो वह बढ़ता जाता है
(घ) कमली को भीगने से बचाना चाहिए

73. झंडा गाड़ना
(क) अधिकार स्थापित करना
(ख) निशान बनाना
(ग) संकेत देना
(घ) मर्यादाएँ सुनिश्चित करना

74. झटक जाना
(क) दुखी होना
(ख) उतावली करना
(ग) दुर्बल होना
(घ) फटकारा जाना

75. टपक पड़ना
(क) पानी का रिसना
(ख) अकस्मात् आ जाना
(ग) गुस्सा होना
(घ) गुस्से में बोल पड़ना

76. टीका-टिप्पणी करना
(क) समालोचना करना

(ख) बात-बढ़ाना
(ग) अर्थ करना
(घ) टीका लगाकर पाठ करना

77. ठंडा पड़ जाना
(क) शीतांग होना
(ख) बुखार उतरना
(ग) क्रोध का शान्त होना
(घ) उत्साहहीन होना

78. ठोकर खाते फिरना
(क) बेकार भटकते फिरना
(ख) जगह-जगह ठोकरें लगना
(ग) लड़खड़ाना
(घ) परेशान होना

79. डंका बजना
(क) शोहरत/प्रसिद्ध होना
(ख) शादी होना
(ग) बुलाना
(घ) आतंक फैलना

80. डूबते को तिनके का सहारा
(क) डूबते हुए बच जाना
(ख) मामूली सहायता पहुँचना
(ग) निराशा में किंचित आशा का होना
(घ) व्यर्थ की आशा करना

81. डपोर शंख
(क) बड़ा शंख
(ख) झूठा, बे-सिर-पैर की कहने वाला
(ग) एक विशेष प्रकार का शंख
(घ) जल्दबाज

82. तकदीर चमकना
(क) मस्तक ऊँचा उठना
(ख) भाग्योदय होना
(ग) लाभ होना
(घ) खजाना मिलना

83. तीर की तरह जाना
(क) दौड़कर भाग जाना
(ख) तेजी करना
(ग) जल्दबाजी करना
(घ) दुबला होना

84. त्यौरी चढ़ाना
(क) डोरी चढ़ाना
(ख) लताएँ ऊपर करना
(ग) क्रुद्ध होना
(घ) कष्ट देना

85. थू-थू होना
(क) बदनामी फैलना
(ख) थूकना
(ग) चर्चा होना
(घ) व्यर्थ की बातें फैलना

86. दंग रह जाना
(क) घबरा जाना
(ख) भयभीत होना
(ग) आश्चर्य में पड़ जांना
(घ) चिन्ता करना

87. दिल पसीजना
(क) दिल का बैठ जाना
(ख) दया आना
(ग) डर जाना
(घ) विनती मानना

88. धमा चौकड़ी करना
(क) खेलना-कूदना
(ख) कबड्डी खेलना
(ग) बेकार घूमना
(घ) इकट्ठा होकर शोरगुल मचाना

89. नंग बड़े परमेश्वर से
(क) दुष्ट खतरनाक होते हैं
(ख) दुष्ट लोगों से सभी डरते हैं
(ग) बदमाशों को भगवान से भी बड़ा कहना चाहिए
(घ) दुष्टों की वंदना पहले करनी चाहिए

90. नाक रगड़ना
(क) विनती करना
(ख) खुशामद करना

(ग) अधीन होना
(घ) बीमार पड़ना

91. नीद हराम होना
(क) अत्यधिक चिन्ता
(ख) फिक्र के कारण नींद न आना
(ग) विपत्ति में पड़ना
(घ) बहुत दुःखी होना

92. नौ दिन चलै अढ़ाई कोस
(क) बहुत सुस्ती से काम करना
(ख) ऊँची चढ़ाई चढ़ना
(ग) चक्करदार रास्ते से जाना
(घ) गड़बड़ी के काम करना

93. पगड़ी उतारना
(क) विश्राम करना
(ख) सेवा करना
(ग) बेइज्जती करना
(घ) आवभगत करना

94. पट्टी पढ़ाना
(क) शिक्षा आरंभ करना
(ख) बहकाना
(ग) तख्ती में लिखनो सिखाना
(घ) शुरुआत करना

95. पर्वत पर कुवाँ खोदना
(क) असंभव को संभव करना
(ख) पानी की व्यवस्था करना
(ग) वृथा परिश्रम करना
(घ) बेसहारा को सहारा देना

96. पाप का घड़ा भर जाना
(क) कुकर्मों का फल मिलना
(ख) दिन पूरे हो जाना
(ग) पापों का फल पाना
(घ) भेद खुल जाना

97. फन्दे में पड़ जाना
(क) विपत्ति में पड़ना
(ख) छला जाना/धोखे से फँसना
(ग) बंध जाना
(घ) बेबस होना

98. फूला न समाना
(क) अधिक खा जाना
(ख) सन्तुष्ट होना
(ग) शेखी बघारना
(घ) बहुत प्रसन्न होना

99. फूल सूँघकर रहना
(क) बहुत अल्प आहार करना
(ख) फूलों से प्रेम करना
(ग) अनशन करना
(घ) कुछ न खाना

100. बंटाधार करना
(क) काम बिगाड़ना
(ख) विनाश करना
(ग) काम चौपट कर डालना
(घ) काम में देर करना

101. बाप-दादों का नाम डुबाना
(क) बाप-दादों की कमाई खाना
(ख) बाप-दादों की सम्पत्ति मिट्टी में मिलाना
(ग) बाप-दादों की बदनामी करना
(घ) बाप-दादों के यश को मटिया-मेट करना

102. बिजली गिरना
(क) वज्रपात होना
(ख) झटका लगना
(ग) बड़ी विपत्ति का आना
(घ) बरसात में बिजली का चमकना

103. भंग खाना
(क) भाँग खाने की लत होना
(ख) बुद्धि से काम न लेना
(ग) सोते रहना
(घ) ऊँघना

104. भंडा फोड़ना
(क) भेद खोलना
(ख) भंडार खोलना
(ग) बर्तन तोड़ना
(घ) मार-पीट करना

105. भभूत रमाना
(क) संन्यासी बन जाना
(ख) फकीरी में गुजारा करना
(ग) शंकर की भक्ति करना
(घ) अनासक्त होना

106. भरी थाली में लात मारना
(क) अन्न का अपमान करना
(ख) मिली वस्तु का त्याग करन.
(ग) बेवकूफी करना
(घ) अन्न बिखेरना

107. भीगी बिल्ली बनना
(क) डर जाना (ख) भाग जाना
(ग) छिप जाना (घ) घात लगाना

108. मक्खी मारना
(क) जीव-हत्या करना
(ख) कीड़े-मकोड़े मारना
(ग) घिनौने काम करना
(घ) खाली बैठना

109. मिरचें लगाना
(क) मिरचों की खेती करना
(ख) तीखी बात कहना
(ग) नाराज करना
(घ) लड़वा देना

110. मुँह में पानी भर आना
(क) लालच आ जाना
(ख) लार टपकाना
(ग) इन्तजार करना
(घ) भूख लगना

111. मुट्ठी गरम करना
(क) हाथ सेंकना
(ख) रिश्वत देना
(ग) मदद करना
(घ) मारना

112. यथा नाम तथा गुण
(क) जैसा नाम वैसे ही गुण
(ख) नाममात्र की उपयोगिता
(ग) उपयोगिता विहीन
(घ) गुणवान

113. यमपुर भेजना
(क) दूर की यात्रा कराना
(ख) मार डालना
(ग) मजा चखाना
(घ) दंडित करना

114. यज्ञ में आहुति देना
(क) पुण्य कार्य करना
(ख) आग भड़काना
(ग) क्रोध बढ़ाना
(घ) यज्ञ में समिधा डालना

115. रंग फीका पड़ना
(क) मुख की कान्ति बिगड़ जाना
(ख) रंग-रूप बिगड़ जाना
(ग) घबड़ा जाना
(घ) उदास होना

116. रंग में भंग होना
(क) मनमुटाव होना
(ख) उत्सव में उदासी छा जाना
(ग) गड़बड़ करना
(घ) मारपीट हो जाना

117. राई का पर्वत बनाना
(क) धीरे धीरे संचय करना
(ख) छोटे से बड़ा होना
(ग) उद्यमी होना
(घ) छोटी बात को बढ़ा-चढ़ा कर कहना

118. लंगोटिया यार
(क) बचपन का साथी
(ख) फकीर मित्र
(ग) बेकाम साथी
(घ) फक्कड़ दोस्त

119. लीपा-पोती करना
(क) सफाई करना
(ख) ऐब छिपाना
(ग) लीपना-पोतना
(घ) घर साफ करना

120. लोट-पोट होना
(क) क्रुद्ध होना
(ख) लेटने लगना
(ग) बहुत प्रसन्न होना
(घ) गिर पड़ना

121. वेद वाक्य मानना
(क) प्रामाणिक मानना
(ख) श्रद्धेय मानना
(ग) आदरणीय कथन समझना
(घ) पुराना समझना

122. शरीर में आग लगना
(क) क्रोधित होना
(ख) जलन मालूम होना
(ग) खुजली होना
(घ) जल जाना

123. शेर के मुँह में हाथ डालना
(क) ताकत दिखाना
(ख) ताकतवार से लड़ने का जोखिम उठाना
(ग) शेर का शिकार करना
(घ) मरने की तैयारी करना

124. सठिया जाना
(क) बुद्धि भ्रष्ट होना
(ख) बुढ़ापा आ जाना
(ग) साठ की उम्र में पहुँचना
(घ) कमज़ोर होना

125. सब्ज बाग़ दिखाना
(क) घुमाने ले जाना
(ख) बाग की हरियाली दिखाना
(ग) प्रकृति का निरीक्षण करना
(घ) झूठा आश्वासन देना

126. सितम ढ़ाना
(क) अत्याचार करना
(ख) अन्याय करना
(ग) दीवाल गिराना
(घ) मुसीबत में डालना

127. सिंहासन हिलाना
(क) भयभीत करना
(ख) सत्तारहित करने का उपक्रम करना
(ग) सिंहासन तोड़ने का प्रयास करना
(घ) सिंहासन को क्षति पहुँचाना

128. हक्का-बक्का होना
(क) अचरज में पड़ना
(ख) भयभीत होना
(ग) भाग जाना
(घ) छुप जाना

129. हजम करना
(क) पचा जाना
(ख) हाज़मा ठीक करना
(ग) किसी की वस्तु हड़प लेना
(घ) पाचक चूर्ण खाना

130. हज़ामत बनाना
(क) दाढ़ी के बाल बनाना
(ख) मुख शोभा बढ़ाना
(ग) मज़ाक बनाना
(घ) ठगना या धोखा देना

उत्तरमाला

भाषा और व्याकरण

1	2	3	4	5	6	7	8	9	10
(ग)	(ग)	(ग)	(ग)	(ग)	(क)	(ग)	(क)	(क)	(घ)
11	**12**	**13**	**14**	**15**	**16**	**17**	**18**	**19**	**20**
(ग)	(घ)	(ग)	(ख)	(घ)	(ग)	(ग)	(घ)	(क)	(ग)

21	22	23	24	25	26	27	28	29	30
(ख)	(ख)	(ख)	(ग)	(घ)	(क)	(क)	(ग)	(क)	(क)
31	32	33	34	35	36	37	38	39	40
(ग)	(ख)	(घ)	(ग)	(क)	(घ)	(ख)	(क)	(घ)	(घ)
41	42	43	44	45	46	47	48	49	50
(क)	(क)	(ग)	(घ)	(क)	(ख)	(ग)	(घ)	(ख)	(क)
51	52	53	54	55	56	57	58	59	60
(ख)	(ख)	(क)	(ख)	(क)	(क)	(ख)	(ग)	(ख)	(घ)
61	62	63	64	65	66	67	68	69	70
(ग)	(ग)	(ख)	(ख)	(ग)	(क)	(क)	(ख)	(क)	(ख)
71	72	73	74	75	76	77	78	79	80
(ग)	(ग)	(क)	(ख)	(ख)	(ख)	(ग)	(क)	(क)	(क)
81	82	83	84	85	86	87	88	89	90
(ग)	(क)	(घ)	(घ)	(ख)	(ख)	(क)	(ग)	(ख)	(क)
91	92	93	94	95	96	97	98	99	100
(घ)	(क)	(क)	(क)	(ग)	(ख)	(क)	(ग)	(ग)	(ख)
101	102	103	104	105	106	107	108	109	110
(ख)	(ख)	(क)	(ग)	(क)	(ख)	(ग)	(ख)	(घ)	(ख)
111	112	113	114	115	116	117	118	119	120
(क)	(ग)	(घ)	(ख)	(क)	(ग)	(घ)	(ग)	(ग)	(क)
121	122	123	124	125	126	127	128	129	130
(ख)	(क)	(क)	(ग)	(क)	(घ)	(क)	(क)	(क)	(ख)
131	132	133	134	135	136	137	138	139	140
(क)	(ग)	(घ)	(ग)	(ग)	(ख)	(ख)	(घ)	(क)	(ख)
141	142	143	144	145	146	147	148	149	150
(क)	(क)	(घ)	(ग)	(ग)	(ग)	(क)	(ग)	(ग)	(घ)
151	152	153	154	155					
(ग)	(ख)	(ग)	(ख)	(ख)					

वर्तनी

1	2	3	4	5	6	7	8	9	10
(ग)	(क)	(ख)	(ख)	(ग)	(क)	(घ)	(घ)	(ख)	(घ)
11	12	13	14	15	16	17	18	19	20
(ख)	(ख)	(ख)	(ग)	(घ)	(ग)	(क)	(ग)	(क)	(घ)
21	22	23	24	25	26	27	28	29	30
(ग)	(घ)	(ख)	(ग)	(क)	(ग)	(ग)	(घ)	(ग)	(ग)
31	32	33	34	35	36	37	38	39	40

(क)	(घ)	(ग)	(क)	(घ)	(ख)	(क)	(ग)	(घ)	(ग)
41	**42**	**43**	**44**	**45**	**46**	**47**	**48**	**49**	**50**
(ग)	(ख)	(ख)	(क)	(घ)	(ग)	(ख)	(ख)	(ख)	(ख)
51	**52**	**53**	**54**	**55**	**56**	**57**	**58**	**59**	**60**
(क)	(ग)	(क)	(क)	(घ)	(ख)	(ख)	(ग)	(ख)	(ग)
61	**62**	**63**	**64**	**65**	**66**	**67**	**68**	**69**	**70**
(क)	(ग)	(ख)	(घ)	(ख)	(क)	(ख)	(घ)	(क)	(ग)
71	**72**	**73**	**74**	**75**	**76**	**77**	**78**	**79**	**80**
(ख)	(ग)	(ख)	(घ)	(ख)	(क)	(घ)	(ख)	(ख)	(क)
81	**82**	**83**	**84**	**85**	**86**	**87**	**88**	**89**	**90**
(ख)	(ग)	(ग)	(क)	(ग)	(घ)	(क)	(घ)	(ग)	(क)
91	**92**	**93**	**94**	**95**	**96**	**97**	**98**	**99**	**100**
(ख)	(ख)	(ख)	(ग)	(घ)	(ग)	(ख)	(घ)	(ख)	(ख)
101	**102**	**103**	**104**	**105**	**106**	**107**	**108**	**109**	**110**
(ख)	(घ)	(ग)	(घ)	(ख)	(ग)	(ख)	(ग)	(घ)	(ग)
111	**112**	**113**	**114**	**115**	**116**	**117**	**118**	**119**	**120**
(क)	(ग)	(ख)	(ख)	(ग)	(घ)	(क)	(घ)	(ख)	(क)
121	**122**	**123**	**124**	**125**	**126**	**127**	**128**	**129**	**130**
(ग)	(ख)	(ख)	(ग)	(घ)	(ग)	(ग)	(ग)	(घ)	(घ)
131	**132**	**133**	**134**	**135**	**136**	**137**	**138**	**139**	**140**
(ग)	(घ)	(घ)	(ग)	(ख)	(घ)	(घ)	(ग)	(घ)	(ग)

प्रत्यय और उपसर्ग

1	**2**	**3**	**4**	**5**	**6**	**7**	**8**	**9**	**10**
(ख)	(क)	(ग)	(घ)	(ख)	(क)	(क)	(ख)	(ग)	(ग)
11	**12**	**13**	**14**	**15**	**16**	**17**	**18**	**19**	**20**
(क)	(ख)	(ग)	(क)	(ग)	(ग)	(ख)	(ग)	(क)	(ख)
21	**22**	**23**	**24**	**25**	**26**	**27**	**28**	**29**	**30**
(ख)	(ग)	(क)	(ग)	(ग)	(क)	(ख)	(ख)	(ग)	(ख)
31	**32**	**33**	**34**	**35**	**36**	**37**	**38**	**39**	**40**
(घ)	(ग)	(ख)	(ग)	(क)	(ख)	(ग)	(ग)	(ग)	(क)
41	**42**	**43**	**44**	**45**	**46**	**47**	**48**	**49**	**50**
(ग)	(ख)	(ख)	(ख)	(क)	(क)	(ख)	(घ)	(ख)	(ख)
51	**52**	**53**	**54**	**55**	**56**	**57**	**58**	**59**	**60**
(घ)	(ख)	(घ)	(ख)	(क)	(ग)	(ग)	(ग)	(क)	(क)
61	**62**	**63**	**64**	**65**	**66**	**67**	**68**	**69**	**70**
(ग)	(घ)	(ख)	(ख)	(ग)	(क)	(ग)	(ख)	[illegible]	(घ)

71	72	73	74	75	76	77	78	79	80
(ग)	(ग)	(ख)	(ग)	(घ)	(ख)	(ख)	(ग)	(ग)	(ग)
81	82	83	84	85	86	87	88	89	90
(ख)	(ख)	(क)	(घ)	(ग)	(घ)	(क)	(क)	(क)	(ग)
91	92	93	94	95	96	97	98	99	100
(ख)	(ग)	(ख)	(ग)	(क)	(ग)	(ख)	(ग)	(घ)	(ग)

संधि विचार

1	2	3	4	5	6	7	8	9	10
(क)	(ग)	(क)	(ग)	(ख)	(क)	(ग)	(क)	(घ)	(ख)
11	12	13	14	15	16	17	18	19	20
(ख)	(ग)	(क)	(घ)	(ख)	(ख)	(ख)	(ग)	(घ)	(क)
21	22	23	24	25	26	27	28	29	30
(ग)	(ग)	(क)	(क)	(ख)	(ख)	(ग)	(ग)	(ख)	(ग)
31	32	33	34	35	36	37	38	39	40
(घ)	(क)	(क)	(ख)	(ग)	(ग)	(घ)	(ग)	(ख)	(ख)
41	42	43	44	45	46	47	48	49	50
(घ)	(ख)	(ग)	(ख)	(ग)	(ग)	(ग)	(ग)	(ख)	(ख)
51	52	53	54	55	56	57	58	59	60
(क)	(ख)	(क)	(क)	(ग)	(ख)	(ग)	(ख)	(ग)	(ग)
61	62	63	64	65	66	67	68	69	70
(ख)	(क)	(ग)	(ग)	(ख)	(ग)	(ग)	(क)	(ख)	(क)

समास विचार

71	72	73	74	75	76	77	78	79	80
(ग)	(ग)	(ख)	(ग)	(घ)	(क)	(ग)	(क)	(क)	(क)
81	82	83	84	85	86	87	88	89	90
(ग)	(ख)	(ग)	(ख)	(ख)	(क)	(ख)	(क)	(क)	(घ)
91	92	93	94	95	96	97	98	99	100
(घ)	(ग)	(क)	(घ)	(ख)	(क)	(ख)	(घ)	(ग)	(घ)
101	102	103	104	105	106	107	108	109	110
(ग)	(क)	(ख)	(ग)	(घ)	(घ)	(क)	(ख)	(घ)	(ग)
111	112	113	114	115	116	117	118	119	120
(ख)	(क)	(ख)	(क)	(ग)	(क)	(क)	(ख)	(ख)	(घ)
121	122	123	124	125					
(क)	(घ)	(क)	(ग)	—					

अलंकार

1	2	3	4	5	6	7	8	9	10
(क)	(ग)	(घ)	(घ)	(ख)	(ग)	(क)	(ख)	(घ)	(क)
11	12	13	14	15	16	17	18	19	20
(ख)	(घ)	(क)	(क)	(घ)	(क)	(ख)	(ग)	(क)	(घ)
21	22	23	24	25	26	27	28	29	30
(ग)	(घ)	(क)	(घ)	(क)	(ग)	(ग)	(ग)	(ख)	(क)
31	32								
(ग)	(घ)								

विपरीतार्थक शब्द

1	2	3	4	5	6	7	8	9	10
(ग)	(ख)	(ग)	(क)	(ग)	(ख)	(ग)	(घ)	(ख)	(ग)
11	12	13	14	15	16	17	18	19	20
(घ)	(ख)	(क)	(घ)	(ख)	(ख)	(ख)	(ग)	(ख)	(क)
21	22	23	24	25	26	27	28	29	30
(ख)	(ग)	(ग)	(ग)	(क)	(ख)	(ख)	(ख)	(घ)	(क)
31	32	33	34	35	36	37	38	39	40
(ख)	(ख)	(ग)	(क)	(ख)	(ग)	(क)	(ग)	(क)	(घ)
41	42	43	44	45	46	47	48	49	50
(ख)	(घ)	(क)	(ख)	(ख)	(ख)	(घ)	(घ)	(क)	(क)
51	52	53	54	55	56	57	58	59	60
(क)	(ग)	(क)	(ग)	(ख)	(ग)	(क)	(घ)	(क)	(घ)
61	62	63	64	65	66	67	68	69	70
(ख)	(ख)	(ख)	(क)	(ग)	(क)	(क)	(ग)	(क)	(घ)
71	72	73	74	75	76	77	78	79	80
(ग)	(ख)	(ख)	(ख)	(ख)	(घ)	(घ)	(ग)	(ख)	(क)
81	82	83	84	85	86	87	88	89	90
(घ)	(ख)	(क)	(क)	(घ)	(ख)	(क)	(क)	(घ)	(क)
91	92	93	94	95	96	97	98	99	100
(ख)	(घ)	(ग)	(ग)	(क)	(क)	(क)	(ग)	(घ)	(क)
101	102	103	104	105	106	107	108	109	110
(क)	(ग)	(क)	(क)	(घ)	(ग)	(ख)	(क)	(ग)	(क)
111	112	113	114	115	116	117	118	119	120
(घ)	(ख)	(ख)	(घ)	(ग)	(क)	(ख)	(क)	(ग)	(क)
121	122	123	124	125	126	127	128	129	130
(ग)	(ख)	(ख)	(घ)	(घ)	(क)	(ख)	(घ)	(ग)	(ख)

131	132	133	134	135	136	137	138	139	140
(क)	(ख)	(क)	(ग)	(ग)	(क)	(ख)	(घ)	(घ)	(घ)
141	**142**	**143**	**144**	**145**	**146**	**147**	**148**	**149**	**150**
(क)	(क)	(क)	(घ)	(ग)	(क)	(ग)	(ख)	(क)	(क)
151	**152**	**153**	**154**	**155**					
(ख)	(ग)	(क)	(क)	(क)					

पर्यायवाची शब्द

1	2	3	4	5	6	7	8	9	10
(ख)	(क)	(क)	(क)	(क)	(क)	(घ)	(क)	(क)	(घ)
11	**12**	**13**	**14**	**15**	**16**	**17**	**18**	**19**	**20**
(क)	(क)	(ग)	(क)	(क)	(घ)	(क)	(ग)	(क)	(क)
21	**22**	**23**	**24**	**25**	**26**	**27**	**28**	**29**	**30**
(ग)	(ग)	(ग)	(क)	(घ)	(क)	(ख)	(क)	(क)	(क)
31	**32**	**33**	**34**	**35**	**36**	**37**	**38**	**39**	**40**
(क)	(ग)	(घ)	(ख)	(ख)	(क)	(ग)	(क)	(ख)	(ग)
41	**42**	**43**	**44**	**45**	**46**	**47**	**48**	**49**	**50**
(क)	(ख)	(ग)	(घ)	(क)	(क)	(घ)	(घ)	(क)	(क)
51	**52**	**53**	**54**	**55**	**56**	**57**	**58**	**59**	**60**
(घ)	(क)	(घ)	(क)	(ग)	(क)	(ख)	(घ)	(क)	(ख)
61	**62**	**63**	**64**	**65**	**66**	**67**	**68**	**69**	**70**
(क)	(क)	(घ)	(क)	(क)	(घ)	(घ)	(घ)	(घ)	(क)
71	**72**	**73**	**74**	**75**	**76**	**77**	**78**	**79**	**80**
(क)	(ग)	(ख)	(ख)	(घ)	(ख)	(घ)	(घ)	(घ)	(ग)
81	**82**	**83**	**84**	**85**	**86**	**87**	**88**	**89**	**90**
(ग)	(ग)	(घ)	(ग)	(ख)	(ग)	(ख)	(क)	(ख)	(ख)
91	**92**	**93**	**94**	**95**	**96**	**97**	**98**	**99**	**100**
(क)	(क)	(क)	(क)	(ख)	(ग)	(घ)	(क)	(घ)	(ग)
101	**102**	**103**	**104**	**105**	**106**	**107**	**108**	**109**	**110**
(ख)	(क)	(घ)	(क)	(घ)	(ख)	(क)	(ग)	(ख)	(ग)
111	**112**	**113**	**114**	**115**	**116**	**117**	**118**	**119**	**120**
(घ)	(घ)	(घ)	(क)	(ग)	(ग)	(घ)	(ख)	(घ)	(घ)
121	**122**	**123**	**124**	**125**					
(घ)	(घ)	(घ)	(घ)	(ख)					

शब्दार्थ

1. (घ) : तनुजा के अंग-सौष्ठव की सभी प्रशंसा करते हैं।

2. (ख) : अन्तर्घट को निर्मल रखना चाहिए क्योंकि उसमें हरि का निवास होता है।

3. (ख) : अन्तःशुद्धि, काया शुद्धि से श्रेष्ठ होती है।
4. (ख) : अपकीर्तिमय जीवन से मृत्यु श्रेष्ठ होती है।
5. (क) : नित्य कर्म से निवृत्त होकर आश्रमवासी आराधना में लग गये।
6. (घ) : निज़ाम के पास अकूत सम्पत्ति थी।
7. (ख) : कुछ व्यक्ति नौकरी के प्रति अनिच्छु होते हैं।
8. (ग) : अतिरेक हानिकर होता है।
9. (ख) : आत्मा नित्य है किन्तु शरीर अनित्य है।
10. (घ) : राधा का सौन्दर्य अनुपमेय था।
11. (ख) : बंजर भूमि अनुर्वर होती है।
12. (घ) : सरकारी उपक्रमों में अपंगों के लिए भी रोज़गार के द्वार खुल गए हैं।
13. (घ) : सर्वव्यापी भ्रष्टाचार का ठीक-ठीक आंकना कठिन है।
14. (ग) : पं॰ मदनमोहन मालवीय राजनीतिज्ञों में नहीं वरन् साहित्यकारों में भी समादृत थे।
15. (ग) : उसके कमरे में पुस्तकें इतस्ततः पड़ी हुई थीं।
16. (ख) : आजकल आचरणकर्ताओं की नहीं अपितु उपदेष्टाओं की बहुलता है।
17. (घ) : जय कपीश तिहुं लोक उजागर।
18. (क) : चाणक्य आश्रम के समीप उगे सभी कुशों को उच्छिन्न करना चाहता था।
19. (ख) : भवन निर्माण के सभी उपादान एकत्र हो गए थे।
20. (ख) : दोनों में एकात्म प्रेम है।
21. (ग) : वेदों की ऋचाएँ सस्वर गाई जाती है।
22. (घ) : उसको पाठ्यक्रम की सभी कविताएँ कंठाग्र हैं।
23. (ख) : अकबर महाराणा प्रताप को अपने मार्ग का कंटक मानता था।
24. (ख) : सींक लै काजर दे री गवांरन आंगुरी तेरी कटेगी कटाक्षन।
25. (घ) : कुयोग में कोई साथ नहीं देता।
26. (ख) : वह कतिपय प्रश्नों के ही उत्तर देने में समर्थ रहा।
27. (ग) : गरुड़ पक्षियों का स्वामी माना जाता है।
28. (ख) : राज मन्दिर में मूल्यवान मणियाँ खचित थीं।
29. (घ) : गरिष्ठ भोजन विलम्ब से पचता है।
30. (घ) : वह मंत्रिपद का गुरुतर भार वहन करने में सक्षम है।
31. (ख) : चिकित्सकीय सहायता पहुँचने से पूर्व ही वह गतप्राण हो चुका था।
32. (क) : प्रधानमंत्री का पद बड़ा गरिमापूर्ण होता है।
33. (ख) : सूर के पदों का गूढ़ार्थ समझना सबके बूते की बात नहीं।
34. (घ) : आपने मेरे घर पधार कर मुझे गौरवान्वित किया है।
35. (ख) : इस हार में गुम्फित एक-एक मणि बहुमूल्य है।
36. (घ) : अपने अशिष्ट व्यवहार पर उसे बड़ी ग्लानि हुई।
37. (ख) : ग्रह गृहीत व्यक्ति का उत्थान संभव नहीं होता।
38. (घ) : अपने कुकर्मों से वह समाज में घृणित हो गया है।

39. (घ) : वृद्धावस्था में अन्य इन्द्रियों की भाँति घ्राणेन्द्रिय भी शिथिल हो जाती हैं।
40. (क) : चैतन्य चरितावली एक अनूठी पुस्तक है।
41. (ख) : आजकल सुधा की चितवृत्ति अच्छी नहीं है।
42. (ग) : कुछ लोग साधना के चमत्कार दिखाकर दूसरों को प्रभावित कर लेते हैं।
43. (ख) : छलावा करके प्रेम का नाटक नहीं करना चाहिए।
44. (घ) : छरहरे बदन का जवान बड़ा फुर्तीला है।
45. (ग) : छद्मवेश में घूम कर राजा अपने राज्य की सही स्थिति देखते थे।
46. (ख) : कभी सूरमा हैं न जीवन गंवाते
बलाएं उड़ाते हैं, चुटकी बजाते।
47. (ख) : जलतरंग एक अच्छा बाजा है।
48. (घ) : हवा का झकोरा आने से वृक्ष गिर गया।
49. (घ) : बेचारा ठनठनगोपाल है; मकान खरीदने के लिए पैसा कहाँ से लाता।
50. (क) : यह गोष्ठी किसके तत्वाधान में हो रही है।
51. (ख) : रानी झांसी के एक दत्तक पुत्र था।
52. (ग) : सच्चे संत-महात्मा द्वंद्वातीत होते हैं।
53. (ख) : दावानल ने पूरा वन जला डाला।
54. (ख) : धनैषणा मनुष्य के पतन का कारण बनती है।
55. (ख) : जल प्रपात का धाराबद्ध जल दर्शनीय होता है।
56. (ख) : मानस में राम का धीरोदात्त चरित्र तुलसी की काव्य कला का ज्वलन्त प्रतीक है।
57. (ग) : करै दौष निरसंक जो, डरे न तिय के मान;
लाज धरै मन में नहीं, नायक धृष्ठ निदान।
58. (ग) : उसने भाई को आर्थिक सहायता देने से नकार दिया।
59. (क) : नमित राष्ट्रध्वज देखकर शंका हो जाती है।
60. (घ) : हिमालय का नैसर्गिक सौन्दर्य दर्शनीय है।
61. (घ) : श्याम अपने आराध्य देव शिव पर पूरी निष्ठा रखता है।
62. (क) : निःस्व व्यक्ति आज के युग में बहुत कम आदर के पात्र होते हैं।
63. (क) : निठल्ले घूमने से क्या लाभ, थोड़ा-बहुत काम करना ही चाहिए।
64. (क) : श्रीराम की पद रज पाकर ही भक्त कृतार्थ हो गए।
65. (ख) : प्रतियोगिता परीक्षा में उत्तीर्ण होने पर ही सरकारी नौकरी के द्वार खुलते हैं।
66. (क) : श्री सत्यनारायण की कथा से पूर्व पुजापा एकत्र करना आवश्यक होता है।
67. (क) : बलहीन (शक्तिहीन) की कोई परवाह नहीं करता।
68. (ख) : मोहन की आदत बतियाने की अधिक, काम करने की कम है।
69. (ख) : अपनी भंगिमा से ही उसने अपनी कला का परिचय दे डाला।
70. (क) : भंग का अर्थ टूटना होता है जैसे धनुषभंग, अंगभंग आदि। स्कूटर से गिरने

से उसका अंगभंग हो गया है।

71. (ग) : अद्वैत दर्शन का भाव बोध आसान नहीं है।
72. (क) : भाराक्रान्त अश्व लड़खड़ा कर गिर पड़ा।
73. (ख) : सुफल मनोरथ होहिं तुम्हारे,
राम लखन सुनि भये सुखारे।
74. (घ) : पूर्व मीमांसा और उत्तर सीमांसा भारतीय गंभीर चिन्तन के अन्यतम उदाहरण हैं।
75. (ख) : रसोईघर में एक मास के लिए यथेष्ठ सामग्री रख दी गई है।
76. (ग) : आजकल के भ्रष्टाचारी कानून तथा यम-यातना की भी परवाह नहीं करते।
77. (ख) : राजा दशरथ ने **राम** को युवराज बनाने की इच्छा व्यक्त की थी।
78. (क) : एक दिन सब ही जायेगा, राजा, रंक, फकीर।
79. (क) : रागारुण राजकन्या यवन सरदार की धमकी से तनिक भी भयभीत नहीं हुई।
80. (ख) : नव राजीव नयन अति सुन्दर,
अधराधर मुस्कान मनोहर।
81. (क) : राज्याभिषेक की तैयारी पूरी हो जाने के बावजूद राम को वन जाना पड़ा।
82. (ग) : लंपट व्यक्ति को कोई अपने पास नहीं बैठने देता।
83. (ख) : सीता की मुख छवि ललित ललाम थी।
84. (ख) : शरीर में अनेक लोहित वाहिनी नाड़ियाँ होती हैं।
85. (ख) : वंचक व्यक्ति मित्र को भी अपनी दुष्टता का शिकार बनाने में नहीं हिचकते।
86. (घ) : कुछ संसद-सदस्यों ने विरोध स्वरूप संसद भवन से वहिर्गमन किया।
87. (क) : वैज्ञानिक मिट्टी तथा जल तक का विश्लेषण करके वास्तविकता का पता लगाते हैं।
88. (क) : ताजमहल की संरचना देखकर लोग आश्चर्यचकित रह जाते हैं।
89. (क) : हस्तगत राशि का सदुपयोग करना बुद्धिमानी है।
90. (क) : जैसी ही होतव्यता, तैसी मिले सहाय,
आपु न आवै ताहि पै, ताहि वहाँ लै जाये।

वाक्य/वाक्याश के लिए एक शब्द

1	2	3	4	5	6	7	8	9	10
(ग)	(घ)	(क)	(ख)	(ख)	(ग)	(ग)	(ख)	(ख)	(ख)
11	**12**	**13**	**14**	**15**	**16**	**17**	**18**	**19**	**20**
(क)	(ख)	(ख)	(ख)	(घ)	(घ)	(घ)	(ग)	(ग)	(क)

21	22	23	24	25	26	27	28	29	30
(घ)	(घ)	(ख)	(ख)	(ख)	(ग)	(ख)	(ख)	(क)	(ग)

शुद्ध वाक्य ढूँढना

1	2	3	4	5	6	7	8	9	10
(ग)	(क)	(ग)	(ग)	(ख)	(घ)	(ग)	(घ)	(घ)	(ग)
11	12	13	14	15	16	17	18	19	20
(घ)	(घ)	(घ)	(ख)	(क)	(घ)	(घ)	(घ)	(ग)	(घ)
21	22	23	24	25	26	27	28	29	30
(ख)	(ख)	(ग)	(ख)	(ग)	(ख)	(क)	(ग)	(ख)	(क)

मुहावरे और लोकोक्तियाँ

1. (ख) : अध्यापक ने ऐसी मार लगाई कि शरारती छात्र का अंग-अंग ढीला हो गया।
2. (क) : परीक्षा में प्रथम आने पर मोहन का अंग-अंग मुस्करा उठा।
3. (क) : व्यर्थ की बातों में आकर वह अंगारे उगलने लगा।
4. (क) : परीक्षाफल अनुकुल न आने के कारण सोहन को सारी रात ऐसा लग रहा हो मानों अंगारों पर लेट रहा हो।
5. (क) : संदेहास्पद चरित्र के कारण मोहिनी की ओर उसके पड़ोसी भी अँगुली उठाते हैं।
6. (क) : नई-नई बहू अभी से अपने पति को अँगुली पर नचाने लगी है।
7. (क) : पहले तो दिलासा देता रहा किन्तु कन्या की शादी पर साहूकार ने रमेश को अँगूठा दिखा दिया।
8. (ख) : माँ ने आँचल पसार कर जज से निवेदन किया कि मेरे निर्दोष पुत्र को छोड़ दिया जाये।
9. (ख) : चुटकुला सुनते ही हँसते-हँसते उसकी अंतड़ियों में बल पड़ गए।
10. (क) : दीनू की मकान की लालसा पूरी हो गई, अन्धा क्या चाहे दो आँखें।
11. (ग) : समझदार व्यक्ति भी कभी-कभी मीठी बातों में आकर अन्धे बन जाते हैं।
12. (क) : मूल्य नियंत्रण मजाक बन गया है जिसके कारण लोग कहते हैं कि अंधेर नगरी चौपट राजा, कोई सुनने वाला ही नहीं रहा। गरीब अपना दुखड़ा किससे कहे।
13. (घ) : चारुदत्त अक्ल का दुश्मन है, उसको समझाने से क्या लाभ।
14. (क) : बातें तो केशव समझदारी की करता है किन्तु काम करते समय उसकी अक्ल चरने चली जाती है।
15. (क) : ज्ञान ने सरोज को ऐसा चकमा दिया कि दिन भर वह खाक ही छानता रहा। तन्दुरुस्त होने पर भी सरोज उसकी चालाकी न समझ सका। ठीक ही है अक्ल बड़ी की भैंस।

16. (ख) : मोहन ने जयसिंह को कुश्ती में पछाड़ कर अखाड़ा मार लिया।
17. (क) : लक्ष्मण के मर्मान्तक शब्द परशुराम के लिए अग्नि में घी डालने के समान हुए।
18. (ग) : कठोर परिश्रम के बाद ही कालू को अच्छे दिन देखने का अवसर मिला।
19. (क) : मेरा पांच सौ रुपये का नुकसान हो गया और तुम्हें अठखेलियाँ सूझ रही हैं।
20. (ख) : व्यापार में ज्यादा धन न लगाने की सीख न मान कर राजन ने अपने पैरों पर आप ही कुल्हाड़ी मार ली।
21. (ग) : मंत्री के आने पर जनता ने उन्हें आँख उठाकर भी नहीं देखा।
22. (घ) : सच्चाई प्रकट हो जाने पर व्यापारी की आँखे नीची हो गईं।
23. (क) : कर्ज लेने के बाद से अब सोम आँखें चुराए फिर रहा है, कि कहीं महाजन कड़ा तकाज़ा न कर बैठे।
24. (क) : अपने से बड़ों के सामने वह अपनी प्रेयसी से आँख मिलाने का साहस कैसे करे।
25. (ख) : अपने गुरुदेव के आने पर उसने आँखें बिछा दीं।
26. (घ) : पहले तो दीपा ने कुछ सोचा नहीं। अब कन्या का विवाह सिर पर आ जाने पर वह प्रबन्ध करता फिरता है, जो आग लगने पर कुआँ खोदने के समान है।
27. (ग) : किसी अजनबी को देखकर कुत्ते आपे में नहीं रहते, भों-भों करने लग जाते हैं।
28. (ख) : जिसे प्यार से पाला था, वह आस्तीन का सांप हो गया। बचपन का साथी था वह अब मेरे लिए अभिशाप बन गया।
29. (ग) : देखते ही देखते दौड़ में कृष्णावल का घोड़ा आसमान से बातें करने लगा।
30. (क) : भारतेन्दुजी ने पूर्वजों की सम्पत्ति की इतिश्री कर डाली।
31. (घ) : संतोष को इधर-उधर की लगाने में न जाने क्या मज़ा आता है, दो भाइयों में अकारण मन-मुटाव करा दिया।
32. (ग) : अकबर ने अपने छल-बल से अनेक राजपूतों के किलों की ईंट से ईंट बजा दी थी।
33. (ख) : राधे लाल ने विनय को राजी करने की बड़ी कोशिश की किन्तु विनय तो उड़ती चिड़िया पहचानता था, वह उसकी मीठी बातों में नहीं आया।
34. (क) : शेर-गीदड़ वाली कहानी में गीदड़ ने अपनी चतुराई से शेर को उल्लू बना दिया।
35. (ख) : घण्टे वाले हलवाई की दुकान का सोहन हलवा खाकर जब सुमति को आनन्द न आया, तो स्वभावतः उसके मुँह से निकल पड़ा 'ऊँची दुकान फीके पकवान'।
36. (घ) : मोहन ने एल-एल॰बी॰ करके वकालत तो की नहीं, उसका यह श्रम ऊसर

में बीज बोने के समान है।

37. (घ) : सफेदा बोना एक पंथ दो काज जैसा है; जलाने के लिए लकड़ी तथा खर्च के लिए पैसा दोनों ही इससे प्राप्त होते हैं

38. (ग) : किरायेदार से लड़ाई करके उसने ओखली में सिर दे दिया है।

39. (क) : कन्हाई को समझाना बेकार है, वह तो औंधी खोपड़ी है।

40. (ग) : नई बहू को तो कंघी चोटी से ही फुरसत नहीं मिलती, वह फिर घर का काम-काज कैसे करेगी।

41. (क) : बरसात में मकान का गिरना तथा बाढ़ से खेतों का चौपट हो जाना दीनू के लिए कंगाली में आटा गीला होने के समान है।

42. (घ) : कपड़े की दुकान चल जाने से लाला छिद्दूमल के घर कंचन बरस रहा है।

43. (ख) : उसने चोर को मार-मार कर उसकी कपाल क्रिया कर दी।

44. (ग) : सीमा रक्षा पुलिस की पूछताछ से तंग होकर जासूस ने सारा कच्चा चिट्ठा खोल दिया।

45. (घ) : दुर्घटना का दृश्य देखकर माया का कलेजा पसीज गया।

46. (ग) : माँ अपने बच्चे को कलेजे से लगाकर रखती है।

47. (क) : कागजी घोड़े दौड़ाने से तब तक कोई फायदा नहीं होता जब तक मुलाकात करके सही बात न बता दी जाए।

48. (ख) : पुलिस के आ जाने पर चोर की हालत ऐसी थी कि काटो तो खून भी नहीं।

49. (क) : 'राशनिंग दफ्तर के बाबू कानों मे तेल डाल कर बैठे हैं, राशन कार्ड बनाकर ही नहीं देते।

50. (घ) : चाहे कितना समझाओ मोहन कोई उद्यम करने के लिए तैयार ही नहीं होता, घर में बेकार पड़ा रहता है। ऐसी दशा में चिढ़कर उसकी मां कहती है 'काम का न काज का दुश्मन अनाज का'।

51. (ग) : आज तक तो उसने कुछ भी नहीं किया, घ्रर में बैठे-बैठे ख्याली घोड़े दौड़ाया करता है।

52. (क) : स्कूल में सोहन को डॉटा अध्यापक ने, पर बाद में वह चमन से लड़ पड़ा कि तू मेरी किताब क्यों ले गया था। ऐसे में कहते हैं, खिसियानी बिल्ली खम्बा नोचे।

53. (ग) : बिस्सो तो पूरा खुशामदी टट्टू है; दिन भर बैठा सेठ लक्ष्मी दास की चापलूसी करता है।

54. (ख) : चोर को रंगे हाथों पकड़ने के बाद दरोगा ने उससे कहा कि सारी बात सच-सच बता दो। लेकिन चोर यही कहता रहा कि उसने चोरी की ही नहीं। चोर की ढिठाई पर दरोगा का खून उबलने लगा।

55. (क) : क्रूर मालिक को देखकर नौकर का खून सूख जाता है।

56. (ख) : निरपराध परिन्दों के खून से हाथ रंगने में कोई लाभ नहीं है। आखिर परिन्दे भी भगवान ने ही बनाए हैं।

57. (क) : लाइसेंस तो बन ही जाता, किन्तु इन्सपेक्टर से टक्कर लेकर राधे ने अपना बना बनाया खेल बिगाड़ लिया है।

58. (घ) : इस गाँव की रीति निराली है; यहाँ गायों का तो तिरस्कार होता है तथा गधों को हलवा खिलाया जाता है।

59. (घ) : पिता द्वारा फटकारे जाने पर सीमान्त की गरदन झुक गई।

60. (ख) : श्याम व राम ने बराबर पूंजी लगाकर व्यापार शुरू किया। व्यापार चल जाने पर राम हिसाब-किताब में बेईमानी करने लगा। श्याम व्यापार से अलग होना चाहता था किन्तु बदनामी का भय था, अतः वह यही सोचता था कि अब तो गला फँसा बैठा।

61. (ग) : बेचारे भिखारी को क्यों दुत्कारते हो, घर आया कुत्ता भी नहीं निकाला जाता, फिर वह तो इन्सान है।

62. (ख) : रावण का भाई विभीषण राम से मिल गया और लंका का विनाश हो गया। ऐसी स्थिति में कहा जाता है, घर का भेदी लंका ढावे।

63. (क) : किसी अमीर को फँसाने के लिए तेजराम के आडम्बरों को देखकर यही कहना पड़ता है घर में नहीं दाने, बुढ़िया चली भुनाने।

64. (क) : राजन बहुत बनते फिरते थे, अब पुलिस के चंगुल में फँस गए हैं, जमानती भी ढूंढे नहीं मिलते।

65. (ग) : कितना भी समझाओ किन्तु नशेड़ी सम्पत राम तो चिकना घड़ा है; उस पर किसी बात का असर ही नहीं होता।

66. (क) : अरे! तुम्हें तो चुल्लू भर पानी में डूब मरना चाहिए, अपने कुकृत्य से परिवार की थरन धूल में मिला दी।

67. (क) : चाहे ऋतुराज हो अथवा हेमन्त दोनों ही एक जैसे हैं– चोर-चोर मौसेरे भाई।

68. (घ) : प्रधान मंत्री के अभयारण्य देखने जाने पर जंगल में भी मंगल होने लगेगा।

69. (क) : बेचारे मोहन ने अपने साथी नीहार को बैठने को ठौर दिया किन्तु उसने तो जिस डाल पर बैठा, उसी को काटना शुरू कर दिया।

70. (घ) : "बेकार बैठने से काम नहीं चलेगा बेटा! काम से जी न चुराया कर" माँ ने यशोधन को समझाते हुए कहा।

71. (ख) : श्यामू तो अब जीवन की घड़ियाँ गिन रहा है, कैंसर के भयानक रोग ने उसे बुरी तरह जकड़ रखा है।

72. (ग) : कर्ज लेकर दादू ने उसे ब्याज सहित चुकाने में देर कर दी। फलतः वह बढ़कर इतना अधिक हो गया है कि उसके बूते में चुकाना नहीं रहा। किसी ने ठीक ही कहा है ज्यों-ज्यों भीगै कामरी त्यों-त्यों भारी होय।

73. (क) : अंग्रेजी हुकूमत के खिलाफ बगावत करने वालों में श्री सुभाष चन्द्र बोस ने अपने कृत्यों से अपनी देशभक्ति का झण्डा गाड़ दिया।

74. (ग) : आजकल पर्याप्त देखभाल के अभाव में मनोहर का घोड़ा झटक गया है।

75. (ख) : खाना खाने के समय न जाने कहाँ से नीरज टपक पड़ा।
76. (क) : प्रोफेसर का भाषण इतना जोरदार था कि किसी को टीका-टिप्पणी करने की हिम्मत ही नहीं पड़ी।
77. (घ) : बार-बार घाटा उठाने के कारण प्रेम कुमार व्यापार के मामले में ठण्डा पड़ गया है।
78. (क) : मिली नौकरी को छोड़कर दयाराम अब ठोकरें खाता फिर रहा है।
79. (क) : स्पष्ट रूप से स्वतंत्रता की माँग करने के कारण श्री गंगाधर तिलक के नाम के डंके बजने लगे।
80. (ग) : रघुनाथ की वचनावली प्रिय मातु श्री को भा गई।
दुःख-सिंधु में लघुतोष तिनके का सहारा पा गई।।
81. (ख) : निरे डपोरशंख राम कुमार की बातों में आकर आपने भी पैसा और समय बर्बाद किया।
82. (ख) : तिहनों का व्यापार करने से नागेश की तकदीर चमक उठी है।
83. (क) : प्याज का भाव दो रुपए किलो सुनकर सन्तोष तीर की तरह दुकान पर पहुँचा।
84. (ग) : परशुराम की त्योरी चढ़ी देख कर जनकपुर में सारी सभा आतंकित हो उठी।
85. (क) : काला बाजारी करते पकड़े जाने के कारण गोपीराम की सर्वत्र थू-थू हो गई।
86. (ग) : परीक्षा में रामनरेश की प्रथम श्रेणी आई देखकर उसके साथी दंग रह गए।
87. (ख) : भिखारी की दीन दशा देखकर रघुपति का दिल पसीज गया।
88. (घ) : बच्चे छत पर धमा चौकड़ी मचा रहे थे तभी घर वालों ने उन्हें मना किया।
89. (ख) : गोस्वामी तुलसीदास ने भी पहले दुष्टों की वन्दना की है, क्योंकि 'नंग बड़े परमेश्वर से'।
90. (ख) : बार-बार नाक रगड़ने पर भी पुलिस ने नन्हूक को नहीं छोड़ा।
91. (क) : फूलनदेवी ने उत्तर प्रदेश तथा मध्य प्रदेश में लोगों की नींद हराम कर रखी थी।
92. (क) : केदारनाथ की चढ़ाई के बारे में मशहूर है कि 'नौ दिन चलै अढ़ाई कोस'।
93. (ग) : क्षणभर में दरोगा ने मोहन की पगड़ी उतार कर रख दी क्योंकि वह बहुत दिन बाद उनके हाथ आया था।
94. (ख) : मुझे पट्टी मत पढ़ाइए मैं आपकी बातों में आने वाली नहीं – शीला ने मोहन से कहा।
95. (ग) : प्रतियोगिता परीक्षा में पास होने के लिए किया गया उसका प्रयास पर्वत पर कुआँ खोदने के समान है।
96. (क) : पाप का घड़ा भर जाने पर कंस का निधन श्री कृष्ण के हाथों हुआ था।

97. (ख) : ठगों के फन्दे में फँस कर मन्नू ने अपनी गाँठ की पूँजी भी गवाँ दी।
98. (घ) : लाटरी खुल जाने के कारण जगदीश फूला नहीं समा रहा था।
99. (क) : रानी-महारानियाँ फूल सूँघकर गुजारा करती हैं।
100. (ग) : दिन भर खेलते रहने के कारण सुधा ने अपनी पढ़ाई का बंटाधार कर डाला।
101. (घ) : अपने कुलक्षणों के कारण रमेश ने अपने बाप-दादों का नाम डुबा दिया है।
102. (ग) : बीमारी तथा व्यापार में घाटा होने के कारण बेचारे रामदेव पर बिजली ही गिर पड़ी है।
103. (ख) : लगता है आप भंग खाकर बैठे हैं तभी बार-बार सवाल गलत कर रहे हैं।
104. (क) : विभीषण ने राम की सेना में जाकर रावण का भंडा फोड़ कर दिया।
105. (क) : उद्धव ने गोपिकाओं के पास जाकर उन्हें भभूत रमाने को कहा।
106. (ख) : भरी थाली में लात मार कर उसने अपना ही नुकसान किया है।
107. (क) : पिताजी के आगे रामू भीगी बिल्ली बन जाता है किन्तु साथियों से झगड़ा करता है।
108. (घ) : कोई काम न करके श्रीमती रेखा दिन भर मक्खी मारा करती है।
109. (ग) : साफ बात कह कर तुमने रवीन्द्र को मिरचें लगा दीं।
110. (क) : गरम-गरम गुलाब जामुन देखकर आनन्द के मुँह में पानी भर आया।
111. (ख) : आजकल भ्रष्टाचार इतना बढ़ गया है कि लोगों की मुट्ठी गर्म किये बिना कोई काम होता ही नहीं।
112. (क) : महाराजा दशरथ यथा नाम तथा गुण थे।
113. (ख) : हिंसक शेर को शिकारी ने बंदूक की एक गोली से ही यमपुरी भेज दिया।
114. (ग) : परशुराम के प्रति कहे गए लक्ष्मण के शब्दों ने यज्ञ में आहुति का काम किया।
115. (ग) : शेर को देखकर अन्य जानवरों के रंग फीके पड़ जाते हैं।
116. (ख) : विवाहोत्सव के समय संयुक्ता के हरण से रंग में भंग हो गया।
117. (घ) : मानसिंह के प्रति कही गई मामूली सी बात ने राई का पहाड़ बना दिया।
118. (क) : भगवान श्री कृष्ण के मित्र सुदामा उनके लंगोटिया यार थे।
119. (ख) : अच्छे लोग बुराइयों पर लीपा-पोती करना पसन्द नहीं करते।
120. (ग) : अकबर-बीरबल विनोद नामक पुस्तक पढ़कर आदमी लोट-पोट हो जाता है।
121. (क) : शिष्य गण अपने गुरु के वाक्यों को वेद वाक्य मानते थे।
122. (क) : अपशब्द सुनकर भले आदमियों के शरीर में भी आग लग जाती है।
123. (ख) : गांव के जमींदार का अपमान करके सरजू ने शेर के मुँह में हाथ डालने का दुस्साहस किया।
124. (क) : बच्चों से दिल्लगी करते करते शर्म नहीं आती, लगता है आप सठिया गए हैं। मोहन ने खीझकर कहा।

125. **(घ)** : सब्ज बाग दिखाकर रहीम ने मोहन से एक हजार रुपए ठग लिए।

126. **(क)** : नादिरशाह ने दिल्ली पर जो सितम ढाया उसे आज भी नादिरशाही के नाम से घृणा से याद किया जाता है।

127. **(ख)** : विपक्षी पार्टियाँ सत्ताधारी पार्टी का सिंहासन हिलाने की चेष्टाएँ करती रहती हैं।

128. **(क)** : एकाएक प्रधानाचार्य को आया देखकर आपस में लड़ रहे विद्यार्थी हक्का बक्का हो गए।

129. **(ग)** : किसी का माल हजम कर जाना आसान नहीं। पाप की कमाई फूट-फूट कर निकलती है।

130. **(घ)** : साड़ी खरीदने में ऐसी हजामत बनी कि जीवन भर याद रहेगी। बेईमान दुकानदार ने रेशमी साड़ी की जगह बनावटी सिल्क की घटिया साड़ी मत्थे मढ़ दी।

भौतिकी विज्ञान

वस्तुनिष्ठ प्रश्नावली (उत्तर सहित)

1. यदि पृथ्वी पर पाया जाने वाला एक किग्रा. भार सूर्य की कक्षा में पहुंच जाए, तो वह हो जाएगा—

A. 20 गुना B. 25 गुना
C. 28 गुना D. 35 गुना

2. अवतल दर्पण के सामने अनन्त से फोकस तक वस्तु को लाने पर उसका प्रतिबिम्ब—

A. पहले घटेगा, फिर बढ़ेगा
B. पहले बढ़ेगा, फिर घटेगा
C. लगातार घटता रहेगा
D. लगातार बढ़ता जाएगा

3. उबलते हुए पानी को और अधिक ऊष्मा देने पर ताप में परिवर्तन—

A. कोई नहीं
B. ताप बढ़ेगा
C. ताप घटेगा
D. उपर्युक्त में से कोई नहीं

4. एक व्यक्ति 65 किग्रा. वजन (भार) का है, जब 35 किग्रा. भार सहित 100 फीट से कूदता है तो वह कितना भार अनुभव करेगा ?

A. शून्य B. 100 किग्रा.
C. 10 किग्रा. D. 1000 किग्रा.

5. एक व्यक्ति एक समतल दर्पण की ओर 3 मीटर प्रति सेकिंड की चाल से आ रहा है, तो दर्पण में व्यक्ति के प्रतिबिम्ब की चाल होगी—

A. 3 मी./से. B. 6 मी./से.
C. 9 मी./से. D. 4 मी./से.

6. गतिशील बस जब अचानक रुकती है तब प्रवासियों को आगे धक्का लगता है—

A. भूमि और बस के बीच घर्षण होने से
B. प्रवासियों और भूमि के बीच घर्षण होने से
C. प्रवासियों की जड़ता से
D. बस की जड़ता से

7. एक ट्रक तथा एक कार समान गतिज ऊर्जा से जाते हुए ब्रेकों द्वारा समान मंदक बल लगाकर रोके जाते हैं तो—

A. ट्रक अधिक दूरी पर रुकेगा
B. कार कम दूरी पर रुकेगी
C. दोनों समान दूरी पर रुकेंगे
D. कार अधिक दूरी पर और ट्रक कम दूरी पर रुकेगा

8. 100 वाट का एक बल्ब 5 घंटे प्रतिदिन 8 दिन तक जलता है तो बिजली की खपत होगी ?

A. 1 यूनिट B. 2 यूनिट
C. 4 यूनिट D. 8 यूनिट

9. दो गेंद जिनका भार अलग-अलग है एक मीनार से गिराई जाती है, तब—

A. भारी गेंद पहले धरती पर पहुंचेगी
B. हल्की गेंद पहले धरती पर पहुंचेगी
C. दोनों एक साथ पहुंचेंगी
D. अनुमान लगाना संभव नहीं

10. 50 किग्रा. द्रव्यमान का एक लड़का लिफ्ट में खड़ा है। इस लड़के के पैरों द्वारा अनुभव किया गया बल सर्वाधिक होगा, जबकि लिफ्ट—

A. स्थिर खड़ी है
B. 4 मी./से. के वेग से नीचे आ रही है
C. 4 मी./से^{2} के त्वरण से नीचे आ रही है
D. 4 मी./से.^{2} से त्वरण से ऊपर जा रही है

11. एक कार और भरा हुआ एक ट्रक रास्ते पर समान गति से चलते हैं। ट्रक से तुलना

की जाए तो कार धारण करेगी—

A. अधिक गतिज ऊर्जा

B. अधिक स्थैतिज ऊर्जा

C. कम गतिज ऊर्जा

D. अधिक यांत्रिक ऊर्जा

12. एक परिपथ में 3.5 एम्पियर की धारा प्रवाहित हो रही है, तो 1 मिनट में कितने कूलॉम आवेश प्रवाहित होगा ?

A. 3.5 कूलॉम B. 210 कूलॉम

C. 7 कूलॉम D. 105 कूलॉम

13. पहाड़ पर चढ़ते समय व्यक्ति झुककर क्यों चलता है ?

A. स्थायित्व बढ़ाने के लिए

B. फिसलन रोकने के लिए

C. नीचे देखने के लिए

D. उपर्युक्त में से कोई नहीं

14. 120 वोल्ट और 60 वाट के विद्युत बल्ब में बहने वाली धारा होगी—

A. 2 एम्पियर B. 0.5 एम्पियर

C. 5.6 एम्पियर D. 7.5 एम्पियर

15. चन्द्रमा की सतह पर एक तोप चलाई जाती है, तो—

A. सभी ऋतुओं में ध्वनि जमीन पर सुनी जाएगी।

B. जमीन या चन्द्रमा पर कोई ध्वनि नहीं सुनी जाएगी।

C. वर्षा ऋतु में ध्वनि जमीन पर सुनी जाएगी।

D. उपर्युक्त में से कोई नहीं

16. 5 डिग्री. सेंटीग्रेड का ताप कितने डिग्री फारेनहाइट होगा ?

A. 9 B. 23

C. 28 D. 41

17. निम्नलिखित में से किस अवस्था में वायु में ध्वनि का वेग अधिकतम होता है ?

A. 0°C पर शुष्क वायु में

B 0°C पर आर्द्र वायु में

C. 30°C पर शुष्क वायु में

D. 30°C पर आर्द्र वायु में

18. 4 किग्रा. की एक गेंद 8 मी./से. के वेग से चलती हुई 12 किग्रा. द्रव्यमान की एक स्थिर गेंद से टकराती है। टक्कर के पश्चात दोनों गेंद साथ-साथ चलने लगती हैं। अंतिम वेग होगा—

A. 0 B. 2 मी./से.

C. 8 मी./से. D. 16 मी./से.

19. सरल आवर्त गति करते किसी कण का आयाम 'a' है। मध्यमान स्थिति से कितनी दूरी पर इसका वेग अधिकतम वेग का आधा होगा ?

A. $\frac{\sqrt{3}}{2}a$ B. $\sqrt{3}\,a$

C. $\frac{2}{\sqrt{3}}a$ D. $\frac{1}{\sqrt{3}}a$

20. चित्र (1), (2) और (3) में प्रदर्शित तंत्र प्रदर्शित करते हैं, क्रमशः—

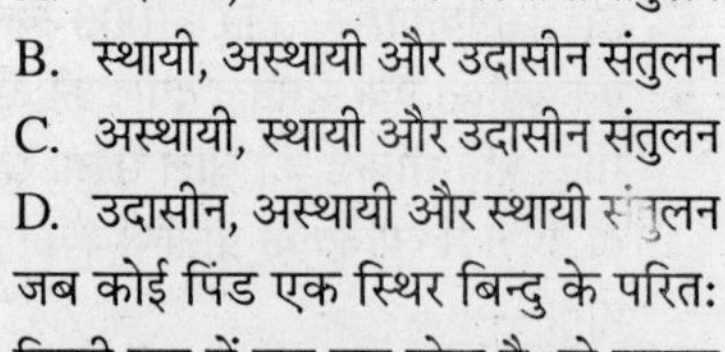

A. उदासीन, स्थायी और अस्थायी संतुलन

B. स्थायी, अस्थायी और उदासीन संतुलन

C. अस्थायी, स्थायी और उदासीन संतुलन

D. उदासीन, अस्थायी और स्थायी संतुलन

21. जब कोई पिंड एक स्थिर बिन्दु के परितः किसी तल में घूम रहा होता है, तो इसका कोणीय संवेग निर्दिष्ट होता है—

A. त्रिज्या के अनुदिश

B. कक्षा की स्पर्श रेखा के अनुदिश

C. घूर्णन तल पर 45° के कोण पर झुकी रेखा के अनुदिश

D. घूर्णन-अक्ष के अनुदिश

22. चित्र में प्रदर्शित पट्टिका समान मोटाई और

4 : 1 अनुपात वाली ऊष्मा चालकताओं की तांबे और पीतल की दो समांतर पर्तों की बनी हैं। यदि पीतल का मुक्त पृष्ठ 100°C पर हो और तांबे का 0°C पर हो, तो अंत: पृष्ठ का तापक्रम होगा—

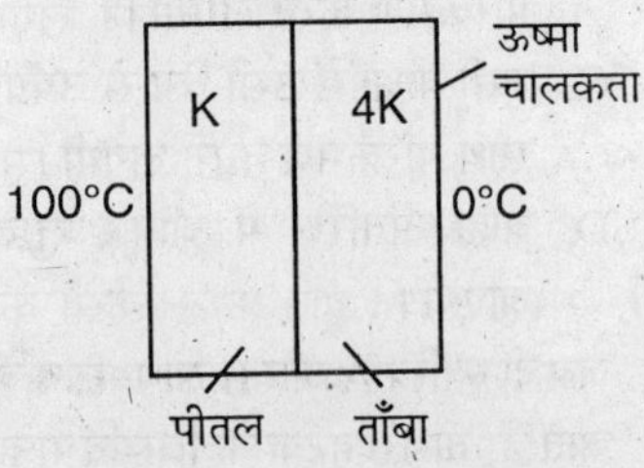

A. 20°C B. 30°C
C. 40°C D. 25°C

23. एक दो्लित्र एक ऐसा इलेक्ट्रॉनिक उपकारण है, जो—
A. यांत्रिक ऊर्जा को विद्युत ऊर्जा में बदलता है।
B. विद्युत ऊर्जा को यांत्रिक ऊर्जा में बदलता है।
C. डी.सी. पॉवर को ए.सी. पॉवर में बदलता है।
D. ए.सी. पॉवर को डी.सी. पॉवर में बदलता है एवं विपरीततः।

24. चित्र में प्रदर्शित आंख में दृष्टिदोष है—

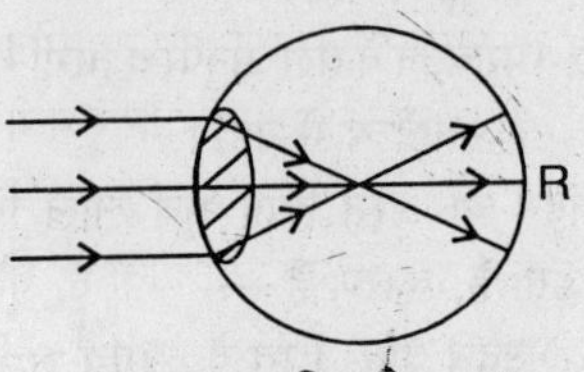

A. निकटतम दृष्टि दीष (Myopia)
B. दूरदृष्टि दोष (Hypermetropia)
C. दोनों
D. उपर्युक्त में से कोई नहीं

25. चित्र में दिखाए गए परिपथ में A और B के मध्य विभवांतर होगा—

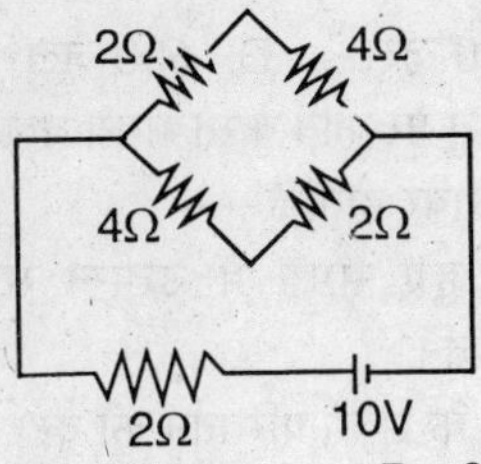

A. –2V B. 2V
C. 6V D. 5V

26. किसी प्रत्यावर्ती धारा परिपथ में प्रवाहित धारा का अधिकतम मान 14.14 ऐम्पियर है। इस धारा का वर्ग माध्य मूल (r.m.s.) मान क्या होगा?
A. 10 एम्पियर
B. 1.414 एम्पियर
C. 1.96 एम्पियर
D. 3.76 एम्पियर

27. फोटॉन की ऊर्जा E, संवेग p तथा वेग c में सही संबंध है—
A. $p - Ec^2$ B. $p = Ec$
C. $p = \frac{c}{E}$ D. $p = \frac{E}{c}$

28. एक रेडियोसेट 12V डीसी पर कार्य करता है। द्वितीयक कुंडली के 18 चक्करों वाला एक अपचायी ट्रांसफार्मर 220V के इनपुट वि.वा. बल को 12V तक लाने के लिए प्रयुक्त किया जाता है। ए.सी.वि.वा.ब. को दूसरे परिमाप द्वारा दिष्टकृत किया जाता है और वांछित 12V डी.सी. का वोल्टेज प्राप्त किया जाता है। प्राथमिक कुंडली में चक्करों की संख्या है—
A. 110 B. 220
C. 330 D. 440

29. किसी मशीन की दक्षता (Efficiency) 60% है। यदि उसकी निर्गत (Output) ऊर्जा 720 जूल हो तो मशीन की प्रविष्ट (Input) ऊर्जा क्या होगी?
A. 432 जूल B. 1200 जूल

C. 1000 जूल D. 600 जूल

30. किसी वस्तु पर कार्य करते समय बल का आवेग बराबर होता है—

A. दिए हुए समय में उत्पन्न संवेग परिवर्तन

B. वस्तु के संवेग परिवर्तन की दर

C. संवेग परिवर्तन तथा समय का गुणनफल

D. वस्तु के द्रव्यमान तथा त्वरण का गुणनफल

31. 5 न्यूटन का बल अपनी दिशा में 60 सेमी. विस्थापित होने में कितना कार्य करता है?

A. 300 जूल B. 3 जूल

C. 48 जूल D. 63 जूल

32. किसी पिंड के संवेग को 20 प्रतिशत घटाने से उसकी गतिज ऊर्जा कितने प्रतिशत बढ़ जाएगी?

A. 44% B. 56.25%

C. 44% D. 36%

33. एक व्यक्ति ऊपर की दिशा में त्वरित लिफ्ट में खड़ा है। लिफ्ट के तल पर परिणामी क्रिया होगी—

A. व्यक्ति के भार से कम

B. व्यक्ति के भार से अधिक

C. व्यक्ति के भार के बराबर

D. शून्य

34. 600rmp का कोणी वेग समतुल्य है—

A. 2π रेडियन/सेकिंड

B. 60 रेडियन/सेकिंड

C. 20π रेडियन/सेकिंड

D. 10 रेडियन/सेकिंड

5. एक प्रक्षेप्य को क्षैतिज से किसी कोण पर प्रक्षेपित किया जाता है। अधिकतम क्षैतिज परास के लिए यह कोण कितना होना चाहिए?

A. 0° B. 30°

C. 45 D. 60°

36. एक कृत्रिम उपग्रह से कोई वस्तु बाहर को गिराई जाती है। इस अवस्था में निम्नलिखित में से कौन-सा कथन सत्य होगा?

A. वस्तु नीचे पृथ्वी पर गिर जाएगी।

B. वस्तु उसी कक्षा में दोगुने वेग से परिक्रमण करने लगेगी।

C. उसी कक्षा में उसी वेग से उपग्रह के साथ परिक्रमण करने लगेगी।

D. बाह्य अंतरिक्ष में जाकर लुप्त हो जाएगी।

37. जब दो स्वरित्र A और B साथ-साथ बजाए जाते हैं, तो 10 हर्ट्ज के विस्पंद सुने जाते हैं। यदि B के ऊपर थोड़ा-सा मोम लगा दिया जाए, तो विस्पंद आवृत्ति घट जाती है। यदि A की आवृत्ति 200 हर्ट्ज हो, तो B की आवृत्ति होगी?

A. 200 हर्ट्ज B. 190 हर्ट्ज

C. 210 हर्ट्ज D. 195 हर्ट्ज

38. अनुदैर्घ्य और अनुप्रस्थ तरंगों में मुख्य अंतर है—

A. विवर्तन केवल अनुदैर्घ्य तरंगों में होता है।

B. व्यतिकरण केवल अनुप्रस्थ तरंगों में होता है।

C. केवल अनुप्रस्थ तरंगें ध्रुवित होती हैं, अनुदैर्घ्य नहीं।

D. परावर्तन केवल अनुप्रस्थ तरंगों में होता है अनुदैर्घ्य में नहीं।

39. उदित या अस्त होता सूर्य लाल दिखाई पड़ता है, कारण है—

A. उदय और अस्त के समय सूर्य ठंडा होता है।

B. विवर्तन के कारण सूर्योदय और सूर्यास्त के समय लाल किरणें पृथ्वी पर पहुंचती हैं।

C. सूर्योदय और सूर्यास्त के समय प्रकाश किरणों का परावर्तन होता है।

D. सूर्योदय और सूर्यास्त के समय प्रकाश किरणों का प्रकीर्णन होता है।

40. 25 सेमी. फोकस दूरी वाले उत्तल लेंस की क्षमता होगी—

A. +0.04 D B. −4 D

C. +4 D D. −0.04 D

41. 10-10 के पांच प्रतिरोध चित्र में दिखाए गए अनुसार जोड़े गए हैं। A और C के बीच परिपथ का तुल्य प्रतिरोध कितना होगा?

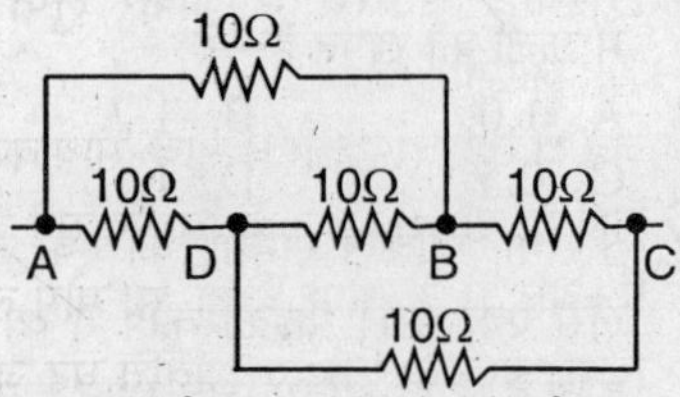

A. 10 ओह्म B. 20 ओह्म

C. 50 ओह्म D. 22 ओह्म

42. एक परिपथ का प्रतिरोध 3 ओह्म एवं प्रेरणिक प्रतिरोध 4 ओह्म है। इसे 100 वोल्ट की प्रत्यावर्ती धारा परिपथ के साथ जोड़ा जाता है, तो परिपथ का शक्ति गुणांक क्या है?

A. 0.5 पश्च

B. 0.6 पश्च

C. 0.7 अग्र

D. इनमें से कोई नहीं

43. एक बैटरी में चार सेल समानान्तर में जोड़े गए हैं जिसमें प्रत्येक सेल का विद्युत वाहक बल 2.0 वोल्ट है एवं चारों के प्रतिरोध क्रमशः 0.30 ओह्म, 0.25 ओह्म, 0.22 ओह्म, एवं 0.20 ओह्म हैं। यदि बैटरी के प्रांतों से आरपार एक 0.5 ओह्म का प्रतिरोध जोड़ा जाता है, तो उस 0.5 ओह्म प्रतिरोध से होकर धारा का पता लगाइए—

A. 3.0 एम्पियर

B. 3.576 एम्पियर

C. 4.0 एम्पियर

D. इनमें से कोई नहीं

44. 5 ओह्म प्रतिरोध वाला एक मिलीएमीटर 15 मिलीएमीटर को पूर्ण मापनी विस्थापन देता है। उस प्रतिरोध का पता लगाइए जिसे श्रेणी में इसके साथ जोड़ा जाए ताकि इसे 100 वोल्ट तक वोल्टता मापने के लिए वोल्टमापी के रूप में प्रयोग किया जा सकता है?

A. 6500 ओह्म

B. 6661 ओह्म

C. 6000 ओह्म

D. इनमें से कोई नहीं

45. 100 वाट, 250 वोल्ट चिह्नित बल्ब से होकर प्रवाहमान धारा है—

A. 0.2 A B. 0.3 A

C. 0.4 A D. 0.5 A

46. एक विद्युत तापक 1 मिनट में 320 जूल एक 4.00 ओह्म प्रतिरोधक को आपूर्त करता है, तब A में स्थिर धारा प्रवाह है—

A. 1.2 B. 0.67

C. 0.34 D. 1.16

47. एक कूलॉम्ब आवेश है—

A. 6.25×10^{18} इलेक्ट्रॉन

B. 6.25×10^{-3} इलेक्ट्रॉन

C. 6.25×10^{-18} इलेक्ट्रॉन

D. 6.25×10^{-23} इलेक्ट्रॉन

48. 27°C पर एक गैस का दाब पारे का 75 सेमी. है। जिस तापक्रम पर दाब दोगुनी होगी और आयतन को स्थिर रखा जाए, वह है—

A. 227°C B. 427°C

C. 127°C D. 327°C

49. एक त्रुटिपूर्ण तुला के दो भिन्न पलड़े पर एक वस्तु का वजन 121 ग्राम एवं 125.44 ग्राम है, तो इसका सही वजन होगा—

A. 4.44 ग्रा. B. 120.00 ग्राम

C. 123.22 ग्रा. D. 130.00 ग्राम

50. पृथ्वी पर एक व्यक्ति का वजन 600N है,

उसका वजन चांद पर होगा—

A. 6000 N B. 60 N

C. 1000 N D. 100 N

51. विरामावस्था से एक पत्थर को गिराया जाता है, वह गुरुत्व के अंतर्गत मुक्त रूप से गिरता है। पहले दो सेकिंड में उसके द्वारा तय की गई दूरी ($g = 9.89$ मी./से.^{2}) है—

A. 19.6 मी. B. 10.0 मी.

C. 39.2 मी. D. 196 मी.

52. एक संचार उपग्रह का पृथ्वी के परित पृथ्वी की त्रिज्या के तीन गुनी एक वृत्तीय कक्षा है। पृथ्वी पर उपग्रह का वजन 90 न्यूटन है, तो कक्षा में इसका वजन न्यूटन में होगा—

A. 40 B. 30

C. 20 D. .10

53. पृथ्वी की सतह पर गुरुत्वीय विभव है— -6.3×10^7 जूल/किग्रा.। पृथ्वी की त्रिज्या 6.4×10^6 मी. की दूरी पर गुरुत्वीय विभव जूल/किग्रा. में है—

A. -5.0×10^7 B. $+5.0 \times 10^7$

C. $+7.9 \times 10^7$ D. -5.0×10^8

54. दाब की विमा है—

A. $ML^{-1}T^{-1}$ B. MLT^{-2}

C. ML^2T^{-2} D. $ML^{-1}T^{-2}$

55. 0.2 किग्रा. के छोटे द्रव्यमान को 4 रेडियन/से. की एक अचरकोणीय चाल पर 0.5 मीटर लम्बाई की एक डोरी के एक छोर पर एक क्षैतिज वृत्त में तेजी से घुमाया जाता है, तो डोरी में तनाव (बल) न्यूटन में है—

A. 0.4 B. 0.6

C. 0.8 D. 1.6

56. समान त्वरण से गति करते हुए एक कण 5वें एवं 9वें सेकिंड में क्रमशः 7.5 सेमी. एवं 9.5 सेमी. की दूरी भ्रमण करता है। इसका त्वरण बराबर है—

A. $\frac{2}{5}$ सेमी. प्रति सेकिंड प्रति सेकिंड के

B. $\frac{1}{2}$ सेमी. प्रति सेकिंड प्रति सेकिंड के

C. $\frac{1}{4}$ सेमी. प्रति सेकिंड प्रति सेकिंड के

D. 1 सेमी. प्रति सेकिंड प्रति सेकिंड के

57. एक 220V, 50 वोल्ट के विद्युत बल्ब को 22 घंटे जलाया जाता है। किलोवाट घंटा में ऊर्जा की खपत है—

A. 1.0 B. 1.2

C. 0.5 D. 1.1

58. 5 सेमी. फोकल लम्बाई का एक उत्तल लैंस एक सरल माइक्रोस्कोप में व्यवहृत होता है। यदि अंतिम चित्र स्पष्ट दृश्य पर दिखाई देता है, तो लैंस की वर्धक शक्ति निकालिए—

A. 5 B. 10

C. 6 D. 25

59. एक अरोधित 4 ओह्म तार को बीच में 180° पर मोड़ा गया और उभय कटे आधे भाग एक-दूसरे से मरोड़ दिया गया। उसका नया प्रतिरोध क्या होगा?

A. 1 ओह्म B. 2 ओह्म

C. ¼ ओह्म D. 4 ओह्म

60. जब +10°C पर 6 लिटर पानी में –10°C पर 6 किग्रा. बर्फ डाली गई, तो परिणामी मिश्रण में तापमान होगा—

A. –10°C B. 0°C

C. 0°C D. 3.3°C

61. एक चिड़िया एक सरल रेखा के सहारे u = |t = 2| m/s की गति से उड़ रही है। चिड़िया द्वारा प्रथम चार सेकिंड में तय की गई दूरी बराबर है—

A. 2m B. 6m

C. 4m D. 8m

62. निरंतर अचर त्वरण के अंतर्गत सरल रेखा

में गति कर रहे एक कण का संभावित वेग विस्थापन ग्राफ का आकार क्या होगा ?

A. परवलय
B. वृत्त
C. दीर्घवृत्त
D. सरल रेखा

63. निम्नलिखित चित्र में पुली व्यवसाा दी गई है। वस्तुत्व M का त्वरण बताइए—

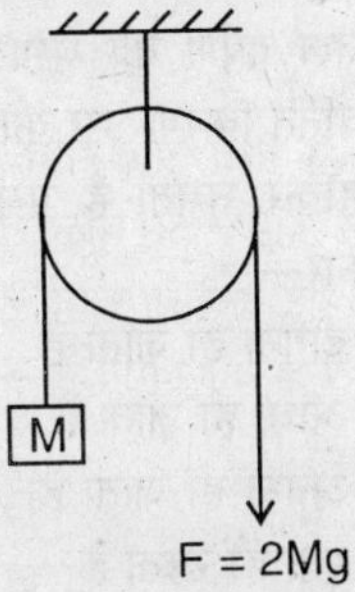

A. 2g
B. g
C. 3g
D. $\frac{g}{3}$

64. एक चालक में Y सेकिंड के लिए X एम्पियर धारा प्रवाहित होती है। उस चालक पर कूलॉम में कितना आवेश प्रवाहित होगा ?

A. $\frac{X}{Y}$
B. $X+Y$
C. X^2Y
D. XY

65. जब एक झील की सतंह पर जल जमने जा रहा है, तो उसके तल पर पानी का तापमान क्या होगा ?

A. 0°C
B. –4°C
C. 4°C
D. 20°C

66. क्षैतिज से 60° कोण बनाकर 50 किग्रा. का आदमी 10 मीटर लम्बी सीढ़ी उतर रहा है। उसने कितना कार्य किया ?

A. 500 जूल
B. 490 जूल
C. 245 जूल
D. इनमें से कोई नहीं

67. एक जेट इंजन किस सिद्धांत पर कार्य करता है ?

A. वस्तु का संरक्षण
B. शक्ति का संरक्षण
C. कोणीय आघूर्ण का संरक्षण
D. रैखिक संवेग का संरक्षण

68. विद्युत मोटर किस सिद्धांत पर कार्य करती है ?

A. विद्युत चुम्बकीय प्रेरण
B. प्रेरण
C. चुम्बकीय क्षेत्र में लटकी धारावाही कुंडली के बीच लगने वाले बल पर
D. दो विद्युत आवेगों के बीच लगने वाले बल पर

69. एक लकड़ी का टुकड़ा पानी में इस प्रकार तैरता है कि इसका 4/5 भाग पानी के अन्दर रहता है। यदि यह एक अन्य द्रव्य में इस प्रकार तैरे कि इसका 9/10 भाग पानी के अंदर रहे, तो इस द्रव का आपेक्षिक घनत्व होगा ?

A. 0.90
B. 0.89
C. 0.80
D. 0.79

70.

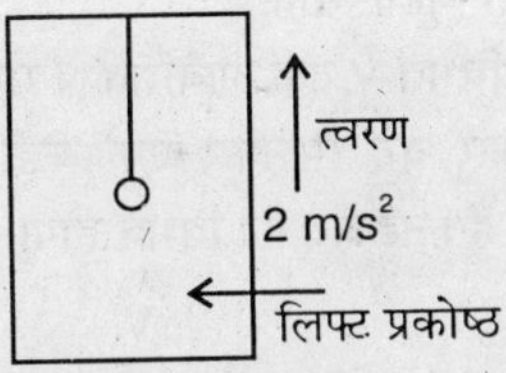

विरामावस्था में किसी प्रयोगशाला में एक सरल दोलक का आवर्तकाल 2.0 सेकिंड है। यदि ऊपर की ओर 2 मी./से.^{2} की दर से त्वरित लिफ्ट की छत से इस दोलक को लटका दिया जाए, तो इसका आवर्तकाल होगा—(g = 10 मी./से.^{2})।

A. $\sqrt{40/8}$ सेकिंड
B. $\sqrt{12/40}$ सेकिंड
C. $\sqrt{8/40}$ सेकिंड
D. $\sqrt{40/12}$ सेकिंड

71. 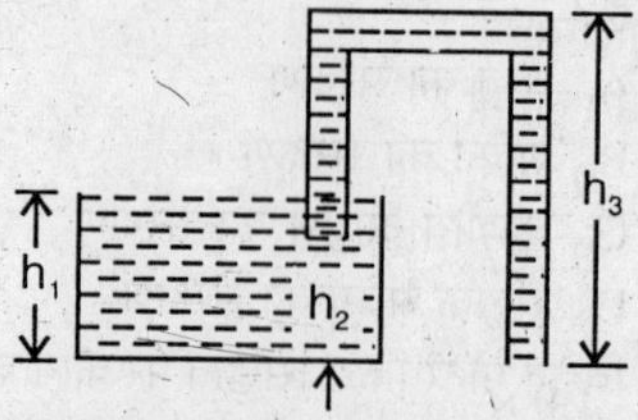

किसी द्रव को चित्रानुसार साइफन के द्वारा खींचा जा रहा है। प्रवाह दर...पर निर्भर होगी।

A. h_2 और h_2 B. h_2 और h_3
C. केवल h_1 D. केवल h_3

72. 5 मीटर ऊंची मीनार की चोटी से 50 ग्राम की एक गेंद ऊर्ध्वत: नीचे की ओर गिराई जाती है। यदि गेंद जमीन पर गिरती है और बिना ऊर्जा-क्षति के ऊपर की ओर उछलती है, तो पृथ्वी पर आरोपित आवेग का मान होगा—

A. 1 न्यूटन-सेकिंड
B. 0.5 न्यूटन-सेकिंड
C. 5×10^{-2} न्यूटन-सेकिंड
D. 10 न्यूटन-सेकिंड

73. समान विभव V तक आवेशित N समरूप गोलाकार बूंदें मिलकर एक बड़ी बूंद बनाती हैं। नई बूंद का विभव होगा—

A. V B. $\frac{V}{N}$
C. $V \times N$ D. $V \times N^{2/3}$

74. एक सुरक्षा फ्यूज में, तापक्रम, जिस पर तार पिघल जाता है, निर्भर नहीं करता है—

A. तार की त्रिज्या पर
B. प्रयुक्त मिश्रधातु के प्रकार पर
C. फ्यूज तार की लम्बाई पर
D. धारा के परिमाण पर

75. जोड़ने पर दो आवेशित वस्तुओं के बीच धारा का प्रवाह नहीं होता है यदि उनके बराबर है—

A. धारिता
B. आवेश का परिमाण
C. आवेश के साथ विभव का अनुपात
D. विभव

76. यदि एक निश्चित कोण में से होकर एक समतल दर्पण को घुमाया जाता है, तो परावर्तित किरण उस कोण का दोगुना में से होकर घूमता है एवं प्रतिबिम्ब का आकार—

A. दोगुना हो जाता है
B. आधा हो जाता है
C. अनन्त हो जाता है
D. एक ही रहता है

77. 18 सेमी. दूरी पर स्थित एक लैम्प एवं एक पर्दे के बीच एक लैंस को ऐसे रखा जाता है ताकि पर्दे पर बना प्रतिबिम्ब लैम्प पर का तीन गुना है। लैम्प एवं लैंस के बीच की दूरी है—

A. 4.5 सेमी. B. 3.2 सेमी.
C. 3.8 सेमी. D. 4.2 सेमी.

78. 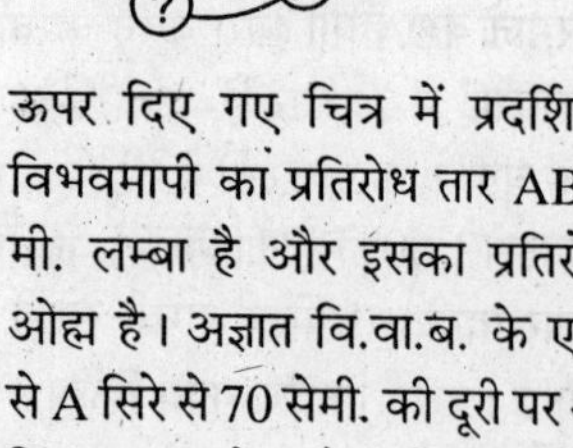

ऊपर दिए गए चित्र में प्रदर्शित सादा विभवमापी का प्रतिरोध तार AB = 1.0 मी. लम्बा है और इसका प्रतिरोध 2.0 ओह्म है। अज्ञात वि.वा.ब. के एक स्रोत से A सिरे से 70 सेमी. की दूरी पर अविक्षेप बिन्दु प्राप्त होता है। स्रोत का वि.वा.ब. है—

A. 0.14 वोल्ट B. 0.06 वोल्ट
C. 0.70 वोल्ट D. 0.03 वोल्ट

79. 40W – 220V, 60W – 220V और

100W – 220V के तीन बल्ब श्रेणीक्रम में 220V की मेन्स से जोड़ दिए जाते हैं। ऊर्जा व्यय होगा—

A. 100W के बल्ब के लिए अधिकतम

B. 60W के बल्ब के लिए अधिकतम

C. 40W के बल्ब के लिए अधिकतम

D. तीनों बल्बों के लिए समान

80. 20°C पर वायु में ध्वनि की चाल 343 मीटर/सेकिंड है। 40°C पर चाल है—

A. 355 मीटर प्रति सेकिंड

B. 485 मीटर प्रति सेकिंड

C. 332 मीटर प्रति सेकिंड

D. 343 मीटर प्रति सेकिंड

81. एक त्रिभुज की प्रत्येक भुजा 2 ओह्म प्रतिरोध के तार से निर्मित है, इसके किन्हीं दो सिरों के बीच प्रतिरोध होगा—

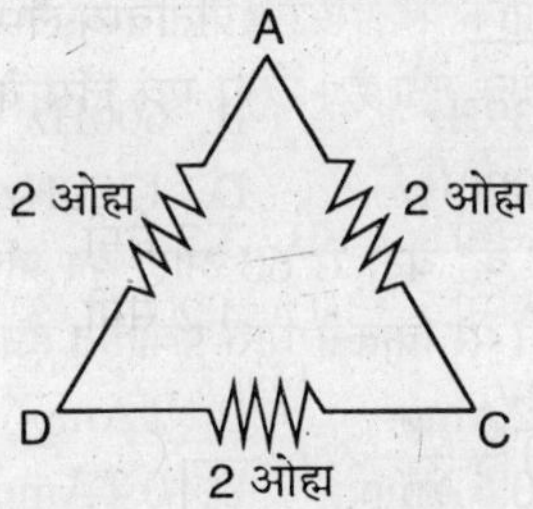

A. $\frac{1}{2}$ ओह्म B. $\frac{4}{3}$ ओह्म

C. 4 ओह्म D. 6 ओह्म

82. एक तार, जो 10A की धारा वहन करता है एवं लम्बाई में 2 मीटर है, को 0.15T अभिवाह घनत्व के एक क्षेत्र में रखा जाता है। यदि उसे क्षेत्र की दिशा में रखा जाता है, तो तार पर बल है—

A. 3 N

B. 2.12 N

C. 0

D. इनमें से कोई नहीं

83. 5 मिमी. मोटी कांच $\left(\mu = \frac{3}{2}\right)$ की प्लेट को लम्बवत पर करने में प्रकाश को कितना समय लगेगा?

A. 0.25×10^{-10} से.

B. 0.167×10^{-10} से.

C. 2.5×10^{-10} से.

D. 1.0×10^{-10} से.

84. 1 किग्रा. द्रव्यमान के एक पिंड को 1 मीटर लम्बी डोरी के सिरे से बांधकर 2 मीटर प्रति सेकिंड के नियत वेग से ऊर्ध्व वृत्त में घुमाया जाता है, तो डोरी के क्षैतिज होने की स्थिति में उसमें तनाव होगा—

A. 1 N B. 2 N

C. 3 N D. 4 N

85. जब एक आदर्श द्विपरमाणुक गैस को स्थिर दाब पर गर्म किया जाता है, तो उसकी दी जाने वाली ऊष्मा ऊर्जा का कौन-सा भाग उसकी आंतरिक ऊर्जा में वृद्धि करता है?

A. $\frac{2}{5}$ B. $\frac{3}{5}$

C. $\frac{3}{7}$ D. $\frac{5}{7}$

86. R प्रतिरोध के तार को n बराबर भागों में बांटा जाता है फिर इन भागों को समान्तर क्रम में जोड़ा जाता है। इनका तुल्य प्रतिरोध होगा—

A. nR B. $\frac{R}{n}$

C. $\frac{n}{R}$ D. $\frac{R}{n^2}$

87. जब न्यूनतम विचलन की स्थिति में रखे समबाहु प्रिज्म पर λ तरंग का प्रकाश आपतित होता है, तो यह पाया जाता है कि न्यूनतम विचलन का कोण प्रिज्म के कोण के बराबर है। λ तरंग दैर्घ्य के प्रकाश के लिए प्रिज्म के पदार्थ का अपवर्तनांक होगा—

A. $\sqrt{3}$ B. $\frac{\sqrt{3}}{2}$

C. 2 D. $\sqrt{2}$

88. एक समानान्तर प्लेट संधारित्र को पहले आवेशित किया जात है, तत्पश्चात एक परावैद्युत प्लेट संधारित्र की प्लेटों के बीच रख दी जाती है। निम्नलिखित में से कौन-सी राशि अपरिवर्तित रहती है?

A. आवेश (Q) B. विभव (V)
C. धारिता (C) D. ऊर्जा (U)

89. 2F और 3F धारिता के दो संधारित्रों को श्रेणी में जोड़ा गया है। 1F के तीसरे संधारित्र को उनके समान्तर में जोड़ा गया है, तो परिणामी धारिता होगी—

A. $\frac{11}{5}$F B. $\frac{5}{11}$F
C. $\frac{5}{6}$F D. 6F

90. एक ध्वनि स्रोत समीकरण $Y = 0.05 \cos \pi t$ के अनुसार कंपन करता है तथा 1.5मी./से. की चाल से चलने वाली तरंगें उत्पन्न करता है। तो तरंग का तरंगदैर्घ्य होगा—

A. 1.5 मीटर B. 3.0 मीटर
C. 4.5 मीटर D. 5.0 मीटर

91. शैलों से भरी हुए एक नाव तरणताल के मध्य तैरती है और नाव में बैठा हुआ एक व्यक्ति नाव से जल में शैलें फेंकता है। तरणताल का जल स्तर—

A. बढ़ेगा
B. गिरेगा
C. अपरिवर्तित रहेगा
D. पहले बढ़ेगा और बाद में गिरेगा

92. ट्रांसफार्मर क्रोड की पटलों पर इनेमल परत लेपित क्यों की जाती है?

A. गुजन (हम) घटाने के लिए
B. एक दूसरे के विरुद्ध पटलों को रोधी करने के लिए
C. पटलों के संक्षारण को रोकने के लिए
D. उपर्युक्त सभी

93. रेल पटरियों को वक्रों पर ढाल दी जाती है, ताकि—

A. आवश्यक अपकेन्द्र बल ट्रेन के भार के क्षैतिज घटक से प्राप्त किया जा सके।
B. पटरियों और पहियों के बीच घर्षण बल रोका जा सके।
C. आवश्यक अभिकेन्द्र बल ट्रेन के भार के क्षैतिज घटक से प्राप्त किया जा सके।
D. ट्रेन विपरीत दिशा में नहीं चली (उड़) जाए।

94. जब किसी तार के कंपन की प्रथम आवृत्ति 300Hz है, तो इसकी तृतीय आवृत्ति होगी—

A. 39Hz B. 600Hz
C. 900Hz D. 1200Hz

95. 30V की बैट्री से 60 ओह्म का प्रतिरोध लगाने पर कितनी धारा प्रवाहित होगी?

A. 2 Amp. B. 1 Amp.
C. 0.5 Amp. D. 0.4 Amp.

96. एक समतल दर्पण पर आपाती किरण एवं परावर्तित किरणों के बीच 80° का कोण बनता है। समतल दर्पण पर आयतन कोण का मान होगा—

A. 80° B. 100°
C. 40° D. 50°

97. 500 ग्राम भार को 5 मीटर उठाने के लिए किए गए कार्य का मान जूल में क्या होगा?

A. 2.45 जूल
B. 24.5 जूल
C. 245 जूल
D. इनमें से कोई नहीं

98. प्रस्तुत चित्र में दो सदिशों के परिणामी सदिश का मान होगा—

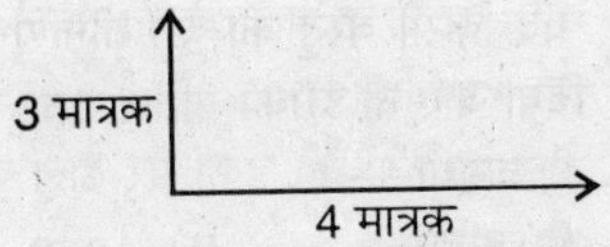

A. 1 मात्रक B. 7 मात्रक

C. 5 मात्रक D. 12 मात्रक

99. दिए एक चित्र में बैटरी से प्राप्त धारा का मान होगा—

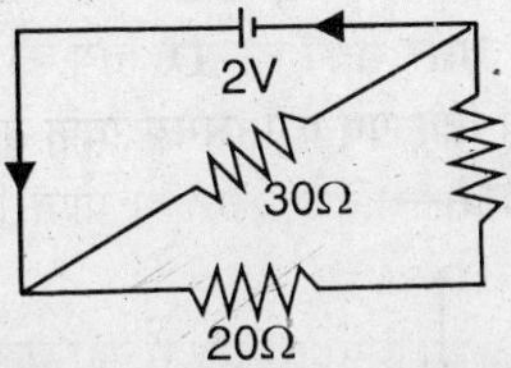

A. 0.1 एम्पियर B. 0.2 एम्पियर

C. 1.0 एम्पियर D. 0.5 एम्पियर

100. एक बस, एक कार एवं एक मोटरसाइकिल एक ही गतिज ऊर्जा में गति करते हैं। ब्रेक के प्रयोग द्वारा समान मंदन बल देते हुए उन तीनों को विरामावस्था में लाया जाता है। तीनों में से कौन-सा कम दूरी पर रुकेगा?

A. बस

B. कार

C. माटर साइकिल

D. सभी तीनों समान दूरी पर

101. यदि कोई यंत्र या अभिकर्ता (agent) 5 सेकिंड में 20 जूल ऊर्जा का व्यय करता हो, तो उसकी शक्ति है—

A. 100 वाट B. 20 वाट

C. 5 वाट D. 4 वाट

102. एक कण पूरब दिशा की ओर 5 मी.-से.$^{-1}$ के वेग से चल रहा है। गति में परिवर्तन के कारण 10 से. पश्चात यह कण उत्तर दिशा में 5 मी.से$^{-1}$ के वेग से चलने लगता है। कण का औसत त्वरण ज्ञात करें?

A. ½ मी.-से.$^{-2}$ उत्तर दिशा की ओर

B. शून्य

C. $\frac{1}{\sqrt{2}}$ मी.-से.$^{-2}$ उत्तर-पूर्व दिशा की ओर

D. ½ मी.-से.$^{-2}$ पश्चिम दिशा की ओर

103. दो वस्तुओं A और B के संबंध में स्थिति-समय ग्राफ नीचे के चित्र में दर्शाया गया है। यदि A और B का वेग क्रमश: V_A और V_B हो तो दिए गए विकल्पों में से सही विकल्प का चयन करें।

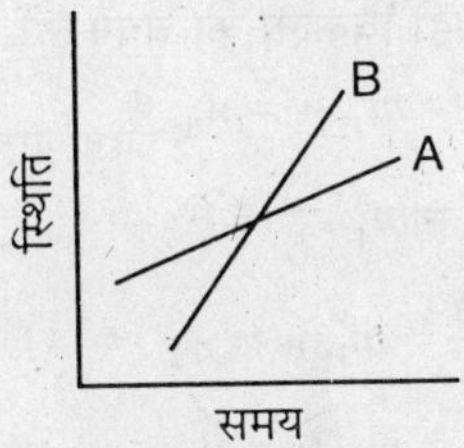

A. $V_A = V_B$

B. $V_A < V_B$

C. $V_B > V_B$

D. कुछ समय के लिए $V_A > V_B$ तत्पश्चात $V_A < V_B$

104. एक गेंद 90 मीटर की ऊंचाई से गिराई जाती है। यदि गुरुत्वीय त्वरण (g) का मान 10 मी-से.$^{-1}$ हो तो पृथ्वी की सतह को स्पर्श करते समय गेंद का वेग होगा—

A. 900 मी.-से.$^{-1}$

B. $30\sqrt{2}$ मी-से.$^{-1}$

C. $\frac{30}{\sqrt{2}}$ मी.-से.$^{-1}$

D. 1800 मी.से.$^{-1}$

105. सेकिंडी लोलक (seconds pendulum) का आवर्तकाल नहीं घटेगा यदि—

I. इसकी लंबाई बढ़ा दी जाए।

II. इसे पृथ्वी तल से ऊंचाई वाले स्थान पर ले जाया जाए।

III. इसे पृथ्वी की सतह से गहराई वाले स्थान पर ले जाया जाए।

उपर्युक्त में से सही कथन है—

A. केवल I

B. केवल II

C. केवल III

D. इनमें से कोई नहीं

106. किसी वस्तु का पृथ्वी की सतह पर द्रव्यमान m और भार w है। इसी वस्तु का चंद्रमा की सतह पर द्रव्यमान m_1 और भार w_1 है। इसे दृष्टिगत रखकर नीचे दिए गए विकल्पों में से सही विकल्प का चयन करें।

A. $m = m_1, w = w_1$

B. $m = m_1, \frac{w}{6} = w_1$

C. $\frac{m}{6} = m_1, w = w_1$

D. $m \neq m_1, w \neq w_1$

107. सरल आवर्त गति से गतिमान किसी कण की संतुलन की स्थिति में $x = 0$ है और कण की माध्य स्थिति से किसी एक ओर अधिकतम विस्थापन की स्थिति में $x = A$ है। इस कण की गतिज ऊर्जा उसकी स्थितिज ऊर्जा के बराबर होगी। यदि हो—

A. $x = 0$

B. $x = A$

C. $x = A/2$

D. ऐसा बिन्दु जहां $x > A/2$ किन्तु $x < A$

108. एक गेंद ऊर्ध्वाधर दिशा में ऊपर की ओर 16.6 मी. प्रति से. के वेग से फेंकी जाती है। यदि $g = 9.8$ मी. प्रति से.^{2} हो तो इस गेंद द्वारा तय की गई अधिकतम ऊंचाई होगी?

A. 18.6 मी. B. 19.6 मी.

C. 19.4 मी. D. 19.9 मी.

109. पृथ्वी के केन्द्र पर 100 किग्रा. इस्पात का भार होगा—

A. 1000 किग्रा. B. 980 किग्रा.

C. 0 किग्रा. D. 1200 किग्रा.

110. यदि किसी वस्तु का वेग तीन गुना बढ़ा दिया जाए तो इसकी गतिज ऊर्जा बढ़कर हो जाएगी—

A. 8 गुना B. 4 गुना

C. 9 गुना D. 27 गुना

111. त्वरण समय ग्राफ का क्षेत्र इंगित करता है—

A. वेग B. वेग और चाल

C. चाल D. तय की गई दूरी

112. नीचे दिए गए वेग-समय ग्राफ को ध्यान से देखें—

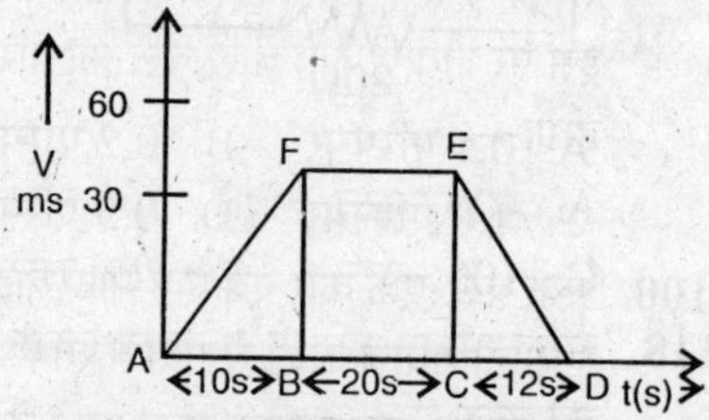

उपर्युक्त वेग-समय ग्राफ में बिन्दु A और F के बीच औसत वेग ज्ञात करें।

A. 40 मी. प्रति से. B. 30 मी. प्रति से.

C. 18 मी. प्रति से. D. 20 मी. प्रति से.

113. ऊपर के प्रश्न संख्या 112 में दिए गए वेग-समय ग्राफ में कण द्वारा B से C तक आने में तय की गई दूरी BC है—

A. 1800 मी. B. 1600 मी.

C. 1000 मी. D. 1200 मी.

144. प्रश्न संख्या 112 में दिए गए वेग-समय ग्राफ के कण द्वारा संपूर्ण यात्रा के दौरान तय की गई दूरी है—

A. 1200 मी. B. 1600 मी.

C. 1860 मी. D. 1960 मी.

115. प्रश्न संख्या 112 में दिए गए वेग-समय ग्राफ में कण द्वारा A से B तक की दूरी तय करने में उस पर लगने वाले एक समान त्वरण का मान है—

A. 10 मी.-से.^{2} B. 6 मी.-से.^{2}

C. 12 मी.-से.^{2} D. 60 मी.-से.^{2}

116. यदि किसी पिंड का रैखिक संवेग P और द्रव्यमान m हो तो उसकी गतिज ऊर्जा होगी—

A. p^2m B. $2p^2m$

C. $\frac{p^2}{m^2}$ D. $p\,m$

117. 6 किग्रा. द्रव्यमान की एक वस्तु 3 मी. त्रिज्या के एक वृत्त में 100 मी. प्रति से. के वेग से घूम रही है। इस वस्तु की एकसमान वृत्तीय गति को बनाए रखने के लिए इस पर लगाए जाने वाले बल का परिमाण होगा—

A. 400 न्यूटन B. 300 न्यूटन

C. 100 न्यूटन D. 200 न्यूटन

118. सरल आवर्त गति से गतिमान किसी कण की ऊर्जा होती है—

A. उसके द्रव्यमान के आधे का अनुक्रमानुपाती

B. उसके आयाम के व्युत्क्रमानुपाती

C. उसके आयाम के वर्ग का अनुक्रमानुपाती

D. उसके कोणीय वेग का अनुक्रमानुपाती

119. यदि 5 मी. प्रति से. के वेग से गतिमान 1 किग्रा. द्रव्यमान के एक पिंड को अचानक एक बल का प्रयोग करके विराम की स्थिति में ला दिया जाए तो इस बल का परिमाण होगा—

A. 2.5 न्यूटन B. 3.2 न्यूटन

C. 1.0 न्यूटन D. 1.9 न्यूटन

120. एक वायुयान रन वे से 30° का कोण बनाते हुए 100 किमी. प्रति घंटे की गति से उड़ान भरता है। वायुयान का रनवे के अनुदिश वेग होगा—

A. 100 किमी. प्रति घंटा

B. 80 किमी. प्रति घंटा

C. 86.6 किमी. प्रति घंटा

D. 76.6 किमी. प्रति घंटा

121. यदि किसी एक सदिश $\vec{v} = 4\vec{i} + 3\vec{j}$ को 3 से गुणा किया जाए तो परिणामी सदिश राशि होगी।

A. $9\vec{i} + 12\vec{j}$ B. $12\vec{i} + 9\vec{j}$

C. $\vec{i} + \vec{j}$ D. $16\vec{i} + 12\vec{j}$

122. यदि किसी एक सदिश $\vec{v}$ को $\vec{v} = 6i + 8\vec{j}$ के रूप में निरूपित किया जाए तो $\vec{v}$ द्वारा x – अक्ष के साथ निर्मित कोण होगा?

A. $\theta = \tan^{-1}\frac{8}{9}$

B. $\theta = \tan^{-1}\frac{12}{13}$

C. $\theta = \tan^{-1}\frac{4}{3}$

D. $\theta = \tan^{-1}\frac{3}{4}$

123. m द्रव्यमान वाली एक वस्तु पर F बल आरोपित किए जाने पर वस्तु विरामावस्था से चलकर t समय में v वेग प्राप्त कर लेती है। बताइए कि व्यंजक $\frac{mv}{t}$ निम्नलिखित में से किसे निरूपित करता है—

A. त्वरण (a) B. संवेग (p)

C. बल (F) D. उपर्युक्त सभी

124. यदि 200 मी. की ऊंचाई पर 40 मी. टन पानी संचित किया जाए तो इस संचित पानी की ऊर्जा होगी—

A. 7,85,000 J

B. 7,84,00,000 J

C. 78,40,000 J

D. 78,40,00,000 J

125. एक जलप्रपात 84 मी. ऊंचा है। यदि जलप्रपात से गिरने वाले जल के पृथ्वी की सतह से टकराने पर उसकी आधी गतिज ऊर्जा ऊष्मा में बदल जाती हो तो पानी के

ताप में कितनी वृद्धि होती है?

A. 9.8°C B. 0.98°C

C. 98°C D. 0.098°C

126. दो संकेन्द्री वृत्ताकार पथों पर एक समान द्रव्यमान वाली दो सदृश वस्तुएं गति कर रही हैं। यदि बाहरी वृत्त की वस्तु की गति और वृत्ताकार पथ की त्रिज्या दोनों ही भीतरी वृत्त की वस्तु की तुलना में दुगुनी हों, तो इन पर लग रहा अभिकेन्द्री बल होगा—

A. बाहरी वृत्त की वस्तु पर अधिक

B. भीतरी वृत्त की वस्तु पर अधिक

C. दोनों वृत्तों की वस्तुओं पर एक समान

D. कहा नहीं जा सकता।

127. यदि m द्रव्यमान की एक वस्तु r त्रिज्या के एक वृत्ताकार पथ पर एक समान गति v से परिक्रमा करती हो तो वस्तु द्वारा इस वृत्ताकार पथ पर एक परिक्रमा पूरी करने में किया गया कार्य होगा-

A. $3\pi mv^2$

B. $\left(2\pi - \frac{1}{2}\right) mv^2$

C. $2\pi mv^2$

D. 0

128. यदि किसी सरल लोलक के 150 ग्राम द्रव्यमान के गोलक (bob) को हटाकर उसके स्थान पर 200 ग्रा. का गोलक लगा दिया ज्ञाय तो सरल लोलक का दोलनकाल—

A. घट जाएगा

B. बढ़ जाएगा

C. अपरिवर्तित रहेगा

D. नए गोलक के पदार्थ पर निर्भर करेगा।

129. यदि किसी भी दो सतहों के बीच घर्षण उत्पन्न ही न हो तो क्या होगा?

A. मोटरगाड़ियां द्रवचालित ब्रेक से रुकेंगी।

B. V-बैल्टों से युक्त मशीनें कार्य नहीं करेंगी।

C. पैदल चलना आसान होगा।

D. कागज पर लिखना आसान होगा।

130. बल की विमाएं क्या हैं?

A. ML^2T^{-1} B. MLT^{-2}

C. $M^0L^1T^{-3}$ D. LT^{-2}

131. यदि दो वृत्ताकार डिस्कों के द्रव्यमान 1 : 2 के अनुपात में और उनके व्यास 2 : 1 के अनुपात में हों, तो उनके जड़त्व आघूर्ण का अनुपात होगा—

A. 1 : 1 B. 2 : 1

C. 4 : 3 D. 3 : 4

132. एक सरल लोलक का दोलन काल 2 से. है। यदि इसकी लंबाई चार गुनी कर दी जाए तो इसका दोलनकाल होगा—

A. 6 से. B. 8 से.

C. 4 से. D. 4π से.

133. यदि 5 किग्रा. द्रव्यमान की एक वस्तु का संवेग 15 किग्रा. मी–से.$^{-1}$ हो, तो इसकी गतिज ऊर्जा होगी—

A. 20.5 जूल B. 22.5 जूल

C. 29.3 जूल D. 26.5 जूल

134. सूत्र $F = ma$ (बल = मात्रा × त्वरण) निम्नलिखित नियम की व्युत्पत्ति है—

A. न्यूनतम का पहला गति नियम

B. न्यूटन का दूसरा गति नियम

C. न्यूटन का तीसरा गति नियम

D. उपर्युक्त में से कोई नहीं

135. एक गेंद P को किसी बिन्दु से ऊर्ध्वाधर नीचे गिराया जाता है और एक-दूसरी गेंद Q को उसी बिन्दु से क्षैतिजतया फेंका जाता है। ये दोनों गेंद पृथ्वी की तल पर कब पहुंचेंगी?

A. एक ही समय पर

B. गेंद P पृथ्वी तल पर पहले पहुंचेगी

C. गेंद Q पहले पहुंचेगी

D. कहा नहीं जा सकता

136. यदि किसी गतिमान वस्तु के वेग को समीकरण $v = a + \frac{b}{t} + ct^2$ द्वारा निरूपित किया जाए, तो b का मात्रक होगा—

A. मी–से.$^{-2}$ B. मी–से.$^{-1}$

C. मी. D. से$^{-2}$

137. यदि r त्रिज्या के किसी वृत्त की परिधि पर गतिमान कोई कण वृत्त की परिधि के आधे भाग तक जाता हो, तो इस दौरान कण द्वारा तय की गई दूरी और उसका विस्थापन होगा—

A. $2\pi rt, r$ B. $\pi r, 2r$

C. $\pi r, r/2$ D. $\pi r^2, \frac{r^2}{4}$

138. एक तांबे के डिस्क के केन्द्र पर एक वृत्ताकार छिद्र है। इस तांबे के डिस्क को गरम करने पर डिस्क के केन्द्र पर बने छिद्र का व्यास—

A. बढ़ेगा

B. घटेगा

C. पहले बढ़ेगा और फिर घटेगा

D. पहले घटेगा और फिर बढ़ेगा

139. पानी की प्रधारा (jet) के दबाव के साथ टेबल टेनिस की गेंद से टकराने पर भी उस गेंद के अपने ही स्थान पर नाचते रहने का कारण है—

A. गेंद में ऐसा करने की प्रवृत्ति है।

B. गेंद पानी के प्रणोद (thrust) के कारण प्रधारा के शीर्ष पर बनी रहती है और अपनी अवस्था नहीं बदल पाती।

C. गेंद समय-समय पर नीचे गिर जाती है।

D. उपर्युक्त में से कोई नहीं

140. अभिकेन्द्र बल (Centripetal force)—

A. हमेशा गति की दिशा में कार्य करता है।

B. हमेशा गति की दिशा के अभिलंब कार्य करता है।

C. हमेशा गति पथ के समांतर कार्य करता है।

D. उपर्युक्त में से कोई नहीं

141. नीचे दर्शाए गए अनुसार एक भारहीन डोरी के जरिए 0.3 किग्रा. और 0.4 किग्रा. के दो भारों को एक घिरनी पर लटकाया गया है—

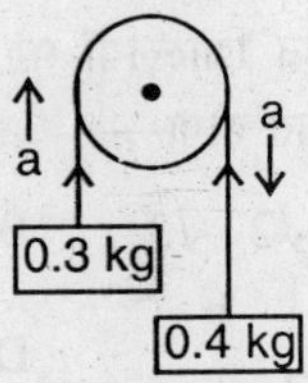

यदि वह घिरनी निष्कोण (smooth) हो, तो डोरी में उत्पन्न तनाव (tension) होगा—

A. 3.00 N B. 3.4 N

C. 3.35 N D. 2.35 N

142. किसी कण पर आरोपित बल और उस कण की स्थिति को दर्शाने वाला ग्राफ नीचे दिया गया है। कण को $x = 1$ सेमी. से $x = 5$ सेमी. पर विस्थापित करने में बल द्वारा किए गए कार्य का परिमाप होगा—

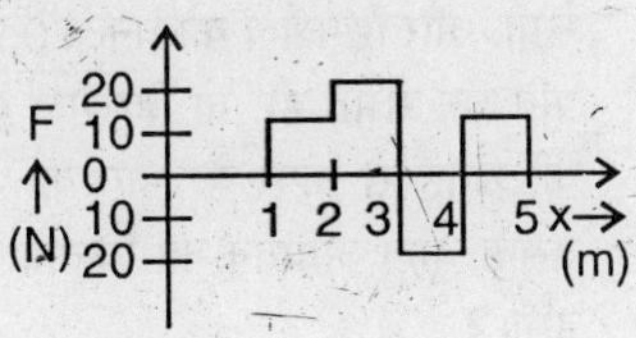

A. 36 J B. 40 J

C. 23 J D. 20 J

143. नीचे दर्शाए गए चित्र के अनुसार एक डोरी से 5 किग्रा. और 4 किग्रा. के दो भार बांधे गए हैं। यदि मेज और घिरनी निष्कोण हों, तो 5 किग्रा. भार वाली वस्तु का त्वरण होगा—

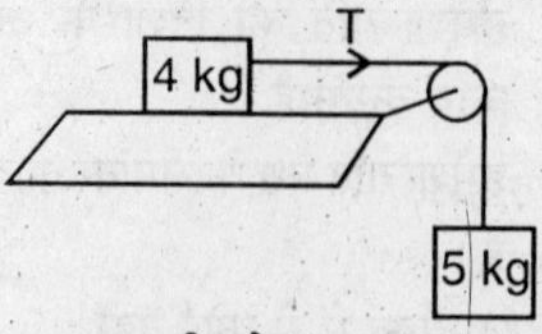

A. 6.4 मी. से$^{-2}$ B. 5.45 मी.से.$^{-2}$
C. 9.75 मी. से.$^{-2}$ D. 5.9 मी.से.$^{-2}$

144. दो झिल्लियों को, जिनका क्षेत्रफल क्रमशः 2 वर्ग मी. और 3 वर्ग मी. है, फैलाकर एक द्रव में समान गहराई पर रखा जाता है। इन झिल्लियों पर द्रव के दाब का अनुपात होगा—

A. $\sqrt{2}:\sqrt{3}$ B. $2^2:3^2$
C. $\frac{1}{2}:\frac{1}{3}$ D. $1^2:1^2$

145. प्लांक नियतांक (Planck's Constant) को समीकरण $E = h\nu$ द्वारा निरूपित किया जाता है। इसमें h का मात्रक है—

A. जूल प्रति सेकिंड
B. जूल सेकिंड
C. वाट प्रति सेकिंड प्रति सेकिंड
D. जूल प्रति सेकिंड प्रति सेकिंड

146. एक हिमशैल (ice berge) समुद्र जल में अंशतः निमज्जित होकर तैर रहा है। यदि समुद्र जल का घनत्व 1.03 ग्राम प्रति घन सेमी. और हिमशैल का घनत्व 0.92 ग्राम प्रति घन सेमी. हो, तो हिमशैल का जल की सतह से ऊपर के भाग का आयतन उसके कुल आयतन का कितना प्रतिशत होगा?

A. 18% B. 14%
C. 22% D. 11%

147. एक 400 किग्रा. की बंदूक से 10 किग्रा. की एक गोली पूर्व दिशा में 300 मी. प्रति से. के वेग से दागी जाती है। बंदूक का प्रतिक्षेप वेग होगा—

A. 130 मी. प्रति से.. पूर्व दिशा में
B. 750 मी. प्रति से., पूर्व दिशा में
C. 130 मी. प्रति से., पश्चिम दिशा में
D. 75 मी. प्रति से., पश्चिम दिशा में

148. एक छोटा रॉकेट प्रति से. 0.05 किग्रा. गैस 400 मी. प्रति से. के वेग से निष्कासित कर रहा है। रॉकेट पर लग रहे त्वरक बल (accelerating force) का परिमाण होगा—

A. 41, 4 N B. 200 N
C. 20 N D. 45.4 N

148. एक ठोस धातु की बनी गेंद विरामावस्था में स्थित अपने ही समान एक-दूसरी गेंद से टकराती है। यदि टकराने के तुरंत बाद पहली गेंद विरामावस्था में आ जाती हो, तो दूसरी गेंद—

A. विराम की अवस्था में बनी रहेगी
B. पहली गेंद (गत्यावस्था में स्थित) के वेग के एक-तिहाई वेग से गतिशील होगी
C. गत्यावस्था में स्थित पहली गेंद के वेग के बराबर वेग से गतिशील होगी
D. उपर्युक्त में से कोई नहीं

150. इस्पात के एक 5 सेमी. × 5 सेमी. × 5 सेमी. आकार के टुकड़े को पानी में डुबा कर तौला जाता है। यदि इस्पात का आपेक्षिक घनत्व 7 हो, तो पानी में डुबा कर तौले जाने की स्थिति में इसका आभासी भार होगा—

A. $6 \times 5 \times 5 \times 5$ ग्राम
B. $7 \times 5 \times 5 \times 5$ ग्राम
C. $9 \times 5 \times 5 \times 5$ ग्राम
D. 125 ग्राम

151. समतापी अवस्थाओं (Isothermal conditions) में किसी गैस की प्रत्यास्थता निम्नलिखित के बराबर होती है—

A. आरोपित दाब
B. गैस के आयतन

D. उपर्युक्त में से कोई नहीं

152. यदि 10°C ताप पर स्थित 48.3 ग्राम भार वाले धातु के एक टुकड़े को 100°C ताप की वाष्प धारा में निमज्जित करने पर धातु के टुकड़े के ऊपर 0.762 ग्राम वाष्प संघनित हो जाए, तो इस धातु की विशिष्ट ऊष्मा होगी—

A. 0.058 B. 0.069
C. 0.085 D. 0.095

153. एक ही धातु से निर्मित समान आकार के एक खोखले और एक ठोस गोल को समान ताप तक गरम करने पर निम्नलिखित परिघटना होगी?

A. खोखला गोला अधिक प्रसारित होगा
B. ठोस गोला अधिक प्रसारित होगा
C. दोरों गोले लगभग समान परिमाण में प्रसारित होंगे
D. उपर्युक्त में से कोई नहीं

154. यदि एल्युमिनियम के 20 ग्राम द्रव्यमान के एक टुकड़े का ताप 50°C से घटाकर 15°C करने पर 560J ऊष्मा उत्सर्जित होती हो, तो एल्युमिनियम की विशिष्ट ऊष्मा ज्ञात करें।

A. 600 जूल प्रति किग्रा. प्रति °K
B. 800 जूल प्रति किग्रा. प्रति °K
C. 550 जूल प्रति किग्रा. प्रति °K
D. 850 जूल प्रति किग्रा. प्रति °K

155. किसी आदर्श गैस के पैरामीटरों में निम्नलिखित में से किस परिवर्तन से उसका आयतन चार गुना हो जाएगा?

A. यदि ताप और दाब दोनों दुगुने कर दिए जाएं।
B. यदि ताप घटाकर आधा कर दिया जाए और दाब दुगुना कर दिया जाए।
C. यदि ताप घटाकर एक-चौथाई कर दिया जाए ओर दाब अपरिवर्तित रखा जाए।
D. यदि दाब घटाकर एक-चौथाई कर दिया जाए।

156. फारेनहाइट तापक्रम में परमशून्य का मान निम्न द्वारा व्यक्त किया जाता है—

A. +450.4°F B. –459.4°F
C. +459.4°F D. –550.3°F

157. समान आयतन में लिए गए तांबे और पारे की ऊष्माधारिता समान है। पारे की विशिष्ट ऊष्मा 0.046 कैलोरी प्रति ग्राम प्रति °C और इसका घनत्व 13.6 ग्राम प्रति घन सेमी. है। यदि तांबे की विशिष्ट ऊष्मा 0.092 कैलोरी प्रति ग्राम प्रति °C हो, तो प्रेक्षणार्थ लिए गए इस तांबे का घनत्व होगा—

A. 2.9 ग्राम प्रति घन सेमी.
B. 6.9 ग्राम प्रति घन सेमी.
C. 6.8 ग्राम प्रति घन सेमी.
D. 1.8 ग्राम प्रति घन सेमी.

158. दिए गए विकल्पों में से सही विकल्प का चयन करें—

A. $\alpha : \beta : \gamma = 1 : 3 : 2$
B. $\alpha : \beta : \gamma = 3 : 2 : 1$
C. $\alpha : \beta : \gamma = 2 : 3 : 1$
D. $\alpha : \beta : \gamma = 1 : 2 : 3$

159. यदि एक धातु से बने सिलिंडर में गैस का दाब 27°C पर 4 वायुमंडलीय दाब के बराबर हो तो 54°C पर यह दाब होगा—

A. 3.36 वायुमंडलीय दाब
B. 4.36 वायुमंडलीय दाब
C. 6.23 वायुमंडलीय दाब
D. 5.36 वायुमंडलीय दाब

160. यदि किसी आदर्श गैस की एक दी हुई मात्रा पर दाब में समतापीय परिवर्तन किया जाए और दाब तथा आयतन के व्युत्क्रम के बीच एक आलेख खींचा जाए तो ऐसा आलेख निम्नलिखित में से किसी आकृति

द्वारा निरूपित किया जा सकता है ?

A. 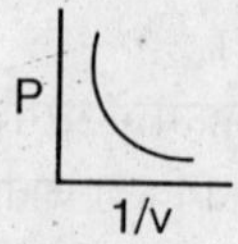

B. 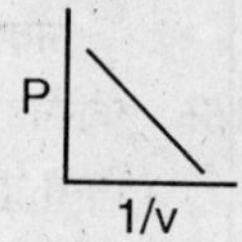

C. 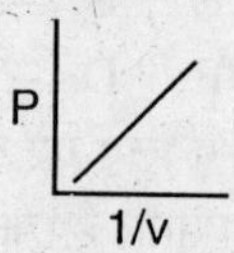

D. 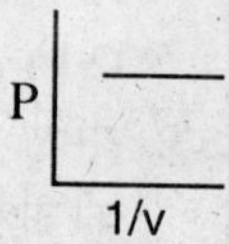

161. यदि 50 सेमी.लंबी एक छड़ को गर्म करके उसका ताप 14°C से बढ़ाकर 98°C कर देने पर छड़ की लंबाई 0.7 मिमी. बढ़ जाती हो, तो छड़ के पदार्थ का अनुदैर्घ्य प्रसार गुणांक (coefficient of linear expansion) होगा—

A. 0.00017 B. 0.000017
C. 0.000023 D. 0.00023

162. एक ठोस पदार्थ का अनुदैर्घ्य प्रसार-गुणांक 0.000231°C है। इसी ठोस पदार्थ का आयतन प्रसार गुणांक होगा—

A. अनुदैर्घ्य प्रसार-गुणांक का दुगुना
B. अनुदैर्घ्य प्रसार-गुणांक का तिगुना
C. अनुदैर्घ्य प्रसार-गुणांक का आधा
D. अनुदैर्घ्य प्रसार-गुणांक के बराबर

163. नियत दाब पर किसी गैस की विशिष्ट ऊष्मा उस गैस की नियत आयतन पर विशिष्ट ऊष्मा से अधिक होती है। ऐसा इसलिए होता है क्योंकि—

A. नियत आयतन पर बाह्य दाब के विरुद्ध कार्य किया जाता है।
B. नियत दाब पर गैस के प्रसार के दौरान कार्य किया जाता है।
C. नियम दाब पर गैस के अणुओं के बीच आकर्षण बल अधिक होता है।
D. उपयुक्त में से कोई नहीं

164. एक पूर्णत: श्वेत पिंड (Perfect white body) ऐसा पिंड होता है जो :

A. आपतित संपूर्ण ऊर्जा को परावर्तित कर देता है।
B. आपतित संपूर्ण ऊर्जा को अवशोषित कर लेता है।
C. समय-समय पर कृष्णिका (Black body) के रूप में कार्य करता है।
D. उपर्युक्त में से कोई नहीं

165. 99°C ताप पर स्थित 1 ग्राम जल को उबलने के लिए कितनी कैलोरी ऊष्मा अपेक्षित है ?

A. 530 कैलोरी B. 640 कैलोरी
C. 540 कैलारी D. 500 कैलोरी

166. वर्षा के दौरान किसी स्थान की आपेक्षिक आर्द्रता कितनी होती है ?

A. 50% B. 80%
C. 0% D. 100%

167. यदि 0°C ताप पर स्थित 60 ग्राम बर्फ को 60°C ताप पर स्थित 40 ग्राम जल में मिलाया जाए तो प्राप्त मिश्रण में होगा—

A. 0°C ताप पर 70 ग्राम जल और 30 ग्राम बर्फ
B. 0°C ताप पर 40 ग्राम जल और 60 ग्राम बर्फ
C. 0°C ताप पर 120 ग्राम जल
D. 0°C पर 60 ग्राम जल

168. किसी गैस के अणु की औसत गतिज ऊर्जा (mean kinetic energy) निम्नलिखित के समानुपाती होती है—

A. $\sqrt{T}$
B. T^2
C. T
D. उपर्युक्त में से कोई नहीं

169. निम्नलिखित में से कौन-सा एक आंतरिक दहन इंजन नहीं है ?

A. वाष्प इंजन
B. ट्रक का इंजन
C. मोटरसाइकिल का इंजन
D. डीजल इंजन सेट का इंजन

170. किसी गैस को केवल दाब द्वारा द्रवित करने के लिए उसे पहले जिस तापीय बिंदु तक ठंडा करना अनिवार्य होता है, उस नियत ताप (temperature) को कहते हैं—

A. संतृप्ति स्थिति (Saturation point)
B. हिमांक (Freezing point)
C. द्रवण ताप (Liquification temperature)
D. क्रांतिक ताप (Critical temperature)

171. प्रेशर कुकर निम्नलिखित सिद्धांत पर कार्य करता है—

A. द्रव की सतह पर दाब में वृद्धि करने से क्वथनांक कम हो जाता है।
B. द्रव की सतह पर दाब में वृद्धि करने से क्वथनांक बढ़ जाता है।
C. दाब कम होने से अधिक ऊष्मा ऊर्जा अवशोषित होती है
D. द्रव की मात्रा बढ़ा देने पर अधिक ऊष्मा ऊर्जा अवशोशित होती है।

172. यदि बर्फ की गुप्त ऊष्मा 40 कैलोरी प्रतिग्राम वाष्प की गुप्त ऊष्मा 540 कैलोरी प्रति ग्राम और बर्फ की विशिष्ट ऊष्मा 0.5 कैलारी प्रतिग्राम प्रति °C हो तो –8°C ताप पर स्थित 10 ग्राम बर्फ को उबालने के लिए अपेक्षित ऊष्मा का परिमाण होगा—

A. 7,000 कैलोरी B. 7,240 कैलोरी
C. 8.240 कैलोरी D. 6,240 कैलोरी

173. यदि 0°C ताप पर ईथर की गुप्त ऊष्मा 90 कैलोरी प्रति ग्राम हो, तो 60°C ताप पर स्थित 60 ग्राम जल को जमाने के लिए कितने ईथर को वाष्पित करना होगा?

A. 60 ग्राम B. 35 ग्राम
C. 33 ग्राम D. 30 ग्राम

174. यदि किसी वस्तु का जल तुल्यांक (Water equivalent) 10 ग्राम हो तो इसकी ऊष्मा धारिता होगी—

A. 10 जूल प्रति °K
B. 10 कैलोरी प्रति °K
C. 10 किलो कैलोरी प्रति °K
D. 10 ग्राम प्रति °K

175. यदि 100°C ताप पर स्थित 6 ग्राम वाष्प को 0°C ताप पर स्थित 250 ग्राम जल में मिलाया जाए तो इस प्रकार प्राप्त मिश्रण का ताप होगा—

A. 20°C B. 28°C
C. 15°C D. 10°C

176. यदि किसी तालाब के पृष्ठीय जल (surface water) का ताप हिमांक (freezing point) के सन्निकट हो, तो तालाब की तली में जल का ताप कितना होगा?

A. 4°C B. –4°C
C. 3°C D. –3°C

177. किसी तप्त वस्तु द्वारा ऊष्मा उत्सर्जन की दर.....के समानुपाती होती है।

A. वस्तु के ताप
B. वस्तु के ताप के वर्ग
C. वस्तु के ताप और परिवेग के ताप के बीच के अंतर
D. वस्तु के ताप के वर्गमूल

178. निर्वात में ऊष्मा विकिरण की गति होती है—

A. 3,000 मी.से.$^{-1}$
B. 3×10^8 मी से.$^{-1}$
C. 6×10^4 मी से$^{-1}$
D. 8×10^4 मी से.$^{-1}$

179. किसी गैस के एक दिए हुए नमूने का ताप °C है। इस नमूने में गैस के अणुओं की गति दुगुनी करने के लिए ताप में कितनी वृद्धि अपेक्षित होगी?

A. –273°C तक B. 273°K तक
C. 273°C तक D. –273°K तक

180. एक लकड़ी का बवसा 2 सेमी. मोटी

लकड़ी का बना है। इसके भीतरी भाग की माप 100 सेमी. × 60 सेमी. × 60 सेमी. है। यदि बक्से के बाहर का ताप 20°C और लकड़ी की चालकता 0.0004 हो तो इस बक्से में रखी बर्फ के पिघलने की दर होगी—

A. 2.90 ग्राम प्रति सेकिंड
B. 3.94 ग्राम प्रति सेकिंड
C. 1.96 ग्राम प्रति सेकिंड
D. 1.56 ग्राम प्रति सेकिंड

181. यदि तापक्रम डिग्री सेल्सियस के स्थान पर डिग्री फारेनहाइट में हो, तो विशिष्ट ऊष्मा का मान होगा—

A. अधिक
B. दोनों ही स्थितियों में एक समान
C. कम
D. कहा नहीं जा सकता

182. गैसों के अणुगति सिद्धांत (Kinetic theory) का सर्वाधिक महत्वपूर्ण बिंदु निम्नलिखित है—

A. किसी गैस के हल्के अणुओं की औसत ऊर्जा भारी अणुओं की तुलना में अधिक होती है।
B. किसी गैस के हल्के अणुओं की औसत ऊर्जा भारी अणुओं की तुलना में कम होती है।
C. किसी गैस के सभी अणुओं की औसत ऊर्जा का मान एक समान होता है।
D. उपर्युक्त सभी

183. किसी आदर्श गैस के समतापीय प्रसार में—

A. निहित ऊष्मा का मान अचर रहता है।
B. ताप अचर रहता है।
C. ऊष्मा और ताप दोनों का मान अचर रहता है।
D. दाब और ताप का मान अचर रहता है।

184. निम्नलिखित में से कौन-सा कथन सत्य है?

A. अच्छे स्वास्थ्य के लिए कमरे का संवातन (ventilation) अनिवार्य है क्योंकि इस प्रकार कमरे में ताजी हवा प्रवेश कर सकती है।
B. किसी ठोस से सीधे वाष्प का बनना वाष्पीकरण कहलाता है।
C. बर्फ एक उत्तम प्रशीतक है क्योंकि इसकी विशिष्ट ऊष्मा उच्च होती है।
D. भाप से चलने वाले इंजन के बॉयलर के भीतर उच्च दाब होने के कारण बॉयलर में उबलते हुए पानी का ताप 300°C तक भी हो सकता है।

185. जल का क्वथनांक (Boiling point)—

I. जल में लवण मिलाकर बढ़ाया जा सकता है।
II. जल की सतह पर दाब में वृद्धि करके बढ़ाया जा सकता है।
III. 100°C होता है और इसे न तो बढ़ाया जा सकता है और न ही घटाया जा सकता है।

उपर्युक्त कथनों (I, II, III) में से सही विकल्प है—

A. केवल कथन I
B. कथन II और III दोनों
C. केवल कथन II
D. ऊपर के तीनों कथन I, II और III सही हैं।

186. एक तापमानी पदार्थ के रूप में पारे को उपयोग में लाने का निम्नलिखित कारण है—

A. यह द्रव अवस्था में उपलब्ध एक धातु है।
B. घनत्व उच्च होने के कारण पारे के स्तंभ की लंबाई कम होती है।
C. इसका वाष्प दबाव एक समान होता है।

D. इसका आयतन प्रसार गुणांक एक समान होता है।

187. किसी द्रव के उबलने की स्थिति में निकलने वाली वाष्प का दबाव होता है—

A. वायुमंडलीय दबाव के बराबर
B. वायुमंडलीय दबाव से कम
C. वायुमंडलीय दबाव से अधिक
D. उपर्युक्त में से कोई नहीं

188. प्लेटिनम का कांच में संलयन आसान होता है, क्योंकि—

A. प्लेटिनम का प्रसार गुणांक कांच के प्रसार गुणांक से अधिक होता है।
B. प्लेटिनम का प्रसार गुणांक कांच के प्रसार गुणांक से कम होता है।
C. प्लेटिनम का प्रसार गुणांक कांच के प्रसार गुणांक के बराबर होता है।
D. उपर्युक्त में से कोई नहीं

189. किसी वस्तु के ठंडी होने की दर निर्भर करती है—

A. वस्तु के पृष्ठ क्षेत्रफल पर
B. वस्तु और उसके परिवेश के बीच के तापांतर पर
C. वस्तु के पदार्थ पर
D. उपर्युक्त (A) और (B) दोनों

190. यदि किसी चालू रेफ्रिजरेटर का दरवाजा खुला छोड़ दिया जाए, तो—

A. कमरे का ताप घटेगा
B. कमरे का ताप बढ़ेगा
C. कमरे का ताप उतना ही हो जाएगा जितना ताप रेफ्रिजरेटर के भीतर है।
D. उपर्युक्त में से कोई नहीं

191. गुप्त ऊष्मा की परिभाषा निम्नलिखित है—

A. यह वह ऊष्मा है जो किसी वस्तु को दी जाती है और वस्तु उस ऊष्मा को उसी समय वायुमंडल में निर्मुक्त कर देती है।
B. यह वस्तु का ताप 1°C बढ़ाने के लिए वस्तु को दी गई ऊष्मा है।
C. यह ताप परिवर्तित किए बिना वस्तु की अवस्था में परिवर्तन के लिए वस्तु को दी गई ऊष्मा की मात्रा है।
D. उपर्युक्त में से कोई नहीं

192. यदि एक नियत ताप पर किसी पदार्थ को पानी में घुलाया जाए, तो—

A. पानी का संतृप्त वाष्प दाब घट जाएगा।
B. पानी का संतृप्त वाष्प दाब घट जाएगा।
C. पानी का संतृप्त वाष्प दाब बढ़ जाएगा।
D. उपर्युक्त में से कोई नहीं

193. क्रंतिक ताप से कम ताप पर किसी गैस की द्रवीय अवस्था होगी?

A. वाष्प　　B. ठोस
C. द्रव　　D. ठोस और वाष्प

194. एक बीकर में रखे गर्म पानी का ताप 90°C से घटकर 80°C होने में 10 मिनट समय लगता है। इस पानी का ताप 80°C से घटकर 70°C होने में लगने वाला समय होगा—

A. 10 मिनट से अधिक
B. 10 मिनट
C. 10 मिनट से कम
D. उपर्युक्त में से कोई नहीं

195. निम्नलिखित में से किसका गलनांक (melting point) नहीं होता?

A. कांच　　B. ऑक्सीजन
C. पारा　　D. एल्युमीनियम

196. सूती कपड़ा (दोहरे संस्तरों का) जाड़े में गर्म कपड़े के रूप में उपयोग में लाया जाता है, क्योंकि—

A. सूती कपड़े में ऊष्मारोधी गुण है।
B. कपड़े के दो संस्तरों के बीच फंसी हवा की परत ऊष्मा के कुचालक के

रूप में कार्य करती है।

C. मानव शरीर अपना ताप समंजित कर लेता है।

D. उपर्युक्त सभी

197. किसी गैस के एक अणु का द्रव्यमान m है और यह गैस जिस बर्तन में रखी गई है उसकी दीवार से यह अणु v वेग से टकराता है। टक्कर के पश्चात इस अणु का संवेग होगा—

A. mv B. $-mv$
C. $2mv$ D. $mv/2$

198. एक पैट्रोल इंजन में ईंधन के जलने से ऊष्मा उत्पादन की दर 7.46×10^5 कैलोरी प्रति घंटा है। यदि इंजन की दक्षता 30 प्रतिशत हो, तो इंजन की अश्वशक्ति ज्ञात करें।

[ऊष्मा का यांत्रिक तुल्यांक = 4.2 जूल प्रति कैलोरी, 1 अश्व शक्ति = 746वाट]

A. 0.25 अश्व शक्ति
B. 0.75 अश्व शक्ति
C. 0.35 अश्व शक्ति
D. 0.95 अश्व शक्ति

199. किसी गैस के अणुओं का आचरण किस प्रकार का होता है?

A. सुनम्य, अप्रत्यास्थ गोलीय
B. सुनम्य, प्रत्यास्थ गोलीय
C. दृढ़, पूर्णत: प्रत्यास्थ गोलीय
D. गैस के प्रकार पर निर्भर

200. यदि n और v के मान अचर हों, तो P/T एक स्थिरांक होता है। निम्न में से किस नियम द्वारा इस कथन की पुष्टि होती है?

A. चार्ल्स नियम
B. बॉयल का नियम
C. रेन्यो का नियम
D. ऑवोगाद्रो का नियम

201. यदि वायु से होकर गमन कर रही दो ध्वनि तरंगों के तरंगदैर्घ्यों का अनुपात 4 : 5 हो, तो उनकी आवृत्तियों का अनुपात होगा—

A. 4 : 5 B. 3 : 4
C. 5 : 4 D. 1 : 1

202. किसी खुले पाइप में मूल स्वरक की आवृत्ति और समान लंबाई की किसी बंद पाइप में मूल स्वरक की आवृत्ति का अनुपात होगा—

A. 2 : 1 B. 2 : 3
C. 3 : 2 D. 1 : 2

203. दो युग्मित कम्पमान निकायों को अनुनाद में स्थित कहा जाता है, यदि—

A. उनके आयाम समान हों
B. उनकी आवृत्तियां समान हों
C. उनके अवमंदन गुणांक (damping factors) समान हों।
D. उनके ताप समान हों।

204. यदि कोई रेलगाड़ी अभी काफी दूर हो तो उसके चलने की आवाज निम्नलिखित में से किस माध्यम से सुनी जा सकती है?

A. वायु
B. इस्पात की पटरियों
C. पटरियों के नीचे बिछे लकड़ी के तख्तों
D. रेलगाड़ी काफी दूर होने के कारण इस आवाज को सुनना संभव नहीं है।

205. यदि किसी ध्वनि तरंग के दो उत्तरोत्तर श्रृंगों या उत्तरोत्तर गर्तों (successive crests of troughs) के बीच की दूरी 1 मी. हो और तरंग वेग 320 मी. प्रति सेकिंड हो तो उस तरंग की आवृत्ति होगी—

A. 340 Hz B. 400Hz
C. 320Hz D. 420Hz

206. ऑडिटोरियम की दीवार में कार्डबोर्ड के फलक और सरंध्र साज-समान क्यों लगाए जाते हैं?

A. ताकि श्रोताओं को स्टेज से आने वाली ध्वनि स्पष्ट सुनाई दे।
B. ताकि प्रतिध्वनि का प्रभाव न्यूनतम किया जा सके।

C. ताकि स्टेज से आने वाली ध्वनि श्रोताओं को अत्यधिक मधुर लगे।

D. उपर्युक्त सभी

207. सुस्वर ध्वनि (musical sound) ऐसी ध्वनि है जो उत्पन्न की जाती है—

A. नियमित अंतरालों पर

B. जल्दी-जल्दी लगातार

C. उपर्युक्त (A) और (B) दोनों

D. उपर्युक्त (A) और (B) में से कोई नहीं

208. नीचे दिए गए समीकरणों में से कौन-सा समीकरण ध्वनि तरंग के वेग को निरूपित करता है?

A. $v = \frac{\lambda}{n}$ B. $v = n\lambda$

C. $v = \frac{n}{\lambda}$ D. $v + n\lambda + 1$

209. ध्वनि की प्रबलता (loudness) निर्भर करती है—

A. उसके वेग पर

B. उसके तारत्व पर

C. उसके आयाम पर

D. उसकी आवृत्ति पर

210. एक व्यक्ति की श्रव्यता परास (audible range) 20 से 18,000Hz तक है। यदि हवा में ध्वनि की गति 330 मी. प्रति सेकिंड हो, तो अधिक से अधिक किस तरंगदैर्घ्य वाली ध्वनि तरंग को वह भलीभांति सुन सकता है?

A. $\frac{18000}{330}$ मीटर

B. $\frac{330}{18000}$ मीटर

C. $\frac{20}{330}$ मीटर

D. $\frac{330}{20}$ मीटर

211. यदि बिजली चमकने के 4 सेकिंड पश्चात बादल का गरजना सुनाई पड़ता हो तो बिजली चमकने का स्थान हमसे कितनी दूरी पर है?

A. 1480 मी. B. 1380 मी.

C. 2380 मी. D. 1000 मी.

212. यदि हवा में ध्वनि का वेग 332 मी. प्रति सेकिंड हो, तो 0.2 मी. लम्बी पाइप में मूल स्वरक की आवृत्ति होगी—

A. 430 B. 730

C. 840 D. 830

213. अनुप्रस्थ तरंगों का संचरण निम्नलिखित से होकर नहीं हो सकता—

A. स्नेहक तेल (Lubricating Oil)

B. नाइलॉन की एक फैली हुई डोरी

C. हाइड्रोजन गैस

D. लोहे की छड़

214. 4 वायुमंडलीय दाब पर हवा में ध्वनि के वेग और 1 वायुमंडलीय दाब पर हवा में ध्वनि के वेग का अनुपात होगा—

A. 2 : 1 B. 1 : 2

C. 1 : 1 D. 1 : 4

215. आर्गन पाइप (organ pipe) में उत्पन्न मूल स्वरक का तरंग दैर्घ्य होगा—

A. पाइप की लंबाई के बराबर

B. पाइप की लंबाई का आधा

C. पाइप की लंबाई का एक-चौथाई

D. पाइप की लंबाई का दुगुना

216. यदि तार की लंबाई दुगुनी कर दी जाए तो भी उत्पन्न ध्वनि की आवृत्ति अपरिवर्तित रह सकती है बशर्ते—

A. तार का तनाव दुगुना कर दिया जाए

B. तार का तनाव चार गुना कम कर दिया जाए

C. तार का तनाव आधा कर दिया जाए

D. तार का तनाव चारगुना बढ़ा दिया जाए

217. यदि एक बंद पाइप में मूल आवृत्ति 312 Hz हो तो इसका प्रथम अधिस्वरक (first overtone) होगा—

A. 336Hz B. 936 Hz

C. 836 Hz D. 736 Hz

218. 15°C ताप और 380 मिमी दाब पर ध्वनि का वेग 340 मी. प्रति सेकंड है। यदि ताप को नियत रखकर दाब दुगुना कर दिया जाए तो ध्वनि का वेग होगा—

A. 680 मी. प्रति सेकिंड
B. 170 मी. प्रति सेकिंड
C. 340 मी. प्रति सेकिंड
D. 1360 मी. प्रति सेकिंड

219. निम्नलिखित में से ध्वनि के किस अभिलक्षण से हम विभिन्न स्रोतों से आने वाली समान आवृत्ति और प्रबलता वाले दो संगीतिक स्वरकों में अंतर कर सकते हैं ?

A. ध्वनि स्वरूप (timbre)
B. तारत्व
C. प्रबलता
D. इनमें से कोई नहीं

220. किसी कम्पमान स्तंभ की लंबाई में वृद्धि के साथ उसकी आवृत्ति—

A. घटती है
B. बढ़ती है
C. एक समान बनी रहती है।
D. यदि कंपमान स्तंभ हवा में न हो, तो बढ़ती है।

221. 512 Hz आवृत्ति वाली ध्वनि 256 Hz आवृत्ति वाली ध्वनि से....उच्च होती है।

A. एक अष्टम B. दो अष्टम
C. अर्ध अष्टम D. तीन अष्टम

222. आपके पास समान लंबाई और व्यास के एक जैसे दो आर्गन पाइप हैं। इनमें से पहला एक सिरे पर बंद है जबकि दूसरा दोनों ही सिरों पर खुला है। खुले सिरों वाली आर्गन पाइप में ध्वनि का स्वरूप (quality of sound) ऊर्ध्ववर्ती होगा। इसका कारण है—

A. दो गुणावृत्तियों की उपस्थिति, जिनमें से एक सम और दूसरा विषम होता है।
B. दो विषम गुणावृत्तियों की उपस्थिति
C. दो सम गुणावृत्तियों की उपस्थिति
D. उपर्युक्त में से कोई नहीं

223. गैसों में किन्हीं दो दिए गए तापों में ध्वनि तरंगों का वेग निम्नलिखित व्यंजक द्वारा निरूपित किया जा सकता है—

A. $\frac{v_1}{v_2} = \sqrt{\frac{T_2}{T_1}}$ B. $\frac{v_1}{v_2} = T_2T_1$

C. $\frac{v_1}{v_2} = \frac{T_2}{T_1}$ D. $\frac{v_1}{v_2} = \sqrt{\frac{T_1}{T_2}}$

224. निम्नलिखित में से किस किरण का तरंगदैर्घ्य अधिकतम होता है ?

A. लाल
B. पीला, हरा
C. पराबैंगनी किरण (ultra violet rays)
D. अवरक्त किरण (infrared rays)

225. एक गैस में ध्वनि का वेग समान ताप पर वायु में ध्वनि के वेग का चार गुना है। किसी स्वरित्र द्विभुज से वायु में ध्वनि उत्पन्न करने पर 480 चक्र प्रति सेकिंड की आवृत्ति और λ_1 तरंगदैर्घ्य वाली तरंग सृजित होती है। यदि इसी स्वरित्र द्विभुज से गैस में ध्वनि उत्पन्न करने पर गैस में सृजित तरंग का तरंगदैर्घ्य λ_2 हो तो λ_1/λ_2 का मान होगा—

A. 1/4 B. 4
C. 1/2 D. 2

226. किसी रेलवे प्लेटफार्म पर आ रही एक रेलगाड़ी के प्लेटफार्म पर खड़े किसी व्यक्ति के पास पहुंचने पर इंजन द्वारा उत्पन्न शोर बढ़ जाता है। यह घटना निम्नलिखित नियम को निरूपित करती है—

A. कुंट नियम (Kundt's Rule)
B. तनन का नियम (Law of Tension)
C. द्रव्यमान का नियम (Law of Mass)
D. डॉप्लर प्रभाव (Dopler's Effect)

227. 20 सेमी. लंबे स्वरमापी (sonometer)

के तार की मूल आवृत्ति होगी: (T = 20N, $m = 5.2 \times 10^{-3}$ किग्रा. प्रति मी.)

A. 160 Hz B. 155 Hz
C. 255 Hz D. 250 Hz

228. किसी अवतल परावर्तक (concave reflector) पर समतल तरंग के आपतित होने पर परावर्तित तरंगें होंगी—

A. समतल (Plane)
B. वर्तुल (circular)
C. परवलयिक (parabolic)
D. इनमें से कोई नहीं

229. प्रस्पंद (antinodes) होते हैं—

A. न्यूनतम विस्थापन बिंदु
B. अधिकतम विस्थापन बिंदु
C. शून्य विस्थापन बिंदु
D. उपर्युक्त में से कोई नहीं

230. यदि ध्वनि तरंगें वायु में संचारित हो रही हों तो माध्यम के कणों का कंपन होता है—

A. संचरण की दिशा के समांतर
B. संचरण की दिशा के अभिलंब
C. संचरण की दिशा के समांतर या अभिलंब
D. उपर्युक्त में से कोई नहीं

231. यदि ध्वनि तरंगें वायु में संचारित हो रही हों तो माध्यम के कणों का कंपन होता है—

A. विद्युत चुम्बकीय
B. अनुदैर्ध्य
C. अनुप्रस्थ
D. इनमें से कोई नहीं

232. यदि दो कंपमान निकाय अनुनाद में हों, तो—

A. उनके आयाम समान होंगे
B. उनकी आवृत्तियां समान होगी
C. उनके ताप समान होंगे
D. उनकी तीव्रता समान होगी

233. यदि किसी कमरे का ताप 30°C हो, तो ध्वनि का वेग होगा—

A. 350 मी. प्रति सेकिंड
B. 333 मी. प्रति सेकिंड
C. 380 मी. प्रति सेकिंड
D. 300 मी. प्रति सेकिंड

234. किसी स्वरित्र द्विभुज (tuning fork) में कितने निस्पंद और प्रस्पंद होते हैं?

A. 6 B. 5
C. 3 D. 4

235. a_1 और a_2 आयाम वाली दो तरंगों के परस्पर व्यतिकरण से प्राप्त परिणामी तरंग का अधिकतम आयाम होगा—

A. $a_1 a_2$ B. $a_1 + a_2$
C. a_2/a_2 D. a_2/a_1

236. हमारे कान में किसी ध्वनि तरंग के प्रवेश करने पर उत्पन्न ध्वनि संवेदन कितने समय तक बना रहता है?

A. 0.3 सेकिंड B. 0.1 सेकिंड
C. 0.42 सेकिंड D. 0.52 सेकिंड

237. निम्नलिखित में से किस प्रकार की तरंग में ऊर्जा का कोई प्रवाह नहीं होता?

A. अनुदैर्ध्य (Longitudinal)
B. अनुप्रस्थ (Transverse)
C. प्रगामी (Progressive)
D. अप्रगामी (Stationary)

238. दो क्रमागण संपीडनों (consecutive compressions) के बीच की दूरी होती है—

A. 2λ B. 3λ
C. 4λ D. λ

239. किसी स्वरित्र द्विभुज की भुजा (prong) की लंबाई जितनी अधिक होगी, उत्पन्न कंपन की आवृत्ति होगी—

A. उतनी की कम
B. उतनी ही अधिक
C. उतनी ही एक समान
D. कुछ कहा नहीं जा सकता

240. व्यतिकरण क्या है ?

A. भिन्न आयाम की दो तरंगों के अध्यारोपण के कारण दोनों की तीव्रताओं के योग को व्यतिकरण कहते हैं।

B. समान आयाम की दो तरंगों के अध्यारोपण के कारण दोनों की तीव्रताओं के अंतर को व्यतिकरण कहते हैं।

C. किन्हीं भी दो तरंगों के अध्यारोपण के कारण दोनों की तीव्रताओं के योग में हुए परिवर्तन को व्यतिकरण कहते हैं।

D. उपर्युक्त में से कोई नहीं

241. किसी तरंग के दो निकटतम गर्तों (Troughs) के बीच की दूरी को कहते हैं—

A. दोलनकाल (time period)

B. गर्त रेखिका trough bar)

C. तरंगदैर्ध्य (wave length)

D. गर्त ज्वार (trough tide)

242. ध्वनि तरंगों की प्रतिध्वनि की परिघटना निम्नलिखित के कारण होती है—

A. परावर्तन B. व्यतिकरण

C. विवर्तन D. उपर्युक्त सभी

243. दो स्वरकों के बीच स्वरांतराल (musical interval) का निर्धारण निम्नलिखित के द्वारा किया जाता है—

A. उनकी आवृत्तियों के वास्तविक अंतर द्वारा

B. उनकी आवृत्तियों के वर्गमूलों के अंतर द्वारा

C. उनकी आवृत्ति के अनुपात द्वारा

D. उनकी आवृत्तियों के वर्गों के अनुपात द्वारा

244. किसी माध्यम में ध्वनि का वेग—

A. माध्यम के घनत्व पर निर्भर नहीं करता।

B. माध्यम के घनत्व का व्युत्क्रमानुपाती होता है।

C. माध्यम के घनत्व का अनुक्रमानुपाती होता है।

D. माध्यम के घनत्व के वर्गमूल का व्युत्क्रमानुपाती होता है।

245. क्या चंद्रमा के धरातल पर दो व्यक्ति एक-दूसरे की बात सुन सकते हैं ?

A. हां, सरलतापूर्वक

B. नहीं, चंद्रमा पर ध्वनि तरंगों के संचरण हेतु कोई माध्यम नहीं है।

C. हां, सुन भी सकते हैं क्योंकि यह उत्पन्न ध्वनि तरंगों के तारत्व पर निर्भर करता है।

D. कहा नहीं जा सकता

246. ध्वनि की श्रव्यता का परास है—

A. 0–200 Hz

B. 0–20,000 Hz

C. 0–2000 Hz

D. 300–2000 Hz

247 निम्नलिखित में से किस तरंग का तरंगदैर्ध्य दीर्घतम है ?

A. रेडियो तरंग B. ध्वनि तरंग

C. X-किरण D. अवरक्त किरण

248. किसी डोरी की स्थितिज ऊर्जा और गतिज ऊर्जा का योग होता है—

A. आयाम के वर्ग का अनुक्रमानुपाती

B. आवृत्ति के वर्ग का अनुक्रमानुपाती

C. आवृत्ति के वर्ग का व्युत्क्रमानुपाती

D. उपर्युक्त में से कोई नहीं

249. किसी ध्वनि तरंग की प्रतिध्वनि सुनने के लिए ध्वनि उत्पादक निकाय और परावर्तक सतह के बीच की न्यूनतम दूरी होनी चाहिए—

A. 20 मी. B. 17.5 मी.

C. 21.6 मी. D. 24.0 मी.

250. यदि एक प्रसारण केन्द्र से 71×10^4 Hz

आवृत्ति की तरंगें 8×10^8 मी. प्रति सेकिंड के वेग से प्रसारित हो रही हों तो ध्वनि तरंगों का तरंग दैर्घ्य होगा—

A. 423.5 मी. B. 425 मी.

C. 425.8 मी. D. 430 मी.

251. निम्नलिखित में से किस प्रकार के दर्पण में आभासी प्रतिबिम्ब बन सकता है?

A. अवतल दर्पण

B. उत्तल दर्पण

C. उपर्युक्त (A) और (B) दोनों

D. उपर्युक्त (A) और (B) में से किसी में भी नहीं

252. निकट दृष्टि (Myopia) के दोष को नेत्र के सामने निम्नलिखित में से किस लैंस का उपयोग करके सुधारा जा सकता है?

A. सिलिंडरी लैंस (Cylindrical lens)

B. उत्तल लैंस (convex lens)

C. अवतल लैंस (concave lens)

D. उपर्युक्त में से कोई नहीं

253. प्रकाश की एक किरण के किसी सघन माध्यम में प्रवेश करने पर अपवर्तन कोण (angle of refraction)—

A. बढ़ जाता है

B. घट जाता है

C. परिवर्तित नहीं होता

D. अत्यधिक कम हो जाता है

254. निम्नलिखित में से न्यूनतम तरंगदैर्घ्य वाली तरंगें होती हैं—

A. ऊष्मा विकिरणों में

B. X-किरणों में

C. प्रकाश विकिरणों में

D. ध्वनि तरंगों में

255. कांच के लिए क्रांतिक कोण का मान 145° हो तो इसका अपवर्तनांक होगा—

A. 1.32 B. 1.41

C. 1.2 D. 1.25

256. हीरे में अत्यधिक चमक क्यों होती है?

A. अपवर्तन के कारण

B. पूर्ण आंतरिक परावर्तन के कारण

C. परावर्तन के कारण

D. उपर्युक्त में से कोई नहीं

257. निम्नलिखित में से किस रंग की प्रकाश किरण के किसी प्रिज्म से होकर निकलने पर विचलन सबसे अधिक होता है?

A. हरा B. लाल

C. पीला D. बैंगनी

258. यदि दो समतल दर्पणों को बारी-बारी से परस्पर 30°, 40°, 50° और 60° के कोण पर झुका कर रखा जाए तो निम्नलिखित में से परस्पर किस कोण पर झुके दर्पणों में प्रतिबिंबों की संख्या अधिकतम होगी?

A. 30° पर B. 40° पर

C. 50° पर D. 60° पर

259. अनंत पर रखी गई वस्तु का उत्तल लैंस में बनने वाला प्रतिबिंब होगा—

A. वास्तविक, छोटा और उल्टा

B. वास्तविक और अत्यधिक छोटा

C. उदग्र और छोटा

D. उपर्युक्त में से कोई नहीं

260. दूरदर्शक (telescope) की दो वस्तुओं को स्पष्टत: देखने की क्षमता कहलाती है—

A. परिक्षेपण क्षमता (Dispersive power)

B. आवर्धन क्षमता (Magnifying power)

C. विभेदन क्षमता (Resolving power)

D. उपर्युक्त में से कोई नहीं

261. लैंस की क्षमता का मात्रक है—

A. कैंडेला B. डाइऑप्टर

C. मीटर D. लक्स

262. किसी समतल दर्पण पर पड़ रही प्रकाश की एक किरण का आपतन कोण 60° है। यदि दर्पण को 10° के कोण पर घुमा दिया जाए, तो नया परावर्तन कोण होगा—

A. 60° B. 80°

C. 40° D. 10°

263. निम्नलिखित में से कौन-सा दर्पण गोलीय विपथन (spherical abberration) से मुक्त है ?

A. उत्तर दर्पण

B. अवतल दर्पण

C. परावलयकि दर्पण

D. इनमें से कोई नहीं

264. यदि $f = \frac{R}{2}$ हो तो यह संबंध दर्शाता है कि दिया गया दर्पण—

A. उत्तल है B. परवलयिक है

C. समतल है D. अवतल है

265. एक अवतल दर्पण 36 सेमी. त्रिज्या के एक खोखले गोले का भाग है। किसी वस्तु के मूल आकार का तीन गुना आवर्धित वास्तविक प्रतिबिंब प्राप्त करने के लिए वस्तु को इस अवतल दर्पण से कितनी दूरी पर रखना चाहिए।

A. 0.4 मी. B. 0.44 मी.

C. 0.43 मी. D. 0.49 मी.

266. एक व्यक्ति 3 मीटर की दूरी तक स्पष्टत: देख सकता है। उसके चशमे में लगे लेंस की क्षमता कितनी होनी चाहिए जिससे कि वह व्यक्ति 12 मीटर की दूरी तक स्पष्ट देख सके ?

A. 0.25 डाइऑप्टर

B. –0.25 डाइऑप्टर

C. 0.5 डाइऑप्टर

D. 0.75 डाइऑप्टर

267. निम्नलिखित में से कौन-सा संबंध लैम्बर्ट के कोटिज्या नियम (Lambert's cosine law) को निरूपित करता है ?

A. $l = \frac{L \cos \theta}{}$

B. $l = \frac{L \cos^2 \theta}{r^2}$

C. $l = \frac{L \cos \theta}{r^2}$

D. इनमें से कोई नहीं

268. यदि किसी द्रव का क्रांतिक कोण 30° हो, तो उसका अपवर्तनांक होगा—

A. 3.1 B. 2.3

C. 2.5 D. 0.2

269. इंद्रधनुष वर्षा होने के बाद दिखाई देता है। इसका कारण है—

A. आसमान में लटकी हुई पानी की नन्हीं-नन्हीं बूंदें पट्टियों (slabs) के रूप में कार्य करती हैं।

B. आसमान में लटकी हुई पानी की नन्हीं-नन्हीं बूंदें प्रिज्मों के रूप में कार्य करती हैं।

C. आसमान में लटकी हुई पानी की नन्हीं-नन्हीं बूंदे उत्तल लैंसों के रूप में कार्य करती हैं।

D. उपर्युक्त में से कोई नहीं

270. मोटरगाड़ियों की हेडलाइटों में निम्नलिखित में से किस प्रकार का दर्पण (परावर्तक) उपयोग में लाया जाता है ?

A. उत्तल (convex)

B. अवतल (concave)

C. उपर्युक्त (A) या (B)

D. उपर्युक्त में से कोई नहीं

271. किसी गोलीय दर्पण से परावर्तन होने की दशा में वस्तु और उसके प्रतिबिंब की अवस्थितियां कहलाती हैं—

A. ध्रुव (Poles)

B. संयुग्मी फोकस (conjugate foci)

C. फोकस दूरी (focal length)

D. इनमें से कोई नहीं

272. यदि एक खगोलीय दूरदर्शक (astronomical Telescope) के अभिदृश्यक (objective) और उसकी नेत्रिका (eye piece) की फोकस दूरियां क्रमश: 60

सेमी. और 10 सेमी. हों, तो उसकी आवर्धन क्षमता होगी—

A. 6 B. $\frac{1}{6}$

C. 60 D. $\frac{1}{60}$

273. सिलिंडरी लैंस का उपयोग निम्नलिखित दृष्टिदोष को दूर करने के लिए किया जाता है—

A. निकट दृष्टिदोष (Myopia)
B. दीर्घ दृष्टिदोष (Hypermetropia)
C. अबिन्दुकता (Astigmatism)
D. जरा दूरदर्शिता (Presbyopia)

274. जरा दूरदर्शिता (Presbyopia) एक दृष्टि दोष है। जिस व्यक्ति में यह दृष्टिदोष होता है वह व्यक्ति देख सकता है—

A. समीप की वस्तुओं को स्पष्टत:
B. दूर की वस्तुओं को स्पष्टत:
C. समीप और दूर दोनों की वस्तुओं को स्पष्टत:
D. उपर्युक्त में से कोई नहीं

275. मरीचिका (mirage) का भ्रम क्यों होता है?

A. प्रकाश के रेतीली सतह से परावर्तित होने के कारण
B. वायु का अपवर्तनांक ऊंचाई के साथ निरंतर घटते जाने के कारण
C. वायु का अपवर्तनांक ऊंचाई के साथ निरंतर बढ़ते जाने के कारण
D. उपर्युक्त में से कोई नहीं

276. प्रकाश तरंगों की प्रकृति निम्नलिखित के समान होती है—

A. मामा किरणों
B. एक्स किरणों
C. कैथोड किरणों
D. इनमें से कोई नहीं

277. निम्नलिखित में से कौन-सा अधिक एकवर्णी है?

A. लेसर किरण पुंज (Laser beam)
B. श्वेत प्रकाश (White light)
C. सोडियम प्रकाश (sodium light)
D. पारद प्रकाश (Mercury light)

278. हीरा, कांच और पानी में प्रकाश का वेग निम्नलिखित क्रम में घटता है—

A. हीरा > पानी > कांच
B. पानी > कांच > हीरा
C. हीरा = कांच = पानी
D. उपर्युक्त में से कोई नहीं

279. निम्नलिखित रंग की प्रकाश किरण के कांच से वायु में प्रवेश करने की दशा में क्रांतिक कोण का मान न्यूनतम होता है—

A. हरे रंग की प्रकाश किरण
B. पीले रंग की प्रकाश किरण
C. बैंगनी रंग की प्रकाश किरण
D. लाल रंग की प्रकाश किरण

280. यदि पृथ्वी पर कोई वायुमंडल नहीं होता तो पृथ्वी पर दिन के प्रकाश की अवधि—

A. बढ़ जाती
B. घट जाती
C. अपरिवर्तित रहती
D. मौसम पर निर्भर करती

281. किसी प्रिज्म की वर्ण विक्षेपण क्षमता निर्भर करती है—

A. प्रिज्म की सामग्री पर
B. प्रिज्म के कोण पर
C. प्रिज्म के आकार पर
D. उपर्युक्त में से कोई नहीं

282. किसी एकवर्णी प्रकार के एक किरण पुंज के किसी एक माध्यम से दूसरे माध्यम में प्रवेश करने की स्थिति में निम्नलिखित में से किस राशि में कोई परिवर्तन नहीं होता?

A. आयाम B. वेग
C. आवृत्ति D. तरंगदैर्घ्य

283. यदि कांच की एक सतह पर जिसका आवर्तनांक 1.5 है, वयु से 600 मिमी. तरंगदैर्घ्य का कोई एकवर्णी प्रकार आपतित

होता हो तो अपवर्तित प्रकाश का तरंगदैर्घ्य होगा—

A. 200 मिमी. B. 400 मिमी.
C. 600 मिमी. D. 900 मिमी.

284. कांच का अपवर्तनांक 1.5 है। यदि निर्वात में प्रकाश का वेग 3×10^8 मी. प्रति सेकिंड हो तो कांच में प्रकाश का वेग होगा—

A. 2×10^8 मी. प्रति सेकिंड
B. 2.8×10^8 मी. प्रति सेकिंड
C. 3.2×10^8 मी. प्रति सेकिंड
D. उपर्युक्त में से कोई नहीं

285. यदि 1 मीटर फोकस दूरी के एक उत्तल लैंस को समान फोकस दूरी वाले एक अवतल लेंस के साथ सेयांजित करके एक लैंस बनाया जाए तो इस प्रकार निर्मित नए लैंस की फोकस दूरी होगी—

A. +1 मी.
B. +2 मी.
C. अनंत
D. इनमें से कोई नहीं

286. एक सिक्का पानी में डुबाया जाता है। पानी का अपवर्तनांक 4/3 है। यदि सिक्के की पानी में वास्तविक गहराई 28 सैमी. हो तो यह सिक्का पानी में आभासी रूप से निम्नलिखित गहराई पर प्रतीत होगा—

A. 14 सेमी. B. 21 सेमी.
C. 24 सेमी. D. 20 सेमी.

287. किसी प्रतिबिंब के पूर्णत: अंधेरे भाग को कहते हैं—

A. प्रच्छाया (Umbra)
B. उपच्छाया (Penumbra)
C. ग्रहण (Eclipse)
D. इनमें से कोई नहीं

288. I_0 तीव्रता का एक समांतर किरण पुंज दो पतले समांतर साधारण कांच की चद्दरों से होकर लंबवत: गुजरता हो तो इस प्रकार संचरण के पश्चात प्रकाश की तीव्रता निम्नलिखित के सन्निकट होगी—

A. I_0 B. $0.96\ I_0$
C. $0.92\ I_0$ D. $0.81\ I_0$

289. मानव नेत्र निकट और दूर, दोनों की वस्तुओं को स्पष्टत: देख सकता है। इसका कारण है—

A. नेत्र लैंस से संयोजित मांसपेशियां नेत्र लेंस की फोकस दूरी को समंजित कर सकती हैं।
B. दृष्टिपटल (retina) अपना स्थान बदल सकता है।
C. स्पष्ट दृष्टि के लिए मानव नेत्र से वस्तु की कम से कम दूरी 25 सेमी. होती है।
D. आइरिस और नेत्रपलक प्रकाश को विनियमित करने के लिए उत्तरदायी हैं।

290. यदि लाल रंग के एक कपड़े को पीले प्रकाश में देखा जाए तो हमारी आंख को वह किस रंग का प्रतीत होगा?

A. लाल B. नारंगी
C. पीला D. काला

291. यदि रंगहीन द्रव युक्त किसी बीकर में कांच की एक छड़ डाली जाए तो छड़ दृष्टि से ओझल हो जाती है। इसका कारण है—

A. बीकर में रखा द्रव और कांच की छड़ दोनों एक ही रंग के हैं।
B. बीकर में रखे द्रव और कांच दोनों का घनत्व एक समान है।
C. बीकर में रखे द्रव और कांच दोनों का अपवर्तनांक एक समान है।
D. उपर्युक्त में से कोई नहीं

292. प्रकाश की एक किरण t मोटाई और n अपवर्तनांक वाले कांच की एक प्लेट से होकर गुजरती है। यदि निर्वात में प्रकाश की किरण c वेग से संचारित होती हो, तो कांच की प्लेट की इस मोटाई से होकर

प्रकाश की इस किरण के गुजरने में लगने वाला समय होगा—

A. t/nc B. tnc
C. nt/c D. tc/n

293. यदि कांच के एक आयताकार गुटके को, जिसका अपवर्तनांक 1.7 है, एक कागज पर चिह्नित क्रॉस के निशान के ऊपर रखे जाने से वह क्रॉस का निशान 1.2 सेमी. ऊपर उठा हुआ प्रतीत होता हो, तो कांच के इस आयताकार गुटके की मोटाई होगी ?

A. 2.90 सेमी. B. 2.914 सेमी.
C. 2.814 सेमी. D. 2.8 सेमी.

294. यदि एक व्यक्ति परस्पर 60° के कोण पर झुकाकर रखे गए दो समतल दर्पणों के बीच खड़ा हो तो वह अपने कितने प्रतिबिंब देख सकेगा ?

A. 4 B. 5
C. 6 D. 3

295. यदि एक गोताखोर सूर्यास्त होने के समय किसी तालाब के भीतर हो तो वह क्षितिज से किस कोण पर सूर्य को डूबते हुए देखेगा ?

A. 0° B. लगभग 31°
C. 49° D. 90°

296. पूर्ण आंतरिक परावर्तन नहीं हो सकता यदि प्रकाश की किरण प्रवेश करती हो—

A. कांच से हवा में
B. हवा से कांच में
C. क़ांच से पानी में
D. पानी से हवा में

297. यदि एक समतल दर्पण को किसी कोण से घुमा दिया जाए तो परावर्तित किरण उससें दुगने कोण से घूम जाती है तथा प्रतिबिंब का आकार—

A. दुगुना हो जाता है
B. अनंत बड़ा हो जाता है
C. आधा हो जाता है
D. अपरिवर्तित रहता है

298. संयुक्त सूक्ष्मदर्शी में अंतिम प्रतिबिंब का स्वरूप होता है—

A. आभासी, उल्टा, आवर्धित
B. वास्तविक, उल्टा, छोटा
C. आभासी, उल्टा, आवर्धित
D. वास्तविक, उल्टा, आवर्धित

298. यदि आपतन कोण क्रांतिक कोण के बराबर हो, तो अपवर्तन कोण होगा—

A. 0° B. 45°
C. 90° D. 180°

300. यदि कांच का अपवर्तनांक 1.5 और निर्वात में प्रकाश का वेग 3×10^8 मी. प्रति सेकिंड हो, तो प्रकाश द्वारा कांच में 300 मी. की दूरी तय करने में व्यतीत समय होगा—

A. 1.5×10^{-5} से. B. $1.6 5 10^{-5}$ से.
C. 1.5×10^{-7} से. D. 1.5×10^{-6} से.

301. M चुम्बकीय आघूर्ण के एक चुम्बकीय द्विध्रुव के कारण द्विध्रुव के अक्ष पर स्थित किसी बिंदु पर जो उससे d दूरी पर है, चुम्बकीय क्षेत्र की तीव्रता होगी—

A. $2M/d^2$ B. M/d^2
C. Md^2 D. $2Md^2$

302. L लंबाई के एक इस्पाती तार का चुम्बकीय आघूर्ण M है। यदि इसे एक अर्धवृत्ताकार चाप के रूप में मोड़ दिया जए तो इसका नया चुम्बकीय आघूर्ण होगा ?

A. $M\pi$ B. M/π
C. ML D. M/L

303. नमन कोण (angle of dip) निम्नलिखित को कहते हैं—

A. चुम्बकीय याम्योत्तर और भौगोलिक याम्योत्तर के बीच के कोण
B. पृथ्वी के चुम्बकीय क्षेत्र की दिशा और क्षैतिज दिशा के बीच के कोण
C. पृथ्वी के चुम्बकीय क्षेत्र के ऊर्ध्वाधर घटक और चुम्बकीय याम्योत्तर के बीच के कोण
D. उपर्युक्त में से कोई नहीं

304. यदि दो चुम्बकीय ध्रुवों का ध्रुव प्राबल्य और उन ध्रुवों के बीच की दूरी दोनों दुगुनी कर दी जाएं, तो उनके बीच का आकर्षण या प्रतिकर्षण बल—

A. आधा घट जाएगा

B. अपरिवर्तित रहेगा

C. दुगुना हो जाएगा

D. चौगुना हो जाएगा

305. 1 वेबर प्रति मी² निम्नलिखित के बराबर है-

A. 10^4 गाउस B. 10^{-4} गाउस

C. 10^{-3} गाउस D. 10 गाउस

306. परमाणुओं और अणुओं में चुम्बकीय क्षेत्र उत्पन्न होने का कारण है—

A. इलेक्ट्रॉन की प्रचक्रण गति (spin motion)

B. इलेक्ट्रॉन की कक्षीय गति (orbital motion)

C. इलेक्ट्रॉन की प्रचक्रण और कक्षीय दोनों गतियां

D. उपर्युक्त में से कोई नहीं

307. भौगोलिक याम्योत्तर और चुम्बकीय याम्योत्तर के बीच का कोण कहलाता है—

A. चुम्बकीय नमन कोण (angle of magnetic dip)

B. दिक्पात कोण (angle of declination)

C. विक्षेप कोण (angle of deflection)

D. उपर्युक्त में से कोई नहीं

308. किसी चुम्बकीय छड़ के बीच में चुम्बकत्व होता है—

A. अधिकतम

B. न्यूनतम

C. शून्य

D. कहा नहीं जा सकता

309. यदि कोई धातु चुम्बक द्वारा अत्यंत क्षीण शक्ति से प्रतिकर्षित होती हो तो वह धातु होगी—

A. अचुम्बकीय (non-magnetic)

B. अनुचुम्बकीय (paramagnetic)

C. प्रतिचुम्बकीय (diamagnetic)

D. लौहचुम्बकीय (ferromagnetic)

310. स्वतंत्र रूप से लटकाए गए किसी चुम्बक के चुम्बकीय अक्ष से होकर निकलने वाला ऊर्ध्वाधर तल कहलाता है—

A. चुम्बकीय आघूर्ण (magnetic moment)

B. चुम्बकीय लम्बाई (magnetic length)

C. चुम्बकीय अक्ष (magnetic axis)

D. चुम्बकीय याम्योत्तर (magnetic meridian)

311. किसी संवेदनशील उपकरण को बाह्य चुम्बकीय क्षेत्र के प्रभाव से बचाने के लिए इसे—

A. एक लोहे के बक्से में रखना चाहिए।

B. किसी रोधी पदार्थ से लपेट कर रखना चाहिए और इससे होकर धारा प्रवाहित की जानी चाहिए।

C. महीन तांबे के कार से घेर देना चाहिए।

D. उपर्युक्त में से कोई नहीं

312. यदि नीचे चित्र में दर्शाए गए अनुसार कोई दंड चुम्बक दो भागों में टूट जाए तो A, B, C और D सिरे की धुव्रता (polarity) होगी—

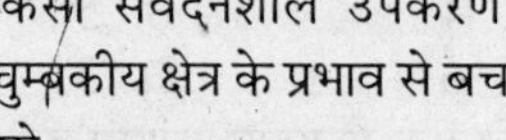

A. A, C उत्तरी ध्रुव; B; D दक्षिणी ध्रुव

B. A, B उत्तरी ध्रुव; C, D दक्षिणी ध्रुव

C. A, B, C उत्तरी ध्रुव; D दक्षिणी ध्रुव

D. A उत्तरी ध्रुव, D दक्षिणी ध्रुव तथा B और C की ध्रुवता निर्धारित नहीं की जा सकती।

313. निम्नलिखित परिघटना के कारण कोई

चुम्बक किसी चुम्बकीय पदार्थ से बने छड़ (जो चुम्बकित नहीं हैं) के दोनों सिरों को अपनी ओर आकर्षित करता है—

A. चुम्बकीय क्षेत्र (Electric field)
B. चुम्बकीय प्रेरण (Magnetic Induction)
C. ध्रुवण (Polarisation)
D. उपर्युक्त में से कोई नहीं

314. फ्लक्स घनत्व और चुंबकन बल के अनुपात को कहते हैं—

A. चुम्बकशीलता (Magnetic Permeability)
B. चुम्बकीय प्रेरण (Magnetic Inductor)
C. चुम्बकीय फ्लक्स घनत्व (Magnetic Flux density)
D. उपर्युक्त में से कोई नहीं

315. निम्नलिखित विधि द्वारा किसी चुंबक को विचुंबकित किया जा सकता है—

A. चुंबक पर हथौड़े से प्रहार करके
B. चुंबक को पानी में रखकर
C. चुंबक को ठंडा करके
D. चुंबक को लोहे के संपर्क में रखकर

316. चुंबकीय फ्लक्स (Magnetic flux) का मात्रक है—

A. ओसर्टेड B. गाउस
C. वेबर D. लक्स

317. चुंबकीय प्रक्षोभ (Magnetic storm) का कारण है—

A. पृथ्वी का अपने अक्ष के चारों ओर घूर्णन
B. पृथ्वी का सूर्य के चारों ओर परिक्रमण
C. सूर्य का धब्बा (sun spots)
D. उपर्युक्त में से कोई नहीं

318. किसी चुंबकीय क्षेत्र में रखे एक विद्युतधारा युक्त चालक पर कार्य कर रहा बल निर्भर करता है—

A. धारा के प्राबल्य पर
B. चुंबकीय क्षेत्र के प्राबल्य पर
C. चालक की लंबाई पर
D. उपर्युक्त सभी पर

319. यदि कोई विद्युतधारा युक्त चालक चुम्बकीय क्षेत्र में गति करता हो तो विद्युत-धारा युक्त चालक पर लगने वाले बल की दिशा निम्नलिखित नियम द्वारा बताई जा सकती है—

A. फ्लेमिंग का वामहस्त नियम (Fleming's Left Hand Rule)
B. मैक्सवेल का नियम (Maxwell's Rule)
C. फ्लेमिंग का दक्षिण हस्त नियम (Fleming's Right Hand Rule)
D. उपर्युक्त में से कोई नहीं

320. किसी चुंबक के उत्तरी और दक्षिणी ध्रुवों को मिलाने वाली रेखा कहलाती है—

A. चुंबकीय याम्योत्तर
B. चुंबकीय अक्ष
C. चुंबकीय फ्लक्स
D. उपर्युक्त में से कोई नहीं

321. किसी दंड चुंबक की प्रभावी लंबाई उसकी ज्यामितीय लंबाई की.....होती है।

A. 1/6 भाग
B. 5/4 भाग
C. दो-तिहाई भाग
D. तीन-चौथाई भाग

322. यदि 4 सेमी. त्रिज्या की एक वृत्ताकार कुंडली से होकर 0.5A की धारा प्रवाहित होती हो तो वृत्ताकार कुंडली के केंद्र पर चुम्बकीय क्षेत्र का सन्निकट मान होगा—

A. 7.85×10^{-7} टेसला प्रति एम्पियर मीटर
B. 7.84×10^{-6} टेसला प्रति एम्पियर मीटर

C. 7.8×10^{-6} टेसला प्रति एम्पियर मीटर

D. 7.85×10^{-4} टेसाला प्रति एम्पियर मीटर

323. सूत्र $B = \frac{2\mu_0 r}{\pi I}$ में μ_0 निम्नलिखित को इंगित करता है—

A. चुम्बकशीलता (Permeability)

B. चुम्बकीय तीव्रता (Magnetic Intensity)

C. चुम्बकीय प्रवृत्ति (Susceptibility)

D. चुम्बकीय आघूर्ण (Magnetic Moment)

324. चुम्बकीय ध्रुवों पर नमन कोण निम्नलिखित के बराबर होता है—

A. 180° B. 90°

C. 120° D. 0°

325. क्यूरी बिन्दु (Curie point) क्या है ?

A. भूमध्य रेखा पर एक ऐसा बिन्दु जहां कोई चुम्बकीय आघूर्ण न हो

B. एक तापांक जिससे अधिक ताप पर लौह चुम्बकीय पदार्थ अपना चुम्बकत्व खो देते हैं

C. वह ताप जिस पर सभी लौह चुम्बकीय पदार्थ प्रतिचुम्बकीय हो जाते हैं।

D. उपर्युक्त में से कोई नहीं

326. चुम्बकीय शैथिल्य (magnetic hysteresis) की परिघटना में—

A. चुम्बकीय फ्लक्स घनत्व बाह्य क्षेत्र प्राबल्य से कम होता है।

B. चुम्बकीय फ्लक्स घनत्व बाह्य क्षेत्र प्राबल्य से अधिक होता है।

C. चुम्बकीय फ्लक्स घनत्व परिवर्तित नहीं होता

D. उपर्युक्त सभी

327. ऐल्निको के मूलघटक हैं—

A. ऐल्युमीनियम, तांबा, टिन

B. तांबा, टिन, कोबाल्ट

C. ऐल्युमिनियम, निकेल, तांबा

D. उपर्युक्त में से कोई नहीं

328. निम्नलिखित में से कौन-सा एक प्रतिचुम्बकीय पदार्थ है ?

A. प्लेटिनम B. एल्युमिनियम

C. तांबा D. निकल

329. "कुछ अनुचुम्बकीय पदार्थों की चुम्बकीय प्रवृत्ति ऊष्मागतिक ताप के व्युत्क्रमानुपाती होती है।" इस कथन को निम्नलिखित नियम भी कहते हैं—

A. क्यूरी नियम (Curie's Law)

B. कुंट नियम (Kundt's Law)

C. फैराडे नियम (Faraday's Law)

D. लेंज नियम (Lenze's Law)

330. निम्नलिखित में से किस उत्पाद में चुम्बक का प्रयोग किया जाता है—

A. प्रत्यावर्ती धारा मोटर (AC Motor)

B. डायनमो (Dynamo)

C. भाप के इंजन

D. लाउडस्पीकर

331. किसी प्रतिचुम्बकीय पदार्थ की चुंबकशीलता होती है—

A. एक से कम

B. एक से अधिक

C. एक के बराबर

D. कहा नहीं जा सकता

332. निम्नलिखित में से किसे चुंबकित नहीं किया जा सकता है ?

A. लोहा B. कोबाल्ट

C. निकल D. अभ्रक

333. निम्नलिखित में से किसमें शैथिल्य का गुण प्रदर्शित नहीं होता ?

A. प्रत्यावर्ती धारा परिणामित्र (AC Transformer)

B. प्रत्यावर्ती धारा

C. प्रत्यावर्ती धारा मोटर

D. प्रत्यावर्ती धारा पंखा

334. सूत्र $F = \frac{1}{\mu} \frac{m_1 m_2}{d^2}$ में वायु के लिए μ का मान है—

A. 2 B. 1
C. 1/2 D. 2.3

335. पृथ्वी के चुम्बकीय क्षेत्र की कुल तीव्रता का ऊर्ध्वाधर घटक निम्नलिखित के बराबर है—

A. $H \cos \theta$ B. $H \cot \theta$
C. $H \tan \theta$ D. $(H \tan \theta)^2$

336. यदि किसी दंड चुम्बक को वायु में लटकाया जाए तो उसके अक्ष द्वारा पृथ्वी के घूर्णन अक्ष के साथ निर्मित कोण होगा—

A. 87° B. 17°
C. 72° D. 60°

337. किसी चुम्बकीय क्षेत्र में गति कर रहे विद्युत धारा युक्त चालक पर कार्य कर रहे बल का परिमाण होगा—

A. $B = F qv \sin\theta$
B. $F = B qv \sin^2 \theta$
C. $F = B qv \sin\theta$
D. $F = \frac{B qv}{\sin\theta}$

338. किसी दंड चुंबक के भीतर चुंबकीय बल रेखाओं की दिशा होती है—

A. उत्तरी ध्रुव से दक्षिणी ध्रुव की ओर
B. दक्षिणी ध्रुव से उत्तरी ध्रुव की ओर
C. उपर्युक्त (A) या (B)
D. कहा नहीं जा सकता

339. निर्वात की चुंबकशीलता है—

A. $4\pi \times 10^{-7}$ TmA^{-1}
B. $4\pi \times 10^{7}$ TmA
C. $2\pi \times 10^{-7}$ TmA
D. $2\pi \times 10^{-7}$ TmA

340. एक ही दिशा में प्रवाहित हो रही दो समांतर धाराएं—

A. एक दूसरे को प्रतिकर्षित करती हैं
B. एक दूसरे को आकर्षित करती हैं।
C. एक दूसरे पर कोई बल नहीं लगाती हैं।
D. उपर्युक्त में से कोई नहीं

341. किसी 2.5 kW के उष्णोत्स (geyser) को 220 V की बैटरी से संयोजित किया गया है। एक 1.5 kW की इस्त्री भी इसी बैटरी से संयोजित की गई है। उपकरण में कोई विफलता उत्पन्न न हो, इसके लिए फ्यूज तार की धारा का अनुमतांक (current rating) निश्चित रूप से निम्नलिखित से सन्निकट होना चाहिए।

A. $\frac{400}{22}$ A B. $\frac{4000}{22}$ A
C. 400A D. 22A

342. विद्युत लेपन (electroplating) की प्रक्रिया में जिस धातु पर मुलम्मा करना होता है, उसे बनाते हैं—

A. कैथोड (Cathode)
B. ऐनोड (Anode)
C. विद्युतलेपित की जाने वाली सामग्री के अनुसार उपर्युक्त (A) या (B)
D. उपर्युक्त में से कोई नहीं

343. यदि दो समांतर तारों में विद्युतधारा का प्रवाह परस्पर विपरीत दिशाओं में हो रहा हो, तो वे—

A. एक दूसरे को आकर्षित करेंगे
B. एक दूसरे को प्रतिकर्षित करेंगे
C. न तो एक दूसरे को आकर्षित करेंगे और न ही प्रतिकर्षित
D. इस संबंध में कुछ कहा नहीं जा सकता

344. नीचे चित्र में दर्शाए गए अनुसार पांच सदृश प्रतिरोध कुंडलियों (resistance coils) को परिपथ में संयोजित किया गया है। यदि A और B के बीच परिमित प्रतिरोध 1 Ω हो, तो अलग-अलग कुंडली का प्रतिरोध अनिवार्यतः होगा—

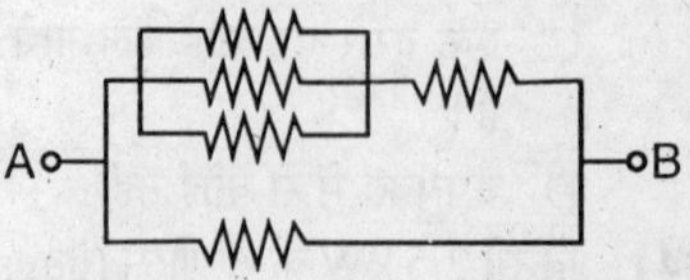

A. 7/3 Ω B. 4/7 Ω

C. 7/4 Ω D. 7 Ω

345. किसी धातु के ताप में वृद्धि करने पर उसके चालकत्व पर निम्नलिखित प्रभाव पड़ता है—

A. चालकत्व बढ़ता है

B. चालकत्व घटता है

C. चालकत्व अपरिवर्तित रहता है

D. उपर्युक्त में से कोई नहीं

346. नीचे के चित्र में A और B टर्मिनलों के बीच का प्रतिरोध R हो, इसके लिए प्रतिरोध R_1 का मान कितना होना चाहिए।

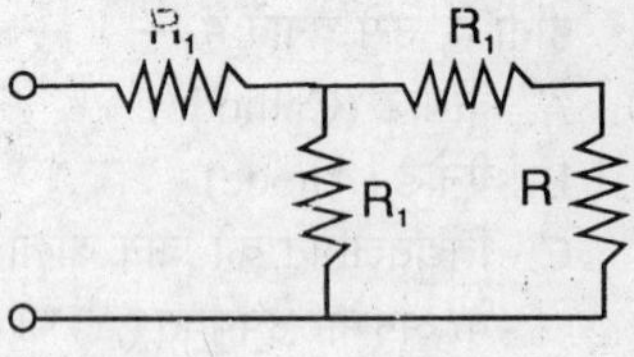

A. $\sqrt{3}R$ B. 2R

C. $R/\sqrt{3}$ D. R/2

347. AC पावर का उच्चयन या अपचयन (step up or step down) करने के लिए निम्नलिखित में से किस युक्ति का प्रयोग किया जाता है?

A. परिवर्तक (converter)

B. दिष्टकारी (rectifier)

C. परिणामित्र (transformer)

D. दिष्टधारा जनित्र (DC generator)

48. सुरक्षा फ्यूज (safety fuse) में निम्नलिखित वैद्युत गुण होने के कारण यह विद्युत परिपथ में लगे वैद्युत उपकरणों की रक्षा कर सकता है—

A. प्रतिरोधकता (resistivity)

B गलनांक (Melting Point)

C. चालकता (Conductivity)

D. उपर्युक्त में से कोई नहीं

348. यदि तांबे के एक खोखले गोले को धनावेशित किया जाए तो गोले के भीतरी पृष्ठ पर विद्युत क्षेत्र होगा—

A. शून्य

B. गोले के बाहरी पृष्ठ पर के विद्युत क्षेत्र के बराबर

C. गोले के बाहरी पृष्ठ पर के विद्युत क्षेत्र से कम

D. गोले के बाहरी पृष्ठ पर के विद्युत क्षेत्र से अधिक

350. एक वायुपूरित संधारित्र (air filled capacitor) को किसी बैटरी से पूर्णतः आवेशित करने के बाद बैटरी हटा ली जाती है। तत्पश्चात संधारित्र की दो प्लेटों के बीच अभ्रक की कुछ परतें डाल दी जाती हैं। यदि संधारित्र की ऊर्जा 'E' और अभ्रक की परतों का परवैद्युत नियतांक K हो, तो अभ्रक के संधारित्र में संचित ऊर्जा होगी—

A. E/K B. KE

C. KE^2 D. $\sqrt{KE}$

351. ट्रांजिस्टर निम्नलिखित के रूप में कार्य करता है—

A. अर्द्धचालक (semi conductor)

B. दिष्टकारी (rectifier)

C. तापायनिक वाल्व (thermionic valve)

D. विद्युत रोधी (insulator)

352. यदि क्रमशः 100W और 50W अनुमतांक (rating) के दो लैंपों को 220V प्रत्यावर्ती धारा आपूर्ति से श्रेणी क्रम में संयोजित किया जाए तो परिपथ द्वारा व्ययित पावर होगा—

A. 100W B. 180W

C. 150W D. 200W

353. किसी आवेश पर कार्य कर रहा बल

निम्नलिखित द्वारा इंगित किया जाता है—

A. $\vec{F} = \vec{E}q$

B. $\vec{F} = \frac{\vec{E}}{q}$

C. $\vec{F}q = \frac{1}{\vec{E}}$

D. इनमें से कोई नहीं

354. यदि C_1 और C_2 धारिता वाले दो संधारित्रों को पार्श्व संबंधित किया जाए तो उनकी संयुक्त धारिता होगी—

A. $\frac{1}{C_1} + \frac{1}{C_2}$ B. C_1C_2

C. $C_1 + C_2$ D. $\sqrt{C_1 + C_2}$

355. एक कलीय परिपथ (single phase circuit) में पावर निम्नलिखित के बराबर होती है—

A. $P = \sqrt{3}\ VI \cos\theta$

B. $P = \sqrt{3}\ VI$

C. $P = VI \cos\theta$

D. $P = VI$

356. किसी वोल्टीय सैल में प्रयुक्त विद्युत अपघट्य (electrolyte) होता है—

A. तनु हाइड्रोक्लोरिक अम्ल

B. तनु सल्फ्यूरिक अम्ल

C. तनु नाइट्रिक अम्ल

D. सान्द्रित सल्फ्यूरिक अम्ल

357. एक वाट निम्नलिखित के बराबर है—

A. 1 जूल प्रति सेकिंड

B. 1 अर्ग प्रति सेकिंड

C. 100 जूल प्रति सेकिंड

D. 746 हॉर्स पावर

358. यदि किसी कण पर 1 कूलॉम ऋण आवेश हो, तो इसका अभिप्राय है कि—

A. इस कण को एक इलेक्ट्रॉन की हानि हुई है।

B. इस कण को एक इलेक्ट्रॉन का लाभ हुआ है।

C. इस कण को 6.25×10^8 इलेक्ट्रॉनों की हानि हुई है।

D. इस कोण को 6.25×10^8 इलेक्ट्रॉनों का लाभ हुआ है।

359. कूलॉम नियम के अनुसार आनुपातिकता स्थिरांक (constant of proportionality) 'K_0' का मात्रक है—

A. $N\text{-}mC^{-2}$ B. $N\text{-}m^2C^{-2}$

C. $N - mC$ D. $N - m^2$

360. प्रत्येक 30μF धारित वाले दो संधारित्रों को पार्श्व संबंधित किया गया है। यदि इस संयोजन से प्रत्येक 30μF धारिता वाले श्रेणी संबंधित दो अन्य संधारित्रों को श्रेणी क्रम में जोड दिया जाए तो इस संपूर्ण संयोजन की परिणामी धारिता होगी—

A. 30μF B. 12μF

C. 32μF D. 10μF

361. तापन उपकरणों में आमतौर पर नाइक्रोम नामक मिश्रधातु का प्रयोग किया जाता है। इस मिश्र धातु के संघटक तत्व हैं—

A. निकल और सीसा

B. निकल और क्रोमियम

C. सीसा और क्रोमियम

D. निकल, सीसा और क्रोमियम

362. यदि 250V के स्रोत से 4A की धारा किसी बिजली की इस्त्री से होकर एक घण्टे तक प्रवाहित हो, तो व्ययित ऊर्जा होगी—

A. 2kWh B. 4kWh

C. 1Wh D. 1kWh

363. यदि किसी तार की लंबाई और उसका अनुप्रस्थ परिच्छेद दुगुना कर दिया जाए, तो—

A. प्रतिरोध बढ़कर चौगुना हो जाएगा।

B. प्रतिरोध घटकर चौगुना हो जाएगा।

C. प्रतिरोध बढ़कर दुगुना हो जाएगा।

D. प्रतिरोध अपरिवर्तित रहेगा।

364. विद्युत आवेश के कारण किसी बिन्दु पर

विद्युत विभव होता है—

A. आवेश से दूरी का अनुक्रमानुपाती

B. आवेश से दूरी के वर्ग का व्युत्क्रमानुपाती

C. आवेश से दूसरी के वर्ग का व्युत्क्रमानुपाती

D. आवेश से दूरी के वर्ग का अनुक्रमानुपाती

365. किसी खोखले गोले का आवेश स्थित होता है—

A. उसके भीतरी पृष्ठ पर

B. उसके बाह्य पृष्ठ पर

C. अंशत: उसके भीतरी पृष्ठ पर और अंशत: उसके बाह्य पृष्ठ पर

D. उपर्युक्त में से कोई नहीं

366. चालकत्व का मात्रक है—

A. ओह्म B. हेनरी

C. मो (Mho) D. ओर्स्टेड

367. परिणामित्रों (transformers) का क्रोड (core) बनाने के लिए निम्नलिखित में से किस पदार्थ का प्रयोग किया जाता है ?

A. सी.आर.जी.ओ. (CRGO)

B. इस्पात

C. क्रोमियम

D. तांबा

368. सिल्वर विद्युत का सबसे अच्छा चालक है फिर भी इसका प्रयोग परिणामित्रों और मोटरों में नहीं किया जाता है। इसका कारण है—

A. इसे प्राप्त करना कठिन है।

B. इससे तार निर्मित करना कठिन होता है

C. यह महंगा होता है

D. उपर्युक्त सभी

369. निम्नलिखित में से किस पदार्थ के ताप में वृद्धि के साथ उसके वैद्युत प्रतिरोध में कमी आती है ?

A. नाइक्रोम B. प्लेटिनम

C. सिलीनियम D. स्वर्ण

370. यदि फ्लक्स 1 सेकिंड में 20T से बदलकर 10T हो जाता हो तो प्रेरित विद्युत वाहक बल (induced emf) का मान होगा—

A. 20V B. 40V

C. 30V D. 10V

371. यदि एक विद्युत उपकरण 120V पर प्रचालित होता हो, तो इससे होकर प्रवाहित होने वाले प्रत्येक इलेक्ट्रॉन द्वारा सृजित ऊष्मा का परिमाण होगा—

A. 1.9×10^{-10} जूल

B. 1.92×10^{-17} जूल

C. 1.2×10^{-12} जूल

D. इनमें से कोई नहीं

372. 1 ऐम्पियर की धारा को एक सेकिंड तक प्रवाहित करने पर निक्षेपित तांबे की मात्रा होगी ?

A. 3.29×10^{-8} किग्रा.

B. 3.3×10^{-2} किग्रा.

C. 3.29×10^{-4} किग्रा.

D. 3.3×10^{-6} किग्रा.

373. निम्नलिखित में से कौन-सा ग्राफ ओह्म के नियम के अनुसार खींचा गया है ?

A. 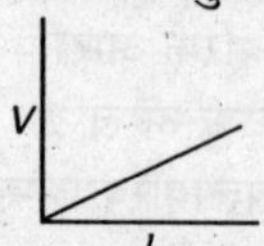

B. 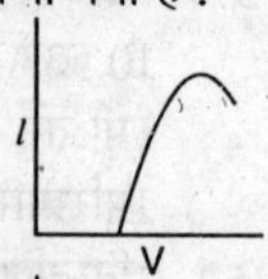

C. 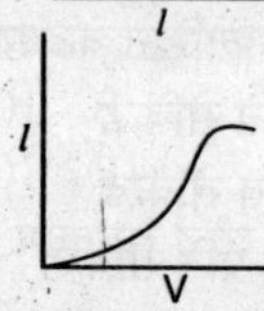

D. 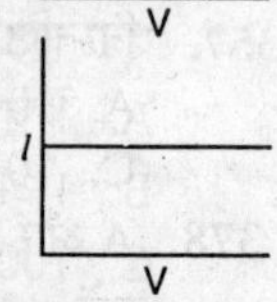

374. यदि सेलो को पार्श्वसंबंधित किया जाए तो कुल विद्युत वाहक बल होगा—

A. सभी सेलों के विद्युतवाहक बलों के योग के बराबर

B. एक सरल सेल के विद्युतवाहक बल के बराबर

C. एक सरल सेल के विद्युतवाहक बलों के योग का आधा

D. उपर्युक्त में कोई नहीं

375. विद्युत बल रेखा निम्नलिखित को कहते हैं–

A. एक ऐसा वक्र जिसके किसी भी बिन्दु पर खींची गई स्पर्श रेखा उस बिन्दु पर विद्युत क्षेत्र की दिशा बताती है।

B. यदि किसी विद्युत क्षेत्र में रखा कोई एकांक धन आवेश चलने के लिए स्वतंत्र हो, तो वह जिस रैखिक पथ पर चलता है उसे विद्युत बल रेखा कहते हैं।

C. उपर्युक्त दोनों

D. उपर्युक्त में से कोई नहीं

376. यदि किसी 3 ओह्म के बाह्य प्रतिरोध से होकर अधिकतम धारा प्रेषित करने के लिए प्रत्येक 1 ओह्म आंतरिक प्रतिरोध और 1.5V विद्युत वाहक बल के पच्चीस सेल प्रयोग में लाए जाने हों तो इन सेलों को किस प्रकार संयोजित किया जाएगा?

A. पार्श्व संबंधन में

B. श्रेणी संबंधन में

C. छः सेलों को श्रेणी संबंधन में और शेष को पार्श्व संबंधन में

D. उपर्युक्त में से कोई नहीं

377. यदि हाइड्रोजन के एक परमाणु में इलेक्ट्रॉन 0.53Å त्रिज्या की कक्षा में 2.18×10^6 मी. से.$^{-1}$ की गति से प्रोटॉन के चारों ओर परिक्रमा करते हों, तो समतुल्य धारा निम्नलिखित के सन्निकट होगी—

A. 10^{-2} A B. 10^{-4}A

C. 10^{-6} A D. 10^{-3}A

378. A और B के बीच समतुल्य प्रतिरोध ज्ञात करें—

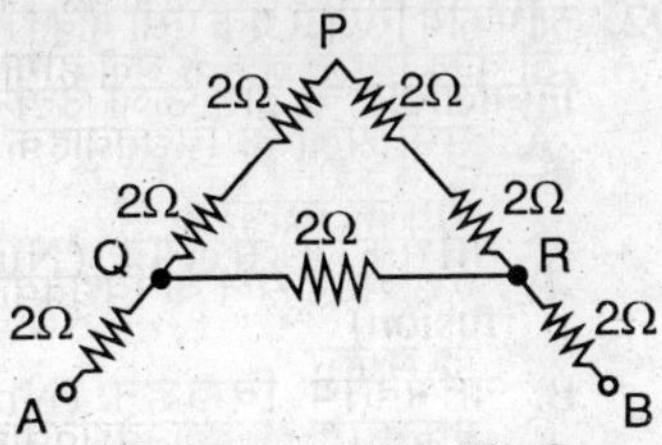

A. 2/3 Ω B. 3/2 Ω

C. 4/3 Ω D. 3/4 Ω

379. क्रमशः 100W और 200W के दो बल्ब पार्श्व संबंधित हैं। उन्हें एक कॉमन प्वाइंट से 220V प्रत्यावर्ती धारा की आपूर्ति की जा रही है। किस बल्ब से होकर अधिक परिमाण में धारा प्रवाहित होगी?

A. 100W बल्ब

B. 200W बल्ब

C. दोनों बल्बों में धारा समान परिमाण में प्रवाहित होगी।

D. कहा नहीं जा सकता

380. किसी समांतर प्लेट संधारित्र (parallel plate condenser) की धारिता—

A. प्लेटों के उभयनिष्ठ क्षेत्र के साथ रैखिकतः विचरण करती है।

B. प्लेटों के बीच के पृथक्करण का अनुक्रमानुपाती होती है।

C. प्लेटों को बनाने के लिए प्रयुक्त धातु पर निर्भर करती है।

D. प्लेटों के बीच के माध्यम (पदार्थ) के परावैद्युत नियतांक का व्युत्क्रमानुपाती होती है।

381. क्रमशः +4 माइक्रो कूलॉम और +8 माइक्रो कूलॉम के दो बिन्दु आवेश 10 न्यूटन के बल से एक-दूसरे को प्रतिकर्षित करते हैं। यदि इनमें से प्रत्येक बिंदु आवेश को अतिरिक्त –4 माइक्रो कूलॉम आवेश से आवेशित किया जाए तो इनके बीच लगने वाला बल होगा—

A. 10 न्यूटन B. 20 न्यूटन

C. शून्य D. 4 न्यूटन

382. लेंज का नियम निम्नलिखित नियम का निष्कर्ष है—

A. संवेग संरक्षण का नियम

B. आवेश संरक्षण का नियम

C. ऊर्जा संरक्षण का नियम

D. कोणीय संवेग संरक्षण का नियम

383. निम्नलिखित में से किस युक्ति में द्वार इलैक्ट्रोड (gate) का उपयोग किया जाता है—

A. सिलिकन नियंत्रित दिष्टकारी (SCR)
B. डायोड (Diode)
C. दिष्टकारी ((Rectifier)
D. परिवर्तक (Converter)

384. यदि 'e' आवेश से आवेशित एक इलेक्ट्रॉन किसी एक समान चुम्बकीय क्षेत्र 'B' की बल रेखाओं के समांतर एक समान वेग 'v' से गतिमान हो तो इलेक्ट्रॉन पर लगने वाला बल होगा—

A. Bev B. Be/v
C. शून्य   D. Bev^2

385. किसी विद्युतधारा के कारण उत्पन्न चुम्बकीय क्षेत्र को निम्नलिखित सूत्र द्वारा निरूपित किया जा सकता है—

A. $\Delta B = k\dfrac{I\,\Delta l\cos\theta}{r^2}$

B. $\Delta B = k\dfrac{I\sin\theta}{r^2}$

C. $\Delta B + \dfrac{k.AlI\cos\theta}{r}$

D. उपर्युक्त सभी

386. किसी प्रतिरोधक परिपथ में विद्युतधारा के कारण सृजित ऊष्मा निम्नलिखित द्वारा व्यक्त की जाती है—

A. IR   B. IR^2
C. I^2R D. $\sqrt{IR}$

387. किसी परिनालिका (solenoid) में उत्पन्न चुम्बकीय क्षेत्र निम्नलिखित का व्युत्क्रमानुपाती होता है—

A. धारा
B. परिनालिका की लंबाई
C. परिनालिका में घुमावों की संख्या
D. नियतांक K

388. फैराडे के विद्युत चुंबकीय प्रेरण संबंधी नियम और लेंज के नियम को परस्पर संबंधित करने पर निष्कर्ष के रूप में निम्नलिखित व्यंजक प्राप्त होता है—

A. $E = n\dfrac{d\phi}{dt}$

B. $E = -n\dfrac{d\phi}{dt}$

C. $nE = \dfrac{d^2\phi}{dt^2}$

D. इनमें से कोई नहीं

389. 440 V AC की एक तीन फेज वाली लाइन के किन्हीं दो फेजों के बीच विभवांतर होता है—

A. 410 V AC
B. 230 V AC
C. 440 V AC
D. कहा नहीं जा सकता

390. निम्नलिखित में से किस युक्ति में दिक्परिवर्तक (Commutator) का उपयोग किया जाता है—

A. प्रत्यावर्ती धारा जनित्र (AC Generator)
B. दिष्टधारा जनित्र (AC Generator)
C. प्रत्यावर्ती धारा मोटर (AC Motor)
D. उपर्युक्त सभी

391. सूर्य भारी ऊर्जा का मुख्य स्रोत है—

A. भारी नाभिकों का संलयन
B. हल्के नाभिकों का संलयन
C. हल्के नाभिकों का विखंडन
D. भारी नाभिकों का विखंडन

392. नाभिकीय रिऐक्टर एक ऐसी युक्ति है जिसमें निम्नलिखित के द्वारा ऊर्जा उत्पन्न होती है—

A. नाभिकीय संलयन (Nuclear fusion)
B. नाभिकीय विखंडन (Nuclear fission)

C. तापनाभिकीय अभिक्रिया (thermo-nuclear reaction)

D. सरल नाभिकीय अभिक्रिय

393. यदि नाभिकीय शक्ति संयंत्र की शृंखला अभिक्रिया नियंत्रित न की जाए, तो शक्ति संयंत्र—

A. मृत हो जाएगा

B. नाभिकीय बम के समान विस्फोट करेगा

C. रसायनों के क्षरण के कारण प्रदूषण फैलाएगा

D. कार्य करता रहेगा

394. नाभिकीय शक्ति उत्पन्न करने के लिए निम्नलिखित में से किसका उपयोग किया जाता है?

A. प्लेटिनम B. रेडियम

C. यूरेनियम D. इनमें से सभी

395. यूरेनियम में शृंखला क्रिया U^{235} से आरंभ होकर....पर समाप्त होती है।

A. Sn^{207} B. Ph^{207}

C. Pt^{207} D. Po^{207}

396. लकड़ी के किसी पुराने लट्ठे की आयु ज्ञात करने की सर्वोत्तम विधि है—

A. कार्बन काल-निर्धारण तकनीक का उपयोग

B. इसके तने में स्थित वलयों की संख्या गिनना

C. लकड़ी के लट्ठे को जलाकर प्राप्त कार्बन की मात्रा का अध्ययन करना

D. उपर्युक्त में से किसी भी विधि का प्रयोग

397. यदि किसी रेडियो ऐक्टिव धातु के नाभिकों की मूल संख्या N_0 हो तो अर्ध-आयु की समाप्ति पर उस धातु के नाभिकों की संख्या होगी—

A. N_0 B. $2N_0$

C. $\frac{N_0}{2}$ D. N_0^2

398. निम्नलिखित में से कितने से अधिक परमाणु संख्या वाले तत्वों में विघट-नाभिकता (radioactivity) अंतर्निहित होती है?

A. $Z > 80$ B. $Z > 82$

C. $Z > 114$ D. $Z > 90$

398. निम्नलिखित में से भारत का पहला नाभिकीय अनुसंधान रिएक्टर (first nuclear research reactor) था—

A. अप्सरा (Apsara)

B. जर्लिना (Zerlina)

C. पूर्णिमा (Purnima)

D. चंद्रमा (Chandrama)

400. तापीय न्यूट्रॉन (thermal neutrons) का सन्निकट ऊर्जा स्तर होता है—

A. $10eV$ B. $1eV$

C. $0.1eV$ D. $100eV$

401. एक इलेक्ट्रॉन का द्रव्यमान होता है—

A. 9.1×10^{-22} ग्राम

B. 9.1×10^{-28} ग्राम

C. 9.1×10^{-26} ग्राम

D. 9.1×10^{-24} ग्राम

402. एक प्रोटॉन का आवेश होता है—

A. 1.5×10^{-22} कूलॉम

B. 1.6×10^{-24} कूलॉम

C. 1.6×10^{-22} कूलॉम

D. 1.6×10^{-20} कूलॉम

403. समान परमाणु संख्या वाले नाभिक कहलाते हैं—

A. समावयवी (isomers)

B. समस्थानिक (isotopes)

C. समन्यूट्रॉनिक (isotones)

D. समभारिक (isobars)

404. यदि कोई परमाणु विद्युत: उदासीन हो, तो—

A. प्रोटॉन = न्यूट्रॉन

B. न्यूट्रॉन = इलेक्ट्रॉन

C. प्रोटॉन = इलेक्ट्रॉन

D. प्रोटॉन + इलेक्ट्रॉन = न्यूट्रॉन

405. नाभिकीय अभिक्र या $^{10}_{52}Te + ^{2}_{1}H \rightarrow ^{131}_{53}I + X$ में कण X है—

A. बीटा कण (beta particle)

B. न्यूट्रॉन (neutron)

C. ऐल्फा कण (alpha particle)

D. ड्यूट्रॉन (deutron)

406. एक इलेक्ट्रॉन और एक पॉजिट्रॉन के संयोजन से प्राप्त नया कण कहलाता है—

A. ऐल्फा कण

B. प्रोट्रॉन

C. न्यूट्रॉन

D. इनमें से कोई नहीं

407. भारी जल (heavy water) का आणविक भार (molecular weight) होता है—

A. 20 B. 22

C. 18 D. 16

408. यदि $^{9}_{4}Be$ पर एल्फा कण का प्रहार करने पर एक उपोत्पाद $^{12}_{6}C$ हो तो दूसरा उपोत्पाद होगा—

A. न्यूट्रॉन

B. पॉजिट्रॉन

C. प्रोटॉन

D. इनमें से कोई नहीं

409. मस्तिष्क की रसौली (tumour) का पता लगाने के लिए निम्नलिखित में से किस समस्थानिक का प्रयोग किया जाता है?

A. ^{12}C B. ^{24}Na

C. ^{10}Te D. ^{14}C

410. नाभिकीय शक्ति रिएक्टरों में भारी जल का प्रयोग क्यों किया जाता है?

A. इलेक्ट्रॉन का प्रवाह रोकने के लिए

B. तीव्र न्यूट्रॉनों की गति विनियमित करने के लिए

C. नाभिकीय शृंखला अभिक्रिया के हानिकारक विकिरणों को अवशोषित करने के लिए

D. उपर्युक्त में से कोई नहीं

411. 1 eV का मान निम्नलिखित के बराबर है—

A. 1.602×10^{-17} जूल

B. 1.602×10^{-20} जूल

C. 1.602×10^{-12} जूल

D. 1.602×10^{-10} जूल

412. डायोड ओर ट्रायोड के संघटक भागों में क्या अंतर होता है?

A. डायोड में ऐनोड नहीं होता

B. ट्रायोड में कैथोड नहीं होता

C. ट्रायोड में ग्रिड नहीं होता

D. उपर्युक्त में से कोई नहीं

413. amu (परमाणु संह मात्रक) निम्नलिखित के बराबर होता है—

A. ^{12}C के परमाणु की संहति का 12 वां भाग

B. 1.66×10^{-14} किग्रा.

C. ^{14}C के एक परमाणु की संहित

D. उपर्युक्त में से कोई नहीं

414. निम्नलिखित में से कौन-सा 1 क्यूरी को निरूपित करता है?

A. 3.7×10^{8} डिस प्रति सेकिंड

B. 3.7×10^{10} डिस प्रति सेकिंड

C. 3.8×10^{8} डिस प्रति सेकिंड

D. 3.8×10^{10} डिस प्रति सेकिंड

415. निम्नलिखित में से किसमें वेधन क्षमता सर्वाधिक है?

A. एल्फा किरण (α-rays)

B. बीटा किरण (β-rays)

C. गामा किरण (γ-rays)

D. उपर्युक्त सभी में समान वेधन क्षमता है।

416. निम्नलिखित में से किसकी गति सर्वाधिक है?

A. एल्फा किरण

B. बीटा किरण

C. गामा किरण

D. उपर्युक्त सभी की गति एक समान है।

417. U_{92}^{235} की अर्धआयु कितनी होती है?

A. 4.5×10^9 वर्ष

B. 4.2×10^3 वर्ष

C. 4.5×10^{11} वर्ष

D. 4.2×10^9 वर्ष

418. निम्नलिखित में से कौन-सा कण यूरेनियम में श्रृंखला अभिक्रिया शुरू करता है?

A. न्यूट्रॉन

B. एल्फा कण

C. एलेक्ट्रॉन

D. उपर्युक्त में से कोई भी

419. संगलन अभिक्रिया को आरंभ करना कठिन है, क्योंकि—

A. हलके नाभिक उपलब्ध नहीं हैं।

B. अभिक्रिया आरंभ करने के लिए उच्च ताप और दाब की आवश्यकता होती है।

C. भारी नाभिक उपलब्ध नहीं हैं।

D. उपर्युक्त में से कोई नहीं

420. U_{92}^{239} के एक परमाणु में प्रोटॉनों की संख्या होती है—

A. 239 B. 142

C. 92 D. 98

421. नाभिक का व्यास निम्नलिखित के सन्निकट होता है—

A. 10^{-15} मी. B. 10^{-2} मी.

C. 10^{-11} मी. D. 10^{-19} मी.

422. एल.ए.एस.ई.आर. (LASER) का विस्तार है—

A. लाइट ऐम्प्लिफाइड बाय स्ट्रिक्ट एमिशन रेडियो

B. लाइट ऐम्प्लिफिकेशन बाय स्टिमुलेटेड एमिशन ऑफ रेडिएशन

C. लाइटर एम्प्लिट्यूड ड्यू टु स्ट्रक एमिशन ऑफ रेडियो-आइसोटोप्स

D. उपर्युक्त में से कोई नहीं

423. 1 घन सेमी तांबे में इलेक्ट्रॉनों की संख्या कितनी होती है?

A. 8.4×10^{22} B. 2.4×10^{12}

C. 4.2×10^{11} D. 8.4×10^9

424. एक्स किरणों की वेधन क्षमता निम्नलिखित के साथ होती है?

A. आवृत्ति में वृद्धि

B. तीव्रता में वृद्धि

C. वोल्टता में वृद्धि

D. एक्स किरण नलिका के भीतर दाब में वृद्धि

425. परमाणु में इलेक्ट्रॉन के किसी उच्चतर कक्षा से निम्नतर कक्षा में पहुचने पर इलेक्ट्रॉन की ऊर्जा—

A. बढ़ती है

B. घटती है

C. न तो बढ़ती है और न ही घटती है।

D. बढ़ती भी है और घटती भी है।

426. निम्नलिखित में से किस स्थान पर भारी जल का उत्पादन नहीं किया जाता?

A. नांगल B. टूटीकोरिन

C. मंगलूर D. विशाखापट्टनम

427. किसी नाभिकीय शक्ति संयंत्र में बेरिलियम की छड़ों का प्रयोग निम्नलिखित के लिए किया जाता है—

A. न्यूट्रॉन सृजित करने

B. अतिरिक्त न्यूट्रॉनों को अवशोषित करने

C. श्रृंखला अभिकिया आरंभ करने

D. ऐल्फा कणों को सृजित करने

428. नाभिकीय विखंडन सामग्री प्राप्त करने के लिए निम्नलिखित में से किस तत्व को समृद्ध बनाया जाता है?

A. थोरियम B. इरीडियम

C. सिलिकन D. सीसा

429. हाइड्रोजन के एक परमाणु को आयनित

करने के लिए आवश्यक ऊर्जा का मान है–
A. 13.6 eV B. 18.2 eV
C. 12.4 eV D. 12.6 eV

430. सोडियम धातु का देहली तरंगदैर्घ्य (threshold wavelength) 6800Å है। धातु का कार्य फलन होगा—
A. 1.29 eV B. 1.82 eV
C. 1.46 eV D. 1.72 eV

431. किसी N-P-N ट्रांजिस्टर की संधि में.....पर्याप्त संख्या में उपलब्ध होते हैं ?
A. इलेक्ट्रॉन B. विवर (holes)
C. न्यूट्रॉन D. इनमें से कोई नहीं

432. n-प्रकार का मादन (n-type doping) क्या है ?
A. मुक्त इलेक्ट्रॉन सृजित करने के लिए किसी अर्धचालक में अशुद्धियां मिलाना
B. मुक्त विवरों को सृजित करने के लिए किसी अर्धचालक में अशुद्धियां मिलाना
C. धातु मिश्रित करके किसी अर्धचालक पदार्थ की संरचना बदलना
D. किसी अर्धचालक पदार्थ के तापीय गुणों को बदलना

433. ट्रांजिस्टर का उपयोग निम्नलिखित के रूप में प्रभावी रूप से किया जा सकता है—
A. डायोड (Diode)
B. प्रवर्धक (Amplifier)
C. दिष्टकारी (Rectifier)
D. इनमें से सभी

434. हाइड्रोजन परमाणु के उत्सर्जन स्पेक्ट्रम में बामर श्रेणी (Balmer series) अवस्थित होती है—
A. पराबैंगनी क्षेत्र में (in the ultra-violet region)
B. बैंगनी क्षेत्र में (in the violet region)
C. अवरक्त क्षेत्र में (in the infrared region)
D. दृश्य क्षेत्र में (in the visible region)

435. सोडियम परमाणु की पहली स्पेक्ट्रमी रेखा (first spectral line) 5890Å हो, तो सोडियम का पहला उत्तेजन विभव होगा—
A. 2.1 V B. 4.2 V
C. 2.9 V D. 3.4 V

436. हाइड्रोजन परमाणु के बोर मॉडल (Bohr's model) के अनुसार—
A. इलेक्ट्रॉन का कोणीय वेग क्वांटित होता है
B इलेक्ट्रॉन का रैखिक वेग क्वांटित होता है
C. इलेक्ट्रॉन का कोणीय संवेग क्वांटित होता है
D. इलेक्ट्रॉन का रैखिक संवेग क्वांटित होता है

437. यदि किसी धात्विक सतह का कार्य फलन 14eV हो तो देहली तरंगदैर्घ्य होगा—
A. 2956 Å B. 3056Å
C. 3112 Å D. 3012 Å

438. निम्नलिखित में से कौन–सी किरण किसी रेडियोएक्टिव तत्व द्वारा प्राकृतिक रूप से निर्मुक्त नहीं हो सकती ?
A. ऐल्फा किरण B. बीटा किरण
C. ऐक्स किरण D. गामा किरण

439. चार अर्ध आयुओं के समापन के पश्चात बचे मूल रेडियोऐक्टिव पदार्थ का प्रतिशत होता है—
A. 6.0% B. 6.25%
C. 7.25% D. 8.25%

440. परमाणु बम के लिए प्रयुक्त किए जाने वाले प्लुटोनियम को निम्नलिखित से प्राप्त किया जाता है—
A. U^{239} B. U^{235}
C. U^{238} D. इनमें से कोई नहीं

उत्तरमाला

1	2	3	4	5	6	7	8	9	10
C	D	A	A	B	C	C	C	C	D
11	**12**	**13**	**14**	**15**	**16**	**17**	**18**	**19**	**20**
C	B	A	B	B	D	D	B	A	C
21	**22**	**23**	**24**	**25**	**26**	**27**	**28**	**29**	**30**
D	A	C	A	B	A	D	C	B	A
31	**32**	**33**	**34**	**35**	**36**	**37**	**38**	**39**	**40**
B	C	B	C	C	C	C	C	D	C
41	**42**	**43**	**44**	**45**	**46**	**47**	**48**	**49**	**50**
B	B	B	B	C	D	A	D	C	D
51	**52**	**53**	**54**	**55**	**56**	**57**	**58**	**59**	**60**
A	D	A	A	D	B	D	C	B	B
61	**62**	**63**	**64**	**65**	**66**	**67**	**68**	**69**	**70**
D	A	D	D	C	E	D	C	B	D
71	**72**	**73**	**74**	**75**	**76**	**77**	**78**	**79**	**80**
D	A	D	C	D	D	A	A	C	A
81	**82**	**83**	**84**	**85**	**86**	**87**	**88**	**89**	**90**
B	C	A	D	D	D	A	A	A	B
91	**92**	**93**	**94**	**95**	**96**	**97**	**98**	**99**	**100**
B	D	C	C	C	C	B	C	A	D
101	**102**	**103**	**104**	**105**	**106**	**107**	**108**	**109**	**110**
D	B	B	B	D	B	C	B	C	D
111	**112**	**113**	**114**	**115**	**116**	**117**	**118**	**119**	**120**
A	B	D	C	B	C	D	A	C	C
121	**122**	**123**	**124**	**125**	**126**	**127**	**128**	**129**	**130**
B	C	C	B	D	A	D	C	B	B
131	**132**	**133**	**134**	**135**	**136**	**137**	**138**	**139**	**140**
B	C	B	B	A	C	B	A	B	B
141	**142**	**143**	**144**	**145**	**146**	**147**	**148**	**149**	**150**
C	B	B	D	B	D	D	C	C	A
151	**152**	**153**	**154**	**155**	**156**	**157**	**158**	**159**	**160**
A	D	C	B	D	B	C	A	B	C
161	**162**	**163**	**164**	**165**	**166**	**167**	**168**	**169**	**170**
B	B	C	A	C	D	A	C	A	D
171	**172**	**173**	**174**	**175**	**176**	**177**	**178**	**179**	**180**
B	B	D	B	C	C	D	B	C	D
181	**182**	**183**	**184**	**185**	**186**	**187**	**188**	**189**	**190**
C	C	B	D	C	D	A	B	D	C
191	**192**	**193**	**194**	**195**	**196**	**197**	**198**	**199**	**200**
A	A	A	A	A	B	B	D	C	C

201	**202**	**203**	**204**	**205**	**206**	**207**	**208**	**209**	**210**
C	A	B	B	C	B	D	A	C	A
211	**212**	**213**	**214**	**215**	**216**	**217**	**218**	**219**	**220**
B	D	C	C	D	C	B	C	A	A
221	**222**	**223**	**224**	**225**	**226**	**227**	**228**	**229**	**230**
A	C	C	D	B	D	C	B	B	A
231	**232**	**233**	**234**	**235**	**236**	**237**	**238**	**239**	**240**
B	B	A	D	D	B	A	D	D	C
241	**242**	**243**	**244**	**245**	**246**	**247**	**248**	**249**	**250**
C	A	C	D	B	C	B	A	B	B
251	**252**	**253**	**254**	**255**	**256**	**257**	**258**	**259**	**260**
A	D	A	B	B	B	C	B	B	B
261	**262**	**263**	**264**	**265**	**266**	**267**	**268**	**269**	**270**
B	B	B	A	A	B	C	D	B	B
271	**272**	**273**	**274**	**275**	**276**	**277**	**278**	**279**	**280**
B	A	C	A	C	A	B	D	C	B
281	**282**	**283**	**284**	**285**	**286**	**287**	**288**	**289**	**290**
A	C	B	A	C	B	A	A	A	B
291	**292**	**293**	**294**	**295**	**296**	**297**	**298**	**299**	**300**
C	C	B	B	C	B	D	A	D	D
301	**302**	**303**	**304**	**305**	**306**	**307**	**308**	**309**	**310**
A	B	B	B	B	C	B	C	C	D
311	**312**	**313**	**314**	**315**	**316**	**317**	**318**	**319**	**320**
A	A	B	A	A	C	C	D	A	B
321	**322**	**323**	**324**	**325**	**326**	**327**	**328**	**329**	**330**
B	A	A	B	B	A	C	C	A	C
331	**332**	**333**	**334**	**335**	**336**	**337**	**338**	**339**	**340**
A	D	B	B	C	B	C	B	A	C
341	**342**	**343**	**344**	**345**	**346**	**347**	**348**	**349**	**350**
A	A	B	C	A	C	C	B	A	B
351	**352**	**353**	**354**	**355**	**356**	**357**	**358**	**359**	**360**
B	C	A	C	C	B	A	D	B	B
361	**362**	**363**	**364**	**365**	**366**	**367**	**368**	**369**	**370**
B	D	D	B	B	C	A	C	C	D
371	**372**	**373**	**374**	**375**	**376**	**377**	**378**	**379**	**380**
B	A	B	B	D	B	B	B	B	A
381	**382**	**383**	**384**	**385**	**386**	**387**	**388**	**389**	**390**
C	C	A	C	A	C	A	B	C	B
391	**392**	**393**	**394**	**395**	**396**	**397**	**398**	**399**	**400**
B	B	B	C	B	A	C	B	A	C
401	**402**	**403**	**404**	**405**	**406**	**407**	**408**	**409**	**410**
B	C	B	C	B	A	A	B	B	B
411	**412**	**413**	**414**	**415**	**416**	**417**	**418**	**419**	**420**
A	C	A	B	C	C	A	A	B	C

421	422	423	424	425	426	427	428	429	430
A	B	A	A	B	D	B	A	A	B
431	**432**	**433**	**434**	**435**	**436**	**437**	**438**	**439**	**440**
B	A	B	D	A	C	A	C	B	C

व्याख्यात्मक उत्तर

1. सूर्य के लिए व्यास = 1.4×10^6 किमी.
द्रव्यमान = 1.99×10^{30} किग्रा.
पृथ्वी के लिए व्यास = 1.3×10^4 किमी.
द्रव्यमान = 6×10^{24} किग्रा.
(अनुमानतः)

$$\frac{gs}{ge} = \frac{M_s}{Me} \times \frac{(Re)^2}{(Rs)^2}$$

$$= \frac{1.99 \times 10^{30}}{6 \times 10^{24}} \times \frac{(0.65 \times 10^4)^2}{(0.7 \times 10^6)^2}$$

$= 28$

अतः सूर्य कक्ष में भार 28 गुना अधिक हो जाएगा।

3. मान लिया कि ब्रेकों द्वारा दोनों पर समान बल F लगाया जाता है, उनकी गतिज ऊर्जाएं (K) बराबर हैं, अब

$$K = Fs$$

क्योंकि K तथा F दोनों के लिए समान हैं अतः s भी समान होगा।

6. KWH यूनिटों की संख्या

$$= \frac{\text{वाट} \times \text{घण्टा} \times \text{दिन}}{1000}$$

$$= \frac{100 \times 5 \times 8}{1000} = 4$$

9. दोनों गेंदों पर समान त्वरण (गुरुत्व त्वरण g) लगता है तो दोनों का प्रारम्भिक वेग शून्य (0) है, अतः समान दूरी (h) से गिरने पर समान समय लगेगा।

$$h = 0 + \frac{1}{2} g t^2$$

10. त्वरण के साथ नीचे आते हुए—

$$mg - R = m\alpha$$
$$r = m(g - \alpha)$$

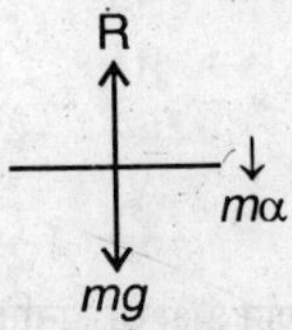

त्वरण के साथ ऊपर जाते हुए—

$$R - mg = m\alpha$$
$$R = m(g + \alpha)$$

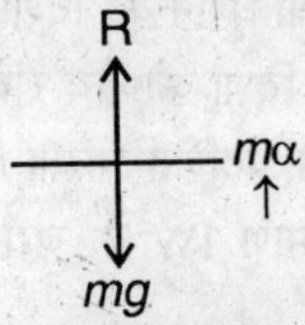

जब लिफ्ट स्थिर है अथवा समान वेग से गति करती है तो $\alpha = 0$
अतः इस स्थिति में $R = mg$ होता है।

17. आवेश $Q = It = 3.5 \times 60$
($\because$ 1 मिनट = 60 से.)
= 210.0 कूलॉम

18. गतिशील गेंद का संवेग = 4×8
= 32 किग्रा. मी./से.
स्थिर गेंद का संवेग = $12 \times 0 = 0$
गेंदों का संयुक्त संवेग = $(4 + 12)$ V
= 16 V किग्रा मी./से
संवेग संरक्षण से $32 + 0 = 16V$
$\Rightarrow V = 2$ मी./से.

19. $v^2 = \omega^2 (a^2 - y^2)$
अधिकतम वेग $v = a\omega$
माना वांछित दूरी y है

$$\therefore \left(\frac{v}{2}\right)^2 = \omega^2 (a^2 - y^2)$$

$$\frac{v^2}{4} = \omega^2 (a^2 - y^2)$$

$$\frac{v^2}{4} = \frac{v^2}{a^2} (a^2 - y^2)$$

$$\frac{1}{4} = 1 - \frac{y^2}{a^2}$$

$$\Rightarrow \quad y = \frac{\sqrt{3a}}{2}$$

21. कोणीय संवेग वेक्टर घूर्णन अक्ष के अनुदिश कार्य करता है। इसकी दिशा जानने के लिए दाएं हाथ से घूर्णन अक्ष को इस प्रकार पकड़िए कि अंगुलियां घूर्णन की दिशा में मुड़ें, तब अंगूठे की दिशा कोणीय संवेग वेक्टर की दिशा को प्रदर्शित करता है। इस वेक्टर का परिमाण IW के बराबर होता है।

22. माना कि अंत:पृष्ठ का ताप θ है।
तब स्थायी अवस्था में

$$\frac{k\,(100-\theta)\,A}{d} = \frac{4K\,(2-\theta)\,A}{d}$$

$$100 - \theta = 4\theta$$

$$\Rightarrow \quad \theta = 20°C$$

25.

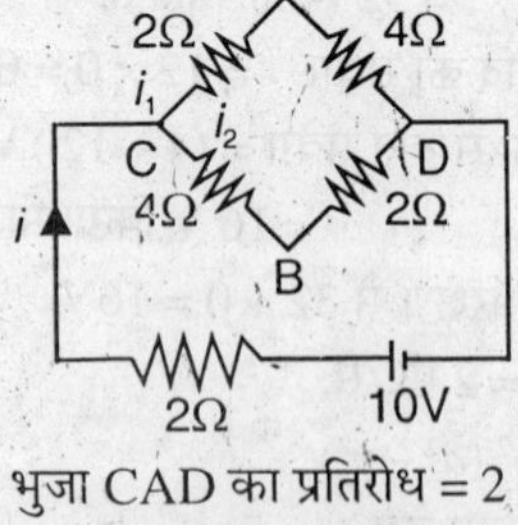

भुजा CAD का प्रतिरोध = 2 + 4 = 6Ω
भुजा CBD का प्रतिरोध = 4 + 2 = 6Ω
C और D के मध्य तुल्य प्रतिरोध = R

$$= \frac{6 \times 6}{6 + 6} = 3\Omega$$

परिपथ का कुल प्रतिरोध = 3 + 2 = 5 Ω

धारा $i = \frac{10}{5} = 2$ एम्पियर

चूंकि CAD का प्रतिरोध
= CBD का प्रतिरोध

अत: $i_1 = i_2 = \frac{i}{2} = \frac{2}{2} = 1$ एम्पियर

यदि V_C, V_A और V_B क्रमश: C, A और B के विभव हों, तो

$$V_C - V_A = 1 \times 2 = 2$$

व $V_C - V_B = 4 \times 1 = 4$

उक्त दो समीकरणों को घटाने पर

$$-V_A + V_B = 2 - 4 = -2$$

या $V_A - V_B = 2V$

28. $\frac{E_s}{E_p} = \frac{I_p}{I_s} = \frac{N_s}{N_p}$

$$E_s N_p = E_p N_s$$

$$12 \times N_p = 220 \times 18$$

$$\Rightarrow \quad N_p = 330$$

29. दक्षता $= \frac{\text{निर्गत ऊर्जा}}{\text{प्रविष्ट ऊर्जा}}$

$$\frac{60}{100} = \frac{720}{\text{प्रविष्ट ऊर्जा}}$$

∴ प्रविष्ट ऊर्जा = 1200 जूल

30. बल आवेग परिवर्तन की दर के बराबर होता है

$$\therefore \quad F = \frac{m(v-u)}{t}$$

आवेग = $F \times t = m(v - v)$
= संवेग परिवर्तन

31. कार्य $W = F.d = 5 \times 0.6 = 3$ जूल

32. प्रारम्भिक वेग = v

बढ़ा हुआ वेग $= \frac{120v}{100}$

वेग के वर्ग = v^2

तथा $= \frac{14400v^2}{10000}$

गतिज ऊर्जा में प्रतिशत वृद्धि

$$= \frac{4400v^2}{10000 \times v^2} \times 100 = 44\%$$

33. 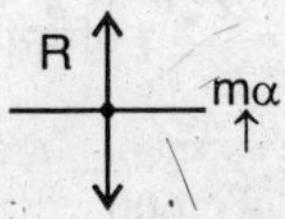

$$\begin{aligned} R - mg &= m\alpha \\ R &= mg + m\alpha \\ &= m(g + \alpha) \\ R &> mg \end{aligned}$$

34. 600 चक्करों में 1200π रेडियन कोण घूमता है

60 सेकिंड में 1200π रेडियन

1 सेकिंड $= \frac{1200\pi}{60} = 20\pi$ रेडियन

∴ कोणीय वेग = 20π रेडियन/सेकिंड

35. क्षैतिज परास $R = \frac{u^2 \sin 2\theta}{g}$

$(R)_{max}$ के लिए $\sin 2\theta = 1$

या $2\theta = 90$

$\Rightarrow \theta = 45°$

37. B की आवृत्ति है 200 + 10 = 210 Hz या 200 – 10 = 190 Hz मोम लगाने पर B की आवृत्ति घट जाएगी चूंकि विस्पंद घट जाते हैं। अत: B की आवृत्ति अधिक वाली है अर्थात 210Hz

39. सूर्य की प्रकाश किरणों को वायुमंडल की पारदर्शक मोटी परत से गुजरना पड़ता है। इसके कारण प्रकीर्णन (Scattering), परावर्तन (Reflection) और अवशोषण (Absorption) होता है। प्रकीर्णन के अंतर्गत सौर्यिक शक्ति का कुछ भाग पारदर्शक वायुमंडल में स्थित अदृश्य कणों अथवा अणुओं के कारण बिखर कर फैल जाता है। ऐसा तभी होता है जब अदृश्य कणों का व्यास विकिरण तरंग से छोटा होता है। जैसे आकाश में नीला रंग तथा सूर्योदय तथा सूर्यास्त के समय सूर्य की लालिमा आदि।

40. शक्ति $= \frac{100}{f} = \frac{100}{+25} = +4D$

41. दिया हुआ विद्युत परिपथ व्हीटस्टोन ब्रिज का संतुलित (Balanced) परिपथ है जैसा चित्र से स्पष्ट है। संतुलित व्हीटस्टोन ब्रिज में बिन्दु B तथा D एक ही विभव पर होते हैं। जिससे ब्रिज को बैटरी से जोड़ने पर BD में कोई धारा नहीं बहती। अत: BD का प्रतिरोध 10Ω निष्प्रभावी होता है। अब, ABC का प्रतिरोध = 10 + 10 = 20Ω

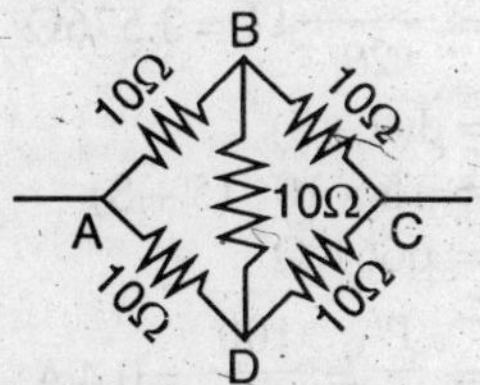

ADC का प्रतिरोध = 10 + 10 = 20Ω

यह दोनों समांतर क्रम में जुड़े हैं। यदि इनका तुल्य प्रतिरोध R हो, तो

$$\frac{1}{R} = \frac{1}{20} + \frac{1}{20} = \frac{2}{20}$$

$\therefore \quad R = 10\Omega$

42. $\cos\phi = \frac{R}{\sqrt{R^2 + (\omega L)^2}}$

$$= \frac{3}{\sqrt{3^2 + 4^2}} = 0.6$$

R – L परिपथ में धारा वोल्टेज की पश्च होती है।

43. कुल आंतरिक प्रतिरोध R =

$$\frac{1}{R} = \frac{1}{0.30} + \frac{1}{0.25} + \frac{1}{0.22} + \frac{1}{0.20}$$

$$\Rightarrow R = \frac{3}{52}\Omega$$

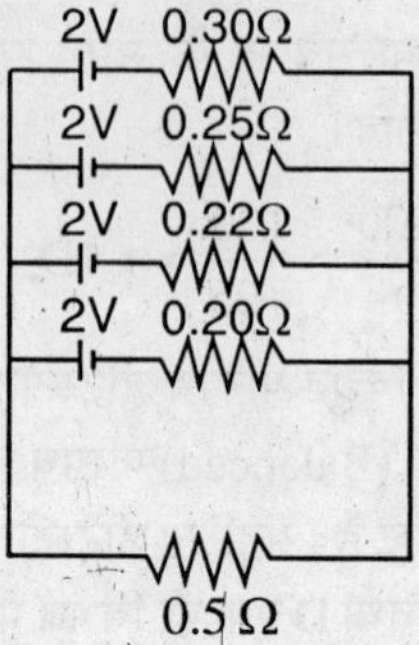

परिपथ का कुल प्रतिरोध

$$= \frac{3}{52} + 0.5 = \frac{29}{52}\Omega$$

$$\text{धारा } I = \frac{2 \times 52}{29}\Omega = 3.576\Omega$$

44. $V = I(R+S)$

$100 = 15 \times 10^{-3}(5+S)$

$\Rightarrow S = 6661\ \Omega$

45. $I = \frac{P}{V} = \frac{100}{2.50} = 0.4\text{ A}$

46. $I^2R = \frac{320 \text{ जूल}}{60 \text{ सेकिण्ड}}$

$$I^2 \times 4 = \frac{320}{60}$$

$$\Rightarrow I = \frac{2}{\sqrt{3}} = \frac{2\sqrt{3}}{3} = \frac{2 \times 1.76}{3}$$

$= 1.16$ ऐम्पियर

47. $ne = 1$

$$n = \frac{1}{1.6 \times 10^{-19}} = 6.25 \times 10^{18}$$

48. $\frac{p_1}{p_2} = \frac{T_1}{T_2}$

$$\therefore \frac{75}{2 \times 75} = \frac{(273+27)}{T_2}$$

$$\Rightarrow T_2 = 600K = 327°C$$

49. सही वजन $= \frac{121 + 125.44}{2}$

$= 123.22$ ग्राम

50. चांद पर g का मान पृथ्वी पर g के मान का $\frac{1}{6}$ है,

अतः चांद पर वजन $= \frac{600}{6} = 100N$

51. $s = \frac{1}{2}gt^2 = \frac{1}{2} \times 9.8 \times 4$

$= 19.6$ मीटर

52. पृथ्वी पर $g_e = \frac{GM}{R^2}$

कक्षा में $g_o = \frac{GM}{(3R)^2} = \frac{GM}{9R^2} = \frac{g_e}{9}$

$\therefore$ कक्षा में भार $= mg_0$

$$= \frac{m\,g_e}{9} = \frac{90}{9} = 10N$$

53. पृथ्वी तल पर गुरुत्वीय विभव V

$$= \frac{GM}{R} \Rightarrow GM + VR$$

पृथ्वी के केन्द्र से R' दूरी पर गुरुत्वीय विभव

$$= \frac{GM}{R'} = \frac{VR}{R'}$$

$$\therefore V' = \frac{-6.3 \times 10^7 \times 6.4 \times 10^6}{8.0 \times 10^6}$$

$= -5.04 \times 10^7$ जूल/किग्रा.

54. दाब $= \frac{\text{बल}}{\text{क्षेत्रफल}}$

$$= \frac{[MLT^{-2}]}{[L^2]} = [ML^{-1}T^{-2}]$$

55. $T = mr\omega$
$= 0.2 \times 0.5 \times 4 \times 4 = 1.60N$

57. $KWH \text{ units} = \frac{\text{Watt} \times \text{hour}}{1000}$

$= \frac{50 \times 22}{1000} = 1.1$

59. तार के प्रत्येक अर्द्ध भाग का प्रतिरोध
$= 2\Omega$
यह समांतर क्रम में जुड़े हैं अत: तुल्य प्रतिरोध 1 होगा

60. 10°C से 0°C तक आने में पानी द्वारा दी गई ऊष्मा
$= 6000 \times 1 \times 10 = 6000$ कैलोरी
–10°C से 0°C तक आने में बर्फ द्वारा ली गई ऊष्मा
$= 6000 \times 0.5 \times 10 = 3000$ कैलोरी
शेष 30000 कैलोरी से केवल $\frac{3000}{80}$
$= 375$ ग्राम बर्फ ही पूरी बर्फ न पिघलने से ताप 0°C ही रहेगा।

61. $u = (t - 2)$मी./से.
4 सेकिंड बाद वेग $u = 4 - 2 = 2$ मी./से.
दूरी $= 4t = 2 \times 4 = 8$ मीटर

62. चित्र से,

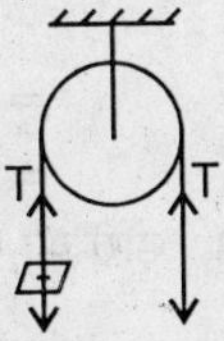

$2Mg - T = 2Ma$
तथा $T - Mg = Ma$
जोड़ने पर $Mg = 3ma$
$\Rightarrow a = \frac{g}{3}$ ($a \rightarrow$ त्वरण)

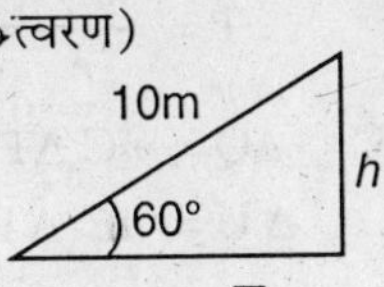

66. $\sin 60 = \frac{h}{10}$

$\Rightarrow h = 10 \sin 60 = \frac{10 \times \sqrt{3}}{2}$

$\therefore$ कार्य $= mgh = \frac{50 \times 10 \times 10\sqrt{3}}{2}$
$= 4325$ जूल

69. ठोस का भार = विस्थापित जल का उत्क्षेप

$V \times d_s = \frac{4}{5} V \times 1$

$\Rightarrow \quad d_s = 0.8$
V = ठोस का भार
d_s = ठोस का घनत्व
d_l = ठोस का घनत्व
द्रव का आयतन = 1ग्राम/सेमी³
ठोस का भार = विस्स्नापित द्रव का उत्क्षेप

$V \times d_s = \frac{9}{10} V \times d_l$

$0.8 = \frac{9d_l}{10}$

$\Rightarrow d_l = \frac{0.8 \times 10}{9} = 0.89$

70. $T = 2\pi\sqrt{\frac{1}{g}}$

विरामावस्था में $2 = 2\pi\sqrt{\frac{1}{10}}$
ऊपर त्वरित होते समय

$T = 2\pi \sqrt{\frac{1}{(10+2)} v}$

$= 2\pi \sqrt{\frac{1}{12}}$

$\frac{T}{2} = 2\pi \sqrt{\frac{1}{12}} + \frac{1}{2\pi}\sqrt{\frac{10}{t}}$

$= \sqrt{\frac{10}{12}}$

$\Rightarrow T = 2\sqrt{\frac{10}{12}} = \sqrt{\frac{40}{12}}$ सेकिंड

72. पृथ्वी पर पहुंचने पर गेंद का वेग

$V = \sqrt{2gR}$
$= \sqrt{2 \times 10 \times 5}$ = मी./से.

पृथ्वी से टकराने से पूर्व गेंद का संवेग

$= mv = 50 \times 10^{-3} \times 10$

$= 500 \times 10^{-3}$ किग्रा. मी./से.

टकराने के बाद संवेग

$= 500 \times 10^{-3}$ किग्रा. मी./से.

संवेग में परिवर्तन

$= 500 \times 10^{-3} - (-500 \times 10^{-3})$

$= 1000 \times 10^{-3} = 1$ किग्रा. मी./से.

अत: आवेग = संवेग में परिवर्तन

= 1 न्यूटन सेकिंड

77. $u + v = 18$ *(i)*

$$\frac{I}{O} = \frac{v}{u} = 3 \Rightarrow V = 3u$$

$$\therefore u = \frac{V}{3} = \frac{18-4}{3}$$

$\Rightarrow u = 4.5$ सेमी.

78. तार AB में धारा $i = \dfrac{r}{R} = \dfrac{2}{18+2}$

$= \dfrac{2}{20} = \dfrac{1}{10}$ एम्पियर

AB का प्रतिरोध

$R = \rho \times \dfrac{l}{A} = \dfrac{\rho}{A} \times 1.0 = 2$ (दिया है)

$$\Rightarrow \frac{\rho}{A} = 2$$

तार AB की 0.70 मी. लम्बाई का प्रतिरोध

$= R^1 = \dfrac{\rho}{A} \times 0.70 = 2 \times 0.70$

$= 1.40\Omega$

अज्ञात स्रोत का वि.वा.ब.

$= I \times R^1 = \dfrac{1}{10} \times 1.40 = 0.14$ वोल्ट

79. हम जानते हैं कि किसी बल्ब P की शक्ति

$P = \dfrac{V^2}{R}$ या $R \propto \dfrac{1}{P}$

अत: न्यूनतम वोल्टेज के बल्ब का प्रतिरोध उच्चतम होगा अर्थात 40W के बल्ब का प्रतिरोध उच्चतम होगा, लेकिन

ऊर्जा व्यय की दर $E = I^2R$

अथवा $E \propto R$

चूंकि I नियत है, क्योंकि बल्ब श्रेणीक्रम में जुड़े हैं।

80. $v_t = v_0 + 0.6t$

$343 = v_0 + 0.6 \times 20$

$\Rightarrow v_0 = 331$ मीटर/सेकिंड

पुन: $v = 331 + 0.6 \times 40$

$= 355$ मी./से.

81. तिरछी भुजाओं का परिणामी प्रतिरोध

$= 2 + 2 = 4$ ओह्म

4Ω और 2Ω का परिणामी $= R$

$$\frac{1}{R} = \frac{1}{4} + \frac{1}{2} = \frac{3}{4}$$

$$\Rightarrow R = \frac{4}{3}\Omega$$

83. $v_g = \dfrac{3 \times 10^8}{1.5} = 2 \times 108$ मी./से.

$$\therefore \quad t = \frac{5 \times 10^{-3}}{2 \times 10^8}$$

$= 2.5 \times 10^{-11}$ सेकिंड

$= 0.25 \times 10^{-10}$ सेकिंड

84. डोरी की क्षैतिज स्थिति में,

$$T = \frac{mv^2}{r} = \frac{1 \times (2)^2}{1} = 4N$$

85. $\Delta Q = nC_p\Delta T$ स्थिर दाब पर

$\Delta U = nC_v\Delta T$

$$\therefore \frac{\Delta U}{\Delta Q} = \frac{C_y}{C_p} = \frac{1}{\gamma} = \frac{5}{7}$$

(क्योंकि द्विपरमाणुक गैस के लिए $\gamma = \dfrac{7}{5}$)

86. एक भाग का प्रतिरोध $= \frac{R}{n}$

ऐसे n भाग समान्तर क्रम में जुड़े हैं,

अत: $\frac{1}{R'} = \frac{n}{R} + \frac{n}{R} + \ldots n$ बार

$$= \frac{n^2}{R} \Rightarrow R' = \frac{R}{n^2}$$

87. $\delta m = A = 60°$

$$\mu = \frac{\sin\left(\frac{1+\delta m}{2}\right)}{\sin\frac{A}{2}}$$

$$= \frac{\sin 60°}{\sin 30°} = \frac{\frac{\sqrt{3}}{2}}{\frac{1}{2}} = \sqrt{3}$$

89. श्रेणी क्रम में,

$$\frac{1}{C} = \frac{1}{2} + \frac{1}{3} = \frac{5}{6}$$

$$C = \frac{6}{5}\mu F$$

समान्तर क्रम में धारिता

$$= \frac{6}{3} + 1 = \frac{11}{5}\mu F$$

90. $y = 0.05 \cos \pi t$ की तुलना

$y = a \cos \omega t$ से करने पर

$\omega = \pi \Rightarrow n = \pi$

$\therefore\ n = 0.5$ हट्‌र्ज

$\therefore\ \lambda = \frac{V}{n} = \frac{1.5}{0.5} = 3.0$ मीटर

98. परिणामी $R = \sqrt{3^2 + 4^2}$

$= \sqrt{9+16} = 5$ मात्रक

99. $\frac{1}{R} = \frac{1}{30} + \frac{1}{20+40}$

$= R = 20\Omega$

$\therefore$ धारा $= \frac{2}{20} = 0.1$ ऐम्पियर

100. गतिज ऊर्जा = रुकने से पहले किया गया कार्य $K.E. = W = F \times s$

यहां तथा गति ऊर्जा (K.E.) तथा मंदक बल (F) समान है

अत: वह समान दूरी चलकर रुकेंगे।

102. $\vec{v}_1 = 5, \vec{v}_2 = 5, t = 10s$

$$\therefore \vec{a} = \frac{\vec{v}_2 - \vec{v}_1}{t}$$

परिमाण $|a| = \frac{|v_2| - |v_1|}{t}$

$$= \frac{5-5}{10} = \frac{0}{10} = 0$$

104. $v = ?$ $\quad u = 0$

$g = 10$ $\quad s = 90m$

$v^2 - u^2 = 2gs$ or $v^2 - 0 = 2 \times 10 \times 90$

या, $v^2 = 1800$

या, $v = 30\sqrt{2}$ मी. प्रति सेकिंड

105. $T = 2\pi\sqrt{\frac{l}{g}}$

सरल लोलक की लंबाई में वृद्धि किए जाने पर उसका दोलन काल बढ़ जाएगा। यदि गुरुत्वीय त्वरण 'g' का मान घट जाए तो भी दोलनकाल बढ़ जाएगा। पृथ्वी की सतह से ऊंचाई पर या सतह से नीचे पृथ्वी के केंद्र की ओर जाने पर 'g' का मान परिवर्तित होगा, अत: दोलनकाल भी परिवर्तित होगा। इस प्रकार सही विकल्प 'D' है।

108. $u = 19.6$ मी से.$^{-1}$

$v = 0$

$v^2 - u^2 = 2gs$

या, $0 - (19.6)^2 = 2 \times 9.8 \times s$

या $s = \frac{-19.6 \times 19.6}{2 \times 9.8} = -19.6$ मी.

ऋण चिह्न गेंद की गुरुत्वीय त्वरण के विरुद्ध गति को इंगित करता है।

$\Rightarrow s = 19.6$ मी.

110. $KE_1 = \frac{1}{2}mv^2$

$\because v = 3v'$ (दूसरी स्थिति में)

$\therefore KE_2 = \frac{1}{2}m(3v')^2 = 27\frac{1}{2}m(v')^2$

$\Rightarrow \frac{KE_2}{KE_1} = \frac{(27)\frac{1}{2}m(v')^2}{\frac{1}{2}mv^2} = 27$ गुना

112.

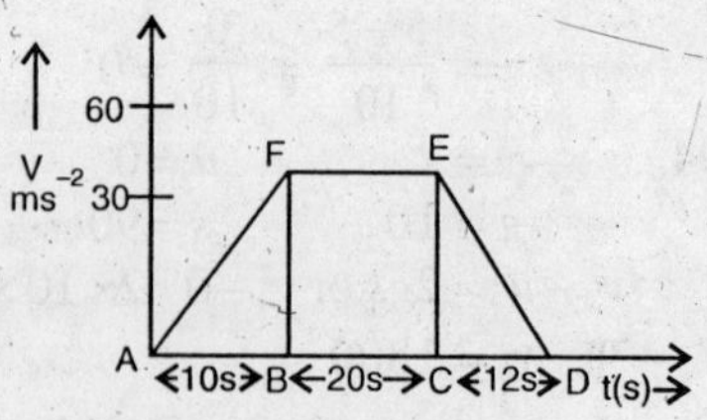

औसत वेग $= \frac{\text{तय की गई दूरी}}{\text{समय}}$

$= \frac{\Delta ABF \text{ का क्षेत्रफल}}{\text{समय}}$

$= \frac{\frac{1}{2} AB \times BF}{AB}$

$= \frac{\frac{1}{2} \times 10 \times 60}{10} = \frac{300}{10} = 30$ मी/से.

113. B से C तक आने में तय की गई दूरी

= आयत BCEF का क्षेत्रफल

$= BC \times CE = 20 \times 60 = 1200$ मी.

114. तय की गई कुल दूरी

$= \Delta ABF$ का क्षेत्रफल + आयत BCEF का क्षेत्रफल + ΔDCE का क्षेत्रफल

$= \frac{1}{2} \times AB \times BF + BC \times CE + \frac{1}{2} \times DC \times CE$

$= \frac{1}{2} \times 10 \times 60 + 20 \times 60 + \frac{1}{2} \times 12 \times 60$

$= 300 + 1200 + 360 = 1860$ मी.

115. A से B तक की दूरी तय करने के दौरान

एक समान त्वरण $= \frac{v_2 - v_1}{t_2 - t_1}$

यहां $v_2 = 60; v_1 = 0$

$t_2 = 10$ और $t_1 = 0$

$\therefore$ एक समान त्वरण

$= \frac{60 - 0}{10 - 0} = 6$ मी./से.$^{-2}$

116. रैखिक संवेग $= p$

$p = mv \Rightarrow v = p/m$

गतिज ऊर्जा $= \frac{1}{2}mv^2$

$= \frac{1}{2}m\left(\frac{p}{m}\right)^2$

$= \frac{1}{2}m\frac{p^2}{m^2} = \frac{1}{2}\frac{p^2}{m}$

117. $m = 6$ किग्रा.

$v = 10$ मी. से$^{-1}$

$r = 3$ मी.

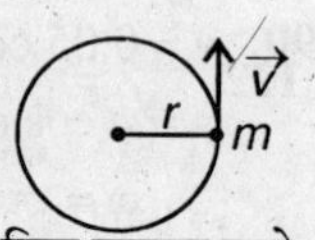

गति को बनाए रखने के लिए लगाया जाने वाला बल

$\frac{mv^2}{r} = \frac{6 \times (10)^2}{3} = \frac{6 \times 100}{3}$

$= 200$ न्यूटन

118. सरल आवर्त गति में कुल ऊर्जा

$= \frac{1}{2}ma^2w^2$

119. $m = 1$ किग्रा. $\quad u = 5$ मी से$^{-1}$

$v = 0, t = 5$ से. $\quad v = u + at$

या $0 = 5 + a \times 5$ या $-5 = 5a$

या त्वरण $(a) = -1$ मी से.$^{-1}$

ऋण चिह्न गति में मंदन का सूचक है।

$\therefore F = ma = 1 \times 1 = 1$ न्यूटन

120. Op = 100 किमी. प्रति घंटा

$\angle MOP = 30°$

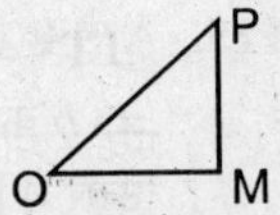

$$\frac{\overrightarrow{OM}}{\overrightarrow{OP}} = \cos 30°$$

$$\overrightarrow{OM} = \overrightarrow{OP} \cos 30°$$

$$\left|\overrightarrow{OM}\right| = \left|\overrightarrow{OP}\right| \cos 30°$$

$$= 100 \times \frac{\sqrt{3}}{2} = 50 \times 1.732$$

= 86.6 किमी./घंटा

121. $\vec{V} = 4\vec{i} + 3\vec{j}$

$$\Rightarrow \quad 3\vec{V} = 3(4\vec{i} + 3\vec{j})$$

$$= 3 \times 4\vec{i} + 3 \times 3\vec{j}$$

$$= 12\vec{i} + 9\vec{j}$$

122. $\vec{V} = 6\vec{i} + 8\vec{j} \Rightarrow x = 6, y = 8$

$$\tan\theta = \frac{y}{x} = \frac{8}{6} = \frac{4}{3}$$

$$\Rightarrow \theta = \tan^{-1}\frac{4}{3}$$

125. माना कि पानी का द्रव्यमान = m ग्राम

पानी की स्थितिज ऊर्जा = mgh

$= m \times 980 \times 8400$

शीर्ष पर पानी की स्थितिज ऊर्जा पानी के नीचे आने पर गतिज ऊर्जा में बदल जाएगी।

$\Rightarrow$ पानी की गतिज ऊर्जा

$= m \times 980 \times 8400$

आधी गतिज ऊर्जा ऊष्मा में बदल जाती है।

$\Rightarrow$ ऊष्मा = $\frac{1}{2} m \times 980 \times 8400$

$= m \times 0.098$

चूंकि ऊष्मा = $ms\theta$

जहां $\quad s$ = विशिष्ट ऊष्मा,

θ = ताप में वृद्धि

$\Rightarrow \quad ms\theta = m \times 0.098$

$s\theta = 0.098$

$s = 1$ (पानी की विशिष्ट ऊष्मा)

$\Rightarrow \quad \theta = 0.098°C$

126. बल = $\frac{mv^2}{r} \Rightarrow F_1 = \frac{mv^2}{r_1}$

$$F2 = \frac{mv^2}{r_2}$$

नोट : दोनों वस्तुओं के लिए m और v का मान बराबर है।

$$\therefore \frac{F_1}{F_2} = \frac{\frac{mv^2}{r_1}}{\frac{mv^2}{r_2}} = \frac{r_1}{r_2}$$

किंतु $r_2 = 2r_1$

$$\Rightarrow \frac{F_1}{F_2} = \frac{r_1}{2r_2} = \frac{1}{2}$$

$\Rightarrow 2F_1 = F_2$

अत: बाहरी वृत्त की वस्तु पर अधिक बल लगेगा।

130. $F = ma = MLT^{-2}$

131. वृत्ताकार डिस्क का जड़त्व आघूर्ण

$$= \frac{1}{2}MR^2$$

माना कि पहले डिस्क का द्रव्यमान = m

$\therefore$ दूसरे डिस्क का द्रव्यमान = $2m$

माना कि पहले डिस्क का व्यास = 2D

$\therefore$ दूसरे डिस्क का व्यास = D

किंतु $\quad D = 2R$

यदि पहले डिस्क की त्रिज्या = R

तो दूसरे डिस्क की त्रिज्या = R/2

$$\Rightarrow \frac{MI_1}{MI_2} = \frac{\frac{1}{2}MR^2}{\frac{1}{2}MR^2}$$

$$= \frac{\frac{1}{2}m \times R^2}{\frac{1}{2}2m \times \left(\frac{R}{2}\right)^2}$$

$$= \frac{R^2}{2 \times \frac{R^2}{4}} = \frac{1}{\frac{1}{2}} = \frac{1}{2}$$

$$\Rightarrow MI_1 : MI_2 = 2 : 1$$

132. $T = 2\pi\sqrt{\frac{l}{g}}$

पहली स्थिति में :

$$T_1 = 2 = 2\pi\sqrt{\frac{l}{g}}$$

(चूंकि दोलनकाल = 2 सेकिंड)

$$\Rightarrow \sqrt{\frac{l}{g}} = \frac{1}{\pi}$$

दूसरी स्थिति में :

लोलक की नई लंबाई = $4l$

$$\Rightarrow T_2 = 2\pi\sqrt{\frac{4l}{g}} = 2\pi \times 2\sqrt{\frac{l}{g}}$$

किंतु $\sqrt{\frac{l}{g}} = \frac{1}{\pi}$

$\therefore T_2 = 2\pi \times 2 \times \frac{1}{\pi} = 4$ सेकिंड

136. $v = a + \frac{b}{t} + ct^2$

v वस्तु का वेग है।

$\therefore$ दाहिने पक्ष के सभी अवयव का मात्रक भी वेग का मात्रक होगा, अर्थात इनका मात्रक मी./से$^{-1}$ होगा।

भिन्न $\frac{b}{t}$ का हर (denominator) समय को इंगित करता है।

$$LT^{-1} = \frac{b}{t}$$

$$LT^{-1} = b \times T^{-1} \Rightarrow b = L$$

$\Rightarrow b$ का मात्रक लंबाई का मात्रक होगा। उत्तर में दिए गए विकल्पों में मात्रक मीटर में दिए गए हैं।

$\Rightarrow b$ का मात्रक मीटर होगा।

154. $Q = ms\theta$

$$560 = \frac{20}{1000} \times s \times (50 - 15)$$

$$= \frac{1}{50} \times s \times 35$$

या $s = \frac{560 \times 50}{35}$

$= 800$ जूल प्रति किग्रा. प्रति °K

156. $\frac{F - 32}{180} = \frac{273}{100}$

$$F = -\frac{180 \times 273}{100} + 32$$

$= -459.4°C$

157. ऊष्मा धारिता = $m \times s$

माना कि पारे का आयतन v है

$\Rightarrow$ तांबे का आयतन = v

$\therefore$ पारे की ऊष्मा धारिता

$= v \times 13.6 \times 0.046$ कैलोरी

तांबे की ऊष्मा धारिता = $v \times d \times 0.092$

$\Rightarrow v \times d \times 0.092 = v \times 13.6 \times 0.046$

$\therefore$ तांबे का घनत्व (d)

$$= \frac{13.6 \times 0.046}{0.092}$$

$= 6.8$ ग्राम प्रति घन सेमी.

159. गैस समीकरण के अनुसार,

$$\frac{P_1V_1}{T_1} = \frac{P_2V_2}{T_2}$$

चूंकि यहां $P_1 = 4$ वायुमंडलीय दाब

$V_1 = V_2 = V$

$T_1 = 27 + 273 = 300°K$

$T_2 = 54 + 273 = 327°K$

$$\frac{4 \times V}{300} = \frac{P_2 \times V}{327}$$

$P_2 = \frac{4 \times 327}{300} = 4.36$ वायुमंडलीय दाब

172. इस प्रक्रिया में चार चरण निहित हैं—

(a) –8°C ताप पर स्थिति 10 ग्राम बर्फ को 1°C ताप पर लाने के लिए अपेक्षित ऊष्मा = $10 \times 0.5 \times 8 =$ 40 कैलोरी

(b) 0°C ताप पर स्थित 10 ग्राम बर्फ को इसी ताप पर जल में बदलने के लिए अपेक्षित ऊष्मा = $10 \times 80 =$ 800 कैलोरी

(c) 0°C ताप पर स्थित 10 ग्राम जल को 100°C ताप पर लाने के लिए अपेक्षित ऊष्मा = $10 \times 100 = 1000$ कैलोरी

(d) 100°C ताप पर स्थित 10 ग्राम जल को 100°C ताप वाले 10 ग्राम वाष्प में बदलने के लिए अपेक्षित ऊष्मा = $10 \times 540 = 5400$ कैलोरी

∴ अपेक्षित कुल ऊष्मा = 40 + 800 + 1000 + 5400 = 7240 कैलोरी

180. प्रयुक्त लकड़ी की मोटाई = d = 2 सेमी.

उच्च ताप = T_1 = 20°C

निम्न ताप = T_2 = 0°C

लकड़ी की चालकता $k = 0.0004$

और t = 1 सेकिंड

बक्से के छः पृष्ठों का कुल क्षेत्रफल

$= 2[100 \times 60 + 60 \times 60 + 100 \times 60]$

$= 2 \times 15600 = 31200$ वर्ग सेमी.

$$Q = \frac{kAt\,(T_1 - T_2)}{d}$$

यहां Q बर्फ के पिघलने की दर है।

$$\therefore\ Q = \frac{0.0004 \times 31200 \times 20}{2}$$

= 124.8 कैलोरी

∴ प्रति सेकिंड पिघल रहे बर्फ की मात्रा

$= \frac{124.8}{80} = 1.56$ ग्राम

198. पैट्रोल द्वारा उत्पन्न ऊष्मा

$= \frac{7.46 \times 10^5}{60 \times 60}$ कैलोरी प्रति सेकिंड

∴ पैट्रोल द्वारा किए गए यांत्रिक कार्य की दर

$= \frac{7.46 \times 10^5 \times 4.2}{60 \times 60}$ जूल प्रति सेकिंड

∴ पैट्रोल द्वारा उत्पन्न शक्ति

$= \frac{7.46 \times 10^5 \times 4.2}{60 \times 60}$ वाट

चूंकि इंजन की दक्षता 30% है।

∴ इंजन की शक्ति

$$= \frac{7.46 \times 10^5 \times 4.2 \times 30}{60 \times 60 \times 100 \times 746}$$

= 0.35 अरब शक्ति

201. $v = n\lambda$

जहां v = तरंग का वेग

n = तरंग की आवृत्ति

λ = तरंग का तरंगदैर्घ्य

$n_1 : n_2 :: 4 : 5$

$v = n_1\lambda_1 = 4\lambda_1$

$v = n_2\lambda_2 = 5\lambda_2$

∴ चूंकि तरंग का वेग अपवर्तित रहता है

$\therefore 4\lambda_1 = 5\lambda_2$ या $\frac{\lambda_1}{\lambda_2} = \frac{5}{4}$

$\therefore \lambda_1 : \lambda_2 :: 5 : 4$

205. $\lambda = 1$ मीटर

$n = 320$ मीटर प्रति सेकिंड

$n = \frac{v}{\lambda} = \frac{320}{1} = 320$ Hz

212. $v = 332$ मीटर प्रति सेकिंड

$l = 0.2$ मीटर $n = \frac{v}{2l}$

$= \frac{332}{2 \times 0.2} = 830$

218. दाब में अंतर होने पर ध्वनि के वेग में कोई परिवर्तन नहीं होता।

266. $\frac{1}{u} + \frac{1}{v} = \frac{1}{f}$

$\frac{1}{1200} + \frac{1}{-300} = \frac{1}{f}$

(u और v के मान सेमी. में हैं)

$f = -400$ सेमी.

लैंस की क्षमता $= \frac{100}{f}$ सेमी.

$= \frac{100}{-400} = -0.25$ डाइटॉप्टर

268. $u = \frac{1}{\sin C} + \frac{1}{\sin 30^\circ}$

$= \frac{1}{1/2} = 2.00$

283. माध्यम का अपवर्तनांक

$= \frac{\text{निर्वात/वायु में तरंगदैर्घ्य}}{\text{माध्यम में तरंगदैर्घ्य}}$

λ माध्यम $= \frac{\lambda_{\text{वायु}}}{\mu} = \frac{600}{1.5}$

$= 400$ मिमी.

284. $l_{\mu\text{कांच}} = \frac{\text{निर्वात में प्रकाश का वेग}}{\text{कांच में प्रकाश का वेग}}$

अब $l_{\mu\text{कांच}} = 1.5$

निर्वात में प्रकाश का वेग

$= 3 \times 108$ मी. प्रति से.

$\Rightarrow 1.5 = \frac{3 \times 10^8}{\text{कांच में प्रकाश का वेग}}$

$\Rightarrow$ कांच में प्रकाश का वेग $= \frac{3 \times 10^8}{1.5}$

$= 2 \times 10^8$ मी. प्रति से.

285. $\frac{1}{F} = \frac{1}{f_1} + \frac{1}{f_2}$

यहां $f_1 = f_2$

$\Rightarrow \frac{1}{F} = \frac{1}{f_1} - \frac{1}{f_2} = 0$

$\Rightarrow F = \frac{1}{0} = \infty$

286. अपवर्तनांक $= \frac{\text{वास्तविक गहराई}}{\text{आभासी गहराई}}$

आभासी गहराई $= \frac{\text{वास्तविक गहराई}}{\text{अपवर्तनांक}}$

$= \frac{28}{4/3} = \frac{28 \times 3}{4} = 21$ सेमी.

293. माना कि कांच के गुटके की मोटाई $= x$ सेमी.

क्रॉस का चिह्न 1.2 सेमी. ऊपर उठा हुआ प्रतीत होता है।

वास्तविक गहराई $= x$

आभासी गहराई $= x - 1.2$

अपवर्तनांक $= 1.7$

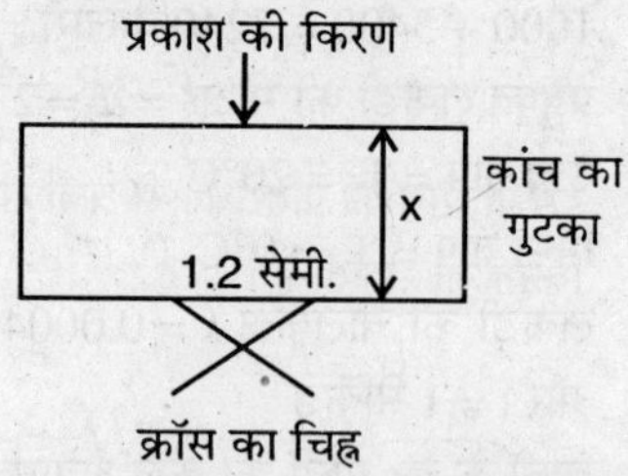

अपवर्तनांक $= \frac{\text{वास्तविक गहराई}}{\text{आभासी गहराई}}$

$$1.7 = \frac{x}{(x-1.2)}$$

$$1.7(x-1.2) = x$$

$$1.7x - 2.04 = x$$

$$1.7x - x = 2.04$$

$$0.7x = 2.04$$

$$x = \frac{204}{70} = 2.914 \text{ सेमी.}$$

341. उष्णोत्स (geyser) का अनुमतांक

$= 2.5$ kW

इस्त्री का अनुमतांक = 1.5kW

कुल भार = 4.0 kW

कुल भार = 4000 W

अतः इन दोनों उपकरणों को चलाने के लिए बैटरी में इतनी शक्ति निश्चित ही उत्पन्न होनी चाहिए।

$\therefore$ बैटरी की अपेक्षित शक्ति = 4000W

$$P = VI$$

$$4000 = 220 \times I$$

या $$I = \frac{4000}{220}$$

$\therefore$ फ्यूट का अनुमतांक $= \dfrac{400}{22}$ A होगा।

344.

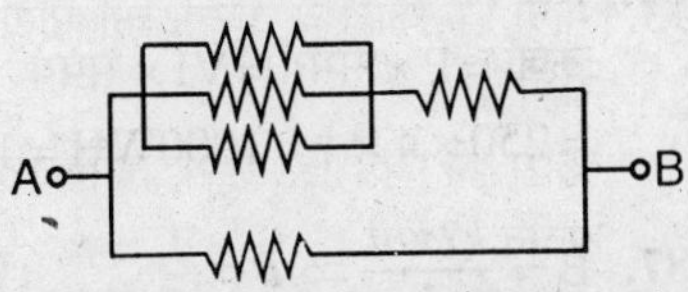

माना कि प्रत्येक प्रतिरोध r है। हम समांतर शाखाओं में स्थिति प्रतिरोधों को निम्नवत जोड़ सकते हैं—

$$\frac{1}{R} = \frac{1}{r} + \frac{1}{r} + \frac{1}{r} = \frac{3}{r} \Rightarrow R + \frac{r}{3}$$

इस प्रतिरोध को प्रतिरोध r से श्रेणी संबंधित किया जा सकता है।

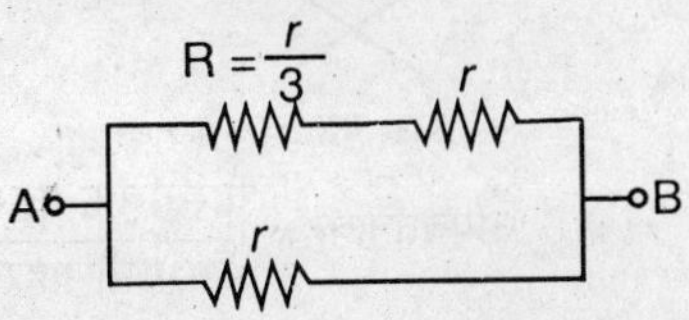

ऊपरी शाखा का प्रतिरोध

$$= R_1 = R + r = \frac{r}{3} + r = \frac{4r}{3}$$

$$\Rightarrow R_1 = \frac{4r}{3}$$

यह प्रतिरोध (R_1) प्रतिरोध r के समांतर है। इन दोनों का समतुल्य प्रतिरोध A और B के बीच का कुल प्रतिरोध है।

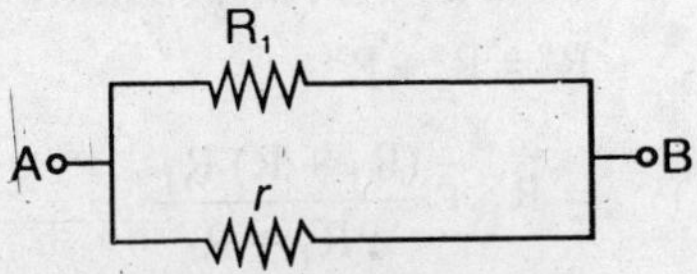

दो समांतर प्रतिरोधकों का प्रतिरोध

$$= \frac{1}{R_2} = \frac{1}{R_1} + \frac{1}{r} = \frac{1}{4r/3} + \frac{1}{r}$$

$$= \frac{3}{4r} = \frac{1}{r} = \frac{3+4}{4r} = \frac{7}{4}4$$

$$\Rightarrow R_2 = \frac{7}{4}r$$

किंतु R_2 का मान 1Ω दिया गया है

$$\therefore R_2 = 1\Omega \Rightarrow \frac{7}{4}r = 1\Omega$$

$$\Rightarrow 4r = 7 \Rightarrow r = \frac{7}{4}\Omega$$

346. समतुल्य ग्राफ निम्नवत है-—

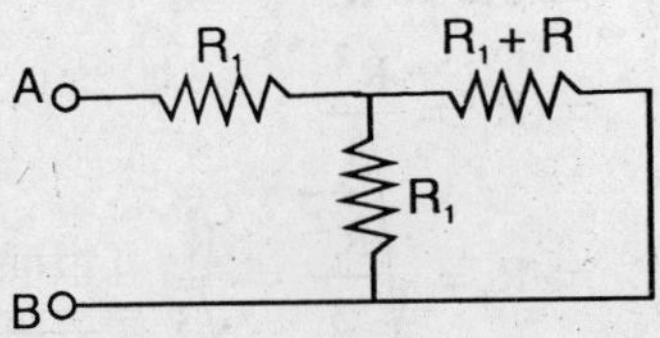

अब (R_1 + R) और R_1 एक-दूसरे के समांतर है।

उनका समतुल्य प्रतिरोध R' है।

$$\Rightarrow \frac{1}{R_1} = \frac{1}{R_1} + \frac{1}{R_1 + R}$$

$$= \frac{R_1 + R_1 + R}{(R_1 + R)R_1} = \frac{2R_1 + R}{(R_1 + R)R_1}$$

$$\Rightarrow R' = \frac{(R_1 + R)R_1}{2R_1 + R}$$

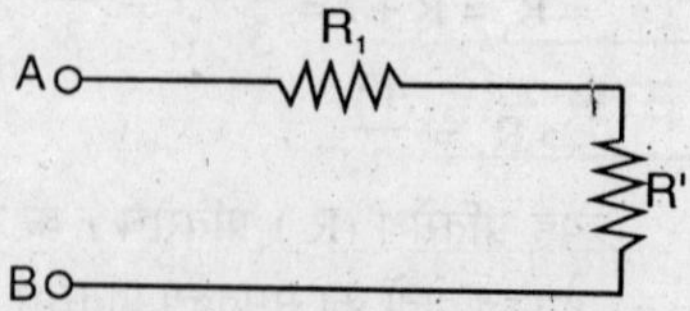

चूंकि R' और R_1 परस्पर श्रेणी संबंधित हैं। माना कि उनका कुल प्रतिरोध R" है।

$$R'' = R_1 + R'$$

$$= R_1 + \frac{(R_1 + R)\,R_1}{2R_1 + R}$$

$$= \frac{2R_1^2 + RR_1 + (R_1 + R)\,R_1}{2R_1 + R}$$

$$= \frac{2R_1^2 + RR_1 + R_1^2 + RR_1}{2R_1 + R}$$

किंतु R" = R (कथन के अनुसार)

$$\Rightarrow 2R_1^2 + RR_1 + R_1^2 + RR_1 = 2R_1 + R$$

$$\Rightarrow 2R_1^2 + RR_1 + R_1^2 + RR_1 = R(2R_1 + R)$$

$$\Rightarrow 2R_1^2 + RR_1 + R_1^2 + RR_1 = 2RR_1 + R^2$$

$$\Rightarrow 2RR_1 + 3R_1^2 = 2RR_1 + R^2$$

$$\Rightarrow 3R_1^2 = R^2$$

$$\Rightarrow R_1^2 = \frac{R^2}{3}$$

$$\Rightarrow R_1 = \sqrt{\frac{R^2}{3}} = \frac{R}{\sqrt{3}}$$

360. 

जब संधारित्र पार्श्व संबंधित हों, तो परिणामी धारिता प्राप्त करने के लिए उनकी धारिताएं जोड़ दी जाती हैं।

अर्थात $C_1 = 30 + 30 = 60\mu F$

संधारित्रों के श्रेणी सबंधित होने की स्थिति में परिणामी धारिता प्राप्त करने के लिए उनकी धारिताएं निम्नवत जोड़ी जाती हैं—

$$\frac{1}{C_2} = \frac{1}{30} + \frac{1}{30} = \frac{1}{15}$$

$$\Rightarrow C_2 = 15\mu F$$

अब इस संपूर्ण संयोजन की परिणामी धरिता ज्ञात करने के लिए C_1 और C_2 के मानों को निम्नवत जोड़ा जाएगा।

$$\frac{1}{C} = \frac{1}{C_1} + \frac{1}{C_2} + \frac{1}{60} + \frac{1}{15}$$

$$= \frac{1 + 4}{60} + \frac{5}{60} \Rightarrow C$$

$$= \frac{60}{5} = 12$$

$$C = 12\mu F$$

362. P = VI

ऊर्जा = P × समय = VI × समय

= 250 × 4 × 1 = 1000WH = 1kWh

387. $B = \frac{k2\pi nl}{I} \Rightarrow B \propto \frac{1}{I}$

389. फेजों के बीच का विभवांतर भी 440V बना रहेगा

390. दिष्टधाराजनित्र में एकदिशिक दिष्टधारा (unidirectional DC current) उत्पन्न करने के लिए दिक्परिवर्तक का उपयोग किया जाता है।

रसायन विज्ञान

वस्तुनिष्ठ प्रश्नावली (उत्तर सहित)

1. कास्टिक सोडा का रासायनिक नाम है—

A. सोडियम हाइड्रोक्साइड

B. सोडियम नाइट्रेट

C. सोडियम क्लोराइड

D. सोडियम कार्बोनेट

2. कौन-सा तत्व सर्वाधिक रासायनिक यौगिक बनाता है ?

A. कार्बन B. ऑक्सीजन

C. सिलिकॉन D. हाइड्रोजन

3. निम्नलिखित सूत्र को देखिए—

Hx + :Ö + xH → (H x Ö x H)

उपर्युक्त सूत्र में किसके अणु का निर्माण दर्शाया गया है ?

A. आक्सीजन B. हाइड्रोजन

C. नाइट्रोजन D. जल

4. टाइट्रियम किसका समस्थानिक (Isotope) है ?

A. टाइटेनियम का

B. टेंटेलम का

C. हाइड्रोजन का

D. इनमें से किसी का नहीं

5. निम्नलिखित में से कौन-सा उत्प्रेरक (Catalyst) तेलों के हाइड्रोजनीकरण में प्रयुक्त होता है ?

A. Mo B. Mn

C. Fe D. Ni

6. यदि एक पॉलिथीन के टुकड़े को ऊन पर रगड़ने पर 3.2×10^{-7}C का ऋणात्मक आवेश प्राप्त होता है, तो आनुमानिक स्थानांतरित इलेक्ट्रानों की सख्या क्या होगी ?

A. 3.2×10^{12} B. 2×10^{12}

C. 2×12^{10} D. 1.6×10^{-19}

7. यदि एक लौह तार को कॉपर सल्फेट के घोल में रखा जाता है, तो—

A. तांबा अवक्षेपित होगा

B. लौह अवक्षेपित होगा

C. लौह एवं तांबा दोनों ही अवक्षेपित होंगे

D. कोई प्रतिक्रिया नहीं होगी

8. निम्नलिखित में से पोलीसेकेराइड कौन-सा है ?

A. नायलोन B. एमाइलोज

C. राइबोज D. पोलीएथिलीन

8. पानी के कीटाणुनाशक के रूप में निम्नलिखित में से किसका प्रयोग किया जाता है—

A. एलम

B. चारकोल

C. कीसलगर

D. पोटेशियम परमेंगनेट

10. निम्नलिखित कथनों पर ध्यान दीजिए—

अभिक्रिया

$MnO_2 + 4HC_l \rightarrow MnCl_2 + 2H_2O + Cl_2$ में

1. मैंगनोज आयन उपचयित होता है।
2. मैंगनीज आयन अपचयति होता है।
3. क्लोराइड आयन उपचयित होता है।
4. क्लोराइड आयन अपचयित होता है।

इन कथनों में से कौन-से सही हैं ?

A. 1 और 2 B. 1 और 4

C. 2 और 3 D. 2 और 4

11. पीने का पानी शुद्ध किया जाता है—

A. अम्लीकृत करके

B. छानकर

C. आसवन द्वारा
D. क्लोरीनीकरण द्वारा

12. सूर्य में नाभिकीय ईंधन है—
A. यूरेनियम B. हाइड्रोजन
C. हीलियम D. ऑर्गन

13. निम्नलिखित में से कौन अम्लीय वर्षा पैदा करती है ?
A. नाइट्रोजन
B. ऑक्सीजन
C. सल्फर डाइऑक्साइड
D. ओजोन

14. पैट्रोलियम गैस होती है—
A. ईथेन
B. प्रोपेन
C. ब्यूटेन
D. इन सभी का मिश्रण

15. रक्त कैंसर को नियंत्रित करने के लिए उपयोग किए जाने वाला रेडियोधर्मी समस्थानिक हैं—
A. फॉस्फोरस-32 B. कोबाल्ट-60
C. आयोडीन-131 D. सोडियम-24

16. आतिशबाजी में हरा रंग निम्नलिखित में से किसकी उपस्थिति के कारण होता है ?
A. सोडियम B. स्ट्रॉन्शियम
C. बेरियम D. मैग्नीशियम

17. कृत्रिम सुगंधित पदार्थ बनाने के लिए इनमें से किसका प्रयोग किया जा सकता है ?
A. फार्मेल्डिहाइड
B. नाइट्रोग्लिसरीन
C. मैथिल अल्कोहल
D. मिरीसिल पामीटेट

18. निम्नलिखित में से कौन-सा गर्म करने पर CO_2 नहीं देता ?
A. $CacO_3$ B. Na_2CO_3
C. $Ca(HCO_3)_2$ D. $SrCO_3$

19. एक धातु है जिसे यदि हवा में थोड़ी देर के लिए खुला छोड़ दिया जाए, तो उस पर हरे क्षारीय कार्बोनेट की पर्त जम जाती है। यह धातु है—
A. तांबा B. निकिल
C. चांदी D. जस्ता

20. 1 ग्राम गैस STP पर 0.16 ग्राम आयतन घेरती है। इस गैस का अणु भार है—
A. 64 B. 140
C. 160 D. 224

21. गोताखोरों द्वारा समुद्र के अंदर सांस लेने के लिए किन गैसों के मिश्रण का उपयोग करते हैं ?
A. Rn और H
B. He और Ne
C. ऑक्सीजन और O_3
D. He और ऑक्सीजन

22. हाइड्रोजन नाभिक की बंधन ऊर्जा होती है—
A. शून्य
B. अनंत
C. 13.6 eV
D. इनमें से कोई नहीं

23. कांसा एक मिश्रधातु है—
A. तांबा और जिंक का
B. तांबा, जिंक और टिन का
C. तांबा और टिन का
D. इनमें से कोई नहीं

24. निम्नलिखित में से कौन-सी धातु आघातवर्धनीय होती है, किन्तु तन्य नहीं होती ?
A. तांबा
B. सीसा
C. चांदी
D. इनमें से कोई नहीं

25. शुद्ध सोडियम धातु प्राप्त की जाती है—
A. अपचयन से
B. विद्युत अपघटन से
C. अवक्षेपण से

D. ऑक्सीकरण से

26. यदि तांबे को गर्म सांद्र नाइट्रिक अम्ल के साथ प्रतिक्रिया कराएं तो कौन-सी गैस प्राप्त होगी?

A. NO B. NO_2
C. N_2 D. H_2

27. शुद्ध सिलिकान का किस रूप में प्रयोग होता है?

A. चालक B. अवरोधक
C. कुचालक D. अर्द्धचालक

28. प्लास्टर ऑफ पेरिस का रासायनिक सूत्र है—

A. $CaCl_2$
B. $CaSO_4 \cdot 2H_2O$
C. $(CaSO_4)_2 \cdot H_2O$
D. CaO

29. ${}_{92}U^{235}$ की नाभि में प्रोटोन की संख्या होती है—

A. 143 B. 92
C. 235 D. शून्य

30. एक इलेक्ट्रॉन की संहति (Mass) होती है—

A. 9.1×10^{-27} किग्रा.
B. 9.1×10^{-31} किग्रा.
C. 9.1×10^{-30} किग्रा.
D. इनमें से कोई नहीं

31.
$$H_3C - \underset{\displaystyle |}{\overset{\displaystyle CH_3}{|}}{CH} - CH_2 - CH_3$$

पदार्थ का IUPAC नाम क्या है?

A. 3 मेथिल ब्यूटेन B. 2 मैथिल प्रोपेन
C. 2 मैथिल ब्यूटेन D. आइसोपेंटेन

32. स्टेनलेस स्टील बनाने में लोहे के साथ कौन-सी धातु मिलाई जाती है?

A. जस्ता B. निकल
C. मैंगनीज D. टिन

33. निम्नलिखित में से ऊष्मा का सबसे अच्छा सुचालक कौन है?

A. ठंडा पानी B. समुद्र का पानी
C. गर्म पानी D. आस्वित पानी

34. प्रोड्युसर गैस क्या है?

A. $CO + N_2$ B. $CO + H_2$
C. CH_4 D. CO_2

35. कार बैटरी में जिस एसिड का उपयोग किया जाता है, वह है—

A. हाइड्रोक्लोरिक एसिड
B. नाइट्रिक एसिड
C. सल्फ्यूरिक एसिड
D. कार्बोनिक एसिड

36. परमाणु भट्टी में D_2O का उपयोग (भारी पानी का उपयोग) होता है—

A. मंदक के रूप में
B. शीतलक के रूप में
C. विस्फोटक के रूप में
D. रिएक्टर के रूप में

37. निम्नलिखित में से कौन-सा संश्लेषित डिटरजेंट है?

A. सोडियम बाइकार्बोनेट
B. ब्लीचिंग पाउडर
C. सोडियम ओलेट
D. सोडियम-n-डांडेसिल सल्फेट

38. निम्नलिखित में से कौन-सा बायोगैस में उपस्थित नहीं है?

A. मीथेन
B. हाइड्रोजन सल्फाइड
C. क्लोरीन
D. कार्बन डाइऑक्साइड

39. किसी रेडियोधर्मी पदार्थ से उत्सर्जित B किरणों में होते हैं—

A. विद्युत चुम्बकीय विकिरण
B. नाभिक के चतुर्दिक घूमते इलेक्ट्रॉन
C. नाभिक से उत्सर्जित आवेशित कण
D. उदासीन कण

40. निम्नलिखित में सर्वाधिक यौगिक बनाने

वाली अक्रिय गैस है—

A. Ne B. He

C. Ar D. Xe

41. पृथ्वी की ऊपरी सतह में सबसे अधिक पाया जाने वाला तत्व है—

A. Li B. K

C. Rb D. Cs

42. रासायनिक यौगिक का एक उदाहरण है—

A. वायु B. जल

C. दूध D. मिट्टी

43. जंग लगने पर लोहे का भार—

A. बढ़ता है

B. घटता है

C. न बढ़ता है न घटता है

D. पहले बढ़ता है फिर घटता है

44. ब्लीचिंग पाउडर का रासायनिक सूत्र है—

A. $CaCl_2, 5H_2O$

B. $Ca(OH)_2$

C. $CaCO_3$

D. $CaOCl_2$

45. साधारणतया किसी अकार्बनिक अम्ल के साथ जब किसी धातु की प्रतिक्रिया होती है, तो कौन-सी गैस निकलती है ?

A. नाइट्रोजन

B. हाइड्रोजन

C. कार्बन-डाइऑक्साइड

D. ऑक्सीजन

46. कैल्शियम कार्बाइड पानी के साथ प्रतिक्रिया करने पर कौन-सा हाइड्रोकार्बन देता है ?

A. ईथेन B. मीथेन

C. इथिलीन D. एसिटिलीन

47. मानक ताप एवं दाब पर 56 ग्राम नाइट्रोजन का आयतन होगा—

A. 22.4 लीटर B. 44.8 लीटर

C. 56 लीटर D. 44.5 लीटर

48. बायोगैस में मुख्यत: होता है—

A. $CO + H_2 + CH_4$

B. CH_4

C. $CO + N_2$

D. $CO + H_2 + CH_4 + C_2H_6$

49. फिटकरी को तालाब के पानी में डालते हैं—

A. रोगाणुओं को नष्ट करने के लिए

B. पानी में निलम्बित (Suspension) अशुद्धियों को दूर करने के लिए

C. पानी की कठोरता दूर करने के लिए

D. इनमें से कोई नहीं

50. मिट्टी का तेल कोक की अपेक्षा शीघ्रता से जलता है, क्योंकि—

A. यह एक हाइड्रोकार्बन है।

B. इसका ज्वलन ताप कम होता है।

C. इसका क्वथनांक अधिक होता है।

D. इनमें से कोई नहीं

51. फोटोग्राफी में प्रयोग किए जाने वाले हाइपो विलयन का रासायनिक नाम है—

A. सोडियम हाइड्रॉक्साइड

B. सोडियम थायोसल्फेट

C. हाइड्रोजन परऑक्साइड

D. सिल्वर ब्रोमाइड

52. गोबर गैस में कौन-सा अवयव सर्वाधिक पाया जाता है ?

A. हाइड्रोजन B. नाइट्रोजन

C. मीथेन D. इथेन

53. कौन-सी धातु मुक्त अवस्था में मिलती है ?

A. सोना B. कैल्शियम

C. सोडियम D. मैंगनीज

54. लोहे की सतह पर लगाया गया पेंट लोहे को जंग लगने से बचाता है, क्योंकि, वह—

A. लोहे से रासायनिक क्रिया करता है।

B. कार्बन डाइऑक्साइड को लोहे के संपर्क में आने से रोकता है।

C. लोहे की रासायनिक अभिक्रिया की गति में परिवर्तन ला देता है।

D. ऑक्सीजन और नमी (आर्द्रता) को लोहे के संपर्क में आने से रोकता है।

55. निम्नलिखित में से थर्मोसैटिंग प्लास्टिक है—

A. पॉलीथिन
B. बेकेलाइट
C. पॉली विनाइल क्लोराइड
D. केसीन

56. प्राकृतिक यूरेनियम में U-235 की प्रतिशत मात्रा लगभग कितनी होती है?

A. 7% B. 25%
C. 0.7% D. 2.5%

57. कौन-सा लवण पानी में स्थायी कठोरता का कारण बनता है?

A. K_2SO_4 B. Nacl
C. $CaCO_3$ D. $MgCl_2$

58. आधुनिक आवर्त सारणी में तत्वों के वर्गीकरण का आधार है—

A. परमाणु घनत्व
B. परमाणु संख्या
C. परमाणु आयतन
D. परमाणु द्रव्यमान

59. वैद्युत अपघटन में इलेक्ट्रॉन मुक्त होते हैं—

A. कैथोड पर
B. ऐनोड पर
C. ऐनोड एवं कैथोड पर
D. दोनों इलेक्ट्रोडों में से किसी पर नहीं

60. हाइड्रोजन एवं कार्बन मोनोऑक्साइड का गैसीय मिश्रण कहलाता है—

A. ऐंथ्रेसाइट
B. द्रवित पेट्रोलियम गैस
C. जल गैस
D. प्राकृतिक गैस

61. निम्नलिखित में से 'झूठा सोना' (Fool's Gold) कहलाता है—

A. पायरोलूसाइट
B. आइरन पाइराइट्स (FeS_2)
C. फ्लोरस्पार
D. कॉपर पायराइट्स

62. ट्यूबलाइट में सामान्यतः गैस भरी होती है?

A. पारे की वाष्प + आर्गन
B. मीथेन + आर्गन
C. आर्गन + फॉस्फीन
D. इनमें से कोई नहीं

63. आंसुओं में कौन-सा पदार्थ घुला रहता है?

A. स्टार्च
B. ग्लूकोज
C. लाइसोजाइम एंजाइम
D. कॉपर सल्फेट

64. एस्प्रिन का रासायनिक नाम क्या है?

A. एसीटाइलिनिक ऐसिड
B. एसीटाइल सेलिसिलिक ऐसिड
C. सीटाइल सेलिसिलिक एसीटेट
D. एसीटाइल प्रूनिक साइनेट

65. गैस A का घनत्व गैस B से तीन गुना है। यदि A का अणु भार M हो तो B का अणु भार क्या होगा?

A. 3M B. $\sqrt{3M}$
C. $\frac{M}{3}$ D. $\frac{M}{\sqrt{2}}$

66. गन मैटल मिश्रधातु होता है—

A. निकल, टिन और तांबे का
B. तांबा, फॉस्फोरस और निकल का
C. मैंगनीज, फॉस्फोरस और निकल का
D. तांबा, टिन और जिंक का

67. एक डीजल इंजन में ईंधन ज्वलित होता है—

A. चिंगारी (स्पार्क) द्वारा
B. अन्तःक्षिप्त ईंधन द्वारा
C. दहन कक्ष द्वारा
D. दहन के लिए सप्लाई की गई वायु के संपीडन से प्राप्त ऊष्मा द्वारा

68. 22.4°C पर 100 ग्राम जल द्वारा बर्फ के जो संहति को पिघलाया जा सकता है, वह है—(L = 80 कैलोरी/ग्राम)

A. 20 ग्राम　　B. 28 ग्राम

C. 22 ग्राम　　D. 20 ग्राम

69. गैस समीकरण PV = RT में R की SI इकाई है—

A. मोल°C　　B. मोल$J^{-1}\cdot K^{-1}$

C. J·मोल$^{-1}K^{-1}$　　D. J·मोलK^{-1}

70. नाभिकीय रिएक्टर में न्यूट्रॉन नियंत्रक के रूप में निम्नलिखित में से किसका प्रयोग किया जाता है ?

A. भारी जल

B. ग्रेफाइट

C. कैडमियम या बोरोन

D. ऐल्युमिनियम

71. शुद्ध जल का pH मान होता है—

A. 2　　B. 9

C. 7　　D. 14

72. पॉवर ऐल्कोहल है—

A. पीने के योग्य एथिल ऐल्कोहल

B. परिशुद्ध एथिल ऐल्कोहल

C. ईंधन के रूप में प्रयुक्त एथिल ऐल्कोहल

D. परिशुद्ध मेथिल ऐल्कोहल

73. दूध उदाहरण है—

A. विलयन का

B. कोलायड विलयन का

C. इमल्सन का

D. जैली का

74. धोने के सोडा का रासायनिक सूत्र है—

A. $NaHCO_3$　　B. Na_2CO_3

C. $Ca(OH)_2$　　D. NaOH

75 निम्नलिखित के जलीय घोल से होकर एक विद्युतधारा को प्रवाहित किया जाता है। कौन-सा विखंडित होगा ?

A. यूरिया　　B. ग्लूकोज

C. सिल्वर नाइट्रेट　D. बेंजीन

76. ऑक्जेलिक अम्ल घोल के विरुद्ध कास्टिक सोडा घोल का अनुमापन के लिए अच्छा सूचक है—

A. मिथाइल ऑरेंज B. मिथाइल रेड

C. फ्लूरीसिन　　D. फेनाल्फ्थैलीन

77. नाभिकीय रिएक्टरों में भारी जल का प्रयोग होता है—

A. विखंड पैदा करने के लिए

B. द्रुत न्यूट्रॉनों की गति को कम करने के लिए

C. न्यूट्रॉनों को अवशोषित करने के लिए

D. रिएक्टर से बायलरों तक ऊर्जा के स्थानान्तरण के लिए

78. हीरा है—

A. SiO_2

B. Al_2O_3

C. Al_2O_3 और SiO_2 का एक मिश्रण

D. शुद्ध कार्बन

79. तारों की ऊर्जा का स्रोत है—

A. गुरुत्वी सिकुड़न

B. रासायनिक क्रियाएं

C. नाभिकीय संलयन

D. नाभिकीय विखंडन

80. पृथ्वी पर ओजोन परत लगभग कितनी ऊंचाई पर है ?

A. 5 से 10 किमी.

B. 10 से 15 किमी.

C. 30 से 50 किमी.

D. 50 किमी. से ऊपर

81. मोटरवाहन में अपूर्ण दहन के कारण प्रदूषण होने का कारण है—

A. CO_2 और SO_2 का बनना

B. CO का बनना

C. केवल SO_2 का बनना

D. SO_2 और CO_2 का बनना

82. ऐतिहासिक स्मारकों को क्षति पहुंचाती

है—

A. केवल NO_2

B. CO

C. CO_2

D. N व S के ऑक्साइड व वाष्प

83. दूध को किस ताप पर पास्चुराइज किया जाता है?

A. 0°C पर B. 100°C पर

C. 62°C पर D. –4°C पर

84. आंसू गैस (Tear Gas) है—

A. नाइट्रस ऑक्साइड

B. क्लोरीन

C. क्लोरो एसीटोफिनोन (मेक)

D. इनमें से कोई नहीं

85. कैल्विन तापमानी पर बर्फ का गलनांक होता है—

A. 0 K B. 273 K

C. 373 K D. –273 K

86. एक तत्व X के बाह्यतम कक्षा में चार इलेक्ट्रॉन हैं। हाइड्रोजन के साथ इसके यौगिक का कौन-सा सूत्र होगा?

A. X_4H B. X_4H_4

C. XH_3 D. XH_4

87. सल्फर हेक्साफ्लोराइड अणु का आकार कौन-सा है?

A. त्रिभुजाकार पिरामिड

B. अष्टफलकीय

C. समतलीय

D. चतुष्फलकीय

88. निम्नलिखित में से किसमें ऋणात्मक आवेश होता है?

A. एक्स किरण B. एल्फा कण

C. बीटा कण D. गामा किरण

89. जिस तत्व के परमाणु में दो प्रोटॉन, दो न्यूट्रॉन और दो इलेक्ट्रॉन हों, उस तत्व की द्रव्यमान संख्या कितनी होती है?

A. 2 B. 4

C. 6 D. 8

90. निम्नलिखित में कौन-सी इलेक्ट्रॉनिक संरूपण धातु तत्वों के लिए होती है?

A. 2, 8 B. 2, 8, 7

C. 2, 8, 8 D. 2, 8, 8, 2

91. इलेक्ट्रॉन खो देने की सर्वाधिक प्रकृति किस तत्व में होती है?

A. Fr B. Be

C. F D. S

92. सोडियम ऐसीटेट का जलीय विघटन कैसा होता है?

A. उदासीन B. क्षारीय

C. दुर्बल अम्लीय D. प्रबल अम्लीय

93. ऑक्सीजन की संयोजकता 2 है, Al_2O_3 में एल्युमीनियम की संयोजकता कितनी है?

A. 1 B. 3

C. 2 D. 4

94. क्षार (Base) लाल लिटमस पेपर को कर देता है—

A. हरा B. काला

C. उजला D. नीला

95. किसी परमाणु में कुल इलेक्ट्रॉनों की संख्या 7 है तथा नाभिक के न्यूट्रॉनों की संख्या 7 है, इस परमाणु की द्रव्यमान संख्या का मान होगा—

A. 21 B. 0

C. 7 D. 14

96. हाइड्रोजन गैस होती है—

A. अम्लीय (Acidic)

B. क्षारक (Alkalne)

C. न अम्लीय न क्षारक

D. उपर्युक्त में से कोई नहीं

97. एक अणु में 9 इलेक्ट्रॉन, 9 प्रोट्रॉन व 10 न्यूट्रॉन हैं। उसकी द्रव्यमान संख्या कितनी होगी?

A. 9 B. 10

C. 18 D. 19

98. नायलॉन बनाने में प्रयुक्त कच्चा पदार्थ

है—

A. एथिलीन B. एडिपिक अम्ल

C. यूरिया D. फार्मेल्डीहाइड

99. जिस प्लास्टिक पॉलिमर से कंघे, खिलौने, कटोरे आदि बनाए जाते हैं, उसका नाम है—

A. पॉलियूरिथेन

B. पालिस्टाइरीन

C. मेटेलिक पॉलिसल्फाइड

D. टेफ्लान

100. 'सिरका' (विनेगर) निम्नलिखित में से किसका वाणिज्यिक नाम है ?

A. ऑक्ज़ेलिक अम्ल

B. हाइड्रोक्लोरिक अम्ल

C. एसिटिक अम्ल

D. नींबू का अम्ल

101. दिए तत्वों के परमाणु भार इस प्रकार है, कि—

A. एल्युमिनियम < आर्गन < आर्सेनिक < एंटीमनी

B. एल्युमिनियम < आर्गन < एंटीमनी < आर्सेनिक

C. आर्सेनिक < एंटीमनी < आर्गन < एल्युमिनियम

D. आर्सेनिक < एंटीमनी < एल्यूमिनियम < आर्गन

102. निम्नलिखित में विषमांगी मिश्रण कौन-सा है ?

A. वायु

B. वायु मिश्रित जल

C. धूम्र

D. अल्कोहल युक्त जल

103. हाइड्रोजन और ऑक्सीजन के बीच अभिक्रिया को सही-सही दर्शाने वाला रासायनिक समीकरण है—

A. $2H + O \rightarrow H_2O$

B. $H_2 + O_2 \rightarrow H_2O + O$

C. $2H + O_2 \rightarrow H_2O + O$

D. $2H_2 + O_2 \rightarrow 2H_2O$

104. पानी में नमक मिलाने पर पानी के क्वथनांक और हिमांक—

A. बढ़ जाएंगे

B. क्रमशः बढ़ और घट जाएंगे

C. घट जाएंगे

D. क्रमशः घट और बढ़ जाएंगे

105. Fe_3O_4 में लोहा कौन-सी संयोजकताएं प्रदर्शित करता है—

A. 1 और 3 B. 1 और 4

C. 2 और 3 D. 3 और 4

106. निम्नलिखित में कौन-सी अभिक्रिया न तो उपचयन है और न अपचयन ?

A. $Cr \rightarrow CrCl_3$

B. $2S_2O_3^{2} \rightarrow S_4O_6^{2}$

C. $CrO_4^{2} \rightarrow Cr_2O_7^{2-}$

D. $V_2O_4^{2} \rightarrow V_2O_3$

107. निम्नलिखित भस्मों (Oxides) पर ध्यान दीजिए—

1. Na_2O 2. MgO

3. Al_2O_3 4. CuO

अपनी क्षारीय प्रकृति (Base Nature) के घटते क्रम में इन भस्मों का सही अनुक्रम है—

A. 4, 3, 2, 1 B. 3, 4, 1, 2

C. 3, 1, 4, 2 D. 1, 2, 3, 4

108. बंकमैन फुलरीन (C_{60}) में उपस्थित वलयों की संख्या है—

A. 8 B. 14

C. 24 D. 32

109. निम्नलिखित में से कौन-सा एल्युमिनेट्स और कैल्शियम सिलिकेट का मिश्रण है ?

A. सीमेंट B. कांच

C. साबुन D. उर्वरक

110. निम्नांकित इलेक्ट्रॉन विन्यासों पर विचार कीजिए—

1. [↑] [↑↓][↑][↑]

2. [↑↓] [↑][↑][↑]

3. [↓] [↑][↑][↑]

वे विन्यास जिनमें हुंड के सिद्धांत का पालन नहीं होता है—

A. 1, 2 और 3 B. 2 और 3

C. 1 और 2 D. 1 और 3

111. सूर्य में ऊर्जा का उत्पादन होता है—

A. नाभिकीय संलयन द्वारा

B. नाभिकीय विखंडन द्वारा

C. ऑक्सीकरण अभिक्रियाओं द्वारा

D. अपचयन अभिक्रियाओं द्वारा

112. एक पीको सेकिंड बराबर है—

A. 10^{-9} सेकिंड के

B. 10^{-12} सेकिंड के

C. 10^{-15} सेकिंड के

D. 10^{-18} सेकिंड के

113. हाइड्रोजन के परमाणु में कौन-सा मौलिक कण उपस्थित नहीं है ?

A. प्रोटॉन B. इलेक्ट्रॉन

C. न्यूट्रॉन D. उपर्युक्त सभी तीनों

114. निम्नलिखित में कौन-सी किरणें अनावेशित हैं ?

A. एल्फा किरणें B. बीटा किरणें

C. गामा किरणें D. कैथोड किरणें

115. सर्वाधिक ऊर्जा वाली तरंगें हैं—

A. रेडियो तरंगें

B. माइक्रो तरंगें

C. अवरक्त तरंगें

D. दृश्य प्रकाश तरंगें

116. कार्बन डाइऑक्साइड पानी में घुलकर कौन-सा अम्ल बनाती है ?

A. H_2SO_4

B. $(COOH)_2 \cdot 2H_2O$

C. HCl

D. H_2CO_3

117. एक तत्व के समस्थानिकों में—

A. न्यूट्रॉनों की संख्या भिन्न होती है।

B. न्यूट्रॉनों की संख्या समान होती है।

C. प्रोटॉनों की संख्या भिन्न होती है।

D. प्रोटॉनों की संख्या समान होती है।

118. अम्ल अथवा क्षार के परीक्षण के लिए किसका प्रयोग किया जाता है ?

A. लिटमस पेपर

B. कोबाल्ट पेपर

C. अमोनिया पेपर

D. इनमें से कोई नहीं

119. अलकोहल में उपस्थित समूह है—

A. –CHO B. –C = O

C. –COOH D. –OH

120. सूची I और सूची II को सुमेलित कीजिए और इन सूचियों के नीचे दिए गए कूट से सही उत्तर का चयन कीएिज—

सूची I	***सूची II***
(*a*) परॉक्साइड	1. C_3O_2
(*b*) सुपर ऑक्साइड	2. PbO_2
(*c*) डाइऑक्साइड	3. KO_2
(*d*) सबऑक्साइड	4. H_2O_2

कूट—

	(*a*)	(*b*)	(*c*)	(*d*)
A.	4	3	2	1
B.	3	2	1	4
C.	4	2	3	1
D.	4	1	2	3

121. सूची I और सूची II को सुमेलित कीजिए और इन सूचियों के नीचे दिए गए कूट से सही उत्तर का चयन कीजिए—

सूची I (इलेक्ट्रॉनिक संरचना)

(a) Is^2

(b) $Is^2 2s^2 2p^6$

(c) $Is^2 2s^2 2p^6 3s^2$

(d) $Is^2 2s^2 2p^6 3s^2 3p^5$

सूची II (वर्ग)

1. क्लोरीन
2. फ्लोराइड आयन
3. हाइड्राइड आयन
4. मैग्नीशियम

कूट—

	(a)	(b)	(c)	(d)
A.	3	2	4	1
B.	4	2	1	3
C.	3	4	2	1
D.	2	3	4	1

122. यदि 2.0 ग्राम हाइडोजन 16.0 ग्राम ऑक्सीजन में जलने पर 16.0 ग्राम जल बनाए, तो निम्नलिखित में से कौन-सा नियम टूटेगा?

A. द्रव्यमान संरक्षण का नियम
B. स्थिर संचरना का नियम
C. गुणित अनुपात का नियम
D. व्युत्क्रम अनुपात का नियम

123. एक रेडयोधर्मी समस्थानिक की अर्धआयु 20 दिन है। यदि वस्तु का 100 ग्राम लिया जाता है तो 40 दिन के बाद अवशिष्ट समस्थानिक का वजन है—

A. 25 ग्राम B. 2.5 ग्राम
C. 50 ग्राम D. 5.0 ग्राम

124. निम्नलिखित में से कौन-सा ग्लाइकोलिसिस एवं क्रेब चक्र के बीच में कड़ी है?

A. फास्फोएनोल पाइरुविक अम्ल
B. फ्यूमरिक अम्ल
C. साइट्रिक अम्ल
D. एसीटाइल सहएंजाइम A

125. 27°C पर एक गैस का दाब पारे का 75 सेमी. है जिस तापक्रम पर दाब दोगुना होगा यदि आयतन को स्थिर रखा जाए, वह है—

A. 227°C B. 427°C
C. 127°C D. 327°C

126. निम्नलिखित में से तत्वों के कौन-से युग्म समइलेक्ट्रॉनी हैं?

A. Cl^- और Br^-
B. Ma^+ और Mg^{++}
C. Ar और Ne
D. Mg^{++} और Ca^{++}

127. किसी इलेक्ट्रॉन के संबंध में e/m अनुपात निम्नलिखित स्थिति में अचर होता है—

A. यदि इलेक्ट्रॉनों का वेग अत्यधिक उच्च हो।
B. यदि इलेक्ट्रॉनों का वेग अत्यधिक कम हो
C. यदि इलेक्ट्रॉनों का वेग सामान्य हो।
D. उपर्युक्त में से कोई नहीं

128. किस तत्व के परमाणु (A) द्वारा एक इलेक्ट्रॉन खो देने पर निर्मित आयन होगा?

A. A^+ आयन
B. A^{--} आयन
C. A^{++} आयन
D. इनमें से कोई नहीं

129. यदि किसी परमाणु के नाभिक में एक न्यूट्रॉन बढ़ा दिया जाए, तो—

A. उसका परमाणु द्रव्यमान बढ़ जाएगा
B. उसका नाभिकीय आवेश घट जाएगा
C. उसका परमाणु द्रव्यमान अपरिवर्तित रहेगा
D. उसकी ध्रुवता ऋणात्मक हो जाएगी

130. बोर द्वारा परमाणु का मॉडल प्रस्तुत करते समय निम्नलिखित में से किसका अध्ययन किया गया?

A. स्टार्क प्रभाव (The stark effect)
B. हाइड्रोजन परमाणु का स्पेक्ट्रम
C. जेमान प्रभाव (The Zeeman effect)
D. उपर्युक्त में से कोई नहीं

131. Mg के तीन प्राकृतिक समस्थानिक हैं जिनके समस्थानिकीय द्रव्यमान (isotopic mass) तथा सापेक्षित बाहुल्य (relative abundance) क्रमशः 23.98 (78.60%), 24.98 (10.11%) और 25.98 (11.29%) हैं। Mg का परमाणु द्रव्यमान होगा—

A. 23.42 B. 23.95
C. 24.00 D. 24.95

132. परमाणु संरचना के p-कक्षक (p-orbital) के उपऊर्जातल में निहित इलेक्ट्रॉनों की अधिकतम संख्या होगी—

A. 8 B. 6
C. 4 D. 2

133. परमाणु के nवें ऊर्जा तल में रह सकने वाले इलेक्ट्रॉनों की अधिकतम संख्या होगी?

A. $4n^2$ B. $2n^2$
C. $n^2/4$ D. $n^2/2$

134. मीथेन के एक अणु में H-C-H के बंधक कोण (bond angle) का मान निम्नलिखित के बराबर होता है—

A. 100° B. 109°
C. 103° D. 102°

135. Mg^{++} आयन का इलेक्ट्रॉनिक विन्यास है—

A. 2, 8, 1 B. 2, 8
C. 2, 8, 2 D. 2, 8, 3

136. किसी सहसंयोजी आबंध में भाग लेने वाले दो परमाणुओं के बीच—

A. इलेक्ट्रॉन एक परमाणु से दूसरे परमाणु में पूर्णतः अंतरित हो जाते हैं।
B. इलेट्रॉन परस्पर साझेदारी करते हैं।
C. इलेक्ट्रॉन न तो अंतरित होते हैं और न ही इनकी परस्पर साझेदारी होती है।
D. इलेक्ट्रॉन के साझेदारी या अंतरित होने के बारे में स्पष्टतः कुछ कहा नहीं जा सकता।

137. HCl में हाइड्रोजन और क्लोरीन के बीच का आबंध ध्रुवीय आयनिक (polar ionic) होता है। इसका कारण है—

A. हाइड्रोजन के नाभिक का प्रबल होना
B. क्लोरीन के नाभिक का प्रबल होना
C. हाइड्रोजन और क्लोरीन दोनों के नाभिक का समान रूप से प्रबल होना
D. उपर्युक्त में से कोई नहीं

138. निम्नलिखित में से कौन-सा आबंध दुर्बलतम है?

A. आयनी आबंध (ionic bond)
B. धात्विक आबंध (metallic bond)
C. हाइड्रोजन आबंध (hydrogen bond)
D. सहसंयोजी आबंध (covalent bond)

139. परमाणु की त्रिज्या घटती है—

A. आवर्त सारणी में एक ही समूह के भीतर तत्वों की परमाणु संख्याओं के बढ़ते क्रम में
B. किसी इलेक्ट्रॉन के उच्च ऊर्जा स्तर में प्रवेश करने पर
C. एक ही आवर्तक (period) के भीतर तत्वों की परमाणु संख्याओं के बढ़ते क्रम में
D. उपर्युक्त में से कोई नहीं

140. यदि किसी धातु के क्लोराइड में धातु और क्लोरीन भार के अनुसार 2 : 1 के अनुपात में निहित हों तो उसमें धातु का समतुल्य भार होगा—

A. 71 B. 77.4
C. 67.8 D. 79.2

141. निम्नलिखित में से कौन-सा एक वैद्युत संयोजी यौगिक नहीं है?

A. साधारण नमक
B. सिल्वाइन
C. ऐलुमिनियम क्लोराइड
D. कार्बन टेट्राक्लोराइड

142. यदि एक यौगिक जिसका आणविक सूत्र $(CO)_x$ है, का वाष्प घनत्व 70 हो, तो x का मान है—

A. 6 B. 5

C. 9 D. 7

143. निम्नलिखित में से किस समूह में रखे गए तत्वों में एक इलेक्ट्रॉन को खो देने की प्रबलतम प्रवृत्ति है ?

A. F, Cl, Br B. Li, Na, K

C. C, Si, Pb D. Cu, Ag, Au

144. वैद्युत संयोजक बंध (electrovalent linkage) निम्नलिखित द्वारा बनता है—

A. इलेक्ट्रॉनों के अंतरण

B. इलेक्ट्रॉनों की परस्पर साझेदारी

C. इलेक्ट्रॉनों के अंतरण और परस्पर साझेदारी दोनों द्वारा

D. उपर्युक्त में से कोई नहीं

145. गंधक को कितने परमाणु मिलकर सल्फ्यूरिक अम्ल का एक अणु बनाते हैं

A. एक B. दो

C. तीन D. आठ

146. हीरे के रूप में पाया जाने वाला कार्बन विश्व में सर्वाधिक कठोर पदार्थ है। इसका कारण है—

A. निर्माण की प्रक्रिया के दौरान ताप और दाब के कारण कार्बन के दो परमाणुओं के बीच प्रबलतम आबंध का बनना

B. हीरे में कार्बन और हाइड्रोजन के परमाणुओं के बीच आबंध (C-H bond) का प्रबलतम होना

C. हीरे की चतुष्फलकीय संरचना होना जो एक स्थायी विन्यास (stable configuration) है।

D. इसमें उपस्थित कार्बन के शुद्धतम होने के कारण हीरा कठोरतम होता है।

147. सामान्य स्थितियों में सोडियम क्लोराइड की द्रव्यीय अवस्था होती है ?

A. जलीय ठोस (aqueous solid)

B. ऐल्केलाइड (alkaloid)

C. क्रिस्टलीय संरचना (crystalline structure)

D. उपर्युक्त में से कोई नहीं

148. एनोड किरणों का *e/m* अनुपात—

A. नियत होता है।

B. गैस की प्रकृति पर निर्भर करता है।

C. गैस के ताप पर निर्भर करता है।

D. गैस में किन्हीं दो बिन्दुओं के बीच विभवांतर पर निर्भर करता है।

148. परमाणु के K, L, M, N..... आदि स्तरों में आ सकने वाले इलेक्ट्रॉनों की अधिकतम संख्या का निर्धारण निम्नलिखित द्वारा किया जाता है—

A. बोर ब्यूरी स्कीम

B. पाउली अपवर्जन सिद्धांत

C. रदरफोर्ड परमाणु मॉडल

D. बोर परमाणु मॉडल

150. H_2SO_4 में गंधक का ऑक्सीजन अंक (Oxydation number) होता है—

A. 6 B. 8

C. 10 D. 2

151. निम्नलिखित में से कौन-सा एक ऐल्काइन है ?

A. 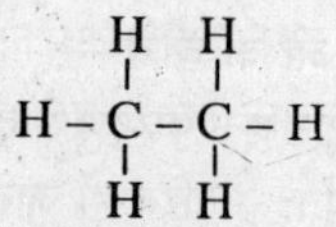

B. 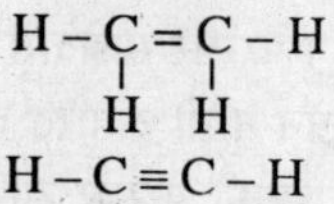

C. H – C ≡ C – H

D. 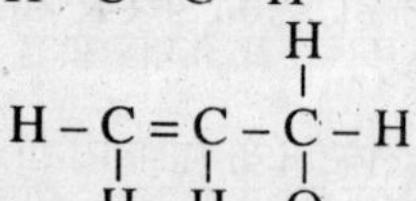

152. क्षार धातुओं की संयोजकता होती है—

A. +1 B. −2

C. −1 D. +2

153. किसी तत्व का परमाणु संख्या 11 है। उस तत्व के परमाणु के M-कोष (M-shell) में इलेक्ट्रॉनों की संख्या कितनी होगी?

A. 2 B. 1
C. 0 D. 3

154. आवर्त सारणी में हाइड्रोजन के संदर्भ में तत्वों की संयोजकता—

A. समूह 1 से 8 तक नियमित रूप से घटती है।
B. पहले समूह 1 से 4 तक बढ़ती है और तत्पश्चात घटती है।
C. पहले समूह 1 से 4 तक घटती है और तत्पश्चात बढ़ती है।
D. उपर्युक्त में से कोई नहीं

155. एक ही तत्व के परमाणुओं के बीच निर्मित आबंध होता है—

A. सहसंयोजी आबंध
B. आयनी आबंध
C. धात्विक आबंध
D. आबंध ताप और दाब की दशाओं पर निर्भर करता है।

156. निम्नलिखित में से किसमें इलेक्ट्रॉन को स्वीकार करने की अधिक क्षमता है?

A. F B. Na
C. C D. Mg

157. क्लोरीन (Cl) की परमाणु संख्या 17 है। इसके परमाणु द्वारा एक इलेक्ट्रान प्राप्त कर लेने के पश्चात इसका इलेक्ट्रॉनिक विन्यास होगा—

A. 2, 8, 7 B. 2, 8, 9
C. 2, 8, 8 D. 2, 8, 7, 1

158. ऑक्सीजन की कम आपूर्ति में कोयले को जलाने पर कार्बन मोनोऑक्साइड (CO) बनने का कारण है—

A. कार्बन के सभी परमाणु ऑक्सीजन के परमाणुओं से संयोजित नहीं हो पाते जिससे CO_2 के अणु बन सकें
B. ऑक्सीजन के परमाणु कार्बन के परमाणु की तुलना में कम वैद्युतसंयोजी हैं।
C. ऑक्सीजन के परमाणु पर्याप्त संख्या में कार्बन के परमाणु से नहीं मिल पाते जिससे कर्बान डाइऑक्साइड (CO_2) निर्मित करने के लिए आबंध बन सकें।
D. कार्बन और ऑक्सीजन के परमाणु परस्पर मिलकर कभी भी कार्बन-डाइऑक्साइड (CO_2) गैस नहीं बनाते।

159. दीर्घ आवर्त सारणी निम्नलिखित में से किसने प्रस्तुत की?

A. मेंडलीफ (Mendeleef)
B. डाल्टन (Dalton)
C. लोथ मेयर (Lothar Meyer)
D. मोज्ले (Mosley)

160. NaOH एक क्षार है क्योंकि यह निम्नलिखित को निर्मुक्त करता है—

A. हाइड्रोजन आयन — H^+
B. सोडियम आयन — Na^+
C. हाइड्रॉक्सिल आयन — OH^-
D. उपर्युक्त में से कोई नहीं

161. कुछ तत्वों में कतिपय मुक्त और सचल इलेक्ट्रॉनों की उपस्थिति के कारण वे तत्व होते हैं—

A. सुचालक (good conductors)
B. अच्छा रोधी पदार्थ
C. अंशतः चालक
D. उपर्युक्त सभी

162. निम्नलिखित में से किसमें 11 न्यूट्रॉन, 10 इलेक्ट्रान और 9 प्रोट्रॉन उपस्थित होते हैं?

A. समस्थानिक
B. उदासीन परमाणु
C. धनायन
D. ऋणायन

163. विद्युत ऋणात्मकता (electro-negativity) का सही अनुक्रम है—

A. $F > O > N > C$
B. $F < O < N < C$
C. $F < N < O < C$
D. इनमें से कोई नहीं

164. फॉसजीन (Phosgene) का सूत्र है—

A. $CaClO_3$
B. $COCl_2$
C. $CO(OH)_2$
D. CH_3COOCO

165. यदि किसी अपोपचय अभिक्रिया (redox reaction) में MnO_4^- को MnO_2 के रूप में परिवर्तित किया जाए तो अभिक्रिया में सन्निहित इलेक्ट्रॉनों की संख्या होगी?

A. 2 B. 4
C. 3 D. 1

166. क्रोमियम (z = 24) का इलेक्ट्रॉनिक विन्यास है—

A. $Is_2\ 2s_2\ 2p_6\ 3s_2\ 3p_6\ 3d_4\ 4s_2$
B. $Is_2\ 2s_2\ 2p_6\ 3s_2\ 3p_6\ 3d_4$
C. $Is_2\ 2s_2\ 2p_6\ 3s_2\ 3p_6\ 3d_5\ 4s_1$
D. उपर्युक्त में से कोई नहीं

167. तत्वों के सापेक्षित परमाणु द्रव्यमान प्राय: पूर्ण संख्याओं (whole numbers) द्वारा दर्शाए नहीं जा सकते। इसका कारण है—

A. किसी तत्व का शुद्ध नमूना प्राप्त करना प्राय: संभव नहीं पाता।
B. सापेक्षिक परमाणु द्रव्यमानों को निर्धारित करने की विधियां अत्यधिक परिशुद्ध नहीं हैं।
C. प्रकृति में, अधिकांश तत्व समस्थानिकों के मिश्रण के रूप में पाए जाते हैं।
D. किसी परमाणु के नाभिक में उपस्थित न्यूट्रॉनों की संख्या उसमें उपस्थित प्रोट्रॉनों की संख्या से भिन्न होती है।

168. एक यौगिक X और Y तत्वों के मेल से बना है। यदि X का समतुल्य भार उसके परमाणु भार का एक-चौथाई और Y का समतुल्य भार उसके परमाणु भार का आधा हो तो इस यौगिक का सूत्र होगा?

A. XY B. XY_2
C. X_2Y D. X_4Y_2

169. परमाणु के आकार के संदर्भ में निम्नलिखित में से कौन-सा अनुक्रम सही है?

A. $H > F > Cl > Br > I$
B. $H < F < Cl < Br < I$
C. $F < Br < H < Cl < I$
D. $Br < Cl < H < F < I$

170. नाइट्रोजन ऑक्सीजन से संयोजित होकर $N_2O_5, N_2O, NO, N_2O_3,$ और NO_2 जैसे अनेक गैसीय ऑक्साइड बनाता है। इससे निम्नलिखित नियम सिद्ध होता है।

A. स्थिर अनुपात का नियम (Law of constant proportion)
B. गुणित अनुपात का नियम (Law of miltiple proportion)
C. गे लुसेक का नियम (Gay Lussac's Law)
D. उपर्युक्त में से कोई नहीं

171. निम्नलिखित में से किस समूह के तत्वों से बनने वाले यौगिक प्राय: रंगीन होते हैं

A. *s*-ब्लॉक के तत्व
B. *p*-ब्लॉक के तत्व
C. *d*-ब्लॉक के तत्व
D. *d*-ब्लॉक और *f*-ब्लॉक दोनों के तत्व

172. लोथर मेयर वक्र में शिखर पर होती हैं—

A. क्षार धातुएं
B. हैलोजन गैसें
C. क्षारीय मृदा धातुएं
D. अक्रिय गैसें

173. निम्नलिखित तत्वों में परिवर्ती संयोजकता (variable valency) होती है—

A. ऐसे तत्व जिनके परमाणुओं में रिक्त कक्षक (orbitals) होते हैं।

B. ऐसे तत्व जिनके परमाणुओं में पूर्णतः पूरित कक्षक होते हैं।

C. केवल संक्रमण तत्व ही

D. उपर्युक्त में से कोई नहीं

174. एक तत्व A आवर्त सारणी में समूह V का तत्व है और एक दूसरा तत्व B आवर्त सारणी में समूह I का तत्व है। A और B तत्वों के परस्पर संयोजन से निर्मित यौगिक का सूत्र होगा—

A. BA B. B_2A

C. A_2B D. AB_3

175. आवर्त सारणी में समूह IB से लेकर VIIB तक के तथा समूह VIII के तत्व कहलाते हैं—

A. उत्कृष्ट गैस (noble gas)

B. संक्रमण तत्व (transition elements)

C. लैंन्थेनाइड्स (lanthanides)

D. ऐक्टिनाइड (actinide)

176. आवर्त सारणी का सातवां आवर्त है—

A. लघु आवर्त (short period)

B. दीर्घ आवर्त (long period)

C. अपूर्ण आवर्त (incomplete period)

D. पूर्ण आवर्त (complete period)

177. तत्वों को आवर्त सारणी में व्यवस्थित करने की दृष्टि से त्रिक नियम (law of triads) का प्रतिपादन किसने किया?

A. जॉन डाल्टन B. जॉन ए न्यूलैंड

C. डॉबेराइनर D. मेन्डेलीफ

178. दीर्घ आवर्त सारणी में समूहों की संख्या होती है—

A. 16 B. 18

C. 8 D. 6

179. VII-A समूह के तत्व निम्नलिखित समूह के तत्वों के साथ अत्यधिक तत्परता से संयोजित होते हैं—

A. VIIA B. IA

C. IVA D. VIIIA

180. आवर्त सारणी के छठे आवर्त में कितने तत्व रखे गए हैं—

A. 32 B. 28

C. 18 D. 8

181. मेंडेलीफ के आवर्त नियम के अनुसार तत्वों के भौतिक और रासायनिक गुण आवर्ती फलन होते हैं—

A. उनके परमाणु भारों के

B. उनकी परमाणु संख्याओं के

C. उनकी संयोजकता के

D. उनके परमाणु में उपस्थित न्यूट्रॉनों की संख्या के

182. समूह IA के तत्व कहलाते हैं—

A. क्षारीय मृदा धातु

B. उत्कृष्ट गैस

C. संक्रमण तत्व

D. क्षार धातु

183. आवर्त सारणी में किसी एक ही आवर्त में बाएं से दाएं जाने पर तत्वों के धात्विक गुण—

A. बढ़ते हैं

B. घटते हैं

C. अपरिवर्तित रहते हैं

D. इनमें से कोई नहीं

184. दिए गए तत्वों O, S, Se, Te, Po का उनके परमाणुओं की आयनन ऊर्जा के बढ़ते हुए क्रम में विन्यास होगा?

A. Se, Te, S, Po, O

B. Po, Te, Se, S, O

C. O, S, Se, Te, Po

D. Te, O, S, Po, se

185. निम्नलिखित में से सर्वाधिक हल्की धातु है—

A. K B. Li

C. Ca D. Mg

186. क्लोरीन के संदर्भ में हाइड्रोजन होगा—

A. ऋणविद्युती (electronegative)

B. उदासीन (neutral)
C. धनविद्युती (electropositive)
D. उपर्युक्त में से कोई नहीं

187. लोथर मेयर ने तत्वों के परमाणु द्रव्यमान और ..... के बीच आलेख बनाया।
A. परमाणु आयतन (atomic volume)
B. परमाणु संख्या (atomic number)
C. परमाणु भार (atomic weight)
D. परमाणु त्रिज्या (atomic radius)

188. आवर्ती वर्ग के किस भाग में उत्कृष्ट गैसों को रखा गया है ?
A. समूह VI
B. आवर्त V और VI
C. समूह V
D. समूह O या VIII

189. नीचे दिए गए इलेक्ट्रॉनिक विन्यास वाला तत्व आवर्त सारणी में किस ब्लॉक में स्थित है ?
$Is_2\ 2s_2\ 2p_6\ 3s_2\ 3p_6\ 3d_{10}\ 4s_2\ 4p_2$
A. *s*-ब्लॉक　B. *p*-ब्लॉक
C. *d*-ब्लॉक　D. *f*-ब्लॉक

190. हैलोजनों को आवर्त सारणी में निम्नलिखित समूह में रखा गया है—
A. समूह O　B. समूह VII
C. समूह VI　D. समूह III

191. ''तत्वों को उनके परमरणु भारों के बढ़ते हुए क्रम में विन्यस्त करने पर आठवां तत्व पहले तत्व के सदृश होता है।'' इस नियम का प्रतिपादन निम्न वैज्ञानिक ने किया था—
A. मौज्ले (Mosley)
B. मेंडेलीब (Mendeleev)
C. ग्राहम (Graham)
D. न्यूलैंड (Newland)

192. आवर्त सारणी में एक ही ऊर्ध्वाधर समूह के तत्वों में प्राय: होता है—
A. समान परमाणु आकार
B. समान इलेक्ट्रॉनिक विन्यास
C. परमाणुओं के बाह्यतम कोश में सामन संख्या में इलेक्ट्रॉन
D. उपर्युक्त में से कोई नहीं

193. ऐल्युमीनियम आवर्त सारणी के तीसरे समूह का तत्व है, अत: इसके ऑक्साइड का सूत्र होगा—
A. AlO_3　B. Al_2O_3
C. AlO　D. Al_3O_3

194. आवर्त सारणी में प्रत्येक क्षैतिज पंक्ति (horizontal row) को कहते हैं—
A. समूह　B. आवर्त
C. उपसमूह　D. उपआवर्त

195. ''क्या भिन्न-भिन्न गुणों वाले परमाणुओं या तत्वों में कोई एक मौलिक पदार्थ निहित होता है?'' क्या कुछ तत्वों के गुणों में चिह्नित समानताएं किसी न किसी प्रकार उनके परमाणुओं से संबंधित हैं? निम्न ये दो प्रश्न पूछे गए थे–
A. डाल्टन द्वारा　B. प्रॉन्टोसिल द्वारा
C. डॉबेराइनर द्वारा　D. टॉम्सन द्वारा

196. जल के वाष्प में परिवर्तित होने की परिघटना है—
A. भौतिक परिवर्तन (physical change)
B. रासायनिक परिवर्तन (chemical change)
C. जैविक परिवर्तन (biological change)
D. उपर्युक्त में से कोई नहीं

197. ठोस कार्बनडाइऑक्साइड को निम्नलिखित भी कहते हैं—
A. सूखी बर्फ (Dry ice)
B. कार्बन बर्फ (Carbon ice)
C. आर्द्र बर्फ (Wet ice)
D. बूझी बर्फ (Slaked ice)

198. नाइट्रोलिम (Nitrolim) निम्नलिखित का मिश्रण है—

A. कैल्शियम और नाइट्रोजन

B. नाइट्रोजन और ऐलुमिनियम

C. कैल्शियम साइनेमाइड और कोक

D. कैल्सियम कार्बाइड और नाइट्रोजन

199. ऐक्वारेजिया निम्नलिखित को कहते हैं—

A. HNO_3 और HCl का 1 : 3 के अनुपात में मिश्रण

B. HCl और H_2SO_4 का 1 : 1 के अनुपात में मिश्रण

C. H_2SO_4 और HNO_3 का 2 : 3 के अनुपात में मिश्रण

D. HCl, HNO_3 और H_2SO_4 का 1 : 3 : 2 के अनुपात में मिश्रण

200. CO_2 और SO_2 एक-दूसरे से किस प्रकार भिन्न हैं ?

A. लिटमस विलयन के साथ अभिक्रिया की दृष्टि से

B. क्षारकीय ऑक्साइडों के साथ अभिक्रिया की दृष्टि से

C. अम्लित $K_2Cr_2O_7$ विलयन पर क्रिया की दृष्टि से

D. नीले लिटमस पत्र के टुकड़े पर क्रिया की दृष्टि से

201. निम्नलिखित में से कौन-सा एकक्षारकीय लवण (monobasic salt) है ?

A. HNO_3 B. H_3PO_3

C. H_2SO_4 D. H_2CO_3

202. अम्ल की क्षारकता (basicity of an acid) निम्नलिखित के रूप में परिभाषित की जा सकती है—

A. प्रतिस्थापनीय OH^- आयनों की संख्या

B. अम्ल के एक ग्राम अणु से निर्मित किए जा सकने वाले H^+ आयनों की संख्या

C. अम्ल की लवण निर्माण क्षमता

D. उपर्युक्त में से कोई नहीं

203. एक अम्ल और एक क्षार को मिश्रित करने पर आमतौर पर प्राप्त होने वाला उत्पाद है–

A. लवण और गैस

B. लवण और अमल

C. लवण और जल

D. केवल लवण

204. सर्वाधिक स्थाई हाइड्राइड है—

A. NH_3 B. PH_3

C. A_5H_3 D. SbH_3

205. चूने के जल में CO_2 प्रवाहित करने पर चूने का जल हो जाएगा—

A. सफेद B. नीला

C. दूधिया D. भूरा

206. शुद्ध जल में ऑक्सीजन का प्रतिशत होता है—

A. 19% B. 81%

C. 89% D. 52%

207. किसी तत्व के परमाणुओं के एक ग्राम अणु का द्रव्यमान (ग्राम में) होता है—

A. उसके ग्राम अणुक द्रव्यमान के बराबर

B. उसके ग्राम परमाणविक द्रव्यमान के बराबर

C. उसके ग्राम आयनिक द्रव्यमान के बराबर

D. उपर्युक्त में से कोई नहीं

208. "अचर दाब पर किसी गैस के दिए गए द्रव्यमान का आयतन उसके परम ताप के अनुक्रमानुपाती होता है।" यह नियम कहलाता है—

A. बॉयल का नियम (Boyles's Law)

B. चार्ल्स का नियम (Charles Law)

C. एवोगाद्रो की परिकल्पना (Avogadro's Hypothesis)

D. ऑफबाऊ नियम (Aufbau Principle)

209. किसी कोलॉइडील विलयन (colloidal solution) में विलेय कण—

A. अध: सादित नहीं होंगे

B. अध: सादित होंगे

C. ताप के अनुसार आचरण करेंगे

D. उपर्युक्त में से कोई नहीं

210. किसी ठोस की शुद्धता का निर्धारिण किया जाता है—

A. उसके गलनांक की माप करके

B. उसके क्वथनांक की माप करके

C. उसके जमनांक की माप करके

D. उपर्युक्त में से काई नहीं

211. सोडियम क्लोराइड और अमोनियम क्लोराइड के मिश्रण को निम्नलिखित विधि द्वारा सर्वाधिक सरलतापूर्वक पृथक्कृत किया जा सकता है—

A. अवसादन (sedimentation)

B. भापीय आसवन (steam distillation)

C. प्रभाजी क्रिस्टलन (fractional crystallization)

D. ऊर्ध्वपातन (sublimation)

212. किसी गैस के मानक ताप का संख्यात्मक मान होता है—

A. 0°C B. 40°C

C. 150°C D. 100°C

213. कार्बन मोनोऑक्साइड के एक अणु में निहित कार्बन और आक्सीजन के भारों का अनुपात होता है—

A. 3 : 2 B. 3 : 4

C. 4 : 3 D. 3 : 1

214. निम्नलिखित में से कौन-सा कभी धातु और कभी अधातु के रूप में आचरण करता है?

A. Cu B. Ag

C. Sb D. Zn

215. तरल अवस्था में स्थित जल निम्नलिखित का उदाहरण है—

A. एक समांगी मिश्रण

B. एक असमांगी मिश्रण

C. एक कोलॉइडी विलयन

D. एक यौगिक

216. निलंबन (suspension) में विलेय के कण—

A. अध: सदित होंगे

B. अध: सदित नहीं होंगे

C. ऊपरी तल पर निलंबित रहेंगे

D. घुल जाएंगे

217. ऐसा परमाणु जो न तो इलेक्ट्रॉन प्राप्त कर सकता है और न ही इलेक्ट्रॉन त्याग सकता है, कहलाता है—

A. धात्विक परमाणु

B. अधात्विक परमाणु

C. अक्रिय परमाणु

D. अभिक्रियाशील परमाणु

218. ऑक्सीजन का अपर रूप (allotropic form) है—

A. ओजोन B. CO_2

C. O_4 D. SO_2

219. NH_3 का मूलभूत स्वरूप होता है—

A. अम्लीय

B. क्षारकीय

C. उदासीन

D. विलायक पर निर्भर

220. नाइट्रोनचाक (Nitrochalk) क्या है?

A. नाइट्रोजन और चाक

B. NH_4NO_3 और चाक

C. NH_4, NH_3 और चाक

D. उपर्युक्त में से कोई नहीं

221. निम्नलिखित में से कौन-सा तापसुघट्य (thermoplastic) पदार्थ नहीं है?

A. टेफ्लॉन (Teflon)

B. ऑरलॉन (Orlon)

C. बैकेलाइट (Bakelite)

D. फ्लिंट कांच (flint glass)

222. निम्नलिखित में से किसमें सहसंयोजी आबंध आसानी से और शीघ्र टूट जाते हैं–

A. ऐल्केन
B. ऐल्कीन
C. एल्काइन
D. उपर्युक्त सभी

223. निम्नलिखित में से कौन-सा एक पूर्णत: सहसंयोजक यौगिक (purely covalent compound) है ?

A. HCl
B. $CHCl_3$
C. CCl_4
D. $AlCl_3$

224. निम्नलिखित में से किसमें सर्वाधिक उपयचन विभव (highest oxidation potential) होता है ?

A. Na
B. Ag
C. Al
D. Zn

225. नीचे दी गई अभिक्रिया के संदर्भ में कौन सा कथन सत्य है ?

C(ठोस) + O (गैस) $\rightarrow$ CO_2 (गैस) + 94.3 किलो कैलोरी

I. प्रत्येक दो ग्राम अणु ऑक्सीजन के व्यय से एकग्राम अणु CO_2 निर्मित होता है।

II. अभिक्रिया ऊष्माशोधी (endothermic) है।

III. अभिक्रिया ऊष्माक्षेपी (exothermic) है।

A. कथन I और II
B. केवल कथन II
C. केवल कथन III
D. कथन I और III

226. निम्नलिखित में से कौन-सा रासायनिक समीकरण एक अपघटन अभिक्रिया (decomposition reaction) को निरूपित करता है ?

A. $Ca(OH)_2 + CO_2 \rightarrow CaCO_2 + H_2O$

B. $CaO + H_2O \rightarrow Ca(OH)_2$ + ऊष्मा

C. $CaCO_2 \xrightarrow{\text{ऊष्मा}} CaO + CO_2$

D. $Zn + CuSO_4 \rightarrow ZnSO_4 + Cu$

227. HNO_3 के विनिर्माण की ओस्टवाल्ड विधि में मुख्य अभिक्रिया $4NH_3 + 5O_2 \rightarrow 4NO + 6H_2O$ है। यह अभिक्रिया निम्नलिखित द्वारा उत्प्रेरित होती है—

A. Fe
B. Ni
C. Pt
D. V_2O_5

228. असंतृप्त वसा के हाइड्रोजनीकरण में प्रयुक्त उत्प्रेरक हैं—

A. Fe
B. Ni
C. Mn
D. V

229. अभिक्रिया $Zn + CuSO_4 \rightarrow ZnSo_4 +$ Cu के संदर्भ में निम्नलिखित कथन सत्य हैं—

A. इस अभिक्रिया में Zn का उपचयन (oxidation) होता है।

B. इस अभिक्रिया में Zn का अपचयन (reduction) होता है।

C. इस अभिक्रिया में Cu का उपचयन होता है।

D. उपर्युक्त में से कोई नहीं

230. उपचयन की प्रक्रिया में निम्नलिखित अंतर्निहित है—

A. इलेक्ट्रॉनों का लाभ
B. प्रोटॉनों का लाभ
C. इलेक्ट्रॉनों की हानि
D. प्रोटॉनों की हानि

231. अभिक्रिया की दर निम्नलिखित के बराबर होती है—

A. $\dfrac{\text{उत्पाद में परिवर्तित अभिकारक के ग्राम अणुओं की संख्या}}{\text{समय}}$

B. $\dfrac{\text{धनायनों के ग्राम अणुओं की संख्या}}{\text{समय}}$

C. $\frac{\text{ऋणायनों के ग्राम अणुओं की संख्या}}{\text{समय}}$

D. $\frac{\text{धनायनों और ऋणायनों के ग्राम अणुओं की संख्या}}{\text{समय}}$

232. धातुओं के वैद्युत परिष्करण (electro refining) की प्रक्रिया में शुद्ध धातु को बनाया जाता है—

A. कैथोड

B. एनोड

C. विद्युत-पघटनी विलयन

D. इलेक्ट्रोड और ऐनोड दोनों

233. कोई द्विक्षारकी अम्ल (dibasic acid) उत्पन्न करता है—

A. एक अम्लीय लवण और एक नॉर्मल लवण

B. एक नॉर्मल लवण (A normal salt)

C. एक द्वि-लवण (A double salt)

D. एक संकर लवण (A complex salt)

234. निम्नलिखित में से किस लवण को जलीय घोल (aqueous solution) में डालने पर वह जल-अपघटित (hydrolysed) हो जाता है?

A. तनु अम्ल और सांद्र क्षार का लवण

B. तनु अम्ल और तनु क्षार का लवण

C. सांद्र अम्ल और तनु क्षार का लवण

D. उपर्युक्त सभी

235. NH_4Cl को NH_4OH के विलयन में डालने पर—

A. NH_4OH के वियोजन में वृद्धि होती है

B. NH_4OH के वियोजन में कमी होती है

C. OH^- के सांद्रण में वृद्धि होती है

D. OH^- और NH_4^+ के सांद्रण में वृद्धि होती है

236. विद्युत अपघटन के दौरान......पर अपचयन होता है—

A. ऐनोड

B. कैथोड

C. ऐनोड और कैथोड दोनों

D. उपर्युक्त में से कोई नहीं

237. नीचे दर्शाई गई अभिक्रिया में किसका अपचयन हो रहा है?

$Na^-(l) + e^- \rightarrow Na(s)$

$Cl(l) \rightarrow Cl + e^-$

A. Cl^- आयन का

B. Na^+ आयन का

C. Na^+ आयन और Cl^- आयन दोनों का

D. कोई भी अपचयित नहीं हो रहा है।

238. निम्नलिखित में से कौन-सी अभिक्रिया सर्वाधिक तीव्र है?

A. आर्द्र वायु में लोहे में जंग लगना

B. संगलित कैल्शियम क्लोराइड का विद्युत अपघटन

C. सिल्वर नाइट्रेट और सोडियम क्लोराइड के विलयन को मिश्रित करने पर सिल्वर क्लोराइड का अवक्षेपण

D. काष्ठ का दहन

239. अभिक्रया की दर होती है—

A. अभिक्रिया में भाग लेने वाले प्रत्येक अभिकारक की सांद्रता के अनुक्रमानुपाती

B. अभिक्रिया में भाग लेने वाले प्रत्येक अभिकारक की सांद्रता के व्युत्क्रमानुपाती

C. अभिक्रिया में भाग लेने वाले प्रत्येक अभिकारक और प्रत्येक उत्पाद की सांद्रता के व्युत्क्रमानुपाती

D. उपर्युक्त सभी

240. सक्रिया नाइट्रोजन द्वारा प्राप्त होता है—

A. नाइट्रोजन गैस से होकर निम्न दाब पर विद्युत विसर्जन प्रवाहित करने पर

B. नाइट्रोजन के ऊष्मा अपघटन द्वारा
C. नाइट्रोजन पर अम्लों की क्रिया द्वारा
D. सक्रिय धातुओं के नाइट्राइडों को गर्म करके

241. दो रंगहीन गैसों को परस्पर मिश्रित करने पर यदि घना सफेद धुंआ प्राप्त हो, तो मिश्रण में भाग लेने वाली ये गैसें हैं—
A. $NH_3 + SO_2$
B. $NH_3 + HCl$
C. $NH_3 + NO_2$
D. इनमें से कोई नहीं

242. नीचे दी गई अभिक्रिया साम्यावस्था में है—
$2SO_2$ (गैस) + O_2 (गैस) $\rightleftharpoons$ $2SO_3$ (गैस) + ऊष्मा
निम्नलिखित में से किस परिवर्तन से SO_3 का सांद्रण बढ़ जाएगा?
A. ताप में कमी और दाब में वृद्धि
B. दाब में कमी और ताप में वृद्धि
C. ताप और दाब दोनों में कमी
D. कोई परिवर्तन अपेक्षित नहीं है

243. एक निकाय को 3A + 2B = C द्वारा निरूपित किया जाता है। यदि K साम्य स्थिरांक हो तो K के संदर्भ में निम्नलिखित में से कौन-सा समीकरण सत्य है?
A. $K = [3A] \times [2B]/[C]$
B. $K = C/[3A] \times [2B]$
C. $K = [C]/[A]^3 \times [B]^2$
D. उपर्युक्त में से कोई नहीं

244. निम्नलिखित में से कौन-सी रासायनिक अभिक्रिया सही है?
A. ${}^{14}_{7}N + {}^{0}N_1 \rightarrow {}^{14}_{6}C + {}^{4}_{2}He$
B. ${}^{238}_{92}U \rightarrow {}^{231}_{90}Th + {}^{4}_{2}He$
C. ${}^{90}_{38}Sr \rightarrow {}^{90}_{39}Y + {}^{4}_{2}He$
D. उपर्युक्त में से कोई नहीं

245. यदि एथिलीन अर्थात C_2H_4 से भरे एक गुब्बारे को किसी तेज नुकीली सुई से छिद्र करके समान दाब पर हाइड्रोजन के एक टैंक में तेजी से डुबा दिया जाए तो कुछ समय बाद गुब्बारा—
A. बड़े आकार का हो जाएगा
B. पूर्णतः टूट-फूट जाएगा
C. संकुचित हाकर छोटा हो जाएगा
D. अपने पूर्व आकार में बना रहेगा

246. निम्नलिखित में से किस रासायनिक अभिक्रिया में सल्फ्यूरिक अम्ल उपचायक के रूप में कार्य करता है?
A. $H_2SO_3 + Br + H_2O \rightarrow H_2SO_4 + 2HBr$
B. $H_2SO_3 + 2H_2O \rightarrow 3H_2O + S$
C. $H_2SO_3 + 2FeCl + H_2O \rightarrow H_2SO_4 2FeCl_3 + 2HCL$
D. उपर्युक्त में से कोई नहीं

247. अभिक्रिया $H_3PO_4 + Ca(OH)_2 = CaHPO_4 + 2H_2O$ में फॉस्फोरिक अम्ल का तुल्यांक है—
A. 49.0 B. 98.0
C. 147.0 D. 24.5

248. पीला अमोनियम सल्फाइड निम्नलिखित को अलग-अलग कर सकता है—
A. CdS और As_2S_3
B. Bi_2S_3 और CuS
C. PbS और BiS_3
D. HgS और PbS

249. $K_2Cr_2O_7$ के K_2CrO_4 में बदलने पर क्रोमियम की उपचयन संख्या में परिवर्तन का मान होता है—
A. 3 B. 4
C. 5 D. 0

250. यदि 28 ग्राम N_2 गैस को, जिसका 0°C ताप और 1 वायुमंडलीय दाब पर आयतन 22.4 लीटर है, 273°C ताप तक गरम किया जाए तो गैस का दाब बढ़कर 2

वायुमंडलीय दाब हो जाता है। इस स्थिति में गैस का नया आयतन होगा—

A. 26.2 लीटर B. 22.8 लीटर
C. 22.4 लीटर D. 25.4 लीटर

251. एल्युमिनियम के विद्युत अपघट्य (electrolyte) से होकर 40A की विद्युतधारा को 30 मिनट तक प्रवाहित किए जाने पर निक्षेपित ऐल्युमिनियम की मात्रा होगी (ऐल्युमिनियम का तुल्यांकी भार = 8.99, दिया गया है)—

A. 6.71 ग्राम B. 5.71 ग्राम
C. 9.28 ग्राम D. 6.28 ग्राम

252. अभिक्रिया $2H_2S + SO_2 \rightarrow 2H_2O + S$ निम्नलिखित का एक उदाहरण है—

A. ऊष्माक्षेपी अभिक्रिया (exothermic reaction)
B. उपापचयन अभिक्रिया (oxidation reduction reaction)
C. सम्मिश्र संभवन अभिक्रिया (complex formation reaction)
D. विस्थापन अभिक्रिया (displacement reaction)

253. $KMnO_4$ का $MnSO_4$ में परिवर्तन निम्नलिखित प्रक्रिया द्वारा होता है—

A. अपचयन
B. उपचयन
C. डिहाइड्रोजनीकरण (dehydrogenation)
D. निर्जलीकरण (Dehydration)

254. यदि 100 मिली. N/10 H_2SO_4 को 200 मिली. लिटर N/5 S_2SO_4 के साथ मिश्रित किया जाए तो प्राप्त मिश्रण में अम्ल की नार्मलता (normality of the acid) होगी—

A. N/5 B. N/6
C. N/3 D. N/10

255. किसी विस्थापन अभिक्रिया (displacement reaction) में—

A. एक यौगिक का आयन दूसरे यौगिक के आयन को प्रतिस्थापित करता है
B. एक तत्व का आयन किसी यौगिक में अन्य तत्व के आयन को प्रतिस्थापित करता है
C. आयनों का कोई प्रतिस्थापन नहीं होता
D. उपर्युक्त सभी बातें होती हैं

256. निम्नलिखित में से कौन–सी एक अपोपचय अभिक्रिया (radox reaction) है ?

A. $Na \rightarrow Na^+ + e^-$
B. $Cl + e^- \rightarrow Cl^-$
C. $CuO + H_2 \rightarrow Cu + H_2O$
D. उपर्युक्त में से कोई नहीं

257. समीकरण $2Al_3O_3 \xrightarrow[\text{विद्युत प्रवाह}]{} 4Al + ?$ में :

A. O B. O_2
C. $3O_2$ D. $2H_2O$

258. निम्नलिखित में से कौन–सी धातु हाइड्रोजन की तुलना में अधिक अभिक्रियाशील (reactive) है ?

A. सिल्वर B. प्लेटिनम
C. मर्करी D. टिन

259. समावयवता (isomerism) की प्रक्रिया में—

A. यौगिक का आण्विक सूत्र बदल जाता है
B. किसी यौगिक के परमाणुओं का एक अणु के भीतर पुनर्विन्यास होता है
C. आण्विक सूत्र बदलता है और परमाणु भी पुनर्व्यवस्थित होते हैं
D. उपर्युक्त में से कोई नहीं

260. एक ग्राम अणु $^{238}_{92}U$ द्वारा ऐल्फा कणों को उत्सर्जित करने पर 1×10^{15} अर्ग ऊर्जा निर्मुक्त होती है। $^{238}_{92}U$ के 0.5 ग्राम अणु द्वारा ऐल्फा कणों को उत्सर्जित

करने पर कितनी ऊर्जा निर्मुक्त होगी।

A. 5.0×10^{14} अर्ग
B. 6.2×10^{10} अर्ग
C. 9.2×10^{14} अर्ग
D. 5.9×10^{12} अर्ग

261. अभिक्रिया $2SO_2$ (गैस) + O_2 (गैस) $\rightleftharpoons 2OS_3 + \Delta$ द्वारा सल्फर ट्राइऑक्साइड को तैयार करने की प्रक्रिया में SO_3 के अधिकतम उत्पादन के लिए सर्वाधिक अनुकूल स्थिति है—

A. निम्न ताप और निम्न दाब की स्थिति
B. उच्च ताप और उच्च दाब की स्थिति
C. मध्यम ताप और मध्यम दाब की स्थिति
D. मध्यम ताप और उच्च दाब की स्थिति

262. एक व्यापक नियम के अनुसार ताप में वृद्धि निम्नलिखित के अनुकूल होती है—

A. ऊष्माक्षेपी अभिक्रिया
B. ऊष्माक्षेपी और ऊष्माशोषी अभिक्रिया
C. ऊष्माशोषी अभिक्रिया
D. उपर्युक्त में से कोई नहीं

263. $CaCl_2$ को जल में विघटित (dissolve) करने पर होता है—

A. ऊष्मा का अवशोषण
B. ऊष्मा का विमोचन
C. ऊष्मा का अवशोषण और विमोचन
D. उपर्युक्त में से कोई नहीं

264. निम्नलिखित में से कौन-सा किसी रासायनिक अभिक्रिया की दर में वृद्धि करने में उत्प्रेरक की क्रिया का सर्वाधिक उपर्युक्त निरूपण है ?

A. उत्प्रेरक अभिक्रिया की सक्रियण ऊर्जा (energy of activation) को कम कर देता है
B. यह उत्क्रम अभिक्रिया को होने से रोकता है
C. यह अभिक्रिया के साम्य स्थिरांक का मान बढ़ा देता है
D. यह अणुओं की गतिज ऊर्जा में वृद्धि करता है

265. किसी अभिक्रिया की साम्य अवस्था में—

A. निर्मित उत्पादन की मात्रा अनभिक्रियित अभिकरकों (unreacted reactants) की मात्रा के बराबर होती है
B. अग्र अभिक्रिया (forward reaction) की दर प्रतीप अभिक्रिया (backward reaction) की दर के बराबर होती है
C. R_1 (अग्र अभिक्रिया के संदर्भ में वेग नियतांक) और R_2 (प्रतीय अभिक्रिया के संदर्भ में वेग नियतांक) परस्पर बराबर होते हैं
D. अभिक्रिया पूर्णतः समाप्त हो जाती है

266. M_2O_3 का M धातु में अपचयन करने के लिए अपचायक के रूप में (कार्बन को छोड़कर) निम्नलिखित में से किसका प्रयोग किया जा सकता है ?

A. लोहा B. एल्युमिनियम
C. जस्ता D. तांबा

267. निम्नलिखित में से किस तत्व का वाणिज्यिक उत्पादन उसके एक यौगिक के जलीय विलयन के विद्युत अपघटन द्वारा किया जाता है ?

A. Na B. Al
C. Br D. Cl

268. जस्ते के ऑक्साइड को कार्बन के साथ गरम करने पर जस्ते के साथ-साथ निम्नलिखित भी प्राप्त होता है—

A. कार्बन मोनोऑक्साइड
B. कार्बन डाइऑक्साइड
C. जिंक ऑक्साइड
D. कोई भी उपोत्पाद प्राप्त नहीं होता

269. कॉपर पायराइट के भर्जन (roasting) से Cu_2O, SO_2 और.....प्राप्त होता है।

A. Fe_2O_3

B. FeO

C. FeS

D. इनमें से कोई नहीं

270. मैग्नीशियम के एक जलते हुए फीते को ऑक्सीजन से भरे जार में रखने पर मैग्नीशियम का फीता तब तक जलता रहता है जब तक जार में रखा संपूर्ण ऑक्सीजन समाप्त न हो जाए। इस प्रकार मैग्नीशियम के फीते के ऑक्सीजन में जलने पर जार के भीतर बने चूर्ण का रंग होगा—

A. लाल B. काला

C. सफेद D. भूरा

271. निम्नलिखित में से किस तत्व में सहसंयोजी आबंध बनाने की प्रबलतम प्रवृत्ति होती है ?

A. Ca B. Be

C. Mg D. Ba

272. क्रायोलाइट क्या है ?

A. सोडियम एल्युमिनियम फ्लोराइड

B. मैग्नीशियम सिलिकेट

C. कैल्शियम मैग्नीशियम कार्बोनेट

D. सोडियम बोरोफ्लुओराइड

273. निम्नलिखित में से कौन-सा न्यूनतम आयनिक स्वरूप का है ?

A. NaCl

B. $BeCl_2$

C. $Cacl_2$

D. ये सभी समान रूप से आयनिक हैं

274. वात्या भट्टी (Blast furnace) से प्राप्त लोहा कहलाता है—

A. कच्चा लोहा B. पिटवां लोहा

C. मृदु इस्पात D. ढलवां लोहा

275. निम्नलिखित में कौन-सी धातु मुक्त अवस्था में नहीं पाई जाती है ?

A. Cu B. Na

C. Ag D. Au

276. निम्नलिखित में से सर्वाधिक आघातवर्ध्य धातु है—

A. सोडियम B. स्वर्ण

C. पोटेशियम D. प्लैटिनम

277. ऐलुमिनियम के वैद्युत शोधन के लिए निम्नलिखित में से किस प्रक्रम को उपयोग में लाया जाता है ?

A. हूप्स प्रक्रम (Hoops process)

B. बेयर प्रक्रम (Bayer process)

C. सर्पेक प्रक्रम (Serpeck's process)

D. इनमें से कोई नहीं

278. निम्नलिखित में से किसे मुक्ता भस्म (pearl ash) कहते हैं ?

A. $MgCO_3$ B. $CaCO_3$

C. K_2CO_3 D. Na_2CO_3

279. निम्नलिखित में से किस श्रेणी की धातुएं आमतौर पर हेलाइड अयस्कों के रूप में पाई जाती हैं ?

A. क्षार धातु

B. क्षारीय मृदा धातु

C. उपधातु

D. इनमें से कोई नहीं

280. मिश्रधातु निम्नलिखित का एक समांगी मिश्रण है—

A. दो या अधिक धातुओं का

B. एक धातु और एक अधातु का

C. धातुओं और अधातुओं का

D. उपर्युक्त में से कोई नहीं

281. बारूद (gun powder) को तैयार करने में सोडियम नाइट्रेट उपयोग में नहीं लाया जाता, क्योंकि—

A. यह एक प्रस्वेद्य (पसीजने वाला) पदार्थ है

B. यह एक विस्फोटक पदार्थ है

C. यह सरलता से विघटित नहीं होता

D. उपर्युक्त में से कोई नहीं

282. धोने का सोडा तैयार करने में सॉल्वे प्रक्रम उपयोग में लाया जाता है। इस प्रक्रम का

उपयोग K_2CO_3 तैयार करने में नहीं किया जा सकता, क्योंकि—

A. साम य दशाओं में K_2CO_3 स्थायी नहीं है

B. K_2CO_3 जल में अत्यधिक घुलनशील है जिस कारण इसे छान कर अलग नहीं किया जा सकता

C. पोटेशियम सर्वाधिक अभिक्रियाशील धातु है

D. उपर्युक्त में से कोई नहीं

283. निम्नलिखित में से किस युग्म में विकर्ण संबंध (diagonal relationship) है ?

A. Na और Mg B. Li और Mg

C. Li और Na D. Al और C

284. फेन प्लवन, अयस्क सांद्रण और अयस्क भर्जन (Froth floatation, ore concentration and ore roasting) प्रक्रम निम्नलिखित से संबद्ध है—

A. कार्बनिक रसायन

B. रससमीकरणमिति (stoichiometry)

C. धातुकर्म (metallurgy)

D. रासायनिक बलगतिकी

285. ऑक्सीजन निम्नलिखित के प्रभाजी वाष्पन (fractional evaporation) द्वारा तैयार किया जाता है—

A. जल

B. द्रव वायु

C. हाइड्रोजन पेरॉक्साइड

D. द्रव हाइड्रोजन

286. निम्नलिखित में से किसे गरम करने पर ऑक्सीजन प्राप्त नहीं होगा ?

A. पोटेशियम क्लोरेट

B. मिनियम (red lead)

C. पोटेशियम परमैगनेट

D. अमोनियम नाइट्रेट

287. निम्नलिखित एक नाइट्रोजनयुक्त विस्फोटक यौगिक है—

A. अमोनियम क्लोराइड

B. नाइट्रोजन ट्राइक्लोराइड

C. अमोनियम नाइट्रेट

D. अमोनियम फॉस्फेट

288. सामान्य वायुमंडलीय दशाओं में द्रव के रूप में विद्यमान हैलोजन है—

A. आयोडीन B. ब्रोमीन

C. क्लोरीन D. फ्लुओरीन

289. प्रतिक्लोर (antichlor) एक ऐसा यौगिक है जो—

A. विरंजक चूर्ण (bleaching powder) से सरलतापूर्वक क्लोरीन निर्मुक्त करता है

B. क्लोरीन को हाइड्रोजन क्लोराइड में बदलता है

C. रंजकों और पेन्टों के विनिर्माण में उत्प्रेरक के रूप में कार्य करता है

D. अन्य हैलोजनों को सरलतापूर्वक अवशेषित करता है

290. अग्निशामक उपकरणों में CO_2 का प्रयोग किया जाता है, क्योंकि—

A. इसका क्रांतिक ताप अपेक्षाकृत कम होता है

B. यह ठोस अवस्था में सूखी बर्फ के रूप में आचरण करता है

C. यह हवा से भारी और रंगहीन होता है

D. यह न तो दहनशील और न ही दहन का पोषक

291. एकनताक्ष गंधक (nonoclinic sulphur) की आकृति होती है—

A. अष्टफलकीय क्रिस्टल (Octahedral crystals)

B. सूच्याकार क्रिस्टल (Needle shaped crystals)

C. रबड़ के समान क्रिस्टल (Rubber like crystals)

D. कोलॉइडी रूप क्रिस्टल

292. SO_2 निम्नलिखित के कारण विरंजन क्रिया करता है—

A. जल अपघटन (Hydrolysis)

B. उपचयन (Oxidation)

C. अपचयन (Reduction)

D. अपने अम्लीय स्वरूप के कारण

293. श्वेत फॉस्फोरस कलोरीन के संपर्क में आने पर जलने लगता है और इस संयोजन से बनते हैं—

A. PCl_6 और PCl_4

B. PCl_3 और PCl_5

C. PCl_6 और PCl_8

D. P_2Cl_3 और P_2Cl_5

294. NH_3 और HCl के संयोजन से प्राप्त होता है—

A. अमोनियम हाइड्राक्साइड

B. घना सफेद धुआं

C. श्वेत अवक्षेप

D. काला अवक्षेप

295. सांद्रित H_2SO_4 के संपर्क में लाने पर $CuSO_4, 5H_2O$ रंग बदलकर हो जाता है—

A. धुंधला पीला B. भूरा

C. श्वेत D. क्रिम्सन

296. हैलोजनों की अभिक्रियाशीलता का सही क्रम है—

A. $Cl > I > Br$

B. $Br > I > Cl$

C. $Cl > Br > I$

D. उपर्युक्त तीनों हैलोजनों की अभिक्रियाशीलता एक समान है

297. लाल फॉस्फोरस है एक—

A. गंधहीन कठोर क्रिस्टलीय ठोस

B. गंधहीन मृदु क्रिस्टलीय ठोस

C. एक विशिष्ट गंधयुक्त मुदु मोमी ठोस

D. एक विशिष्ट गंधयुक्त कठोर ठोस

298. चूने का सुपरफॉस्फेट निम्नलिखित के रूप में प्रयुक्त होता है—

A. एक उपचायक के रूप में

B. एक अपचायक के रूप में

C. एक उर्वरक के रूप में

D. इनमें से कोई नहीं

298. Pd द्वारा H_2 का अवशोषण कहलाता है—

A. उपचयन

B. अपचयन

C. हाइड्रोजनीकरण

D. अधिरोधन (occlusion)

300. द्रव हाइड्रोजन का क्वथनांक होता है—

A. $-253°C$ B. $-272°C$

C. $-230°C$ D. $-200°C$

301. लेड ऐसीटेट के विलयन में डुबाकर निकाले हुए फिल्टर पेपर को हाइड्रोजन सल्फाइड के संपर्क में लाने पर फिल्टर पेपर का रंग हो जाता है—

A. लाल B. काला

C. नीला D. सफेद

302. यदि किसी कुंए से निकाले गए पानी को उबालने पर वह दूधिया हो जाए तो उसमें निम्नलिखित के घुले होने की सर्वाधिक संभावना है—

A. मैग्नीशियम कार्बोनेट

B. कैल्शियम हाइड्रोजन कार्बोनेट

C. सोडियम क्लोराइड

D. कैल्शियम कार्बोनेट

303. पीत (श्वेत) फॉस्फोरस के संबंध में निम्नलिखित में से कौन-सा असत्य है?

A. यह पारदर्शी और मोमी होता है

B. इसका निम्न ज्वलन ताप होता है

C. इसका आण्विक द्रव्यमान P_4 के सदृश होता है

D. इसे CS_2 में रखा जाता है

304. साधारण हाइड्रोजन से $KMNO_4$ विरंजित नहीं होता किन्तु यह जस्ता और H_2SO_4

के मिश्रण में रखे जाने पर विरंजित हो जाता है। इसका कारण है कि इस प्रकार प्राप्त हाइड्रोजन होता है—

A. नवजात हाइड्रोजन (Nascent Hydrogen)

B. आण्विक हाइड्रोजन (Molecular Hydrogen)

C. परमाण्विक हाइड्रोजन (Atomic Hydrogen)

D. उपर्युक्त में से कोई नहीं

305. शुष्क पाउडर अग्निशामक में निम्नलिखित निहित होता है—

A. रेत और बेकिंग सोडा

B. रेत और ऐल्युमिनियम सल्फेट

C. रेत और H_2SO_4

D. रेत और कैल्शियम कार्बोनेट

306. शुद्ध रूप में H_2S गैस निम्नलिखित अभिक्रिया द्वारा प्राप्त की जाती है—

A. एंटिमनी ट्राइसल्फाइड की सांद्रित हाइड्रोक्लोरिक अम्ल के साथ अभिक्रिया

B. लौह सल्फाइड की तनु H_2SO_4 के साथ अभिक्रिया

C. मैग्नीशियम हाइड्रोजन सल्फाइड की ताप अभिक्रिया

D. उपर्युक्त में से कोई नहीं

307. NHO_3 के संपर्क में आने पर त्वचा, सिल्वर और चमड़े का रंग पीला हो जाता है। ऐसा निम्नलिखित के बनने के कारण होता है—

A. NO_2 B. नाइट्रेट्स

C. जैन्थोप्रोटीन D. NO

308. पौधे मृदा से नाइट्रेट्स और नाइट्राइट्स का अवशोषण करके उन्हें.....में बदल लेते हैं।

A. यूरिया

B. अमोनिया

C. नाइट्रोजनीय उर्वरकों

D. नाइट्रोजन के ऑक्साइडों

309. निम्नलिखित में से कार्बन का कौन-सा रूप (Form of Carbon) रंग को अवशोषित करता है?

A. काष्ठ B. चारकोल

C. अस्तिचारकोल D. कोक

310. $CH_2 = C = CH_2$ में निहित है—

A. संयुग्मन में π आबंध

B. परस्पर लंबवत π आबंध

C. संयुग्मन में और परस्पर लंबवत स्थित π आबंधों का संयोजन

D. उपर्युक्त में से कोई नहीं

311. नीचे दी गई संरचना में दर्शाए गए यौगिक का नाम है—

A. फेनॉल

B. बेन्जोइक अम्ल

C. बेन्जल एल्कोहॉल

D. बेन्जैल्डिहाइड

312. निम्नलिखित में से कौन-सा कथन सत्य है?

A. कार्बन गरम और सांद्रित H_2SO_4 को अपचित कर देता है।

B. कार्बन गरम और सांद्रित NHO_3 को अपचित कर देता है

C. कार्बन धातुओं और अधातुओं के साथ द्वि-अंगी यौगिक (Binary compounds) बनाता है

D. उपर्युक्त सभी कथन सत्य हैं

313. तत्वों के परमाणु भारों का मापन निम्नलिखित का परमाणु भार (मानक के रूप में) लेकर किया जाता है—

A. O–16 B. C–12

C. N–14 D. H–1

314. निम्नलिखित की माप करने के लिए ऑक्टेन संख्या एक पैमाना है—
A. पेट्रोल की गुणवत्ता
B. पेट्रोल के एक दिए गए नमूने में LPG के प्रतिशत की माप
C. किसी इंधन के अपस्फोटन की माप
D. उपर्युक्त मे से कोई नहीं

315. निम्नलिखित में से किस यौगिक की संरचना वलयी संरचना (ring structure) कहलाती है ?
A. पेंटेन B. एथिलीन
C. बेंजोइक अम्ल D. प्रोपेन

316. निम्नलिखित में से कौन-सा कार्बनिक अम्लों का अभिलक्षकीय समूह (functional group) है ?
A. $>C=O$ B. $-C{<}^{O}_{H}$
C. –OH D. $-C{<}^{O}_{OH}$

317. क्लोरोफार्म को सिल्वर पाउडर के साथ गर्म करने पर प्राप्त होता है—
A. एथिलीन B. एथेन
C. एथाइन D. आइसोप्रोपेन

318. एथिल क्लोराइड की एल्कोहली KOH के साथ अभिक्रिया से प्राप्त होता है—
A. एथिल एल्कोहल
B. इथेन
C. एथिलीन
D. डाइएथिल ईथर

319. ऐल्केनों का सामान्य सूत्र है—
A. C_nH_{2n+1} B. C_nH_{2n-1}
C. C_nH_{2n-2} D. C_nH_{2n+2}

320. निम्नलिखित को तैयार करने के लिए फॉर्मेल्डीहाइड का उपयोग किया जाता है ?
A. एथिल ऐल्कोहल
B. ऐनिलीन
C. यूट्रोपिन
D. इनमें से कोई नहीं

321. हीरे की संरचना में कार्बन के परमाणु परस्पर निम्नलिखित आबंध के द्वारा जुड़े होते हैं—
A. आयनिक आबंध
B. उपसहसंयोजक आबंध
C. हाइड्रोजन आबंध
D. इनमें से कोई नहीं

322. किसी समजातीय श्रेणी के सदस्यों में होता है—
A. समान गलनांक
B. भिन्न-भिन्न क्वथनांक
C. समान क्वथनांक
D. उपर्युक्त में से कोई नहीं

323. ऐसीटिलीन है एक—
A. रंगहीन गैस
B. पीली गैस
C. हरी गैस
D. ताप के अनुसार विभिन्न रंगों वाली गैस

324. CH_3CHO का आइ.यू.पी.ए.सी. नाम है—
A. ऐसिट–ऐल्डिहाइड
B. फॉर्मेल्डिहाइड
C. एथेनॉल
D. एथेन

325. एसीटिलीन क्षारीय पोटेशियम परमेगनेट के बैंगनी रंग को विरंजित कर देता है। ऐसा निम्नलिखित के बनने के कारण होता है—
A. ऑक्जैलिक अम्ल
B. ऐसिट-ऐल्डिहाइड
C. फॉर्मेल्डिहाइड
D. ऐसिटिक-अम्ल

326. C_2H_6 में सिग्मा आबंधों (sigma bonds) की कुल संख्या होती है—
A. चार B. पांच

C. छः D. सात

327. सूर्य के विसरित प्रकाश और हैलोजन वाहक की उपस्थिति में मीथेन के क्लोरीनीकरण से CCl_2 के अतिरिक्त बनता है—

A. मोनो क्लोरो मीथेन (mono-chloro methane)

B. डाइ क्लोमीरो मीथेन (di-chloro methane)

C. ट्राइ-क्लोरो मीथैन (tri-chloro methane)

D. उपर्युक्त सभी

328. निम्नलिखित में से किस हाइड्रोकार्बन में कार्बन की चारों संयोजकताएं पूर्णत: संतृप्त होती हैं ?

A. ऐल्कीनों में

B. ऐल्काइनों में

C. एल्केनों में

D. इनमें से किसी में भी नहीं

329. भारी मशीनरी में स्नेहक के रूप में ग्रेफाइट का उपयोग करने का कारण है—

A. इसमें एक-दूसरे के ऊपर बहुत आसानी से फिसलने वाली परतों का बनना

B. इसमें केवल कार्बन निहित होने के कारण स्नेहन गुण होना

C. इसके परमाणुओं का परस्पर अपेक्षाकृत कम बल से जुड़ा होना

D. उपर्युक्त में से कोई नहीं

330. निम्नलिखित में से किस प्रकार के कोयले में कार्बन की अधिकतम मात्रा निहित होती है ?

A. लिंग्नाइट

B. बिटूमनी कोयला

C. पीट

D. ऐन्थ्रासाइट

331. एथिलीन ऑक्साइड का उपयोग निम्नलिखित के रूप में होता है—

A. घूमक (fumigant)

B. विलायक

C. प्रतिहिम (antifreeze)

D. उपर्युक्त में से कोई नहीं

332. हाइड्रोकार्बनों को वायु में जलाने पर प्राप्त होता है—

A. CO_2 ऊष्मा और जल

B. CO_2 और जल

C. ऊष्मा और जल

D. ऊष्मा और ताप के अनुसार अन्य उपोत्पाद

333. आयोडोफॉर्म परीक्षण निम्नलिखित की पहचान करने के लिए किया जाता है—

A. ऐल्कोहॉल

B. कार्बोक्सिलिक अम्ल

C. एमाइन्स

D. इनमें से कोई नहीं

334. ऐसीटिलीन पर ब्रोमीन जल की कुछ बूंदें डालने पर ऐसीटिलीन का भूरा रंग विरंजित हो जाता है, जिसका कारण निम्नलिखित का बनना है—

A. एथिल क्लोराइड

B. प्रोपाइल ब्रोमाइड

C. ऐसीटिलीन डाइब्रोमाइड

D. एथिल ब्रोमाइड

335. ऐल्डिहाइड टॉलेन अभिकर्मक (Tollen's reagent) के साथ अभिक्रिया करके बनाता है—

A. फॉर्मेल्डिहाइड B. सिल्वर दर्पण

C. एथेन D. ऐसीटिलीन

336. संतृप्त हाइड्रोकार्बनों में होता है—

A. प्रतिस्थापन अभिक्रिया

B. बहुलकीकरण

C. संकलन अभिक्रिया

D. उपर्युक्त सभी

337. ऐरोमैटिक हाइड्रोकार्बन निम्नलिखित में से जिस एक को छोड़कर अन्य सभी अभिक्रियाएं करते हैं, वह एक अभिक्रिया

है—

A. धुआं रहित ज्वाला के साथ जलना

B. धुएं सहित ज्वाला के साथ जलना

C. प्रतिस्थापन अभिक्रिया

D. उग्र उपचयन की अभिक्रिया द्वारा CO_2 और जल निर्मुक्त करना

338. निम्नलिखित में से कौन-सा एक पुनर्योजित तंतु (regenerated fibre) है—

A. कॉटन B. रेयॉन

C. नाइलॉन D. डेकरॉन

339. निम्नलिखित में से किस तंतु के अणु में प्रोटीन यूनिट होते हैं ?

A. नाइलॉन B. ऊन

C. कॉटन D. रेयॉन

340. कार्बनमोनोऑक्साइड (CO) हीमोग्लोबिन के साथ अभिक्रिया करके एक यौगिक बनाता है जो रक्त को ऑक्सीजन अवशोषित करने से रोकता है। इस यौगिक को कहते हैं—

A. ऑक्सीहीमोग्लोबिन (Oxyhaemoglobin)

B. कार्बोक्सीहीमोग्लोबिन (Carboxyhaemoglobin)

C. नाइट्रो हीमोग्लोबिन (Nitro-haemoglobin)

D. फॉसजीन (Phosgene)

341. लिखने के कार्य में प्रयुक्त कागज (writing paper) क्या है ?

A. सेल्यूलोज B. स्टार्च

C. प्रोटीन D. कार्बोहाइड्रेट

342. पावर ऐल्कोहॉल (गैसोहॉल) निम्नलिखित से व्युत्पन्न किया जा सकता है—

A. गन्ने के रस से

B. चाशनी से

C. मिथाइल ऐलकोहल से

D. फलों के रस से

343. सांद्रित H_2SO_4 की उपस्थिति में ऐसिटिक अम्ल के एथिल ऐल्कोहल से संयोजित होने पर प्राप्त होने वाला उत्पाद है—

A. एस्टर (ester)

B. ऐल्डिहाइड (aldehyde)

C. ऐल्कोहॉल (alcohol)

D. कार्बोक्सिलिक अम्ल (carboxylic acid)

344. एथिलीन का उच्च बहुलक कहलाता है—

A. पॉलिस्टाइरीन (Polystyrene)

B. पॉलिथीन (Polythene)

C. टाइरीन (Tyrene)

D. टेट्रालीन (Tetralene)

345. ओजोन-अपघटन (Ozonolysis) करने पर एथिलीन से ओजोनाइड प्राप्त होता है जिस पर जल अपघटन की क्रिया करने पर प्राप्त होता है—

A. ऐसीट-ऐल्डिहाइड

B. ग्लाइकॉल

C. फॉर्मेल्डिहाइड

D. ग्लाइऑक्सेल

346. ताप द्वारा उच्च हाइड्रोकार्बनों को निम्न हाइड्रोकार्बनों में विच्छेदित करने की परिघटना कहलाती है—

A. उदासीनीकरण B. बहुलकीकरण

C. भंजन D. ऐसीटिलीकरण

347. प्रयोगशाला में एथिलीन को सांद्रित सल्फ्यूरिक अम्ल और निम्नलिखित के मिश्रण को गर्म करके तैयार किया जाता है—

A. ब्यूटिल ऐल्कोहल (butyl alcohol)

B. एथिल एल्कोहल (ethyl alcohol)

C. प्रोपिल ऐल्कोहल (propyl alcohol)

D. इनमें से कोई नहीं

348. ऐसीटिलीन अमोनियामय क्यूप्रस क्लोराइड से अभिक्रिया करके निम्नलिखित का

रक्ताभ भूरा अवक्षेप बनाता है—

A. कॉपर ऐसिटिलाइड
B. एथिल क्लोराइड
C. मेथिल क्लोराइड
D. उपर्युक्त में से कोई नहीं

349. संयोजित अवस्था में कार्बन प्रकृति में निम्नलिखित रूप में पाया जाता है—

A. केवल कार्बनडाइऑक्साइड के रूप में
B. कार्बनमोनोऑक्साइड और काबोनेटों के रूप में
C. कार्बनडाइऑक्साइड और कार्बोनेटों के रूप में
D. केवल कार्बोनेटों के रूप में

350. भारतीय गांवों के गोबर गैस संयंत्रों में आमतौर पर उत्पादित गैस होती है—

A. ऐसीटिलीन
B. प्रोपिलीन
C. मीथेन
D. इनमें से कोई नहीं

351. किसी कार्बनिक यौगिक में उपस्थित कोई परमाणु या परमाणुओं का समूह जो रासायनिक अभिक्रियाओं में लगभग एक जैसा आचरण प्रदर्शित करता है, कहलाता है—

A. अभिलक्षकीय समूह
B. मुक्त मूलक
C. अभिक्रियाशील मूलक
D. उपर्युक्त में से कोई नहीं

352. CH_3COOCH_3 में निम्नलिखित में से कौन-सा समूह उपस्थित है ?

A. ऐल्कोहल B. अम्ल
C. एस्टर D. ऐल्डिहाइड

353. हाइड्रोकार्बनों की असंतृप्ति की जांच करने के लिए निम्नलिखित में से कौन-सा परीक्षण किया जाता है ?

A. क्रोमिल क्लोराइड परीक्षण
B. बेयर्स रीएजेंट टेस्ट
C. लेक टेस्ट
D. रिंग टेस्ट

354. निम्नलिखित के प्रभाजी आसवन से ग्रीज प्राप्त होता है—

A. कच्चा केरोसिन
B. कच्चा डीजल
C. कच्चा पेट्रोलियम
D. इनमें से कोई नहीं

355. घरों में प्रयुक्त किए जाने वाले सिरके में उपस्थित ऐसिटिक अम्ल का प्रतिशत होता है—

A. 2% B. 3%
C. 4% D. 5%

356. ऐसिटिलीन को HCN में मिश्रित करने पर प्राप्त होता है—

A. ऐसिटिल सायनाइड
B. वाइनिल एथिन
C. क्रोनाइट्रोड
D. इनमें से कोई नहीं

357. एथानॉल के निर्जलीकरण से प्राप्त होता है—

A. CH_3OH B. $CH_2 = CH_2$
C. CH_3CHO D. $CH \equiv CH$

358. गैस मास्कों में काष्ठ चारकोल प्रयुक्त किए जाने का निम्नलिखित कारण है—

A. काष्ठ चारकोल में रुचिकर गंध होती है
B. काष्ठ चारकोल में जहरीली गैसें घुल जाती हैं
C. काष्ठ चारकोल जहरीली गैसों को अवशोषित कर लेता है
D. उपर्युक्त में से कोई नहीं

359. ऐसे संतृप्त और असंतृप्त हाइड्रोकार्बन जिनमें कार्बन परमाणुओं का वलय होता है, कहलाते हैं—

A. ऐल्कीन

B. चक्रीय यौगिक (cyclic compound)
C. ऐल्केन
D. ऐरोमैटिक यौगिक

360. निम्नलिखित में से कौन-सा यौगिक एक अटोमैटिक हाइड्रोकार्बन है ?
A. क्लोरोफार्म B. यूरिया
C. ग्लाइसेरॉल D. फेनॉल

361. निम्नलिखित में से कौन-सा कार्बनिक यौगिक जल के साथ अभिक्रिया करके कैल्शियम कार्बाइड बनाता है ?
A. इथेन
B. प्रोपेन
C. ऐसिटिलीन
D. इनमें से कोई नहीं

362. ऐसिटिलीन बहुलकित होकर बनता है—
A. ऑक्टेन
B. बेन्जीन
C. हेक्सेन
D. इनमें से कोई नहीं

363. नाइट्रोजन और ऐसिटिलीन के मिश्रण में स्फुलिंग विसर्जन करने पर प्राप्त उत्पाद है—
A. हाइड्रोसायनिक अम्ल
B. ऐसिटिलीन नाइट्राइड
C. नाइट्रोएसीटिलीन
D. ऐसीटिलीन नाइट्रिक ऐसिड

364. ईंधन के रूप में चारकोल इस्तेमाल किए जाने से होने वाली हानि है—
A. चारकोल का महंगा होना
B. इसका परिवहन कठिन होना
C. जलाए जाने पर चारकोल द्वारा राख और प्रदूषक गैसें छोड़ना
D. उपर्युक्त सभी

365. C_4H_{10} के दो समावयव हैं जिनमें से एक *n*-ब्यूटेन और दूसरा है—
A. *n*-प्रोपेन
B. आइसो-ब्यूटेन
C. *n*-पेंटेन
D. इनमें से कोई नहीं

366. कार्बन के दो परमाणुओं के बीच आबंधों की संख्या जितनी अधिक होगी, उतनी ही—
A. उसका आबंध सामर्थ्य कम होगा
B. उसकी आबंध लंबाई अधिक होगी
C. आबंध लंबाई पर कोई प्रभाव नहीं पड़ेगा
D. उस अणु की अभिक्रियाशीलता कम होगी

367. बायोगैस का ऊष्मीय मान है—
A. 13 $kJ\text{-}kg^{-1}$
B. 35-40 $KJ\text{-}kg^{-1}$
C. 80 $kJ\text{-}kg^{-1}$
D. 140 $kJ\text{-}kg^{-1}$

368. उज्ज्वलन ताप (kindling temperature) निम्नतम ताप है जिस पर—
A. पदार्थ द्रवित हो सकता है
B. पदार्थ में आग लग सकती है
C. पदार्थ से नीली आग से युक्त ज्वाला निकल सकती है
D. उपर्युक्त सभी

369. आग बुझाने के लिए हम जल रहे पदार्थ की प्रकृति के आधार पर निम्नलिखित में से एक को छोड़कर अन्य सभी का प्रयोग कर सकते हैं। वह एक पदार्थ जिसका प्रयोग आग बुझाने के लिए कभी नहीं किया जाना चाहिए, है—
A. सोडा अम्ल B. जल
C. ऐसीटिलीन D. CCl_4

370. निम्नलिखित में से किस प्रक्रम में ऊर्जा अवशोषित होती है ?
A. ऑक्सीजन की उपस्थित में मीथेन का दहन
B. मानव द्वारा श्वसन की क्रिया

C. हरे पौधों द्वारा प्रकाश संश्लेषण

D. कोयले का दहन

371. प्रोड्यूसर गैस निम्नलिखित का एक मिश्रण है—

A. गैसीय हाइड्रोकार्बनों

B. नाइट्रोजन एवं कार्बन मोनोऑक्साइड

C. CH_4 और H_2

D. उपर्युक्त में से कोई नहीं

372. ऑक्सीजन की उपस्थिति में किसी ईंधन का दहन निम्नलिखित अभिक्रिया का उदाहरण है—

A. ऊष्माशोषी अभिक्रिया (endothermic reaction)

B. ऊष्माक्षेपी अभिक्रिया (exothermic reaction)

C. नैज अभिक्रिया (intrinsic reaction)

D. बाह्य अभिक्रिया (extrincic reaction)

373. कच्चे तेल के प्रभाजी आसवन (fractional distillation) के पश्चात निम्नलिखित में से कौन-सा प्राप्त होगा?

A. ईंधन तेल B. केरोसिन

C. ग्रीज और तेल D. ये सभी

374. निम्नलिखित में से कौन-सा एक गौण ईंधन (secondary fuel) नहीं है?

A. कोयला गैस B. जल गैस

C. पेट्रोलियम D. प्रोड्यूसर गैस

375. निम्नलिखित में से किसका ऊष्मीय मान अधिक है?

A. मीथेन B. इथेन

C. प्रोपेन D. ब्यूटेन

376. निम्नलिखित में से कौन-सा एक नाभिकीय ईंधन (nuclear fuel) नहीं है?

A. प्लुटोनियम B. रेडियम

C. यूरेनियम D. उपर्युक्त सभी

377. निम्नलिखित के प्रक्रमण के पश्चात संश्लिष्ट ईंधन तेल (synthetic fuel oil) प्राप्त होता है—

A. मार्श गैस B. कोयला

C. प्रोड्यूसर गैस D. आइसोप्रोपेन

378. पृथ्वी पर मानव और अन्य जीवों का जीवन निर्बाध चलता रहे, इसके लिए हमें निम्नलिखित कार्य करना चाहिए—

A. जीवाश्मी ईंधन (fossil fuel) संरक्षित रखना चाहिए

B. अपारंपरिक ईंधनों का प्रयोग करना चाहिए

C. वायु को प्रदूषित करने वाले वाहनों की संख्या कम करनी चाहिए

D. केवल उपर्युक्त (A) और (B) में उल्लिखित कार्य करना चाहिए

379. बस एक भारी वाहन है, इस दृष्टि से इसमें प्रयुक्त किए जाने के लिए निम्नलिखित में से कौन-सा एक आदर्श ईंधन होगा?

A. पेट्रोल B. डीजल

C. ऐल्कोहल D. उपर्युक्त सभी

380. कोयला गैस (Coal Gas) निम्नलिखित का एक मिश्रण है—

A. H_2, CH_3 और CO

B. H_2, CH_4 और CO

C. H_3 और CH_4

D. CH_4 और CO

381. साबुन निम्नलिखित का एक लवण है—

A. एक संयोजक वसा अम्ल (monovalent fatty acid)

B. द्विसंयोजक वसा अम्ल (divalent fatty acid)

C. त्रिसंयोजक वसा अम्ल (trivalent fatty acid)

D. उपर्युक्त में से कोई नहीं

382. फ्लिंट कांच (flint glass) का अनुप्रयोग किस कार्य के लिए किया जाता है?

A. दर्पण के विनिर्माण में

B. प्रकाशिक यंत्रों के विनिर्माण में

C. कांच के बर्तनों के विनिर्माण में
D. उपर्युक्त सभी

383. निम्नलिखित के मिश्रण के दहन द्वारा जलदृढ़ी सीमेंट (hydraulic cement) बनाया जाता है—
A. चूने का पथर और सोडियम कार्बोनेट
B. चूने का पत्थर और निकल कार्बोनेट
C. चूने का पत्थर और अमोनियम कार्बोनेट
D. चूने का पत्थर और मृत्तिका (क्ले)

384. निम्नलिखित में से किसका घरों में दैनिक प्रयोग नहीं किया जाता?
A. फॉस्फोरस B. फ्लुओरीन
C. आर्सेनिक D. कैल्शियम

385. निम्नलिखित में से कौन-सा एक अपमार्जक (detergent) है?
A. सोडियम सल्फेट
B. सोडियम हाइड्रॉक्साइड
C. सोडियम लॉरिल सल्फेट
D. सोडियम थिओसल्फेट

386. निम्नलिखित में से कौन-सा "किसान खाद" कहलाता है?
A. $(Ca(NO_3) NH_4 NO_3$
B. $Ca(NO_3) NH_4 NO_3 6H_2O$
C. $Ca(NO_3) NH_3 NO_2$
D. उपर्युक्त में से कोई नहीं

387. निम्नलिखित में से कौन-सा कांच के विनिर्माण की प्रक्रिया में उपयोग में नहीं लाया जाता?
A. सोडा राख B. रेत
C. चूना पत्थर D. चाक

388. निम्नलिखित में से कौन-सा आइसोप्रीन का एक बहुलक है?
A. प्राकृतिक रबड़
B. पॉलिएथिलीन
C. नियोप्रीन
D. इनमें से कोई नहीं

389. शल्य चिकित्सा और चिकित्सकीय परीक्षणों में प्रयोग में लाए जाने वाले दस्ताने निम्नलिखित के बने होते हैं
A. पी.वी.सी.
B. प्राकृतिक असंस्कृत रबड़ (natural latex)
C. संश्लिष्ट रबड़ (synthetic rubber)
D. उपर्युक्त सभी

390. यदि कांच के विनिर्माण के लिए प्रयुक्त की जाने वाली मूलभूत कच्ची सामग्री में सिलीकान मिला दिया जाए तो कांच की चद्दर का परिणामी रंग होगा—
A. हरा B. नीला
C. नारंगी D. पीला

391. निम्नलिखित में से किसे फिर से वांछित आकार में नहीं ढाला जा सकता?
A. नाइलॉन B. पॉलिथीन
C. बैकेलाइट D. टेफ्लॉन

392. रेयान निम्नलिखित का बना होता है—
A. नाइलॉन B. सेल्युलोस
C. काष्ट गुदा D. पॉलिएस्टर

393. प्राकृतिक रबड़ में उसके वल्कनीकरण (Vulcanisation) के दौरान निम्नलिखित सामग्री मिलाकर रबड़ को कठोर बनाया जा सकता है—
A. फेरिक ऑक्साइड (Ferric Oxide)
B. चिकनी मिट्टी (Clay)
C. कार्बन कज्जल (carbon black)
D. कोयला धूलि (coal dust)

394. अपमार्जक कपड़ों से मैल को किस प्रकार निकालता है?
A. यह कपड़े को धोने की प्रक्रिया के दौरान कपड़े में मौजूद मैल के साथ दुर्बल हाइड्रोजन आबंध बनाता है।
B. यह वाशिंग मशीन द्वारा की जाने वाली क्रिया के द्वारा मैल के कणों को कपड़े से अलग कर देता है।

C. यह मैल को घुलाकर ढीला का देता है जिससे मैल पानी के साथ बह जाती है।

D. उपर्युक्त में से कोई नहीं

395. प्राकृतिक रबड़ निम्नलिखित का एक रैखिक बहुलक (linear polymer) है—

A. 2-मीथाइल ब्यूटेन (2-methyl butane)

B. 2-मीथाइल प्रोपेन (2-methyl propane)

C. *n*-हेक्सेन (n-hexane)

D. 2-मीथाइल ब्यूटाडाईन (2-methyl butadine)

396. निम्नलिखित में से किसे साबुन के साथ प्रयुक्त किए जाने पर अधिकतम झाग उत्पन्न होगा?

A. आसवित जल (distilled water)

B. भूमिगत मृदु जल

C. भूमिगत कठोर जल

D. उपर्युक्त तीनों से समान मात्रा में झाग उत्पन्न होगा।

397. निम्नलिखित में से कौन-सी सामग्री मानवनिर्मित है?

A. लेटैक्स B. पी.वी.सी.

C. प्राकृतिक रबड़ D. कोयला

398. आग बुझाने के लिए सोडा ऐसिड अग्निशामक यंत्र का प्रयोग करने पर आग मुख्य रूप से निम्नलिखित के कारण बुझ जाती है—

A. तनु H_2SO_4

B. CO_2 बनने के कारण

C. सोडियम बाइकार्बोनेट की उपस्थिति

D. एक उत्पाद के रूप में प्राप्त जल के कारण

399. आइसक्रीम के उत्पादन में जिलेटिन का उपयोग क्यों किया जाता है?

A. यह मिश्रण की जमने में सहायता करता है

B. यह आइसक्रीम को स्वादिष्ट बनाता है

C. यह कोलॉइडों का निर्माण रोकता है

D. यह कोलॉइडों को सुस्थिर करता है और क्रिस्टल का निर्माण रोकता है

400. पोटाश और सीसा के परस्पर मेल से हुई अभिक्रिया के पश्चात प्राप्त कांच को कहते हैं—

A. फ्लिंट कांच

B. सुरक्षा कांच

C. क्रोम कांच

D. इनमें से कोई नहीं

401. किसी वसा का एक प्रबल क्षार के साथ जल अपघटन (hydrolysis) द्वारा साबुन बनाने की प्रक्रिया कहलाती है—

A. साबुनीकरण (saponification)

B. एस्टरीकरण (esterification)

C. इमल्सीकरण (emulsification)

D. उपर्युक्त में से कोई नहीं

402. चिकित्सकों द्वारा मुख और कान के उपचार के लिए आमतौर पर निम्नलिखित में से किस रसायन का उपयोग किया जाता है?

A. सोडियम हाइड्रॉक्साइड

B. हाइड्रोजन परऑक्साइड

C. हाइड्रोक्लोरिक अम्ल

D. ऐक्वारेजिया

403. निम्नलिखित में से कौन-सा न तो एक रासायनिक स्रोत है और न ही दैनिक प्रयोग की वस्तु?

A. पेट्रोलियम B. कोयला

C. समुद्र का जल D. डेक्रॉन

404. निम्नलिखित में से किस ऐल्कोहॉल का उपयोग शराब, लिकर और लिक्युअर (wines, liquors and liqueurs) बनाने में नहीं किया जाता है?

A. मिथाइल ऐल्कोहल

B. इथाइल ऐल्कोहल

C. आइसो-प्रोपिल ऐल्कोहल

D. ब्यूटानॉल

405. निम्नलिखित में से किसका हमारे रसोई घरों में आमतौर पर प्रयोग किया जाता है?

A. सल्फ्यूरिक अम्ल (oil of vitriol)

B. नीला थोथा (blue vitriol)

C. सिनबार (cinnabar)

D. खाने का सोडा (baking soda)

406. चिकित्सकों द्वारा टूटी हुई टांगों को ठीक से जोड़ने और घाव भरने के लिए निम्नलिखित में से किसका प्रयोग किया जाता है?

A. $CaSO_4\ ½H_2O$

B. MnO_2

C. $NaNO_3$

D. $NaCO_3\ 10H_2O$

407. बेकिंग पाउडर और बेकिंग सोडा में निम्नलिखित अंतर है—

A. बेकिंग पाउडर में बेकिंग सोडे के साथ-साथ टार्टरिक अम्ल भी निहित होता है।

B. बेकिंग पाउडर में बेकिंग सोडा निहित नहीं होता है।

C. बेकिंग पाउडर एक द्रव है जबकि बेकिंग सोडा एक द्रव नहीं है।

D. इनके बीच कोई अंतर नहीं है।

408. जर्मन सिल्वर के मूलभूत संघटक हैं—

A. Cu और Ni

B. Ni, Zn और Sn

C. Zn, Ni और Cu

D. Ni और Sn

409. बुझा चूना (slaked lime) निम्नलिखित को कहते हैं?

A. $Ca(OH)_2$

B. CaO

C. $Ca_3(POH)_2$

D. $CaSO_4\ ½H_2O$

410. कांच निम्नलिखित में घुलनशील है—

A. H_2SO_4 B. HCl

C. HF D. HNO_3

411. पी.वी.सी. का प्रयोग निम्नलिखित में किया जाता है—

A. थैलों के निर्माण में

B. केबिलों के निर्माण में

C. बेड लिनेन के निर्माण में

D. उपर्युक्त में से कोई नहीं

412. कठोर जल को जियोलाइट से अभिक्रियित करने पर निम्नलिखित आयनों का आदान-प्रदान होगा—

A. Na^+ और H^+

B. Na^+ और Mg^{++}

C. Na^+ और OH^-

D. Na^+ और SO_4^{--}

413. निम्नलिखित में से कौन-सा नाइट्रोजनीय उर्वरक अम्लीय भूमि में अधिक प्रभावी नहीं है?

A. अमोनियम सल्फेट

B. यूरिया

C. नाइट्रोलिन

D. कैल्शियम नाइट्रेट

414. हाई-ऐल्युमिना सीमेंट तैयार करने के लिए बॉक्साइट के साथ निम्नलिखित के मिश्रण को गर्म किया जाता है—

A. ट्रॉई कैल्शियम ऐल्युमिनेट

B. डाईकैल्शियम सिलिकेट

C. चूने का पत्थर

D. जिप्सम

415. कितने ग्राम H_2SO_4 द्वारा H_2SO_4 के 3.5 ग्राम अणुओं को निरूपित किया जा सकता है?

A. 245 B. 39.2

C. 204 D. 40

416. एक लीटर जल (जिसकी विलेयता 48 है) में Na_2CO_3 का संतृप्त विलयन प्राप्त करने के लिए Na_2CO_3 की अपेक्षित मात्रा होगी—

A. 420 ग्राम B. 480 ग्राम

C. 580 ग्राम D. 520 ग्राम

417. किसी धातु के दो ऑक्साइडों में क्रमश: 30 प्रतिशत और 22.5 प्रतिशत ऑक्सीजन निहित है। ऑक्सीजन के एक नियत भार से संयोजित धातु के भारों का अनुपात होगा—

A. 6 : 7 B. 3 : 2

C. 2 : 3 D. 3 : 4

118. यदि किसी धातु के ऑक्साइड में धातु को मात्रा 60 प्रतिशत हो तो उसका तुल्यांकी भार होगा—

A. 1/5 × आण्विक भार

B. 1/2 × आण्विक भार

C. 3/2 × आण्विक भार

D. उपर्युक्त में से कोई नहीं

419. मानक ताप और दाब (NTP) पर NH_3 गैस के 2240 मिली आयतन का भार होगा—

A. 1.7 ग्राम B. 8.5 ग्राम

C. 17.0 ग्राम D. 34.0 ग्राम

420. 0.2 ग्राम-अणु H_2SO_4 के 50 मिली. में 0.2 ग्राम अणु NaOH का 50 मिली मिलाने पर प्राप्त विलयन होगा—

A. उदासीन

B. क्षारीय

C. अम्लीय

D. कहा नहीं जा सकता

उत्तरमाला

1	2	3	4	5	6	7	8	9	10
A	A	D	C	D	B	A	B	D	C
11	**12**	**13**	**14**	**15**	**16**	**17**	**18**	**19**	**20**
D	B	C	D	B	C	C	B	A	B
21	**22**	**23**	**24**	**25**	**26**	**27**	**28**	**29**	**30**
D	C	C	B	B	B	D	C	B	B
31	**32**	**33**	**34**	**35**	**36**	**37**	**38**	**39**	**40**
C	B	B	B	C	A	D	C	C	D
41	**42**	**43**	**44**	**45**	**46**	**47**	**48**	**49**	**50**
B	B	A	D	B	D	B	B	B	B
51	**52**	**53**	**54**	**55**	**56**	**57**	**58**	**59**	**60**
B	C	A	D	B	C	A	B	B	C
61	**62**	**63**	**64**	**65**	**66**	**67**	**68**	**69**	**70**
B	A	C	B	C	D	D	B	C	C
71	**72**	**73**	**74**	**75**	**76**	**77**	**78**	**79**	**80**
C	C	C	B	C	A	B	D	C	C
81	**82**	**83**	**84**	**85**	**86**	**87**	**88**	**89**	**90**
B	D	C	C	B	D	B	C	B	D
91	**92**	**93**	**94**	**95**	**96**	**97**	**98**	**99**	**100**
A	B	B	D	D	C	D	B	B	C
101	**102**	**103**	**104**	**105**	**106**	**107**	**108**	**109**	**110**
A	C	D	B	C	C	D	D	A	D

111	112	113	114	115	116	117	118	119	120
A	B	C	C	C	D	A	A	D	A
121	**122**	**123**	**124**	**125**	**126**	**127**	**128**	**129**	**130**
A	A	A	D	D	B	C	A	A	B
131	**132**	**133**	**134**	**135**	**136**	**137**	**138**	**139**	**140**
B	B	B	B	B	B	B	D	C	A
141	**142**	**143**	**144**	**145**	**146**	**147**	**148**	**149**	**150**
D	B	B	A	A	A	C	B	A	A
151	**152**	**153**	**154**	**155**	**156**	**157**	**158**	**159**	**160**
C	A	B	B	A	A	C	A	A	C
161	**162**	**163**	**164**	**165**	**166**	**167**	**168**	**169**	**170**
A	D	A	B	A	C	C	B	B	B
171	**172**	**173**	**174**	**175**	**176**	**177**	**178**	**179**	**180**
D	A	A	D	B	C	C	A	B	A
181	**182**	**183**	**184**	**185**	**186**	**187**	**188**	**189**	**190**
A	D	B	B	B	C	A	D	B	B
191	**192**	**193**	**194**	**195**	**196**	**197**	**198**	**199**	**200**
D	C	B	B	A	A	A	C	A	C
201	**202**	**203**	**204**	**205**	**206**	**207**	**208**	**209**	**210**
A	B	C	A	C	C	B	A	A	D
211	**212**	**213**	**214**	**215**	**216**	**217**	**218**	**219**	**220**
A	B	D	C	D	A	C	A	B	B
221	**222**	**223**	**224**	**225**	**226**	**227**	**228**	**229**	**230**
C	C	C	A	C	C	C	B	A	C
231	**232**	**233**	**234**	**235**	**236**	**237**	**238**	**239**	**240**
A	A	A	D	B	B	B	C	A	A
241	**242**	**243**	**244**	**245**	**246**	**247**	**248**	**249**	**250**
B	A	C	B	D	B	A	A	D	C
251	**252**	**253**	**254**	**255**	**256**	**257**	**258**	**259**	**260**
A	B	A	A	B	C	C	D	B	A
261	**262**	**263**	**264**	**265**	**266**	**267**	**268**	**269**	**270**
D	C	A	A	B	B	A	A	B	C
271	**272**	**273**	**274**	**275**	**276**	**277**	**278**	**279**	**280**
B	A	B	A	B	D	A	C	A	C
281	**282**	**283**	**284**	**285**	**286**	**287**	**288**	**289**	**290**
A	B	A	C	B	D	B	B	B	D
291	**292**	**293**	**294**	**295**	**296**	**297**	**298**	**299**	**300**
B	C	B	B	A	C	A	C	D	A
301	**302**	**303**	**304**	**305**	**306**	**307**	**308**	**309**	**310**
B	B	D	A	A	A	C	C	C	A
311	**312**	**313**	**314**	**315**	**316**	**317**	**318**	**319**	**320**
A	D	B	A	C	D	C	C	C	C
321	**322**	**323**	**324**	**325**	**326**	**327**	**328**	**329**	**330**
B	B	A	B	A	D	C	C	A	D

331	332	333	334	335	336	337	338	339	340
A	A	A	C	B	D	A	B	C	B
341	342	343	344	345	346	347	348	349	350
A	B	A	B	C	C	B	A	C	C
351	352	353	354	355	356	357	358	359	360
A	D	B	C	D	C	B	C	B	D
361	362	363	364	365	366	367	368	369	370
C	B	A	C	B	A	B	B	C	C
371	372	373	374	375	376	377	378	379	380
B	B	D	C	A	B	B	D	B	B
381	382	383	384	385	386	387	388	389	390
A	B	D	C	C	B	D	A	B	C
391	392	393	394	395	396	397	398	399	400
C	B	C	A	D	A	B	B	A	A
401	402	403	404	405	406	407	408	409	410
A	B	D	B	D	A	A	C	A	C
411	412	413	414	415	416	417	418	419	420
B	B	D	A	A	B	D	A	A	C

YOUR SPACE

जीव विज्ञान

वस्तुनिष्ठ प्रश्नावली (उत्तर सहित)

1. एक स्वाभाविक मानव एक मिनट में श्वास लेता है—
A. 10–40 बार B. 20–25 बार
C. 14–18 बार D. 22–30 बार

2. विटामिन B_6 की कमी से मानव में....रोग होता है—
A. रक्तस्राव B. रिकेट्स
C. काली जिह्वा D. रक्ताल्पता

3. प्रकाश संश्लेषण में पहली क्रिया है—
A. $NADPH_2$ का बनना
B. ATP का बनना
C. प्रकाश के एक फोटॉन द्वारा हरित लवक का एक इलेक्ट्रॉन का उत्तेजन
D. जल का प्रकाश अपघटन

4. केंचुआ एवं तिलचट्टा में कौन-सा गुण सामान्य होता है?
A. उदरीय तंत्रिका तंत्र
B. बंद रक्त परिहवन तंत्र
C. नेफ्रीडिया
D. ककून

5. 'डेंगू बुखार' किस मच्छर के काटने से होता है?
A. मादा एनोफिल
B. नर एनोफिल
C. एडीस
D. इनमें से कोई नहीं

6. पौधे दिन में निकालते एवं रात में लेते हैं, क्रमशः—
A. ऑक्सीजन एवं ऑक्सीजन
B. ऑक्सीजन एवं कार्बन डाइऑक्साइड
C. कार्बन डाइऑक्साइड एवं ऑक्सीजन
D. कार्बन डाइऑक्साइड एवं कार्बन डाइऑक्साइड

7. मानव-मूत्र से सामान्यतया कौन-से विटामिन का उत्सर्जन होता है?
A. विटामिन A
B. विटामिन C
C. विटामिन K
D. इनमें से कोई नहीं

8. लार परिवर्तित करता है—
A. ग्लाइकोजेन को ग्लूकोज में
B. वसा को वसा अम्ल में
C. प्रोटीनों को अमीनो अम्लों में
D. श्वेतसार को माल्टोज में

9. पेप्सीन एक उदाहरण है—
A. एंजाइम का B. हार्मोन का
C. विटामिन का D. खनिज का

10. पित्त रस का मुख्य कार्य है—
A. प्रोटीनों के पाचन को नियंत्रित करना
B. प्रोटीनों को पाचन के लिए पायस बनाना
C. वसा को पाचन के लिए पायस बनाना
D. वसाओं को एंजाइम द्वारा पाचन करवाना

11. पत्तियां प्रकाश संश्लेषण में कौन-सी गैस होती है?
A. कार्बन डाइऑक्साइड
B. ऑक्सीजन
C. नाइट्रोजन
D. इनमें से कोई नहीं

12. ऑक्सीजन की आपूर्ति....के द्वारा होती है—
A. श्वेत रक्त कण B. लाल रक्त कण
C. प्लाज्मा D. सभी के द्वारा

13. सार्वत्रिक रक्तदाता का ग्रुप होता है—
A. ओ B. ए
C. बी D. ए, बी

14. हैजे के रोगाणुओं को फैलाते हैं—
A. मच्छर B. घरेलू मक्खी
C. प्रस्तर मक्खी D. सैट की मक्खी

15. कौन एक जीवित जीवाश्म कहलाता है?
A. पाइनस B. जीन्क्गो
C. ड्रोयोप्टेरिस D. साइकस

16. भोजन में विटामिन 'डी' की कमी से कौन-सा रोग उत्पन्न होता है?
A. सूखा रोग B. स्कर्वी
C. बेरी-बेरी D. रतौंधी

17. किस खाद में सबसे अधिक नाइट्रोजन होती है?
A. नाइट्रोलियम
B. यूरिया
C. कैल्शियम
D. अमोनियम सल्फेट

18. पौधों में श्वसन की क्रिया होती है?
A. केवल दिन में
B. केवल रात में
C. रात एवं दिन दोनों में
D. केवल प्रकाश की उपस्थिति में

19. निम्नलिखित में से किसके हृदय में तीन भाग होते हैं?
A. खरगोश B. मेढक
C. कुत्ता D. मछली

20. निम्नलिखित में से किसमें कार्बोहाइड्रेट नहीं होते हैं?
A. आलू B. केला
C. मटर D. मक्का

21. रक्त का थक्का जमने के लिए आवश्यक विटामिन है—
A. ए B. डी
C. ई D. के

22. पेप्सीन बदल देता है—
A. यीस्ट को शर्करा में
B. प्रोटीन को पॉलीपेप्टाइड में
C. प्रोटीन को एमीनो अम्ल में
D. वसा को वसा अम्ल में

23. वाइरस के द्वारा होने वाला रोग है—
A. इंफ्लूएंजा B. मलेरिया
C. हैजा D. पेचिश

24. प्याज है—
A. एक प्रकंद (राईजोम)
B. कन्द (ट्यूबर)
C. शल्ककंद (बल्ब)
D. घनकंद (कार्न)

25. इंसुलिन है—
A. एक इंजाइम
B. एक हॉर्मोन
C. एक कार्बोहाइडेट
D. एक प्रोटीन

26. निम्नलिखित में से किसका अधिक औषधीय मूल्य है?
A. कोफिया अराबीका
B. हेल्मिंथोस्पोरियम ओराइजे
C. राउल्फीया सर्पेंटिना
D. लिनम यूसिटाटीसिमम

27. निम्नलिखित पौधे में से किससे औषधि बेलेडोना प्राप्त होती है?
A. एकासिया B. एट्रोपा
C. जीजीफस D. सेंटालम

28. निम्नलिखित में से कौन-सी मंद फफूंदी से तैयार की जाती है?
A. क्लोरोफार्म B. ग्लिसरीन
C. पेनिसिलिन D. कुनैन

29. निम्नलिखित में से कौन-सी बीमारी प्रोटोजोआ द्वारा पैदा होती है?
A. सर्दी (कामन कोल्ड)
B. निमोनिया
C. मलेरिया
D. विशूचिका (हैजा)

30. निम्नलिखित में से कौन-सा मंद विटामिन है ?
A. केराटिन B. राइबोफ्लेविन
C. इंसुलिन D. ऐड्रीनलिन

31. वर्णांध व्यक्ति निम्नलिखित में से किन रंगों में अंतर नहीं कर सकते हैं ?
A. पीला और सफेद
B. हरा और नीला
C. लाल और हरा
D. काला और पीला

32. त्वचा का मुख्य कार्य है—
A. उत्सर्जन
B. शरीर के तापक्रम को संतुलित बनाए रखना
C. सूर्य की पराबैंगनी विकिरणों से शरीर को बचाना
D. कोई नहीं

33. सबसे अधिक प्रोटीन किसमें पाई जाती है ?
A. मांस में B. अंडों में
C. सोयाबीन में D. अरहर में

34. कौन-सा मरुस्थल से संबंधित है ?
A. आर्किड B. कैक्टस
C. पाईन D. कमल

35. RNA में है—
A. थाइमीन B. यूरेसिल
C. प्रोटीन D. ऐमिनो एसिड

36. DNA की रचना है—
A. कुंडलाकार B. द्विकुंडलाकार
C. गोलाकार D. थाइरॉक्सिन

37. मधुमेह (डायबिटीज) रोग का नियंत्रण करता है—
A. वृक्क
B. यकृत
C. लेंगरहनस् द्वीपिका
D. थाइरॉक्सिन

38. ट्रिप्सिन का स्राव निम्नलिखित में से किस ग्रंथि से होता है ?
A. अग्न्याशय B. लार ग्रंथि
C. जठर ग्रंथि D. यकृत

39. विटामिन सी का स्रोत है—
A. सूखे मेवे B. गाजर
C. पालक D. संतरा

40. मधुमेह रोग संबंधित है—
A. थाइराइड ग्रंथि से
B. थाइमस से
C. लेंगरहेंस की द्वीपिकाओं से
D. एड्रीनल से

41. A रुधिर वर्ग के व्यक्ति को निम्नलिखित में से किस वर्ग का रक्त दिया जा सकता है ?
A. AB B. B
C. AB, B D. A, O

42. निम्नलिखित में से कौन-सा रंग सूर्य के वर्णक्रम में नहीं होता ?
A. हरा B. पीला
C. लाल D. अवरक्त

43. लाल रक्त कण बनते हैं—
A. हृदय में B. लीवर में
C. गुर्दे में D. अस्थिमज्जा में

44. हीमोग्लोबिन के विषय में कौन-सा कथन सही नहीं है ?
A. इसमें लोहा होता है
B. यह रक्त में ऑक्सीजन का वाहक है
C. यह रक्त को लाल रंग प्रदान करता है
D. यह कुछ रोगों के प्रति प्रतिरक्षा प्रदान करता है

45. कौन-सा हॉर्मोन 'लड़ो या उड़ो' (fight of flight) हॉर्मोन कहलाता है ?
A. इंसुलिन B. ऐड्रेनलीन
C. एस्ट्रोजन D. ऑक्सीटोसिन

46. जिस विटामिन में कोबाल्ट होता है, वह है—
A. B_1 B. B_2
C. B_6 D. B_{12}

47. एंजाइम नहीं प्राप्त होती है—

A. शैवाल में B. फफूंदी में

C. जीवाणु में D. विषाणु में

48. फलों का पकना त्वरित किया जा सकता है—

A. उन्हें फ्रिज में रखकर

B. जब फल परिपक्व होते हैं तब पौधे को जल की आपूर्ति घटाकर

C. परिपार्श्व को कृत्रिम रूप से गर्म कर

D. फलों के बाक्स में कैल्शियम कार्बाइड मिलाकर

48. बीज अंकुरण के दौरान निम्नलिखित में से क्या घटित होता है ?

A. शर्करा का संश्लेषण होता है

B. वसा का संश्लेषण होता है

C. प्रकाश का अवशोषण होता है

D. ऊष्मा का विमोचन होता है

50. माइटोकांड्रिया निम्नलिखित में से किससे संबंधित है ?

A. प्रोटीन संश्लेषण

B. प्रकाश संश्लेषण

C. कोशिकीय श्वसन

D. वस्तु संश्लेषण

51. आयोडीन युक्त हॉर्मोन है—

A. थाइरॉक्सीन B. इंसुलिन

C. एड्रिनेलीन D. टेस्टोस्टीरॉन

52. निम्नलिखित में से कौन-सा वातावरण के लिए अजैविक (Abiotic) कारण है ?

A. सूर्य का प्रकाश B. मूल उत्पादक

C. ताप D. उपर्युक्त सभी

53. रक्त हीमोग्लोबिन में कौन-सा तत्व उपस्थित है ?

A. कैल्शियम B. लोहा

C. मैगनीशियम D. आयोडीन

54. निम्नलिखित में से कौन-सी वायु प्रदूषक नहीं है ?

A. कार्बन मोनोऑक्साइड

B. सल्फर डाइऑक्साइड

C. कार्बन डाइऑक्साइड

D. हाइड्रोकार्बन गैसें

55. विटामिन B_1 की कमी से निम्नलिखित रोग हो जाता है—

A. बेरी-बेरी B. हीमोफीलिया

C. स्कर्वी D. कैंसर

56. हमारे शरीर के किस अंग में लिम्फोसाइट्स बनते हैं ?

A. वृक्क में B. यकृत में

C. टॉन्सिल में D. थायरॉइड में

57. ट्रैकोमा रोग किस अंग से संबंधित रोग है ?

A. नाक B. आंख

C. कान D. दांत

58. खाद्य पदार्थों को सुरक्षित रखने के लिए किसका प्रयोग किया जाता है ?

A. सोडियम बेंजोएट

B. साइट्रिक अम्ल

C. एसीटिक अम्ल

D. फेनाल

59. शरीर के अंदर रक्त का थक्का नहीं बनता, क्योंकि शरीर में उपस्थित रहता है—

A. हीमोग्लोबिन

B. फाइब्रिन

C. हिपेरिन

D. थ्राम्बोप्लास्टिन

60. नाइट्रोजन उर्वरक को किसलिए डालते हैं ?

A. पौधों की वानस्पतिक वृद्धि के लिए

B. मिट्टी का क्षारीयता कम करने के लिए

C. फसल को शीघ्र पकाने के लिए

D. पौधों में प्रतिरोधक क्षमता बढ़ाने के लिए

61. शरीर को सबसे अधिक कैलोरी ऊर्जा प्रदान करता है—

A. कार्बोहाइड्रेट्स B. प्रोटीन

C. वसा D. खनिज लवण

62. कार्बोहाइड्रेट्स किसमें नहीं पाया जाता है ?

A. मछली B. पनीर

C. मक्खन D. पालक

63. .....वायु का आवरण सूर्य की ओर से आ रही हानिकारक पराबैंगनी किरणों का शोषण करता है—

A. कार्बन डाइआक्साइड

B. नाइट्रोजन

C. ऑक्सीजन

D. ओजोन

64. मानव शरीर में तनकोशा (Somatic Cells) में गुणसूत्रों की संख्या कितनी है ?

A. 23 B. 46

C. 44 D. 22

65. एनीमिया का लक्षण है—

A. ढीली और नीली त्वचा

B. सांस लेने में तकलीफ

C. यकृत शोथ

D. पीली आंखें

66. मलेरिया किससे होता है

A. जीवाणु

B. कवक

C. प्लाज्मोडियम वाइवाक्स

D. विषाणु

67. हरे पौधे सूर्य की प्रकाश की कितनी ऊर्जा का उपयोग कर सकते हैं ?

A. 0.22% B. 2.2%

C. 22.0% D. 78.0%

68. कोशिका का विद्युत गृह कहा जाता है ?

A. गॉल्जीकाय (Golgibody) को

B. लाइसोसोम (Lysosome) को

C. माइटोकॉण्ड्रिया (Mitochondria) को

D. केन्द्रिक (Nucleous) को

69. वंश प्ररूप क्या है ?

A. वृद्धावस्था पर विजय पाने के लिए दवा

B. सबसे छोटा सजीव अंगी

C. वंशानुक्रमता की प्रारंभिक स्थिति की एक इकाई

D. इनमें से कोई नहीं

70. एक लड़का अपने पिता से कितने क्रोमोजोम विरासत के रूप में पाता है ?

A. 22 + y

B. 22 + x

C. 22 + x and 22 + y

D. 23 + x

71. निम्नांकित में से कौन-सा मानव के लिए उपयोगी है ?

A. फीता कृमि B. केंचुआ

C. सेंडवार्म D. रक्तवार्म

72. अंडे में कौन-सा विटामिन लगभग बिल्कुल नहीं पाया जाता है ?

A. विटामिन ए

B. विटामिन बी-कॉम्लेक्स

C. विटामिन सी

D. विटामिन डी

73. निम्नलिखित में से कौन-सा विटामिन (Blood Clotting) में सहायक होता है ?

A. विटामिन ए

B. विटामिन डी

C. विटामिन ई

D. विटामिन के

74. मानव शरीर की सबसे महत्वपूर्ण ग्रंथि कौन-सी है ?

A. थॉयरायड

B. पिट्यूटरी

C. पेक्रियास

D. उपर्युक्त में से कोई नहीं

75. निम्नलिखित में से पूर्णतया ऑक्सीजन रहित वस्तु कौन-सी है ?

A. बालू B. शीशा

C. सीमेंट D. केरोसीन

76. एक वयस्क व्यक्ति की नाड़ी धड़कने की दर क्या होती है ?

A. 80 B. 72

C. 78 D. 60

77. मनुष्य शरीर में यूरिया की अधिकतम मात्रा पाई जाती है—

A. रक्त में B. हृदय में

C. मूत्र में D. पसीना में

78. भोजन का ऊर्जा में परिवर्तन कोशिका के किस भाग में होता है ?

A. केन्द्रक

B. क्लोरोप्लास्ट

C. राइबोसोम

D. माइटोकॉन्ड्रिया

79. निम्नलिखित में से कौन हरितगृह गैस नहीं है ?

A. मीथेन

B. सी.एफ.सी.

C. ऑक्सीजन

D. कार्बन डाइऑक्साइड

80. निम्नलिखित कोशिकाओं में से प्रोटीन का संश्लेषण होता है—

A. माइटोकांड्रिया में

B. राइबोसोम में

C. लाइसोजोम में

D. क्लोरोप्लास्ट में

81. दूध में उपस्थित प्रोटीन है—

A. एल्ब्यूमिन B. कैसीन

C. इंसुलिन D. थायमीन

82. सूर्य के प्रकाश में गुलाब लाल दिखाई देता है, हरे प्रकाश में वही गुलाब निम्नलिखित में से कैसा दिखाई देगा ?

A. लाल B. काला

C. हरा D. पीला

83. मानव शरीर में सबसे बड़ी ग्रंथि है—

A. मस्तिष्क B. यकृत

C. गुर्दा D. दिल

84. मानव शरीर में सर्वाधिक मात्रा में पाया जाने वाला तत्व है--

A. ऑक्सीजन B. हाइड्रोजन

C. नाइट्रोजन D. कार्बन

85. कौन-सी प्रक्रिया कच्चे पेट्रोलियम से अन्य मूल्यवान पदार्थ प्राप्त करने में महत्वपूर्ण है ?

A. भंजन B. वाष्पन

C. प्रभाजी आसवन D. ऊर्ध्वपातन

86. वर्णांध व्यक्ति निम्नलिखित में से किन रंगों का भेद नहीं कर पाता है ?

A. लाल व हरे में B. लाल में

C. हरे में D. सफेद में

87. मानव शरीर का वह कौन-सा भाग है जहां न्यूरोनों की संख्या सर्वाधिक होती है ?

A. रैटिना B. मस्तिष्क

C. हृदय D. फेफड़े

88. किसी मनुष्य में स्मृति लोप का कारण निम्नलिखित में से मस्तिष्क के कौन से भाग का प्रभावित होना है ?

A. मेड्यूला B. डायनसेलेफान

C. प्रमस्तिष्क D. अनुमस्तिष्क

89. पौधा नाइट्रोजन का उपयोग किस रूप में करता है ?

A. नाइट्रोजन-पर-ऑक्साइड

B. मुक्त नाइट्रोजन

C. नाइट्रेट

D. अमोनिया

90. इनमें से कौन-सा बीमारी विषाणु (वायरस) जनित है ?

A. टाइफाइड B. टी.बी.

C. हैजा D. हैपेटाइटिस

91. पृथ्वी की आयु कैसे ज्ञात करते हैं ?

A. कार्बन डेटिंग विधि से

B. यूरेनियम डेटिंग विधि से

C. जर्मेनियम डेटिंग विधि से

D. इनमें से किसी विधि से नहीं

92. लार में निम्नलिखित में से कौन-सा एंजाइम पाया जाता है ?

A. ट्रिप्सिन B. पेप्सिन

C. रेनिन D. टायलिन

93. निम्नलिखित में से कौन-सा बैक्टीरिया जनित नहीं है?

A. टिटेनस B. डिप्थीरिया

C. टाइफाइड D. डेंगू ज्वर

94. जल में घुलनशील विटामिन हैं—

A. बी

B. सी

C. उपर्युक्त दोनों

D. इनमें से कोई नहीं

95. एक पीढ़ी से दूसरी पीढ़ी में आनुवंशिक सूचना का स्थानान्तरण पूरा किया जाता है?

A. RNA द्वारा

B. कोडोन द्वारा

C. स्थानान्तरण द्वारा

D. DNA द्वारा

96. आयोडीन का चयनात्मक संचयन होता है—

A. थाइराइड में B. थाइमस में

C. यकृति में D. पीयूष ग्रंथि में

97. प्रकाश-संश्लेषण में पहला सोपान है—

A. $NADPH_2$ का बनना

B. ATP का बनना

C. प्रकाश के एक फोटॉन द्वारा हरित लवक का एक इलेक्ट्रॉन का उत्तेजन

D. जल का प्रकाश अपघटन

98. निम्नलिखित में अलैंगिक जनन (Asexual reproduction) कौन-सा नहीं है?

A. द्विविखंडन (Binary fission)

B. वीजाणुकजनन (Sporulation)

C. पुनर्जनन (Regeneration)

D. संयुग्मन (Conjugation)

99. किस विटामिन की कमी के कारण मसूढ़ों में रक्त आता है और दांत हिलने लगते हैं?

A. विटामिन ए B. विटामिन बी

C. विटामिन सी D. विटामिन डी

100. पित्त का स्राव कौन करता है?

A. आमाशय B. फेफड़े

C. यकृत D. छोटी आंत

101. वे सूक्ष्मजीव, जो सड़े-गले पदार्थों को सरल पदार्थों में बदल देते हैं, कहलाते हैं—

A. जीवाणु B. फफूंदी

C. विषाणु D. अपघटक

102. एक क्रियाशील पेशी रक्त को देती है—

A. कार्बन डाइऑक्साइड

B. ऑक्सीजन

C. नाइट्रोजन

D. ग्लूकोज

103. निम्नलिखित में से कौन हड्डी में पाया जाने वाला तत्व नहीं है?

A. मैंगनीज B. मैग्नीशियम

C. जिंक D. एल्युमिनियम

104. पर्णहरित (Chlorophyll) में उपस्थित मुख्य धातु है—

A. मैंगनीज B. मैग्नीशियम

C. जिंक D. एल्युमिनियम

105. क्लोरोफार्म को हवा तथा सूर्य के प्रकाश में रखने पर प्राप्त होता/होती है—

A. फॉस्जीन

B. मस्टर्ड गैस

C. क्लोरोफिनॉल

D. इनमें से कोई नहीं

106. दूध को पचाने वाला एंजाइम कौन-सा है?

A. टाइलिन B. सुक्रोज

C. रेनिन D. गैस्ट्रिक जूस

107. रिकेट्स (सूखा रोग) किसकी कमी के कारण होता है?

A. प्रोटीन B. विटामिन ए

C. विटामिन डी D. सोडियम

108. मनुष्य में लार ग्रंथि कहां होती है?

A. गले में B. मुख में

C. मस्तिष्क में D. छाती में

109. इंसुलिन की कमी से कौन-सा रोग हो जाता है ?

A. काला अजार B. डाइबिटीज

C. फाइलेरिया D. एनीमिया

110. अदरक पौधे का कौन-सा भाग है ?

A. मूल (जड़)

B. तना

C. समारा फल

D. इनमें से कोई नहीं

111. एस्ट्रोजन और प्रोजेस्टेरोन निम्नलिखित में से किसकी वृद्धि को नियंत्रित तथा उत्तेजित करते हैं ?

A. पीयूष ग्रंथि B. अवटु ग्रंथि

C. स्तन ग्रंथि D. अधिवृक्क ग्रंथि

112. पौधे में जाइलेम ऊतक निम्नलिखित में से किस पदार्थ का संवहन करता है ?

A. पानी

B. खाद्य

C. पानी और खाद्य

D. इनमें से कोई नहीं

113. प्रकाश संश्लेषण के दौरान निर्मुक्त गैस होती है—

A. कार्बन डाइऑक्साइड

B. ऑक्सीजन

C. कार्बन मोनोऑक्साइड

D. सल्फर डाइऑक्साइड

114. थायराइड ग्रंथि से थाइरॉक्सिन स्रावित करने के लिए उत्तेजित करने वाला अंत:स्रावी हार्मोन कौन-सा है ?

A. TSN B. FSH

C. LTH D. ACTH

115. निषेचन की क्रिया कहां पर होती है ?

A. गर्भाशय में B. अंडवाहिनी में

C. अंडग्रंथि में D. योनि मार्ग में

116. कौन-सा जीव मृतोपजीवी पोषण (Saprophytic) लेता है ?

A. एल्गी B. कुस्कुटा

C. मच्छर D. म्यूकर

117. जारक श्वसन (Catabolic Respiration) के दौरान कौन-सा सम्पूर्ण ऑक्सीकृत होता है ?

A. ग्लूकोज

B. इथाइल अल्कोहल

C. लेक्टिक अल्कोहल

D. कार्बन डाइऑक्साइड

118. पचे हुए खाने में मौजूद विषैले पदार्थों का कौन-सा अंग चूषण करता है ?

A. आमाशय (Stomach)

B. अग्न्याशय (Pancreas)

C. वृक्क (Kidney)

D. यकृत (Liver)

119. जड़ के द्वारा वनस्पतीय प्रजजन कौन दर्शाता है ?

A. ब्रायोफायलम

B. शकरकंदी

C. आलू

D. इर्वा-प्रजाति (घास)

120. हीमोग्लोबिन की उत्पत्ति किससे संबंधित है ?

A. कैल्शियम B. वसा

C. लोहा D. खनिज

121. रक्त का कौन-सा अवयव शरीर के अंगों को ऑक्सीजन पहुंचाता है ?

A. रक्त प्लाज्मा B. आर.बी.सी.

C. डब्ल्यू.बी.सी. D. थ्रोम्बोसाइट्स

122. कौन-सा हॉर्मोन थायरॉक्सिन के स्राव हेतु गल-ग्रंथि को उत्तेजित करता है ?

A. टी.सी.एच. B. ए.सी.टी.एच.

C. एल.टी.एच. D. एफ.एस.एच.

123. मांसपेशियों में मुख्यत: कौन-सी प्रोटीन पाई जाती है ?

A. किरेटिन

B. ग्लूटन

C. मायोसिन

D. इनमें से कोई नहीं

124. एक लड़का अपने से विरासत में....गुणसूत्र प्राप्त करता है ?

A. 22 + X B. 22 + Y

C. 22 + X + Y D. 23 + X

125. रेडियो-कार्बन तिथि निर्धारण पद्धति का उपयोग निम्नलिखित की आयु निर्धारण के लिए किया जाता है—

A. जीवाश्म

B. चट्टानें

C. भवन

D. उपरिलिखित सभी

126. सूची I व सूची II को सुमेलित कीजिए तथा सूचियों के नीचे दिए गए कूट का प्रयोग करके सही उत्तर का चयन कीजिए—

सूची I

(a) हीमोफीलिया (b) डाइबिटीज

(c) रिकेट्स (d) रिंगवर्म

सूची II

1. हीनताजन्य रोग
2. आनुवंशिक रोग
3. हॉर्मोन की गड़बड़ी
4. कवक संक्रमण

कूट—

	(a)	(b)	(c)	(d)
A.	2	3	4	1
B.	3	2	1	4
C.	2	3	1	4
D.	3	2	4	1

127. एक जीवाणु कोशिका प्रति मिनट में एक बार विभाजित होती है। यदि यह एक प्याले को भरने में 1 घंटा लेती है तो आधे प्याले को भरने में कितना समय लेगी ?

A. 60 मि. B. 29 मि.

C. 30 मि. D. 59 मि.

128. फफूंदी में संचित खाद्य पदार्थ हैं—

A. श्वेतसार

B. ग्लाइकोजन

C. ग्लाइकोजन एवं तेल की बूंदें

D. लिग्नीन

129. प्रतिजैविक (Antibiotic) पेनिसिलिन निम्नलिखित में से किससे प्राप्त होता है ?

A. जीवाणु

B. कवक

C. शैवाल

D. एक्टिनोमाइसिटीज

130. मानव का सामान्य रक्त शुगर स्तर कितना होता है ?

A. 10 मिग्रा./मिली के आसपास

B. 120-150 मिग्रा./डेसीली

C. 80-90 मिग्रा./डेसीली

D. 150-200 मिग्रा./डेसीली

131. निम्नलिखित में से कौन अपनी आंख के रूप में ध्वनि का प्रयोग करता है ?

A. कुत्ता B. बिल्ली

C. सांप D. चमगादड़

132. प्रकाश संश्लेषण के दौरान उत्पन्न गैस है—

A. कार्बन डाइऑक्साइड

B. ऑक्सीजन

C. नाइट्रोजन

D. हाइड्रोजन

133. शर्करा में क्या पाया जाता है ?

A. कार्बन, नाइट्रोजन एवं ऑक्सीजन

B. कार्बन, हाइड्रोजन एवं ऑक्सीजन

C. कार्बन, हाइड्रोजन एवं नाइट्रोजन

D. ऑक्सीजन, नाइट्रोजन, हाइड्रोजन

134. कौन-सा रोग वाइरल है ?

A. डिफ्थीरिया B. इंफ्लुएंज़ा

C. टाइफाइड D. हैजा

135. एक व्यक्ति में माइटोकांड्रिया का डीएनए व्युत्पन्न होता है—

A. पिता से

B. माता से

C. माता–पिता दोनों से

D. माता–पिता में से किसी से नहीं

136. यदि माता और पिता का रक्त समूह A है, तो उनके बच्चों का रक्त समूह होगा—

A. ए B. एबी

C. ए या बी D. ए या ओ

137. निम्नलिखित में से कौन–सा एककोशीय जीव नहीं है ?

A. यूग्लीना B. हाइड्रा

C. पैरामीशियम D. अमीबा

138. सूक्ष्मांकुर (microvilli) उपस्थित होते हैं—

A. ग्रसिका (oesophagus) में

B. आमाशय (stomach) में

C. छोटी आंत में

D. बड़ी आंत में

139. निम्नलिखित में से कौन–सा उभयलिंगी है ?

A. मेंढक B. मनुष्य

C. हाइड्रा D. गधा

140. मनुष्य के वृक्क (Kidney) में पिरैमिड होते हैं—

A. कॉर्टेक्स में B. मेडुला में

C. मूत्रवाहिनी में D. श्रोणि प्रदेश

141. निम्नलिखित में से कौन–सा भारतीय जंतु संरक्षित प्राणी (Protected species)) की श्रेणी में है ?

A. घोड़ा B. गैंडा

C. गाय D. सांप

142. आयोडीन निम्नलिखित की सक्रियता के लिए आवश्यक है—

A. अधिकवृत्ति ग्रंथि B. यकृत

C. प्लीहा D. थॉयराइड

143. निम्नलिखित कोशिका के निर्माण के लिए लौह तत्व आवश्यक हैं—

A. तंत्रिका कोशिका (nerve cell)

B. भित्तीय कोशिका (parietal cell)

C. लाल रुधिर कोशिका (red blood cell)

D. श्वेत रुधिर कोशिका (white blood cell)

144. पेप्सिन (Pepsin) निम्नलिखित द्वारा स्त्रावित होता है—

A. यकृत B. अग्नाशय

C. आमाशय D. आंत्र

145. निम्नलिखित में से कौन–सा एक कूटफल (falsefruit) है ?

A. आम B. सेब

C. केला D. टमाटर

146. पेप्सिन नामक एन्जाइम स्त्रावित होता है—

A. कशेरुकी प्राणियों के आमाशय में जो अम्लीय माध्यम में कार्य करता है।

B. कशेरुकी प्राणियों के आमाशय में जो क्षारीय माध्यम में कार्य करता है।

C. कशेरुकी प्राणियों के क्षुद्रांत (small intestine) में जो अम्लीय माध्यम में कार्य करता है।

D. कशेरुकी प्राणियों के बृहदांत्र (large intestine) में जो अम्लीय माध्यम में कार्य करता है।

147. निम्नलिखित में से कौन–सी ग्रंथि लाल रुधिर कोशिकाओं की कब्रगाह (graveyard) कहलाती है ?

A. अग्नाशय B. यकृत

C. वृक्क D. प्लीहा

148. यकृत निम्नलिखित को संश्लेषित कर सकता है—

A. विटामिन ए B. विटामिन बी

C. विटामिन सी D. विटामिन के

149. श्वसन को विनियमित करने वाला केन्द्र निहित होता है—

A. प्रमस्तिष्क में

B. मेंडुला ऑब्लांगेटा में

C. घ्राण पालि (olfactory lobes) में
D. दृक्पालि (optic lobes) में

150. ऊतकों से अधिकांश कार्बन डाइऑक्साइड का संग्रहण निम्नलिखित के रूप में होता है—
A. कार्बोनिक अम्ल के रूप में
B. सोडियम एवं पोटेशियम बाइकार्बोनेट के रूप में
C. गैसीय रूप में
D. हीमोग्लोबिन में विलीन रूप में

151. श्वसन प्रणाली का तंत्रिकीय नियंत्रण (nervous control) निम्नलिखित द्वारा किया जाता है—
A. केन्द्रीय तंत्रिका तंत्र द्वारा
B. स्वायत्त तंत्रिका तंत्र (autonomic nervous system) द्वारा
C. केन्द्रीय और परिधीय तंत्रों द्वारा
D. परानुकंपी तंत्रिका तंत्र (parasympathetic) द्वारा

152. रक्त में कार्बन डाइऑक्साइड की सांद्रता में वृद्धि के साथ श्वसन की क्रिया होती जाती है—
A. मंद और गहरी
B. अपेक्षाकृत तेज और गहरी
C. मंद और सतही
D. श्वसन पर कोई प्रभाव नहीं पड़ता

153. शिरा रुधिर (venous blood) के 100 मिली आयतन में होता है—
A. 50 मिली CO_2
B. 40 मिली CO–
C. 46 मिली CO_2
D. 100 मिली CO_2

154. रक्त में उपस्थित हीमोग्लोबिन निम्नलिखित कार्य करता है—
A. यह रक्त को लाल रंग प्रदान करता है
B. यह फेफड़े से ऑक्सीजन को ऊतकों तक पहुंचाता है
C. यह ऊतकों से कार्बन डाइऑक्साइड को फेफड़े तक पहुंचाता है
D. यह रक्त में प्रोटीन की सांद्रता बढ़ाता है

155. एक वयस्क व्यक्ति के हृदय का वज़न होता है—
A. लगभग 100 ग्राम
B. लगभग 300 ग्राम
C. लगभग 500 ग्राम
D. लगभग 750 ग्राम

156. जन्म के समय रक्त में श्वेत रुधिराणुओं (WBC) की संख्या होती है—
A. लाल रक्त कणिकाओं से अधिक
B. लाल रक्त कणिकाओं से कम
C. लाल रक्त कणिकाओं के बराबर
D. उपर्युक्त में से कोई नहीं

157. मनुष्य के शरीर में धमनियों से होकर रुधिर के सामान्य प्रवाह की दर होती है, लगभग—
A. 25 लीटर प्रति घंटा
B. 50 लीटर प्रति घंटा
C. 100 लीटर प्रति घंटा
D. 200 लीटर प्रति घंटा

158. निम्नलिखित में से कौन-सा उत्सर्जन से संबंधित क्रियाकलाप नहीं है?
A. कार्बन डाइऑक्साइड का निष्कासन
B. मल पदार्थों का निष्कासन
C. स्वेदन द्वारा पसीने का निष्कासन
D. मूत्र का निष्कासन

159. रक्तचाप कम हो जाने पर वृक्क निस्यंदन (renal filtration) की क्रिया—
A. बढ़ जाएगी
B. घट जाएगी
C. प्रभावित नहीं होगी
D. बिल्कुल नहीं होगी

160. मूत्र की प्रकृति होती है—
A. अम्लीय

B. क्षारीय

C. उदासीन

D. इनमें से कोई नहीं

161. मनुष्य के वृक्क में वृक्काणुओं की संख्या होती है लगभग—

A. 2×10^6 B. 2×10^9

C. 2×10^{12} D. 2×10^{15}

162. मनुष्य के शरीर में उपस्थित पेशियों की कुल संख्या होती है—

A. 639 B. 650

C. 550 D. 450

163. मनुष्य की खोपड़ी में कपाल (cranium) की अस्थियों की संख्या होती है—

A. 8 B. 14

C. 10 D. 18

164. हमारे चेहरे की अस्थियों की कुल संख्या होती है—

A. 8 B. 14

C. 10 D. 18

165. जिराफ की गर्दन मे ग्रीवा कशेरुकों (cervical vertebrate) की संख्या होती है—

A. 7 B. 15

C. 10 D. अनेक

166. किसी वयस्क मनुष्य में कशेरुकों की कुल संख्या होती है—

A. 33 B. 26

C. 36 D. 56

167. हमारे शरीर की सबसे लंबी अस्थि कहलाती है—

A. प्रगंडिका (humerus)

B. उरु-अस्थि (femur)

C. अंतर्जंघिका (tibia)

D. बहि:प्रकोष्ठिका (radius)

168. निम्नलिखित में से कौन-सी अस्थि नहीं है ?

A. ऐटलस

B. ऐक्सिस (axis)

C. इलियम (Ileum)

D. कॉक्सिक्स (Coceyx)

169. अतिकायता (acromegaly) नामक रोग निम्नलिखित की अतिसक्रियता के कारण होता है—

A. पीयूष ग्रंथि B. थॉयरॉइड ग्रंथि

C. पैराथाइरॉइड D. पिनियल

170. निम्नलिखित में से कौन-सा एक हार्मोन नहीं है ?

A. साइनोकोबालेमिन

B. इंसुलिन

C. ग्लूकैगॉन

D. गैस्ट्रिन

171. प्रोजेस्टेरॉन (Progesterone) नामक हार्मोन निम्नलिखित द्वारा स्रवित होता है—

A. विकसित हो रहे ग्राफी पुटकों (graafian follicles) द्वारा

B. पीत पिंड (corpus luteum) द्वारा

C. संपूर्ण अंडाशय द्वारा

D. लीडिंग कोशिकाओं द्वारा

172. रक्त में कैल्शियम का स्तर निम्नलिखित द्वारा बढ़ जाता है—

A. कैल्सिटोनिन B. पैराथॉर्मोन

C. थाइरॉक्सिन D. कॉर्टिसॉल

173. त्वचा कर रंग निम्नलिखित हार्मोन द्वारा नियंत्रित होता है—

A. साइटोकाइनिन (cytokinin)

B. सेक्रेटिन (secretin)

C. इंटरमीडिन (intermedin)

D. मेलाटोनिन (melatonin)

174. किसी शुक्राणु में अग्रपिंडक (acrosome) निम्नलिखित से बनता है—

A. केन्द्रक

B. गॉलजीकाय (glogi body)

C. सूत्रकणिका (mitochondria)

D. लयनकाय (lysosome)

175. यौवनारम्भ (puberty) जंतुओं की उस

अवस्था को सूचित करता है, जब—

A. जंतु परिपक्वता प्रावस्था को पूर्णत: प्राप्त कर लेते हैं।
B. जंतुओं में गौण लैंगिक लक्षण (secondary sexual characters) प्रकट होने लगते हैं
C. अंडाशय से अंडाणु निर्मुक्त होने लगते हैं या शिश्न (penis) से प्रथम आस्राव (first discharge) होता है।
D. पुरुष और स्त्री प्रजनन करते हैं।

176. जुड़े हुए यमल (siamese twins) से अभिप्राय है—

A. ऐसे जुड़वां बच्चे जिनकी उत्पत्ति एक ही युग्मनज (single zygote) से हुई है और जो अलग-अलग नहीं हुए हैं
B. ऐसे जुड़वां बच्चे जिनकी उत्पत्ति दो अलग-अलग युग्मनजों से हुई है
C. ऐसे जुड़वां बच्चे जिनकी उत्पत्ति तीन युग्मनजों से हुई है।
D. ऐसे जुड़वां बच्चे जिनका जन्म स्याम देश में हुआ है।

177. अमीबा में भोजन का पाचन होता है—

A. अम्लीय माध्यम में
B. क्षारीय माध्यम में
C. पहले अम्लीय माध्यम में और तत्पश्चात क्षारीय माध्यम में
D. पहले क्षारीय माध्यम में और तत्पश्चात अम्लीय माध्यम में

178. अमीबा में द्वि-विभाजन (binary fission) संपन्न होने के लिए अपेक्षित समय है—

A. 15 मिनट B. 30 मिनट
C. 60 मिनट D. 120 मिनट

179. ल्यूकोसोलीनिया नामक स्पंज में अलैंगिक जनन (asexual reproduction) निम्नलिखित विधि द्वारा होता है—

A. द्वि-विभाजन (binary fission)
B. बीजाणुकजनन (sporulation)
C. मुकुलक निर्माण (gemmule formation)
D. मुकुलन (budding)

180. हाइड्रा निम्नलिखित तत्व को पचा नहीं सकता है—

A. कार्बोहाइड्रेट्स B. प्रोटीन
C. वसा D. स्टार्च

181. केंचुए के शरीर में शुक्रगाहिकाएं (spermathecae) होती है।

A. 3 जोड़ी B. 4 जोड़ी
C. 6 जोड़ी D. 8 जोड़ी

182. केंचुए की लार में निहित होता है—

A. म्यूसिन और जल
B. केवल म्यूसिन
C. म्यूसिन, जल और प्रोटीन अपघटक एंजाइम
D. मयूसिन, जल और एमिलेस

183. तिलचट्टा (cockroach) के हृदय में कितने खंड होते हैं?

A. 2 B. 5
C. 10 D. 13

184. सबसे छोटा स्तनधारी जीव है—

A. स्क्रू (screw)
B. चूहा
C. प्लेटीपस (Platypus)
D. छछुन्द (Mole)

185. सबसे बड़ा स्तनधारी जीव है—

A. हाथी B. बाघ
C. ह्वेल D. हिपोपोटेमस

186. आधुनिक मानव होमोसेपियन्स का विकास निम्नलिखित जीव से हुआ—

A. बंदर B. गोरिल्ला
C. चिम्पान्जी D. प्रोकॉन्सुल

187. जीवद्रव्य का मुख्य संघटक होता है—

A. ग्लूकोस B. वसा
C. जल D. एल्कोहॉल

188. केन्द्रक की रासायनिक संरचना में निहित होते हैं—

A. डी.एन.ए. और प्रोटीन

B. आर.एन.ए. और प्रोटीन

C. आर.एन.ए. और डी.एन.ए.

D. आर.एन.ए. डी.एन.ए. और प्रोटीन

189. उत्परिवर्तन (mutation) को निम्नलिखित द्वारा परिभाषित किया जा सकता है—

A. किसी जीव की संरचना में परिवर्तन द्वारा

B. किसी कोशिका की संरचना में परिवर्तन द्वारा

C. किसी एक गुणसूत्र की संरचना में परिवर्तन द्वारा

D. किसी जीन की संरचना में परिवर्तन द्वारा

190. पौधों की लंबाई में वृद्धि निम्नलिखित प्रकार के ऊतकों द्वारा होती है—

A. पार्श्व विभज्योतक (lateral meristems)

B. शीर्षस्थ विभज्योतक (apical meristems)

C. अंतर्विष्ट विभज्योतक (intercalary meristems)

D. उपर्युक्त सभी

191. वाष्पोत्सर्जन (transpiration) की प्रक्रिया निम्नलिखित के जरिए होती है—

A. रंध्र

B. उपत्वचा

C. वातरंध्र

D. इन सभी के जरिए

192. पौधों में जल की गुरुत्व के विरुद्ध गति निम्नलिखित क्रिया के कारण होती है—

A. प्रकाश संश्लेषण

B. श्वसन

C. वाष्पोत्सर्जन

D. परासरण

193. अधिकांश पौधे मिट्टी से नाइट्रोजन निम्नलिखित रूप में प्राप्त करते हैं—

A. मुक्त नाइट्रोजन B. नाइट्रिक अम्ल

C. नाइट्राइट्स D. नाइट्रेट्स

194. निम्नलिखित क्रिया को करने के लिए कौन–सा एक सूक्ष्म पोषक (micro nutrient) है ?

A. नाइट्रोजन B. मैग्नीशियम

C. पोटेशियम D. मॉलिब्डेनम

195. निम्नलिखित प्रक्रिया में पौधों को पोटेशियम की आवश्यकता होती है—

A. प्रकाश संश्लेषण

B. क्लोरोफिल का संश्लेषण (Photo synthesis)

C. रंध्रों के खुलने और बंद होने की क्रिया

D. उपर्युक्त सभी

196. पौधों को निम्नलिखित के लिए मैग्नीशियम और लोहे की आवश्यकता होती है—

A. ऊर्जा अंतरण तंत्र

B. क्लोरोफिल संश्लेषण

C. रंध्रों के खुलने और बंद होने की क्रिया

D. कार्बोहाइड्रेट स्थानांतरण

197. पौधों में फॉस्फोरस, पोटेशियम, कैल्शियम और मैग्नीशियम की कमी के कारण प्रकट होने वाला एक सामान्य लक्षण है—

A. कुंचित पर्णाग्र

B. एंथोसाइएनिन वर्णकों का बनना

C. शिराविन्यास (venation) का कम विकसित होना

D. मृत ऊतकक्षयी ऊतकों (dead necrotic tissues) का निर्माण

198. पत्तियां निम्नलिखित के कारण हरी दिखाई देती हैं—

A हरित प्रकाश अवशोषित करने

B. हरित प्रकाश परावर्तित करने

C. हरित प्रकाश अवशोषित और परावर्तित करने

D. उपर्युक्त में से कोई नहीं

199. प्रकाश संश्लेषण का पहला चरण है—

A. ग्लूकोस निर्मित करने के लिए 3-कार्बन परमाणुओं का संयोजन

B. प्रकाश फॉस्फेटीकरण (Photophosphonylation)

C. प्रकाश द्वारा क्लोरोफिल के अणुओं का उत्तेजन

D. जल का प्रकाश अपघटन

200. निम्नलिखित में से कौन-सा समीकरण प्रकाश संश्लेषण की क्रिया को सर्वाधिक उपर्युक्त रूप में दर्शाता है—

A. $CO_2 + H_2O \rightarrow CH_2O + O_2$

B. $6CO_2 + 6H_2O \rightarrow C_6H_{12}O_6 + 6O_2$

C. $6CO_2 + 12H_2O \rightarrow C_6H_{12}O_6 + 6HO_2 + 6O_2\uparrow$

D. $C_6H_{12}O_6 + O_2 \rightarrow CO_2 + H_2O$

201. निम्नलिखित में से कौन-सा प्रकाश संश्लेषण की क्रिया में सीमाकारी कारण नहीं है?

A. ऑक्सीजन

B. कार्बन डाइऑक्साइड

C. क्लोरोफिल

D. सूर्य के प्रकाश की उपलब्धता

202. उच्चकोटि पादपों द्वारा प्रकाशसंश्लेषण के लिए प्रयुक्त प्रकाश ऊर्जा का प्रतिशत है—

A. 99% B. 50%

C. 10% D. 1-9%

203. प्रकाश संश्लेषण की दर निम्नलिखित पर निर्भर नहीं करती—

A. प्राकश के स्वरूप

B. प्रकाश की मात्रा

C. प्रकाश की अवधि

D. ताप

204. हरित पौधों में उपस्थित प्रकाश संश्लेषी वर्णक (photosynthetic pigments) हैं—

A. क्लोरोफिल ए

B. क्लोरोफिल बी

C. कैरोटिन एवं जैन्थोफिल

D. उपर्युक्त सभी

205. पौधों में हॉर्मोन की गति होती है—

A. अनुदैर्घ्य दिशा में

B. क्षैतिज दिशा में

C. किसी भी दिशा में

D. हॉर्मोन गति नहीं करते

206. तने का प्राथमिक कार्य है—

A. पत्तियों का वहन करना

B. पानी और खनिज लवणों को अवशोषित करना

C. पौधे को मिट्टी में जमा कर रखना

D. कायिक प्रवर्धन में सहायता करना

207. पेड़ में शाखाओं के होने से निम्नलिखित लाभ होता है—

A. शाखाओं से भारी मात्रा में इमारती लकड़ियां प्राप्त होती है

B. शाखाओं के होने से भारी मात्रा में पत्तियां प्राप्त होती हैं

C. शाखाएं पेड़ को प्रकाश संश्लेषण के लिए पर्याप्त प्रकाश उपलब्ध कराती हैं

D. शाखाएं पेड़ को यांत्रिक सहारा प्रदान करती हैं

208. हम सेब के किस भाग को खाते हैं—

A. बाह्यफल भित्ति (epicarp)

B. मध्यफल भित्ति (mesocarp)

C. अंत: फलभित्ति (endocarp)

D. गूदेदार पुष्पासन (fleshy thalamus)

209. निम्नलिखित में से किस पौधे में फल मिट्टी के भीतर होता है?

A. आलू B. मूली

C. मूंगफली D. शकरकंद

210. तरबूज निम्नलिखित प्रकार का एक

फल है—

A. अष्ठिल फल (drupe)

B. पीपो (pepo)

C. पोम (pome)

D. सरस फल (berry)

211. कमल (lotus) में परागण निम्नलिखित द्वारा होता है—

A. कीट B. वायु

C. जल D. चमगादड़

212. द्विनिषेचन का अर्थ है—

A. एक नर युग्मक का दो मादा युग्मकों से संलयन

B. दो नर युग्मकों का एक मादा युग्मक से संलयन

C. एक नर युग्मक का एक मादा युग्मक से दो बार संलयन

D. दो नर युग्मकों का दो मादा युग्मकों से अलग-अलग संलयन

213. नमी और हवा उपलब्ध कराए बिना चने का बीज अंकुरित नहीं होता। इसका अर्थ है कि बीज—

A. प्रसुप्त (dormant) है

B. मृत है

C. शांत अवस्था (quiescent stage) में है।

D. निर्जीव है

214. बीज निम्नलिखित की उपस्थिति के कारण प्रकाश के प्रति संवेदनशील होते हैं—

A. क्लोरोफिल

B. भ्रूण अक्ष

C. फाइटोक्रोम्स (Phytochromes)

D. भ्रूण पोष (endosperm)

215. खाद्य विषाक्तता (food poisoning) निम्नलिखित के कारण होती है—

A. क्लॉस्ट्रिडियम बोटुलिनम

B. सामोनेला टाइफोसा

C. राइजोबियम

D. माइकोबैक्टीरियम

216. शेत से ली गई एक ग्राम मिट्टी में—

A. कोई भी जीवाणु नहीं हो सकता

B. कुछ सौ जीवाणु हो सकते हैं

C. कुछ हजार जीवाणु हो सकते हैं

D. लगभग 2.5 मिलियन जीवाणु हो सकते हैं

217. जीवाणुओं में अत्यधिक प्रतिरोधी बीजाणु (spore) है—

A. कोनिडिया (conidia)

B. ऑइडिया (oidia)

C. बीजाणु अंतश्चोल (endospore)

D. उपर्युक्त सभी

218. कृषि भूमि में वायुमंडलीय नाइट्रोजन के यौगिकीकरण हेतु निम्नलिखित नीलहरित शैवाल मिलाए जाते हैं—

A. नॉस्टॉक (nostoc)

B. ऐनाबेना (anabena)

C. टॉलिपोथ्रिक्स

D. इनमें से सभी

219. जीवविज्ञान की जिस शाखा में कवकों (fungi) का अध्ययन किया जाता है, उसे कहते हैं—

A. फिजियोलॉजी B. माइकोलॉजी

C. फंजियोलॉजी D. फाइकोलॉजी

220. कवक अपना भोजन निम्नलिखित में से किस अंग से प्राप्त करता है?

A. मूलाभास (rhizoid)

B. प्रकंद (rhizome)

C. मूल (root)

D. कंद (tuber)

221. यीस्ट (खमीर) निम्नलिखित में पर्याप्त मात्रा में पाया जाता है?

A. नम डबलरोटी

B. कार्बोहाइड्रेट से भरपूर कार्बनिक पदार्थ

C. प्रोटीन से भरपूर कार्बनिक पदार्थ

D. वसा से भरपूर कार्बनिक पदार्थ

222. फर्न का तना होता है—

A. शाखित तथा सुस्पष्ट पर्व तथा पर्वसंधियों से युक्त

B. पर्व और पर्वसंधियों के बिना ही शाखित

C. अशाखित किंतु सुस्पष्ट पर्व और पर्वसंधियों से युक्त

D. एक भूमिगत प्रकंद

223. पूरे विश्व की जनसंख्या में वृद्धि होने का प्रमुख कारण है—

A. मृत्यु दर में कमी

B. जन्मदर में वृद्धि

C. जन्मदर में कमी

D. मृत्युदर में वृद्धि

224. किसी स्थान का जनसंख्या घनत्व निम्नलिखित द्वारा ज्ञात किया जा सकता है—

A. उस स्थान पर रहने वाले व्यक्तियों की संख्या द्वारा

B. उस स्थान पर रहने वाले व्यक्तियों की संख्या को उस स्थान के कुल क्षेत्रफल से भाग करने पर प्राप्त भागफल द्वारा

C. उस स्थान पर नहने वाले व्यक्तियों की संख्या को 1000 से भाग देने पर प्राप्त भागफल द्वारा

D. प्रजातियों की प्रकृति के अनुसार उपर्युक्त सभी विधियों द्वारा

225. पौधों के लिए उपलब्ध अधिकतम जल है—

A. गुरुत्वीय जल (gravitational eater)

B. आर्द्रता जल (hygroscopic water)

C. कोशिका जल (capillary water)

D. वर्षा जल (rain water)

226. मृदा-निक्षालन (leaching of soil) प्राय: होता है—

A. शुष्क प्रदेशों में,

B. आर्कटिक प्रदेशों में

C. आर्द्र प्रदेशों में

D. किसी भी प्रदेश में हो सकता है

227. मुख्यत: निम्नलिखित के कारण मृदा के पोषक तत्व नष्ट हो जाते हैं—

A. मृदा अपरदन (soil erosion)

B. अत्यधिक फसल उगाने से

C. निक्षालन से

D. उपर्युक्त सभी कारणों से

228. जीन निम्नलिखित का बना होता है—

A. हिस्टोन्स

B. पॉलिन्यूक्लिओटाइड

C. हाइड्रोकार्बन

D. लाइपोप्रोटीन

229. निम्नलिखित में से कौन-सा रोग लिंग सहलग्न (sex linked) है?

A. वर्णान्धता

B. दुर्दमता (malignancy)

C. हेपेटाइटिस

D. ल्यूकीमिया

230. जीवित कोशिकाओं से युक्त यांत्रिक ऊतक है—

A. कॉलेन्काइमा (collenchyma)

B. स्कलेरेन्काइमा (sclerenchyma)

C. पैरेन्काइमा (parenchyma)

D. क्लोरेन्काइमा (chlorenchyma)

231. निम्नलिखित में से कौन-सा एक सूक्ष्म पोषक (micro nutrient) है?

A. Mg B. K

C. Ca D. Zn

232. नाइट्रोजन यौगिकीकरण (nitrogen fixation) का कार्य निम्नलिखित प्रकार के जीवाणु द्वारा किया जाता है—

A. राइजोबियम स्पेसिज

B. ऐजोटोबैक्टर स्पेसिज

C. क्लॉस्ट्रिडियम स्पेसिज

D. इनमें से सभी

233. किसी एंजाइम का प्रोटीन वाला भाग कहलाता है ?

A. एपोएंजाइम B. होलोएंजाइम

C. कोएंजाइम D. प्रोस्थेटिक ग्रुप

234. पौधों की पत्तियों में हरित रोग (chlorosis) निम्नलिखित के कारण होता है—

A. जल की कमी

B. विकारी रोग

C. पौधे में कुछ खनिज पदार्थों की कमी

D. इनमें से कोई नहीं

235. निम्नलिखित में लैंगिक जनन (sexual reproduction) नहीं होता—

A. नील हरित शैवाल (blue-green algae)

B. हरित शैवाल (green algae)

C. भूरा शैवाल (brown algae)

D. लाल शैवाल (red algae)

236. डी.एन.ए. होता है—

A. एक सूत्रित (single stranded)

B. द्विसूत्रित (double stranded)

C. एकसूत्रित या द्विसूत्रित

D. इनमें से कोई नहीं

237. आर.एन.ए. होता है—

A. एकसूत्रित

B. द्विसूत्रित

C. एक सूत्रित या द्विसूत्रित

D. इनमें से कोई नहीं

238. प्रकाश संश्लेषण की क्रिया में पहला चरण है—

A. जल का प्रकाश अपघटन

B. ऑक्सीजन निर्मुक्त होना

C. ए.टी.पी. और $NADPH_2$ का निर्माण

D. क्लोरोफिल का प्रकाशित उत्तेजन और एक इलेक्ट्रॉन निर्मुक्त होना

239. तंत्रिका तंत्र का उद्गम स्थान है—

A. बाह्यचर्म

B. मध्यजनस्तर (mesoderm)

C. अंतश्चर्म

D. बाह्यचर्म और अंतश्चर्म

240. प्रकृति में पाए जाने वाले एमिनो अम्लों की कुल संख्या है—

A. 20 B. 22

C. 23 D. लगभग 200

241 हमारे शरीर में वसा निम्नलिखित के रूप में कार्य करता है—

A. वसा ऊतक (adipose tissue) में संचित होने पर ऊर्जा के एक सक्षम स्रोत के रूप में

B. अवत्वक ऊतक (subcutaneous tissue) में और कुछ अंगों के परितः रोधी पदार्थ के रूप में

C. प्रोटीन से संयोजित होकर एक महत्वपूर्ण कोशिकीय संघटक के रूप में

D. उपर्युक्त सभी

242. मलेरिया निम्नलिखित के द्वारा फैलता है—

A. मादा ऐनोफेलीज मच्छर द्वारा

B. मादाक्यूलेक्स द्वारा

C. नर ऐनोफेलीज मच्छर द्वारा

D. नर और मादा ऐनोफेलीज मच्छर द्वारा

243. स्पंज में नाल तंत्र (canal system) निम्नलिखित कार्य करता है—

A. पोषण

B. पोषण और श्वसन

C. पोषण, श्वसन और उत्सर्जन

D. पोषण, श्वसन, उत्सर्जन और युग्मक-वहन

244. अस्थि मज्जा (bone marrow) निम्नलिखित के लिए महत्वपूर्ण है—

A. श्वेत रुधिर कणिकाओं के उत्पादन

B. श्वेत रुधिर कणिकाओं के भंजन

C. लाल रुधिर कणिकाओं के उत्पादन

D. लाल रुधिर कणिकाओं के भंजन

245. वृक्क (kidney) में ग्लूकोस का अवशोषण

मुख्यत:होता है—

A. लूप ऑफ हेन्ल (loop of Henle) में

B. समीपस्थ संवलित नलिका (Proximal convoluted tubule) में

C. दूरस्थ संवलित नलिका में

D. बोमन संपुट (Bowman's capsule) में

246. भोजन, प्रकाश और स्थान के लिए सर्वाधिक प्रतिस्पर्धा होती है—

A. समान कर्मस्थिति वाली दो निकट संबंधित प्रजातियों में

B. विभिन्न कर्मस्थितियों वाली दो निकट संबंधित प्रजातियों में

C. समान कर्मस्थिति वाली दो परस्पर असंबंधित प्रजातियों में

D. विभिन्न कर्मस्थिति वाली दो परस्पर असंबंधित प्रजातियों में

247. निषेचन के पश्चात युग्मनज (zygote) नर प्राणी मे विकसित होगा यदि—

A. अंडे में एक वाई गुणसूत्र हो

B. शुक्राणु में एक वाई गुणसूत्र हो

C. शुक्राणु में एक एक्स गुणसूत्र हो

D. अंडे में दो वाई गुणसूत्र हों

248. मेरू विदलन (spinal cleavage) निम्नलिखित में पाया जाता है—

A. ऐनेलिडों B. चमटाकृमियों

C. मॉल्युसेज D. इनमें से सभी

249. लाल रुधिर कणिकाएं निम्नलिखित में विनिर्मित होती हैं—

A. अस्थि मज्जा में B. केवल यकृत में

C. केवल प्लीहा में D. इनमें से सभी में

250. हृदय के विस्पंदन (beating of heart) का अर्थ है—

A. आलिंद (auricle) का प्रसार

B. निलय (ventricle) का प्रसार

C. आलिंद और निलय दोनों का प्रसार और संकुचन

D. आलिंद और निलय का संकुचन

251. मध्य कर्ण (middle ear) बना होता है—

A. अस्थियों (bones) से

B. उपास्थियों (cartilage) से

C. पेशियों से

D. अस्थियों और पेशियों से

252. ऑक्सीजन की अनुपस्थिति में किया जाने वाला श्वसन कहलाता है—

A. अनॉक्सीय श्वसन (anaerobic respiration)

B. अनॉक्सी श्वसन (arrobic respiration)

C. उपचयन (oxidation)

D. अपचयन (reduction)

253. चने के बीज में भोजन एकत्र होता है—

A. भ्रूण में

B. अंतश्चर्म में

C. बीजपत्रों में

D. बीजांड द्वार (micropyle) में

254. पौधे में सक्रिय कोशिका विभाजन कहां होता है?

A. मज्जा कोशिका में

B. वल्कुल (cortex) की कोशिकाओं में

C. पर्व क्षेत्र (internodal region) में

D. तने और जड़ के अग्र भाग में

255. शरीर के अभिलक्षणों को नियंत्रित करने वाले जीन पाये जाते हैं—

A. केवल अंडे में

B. केवल शुक्राणु में

C. केवल शुक्राणुओं और अंडों में

D. शरीर की सभी कोशिकाओं में

256. निम्नलिखित के संश्लेषण के लिए विटामिन 'ए' आवश्यक है—

A. हीमोग्लोबिन

B. दृश्य नील-लोहित (visual purple)

C. मेलानिन

D. आर.एन.ए.

257. निम्नलिखित में से किससे पौधों में रोग उत्पन्न होता है?

A. अमीबा B. यीस्ट

C. क्लैमाइडोमोनस D. कवक

258. निम्नलिखित की दृष्टि में फसलों को बदल-बदल कर बोना आवश्यक है—

A. भिन्न-भिन्न प्रकार की फसल पाने की दृष्टि से

B. भूमि में खनिज पदार्थों की मात्रा बढ़ाने की दृष्टि से

C. भूमि में प्रोटीन की मात्रा बढ़ाने की दृष्टि से

D. भूमि की उर्वरता बढ़ाने की दृष्टि से

259. ट्यूबरक्युलोसिस निम्नलिखित द्वारा होने वाला एक रोग है—

A. एक प्रकार के जीवाणु

B. एक प्रकार के विषाणु

C. एक प्रकार के प्रोटोजोआ

D. कुपोषण

260. यकृत में भोजन निम्नलिखित रूप में एकत्र होता है—

A. ग्लूकोस B. ग्लाइकोजन

C. एल्ब्यूमिन D. ए.टी.पी.

261. लार परिवर्तित करता है—

A. प्रोटीन को ऐमिनो अम्ल में

B. ग्लाइकोजेन को ग्लूकोस में

C. स्टार्च को माल्टोस में

D. वसा को विटामिनों में

262. चमगादड़ है एक—

A. सरीसृप

B. पक्षी

C. स्तनधारी

D. संधिपाद (arthropode)

263. यदि समूह 'ए' के दाता से रक्त लेकर समूह 'बी' के रोगी के शरीर में डाल दिया जाएं तो सर्वाधिक गंभीर परिणाम यह होगा कि—

A. दाता का सीरम रोगी के रक्त को जमा देगा

B. रोगी का सीरम दाता के शरीर से आ रहे रक्त को जमा देगा

C. रोगी का सीरम दाता के शरीर से आ रहे रक्त की लाल कणिकाओं का संपुंजन (clumping) करेगा

D. दाता का सीरम रोगी के शरीर की लाल कणिकाओं का संपुंजन करेगा

264. क्लोन बनाया जाता है—

A. लैंगिक रूप से उत्पन्न हुए किसी एक पूर्वज से अलैंगिक रूप में

B. अलैंगिक रूप से उत्पन्न हुए किसी एक पूर्वज से लैंगिक रूप में

C. लैंगिक रूप से उत्पन्न हुए किसी एक पूर्वज से कृत्रिम वीर्यसेचन द्वारा

D. लैंगिक रूप से उत्पन्न हुए किसी एक पूर्वज से परखनली संसेचन द्वारा

265. तटीय क्षेत्रों में रहने वाले लोग घेंघा रोग से ग्रसित नहीं होते। इसका मुख्य कारण है—

A. वे काफी अधिक मात्रा में मछली खाते हैं

B. वे काफी मात्रा में समुद्री शैवाल खाते हैं

C. वे जैविक रूप से सुरक्षित हैं

D. वे समुद्री जल के निकट रहते हैं

266. अभिन्न यमज (identical twins) उत्पन्न होते हैं—

A. एक शुक्राणु और एक अंडाणु से

B. दो शुक्राणु और एक अंडाणु से

C. दो शक्राणु और दो अंडाणु से

D. एक शुक्राणु और दो अंडाणु से

267. विषाणु को छोड़कर अन्य सभी जीवों में जीन निम्नलिखित में से किससे निर्मित

होता है ?

A. गुणसूत्र (chromosomes)
B. डीऑक्सीराइबोन्यूक्लीक अम्ल
C. न्यूक्लियोटाइड
D. प्रोटीन

268. आलू, अदरक और हल्दी में पौधों का खाया जाने वाला हिस्सा जड़ न होकर तने का भाग है। इसका कारण है—

A. इन हिस्सों में पौधे का भोजन जमा होता है
B. इन हिस्सों में पर्व, पर्वसंधि, शल्क और सामान्य पत्ते होते हैं
C. इनमें सुबेरिन, क्यूटिन और लिग्निन होता है
D. इनमें जाइलम और फ्लोएम होता है

269. मनुष्य के रक्त में लाल रुधिर कणिकाओं की आयु होती है—

A. 30 दिन
B. 120 दिन
C. 15 घंटे
D. इनमें से कोई नहीं

270. निम्नलिखित की कमी होने पर मनुष्य के शरीर में निर्जलीकरण (dehydration) हो जाता है—

A. नमक B. विटामिन
C. हॉर्मोन D. पानी

271. मस्तिष्क का कौन-सा भाग शरीर के ताप को नियंत्रित करने का कार्य करता है ?

A. पीयूष ग्रंथि (pituitary gland)
B. चेतक (thalamus)
C. अधश्चेतक (hypothalamus)
D. पिनियल (pineal)

272. एक औसत स्वस्थ व्यक्ति के पूर्णत: प्रसरित फेफड़े में आ सकने वाली हवा का आयतन होता है—

A. 1.5 लीटर B. 6 लीटर
C. 3 लीटर D. 9 लीटर

273. प्रोटीन के ऐमिनो अम्लों में परिवर्तित होने की क्रिया कहलाती है—

A. जल अपघटन (hydrolysis)
B. उपचयन (oxidation)
C. अपचयन (reduction)
D. वियोजन (decomposition)

274. पर्वतारोहण करते समय कोई व्यक्ति निम्नलिखित का शिकार हो सकता है—

A. ऑक्सीजन की कमी
B. उपापचयी दोष
C. हीमोफीलिया
D. नाइट्रोजन की कमी

275. हीमोफीलिया एक आनुवंशिक रोग है जो—

A. मादा द्वारा वाहित होता है और मादा संतान में प्रकट होता है
B. मादा द्वारा वाहित होता है और नर संतान में प्रकट होता है
C. नर द्वारा वाहित होता है और मादा संतान में प्रकट होता है
D. नर द्वारा वाहित होता है और नर संतान में प्रकट होता है

276. मधुमेह के रोगी के मूत्र में निम्नलिखित में से किसकी औसत से अधिक मात्रा होती है ?

A. शर्करा B. यूरिया
C. यूरिक अम्ल D. ऐल्ब्युमिन

277. पैर और मुख संबंधी रोग निम्नलिखित में आमतौर पर पाए जाते हैं—

A. पक्षियों में B. मवेशियों में
C. मनुष्यों में D. बंदरों में

278. निम्नलिखित में से किसके सेवन से मसूड़ों से खून निकलना बंद हो जाता है—

A. ऐस्कॉर्बिक अम्ल
B. विटामिन 'बी'
C. निकोटिनामाइड
D. थायमीन

279. पास्तेरीकरण (pasteurisation) एक ऊष्मा उपचर है जो नष्ट कर देता है—
A. सभी सूक्ष्म जीवों को
B. एंजाइमों को
C. आंशिक रूप से सूक्ष्म जीवों को
D. उत्प्रेरकों को

280. जब कोई बड़ी मछली पादपप्लवकों (phytoplanktons) पर निर्भर जल पिस्सुओं को खाकर जीवित रहने वाली किसी छोटी मछली को खाती है, तो इस खाद्य शृंखला में जल पिस्सू हैं—
A. उत्पाद
B. प्राथमिक उपभोक्ता
C. द्वितीयक उपभोक्ता
D. इस खाद्य शृंखला के शीर्षस्थ उपभोक्ता

उत्तरमाला

1	2	3	4	5	6	7	8	9	10
C	D	D	A	C	A	B	D	A	D
11	**12**	**13**	**14**	**15**	**16**	**17**	**18**	**19**	**20**
A	B	A	B	B	A	B	C	B	C
21	**22**	**23**	**24**	**25**	**26**	**27**	**28**	**29**	**30**
D	B	A	C	B	C	B	C	C	B
31	**32**	**33**	**34**	**35**	**36**	**37**	**38**	**39**	**40**
C	B	C	B	B	B	C	A	D	C
41	**42**	**43**	**44**	**45**	**46**	**47**	**48**	**49**	**50**
D	D	D	D	B	D	D	D	D	C
51	**52**	**53**	**54**	**55**	**56**	**57**	**58**	**59**	**60**
A	C	B	C	A	C	B	A	C	B
61	**62**	**63**	**64**	**65**	**66**	**67**	**68**	**69**	**70**
C	C	D	B	A	C	B	C	C	A
71	**72**	**73**	**74**	**75**	**76**	**77**	**78**	**79**	**80**
B	C	D	B	B	B	C	D	C	B
81	**82**	**83**	**84**	**85**	**86**	**87**	**88**	**89**	**90**
B	B	B	D	C	A	B	C	C	D
91	**92**	**93**	**94**	**95**	**96**	**97**	**98**	**99**	**100**
B	D	D	C	D	A	D	D	C	C
101	**102**	**103**	**104**	**105**	**106**	**107**	**108**	**109**	**110**
D	A	D	B	A	C	C	B	B	B
111	**112**	**113**	**114**	**115**	**116**	**117**	**118**	**119**	**120**
C	A	B	A	B	B	A	C	B	C
121	**122**	**123**	**124**	**125**	**126**	**127**	**128**	**129**	**130**
B	A	C	B	A	C	D	C	B	B
131	**132**	**133**	**134**	**135**	**136**	**137**	**138**	**139**	**140**
C	B	B	B	B	A	B	C	C	B
141	**142**	**143**	**144**	**145**	**146**	**147**	**148**	**149**	**150**
B	D	C	C	B	A	D	D	B	B

151	152	153	154	155	156	157	158	159	160
C	B	C	B	B	A	A	B	B	A
161	162	163	164	165	166	167	168	169	170
A	A	A	B	A	B	B	C	A	A
171	172	173	174	175	176	177	178	179	180
B	B	C	B	B	A	C	B	D	D
181	182	183	184	185	186	187	188	189	190
B	C	D	A	C	D	C	D	D	B
191	192	193	194	195	196	197	198	199	200
D	C	D	D	D	B	D	B	C	B
201	202	203	204	205	206	207	208	209	210
A	D	C	D	A	A	B	D	C	B
211	212	213	214	215	216	217	218	219	220
A	D	C	C	A	D	C	D	B	A
221	222	223	224	225	226	227	228	229	230
B	D	A	B	C	C	D	B	A	B
231	232	233	234	235	236	237	238	239	240
D	D	A	C	A	C	C	D	A	D
241	242	243	244	245	246	247	248	249	250
D	A	D	C	B	A	B	D	A	C
251	252	253	254	255	256	257	258	259	260
A	A	C	D	D	D	D	D	A	B
261	262	263	264	265	266	267	268	269	270
C	C	C	A	B	A	B	A	B	D
271	272	273	274	275	276	277	278	279	280
C	A	A	C	A	C	A	D	D	B

सूचना प्रौद्योगिकी एवं कम्प्यूटर
Information Technology & Computer

सूचना प्रौद्योगिकी एवं कम्प्यूटर

कम्प्यूटर्स (Computers)

कम्प्यूटर शब्द की उत्पत्ति अंग्रेजी भाषा के शब्द 'कम्प्यूट' से हुई जिसका अर्थ है—गणना करना। प्रारम्भ में कम्प्यूटर का उपयोग गणनात्कम कार्यों के लिए ही किया गया परन्तु अब इसका कार्य-क्षेत्र बहुत विकसित हो चुका है।

वैसे तो कम्प्यूटर एक इलेक्ट्रॉनिक मशीन है परन्तु इसमें और अन्य मशीनों में बहुत अंतर है। कम्प्यूटर का उपयोग आधुनिक जीवन में निजी व व्यवसायिक जटिल कार्यों को सरल बनाता है।

विविध कार्यों की आवश्यकताओं के अनुरुप कम्प्यूटर विभिन्न आकार-प्रकारों के बनाए जाते हैं। बड़े कम्प्यूटरों को मेन फ्रेम (main frame) कम्प्यूटर कहा जाता है। ये आकार में बड़े होते हैं और इनकी कार्य करने की गति तथा क्षमता बहुत अधिक होती है। ऐसे कम्प्यूटरों का उपयोग बड़े संस्थानों व मौसम संबंधी जानकारी प्राप्त करने के लिए किया जाता है जहाँ पर बहुत अधिक सूचनाओं का शीघ्रता से विश्लेषण करना होता है।

मध्यम आकार के कम्प्यूटर मिनि कम्प्यूटर (mini computer) कहलाते हैं। ऐसे कम्प्यूटरों का उपयोग बीमा कंपनियों, बैंकों व बड़ी कंपनियों के कार्यालयों में किया जाता है ताकि ग्राहकों को तात्कालिक आवश्यक जानकारी तुरंत दी जा सके। ऐसे कम्प्यूटरों के साथ अनेक छोटे कम्प्यूटर संलग्न किये जा सकते हैं जिनसे इन का उपयोग एक से अधिक व्यक्ति एक साथ कर सकते हैं, और पारस्परिक सहयोग रखते हुए अपने-अपने कार्य कर सकते हैं।

इससे छोटे आकार के कम्प्यूटरों को माइक्रो कम्प्यूटर (micro computer) कहते हैं। ऐसे कम्प्यूटर सामान्यतया एक समय में एक ही व्यक्ति के उपयोग के लिए निर्मित होते हैं और इसलिए उन्हें पर्सनल कम्प्यूटर (personal computer) कहा जाता है। सबसे अधिक संख्या में उपयोग इन्हीं कम्प्यूटरों का होता है। इनका प्रयोग लोग अपने निजी कार्यों या व्यवसायों में करते हैं। छोटी कंपनियाँ ऐसे कम्प्यूटरों को अपने व्यापार के लेखे-जोखे व कर्मचारियों के प्रबंधन के काम में लेती हैं। इन्टरनेट (internet) तथा ई-मेल (e-mail) की सुविधाएँ उपलब्ध होने के पश्चात् पर्सनल कम्प्यूटरों का प्रचलन और भी अधिक हो गया है। इन्टरनेट पर बहुत अधिक जानकारी उपलब्ध होती है जिन्हें पर्सनल कम्प्यूटरों से प्राप्त करके ज्ञान की वृद्धि की जा सकती है।

कम्प्यूटरों ने मनुष्य के जीवन को एक नई दिशा दी है। सन् 1946 में संसार के सर्वप्रथम डिजिटल (digital) अर्थात् सांख्यिकी कम्प्यूटर ने कार्य करना प्रारंभ किया। तब से अब तक समाज में कम्प्यूटर द्वारा लाए गए परिवर्तन वास्तव में अद्भुत हैं।

प्रारंभ में थोड़े से ही डिजिटल कम्प्यूटरों का निर्माण हुआ। ये आकार में बहुत बड़े थे और अत्याधिक मँहगे भी थे। ये कम्प्यूटर केवल संख्याओं की गणना के काम में ही लिए जा सकते थे और इसलिए उनका उपयोग कुछ विशिष्ट गणितज्ञ, वैज्ञानिक व इंजीनियरों तक ही सीमित था। अब कम्प्यूटरों के आकार-प्रकार, क्षमता व कीमतों में बहुत अधिक परिवर्तन आ चुका है। कम्प्यूटरों के सिमटते हुए आकार व बढ़ती हुई क्षमता और गिरती हुई कीमतों के कारण उनका उपयोग बहुत बढ़ गया है। वैज्ञानिक संस्थानों की

अपेक्षा बैंक, बीमा, आरक्षण, निर्माण, क्रय-विक्रय जैसे व्यवसायिक क्षेत्रों में अधिक संख्या में कम्प्यूटर उपयोग में लाए जा रहे हैं, और अनेक लोग इन्टरनेट के द्वारा विविध विषयों में ज्ञान प्राप्त कर रहे हैं। कम्प्यूटरों से बिल बनाना, चैक बनाना, रिकार्ड पूरा रखना जैसे बहुत से कार्य बहुत कम समय में किए जा सकते हैं।

कम्प्यूटर्स का विकास (Development of Computers)

सबसे पहला सांख्यिकी कम्प्यूटर अमेरिका की पेन्सिलवेनिया यूनिवर्सिटी में सन् 1946 में बनाया गया। इसे Electronic Numerical Indicator And Calculator या संक्षेप में ENIAC का नाम दिया गया। इसमें 18,000 इलेक्ट्रॉनिक वॉल्व अर्थात् वेक्यूम ट्यूबें लगी थीं इसे कम्प्यूटरों की **पहली पीढ़ी** (first generation) कहते हैं। इसका भार 30 टन था और यह 50 फीट × 30 फीट के बड़े कमरे में लगा था। इसे चलाने के लिए लगभग 150 किलोवाट विद्युत-ऊर्जा की आवश्यकता होती थी। यह ENIAC एक जोड़ 0.2 मिलीसेकंड (2/10000 सेकंड) में लगा सकता था। गुणा करने में थोड़ा अधिक समय लगता था। गणित की क्रियाओं की यह गति उस समय उपलब्ध कल-पुर्जों वाली मिकेनिकल मशीनों की तुलना में कई हजार गुनी अधिक थी। सन् 1948 में ट्रांज़िस्टर का आविष्कार हुआ जिसने कम्प्यूटरों के विकास को एक नया मोड़ प्रदान किया। एक छोटा सा ट्रांजिस्टर बहुत कम स्थान घेर कर बहुत थोड़ी सी विद्युत-ऊर्जा से ही एक वेक्यूम-ट्यूब के बराबर काम कर सकता था। ट्रांजिस्टरों के उपयोग से कम्प्यूटर आकार में छोटे एवं सस्ते हो गए। तकनीक में उन्नति के कारण ट्रान्जिस्टरों से बने कम्प्यूटरों की कार्यक्षमता भी बढ़ गई और उनके उपयोग का क्षेत्र बढ़ने लगा। ट्रांजिस्टरों से बने कम्प्यूटरों को **दूसरी पीढ़ी** (second generation) के कम्प्यूटर कहते हैं। तकनीक में प्रगति के फलस्वरूप सिलिकॉन के छोटे से चिप पर सैकड़ों ट्रांजिस्टरों से बने एक समूचे इलेक्ट्रॉनिक सर्किट को बनाना संभव हो गया। इस प्रकार के सर्किटों को इन्टीग्रेटेड सर्किट (integrated circuits) कहा जाता है। ये चिपें आकार में बहुत छोटी होती हैं।

इन्टेग्रेटेड सर्किटों के प्रयोग से कम्प्यूटर और भी छोटे व सस्ते हो गए, और उनकी कार्य क्षमता कई गुनी अधिक बढ़ गई। इन्हें **तीसरी पीढ़ी** (third generation) के कम्प्यूटर कहा गया। प्रगति के साथ सिलिकॉन की एक छोटे से टुकड़े पर हजारों ट्रांजिस्टरों से बने संपूर्ण इलेक्ट्रॉनिक सर्किट का बनाना संभव हो गया। इन चिपों को भी एक बड़े (integrated circuit) के प्रकार के आवरण में रखा जाता है। इन्हें Large Scale Integrated Circuits कहा जाता है। इस प्रकार के कम्प्यूटर **चौथी पीढ़ी** (fourth generation) के कम्प्यूटर कहलाए।

हार्डवेयर (Hardware)

कम्प्यूटर को सामान्यतः दो भागों में बांटा जा सकता है–

→ हार्डवेयर (Hardware)

→ सॉफ्टवेयर (Software)

कम्प्यूटर के मशीनी तत्वों को हार्डवेयर कहते हैं। कम्प्यूटर के मूल तत्व हैं– सिस्टम यूनिट, कीबोर्ड, मॉनीटर, फ्लापी डिस्क, तथा हार्ड डिस्क।

➪ सिस्टम यूनिट (The System Unit)

कम्प्यूटर सिस्टम में सिस्टम यूनिट ही वास्तविक कम्प्यूटर है। यह एक बक्सा है जिसमें कम्प्यूटर के सारे इलेक्ट्रॉनिक सर्किट व अन्य

युक्तियाँ होती हैं। इसके अन्दर एक बड़ा प्रिन्टेड सर्किट बोर्ड होता है जिसे मदर बोर्ड (mother board) कहते हैं। इस बोर्ड पर CPU, RAM, ROM आदि इन्टीग्रेटेड सर्किट लगे होते हैं। हार्ड डिस्क तथा फ्लॉपी डिस्क ड्राइव भी इसी के अन्दर लगी होती हैं। कम्प्यूटर में अनेक युक्तियाँ बाहर से भी जोड़ी जाती हैं। बाहर से जोड़ी जाने वाली युक्तियाँ तारों द्वारा इस बक्से में लगे सॉकेटों में जोड़ी जाती हैं।

⇨ कीबोर्ड (Keyboard)

कीबोर्ड, कम्प्यूटर की एक इनपुट युक्ति है। कम्प्यूटर से सम्पर्क करने का यही एक मात्र साधन है। यह आकार में बड़ा होता है और इसमें बहुत सारी कुंजियाँ होती हैं, क्योंकि कम्प्यूटरों में संगणना के समय अंकों, अक्षरों, विराम चिह्न आदि सभी का प्रयोग किया जाता है जिसके लिये ये सभी कुंजियाँ कीबोर्ड पर ही उपलब्ध होती हैं। कुंजीपटल पर टाइप करके डाटा (data) तथा आदेश (commands) व प्रोग्राम (programs) दोनों ही कम्प्यूटर में प्रविष्ट कर सकते हैं। कम्प्यूटर का कीबोर्ड सिस्टम यूनिट से एक लचीले केबल के द्वारा जुड़ा होता है।

⇨ मॉनीटर (Monitors)

कम्प्यूटर का मॉनीटर एक टेलीविज़न के समान दिखने वाला उपकरण है। हम जो कुछ भी टाइप करते हैं या कलाकृति बनाते हैं, मॉनीटर उसे दिखाता रहता है, संगणना के समय क्या हो रहा होता है यह भी संदेशों द्वारा मॉनीटर ही दिखाता है, और संगणना के परिणाम भी मॉनीटर के स्क्रीन पर दिखाई देते हैं। इसके अतिरिक्त कोई गलती होने पर त्रुटि संदेश भी इसी स्क्रीन पर दिखाये जाते हैं।

⇨ फ्लॉपी तथा हार्ड डिस्क ड्राइवें (Floppy & Hard Disk Drives)

सूचना को स्थाई रूप से संग्रहित रखने के लिए कम्प्यूटरों में चुम्बकीय टेप या डिस्क का प्रयोग किया जाता है। चुम्बकीय विधि के प्रयोग करने से सूचना कभी भी रिकॉर्ड की जा सकती है, अवांछित सूचना मिटाई जा सकती है, और रिक्त स्थान में दूसरी सूचना रिकार्ड की जा सकती है। इस विधि का लाभ यह है कि कम्प्यूटर सूचना को बहुत तीव्र गति से लिख पढ़ सकता है। इस क्रिया को कम्प्यूटर की भाषा में writing व reading कहते हैं।

पर्सनल कम्प्यूटरों में दो प्रकार की चुम्बकीय डिस्कों का प्रयोग होता है—फ्लॉपी तथा हार्ड डिस्क। फ्लॉपी डिस्क को कम्प्यूटर से बाहर निकाला जा सकता है। इस सुविधा से सूचना का स्थानान्तरण करना आसान होता है। हार्ड डिस्कें सिस्टम यूनिट के अंदर स्थायी रूप से लगी होती हैं। इन्हें बाहर नहीं निकाला जा सकता, पर इनकी भंडारण क्षमता और भंडारित सूचना के लिखने व पढ़ने की गति बहुत अधिक होती है जिससे कम्प्यूटर की कार्य करने की गति तेज हो जाती है।

जिन मशीनों द्वारा डिस्क को कम्प्यूटर के साथ सूचना का आदान-प्रदान के लिये चलाया जाता है, उन्हें डिस्क ड्राइव (disk drives) कहते हैं। कम्प्यूटर द्वारा सूचना लिखने या पढ़ने के लिए फ्लॉपी डिस्क को डिस्क ड्राइव में प्रविष्ट कर दिया जाता है। एक डिस्क के भर जाने पर उसे निकाल कर दूसरी डिस्क लगा दी जाती है। हार्ड डिस्क व उसकी डिस्क ड्राइव एक ही इकाई होती है और उसमें से हार्ड डिस्क को निकाला नहीं जा सकता। वे सिस्टम यूनिट में स्थायी तौर पर लगी रहती हैं। इन्हें fixed drives भी कहते हैं।

सूचना के आदान-प्रदान के लिये सभी कम्प्यूटरों में कम से कम एक फ्लॉपी डिस्क ड्राइव अवश्य लगा होना चाहिए।

⇨ प्रिन्टर (Printer)

प्रिन्टर एक आउटपुट युक्ति है। कम्प्यूटर के आउटपुट को कागज पर मुद्रण करने वाले यंत्र को प्रिन्टर (Printer) कहते हैं। ऐसी मुद्रित प्रति

को हार्ड कॉपी (hard copy), और प्रिन्टर को हार्ड कॉपी प्रिन्टर कहते हैं। हार्ड कॉपी प्रिन्टरों का प्रयोग कम्प्यूटरों के साथ बहुत अधिक होता है जिसके लिये अनेक प्रकार के प्रिन्टर मार्किट में उपलब्ध हैं।

सॉफ्टवेयर (Software)

कुछ प्रोग्राम कम्प्यूटर में बार-बार प्रयोग होते हैं तथा यह प्रोग्राम कम्प्यूटर में पहले से ही उपलब्ध होते हैं। इन प्रोग्रामों को सॉफ्टवेयर कहते हैं जो कम्प्यूटर के संचालन में उसकी सहायता करते हैं। कम्प्यूटर सॉफ्टवेयर्स को प्रयोगों के आधार पर तीन श्रेणियों में बांटा जा सकता है।

⇨ **सिस्टम सॉफ्टवेयर (System Software)**

कम्प्यूटर के निजी संचालन के लिए निर्मित प्रोग्रामों को सिस्टम सॉफ्टवेयर कहते हैं। इस श्रेणी में ऑपरेटिंग सिस्टम, कम्पाइलर, इन्टरप्रेटर तथा अन्य प्रोग्राम आते हैं जो कम्प्यूटर की मूल कार्यविधि तथा कार्यनीति के अनुसार कार्य करते हैं, तथा कम्प्यूटर के हार्डवेयर व आन्तरिक विभागों का आपस में सम्पर्क बनाए रखते हैं।

⇨ **एप्लीकेशन सॉफ्टवेयर (Application Software)**

विभिन्न प्रकार के कार्यों को करने के लिए उपयोग में आने वाले सॉफ्टवेयर, एप्लीकेशन सॉफ्टवेयर कहलाते हैं। इसके कुछ उदाहरण हैं—वर्ड प्रोसेसिंग, डाटाबेस मैनेजमेंट, स्प्रेडशीट, डेस्क टॉप पब्लिशिंग, चित्रकला आदि।

⇨ **कस्टम सॉफ्टवेयर (Custom Software)**

यह सॉफ्टवेयर प्रयोगकों की आवश्यकताओं तथा सुविधाओं को ध्यान में रखकर बनाए जाते हैं। अधिकतर यह प्रोग्राम विशेष आवश्यकताओं की पूर्ति के लिए बनाए जाते हैं।

कम्प्यूटर की संरचना (Structure of Computers)

किसी भी यन्त्र का सामान्य कार्य होता है डाटा या इनपुट लेना। उस डाटा पर प्रोसेसिंग करके वह यन्त्र सूचना या आउटपुट प्रदान करता है।

एक कम्प्यूटर को कार्य करने के लिये दो चीजों की आवश्यकता होती हैः एक तो डाटा जिस पर संगणना करनी है, और दूसरी वे सूचीबद्ध प्रोग्राम (program) जिनके अनुरूप संगणना की जानी होती है। प्रोग्राम की आवश्यकता इसलिए पड़ती है क्योंकि इलेक्ट्रॉनिक प्रोसेसर तो एक निर्जीव वस्तु है जिसकी अपनी कोई बुद्धि नहीं होती। प्रोग्राम व डाटा, दोनों को ही कम्प्यूटर के कुंजीपटल पर टाइप करके भरा जाता है। इलेक्ट्रॉनिक प्रोसेसर दिये हुए प्रोग्राम के आदेशों को क्रम से पढ़ता जाता है और डाटा पर उन्हीं आदेशों के अनुसार संगणना करता चला जाता है। परिणामों को मॉनीटर के पटल पर प्रदर्शित कर दिया जाता है, या प्रिन्टर द्वारा कागज़ पर छाप दिया जाता है। इस प्रक्रिया को करने के लिये एक अस्थाई स्मृति (RAM) की आवश्यकता होती है। सामान्यतः कम्प्यूटर निम्न पद्धति पर कार्य करता है।

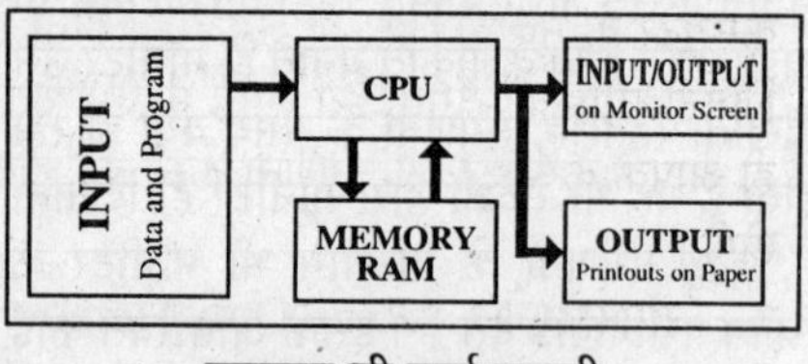

कम्प्यूटर की कार्य प्रणाली

⇨ **डाटा (Data)**

किसी मशीन को गणना या संगणना करने के लिये दी जाने वाली सूचनाओं को डाटा (data) कहते हैं। कम्प्यूटरों में भी जो संख्याएँ, पाठ्य या अन्य सामग्री संगणना के लिये भरी जाती है वह

डाटा है। डाटा को मशीन में इनपुट युक्ति कीबोर्ड द्वारा भरा जाता है।

⇨ **कम्प्यूटर प्रोसेसर (Computer Processors)**

कम्प्यूटर में प्रोसेसिंग उसके अंदर लगे एक जटिल इलेक्ट्रॉनिक सर्किट द्वारा की जाती है जिसे सेंट्रल प्रोसेसिंग यूनिट (Central Processing Unit) या सीपीयू (CPU) कहा जाता है। यह सर्किट कम्प्यूटर में मस्तिष्क की तरह से काम करता है।

⇨ **स्मृतियाँ (Memories)**

किसी भी कम्प्यूटर में दो प्रकार की स्मृतियाँ होती हैं– प्राइमरी (Primary) स्मृतियाँ तथा सेकेन्डरी (Secondary) स्मृतियाँ।

प्राइमरी स्मृतियाँ (Primary Memories)

प्राइमरी स्मृतियाँ सामान्यतः दो प्रकार की होती हैं–

रैम (RAM—Random Access Memory) : इस प्रकार की स्मृतियाँ कम्प्यूटर पर अल्पकालिक, अस्थायी डाटा के संग्रह के लिए प्रयोग की जाती हैं। यह तभी तक डाटा का संग्रह कर सकती हैं जब तक कम्प्यूटर कार्य कर रहा है तथा कम्प्यूटर बन्द करने पर इस पर संग्रह की हुई सूचनाएं समाप्त हो जाती हैं। ये स्मृतियाँ कम्प्यूटर के मदरबोर्ड पर ही लगाई हुई होती हैं। जितनी संग्रह की क्षमता इस स्मृति में होगी उतनी ही आपके कम्प्यूटर की संगणना करने की शक्ति होगी।

रॉम (ROM—Read Only Memory): जिस प्रकार इसका नाम दर्शाता है कि इस तरह की स्मृतियाँ कम्प्यूटर केवल पढ़ने के लिए प्रयोग करता है तथा इस पर लिखी गई सूचनाओं को बदला या मिटाया नहीं जा सकता। सामान्यतः इस प्रकार की स्मृतियाँ कम्प्यूटर बनाते समय बनाई जाती हैं जिन पर हार्डवेयर की सूचनाओं को अंकित किया जाता है।

सेकेण्डरी स्मृतियाँ (Secondary Memories)

संगणना करते समय कम्प्यूटर को अनेक प्रकार की सूचनाओं की आवश्यकता होती है। उदाहरण के लिये, यदि आप अपने ग्राहकों के नाम व पते वाली सूची को प्रथम अक्षरों के क्रम से जमाना चाहते हैं तो सारे नाम व पतों की सूची को पहले कीबोर्ड के द्वारा कम्प्यूटर में प्रविष्ट करना होगा। कम्प्यूटर इस सूचना को आगे कार्य करने के लिये अपनी अस्थायी स्मृति (RAM) में संचित कर लेता है, परंतु पावर फेल होते ही, या कम्प्यूटर का पावर स्विच बंद करते ही यह सारी सूचना लुप्त हो जाती है। इसलिए कम्प्यूटर के साथ एक ऐसे उपकरण की भी आवश्यकता होती है जिसमें बहुत सारी सूचनाऐं अर्थात् डाटा (data) स्थायी रूप से संचित करके रखा जा सके। इन सूचनाओं के भंडारण की विधि ऐसी होनी चाहिये कि कम्प्यूटर द्वारा उसे शीघ्रता से लिखा जा सके और आवश्यकता अनुसार वांछित सूचना को शीघ्रता से ढूँढा और पढ़ा भी जा सके। इन सूचनाओं के भंडारण के लिये जिस चुंबकीय रिकार्डिंग प्रणाली का उपयोग किया जाता है उसमें फ्लॉपी डिस्क, हार्ड डिस्क, व मैगनेटिक टेप प्रमुख हैं। रिकार्डिंग करने या वांछित सूचना को पढ़ने के लिये जिन मशीनों में इस डिस्क को चलाया जाता है उन्हें डिस्क ड्राइव (disk drive) कहते हैं।

⇨ **ऑपरेटिंग सिस्टम (Operating System)**

कम्प्यूटर के अंदर स्थित स्थाई स्मृति में निर्माताओं द्वारा आदेशों का एक समूह, जिसे कम्प्यूटर की भाषा में प्रोग्राम (program) कहा जाता है, भर दिया जाता है। इस प्रोग्राम के द्वारा कम्प्यूटर के अंदर की समस्त गतिविधियों का संचालन किया जाता है, इसलिए इसे ऑपरेटिंग

सिस्टम (Operating System) या OS कहा जाता है। जैसे ही आप कम्प्यूटर को ऑन करते हैं, ऑपरेटिंग सिस्टम अपने आप चालू हो कर सारा नियंत्रण अपने हाथ में ले लेता है।

ऑपरेटिंग सिस्टम पहले अस्थाई स्मृतियों को रिक्त करता है ताकि नई संगणना करते समय पुराने आँकड़े कोई अड़चन उत्पन्न न करें। सारी कुंजियों पर ऑपरेटिंग सिस्टम लगातार निगरानी रखता है, और जैसे ही कोई कुंजी दबती है, उसका प्रभाव मॉनीटर पर दिखाई देने लगता है। कम्प्यूटर पर काम करते समय ऑपरेटिंग सिस्टम आपके और कम्प्यूटर के बीच में दुभाषिये का काम करता है। वह आपके दिये गये आदेशों को मशीन तक पहुंचाता है, और मशीन द्वारा जनित सूचनाएँ आप तक पहुंचाता है। कम्प्यूटरों पर काम करने के लिये उसके ऑपरेटिंग सिस्टमों को ठीक से समझना आवश्यक होता है ताकि आप अपने कम्प्यूटर का श्रेष्ठतम उपयोग कर सकें।

ऑपरेटिंग सिस्टम पारस्परिक रूप से कम्प्यूटर के प्रकार पर भी आधारित होता है और प्रोसेसिंग की जो तकनीक, कम्प्यूटर द्वारा प्रयोग में लायी जा रही है उसका प्रभाव ऑपरेटिंग सिस्टम की संरचना पर पड़ता है। कुछ मुख्य तकनीकें जो कम्प्यूटर के विकास के दौरान प्रयोग में लायी जाती हैं, वे हैं–

(1) बैच (Batch) प्रोसेसिंग तकनीक (2) टाइम शेयरिंग (Time Sharing) तकनीक (3) रियल-टाइम (Real Time) प्रोसेसिंग तकनीक।

(1) बैच प्रोसेसिंग (Batch Processing) तकनीक : बैच प्रोसेसिंग का उपयोग मुख्य रूप से तब किया जाता है जब प्रयोगकर्ताओं की संख्या काफी अधिक हो और उन्हें अपने प्रोग्राम का परिणाम तुरन्त न चाहिये हो। इस विधि में प्रयोगकर्ताओं द्वारा दिये गये आंकड़े एवं प्रोग्राम कम्प्यूटर द्वारा एक के बाद एक उपयोग में लाये जाते हैं। एक पूरे प्रोग्राम के समाप्त हो जाने के बाद दूसरा प्रोग्राम या कार्य कम्प्यूटर द्वारा प्रारम्भ किया जाता है। कुछ प्रोग्रामों को क्रियान्वित हो जाने के बाद उनके परिणाम प्रयोगकर्ताओं को लौटा दिये जाते हैं। इस विधि के उपयोग से कार्ड एवं पेपर टेप के प्रयोग में लगने वाला अधिक समय बचाया जा सकता है, क्योंकि प्रोग्राम व आँकड़ों को डिस्क व टेप पर (Off line) एकत्रित किया जा सकता है। हर प्रोग्राम व डाटा इनपुट में लगने वाले समय के दौरान प्रोसेसर खाली नहीं रहता और उसकी क्षमता का पूरा उपयोग किया जा सकता है।

(2) टाइम शेयरिंग (Time Sharing) तकनीकः केन्द्रीय प्रोसेसर एक कार्य कुछ समय तक करने के बाद, उसे उसी स्थिति में छोड़कर अन्य कार्य करने लगता है और कुछ समय बाद फिर पहले कार्य को प्रारम्भ करता है। ठीक वहाँ से जहाँ उसे पहले छोड़ा था। इस तरह प्रोसेसर के समय का पूरा उपयोग किया जा सकता है, इसे टाइम शेयरिंग कहते हैं। गतिविधियों का निर्धारण ऑपरेटिंग सिस्टम द्वारा किया जाता है। यदि एक सिस्टम से कई टर्मिनल जुड़े हुये हों और सभी पर कार्य चल रहा हो तो कम्प्यूटर कुछ समय एक प्रयोगकर्ता का कार्य करता है और फिर क्रमानुसार अन्य प्रयोगकर्ताओं का और इस चक्र के पूरा होने के बाद ही वह फिर पहले व्यक्ति का या पहले टर्मिनल का कार्य करता है। किन्तु कम्प्यूटर इतनी तीव्र गति से कार्य करता है कि हर व्यक्ति को यह प्रतीत होता है कि कम्प्यूटर सिर्फ उसी के लिये कार्य कर रहा है। इस विधि में प्रोग्राम लिखे जाने के बाद, वांछित आंकड़ों को कम्प्यूटर को बलाकर समस्या का परिणाम निकालने के लिये कहा जाता है। हालांकि अन्य व्यक्तियों का काम भी कम्प्यूटर

साथ ही कर रहा होता है। यह विधि जिसमें आपको इन्तजार नहीं करना पड़ता, आन-लाइन प्रोसेसिंग तकनीक कहलाती है। इस विधि को, जिसमें कम्प्यूटर कई प्रयोगकर्ताओं का कार्य साथ-साथ करता है। अर्थात् अपना समय छोटे-छोटे हिस्सों में अनेक लोगों में बांटता है, टाइम शेयरिंग तकनीक के नाम से जाना जाता है।

(3) रियल टाइम (Real Time) प्रोसेसिंग तकनीक : रियल टाइम तकनीक का प्रयोग तब किया जाता है जब कम्प्यूटर के द्वारा किसी कार्य विशेष का नियंत्रण किया जा रहा हो। इस प्रकार के प्रयोग में प्रोग्राम का परिणाम लगभग फौरन प्राप्त हो जाता है और इस परिणाम को अगली गणना में तुरन्त प्रयोग में लाया जाता है। आवश्यकता पड़ने पर नियन्त्रित की जाने वाली प्रक्रिया को सुधारा या बदला भी जा सकता है। रियल टाइम तकनीक में कम्प्यूटर का कार्य लगातार आँकड़े ग्रहण करना, उनकी वांछित गणना करना और उन्हें मेमोरी में रखने की व्यवस्था करना तथा गणना के परिणाम के आधार पर निर्देश देना भी है। कृत्रिम उपग्रह का नियन्त्रण रियल टाइम तकनीक के प्रयोग का उदाहरण है।

कम्प्यूटर की भाषायें (Computer Languages)

कम्प्यूटर में किसी प्रकार की कोई बुद्धि नहीं होती, उसे प्रोग्रामों के माध्यम से प्रोग्रामर द्वारां बुद्धि प्रदान की जाती है। ये प्रोग्राम कई स्तरों की भाषाओं में लिखे जाते हैं। प्रोग्रामिंग की भाषायें अपने प्रयोग की दृष्टि में कम और सरल शब्दों में ही प्रयोग की क्षमता रखती हैं। कम्प्यूटर सिर्फ 0 व 1 अंक की भाषा ही समझता है, अतः समस्त संवाद इसी 0 व 1 अंक में ही किया जा सकता है। पर हम 0 व 1 में न सोचकर प्राकृतिक भाषाओं में सोचते व बोलते हैं। अतः कम्प्यूटर के लिये भी एक दुभाषिये की आवश्यकता होती है। यह दुभाषिया एक इलैक्ट्रिकल सर्किट (Electrical Circuit) के रूप में होता है। कम्प्यूटर के अविष्कार से लेकर अब तक तीन प्रकार की भाषायें प्रयोग में लायी जाती रही हैं– (1) मशीनी भाषा (Machine Code), (2) असेंबली भाषा (Assembly Code) (3) उच्च स्तरीय भाषायें (High Level Languages)।

(1) मशीनी भाषा (Machine Code) : यह सिर्फ 1 व 0 के समूहों (Combinations) से बनी होती है और जिसे कम्प्यूटर सीधे समझ सकता है। मशीनी भाषा में प्रत्येक आदेश (Instruction) के दो भाग होते हैं। एक आदेश कोड (Operation Code) दूसरा स्थिति कोड (Location Code)। आदेश कोड व स्थिति कोड 0 व 1 के क्रमों में ही व्यक्त किये जाते हैं। लेकिन समस्त आदेशों को 0 और 1 में लिखा जाना अत्यधिक कठिन काम है। अतः असेंबली भाषा व उच्चस्तरीय भाषायें इस आवश्यकता की पूर्ति के लिये अविष्कृत हुई। मशीनी भाषा चूंकि मशीन की आतंरिक संरचना से निर्धारित होती है अतः एक कम्प्यूटर की मशीन भाषा दूसरे कम्प्यूटर की मशीन भाषा से भिन्न होती है।

(2) असेंबली भाषा (Assembly Code) : असेंबली भाषा, मशीन भाषा में आ रही दिक्कतों को दूर करने के लिये बनाई गई। इसमें मशीन कोड के स्थान पर 'नेमोनिक कोड' (Mnemonic Code) का प्रयोग किया गया जिन्हें मानव मस्तिष्क आसानी से पहचान सकता था। प्रोग्राम इन्हीं संकेतों में लिखा जाने लगा। इनमें से प्रत्येक संकेत के लिये एक मशीन कोड भी निर्धारित किया गया पर असेंबली कोड से मशीन कोड में परिवर्तन

का काम, कम्प्यूटर में ही स्थित एक प्रोग्राम के जरिये किया जाने लगा। इस प्रकार के प्रोग्राम को असेंबलर (Assembler) नाम दिया गया। मशीन और असेंबली भाषायें चूंकि कम्प्यूटर की मूल संरचना से सम्बद्ध हैं, एवं अलग-अलग संरचनाओं वाले कम्प्यूटर के लिये सामान नहीं हो सकती, अतः इन्हें निम्न स्तरीय भाषायें कहा गया।

(3) उच्च स्तरीय भाषायें (High Level Languages) : निम्न स्तरीय भाषाओं में प्रोग्रामिंग कार्य बहुत लम्बा व कष्टसाध्य था। अतः जब कम्प्यूटर का प्रयोग अधिक बढ़ा तो एक ऐसी भाषा की आवश्यकता महसूस हुई जो प्राकृतिक भाषाओं के और निकट हो ताकि सामान्य व्यक्ति भी कम्प्यूटर का प्रयोग कर सके। ये भाषायें मशीन पर आधारित होने के स्थान पर समस्या के अनुरूप हों ऐसा प्रयास किया गया। इन भाषाओं में प्रोग्राम लिखते समय प्रोग्रामर अंग्रेजी भाषा के कुछ चुने हुए शब्द और गणित के स्वीकृत संकेतों को एक निश्चित रूप में प्रयोग कर सकता है जो भाषा के व्याकरण के अंतर्गत पूर्ण निर्धारित होते हैं। सबसे पहले उच्च स्तर की भाषा के लिये आई.बी.एम. ने 1957 में कोशिश की और उसका परिणाम फोरट्रॉन के रूप में आया। इसके पश्चात् कोबोल, बेसिक, अल्गोल, पास्कल, पी.एल-1, पी.एल-2, लोगो, सी, लिस्प, प्रोलाग आदि सैकड़ों उच्च स्तरीय भाषाओं का आविष्कार हुआ।

प्रोग्राम व डाटा फाइलें (Program and Data Files)

सामान्यतया फाइलों की प्रकारों को दो भागों गें विभक्त किया जा सकता है– प्रोग्राम फाइलें और डाटा फाइलें।

⇨ प्रोग्राम फाइलें (Program Files)

इस प्रकार की फाइलों का निर्माण आप स्वयं नहीं करते अपितु उन्हें या तो खरीदते हैं या किसी अन्य स्रोत से प्राप्त करते हैं। इन फाइलों में किसी काम को करने के लिए आदेश लिखे होते हैं, जैसे कि लेखा-जोखा बनाना या चित्र बनाना। ऐसी फाइलें कम्प्यूटर प्रोग्रामरों द्वारा बनाई जाती हैं। एक उपयोगी प्रोग्राम सामान्यतया अनेक फाइलों का समूह होता है, जैसे कि Word Processor, में विविध उपनामों वाली अनेक प्रोग्राम फाइलें होती हैं। ऑपरेटिंग सिस्टम स्वयं में भी ऐसी ही विविध नामों तथा उपनामों वाली फाइलों का एक समूह है।

नोट : प्रोग्राम की फाइलों के उपनाम .COM तथा .EXE होते हैं। इन फाइलों को आप पढ़ नहीं सकते, पर काम में ले सकते हैं। ऐसी फाइलों को उपयोग में लेने के लिये केवल उनका नाम ही टाइप करना पड़ता है, उपनाम को टाइप करने की कोई आवश्यकता नहीं होती।

⇨ डाटा फाइलें (Data Files)

ये वे फाइलें हैं जिनका निर्माण आप स्वयं करते हैं। इन्हें आप किसी एप्लीकेशन प्रोग्राम द्वारा, या स्वयं ऑपरेटिंग सिस्टम द्वारा बनाते हैं, और इनमें आपके द्वारा रचित सामग्री (पाठ्यचित्र, हिसाब-किताब का लेखा-जोखा आदि) संचित रहती है। इन फाइलों के नाम सामान्यतया ऐसे रखे जाते हैं जिनसे फाइल के अंदर संचित सामग्री का भान होता रहे। इसी प्रकार इनके उपनाम भी ऐसे रखे जाते हैं जिनसे उन प्रोग्रामों का भान होता रहे जिनमें उन्हें बनाया गया है। उदाहरण के लिए, .DOC (document) उपनाम वाली फाइलें वर्ड प्रोसेसर प्रोग्रामों में बने दस्तावेज होते हैं, .TXT उपनाम वाली फाइलों में केवल ASCII अक्षर होते हैं। चित्रों वाली फाइलों के उपनाम .BMP (bitmap), .PCX (paint program), .TIFF (Tagged Image File) और .EPS (Encapsulated Post

Script) आदि होते हैं और .BAK उपनाम वाली फाइलें बैकअप (backup) फाइलें होती हैं। काम में गड़बड़ी न होने देने के लिये सुरक्षा की दृष्टि से अनेक प्रोग्राम बैकअप फाइलें स्वयं बनाते हैं। फाइलों को डिस्क पर अंकित करने का काम ऑपरेटिंग सिस्टम द्वारा किया जाता है।

सूचना अंकित करते समय ऑपरेटिंग सिस्टम उस फाइल के बारे में निम्नलिखित अतिरिक्त जानकारी साथ ही अंकित कर देता हैः फाइल के गुण (attributes), जैसे कि- H (hidden), A (archives), S (system) या R (read only), फाइल का आकार, बाइटों (bytes) में, फाइल के निर्माण की तिथि (date), फाइल के निर्माण का समय (time) ये सारी सूचनाएँ फाइलों के प्रबधन, ढूँढने, प्रयोग करने में बहुत सहायक होती हैं।

डायरेक्टरियाँ/फोल्डर्स (Directories /Folders)

डायरेक्टरियों में फाइलों का एक समूह संचित किया होता है। आवश्यक तो नहीं पर सामान्यतया इन फाइलों में पारस्परिक संबंध होता है। डायरेक्टरी का भी एक नाम होता है पर अधिकतर उपनाम नहीं होता। फाइलों के नामकरण के नियम डायरेक्टरियों पर भी लागू होते हैं। नाम ऐसा रखा जाता है जिससे कि यह ज्ञान होता रहे कि उस डायरेक्टरी में संचित फाइलें किस प्रकार की हैं, या किस उपयोग की हैं। डिस्क पर फाइलों और डायरेक्टरियों का संगठन वंशावली की तरह से ही किया जाता है। सबसे पहली डायरेक्टरी को रूट (root) डायरेक्टरी कहा जाता है, और इसे (\) चिह्न द्वारा दर्शाया या संबोधित किया जाता है। अन्य डायरेक्टरियों के लिये भी उनके नाम के पहले ये ही चिह्न लगाया जाता है। किसी भी डायरेक्टरी में फाइलों के अतिरिक्त अनेक डायरेक्टरियाँ भी हो सकती हैं। फ्लॉपी व हार्ड डिस्क पर नई डायरेक्टरियाँ बनाने की और उनमें फाइलों का संगठन करने की सारी सुविधाएँ ऑपरेटिंग सिस्टम प्रदान करता है।

सूचना प्रौद्योगिकी (Information Technology)

सूचना को एक स्थान से दूसरे स्थान तक शीघ्रातिशीघ्र पहुँचाने की दिशा में मनुष्य ने कड़े प्रयत्न किये हैं। डाक सेवा, टेलीफोन, रेडियो, टेलीविजन व उपग्रह संचार प्रणालियाँ, सब इन्हीं प्रयासों की देन हैं। प्रारम्भ में एक कम्प्यूटर से दूसरे कम्प्यूटर पर सूचना का स्थानान्तरण केवल फ्लॉपी डिस्क द्वारा ही किया जाता था। इस विधि में एक कम्प्यूटर की हार्ड डिस्क में संचित वांछित सूचना की प्रतिलिपि फ्लॉपी डिस्क पर बना कर इसे किसी भी अन्य कम्प्यूटर पर उपयोग में लाया जा जाता था। इस विधि में गति बहुत धीमी होने के कारण कम्प्यूटर से कम्प्यूटर को सीधे ही सूचना भेज सकने की दिशा में प्रयास किये गए और एक ऐसी प्रणाली का विकास हुआ जिसमें दो कम्प्यूटरों में कुछ अतिरिक्त हार्डवेयर व साफ्टवेयर लगा कर और उन्हें एक केबल द्वारा कनेक्ट करके सीधे ही सूचना का आदान-प्रदान किया जा सके। कम्प्यूटरों के केबल द्वारा जुड़े होने के कारण सूचना को भेजना व प्राप्त करना, दोनों ही कार्य तीव्र गति से किये जा सकते थे। इस प्रणाली में दो से अधिक कम्प्यूटरों को केबलों द्वारा इस प्रकार से कनेक्ट किये जाने की विधि का विकास हुआ जिसमें कम्प्यूटर तारों के एक जाल में जुड़े रहते थे और वे आपस में सूचनाओं का आदान-प्रदान तीव्र गति से कर सकते थे। इस जाल को नेटवर्क (network) कहा जाता है।

यह नेटवर्क कई प्रकार का होता है जैसे— स्टार टोपोलॉजी, रिंग टोपोलॉजी, बस टोपोलॉजी तथा ट्री टोपोलॉजी।

केबलों द्वारा कम्प्यूटरों को एक दूसरे से कनेक्ट करने का काम एक सीमित क्षेत्र में ही किया जा सकता है, जैसे कि एक ही कार्यालय के या एक ही भवन में स्थित कम्प्यूटरों को केबलों द्वारा आसानी से जोड़ा जा सकता है। इस स्थानीय नेटवर्क को लोकल एरिया नेटवर्क (Local Area Network) या लैन (LAN) कहते हैं।

दूर स्थित क्षेत्रों में सूचना का आदान-प्रदान टेलीफोन व अन्य संचार के माध्यमों द्वारा किया जाता है। इसलिये ऐसी व्यवस्थाओं का विकास किया जाने लगा जिसमें कम्प्यूटर व संचार माध्यम आपस में जोड़े जा सकें। इस तकनीक को सूचना प्रौद्योगिकी (Information Technology) कहा जाता है। वांछित सूचना जितनी अधिक शीघ्रता से प्राप्त हो सके उतना ही उसका लाभ उठाया जा सकता है। इन लाभों को ध्यान में रखते हुए ऐसी प्रणाली की खोज प्रारम्भ हुई जिसमें कम्प्यूटरों को टेलीफोन की लाइनों के द्वारा जोड़ा जा सके। इस काम के लिये मोडेम (modem) नामक युक्ति का आविष्कार हुआ जो कि कम्प्यूटर जनित डिजिटल संकेतों को ध्वनि के जैसे विद्युत संकेतों में परिणत करके टेलीफोन लाइन को दे सकती है, और टेलीफोन लाइन से प्राप्त ध्वनि के विद्युत संकेतों को पुनः डिजिटल संकेतों में परिणत करके कम्प्यूटर को दे सकती है।

MODEM शब्द अंग्रेजी के दो शब्दों, (MOdulator और DEModulator) के अंशों को मिलाकर बनाया गया है। यदि दोनों सिरों पर मोडेम लगी हों तो आप का कम्प्यूटर टेलिफोन की लाइन के द्वारा एक सुदूर स्थित कम्प्यूटर से डाटा का आदान-प्रदान कर सकता है। डाटा भेजने वाले सिरे की मोडेम कम्प्यूटर जनित डाटा को ऐसे विद्युत संकेतों में परिवर्तित कर देती है जिन्हें टेलिफोन की लाइनों द्वारा दूर तक भेजा जा सकता है। डाटा प्राप्त करने वाले सिरे पर लगी मोडेम इन आने वाले संकेतों को फिर से डिजिटल डाटा में बदलकर कम्प्यूटर को दे देती है, और कम्प्यूटर उस संदेश को या तो मॉनीटर के पटल पर प्रदर्शित कर देता है, या फिर एक फाइल में संचित करके रख लेता है, जिसे आप जब चाहे देख सकते हैं।

इंटरनेट (Internet)

इन्टरनेट समस्त पृथ्वी पर फैला हुआ तारों का एक गुच्छा है जिसके द्वारा असंख्य कम्प्यूटर एक दूसरे से जोड़े जा सकते हैं, ओर वे आपस में सूचनाओं का आदान-प्रदान कर सकते हैं। भारत में इन्टरनेट की सुविधा विदेश संचार निगम लिमिटेड (Videsh Sanchar Nigam Limited) या संक्षेप में वी एस एन एल (VSNL) द्वारा दी जाती है, पर अनेक ऐसी कंपनियाँ भी खुल गई हैं जो कि आपको अपने शहर में ही इन्टरनेट की सेवा अपने कम्प्यूटरों द्वारा दे सकती हैं। ऐसी कंपनियों को इन्टरनेट सर्विस प्रोवाइडर (internet service provider) कहा जाता है, और उनके उस सेवा प्रदान करने वाले कम्प्यूटर को सर्वर (server) कहा जाता है। ये कंपनियाँ आपसे सेवा-शुल्क लेकर आपको ई-मेल (e-mail) तथा वैबसाइट (web site) बनाने की सुविधाएँ देती हैं। डिशनेट (Dishnet), एचसीएल इनफिनेट (Hclinfinet), मन्त्राऑनलाइन (mantraonline), व सत्यमऑनलाइन (Satyamonline) ऐसी कंपनियों के उदाहरण हैं। इन्टरनेट की विशेष बात यह है कि इसमें पारस्परिक संपर्क करने की भाषा के माप-दण्ड पूरी तरह से स्थापित किये जा चुके हैं, ओर कोई भी कम्प्यूटर जो उस भाषा में संपर्क कर सकता है, इन्टरनेट से जोड़ा जा सकता है। इसलिए विश्वभर

में अनेक प्रकार के कम्प्यूटर इन्टरनेट से जुड़े हुए हैं। इन कम्प्यूटरों में प्रचुर मात्रा में अनेक प्रकार की ज्ञान-वर्धक सामग्री भरी पड़ी है जिसको आप अपने कम्प्यूटर द्वारा घर बैठे ही प्राप्त कर सकते हैं, और लाभ उठा सकते हैं।

वैब साइट (Web Site)

वैब साइट में लोग अपने उत्पादों आदि को बहुत आकर्षक व रोचक ढंग से प्रस्तुत करने का प्रयास करते हैं। सर्वर तो हर समय इन्टरनेट से जुड़ा रहता है, इसलिए किसी भी वैब साइट को कोई भी व्यक्ति इन्टरनेट द्वारा खोल कर देख सकता है। एक वैब साइट में एक से अनेक पृष्ठ हो सकते हैं, परन्तु उसे खोलने पर पहले मुख पृष्ठ ही देखाई देता है। इस पृष्ठ पर अन्य पृष्ठों पर जाने के लिए कड़ियाँ (links) होती हैं जिन पर माउस द्वारा क्लिक करके आप उन जानकारियों को देख सकते हैं। यदि किसी पृष्ठ पर दी हुई जानकारी आपको अच्छी लगती है तो आप उसे अपने कम्प्यूटर पर मनचाहे फोल्डर में एक फाइल की तरह से ही संचित कर सकते हैं, और बाद में अध्ययन कर सकते हैं यह प्रक्रिया 'डाउनलोड' कहलाती है। इन्टरनेट पर असंख्य कम्प्यूटर जुड़े हैं ओर हजारों-लाखों वैब साइटें भी हैं। ये वैब साइटें दुनिया भर में एक मकड़-जाल की तरह फैली हुई हैं, और इस मकड़-जाल को वर्ल्ड वाइड वैब (world wide web) या संक्षेप में www कहा जाता है। सामान्य बोल-चाल की भाषा में इन्टरनेट व वर्ल्ड वाइड वैब को एक दूसरे के पर्यायवाची की तरह से प्रयोग किया जाता है। प्रत्येक वैब साइट का अपना एक अद्वितीय पता (address) होता है जिसे URL (Uniform Resource Locator) कहा जाता है, और जिसके द्वारा उसे ढूँढा जा सकता है। जैसे www.yahoo.com आदि।

ई-मेल (E-mail)

इन्टरनेट पर जुड़े या जोड़े जा सकने वाले कम्प्यूटरों का पत्र-व्यवहार में उपयोग का प्रचलन बहुत बढ़ गया है। इसे इलेक्ट्रॉनिक मेल (electronic mail), या ई-मेल (e-mail) कहा जाता है। इसका सबसे बड़ा लाभ यह है कि दिया हुआ समाचार तुरंत ही गन्तव्य स्थान पर पहुँच जाता है। ई-मेल की प्रणाली लगभग डाक सेवा की तरह कार्य करती है। इन्टरनेट सेवा देने वाला आपको एक अद्वितीय ई-मेल पता देता है जिसके द्वारा आप पत्र-व्यवहार कर सकते हैं। इस पते के दो भाग होते हैं और दोनों भागों के बीच में @ अक्षर होता है। नामों के बीच में रिक्त स्थान नहीं होता। इसके लिये _ (underscrore) चिह्न का प्रयोग किया जाता है। इसके अतिरिक्त आपका इन्टरनेट सर्विस देने वाला आपको अपने सर्वर पर पाँच-छः मेगाबाइट का स्थान आपकी ई-मेल के लिये सुरक्षित कर देता है। यह आपके लैटर बॉक्स की तरह काम करता है। आपकी आने वाली मेल इसमें संचित रहती हैं जिसे आप जब चाहें तब देख सकते हैं, ओर उत्तर देना व अन्य उचित कार्य कर सकते हैं। आपके द्वारा भेजा जाने वाला संदेश आपके सर्वर पर जा कर वहाँ से तुरन्त इन्टरनेट द्वारा गन्तव्य स्थान को भेज दिया जाता है, जहाँ वह प्राप्तकर्ता के ई-मेल के लैटर बॉक्स में जा कर संचित हो जाता है। इस प्रणाली द्वारा आप टेलीफोन के लोकल काल के खर्च पर दुनिया भर में संदेश भेज सकते हैं।

वस्तुनिष्ठ प्रश्नावली (Computer)

1. डाटा बेस प्रबन्ध पद्धति से आशय है:
A. सम्बन्धित जानकारी का स्वचालित विधि से संग्रहण व निकास
B. डाटा का स्वचालित विधि से संसाधन
C. स्वचालित ऑफिस प्रबन्ध
D. उपर्युक्त सभी

2. कम्प्यूटर की सहायता से किए जाने वाले कार्य हैं:
A. शब्दों की व्यंजना
B. वीडियो गेम्स खेलना
C. तीव्र गति की गणना
D. उपर्युक्त सभी

3. पांचवीं पीढ़ी के कम्प्यूटरों की विशेषता है:
A. बहुत कम कीमत
B. RAM में वृद्धि
C. कृत्रिम बुद्धि
D. ऑफिस व घर में उपयोगी

4. मशीनी भाषा है:
A. जो लिखने में बहुत आसान हो
B. जो अंग्रेजी शब्दों के प्रयोग से बनती है
C. जो कम्प्यूटर द्वारा आसानी से समझी जाती है
D. जो कम्प्यूटर आरम्भ करने में मदद करती है

5. डिजीटल कम्प्यूटर की कार्य पद्धति .... के सिद्धान्त पर आधारित होती है
A. इलैक्ट्रॉनिक परिपथ
B. मापन
C. गणना एवं तर्क
D. इनमें से कोई नहीं

6. हिन्दुस्तान कम्प्यूटर्स लिमिटेड के संस्थापक हैं:
A. शिव नादेर
B. अमिताभ बच्चन
C. अज़ीम प्रेमजी
D. लक्ष्मी मित्तल

7. कम्प्यूटर को दिए गए बहुत से कार्यों का एक-एक करके होना कहलाता है:
A. मल्टी प्रोसेसिंग
B. टाइम शेयरिंग
C. बैच प्रोसेसिंग
D. इनमें से कोई नहीं

8. Cold Boot कहलाता है कम्प्यूटर के:
A. पावर बटन को दबाकर आरम्भ करना
B. Ctrl + Alt + Del बटनों को एक साथ दबाकर पुनः आरम्भ करना
C. Reset बटन को दबाकर पुनः आरम्भ करना
D. इनमें से कोई नहीं

9. ऑपरेटिंग सिस्टम है:
A. हार्डवेयर
B. आउटपुट
C. कम्प्यूटर तथा प्रयोगक के बीच की कड़ी
D. इनमें से कोई नहीं

10. ऑपरेटिंग सिस्टम नियन्त्रित करता है:
A. प्रोग्रामर B. आंकड़े
C. हार्डवेयर D. उपर्युक्त सभी

11. प्रोग्रामिंग निम्न में से कम्प्यूटर की किस भाषा में सरल है?
A. मशीनी भाषा में

B. असेम्बली भाषा में
C. उच्चस्तरीय भाषा में
D. इनमें से कोई नहीं

12. प्रोग्रामिंग कठिन है:
A. उच्चस्तरीय भाषा में
B. मशीनी भाषा में
C. असेम्बली भाषा में
D. COBOL में

13. ANSI है:
A. आल नेशनल सिस्टम इन्फॉरमेशन
B. अमेरिकन नेशनल स्टेन्डर्ड इंस्टीच्यूट
C. अमेरिकन नेशनल सॉफ्टवेयर इंस्टीच्यूट
D. इनमें से कोई नहीं

14. MS-DOS है:
A. माइक्रोसॉफ्ट ड्राइवर ऑफ सिस्टम
B. माइक्रोसॉफ्ट डिबग ऑन सिस्टम
C. माइक्रोसॉफ्ट डिस्क ऑपरेटिंग सिस्टम
D. इनमें से कोई नहीं

15. उच्चस्तरीय भाषा में लिखित प्रोग्राम है:
A. आब्जेकट प्रोग्राम
B. सोर्स प्रोग्राम
C. असेम्बली प्रोग्राम
D. उपर्युक्त सभी

16. कम्प्यूटर इन्सट्रकशंस हैं:
A. ऑपरेशन कोड
B. एड्रेस
C. A तथा B दोनों
D. इनमें से कोई नहीं

17. कम्प्यूटर फाइल संग्रह है:
A. शब्दों का B. आंकड़ों का
C. रिकॉर्ड्स का D. गणकों का

18. निम्न में से किस संख्या पद्धति पर कम्प्यूटर आधारित है:
A. बाइनरी B. डेसीमल
C. ओक्टल D. हैक्साडेसीमल

19. रियल टाइम सिस्टम है, कम्प्यूटर द्वारा:
A. काफी समयान्तराल पर सूचना उपलब्ध करना
B. त्वरित सूचना उपलब्ध करना
C. A और B दोनों
D. इनमें से कोई नहीं

20. एक निश्चित व्यवस्था के अन्तर्गत निर्देशों का संकलन है:
A. ऑपरेटिंग
B. प्रोग्रामिंग
C. प्रोसेसिंग
D. इनमें से कोई नहीं

21. कम्प्यूटर द्वारा बहुत से कार्यों का एक साथ होते प्रतीत होना कहलाता है:
A. रीयल टाइम प्रोसेस
B. बैच प्रोसेस
C. टाइम शेयरिंग
D. उपर्युक्त सभी

22. ..... असेम्बली भाषा को मशीन कोड में बदलता है।
A. असेम्बलर
B. कम्पाइलर
C. हार्डवेयर
D. इनमें से कोई नहीं

23. ..... उच्च स्तरीय भाषा को निम्न स्तरीय भाषा में बदलता है।
A. ऑपरेटिंग सिस्टम
B. असेम्बलर
C. कम्पाइलर
D. उपर्युक्त सभी

24. LAN है।
A. लाइन अबाउट न्यूज़
B. लोकल एरिया नेटवर्क
C. लोकल एरिया न्यूज़
D. इनमें से कोई नहीं

25. इन्टरनेट से सूचनाओं तथा डाटा की चोरी या उसमें बदलाव करने वाले को कहते हैः

A. प्रोग्रामर

B. यूजर

C. हैकर

D. इनमें से कोई नहीं

26. प्रथम श्रेणी कम्प्यूटरों में कौन-सा हार्डवेयर प्रयोग किया गया?

A. वाल्व तथा वेक्युम ट्यूब्स

B. आई॰सी॰

C. ट्रांजिस्टर

D. एल॰एस॰आई॰सी॰

27. कौन-सा शब्द सभी प्रकार की सूचनाओं जैसे ग्राफिक्स, वीडियो या ऑडियो पर आधारित संबंधों का प्रतिनिधित्व करता है?

A. हाइपर कार्ड B. वाइल्ड कार्ड

C. हाइपरटेक्स्ट D. हाइपरमिडिया

28. सर्वप्रथम किस कम्पनी ने कम्प्यूटर बेचने के लिए बनाया?

A. रेमिंग्टन रैंड कार्पोरेशन

B. इन्टरनेशनल बिज़नेस मशीन

C. हिन्दुस्तान कम्प्यूटर लिमिटेड

D. इनमें से कोई नहीं

29. कम्प्यूटर के पितामह कहलाते हैं:

A. जोंसेफ जैक्यूर्ड

B. हरमेन होलेरिथ

C. वेल्स पास्कल

D. चार्ल्स बेबेज

30. किस प्रकार की फाइल को सबसे अधिक मेमोरी की जरूरत होती हैः

A. ग्राफिक्स

B. साउंड

C. इमेजिंग

D. उपर्युक्त सभी को

31. किस प्रोग्रामिंग लेंग्वेज का प्रयोग जटिल वैज्ञानिक गणनाओं के लिए किया जाता है?

A. बेसिक B. पास्कल

C. लिस्प D. फोरट्रॉन

32. कम्प्यूटर प्रोग्रामिंग के लिए सबसे सरल भाषा हैः

A. असेम्बली भाषा

B. मशीनी भाषा

C. उच्चस्तरीय भाषा

D. इनमें से कोई नहीं

33. मशीनी भाषा में लिखे गए प्रोग्राम को कहते हैं:

A. सोर्स कोड

B. असेम्बलर

C. ऑब्जेक्ट कोड

D. उच्चस्तरीय प्रोग्राम

34. इन्ट्रपरेटर है जो:

A. असेम्बली कोड को मशीन कोड में बदलता है

B. जो किसी भी भाषा के प्रोग्राम को मशीनी भाषा में बदलता है

C. जो ऑपरेटिंग सिस्टम की जानकारी प्रदान करता है

D. जो उच्चस्तरीय भाषा के प्रोग्राम को एक-एक लाइन करके मशीनी भाषा में बदलता है

35. पहली बार ट्रांजिस्टर का प्रयोग किस कम्प्यूटर में किया गया?

A. डेटामेटिक-1000

B. कॉम्पेक प्रीसेरियो

C. आई॰बी॰एम॰-650

D. आई॰बी॰एम॰-1401

36. कम्प्यूटर में प्रयोग होने वाला सिलिकॉन चिप किस पदार्थ से बनाया जाता है?

A. ताँबा B. सामान्य मिट्टी
C. जर्मेनियम D. सिल्वर

37. कौन-सी मेमोरी का प्रयोग डाटा व प्रोग्रामों के अल्पकालिक संग्रह के लिए होता है?
A. परोम (PROM)
B. रेम (RAM)
C. इपरोम (EPROM)
D. रोम (ROM)

38. कम्प्यूटर के प्रोग्रांमों व कार्य प्रणाली को नष्ट या खराब करने वाले सॉफ्टवेयर को कहते हैं:
A. वाइरस
B. बग
C. ऑबस्टेकल
D. इनमें से कोई नहीं

39. कम्प्यूटर में किसी शब्द की लम्बाई नापने के लिए प्रयोग होता है:
A. मेगावाट B. मेगा हर्टज़
C. बाइट D. बिट्स

40. भारत द्वारा निर्मित एक सुपर कम्प्यूटर है:
A. अग्नि
B. अर्जुन
C. परम
D. इनमें से कोई नहीं

41. डॉक्यूमेन्टेशन तथा प्रोग्रामों का संग्रह कहलाता है:
A. सॉफ्टवेयर B. ब्रेनवेयर
C. हार्डवेयर D. ह्यूमनवेयर

42. कम्प्यूटर को आरम्भ करने की पद्धति कहलाती है:
A. स्टार्टअप
B. बूटर्स्टेपलोडर
C. लॉग ऑन
D. इनमें से कोई नहीं

43. ऑपरेटिंग सिस्टम प्रोग्राम किसके द्वारा लिखा जाता है?
A. कम्प्यूटर प्रोग्रामर
B. सामान्यतः कम्प्यूटर बनाने वाले
C. सिस्टम एनालिस्ट
D. इनमें से कोई नहीं

44. कम्प्यूटर द्वारा टाइम शेयरिंग का उपयोग होता है:
A. कम्प्यूटर को दिए गए कार्य एक के बाद एक करने के लिए
B. कम्प्यूटर द्वारा सूचना उपलब्ध कराने के लिए
C. कम्प्यूटर साधनों को एक-एक करके प्रयोग करने तथा छोटे व सरल कार्यों के लिए
D. इनमें से किसी के लिए नहीं

45. किसी विशेष काम को करने के लिए कम्प्यूटर को दिए गए संकेतों का संग्रह कहलाता है:
A. फाइल
B. प्रोसेस
C. प्रोग्राम
D. इनमें से कोई नहीं

46. हैंग (Hang) होना है:
A. कम्प्यूटर का पूरी तरह बन्द होना
B. कम्प्यूटर की चालू अवस्था में किसी प्रतिक्रिया का न होना
C. कम्प्यूटर का बार-बार बन्द होना
D. उपर्युक्त सभी

47. डाटा प्रोसेसिंग में सूचना का अर्थ है:
A. नियोजित एवं उपयोगी डाटा
B. डाटा का संग्रह
C. कम्प्यूटर फाइलें कॉपी करना
D. इनमें से कोई नहीं

48. मोडम (Modem) का प्रयोग होता है:
A. सूचनाओं के संग्रह के लिए

B. कम्प्यूटर प्रारंभ करने के लिए
C. डाटा का एक कम्प्यूटर से दूसरे कम्प्यूटर तक आदान प्रदान करने के लिए
D. इनमें से कोई नहीं

49. ऑपरेटिंग सिस्टम में प्रयुक्त होती है:
A. रोम (ROM)
B. रेम (RAM)
C. A तथा B दोनों
D. इनमें से कोई नहीं

50. ओरेकल (Oracle) है एक:
A. रिलेशनल डाटा बेस सिस्टम (RDBMS)
B. ऑपरेटिंग सिस्टम (OS)
C. पर्सनल कम्प्यूटर (PC)
D. उपर्युक्त सभी

51. एक लैप-टॉप किस प्रकार का कम्प्यूटर है?
A. मेन फ्रेम (Main Frame)
B. पर्सनल कम्प्यूटर (Personal Computer)
C. सुपर कम्प्यूटर (Super Computer)
D. इनमें से कोई नहीं

52. एक मैगा बाईट में कितने किलो बाईट होती है?
A. 1000 B. 1048
C. 1024 D. 2024

53. किस नैटवर्क में सभी कम्प्यूटर किसी डाटा बस (Data Bus) से बिना किसी रूकावट के सूचना का आदान-प्रदान कर सकते हैं?
A. स्टार (Star) B. रिंग (Ring)
C. बस (Bus) D. उपरोक्त सभी

54. इस समय हम कम्प्यूटरों की किस पीढ़ी (Generation) में हैं?
A. द्वितीय B. पंचम
C. सप्तम D. चतुर्थ

55. रोबोट का इस्तेमाल किस क्षेत्र में लाभकारी सिद्ध होगा:
A. बच्चों को कम्प्यूटर पढ़ाना
B. खतरनाक रसायनों का मिश्रण करना
C. मानव समाज की नीतियाँ निर्धारित करना
D. अणु बमों के बारे में शोध करना

56. किस कम्प्यूटर ने मानव को शतरंज के खेल में पराजित किया था?
A. क्रे–एक्स॰एम॰पी॰–14
B. डीप ओशन
C. डीप ब्लू
D. परम–2000

57. निम्नलिखित में उच्चस्तरीय कम्प्यूटर भाषा कौन-सी है?
A. ओरेकल (Oracle)
B. सी ++ (C++)
C. फॉक्सप्रो (Foxpro)
D. उपरोक्त सभी

58. विन्डोज–2000 क्या है?
A. एक ऑपरेटिंग सिस्टम
B. ऑपरेटिंग सिस्टम और कम्प्यूटर उपभोक्ता के मध्य की कड़ी
C. कम्प्यूटर की मशीनरी (Hardware)
D. उपरोक्त में से कोई नहीं

59. इंटरनेट पर दूर-दराज के क्षेत्र में बैठे हुए व्यक्ति से क्या कोई बातचीत हो सकती है?
A. असंभव
B. तभी जब दूसरे व्यक्ति के पास भी इंटरनेट का तंत्र और सम्बद्धता (Connectivity) हो

C. हाँ

D. इंटरनेट सेवा के ऊपर निर्भर करता है

60. आई॰सी॰ई॰ (ICE) से क्या तात्पर्य है?

A. सूचना, कम्प्यूटर और ऊर्जा

B. सूचना, संचार और मनोरंजन

C. अन्तर्राष्ट्रीय संचार तथा मनोरंजन

D. इनमें से कोई नहीं

61. विश्व का सबसे धनी व्यक्ति कम्प्यूटर की दुनिया से सम्बन्धित है। उसका नाम है:

A. माइकेल डैल

B. अज़ीम हाशिम प्रेमजी

C. लक्ष्मी मित्तल

D. इनमें से कोई नहीं

62. भूस्थैतिक उपग्रह धरती से कितनी ऊँचाई पर उसके चक्कर लगाते हैं?

A. 18,000 कि॰मी॰

B. 36,000 कि॰मी॰

C. 30,000 कि॰मी॰

D. 40,000 कि॰मी॰

63. वर्ष 1999-2000 में भारत का सॉफ्टवेयर निर्यात था:

A. 4 अरब 20 करोड़ डॉलर

B. 6 अरब 20 करोड़ डॉलर

C. 5 अरब 20 करोड़ डॉलर

D. इनमें से कोई नहीं

64. इस समय सबसे शक्तिशाली पर्सनल कम्प्यूटर (PC) वह है जिसकी रफ्तार (Processing Speed) है:

A. 400 मेगा हर्ट्ज़

B. 800 मेगा हर्ट्ज़

C. 1000 मेगा हर्ट्ज़

D. 1200 मेगा हर्ट्ज़

65. पहली कम्प्यूटर भाषा कौन-सी विकसित की गई थी?

A. कोबोल B. फॉरट्रॉन

C. बेसिक D. जावा

66. यदि कम्प्यूटर को गलत डाटा दिया जाता है तो उसके द्वारा:

A. ठीक डाटा निष्पादित होगा

B. गलत डाटा निष्पादित होगा

C. कुछ भी निष्पादित नहीं होगा

D. इनमें से कोई नहीं

67. "स्मॉर्ट डॉग" क्या है?

A. एक प्रकार का कम्प्यूटर का पुर्ज़ा

B. वाइरस हटाने वाला प्रोग्राम

C. एक व्यक्ति का नाम जो कम्प्यूटर की दुनिया में प्रसिद्ध है

D. एक कम्पनी का नाम जो सॉफ्टवेयर से सम्बद्ध है

68. भारत में इंटरनेट कनैक्शन कम संख्या में है क्योंकि:

A. धन का अभाव है

B. कम्प्यूटरों का अभाव है

C. उचित प्रकार की कम्प्यूटर शिक्षा का अभाव है

D. उपरोक्त सभी ठीक हैं

69. एच॰टी॰एम॰एल॰ का पूरा विवरण क्या है?

A. हाईपर टेली मैक्स लॉजिक

B. हाईपर टेक्स्ट मार्क-अप लैंगुएज

C. हाईपर टेंडम मार्क लॉजिक

D. इनमें से कोई नहीं

70. इंटरनेट का जाल पूरे देश में फैला है। इसके सर्वर कहाँ पर स्थित हैं?

A. भारत में

B. फ्रांस में

C. अमेरिका में

D. किसी अज्ञात स्थान पर

71. इंटरनेट प्रणाली में सूचना और डाटा कैसे हस्तांतरित किये जाते हैं?

A. एनालॉग सिग्नलों के द्वारा

B. 0 और 1 के द्वारा

C. डिजिटल पैकेट्स के द्वारा

D. ई-मेल के द्वारा

72. यदि आपके कम्प्यूटर मॉनिटर के प्रकाश बिन्दु (Pixels) बढ़ा दिये जायें तोः

A. मॉनिटर और चमकदार हो जायेगा

B. इसकी तस्वीर और साफ हो जाएगी

C. इसको देख पाना मुश्किल होगा

D. यह चलचित्रों को मुश्किल से दिखा सकेगा

73. निम्नलिखित में से कौन-सी भाषा इंटरनेट के लिए उपयुक्त नहीं है?

A. जावा

B. एच॰टी॰एम॰एल॰

C. सी ++

D. फॉरट्रॉन

74. निम्नलिखित में से कौन-सी कम्पनी इंटरनेट या सॉफ्टवेयरों के व्यापार से सम्बधित नहीं है?

A. विप्रो B. टी॰सी॰एस॰

C. इन्फॉसिस D. टिस्को

75. स्मॉर्ट होम क्या है?

A. घर के सभी व्यक्ति अपनी-अपनी जगहों पर बैठे एक दूसरे से वार्तालाप कर सकते हैं

B. कम्प्यूटरों और इंटरनेट प्रणाली के द्वारा व्यक्ति अपने घर के सभी तंत्रों और उपकरणों को नियंत्रित कर सकेगा

C. घरों को सुन्दर और निर्माण की दृष्टि से परिपूर्ण बनाने हेतु कम्प्यूटरों का प्रयोग होगा

D. इनमें से कोई नहीं

76. किस प्रिंटर की प्रति-कॉपी प्रिंट करने की लागत कम है?

A. लेज़र प्रिंटर की

B. इंकजेट प्रिंटर की

C. डॉट मैट्रिक्स प्रिंटर की

D. सभी को

77. यदि आपका कम्प्यूटर कार्य करते हुए बन्द हो जाए तो निम्नलिखित में से कौन-सी घटना घटेगी?

A. उसकी रैम (RAM) में सूचना यथावत् रहेगी

B. उसकी हार्ड डिस्क में सूचना यथावत् रहेगी

C. उसकी रैम (RAM) की सूचना व डाटा समाप्त हो जायेंगे

D. उसकी हार्ड डिस्क के सूचना व डाटा समाप्त हो जायेंगे

78. निम्नलिखित में से कौन-सा ब्रांड एप्पल कम्पनी का है?

A. पेंटियम-800

B. आई-मैक (iMAC)

C. कॉम्पैक

D. ये सभी एप्पल के ब्रांड हैं

79. क्या हम सी॰डी॰–रॉम से कम्प्यूटरों को चला सकते हैं अर्थात् Boot कर सकते हैं?

A. हाँ

B. नहीं

C. कम्प्यूटर के हार्डवेयर पर निर्भर है

D. कम्प्यूटर का उपयोग करने वाले पर निर्भर है

80. इंटरनेट पर सर्फिंग करने के लिए निम्नलिखित में से क्या आवश्यक नहीं है?

A. मोडम

B. आई॰एस॰पी॰ का खाता

C. प्रिंटर

D. टेलीफोन सम्बद्धता

81. कम्प्यूटर निम्नलिखित क्षेत्र में योगदान दे सकते हैं:
A. दूरसंचार
B. जीव विज्ञान
C. उत्पादन
D. उपरोक्त सभी में

82. भारत में इंटरनेट का आगमन किसके ज़रिये हुआ था?
A. एम॰टी॰एन॰एल॰
B. वी॰एस॰एन॰एल॰
C. टी॰सी॰एस॰
D. सत्यम् इन्फॉवे

83. श्री देवांग मेहता कौन थे?
A. टी॰सी॰एस॰ के कार्यकारी अध्यक्ष
B. नैसकॉम (NASSCOM) के अध्यक्ष
C. एक सॉफ्टवेयर निर्माता
D. डिपार्टमेंट ऑफ इलेक्ट्रॉनिक्स के निदेशक

84. ई॰-कॉम का क्या फायदा है?
A. करोड़ों लोग व कम्पनियाँ इंटरनेट के ज़रिये उन्मुक्त व्यापार कर सकते हैं और सूचनाओं का आदान-प्रदान कर सकते हैं
B. केवल कुछ कम्पनियाँ ही आपस में कारोबार कर सकती हैं
C. केवल सरकारी संस्थाओं को ही फायदा है
D. केवल अमेरिकी और यूरोपीय देशों को ही फायदा है

85. निम्नलिखित में से किसका सम्बन्ध कम्प्यूटरों से नहीं है?
A. एडा B. चार्ल्स बैबेज
C. ब्लेस पास्कल D. जोसेफ प्रीस्टले

86. "ब्लू टुथ" क्या है?
A. यह एक प्रकार का सॉफ्टवेयर है
B. यह एक तकनीक है जिसके द्वारा कई कम्प्यूटर बिना तारों के आपस में सूचनाओं का आदान-प्रदान कर सकते हैं
C. यह एक अमेरिकी उपग्रह है जिसका प्रयोग दूरसंचार हेतु होगा
D. इनमें से कोई नहीं

87. यदि एक व्यक्ति के पास डी॰टी॰एस॰ प्रणाली है तो वह लगभग कितने टी॰वी॰ चैनलों (अधिकतम) का आनन्द ले पायेगा?
A. 400 B. 10
C. 100 D. 175

88. सिस्टमस् एनैलिस्ट (Systems Analyst) का मुख्य कार्य क्या है?
A. ग्राहक कम्पनी की कम्प्यूटर प्रणाली को समझना
B. ग्राहक कम्पनी की कार्यप्रणाली को समझ कर अन्य प्रोग्रामों से सॉफ्टवेयर बनवाना
C. केवल सॉफ्टवेयर को टेस्ट करना
D. इनमें से कोई नहीं

89. माइक्रोसॉफ्ट ऑफिस 2000 वास्तव में क्या है?
A. एक उच्च स्तरीय भाषा (HLL)
B. एक एप्लीकेशन सॉफ्टवेयर पैकेज
C. हाडवेयर का एक पुर्ज़ा
D. माइक्रोसॉफ्ट का ब्रांड नाम

90. एक कम्प्यूटर की रैम (RAM) केवल 32 एम॰बी॰ है। क्या उसमें आटोकैड-14 (AUTOCAD-14) का सॉफ्टवेयर चलाया जा सकता है?
A. कठिनता से, क्योंकि रैम कम है
B. आसानी से, क्योंकि कम रैम से अन्तर नहीं पड़ता
C. बिल्कुल नहीं चलाया जा सकता
D. सॉफ्टवेयर पर निर्भर करता है

91. बायोस (BIOS) के चिप में लिखा गया प्रोग्राम:

A. मिटाया जा सकता है

B. कभी मिटाया नहीं जा सकता

C. मिटाया जा सकता है परन्तु उचित तकनीक की आवश्यकता है

D. इनमें से कोई नहीं

92. भारत से सॉफ्टवेयर का निर्यात बढ़ रहा है क्योंकि:

A. हमारे देश में कम्प्यूटरों की बहुतायत है

B. हमारे प्रोग्रामर कर्त्तव्यनिष्ठ और परिश्रमी हैं

C. सरकार की नीतियाँ सॉफ्टवेयर निर्यात के अनुकूल हैं

D. केवल (B) और (C)

93. एक सी॰पी॰यू॰ (CPU) के कौन-कौन से भाग होते हैं?

A. समानान्तर पोर्ट और सीरियल पोर्ट

B. ए॰एल॰यू॰ और सी॰यू॰

C. प्रिंटर और माऊस

D. हार्डवेयर और निर्देश

94. मल्टीमीडिया एप्लीकेशन्स का उपयोग इस क्षेत्र में नहीं हो सकता:

A. बच्चों की शिक्षा

B. उद्योग एवं व्यापार

C. सेल्युलर फोन सेवा

D. सिनेमा और संगीत

95. 'एसर' किस कम्पनी का कम्प्यूटर का ब्रांड नाम है?

A. एच॰सी॰एल॰ B. विप्रो

C. आई॰बी॰एम॰ D. यूनीकार्प

96. "थिंकपैड" किस कम्पनी का कम्प्यूटर का ब्रांड नाम है?

A. आई॰बी॰एम॰

B. विप्रो

C. डैल कम्प्यूटर्स

D. इनमें से कोई नहीं

97. हाईब्रिड कम्प्यूटर क्या है?

A. एक प्रकार का डिजिटल कम्प्यूटर

B. एक प्रकार का रोबोट

C. एक प्रकार का कम्प्यूटर जिसमें एनालॉग (Analog) और डिजिटल (Digital) तकनीकों का प्रयोग होता है

D. एक मशीन जो कम्प्यूटरों की सहायता से कार्य करती है

98. यदि हम कम्प्यूटर के लिए एक ऑपरेटिंग सिस्टम बनाते हैं तो हमें क्या कहा जायेगा?

A. हार्डवेयर प्रोग्रामर

B. हार्डवेयर इंजीनियर

C. सिस्टमस् प्रोग्रामर

D. इनमें से कोई नहीं

99. "टाईम शेयरिंग" क्या है?

A. सी॰पी॰यू॰ एक समय पर कई कार्य करता है

B. एक कम्प्यूटर एक समय पर एक ही कार्य करता है

C. हार्डवेयर के किसी पुर्ज़े को अन्य मशीनें, हार्डवेयर या प्रोग्राम कुशलतापूर्वक प्रयोग में लाते हैं

D. इनमें से कोई नहीं

100. एक अंक प्रणाली 16 को आधार मानकर चलती है। उसमें 0 से लेकर 9 तक अंक प्रयुक्त होते हैं और A से लेकर F तक अक्षर इस्तेमाल में लाये जाते हैं। इस प्रणाली का नाम है:

A. बाईनरी

B. हैक्साडेसिमल

C. ऑक्टेगोनल

D. इनमें से कोई नहीं

101. गणना हेतु प्रयोग में लाया गया पहला उपकरण था:

A. ENIAC

B. ABACUS

C. एनालिटिकल इंजन

D. EDSAC

102. ABACUS का प्रयोग कब शुरू हुआ था?

A. 250 ई॰

B. 450 ई॰पू॰

C. 1200 ई॰पू॰

D. 1200 ई॰

103. 1 बाइट बराबर है:

A. 8 बिट   B. 16 बिट

C. 36 बिट   D. 64 बिट

104. लेज़र प्रिन्टर की गति (स्पीड):

A. DPM में नापी जाती है

B. CPS में नापी जाती है

C. DPS में नापी जाती है

D. PPM में नापी जाती है

105. RAM का पूरा नाम है:

A. रेन्डम एक्सेस मेमोरी

B. रीड एक्सेस मेमोरी

C. रीड अरिथमेटिक मेमोरी

D. उपरोक्त में से कोई भी नहीं

106. चार्ल्स बैबेज ने जो टेबुलेटिंग मशीन बनाई थी, उसका नाम था:

A. अनालिटिकल कैलेण्डर

B. बैबेज मशीन

C. अनालिटिकल मशीन

D. अनालिटिकल इंजन

107. बाइनरी अंक पद्धति में कौनसे अंक इस्तेमाल होते हैं?

A. 0, 1   B. 1, 2

C. 1, –1   D. 0, 2

108. कम्प्यूटर निम्नलिखित कार्य कर सकता है?

A. जोड़ना, घटाना, गुणा करना और भाग करना

B. दो मूल्यों के बीच तुलना करना

C. सूचना (जानकारी) का संग्रह करना और मांगने पर सूचना (जानकारी) प्रस्तुत करना

D. उपरोक्त सभी

109. DOS में 'कॉपी':

A. इन्टरनल कमाण्ड है

B. एक्सटरनल कमाण्ड है

C. बेसिक कमाण्ड है

D. तीनों में से कोई नहीं

110. फ्लोचार्ट में प्रोसेस सिम्बल:

A. समचतुर्भुज आकार का होता है

B. आयाताकार होता है

C. वृत्तकार होता है

D. दीर्घ आयताकार होता है

111. किसी त्रुटि को शुद्ध (सही) करने के काम को क्या कहा जाता है?

A. इण्टरप्रेटिंग   B. डि-बगिंग

C. डि-बंकिंग   D. उपरोक्त सभी

112. सेन्ट्रल प्रोसेसिंग यूनिट (CPU):

A. कम्प्यूटर का प्राथमिक प्रोसेसिंग हार्डवेयर है जो कार्यक्रम निर्देशों की व्याख्या एवं कार्यान्वित तथा इनपुट, आउटपुट तथा स्टोरेज डिवाइसेज के कार्यों को व्यवस्थित करता है

B. कम्प्यूटर का हृदय माना जाता है

C. कम्प्यूटर के मदरबोर्ड के सिंगल चिप पर रह सकता है, या मदरबोर्ड के स्पेशल स्लॉट के भीतर वृहत कार्ड पर

D. उपरोक्त सभी

113. समानान्तर एवं तार्किक इकाई (एएलयू):

A. सी॰पी॰यू॰ का अवयव है
B. समानान्तर एवं तार्किक कार्यों का सम्पादन करता है
C. A तथा B दोनों
D. इनमें से कोई नहीं

114. डाटाः
A. एक अव्यवस्थित वस्तुओं का समूह, जिसमें शब्दों, अंकों, संकेतों, प्रतिबिम्बों तथा ध्वनियाँ जो कम्प्यूटर प्रोसेस तथा इन्हें सार्थक सूचना के रूप में व्यवस्थित करता है, सामंजन रह सकता है
B. एक वर्गों का समूह है, जो व्यवसायिक प्रपत्रों की बदलने की प्रक्रिया पर नियंत्रण रखता है, जैसे कि खरीद आदेशों, बीजकों तथा कम्प्यूटरों के बीच में
C. A तथा B दोनों
D. इनमें से कोई नहीं

115. E-मेल
A. इलेक्ट्रॉनिक मेल को दर्शाता है
B. खरीद आदेशों तथा बीजकों को एकत्रित करता है, कम्प्यूटरों के मध्य में
C. A तथा B दोनों
D. इनमें से कोई नहीं

116. ईडीआई
A. इलेक्ट्रॉनिक डाटा इन्टरचेंज को दर्शाता है
B. एक वर्गों का समूह है, जो व्यवसायिक प्रपत्रों के अदला-बदली पर नियंत्रण रखता है, जैसे खरीद आदेशों तथा बीजकों, कम्प्यूटरों के मध्य में
C. A तथा B दोनों
D. इनमें से कोई नहीं

117. हार्डवेयर
A. कम्प्यूटर का भौतिक अवयव है
B. जिसमें शामिल है, प्रोसेसर्स, मेमोरी चिप्स, इनपुट तथा आउटपुट डिवाइसेज, टेप्स, डिस्क्स, केबल्स, माडेम्स
C. A तथा B दोनों
D. इनमें से कोई नहीं

118. इनपुटः
A. एक डाटा या निर्देश है, जिससे तुम कम्प्यूटर के मेमोरी के अंदर प्रवेश कर पाते हो
B. हार्डवेयर अवयव है जो डाटा के अदला-बदली का प्रतिफल है
C. A तथा B दोनों
D. इनमें से कोई नहीं

119. इनपुट के चार प्रकार हैं:
A. डाटा, प्रोग्राम्स, कमान्ड तथा यूज़र रिसपोन्सेज़
B. हार्डवेयर अवयवों के बीच संचार जो डाटा के अदला-बदली का प्रतिफल है
C. A तथा B दोनों
D. इनमें से कोई नहीं

120. इनपुट डिवासेज हैः
A. वह कम्प्यूटर हार्डवेयर, जो डाटा तथा यूज़र के द्वारा दिए गए निर्देशों को ग्रहण करता है
B. हार्डवेयर अवयवों के बीच संचार स्थापित करता है तथा जिसका प्रतिफल डाटा का बदलाव है
C. A तथा B दोनों
D. इनमें से कोई नहीं

121. इनपुट/आउटपुट डिवासेजः
A. यूज़र तथा कम्प्यूटर के बीच

सम्पर्क कायम रखता है, जो डाटा के अदला-बदली का प्रतिफल है

B. हार्डवेयर अवयवों के बीच सम्पर्क कायम रखता है, जो डाटा के अदला-बदली का प्रतिफल है

C. A तथा B दोनों

D. इनमें से कोई नहीं

122. माइक्रोसॉफ्ट ऑफिस:

A. माइक्रोसॉफ्ट प्राइमरी एप्लीकेशन का विन्डो तथा मेकिनटोश के लिए दावा है

B. कुछ शब्दों का संयोजन, एक्सेल, पावर पॉइन्ट, इन्टरनेट तथा अन्य उपयोगी मेज़बान की पहुँच एवं सूची शामिल है

C. A तथा B दोनों

D. इनमें से कोई नहीं

123. मोडेम:

A. मोडुलेटर/डीमोडुलेटर का संक्षिप्त रूप है

B. यह एक इनपुट/आउटपुट डिवाइस है, जो कम्प्यूटर को टेलीफोन लाइन्स के द्वारा संवाद स्थापित करने का आदेश प्रदान करती है

C. आउटगोइंग डाटा को एनालोग सिगनलों में बदलती है, जो फोनलाइन पर प्रसारण हो सकती है तथा इनकमिंग आडियो.सिग्नलों को डिजीटल डाटा में बदलती है जो कम्प्यूटर के द्वारा व्यवहृत की जाती है

D. उपरोक्त सभी

124. मल्टीमीडिया:

A. मल्टीपल मीडिया के एकीकरण को दर्शाता है, जैसे की विजुअल इमेजिनरी, टेक्स्ट, वीडियो, ध्वनि तथा एनीमेशन

B. अक्सर सुपर हाइवे सूचना या इन्टरेक्टिव टीवी के द्वारा सम्बन्धित रहता है, जो मीडिया (माँग के आधार पर सूचना) या हाइपरमीडिया का उत्पादन कर सकता है

C. सॉफ्टवेयर तथा हार्डवेयर दोनों का एक संयोजन है

D. उपरोक्त सभी

125. मल्टीमीडिया:

A. संवाद अवधारणा, सूचना के लिए खोज तथा कॉमन मीडिया की नई अवधारणा के अनुभवों का एक सशक्त तरीका है

B. व्यवसायिक उपक्रमों को वृद्धि प्रदान करता है

C. A तथा B दोनों

D. इनमें से कोई नहीं

126. मदरबोर्ड:

A. प्रधान सर्किट बोर्ड है, जिसे सिस्टम बोर्ड भी कहा जा सकता है, एक इलेक्ट्रॉनिक विधि में सॉकेटों को रखता है जो अतिरिक्त बोर्ड ग्रहण करता है

B. संवाद अवधारणा का एक सशक्त माध्यम है

C. नेटवर्क का परस्पर आपसी गुण है

D. इनमें से कोई नहीं

127. प्रिन्टर्स:

A. एक आउटपुट विधि है, जो टेक्स्ट का उत्पादन तथा भौतिक माध्यम पर ग्राफिक्स (कागज़ या पारदर्शी फिल्म पर) करता है

B. जिन्हें निम्न प्रकारों में विभाजित

किया जा सकता है: इमपेक्ट प्रिन्टर्स तथा नॉनइमपेक्ट प्रिन्टर्स

C. A तथा B दोनों

D. इनमें से कोई नहीं

128. एक प्रोग्राम:

A. निर्देशों या क्रियाओं का एक क्रम है

B. निश्चित रूप से यांत्रिक रहता है जो प्रोसेसिंग ऑपरेशन्स (समानान्तर क्रियाओं या चल सूचना आदि) चलाने का एवं इनपुट तथा आउटपुट के संचालन का कार्य करता है

C. A तथा B दोनों

D. इनमें से कोई नहीं

129. आउटपुट:

A. वह डाटा, जो उपयोगी तरीके के रूप में व्यवहृत होता है तथा जिसे वीडीयू पर देखा जा सकता है या प्रिन्टर की सहायता से कागज़ पर व्यवस्थित किया जा सकता है या स्पीकर या हेडसेट की सहायता से सुना जा सकता है

B. फ्लॉपी डिस्क पर व्यवस्थित किया जा सकता है या भविष्य में उपयोग के लिए सीडी पर

C. टेक्स्ट, ग्राफिक्स, ऑडियो, वीडियो के रूप में व्यवहृत किया जा सकता है

D. उपरोक्त सभी

130. ऑफिस ऑटोमेशन विधि:

A. ऑटोमेट रुटीन ऑफिस टास्क्स

B. निम्न प्रकारों में विभाजित किया जाता है: इमपेक्ट तथा नॉनइमपेक्ट

C. A तथा B दोनों

D. इनमें से कोई नहीं

131. इनफॉर्मेशन सिस्टम (आइ॰एस॰) विभाग:

A. संगठन का सूचना विधि को सहारा देता है तथा कुल मिलाकर संगठन के खास काम को सहारा प्रदान करता है

B. आइएस विभाग हार्डवेयर तथा सॉफ्टवेयर के लिए तकनीकी सहायता प्रदान करता है, लेकिन संगठन का सारे सूचना विधियों का खाका एवं उसे लागू करने में भी शामिल हो सकता है

C. पेशेवर आइएस यह भी सुनिश्चित करता है कि यह प्रणाली सभी प्रकार का सटीक सूचना तथा रिपोर्ट जो कि संगठन के प्रबंधक तथा कर्मचारियों को अपेक्षित है, प्रदान करता है

D. उपरोक्त सभी

131. प्रोग्रामिंग भाषा:

A. प्रोग्राम को उल्लेख करने के लिए यंत्र कूट की अपेक्षा यह एक उच्च कोटि की भाषा है

B. कई प्रकार की बुनियादी अंग्रेजी का व्यवहार करता है

C. A तथा B दोनों

D. इनमें से कोई नहीं

132. निम्न स्तर की भाषाएं:

A. यंत्र पर निर्भर है; अर्थात् जो एक विशेष कम्प्यूटर पर खाका के रूप में अवस्थित होकर 0 (शून्य) तथा 1 के रूप में व्यवहृत होता है

B. सीखने में भी आसान होती है तथा एक विशेष प्रकार के कम्प्यूटर पर निर्भर नहीं करता है

C. इन्टरप्रेटर या कम्पाइलर की आवश्यकता निम्न स्तर की भाषा

को बदलने में होती है जिससे कि कम्प्यूटर को समझा जा सकता है

D. उपरोक्त सभी

133. उच्च स्तर की भाषाएं:

A. अंग्रेजी के समान भाषाएं हैं, जिससे एक कथन के द्वारा मशीनी भाषा में अनेकों प्रकार के निर्देशों का व्यवहार किया जाता है तथा जिसे मानव के द्वारा आसानी से समझा जा सकता है

B. सीखने में भी आसानी होती है तथा एक विशेष प्रकार के कम्प्यूटर पर निर्भर नहीं करता है

C. इन्टरप्रेटर या कम्पाइलर की आवश्यकता निम्न स्तर की भाषा को बदलने में होती है, जिससे कि कम्प्यूटर को समझा जा सकता है

D. उपरोक्त सभी

134. पाइपलाइनिंग

A. एक तकनीक है, जो प्रोसेसर को एक ही समय में ज्यादा निर्देशों को कार्यान्वित करने की व्यवस्था करता है

B. नियंत्रण इकाई वर्तमान निर्देशों के पूर्ण होने से पहले नई निर्देशों के कार्यान्वयन की शुरूआत करता है

C. A तथा B दोनों

D. इनमें से कोई नहीं

135. पोर्ट्स:

A. बाहरी विधियां जैसे कि कीबोर्ड, मॉनीटर, प्रिन्टर, माउस तथा माइक्रोफोन अक्सर सिस्टम यूनिट इन्टरफेस से केबल के द्वारा संयोजित रहता है

B. सिस्टम यूनिट की संयोजन बिन्दु को पोर्ट कहा जाता है। अधिकांश टाइम पोर्ट, सिस्टम यूनिट के पीछे अवस्थित रहता है, लेकिन वह सामने में भी अवस्थित रह सकता है

C. A या B

D. इनमें से कोई भी नहीं

136. एप्लीकेशन सॉफ्टवेयर:

A. कोई कम्प्यूटर प्रोग्राम बनाने या प्रोसेस डाटा में व्यवहृत होता है जैसे कि टेक्स्ट बीजक, स्प्रेड सीट्स, ग्राफिक्स इत्यादि

B. प्रोग्राम सिर्फ माउस फंक्शन्स को संचालित करता है

C. एक प्रकार का प्रोग्राम का खाका बहुत सूक्ष्म निर्देशों के समूहों का संचालन करता है

D. इनमें से कोई भी नहीं

137. डेस्कटॉप पब्लिशिंग प्रोग्राम:

A. एप्लीकेशन सॉफ्टवेयर से निर्देशित होता है

B. कम्प्यूटिंग में साक्षरता व्यक्तिगत रूप में व्यवहृत होता है

C. एक प्रकार प्रोग्राम का खाका बहुत सूक्ष्म निर्देशों के समूहों का संचालन करता है

D. इनमें से कोई नहीं

138. एएससीआइआइ:

A. 7 बिट बाइनरी कोड है

B. अमेरिकन नेशनल स्टैन्डर्ड्स इन्स्टीच्यूट (एएनएसआइ) द्वारा विकसित किया गया है

C. सांकेतिक, आंकिक एवं अलफान्यूमेरिक चरित्रों का प्रतिनिधित्व करता है

D. उपरोक्त सभी

139. असेम्बलर:

A. एक कम्प्यूटर प्रोग्राम है, जो एसेम्बली लेन्वेज इन्सट्रक्शनों को मशीनी भाषा में बदलता है

B. अमेरिकन नेशनल स्टेन्डर्ड्स इन्स्टीच्यूट (एएनएसआइ) द्वारा विकसित किया गया है

C. सांकेतिक, आंकिक तथा अल्फान्यूमेरिक चरित्रों, वॉयस का प्रतिनिधित्व करता है

D. उपरोक्त सभी

140. एटीएमः

A. एसीनक्रोनस ट्रान्सफर मोड को दर्शाता है

B. एक प्रोटोकॉल डिजाइन्ड नेटवर्क है जिससे ध्वनि, वीडियो तथा सिंगिल नेटवर्क पर डाटा ट्रान्समिशन भेजने का काम करता है।

C. अनेकों प्रकार के संयोजनों, माँग आधारित बैंडविड्ध प्रदान करता है, जो प्रसारित होने वाले डाटा पर निर्भर करता है।

D. उपरोक्त सभी।

141. बैकअप का अभिप्राय हैः

A. मूल प्रति के नष्ट होने की स्थिति में, प्रोग्राम या डाटा फाइल्स का द्वितीयक प्रति का निर्माण करना।

B. कम्प्यूटर में अनेकों प्रकार संयोजन एवं बैंडविड्थ प्रदान करना

C. डाटा प्रसारण के प्रकार

D. इनमें से कोई भी नहीं।

142. कम्प्यूटर का अब व्यवहार होने लगा हैः

A. रेस्टोरेन्ट्स तथा ऑटोमोबाइल कम्पनियों में

B. दफ्तरों तथा घरों में

C. अनुसंधान के क्षेत्रों में

D. उपरोक्त सभी में

143. सूचनाः

A. डाटा का संक्षिप्त विवरण है।

B. डाटा को निर्देशित करता है जो कि संगठित एवं प्राप्त करने वालों के लिए सार्थक है।

C. जो सार्थक, संक्षिप्त, सटीक एवं हमारे ज्ञान तथा निर्णय लेने की प्रक्रिया में सहायता प्रदान कर सकें।

D. उपरोक्त सभी।

144. डाटाः

A. सटीक, निरीक्षण, अवधारणा या घटना तथा "डॉटम" की बहुवचन के रूप में व्याख्या की जा सकती है।

B. साधारणतया कई स्रोतों से प्राप्त किए गए मिश्रित तथ्य को निर्देशित करता है।

C. कम्प्यूटर के द्वारा प्रोसेस्ड या मेनुपुलेट किया गया कोई या सभी तथ्यों, अंकों, अक्षरों, संकेतों आदि को निर्देशित करता है।

D. उपरोक्त सभी

145. डाटा तथा सूचनाः

A. अक्सर परस्पर अदला–बदली के रूप में व्यवहार होता है

B. परस्पर अदला–बदली के रूप में व्यवहार नहीं होता है

C. मानव के द्वारा निर्णय लेने की प्रक्रिया में व्यवहार नहीं होता है

D. इनमें से कोई भी नहीं।

146. तार्किक डाटा निर्देशित करता हैः

A. उस तरीके को जिसमें डाटा एकत्रित माध्यम पर उल्लेखित

किया जा सकता है

B. साधारणतया विभिन्न स्रोतों के द्वारा प्राप्त किया गया प्रोसेस्ड तथ्यों को निर्देशित करता है

C. तथ्य, निरीक्षण, अवधारणा या घटना तथा "डॉटम" के बहुवचन के रूप में परिभाषित किया जा सकता है।

D. इनमें से कोई भी नहीं।

147. डाटा आइटमः

A. डाटा का एक प्राथमिक या व्यक्तिगत तत्व है

B. एक नाम के द्वारा जाना जाता है तथा जिसका एक उपयुक्त मान है

C. कोई चीज है जो किसी क्षेत्र के समान निर्देशित है

D. उपरोक्त सभी

148. कम्प्यूटर में सबसे छोटी परिचयात्मक इकाई हैः

A. बाइट–जो आठ बिट का एक विशेष समूह है, जो एक गुण को दर्शाता है।

B. एफएम

C. टीपीएम

D. इनमें से कोई भी नहीं

149. फाइलः

A. सम्बन्धित लेखा–जोखा का एक समूह है

B. एक ऑटोमेटेड प्रोसेसिंग सिस्टम है

C. टीडीएम

D. इनमें से कोई भी नहीं

150. इलेक्ट्रोनिक रूप में, डाटा निर्देशित करता हैः

A. डाटा फिल्ड्स, लेखा–जोखा, फाइल्स तथा डाटाबेस

B. वर्ड प्रोसेसिंग बीजक, ग्राफिक्स, इमेज्स

C. वॉयस तथा वीडियो का अंकिक कूट है

D. उपरोक्त सभी

151. डाटा प्रोसेसिंग हैः

A. डाटा बदलने की विधि है जिसमें भौतिक फॉरमेट को तार्किक फॉरमेट में बदला जाता है

B. वॉयस तथा वीडियो का आंकिक कूट है

C. A तथा B दोनों

D. इसमें कोई भी नहीं

152. इलेक्ट्रॉनिक मेल हैः

A. संचार नेटवर्क पर अक्षरों, संवादों तथा यादगारों का प्रसारण है

B. दफ्तर में सभी सूचना संकलनों का वितरण है

C. A तथा B दोनों

D. इनमें से कोई भी नहीं

153. E-मेल सिस्टम का संचार नेटवर्क रोढ़ है जो जोड़ता है रिमोट कन्ट्रोल कोः

A. सेन्ट्रल सिस्टम या लोकल एरिया नेटवर्क जो परस्पर व्यक्तिगत कम्प्यूटरों से जुड़ा रहता है

B. वायस तथा वीडियो आंकिक कूट है

C. A तथा B दोनों

D. इनमें से कोई भी नहीं

154. फैक्स या फैसिमाइल

A. रिमोट लोकेसन्श के बीच में मुद्रित पृष्ठों का संचार है

B. पेपर फॉर्म का टर्मिनल स्कैन तथा प्राइवेट लाइन्स पर प्रसारण के लिये इस इमेज को एनालोग कोड में बदलता है

C. प्राप्त टर्मिनल को पुनः कोड से

इमेज में परिवर्तन कर तथा मूल पृष्ठ पर "फेंसिमाइल" मुद्रित करता है।

D. उपरोक्त सभी

155. डाटा प्रोसेसिंग चक्र रखता है:

A. तीन मूल चरण—इनपुट चक्र, प्रोसेसिंग चक्र, आउटपुट चक्र।

B. टर्मिनल्स, जो पेपर फॉर्म का स्कैन करता है तथा प्रसारण के लिए इस इमेज को एनालोग कोड में बदलता है।

C. प्राप्त टर्मिनल को पुनः कोड से इमेज में परिवर्तन कर मूल पृष्ठ पर 'फेसिमाइल' मुद्रित करता है

D. उपरोक्त सभी

156. एक आउटपुट ऑपरेशन दो कार्यों का सम्पादन करता है जो है:

A. यह कारण है एक इनपुट डिवाइस का जो भौतिक रूप से पढ़ने वाला डाटा तथा डाटा को इनपुट डिवाइस से सीपीयू क्षेत्र का एक इनपुट में प्रसारण करता है

B. यह एक इनपुट डिवाइस का कारण है, जो कि डाटा का प्रसारण करता है तथा इमेज फॉर्म में बदलता है

C. यह एक इनपुट डिवाइस का कारण है जो भौतिक रूप से पढ़ने वाले डाटा को प्रिन्टर में प्रसारण करता है

D. इनमें से कोई भी नहीं।

157. एक ऑउटपुट ऑपरेशन कारण है:

A. सीपीयू के अंदर आउटपुट एरिया से सूचना का प्रसारण एक आउटपुट डिवाइस जैसे कि प्रिन्टर में किया जाता है

B. कुछ माध्यमों पर सीपीयू का लेखा–जोखा/ डिस्प्ले की सूचना रहती है

C. A तथा B दोनों

D. इनमें से कोई नहीं

158. कम्प्यूटर:

A. आपको बैंकों में एटीएम के रूप में पैसों की जमा एवं निकासी करने में सहायता करता है।

B. उपस्थित रहता है दैनिक जीवन के हरेक क्षेत्र में जैसे कार्यक्षेत्र, घर तथा कक्षा इत्यादि में

C. एक इलेक्ट्रोनिक यंग जो अपनी स्मृति में संग्रहित निर्देशों पर नियंत्रण कर कार्य करता है, जो डाटा (इनपुट) प्राप्त करता है, डाटा को एक विशेष नियम के तहत संचालित करता है, प्रतिफल देता है इस प्रतिफल को एकत्रित कर भविष्य में उपयोग करता है।

D. उपरोक्त सभी

159. एक आदमी कम्प्यूटर को संचालित करता है या इसके द्वारा प्राप्त सूचनाओं का उपयोग करता है, को कहते हैं:

A. यूजर

B. प्रोसेसर

C. कॉमेनटेटर

D. इनमें से कोई भी नहीं

160. कम्प्यूटर की प्राथमिक स्मृति:

A. सॉफ्टवेयर सिस्टम का अनिवार्य प्रोग्राम को संग्रह करता है

B. आकार तथा प्रोग्राम की संख्या ज्ञात की जाती है जो कि कम्प्यूटर में उसी समय अवस्थित होगी

C. A तथा B दोनों

D. इनमें से कोई भी नहीं

162. तकनीकी में व्यापकता एवं कम्प्यूटर के द्वारा दैनिक जीवन में होने वाले व्यापक उपयोग के लिए, यह

A. हरेक आदमियों के लिए सामान्य स्तर तक कम्प्यूटर तकनीक की जानकारी आवश्यक है

B. हरेक आदमियों के लिए सामान्य स्तर तक कम्प्यूटर तकनीक की जानकारी आवश्यक नहीं है

C. समस्या को जन्म दे सकती है

D. इनमें से कोई भी नहीं

163. कम्प्यूटर की प्रमुख स्मृतिः

A. दो भागों में विभाजित की जा सकती है – रैम तथा रोम

B. कम्प्यूटर के लिए आवश्यक नहीं है

C. एकत्रित मीडिया से वहन किया जा सकता है

D. इनमें से कोई भी नहीं

164. रैमः

A. "रैन्डम एक्सेस मेमोरी" को दर्शाता है

B. गतिशील है, जिसका अर्थ होता है रैम में एकत्रित आइटम जो कम्प्यूटर की शक्तिक्षीण होने के कारण नष्ट हो जाती है।

C. A तथा B दोनों

D. इनमें से कोई भी नहीं

165. कम्प्यूटरः

A. इनका प्रोसेसिंग समय बढ़ाने के लिए कैच मेमोरी का उपयोग करता है

B. अस्थायी संग्रह के लिए मुख्य स्मृति का व्यवहार करता है

C. द्वितीयक स्मृति का व्यवहार करता है जो अत्यधिक डाटा संग्रह करनें में स्थिर रहता है

D. उपरोक्त सभी

166. वीडियो कनफरेन्सिंग दो या दो से अधिक भौगालिक रूप से अलग रहने वालों के बीच की सभा है, जो

A. ऑडियो तथा वीडियो डाटा के प्रसारण के लिए नेटवर्क या इन्टरनेट का उपयोग करता है

B. ऑडियो तथा वीडियो डाटा के प्रसारण के लिए उपग्रह का उपयोग करता है

C. A तथा B दोनों

D. इनमें से कोई भी नहीं

167. सीडी–रोमः

A. कॉम्पैक्ट डिस्क रीड ऑनली मेमोरी को दर्शाता है

B. एक सिल्वर कलर्ड कॉम्पेक्ट डिस्क है जो लेजर तकनीक का उपयोग करता है

C. A तथा B दोनों

D. इनमें से कोई भी नहीं

168. यूनीक्सः

A. एक मल्टीयूजर, मल्टीआस्किंग ऑपरेटिंग सिस्टम है

B. 1970 के शुरूआत में वैज्ञानिकों के द्वारा बेल–प्रयोगशाला में विकसित किया गया था

C. A तथा B दोनों

D. इनमें से कोई भी नहीं

169. वायरसः

A. एक कम्प्यूटर प्रोगाम है, जो दूसरे प्रोग्रामों की अपने आप नकल करता है तथा मल्टीपल कम्प्यूटर के द्वारा विस्तारित होता है

B. अक्सर कम्प्यूटर को जानबूझकर क्षति करने के लिए इसके डाटा को नष्ट या रद्दोबदल करने के

लिए खाका तैयार किया जाता है

C. A तथा B दोनों

D. इनमें से कोई भी नहीं

170. एक टेम्पलेटः

A. एक बीजक है, जो विशिष्ट बीजकों के प्रकार के लिए आवश्यक फॉरमेटिंग रखता है।

B. अक्सर बीजकों जैसे मेमो आदि, फैक्स सीट्स तथा अक्षरों का आवरण बनाये रखता है।

C. A तथा B दोनों

D. इनमें से कोई भी नहीं

उत्तरमाला

1	2	3	4	5	6	7	8	9	10
A	D	C	C	C	A	C	A	C	D
11	**12**	**13**	**14**	**15**	**16**	**17**	**18**	**19**	**20**
C	B	B	C	B	D	C	A	B	B
21	**22**	**23**	**24**	**25**	**26**	**27**	**28**	**29**	**30**
C	A	C	B	C	A	D	A	D	D
31	**32**	**33**	**34**	**35**	**36**	**37**	**38**	**39**	**40**
D	C	C	D	D	B	B	A	D	C
41	**42**	**43**	**44**	**45**	**46**	**47**	**48**	**49**	**50**
A	B	B	C	C	B	A	C	A	A
51	**52**	**53**	**54**	**55**	**56**	**57**	**58**	**59**	**60**
B	C	C	B	B	C	B	B	B	B
61	**62**	**63**	**64**	**65**	**66**	**67**	**68**	**69**	**70**
D	B	B	B	B	B	B	D	B	C
71	**72**	**73**	**74**	**75**	**76**	**77**	**78**	**79**	**80**
C	B	D	D	B	A	C	B	B	C
81	**82**	**83**	**84**	**85**	**86**	**87**	**88**	**89**	**90**
D	B	B	A	D	B	C	B	B	A
91	**92**	**93**	**94**	**95**	**96**	**97**	**98**	**99**	**100**
B	D	B	C	B	A	C	C	C	B
101	**102**	**103**	**104**	**105**	**106**	**107**	**108**	**109**	**110**
B	A	A	D	A	D	A	D	A	B
111	**112**	**113**	**114**	**115**	**116**	**117**	**118**	**119**	**120**
B	D	C	A	A	A	C	A	A	A
121	**122**	**123**	**124**	**125**	**126**	**127**	**128**	**129**	**130**
C	C	D	D	C	A	C	C	D	A
131	**132**	**133**	**134**	**135**	**136**	**137**	**138**	**139**	**140**
D	C	A	D	C	C	A	A	D	A
141	**142**	**143**	**144**	**145**	**146**	**147**	**148**	**149**	**150**
D	A	D	D	D	A	A	D	A	A
151	**152**	**153**	**154**	**155**	**156**	**157**	**158**	**159**	**160**
D	A	A	A	D	A	A	A	D	A
161	**162**	**163**	**164**	**165**	**166**	**167**	**168**	**169**	**170**
C	A	A	D	D	A	C	C	C	C

संख्यात्मक योग्यता

1. भिन्न—जोड़, घटा, गुणा व भाग

भिन्न : किसी संख्या, वस्तु या मात्रा के समान भाग या भागों के बीच संबंध को दर्शाने वाली संख्या को भिन्न कहते हैं।

जैसे : एक चौथाई भाग = $\frac{1}{4}$,

आधा भाग = $\frac{1}{2}$

भिन्नों के प्रकार

1. सम भिन्न : जब किसी भिन्न का **अंश** उसके **हर** से कम होता है, तो उसे **सम भिन्न** कहते हैं।

जैसे : $\frac{2}{5}, \frac{1}{6}, \frac{3}{7}$........आदि सम भिन्न हैं।

2. विषम भिन्न : जब किसी भिन्न का **अंश** उसके **हर** से बड़ा होता है उसे **विषम भिन्न** कहते हैं।

जैसे : $\frac{3}{2}, \frac{5}{2}, \frac{7}{5}$........आदि विषम भिन्न हैं।

इस प्रकार विषम भिन्न सदैव सम भिन्न से बड़ी होती है।

3. मिश्रित भिन्न : मिश्रित भिन्न में सम भिन्न के साथ कोई पूर्णांक भी होता है। जैसे :

$2\frac{1}{4}$ एक मिश्रित भिन्न है। इसमें 2 पूर्णांक है तथा $\frac{1}{4}$ सम भिन्न है। इसे निम्न प्रकार से भी लिखा जा सकता है—

$$2\frac{1}{4} = 2 + \frac{1}{4}$$

मिश्रित भिन्न को विषम भिन्न में बदलने की क्रिया

जैसे : $2\frac{1}{4}$ एक मिश्रित भिन्न है। इसमें 2 को 4 से गुणा करके प्राप्त गुणनफल में 1 जोड़ने

पर प्राप्त भिन्न में अंश का मान $= 2 \times 4 + 1 = 9$ तथा हर का मान = 4 होगा। अतः $2\frac{1}{4}$ को $\frac{9}{4}$ भी लिखा जाता है जो एक विषम भिन्न के रूप में प्रदर्शित है।

सजातीय भिन्न : जब भिन्नों के हर समान हों, तो उन्हें सजातीय भिन्न कहते हैं।

जैसे : $\frac{1}{8}, \frac{3}{8}, \frac{5}{8}, \frac{7}{8}$........आदि सजातीय भिन्न हैं।

विजातीय भिन्न : जब भिन्नों के हर असमान हों, तो उन्हें विजातीय भिन्न कहते हैं।

जैसे : $\frac{1}{2}, \frac{2}{3}, \frac{3}{5}, \frac{3}{7}$........आदि विजातीय भिन्न हैं।

विजातीय भिन्नों को सजातीय भिन्नों में बदलना

जैसे : $\frac{3}{4}, \frac{4}{5}$ तथा $\frac{2}{7}$ विजातीय भिन्नों को सजातीय भिन्नों में बदलना है तब सबसे पहले दी हुई भिन्नों के हरों का ल. स. व. ज्ञात करना होगा। ∵ 4, 5 व 7 का ल. स. व. = 140 है। अब 140 में 4, 5 व 7 से भाग देने पर क्रमशः 35, 28 व 20 आयेगा। अतः दी हुई भिन्नों को सजातीय भिन्नों में बदलने के लिए पहली, दूसरी व तीसरी विजातीय भिन्नों को क्रमशः 35, 28 व 20 से गुणा व भाग करना होगा अर्थात्

$$\frac{3}{4} = \frac{3}{4} \times \frac{35}{35} = \frac{105}{140}$$
$$\frac{4}{5} = \frac{4}{5} \times \frac{28}{28} = \frac{112}{140}$$
$$\frac{2}{7} = \frac{2}{7} \times \frac{20}{20} = \frac{40}{140}$$

भिन्नों को जोड़ने की क्रिया : यदि प्रश्नों में $\left(\frac{2}{3} + \frac{3}{5} + \frac{1}{2}\right)$ भिन्नों को जोड़ना हो तब सबसे पहले दी हुई भिन्नों के हरों का ल. स. व. ज्ञात करते हैं अर्थात् 3, 5 व 2 का ल. स. व. ज्ञात करना है।

चूंकि 3, 5 व 2 का ल. स. व. = 30

अतः 30 में 3, 5 व 2 का भाग देने पर क्रमशः 10, 6 व 15 आता है।

∴ पहली, दूसरी व तीसरी भिन्नों को क्रमशः 10, 6 तथा 15 से गुणा व भाग करना है।

$\therefore \frac{2}{3} = \frac{2}{3} \times \frac{10}{10} = \frac{20}{30}, \frac{3}{5} = \frac{3}{5} \times \frac{6}{6} = \frac{18}{30}$ तथा $\frac{1}{2} = \frac{1}{2} \times \frac{15}{15} = \frac{15}{30}$

$$\therefore \frac{2}{3}+\frac{3}{5}+\frac{1}{2}=\frac{20}{30}+\frac{18}{30}+\frac{15}{30}=\frac{20+18+15}{30}=\frac{53}{30}=1\frac{23}{30}$$

भिन्नों को घटाने की क्रिया : यदि प्रश्नों में $\left(\frac{11}{12}-\frac{5}{9}\right)$ भिन्नों को घटाना हो तब सबसे पहले दी हुई भिन्नों के हरों का ल. स. व. ज्ञात करते हैं। अर्थात 12 व 9 का ल. स. व. ज्ञात करना है।

$\therefore$ 12 व 9 का ल. स. व. = 36

$\because$ 36 में 12 व 9 का भाग देने पर क्रमशः 3 व 4 आता है।

$\therefore$ पहली व दूसरी भिन्नों में क्रमशः 3 व 4 से गुणा व भाग करना होगा।

$$\therefore \frac{11}{12}=\frac{11}{12}\times\frac{3}{3}=\frac{33}{36} \quad \text{तथा} \quad \frac{5}{9}=\frac{5}{9}\times\frac{4}{4}=\frac{20}{36}$$

$$\therefore \left(\frac{11}{12}-\frac{5}{9}\right)=\left(\frac{33}{36}-\frac{20}{36}\right)=\frac{33-20}{36}=\frac{13}{36},$$

भिन्नों में गुणा की क्रिया : इस प्रकार की गुणा की क्रिया में निम्नलिखित बातों को ध्यान में रखना चाहिए :

(*i*) सब भिन्नों को सम भिन्नों में बदलकर गुणा की क्रिया करें।

(*ii*) यदि किसी भिन्न को पूर्णांक से गुणा करना हो तो, उस भिन्न के अंश में पूर्णांक से गुणा कर देते हैं और हर वही रहता है।

(*iii*) दो भिन्नों का गुणनफल

$$= \frac{\text{दोनों भिन्नों के अंशों का गुणनफल}}{\text{दोनों भिन्नों के हरों का गुणनफल}}$$

जैसे : $1\frac{4}{5}\times\frac{15}{18}$ में गुणा की क्रिया करनी हो तब

$$\because \quad 1\frac{4}{5} = 1 + \frac{4}{5} = \frac{5+4}{5} = \frac{9}{5}$$

$$\therefore \quad 1\frac{1}{4} \times \frac{15}{18} = \frac{9}{5} \times \frac{15}{18} = \frac{3}{2}$$

भिन्नों में भाग की क्रिया : इस प्रकार की भाग की क्रिया में सबसे पहले भाग के चिह्न (÷) को गुणा के चिह्न (×) में बदलते हैं। जब भाग के चिह्न (÷) को बदलकर गुणा (×) का चिह्न लगाते हैं तो भाग के चिह्न (÷) के बाद आने वाली भिन्न उलट जाती है अर्थात् यदि वह $\div\frac{2}{5}$ है तो वह $\times\frac{5}{2}$ हो जायेगी। इसके बाद गुणा की क्रिया करनी होती है।

जैसे : $\frac{3}{4} \div 2\frac{1}{2}$ में भाग की क्रिया करनी है तब

$$= \frac{3}{4} \div \frac{5}{2} = \frac{3}{4} \times \frac{2}{5} = \frac{3}{10}.$$

महत्त्वपूर्ण नोट : *(i)* यदि भिन्नों से सम्बंधित समस्याओं में जोड़ (+), घटाना (–), गुणा (×) व भाग (÷) चिह्न एक साथ प्रदर्शित हों तो उन समस्याओं को हल करने के लिए "BODMAS" शब्द का प्रयोग किया जाता है। 'BODMAS' शब्द का क्रमानुसार आशय है—

B	→	Bracket (कोष्ठक)	$\left[\left\{\left(\bar{\ }\right)\right\}\right]$
O	→	of (आफ)	का
D	→	Division (भाग)	÷
M	→	Multiplication (गुणा)	×
A	→	Addition (जोड़)	+
S	→	Subtraction (घटाना)	—

अतः सबसे पहले 'बन्धनी रेखा' फिर छोटा कोष्ठक '( )', उसके बाद मझले कोष्ठक '{ }', फिर बड़ा कोष्ठक '[ ]', उसके बाद 'का', उसके बाद 'भाग', उसके बाद 'गुणा', उसके बाद 'जोड़' और अन्त में 'घटाना' को सरल करते हैं।

(ii) प्रश्नों में 'का' शब्द गुणा को प्रदर्शित करता है।

उदाहरण 1. $7\frac{5}{9} + \frac{85}{9}$ का मान ज्ञात कीजिए।

हल : $\because$ $$7\frac{5}{9} = 7 + \frac{5}{9}$$

$\therefore$ $$7\frac{5}{9} + \frac{85}{9} = 7 + \left(\frac{5}{9} + \frac{85}{9}\right) = 7 + \left(\frac{90}{9}\right)$$

$$= 7 + 10 = 17.$$

उदाहरण 2. $\left(\frac{2}{7} + \frac{3}{7} + \frac{4}{7} + \frac{5}{7}\right)$ का मान कितना होगा ?

हल : $\because \frac{2}{7} + \frac{3}{7} + \frac{4}{7} + \frac{5}{7} = \frac{(2+3+4+5)}{7}$

$$= \frac{14}{7} = 2.$$

उदाहरण 3. $3\frac{1}{3} + 5\frac{3}{8} + 2\frac{1}{4} = ?$

हल : $\because$ $3\frac{1}{3} = 3 + \frac{1}{3}$, $5\frac{3}{8} = 5 + \frac{3}{8}$ तथा $2\frac{1}{4} = 2 + \frac{1}{4}$

$$\therefore 3\frac{1}{3} + 5\frac{3}{8} + 2\frac{1}{4} = 3 + \frac{1}{3} + 5 + \frac{3}{8} + 2 + \frac{1}{4} = 10 + \frac{1}{3} + \frac{3}{8} + \frac{1}{4}$$

$$= 10 + \left(\frac{8+9+6}{24}\right) = 10 + \frac{23}{24} = 10\frac{23}{24}$$

उदाहरण 4. $\left(3\frac{1}{2} + 2\frac{1}{3} - 3\frac{1}{4}\right)$ का मान ज्ञात कीजिए।

हल : $\because$ $\left(3\frac{1}{2} + 2\frac{1}{3} - 3\frac{1}{4}\right) = \left(3 + 2 - 3 + \frac{1}{2} + \frac{1}{3} - \frac{1}{4}\right)$

$$= 2 + \left(\frac{6+4-3}{12}\right) = 2 + \frac{7}{12} = 2\frac{7}{12}$$

उदाहरण 5. $\left(5\frac{1}{4} \div 7\right)$ का मान ज्ञात करो ।

हल : $\because$ $5\frac{1}{4} \div 7 \Rightarrow \frac{21}{4} \div 7 \Rightarrow \frac{21}{4} \times \frac{1}{7} = \frac{3}{4}$.

उदाहरण 6. $\frac{1}{3} \times \frac{9}{11} \div 2\frac{1}{2}$ का मान ज्ञात कीजिए ।

हल : $\because$ $\frac{1}{3} \times \frac{9}{11} \div 2\frac{1}{2}$

$$= \frac{1}{3} \times \frac{9}{11} \div \frac{5}{2}$$

$$= \frac{1}{3} \times \frac{9}{11} \times \frac{2}{5}$$ [BODMAS नियम के अनुसार]

$$= \frac{6}{55}.$$

उदाहरण 7. $\left(17 \div \frac{51}{3} \times \frac{51}{17}\right)$ का मान कितना होगा ?

हल : $\because$ $17 \div \frac{51}{3} \times \frac{51}{17}$

$$= 17 \times \frac{3}{51} \times \frac{51}{17}$$

$$= 3.$$

उदाहरण 8. (36800 ÷ 230 + 230) का मान कितना है ?

हल : $\because$ 36800 ÷ 230 + 230

$= \frac{36800}{230} + 230$ [$\because$ BODMAS शब्द के अनुसार पहले 'भाग' फिर 'जोड़' होगा]

$= 160 + 230$

$= 390.$

उदाहरण 9. $\left(870 \times 5\frac{2}{3} + 4\frac{4}{5} \div 1\frac{3}{5}\right)$ का मान ज्ञात करो ।

हल : 'BODMAS' शब्द के अनुसार '+', '×' तथा '÷' चिह्नों में सबसे पहले '÷' फिर 'गुणा' उसके बाद 'जोड़' करना होगा।

$\therefore\ 870 \times \frac{17}{3} + \left(\frac{24}{5} \div \frac{8}{5}\right)$

$= 870 \times \frac{17}{3} + \left(\frac{24}{5} \times \frac{5}{8}\right) \Rightarrow \left(870 \times \frac{17}{3}\right) + 3$

$= (290 \times 17) + 3$

$= 4930 + 3$

$= 4933.$

उदाहरण 10. यदि 36 – ? = 3×4 – 2×5 हो तो प्रश्न चिह्न (?) के स्थान पर मान क्या होगा ?

हल : 36 – ? = 3 × 4 – 2 × 5

$\Rightarrow$ 36 – ? = 12 – 10

$\Rightarrow$ 36 – ? = 2 [BODMAS नियम के अनुसार पहले 'गुणा' करनी होगी।]

$\Rightarrow$? = 36 – 2 = 34.

अतः प्रश्न चिह्न (?) के स्थान पर मान = 34 होगा।

उदाहरण 11. $72 \div (3)^2 \div (2)^2 = ?$

हल : $\therefore\ 72 \div (3)^2 \div (2)^2 = ?$

$\therefore\ \frac{72}{(3)^2} \div (2)^2 = ?$

$\therefore\ \frac{72}{9} \div (2)^2 = ?$

$\therefore\ 8 \div (2)^2 = ?$

$\therefore \quad \frac{8}{(2)^2} = ?$

$\therefore \quad \frac{8}{4} = 2 = ?$

विद्यार्थी ध्यान रखें : भिन्नों के प्रश्नों में समान चिह्न होने पर भिन्नों को बाएं से दाएं की ओर सरल करना चाहिए।

अभ्यासमाला

नीचे दिये गये प्रत्येक प्रश्न के चार संभावित उत्तर विकल्प दिए गये हैं। जिनमें से एक विकल्प सही है। तो बताइये प्रश्न चिह्न(?) के स्थान पर आने वाला सही विकल्प कौन–सा होगा ?

1. 535 + 1229 = ?
A. 1874 B. 1764
C. 1774 D. 1664

2. 0.0095 ÷ 0.05 = ?
A. .019 B. 1.9
C. 0.19 D. .29

3. $\frac{7}{4} - \frac{4}{7} = \frac{5}{28} + ?$
A. 2 B. $\frac{1}{7}$
C. $\frac{2}{9}$ D. 1

4. $5\frac{1}{5} \times 10\frac{1}{10} = ?$
A. 52.52 B. 42.45
C. 53.52 D. 65.30

5. 22 × 5 = 22 का ?%
A. 4500 B. 5000
C. 500 D. 750

6. 200 का $\frac{1}{25} \div 8 = ?$
A. 1 B. 3
C. 8 D. 5

7. $\frac{5}{3} + \frac{7}{6} + \frac{9}{3} + \frac{7}{2} = ?$
A. 4/9 B. 6
C. 4 D. 2

8. $1\frac{1}{5} + 2\frac{2}{5} + 3\frac{10}{25} = ?$
A. 6 B. 7
C. 5 D. 4

9. $\frac{40 \times 0.4 \times 0.04}{4 + 4 \div 4} = ?$
A. .128 B. .148
C. .15 D. .248

10. 0.11 + 0.19 × 0.5 = ?
A. 0.105 B. 0.205
C. 0.305 D. 0.215

11. $\sqrt{\frac{25}{15625}} = \sqrt{\frac{?}{30625}}$
A. 36 B. 49
C. 64 D. 81

12. 50 ÷ 5 ÷ 5 = ?
A. 2 B. 10
C. 1/5 D. 4

13. $(242 - 17)^2 - (7 \times 5)^2 = ?$
A. 49400 B. 94400
C. 48400 D. 45000

14. 64 का ?% = 20 + 20 का 20%
A. 47.5 B. 38.6
C. 37.5 D. 37.2

15. $\frac{187}{17} \times \frac{196}{14} \times \frac{1}{11} = ?$

A. 18 B. 14

C. 17 D.13

16. $\frac{(21 - 3) + 128 + 120}{98.5 - 94.7} = ?$

A. 50 B. 65

C. 70 D. 69

17. ? × 12 = 336 का 75%

A. 21 B. 22

C. 28 D. 25

18. 5 का 10% + 10 का 5% = ? का 15%

A. $7\frac{1}{3}$ B. $6\frac{2}{3}$

C. $8\frac{2}{3}$ D. $9\frac{1}{6}$

19. 4 × 32 का 75% ÷ 3 = ?

A. 32 B. 45

C. 44 D. 43

20. $4\frac{2}{3} - 1\frac{5}{9} + 4\frac{8}{6} = ?$

A. $8\frac{1}{3}$ B. $8\frac{4}{9}$

C. $7\frac{4}{9}$ D. $6\frac{2}{3}$

21. $\frac{40 \times 15 + 25}{26 + 4 \div 4 - 2} = ?$

A. 25 B. 30

C. 31 D. 42

22. $\sqrt{?} - 3 = 19$

A. 844 B. 375

C. 484 D. 400

23. $5\frac{2}{3} \div \left(2 - \frac{1}{2}\right) = ?$

A. $\frac{26}{17}$ B. $\frac{34}{9}$

C. $\frac{38}{3}$ D. $\frac{37}{6}$

24. $\frac{16 \times 2}{0.6 + 1.0} = ?$

A. 20 B. 22

C. 16 D. 18

25. $2\frac{1}{3} + ? + 1\frac{1}{6} = 5\frac{1}{4}$

A. $2\frac{4}{5}$ B. $1\frac{4}{7}$

C. $1\frac{3}{4}$ D. $1\frac{5}{6}$

26. $12\sqrt{2} + 48 \div 8 = ?$

A. $6(2\sqrt{2} + 1)$ B. $12\sqrt{2} + 5$

C. $2\sqrt{2} + 6$ D. $5(2\sqrt{2} + 1)$

27. $5\frac{3}{4} + 7\frac{4}{5} + 3\frac{5}{6} = ?$

A. $18\frac{17}{60}$ B. $17\frac{23}{60}$

C. $17\frac{22}{41}$ D. $23\frac{1}{60}$

28. 100 × 0.2 + 0.01 × 1000 + 110 = ?

A. 144 B. 140

C. 141 D. 159

29. $\frac{6}{11} + \frac{7}{8} \div \frac{77}{40} = ?$

A. 1 B. 4

C. 7 D. 6

30. $\frac{1}{2} + \frac{1}{4} + ? = \frac{25}{28}$

A. $\frac{1}{6}$ B. $\frac{1}{7}$
C. $\frac{1}{8}$ D. $\frac{1}{4}$

31. 18 का $\frac{3}{81} + \frac{1}{3} = ?$

A. 2 B. 5
C. 1 D. 4

32. $\dfrac{\frac{1}{2} - \frac{1}{4}}{\frac{1}{8} + \frac{3}{4}} = ?$

A. $\frac{3}{7}$ B. $\frac{4}{7}$
C. $\frac{1}{7}$ D. $\frac{2}{7}$

33. $3.5 \div 1.75 + 6.4 = ?$

A. 7.4 B. 8.4
C. 8.1 D. 9.3

34. $\dfrac{201.6 \div 14}{144 \div 2} = ?$

A. .2 B. .5
C. .7 D. .6

35. $4 - [5 + 1 - (4 - 3)] = ?$

A. –2 B. 2
C. –1 D. 3

36. $1.5 + 4(2 - .5) + .1 - .4 = ?$

A. 7.2 B. 6.8
C. 7.9 D. 9.0

37. $374 - 85 \div 17 = ?$

A. 639 B. 962
C. 369 D. 350

38. $(374 - 85) \div 17 = ?$

A. 13 B. 15
C. 18 D. 17

39. $3\frac{1}{2}\left(\frac{2}{5} \div \frac{1}{5}\right) = ?$

A. 7 B. 8
C. 9 D. 12

40. $4 \times 9 \div \sqrt{144} = ?$

A. 3 B. 4
C. 8 D. 15

41. $\frac{7}{3} \div \frac{35}{18} \div \frac{54}{20} = ?$

A. $\frac{4}{7}$ B. $\frac{4}{9}$
C. $\frac{3}{7}$ D. $\frac{7}{9}$

42. $(36 + 12 - 4) \div 4 = ?$

A. 14 B. 18
C. 11 D. 20

43. $2\frac{1}{3} \times 4\frac{1}{5} \div \frac{7}{15} = ?$

A. 21 B. 23
C. 29 D. 31

44. $\frac{3}{4} + \frac{1}{3} - \frac{1}{4} + \frac{1}{3} = ?$

A. $2\frac{1}{3}$ B. $1\frac{1}{6}$
C. $1\frac{2}{3}$ D. $3\frac{5}{6}$

45. $1\frac{1}{3} \times 2\frac{3}{4} \times 3\frac{4}{5} \times 1\frac{5}{11} = ?$

A. $20\frac{15}{17}$ B. $20\frac{4}{15}$
C. $16\frac{4}{9}$ D. $18\frac{3}{10}$

46. $\left(2\frac{3}{7} + \frac{4}{7}\right)^2 \div 3 + 2 = ?$

A. 5 B. 6
C. 8 D. 17

47. $\left(1\frac{3}{5} - \frac{2}{3} \div \frac{12}{13} + \frac{7}{5} \times \frac{1}{3}\right) = ?$

A. $2\frac{31}{70}$ B. $1\frac{33}{70}$
C. $2\frac{31}{90}$ D. $1\frac{31}{90}$

48. $(999^2 - 998^2) \div 10 \times 100 + 3 = ?$

A. 29974 B. 19973
C. 18973 D. 15997

49. $\left(\frac{2}{3} + \frac{1}{2}\right) \div \left(\frac{2}{3} - \frac{1}{2}\right) \div 7 = ?$

A. 4 B. 1
C. 1/3 D. 2

50. $1+\left[1\div\left\{5\div4-1\div\left(13\div3-1\div3\right)\right\}\right]=?$

A. 8 B. 1/8
C. 2 D. 10

51. $(20 \div 5) \div 2 + (16 \div 8) \times 2 + (10 \div 5) \times (3 \div 2) = ?$

A. 11
B. 9
C. 10
D. 25

उत्तरमाला

1	2	3	4	5	6	7	8	9	10
B	C	D	A	C	A	B	B	A	B
11	**12**	**13**	**14**	**15**	**16**	**17**	**18**	**19**	**20**
B	A	A	C	B	C	A	B	A	B
21	**22**	**23**	**24**	**25**	**26**	**27**	**28**	**29**	**30**
A	C	B	A	C	A	B	B	A	B
31	**32**	**33**	**34**	**35**	**36**	**37**	**38**	**39**	**40**
C	D	B	A	C	A	C	D	A	A
41	**42**	**43**	**44**	**45**	**46**	**47**	**48**	**49**	**50**
B	C	A	B	B	A	D	B	B	C
51									
B									

व्याख्यात्मक उत्तर

1. 535 + 1229 = 1764.

2. $\because \quad 0.0095 \div 0.05 \Rightarrow \frac{0.0095}{0.05} = \frac{.95}{5} = .19$.

3. $\because \quad \frac{7}{4} - \frac{4}{7} = \frac{5}{28} + ? \Rightarrow \frac{7 \times 7 - 4 \times 4}{4 \times 7} = \frac{5}{28} + ?$

$\Rightarrow \frac{49 - 16}{28} = \frac{5}{28} + ? \Rightarrow \frac{33}{28} = \frac{5}{28} + ?$

$\Rightarrow 1\frac{5}{28} = \frac{5}{28} + ? \Rightarrow 1 + \frac{5}{28} = \frac{5}{28} + ? \Rightarrow ? = 1.$

4. $\because\ 5\frac{1}{5} \times 10\frac{1}{10} = ? \Rightarrow \frac{26}{5} \times \frac{101}{10} = ? \Rightarrow 52.52 = ?$

5. $\because$ 22 × 5 = 22 का ?% $\Rightarrow 110 = 22 \times \frac{?}{100} \Rightarrow \frac{110 \times 100}{22} = ?$

$\Rightarrow 500 = ?$

6. $\because$ 200 का $\frac{1}{25} \div 8 = ? \Rightarrow 8 \div 8 = ? \Rightarrow \frac{8}{8} = ? \Rightarrow 1 = ?$

7. $\because\ \frac{5}{3} + \frac{7}{6} + \frac{8}{3} + \frac{1}{2} = ? \Rightarrow \frac{5 \times 2 + 7 \times 1 + 8 \times 2 + 1 \times 3}{6} = ?$

$\Rightarrow \frac{10 + 7 + 16 + 3}{6} = ? \Rightarrow \frac{36}{6} = ? \Rightarrow 6 = ?$

8. $\because\ 1\frac{1}{5} + 2\frac{2}{5} + 3\frac{10}{25} = ? \Rightarrow 1 + \frac{1}{5} + 2 + \frac{2}{5} + 3 + \frac{10}{25} = ?$

$\Rightarrow (1 + 2 + 3) + \frac{1}{5} + \frac{2}{5} + \frac{10}{25} = ? \Rightarrow 6 + 1 = ? \Rightarrow 7 = ?$

9. $\because\ \frac{40 \times 0.4 \times 0.04}{4 + 4 \div 4} = ? \Rightarrow \frac{.64}{4 + \frac{4}{4}} = ? \Rightarrow \frac{.64}{4 + 1} = ? \Rightarrow \frac{.64}{5} = ?$

$\Rightarrow .128 = ?$

10. $\because\ 0.11 + 0.19 \times 0.5 = ? \Rightarrow 0.11 + 0.095 = ? \Rightarrow 0.205 = ?$

11. $\sqrt{\frac{25}{15625}} = \sqrt{\frac{?}{30625}} \Rightarrow \frac{25}{15625} = \frac{?}{30625}$

$\Rightarrow ? = \frac{25 \times 30625}{15625} = 49.$

12. $\because\ 50 \div 5 \div 5 = ? \Rightarrow \frac{50}{5} \div 5 = ? \Rightarrow 10 \div 5 = ? \Rightarrow \frac{10}{5} = ?$

$\Rightarrow 2 = ?$

13. $\because (242 - 17)^2 - (7 \times 5)^2 = ? \Rightarrow (225)^2 - (35)^2 = ?$

$\Rightarrow (225 + 35)(225 - 35) = ? \Rightarrow 260 \times 190 = ?$

$\Rightarrow 49400 = ?$

14. $\because$ 64 का ?% = 20 + 20 का 20% $\Rightarrow 64 \times \frac{?}{100} = 20 + 4$

$\Rightarrow 64 \times \frac{?}{100} = 24 \Rightarrow ? = \frac{24 \times 100}{64} = 37.5.$

15. $\because \frac{187}{17} \times \frac{196}{14} \times \frac{1}{11} = ? \Rightarrow \frac{187}{187} \times \frac{196}{14} = ? \Rightarrow 14 = ?$

16. $\because \frac{(21 - 3) + 128 + 120}{98.5 - 94.7} = ? \Rightarrow \frac{18 + 248}{3.8} = ? \Rightarrow \frac{266}{3.8} = ?$

$\Rightarrow 70 = ?$

17. $\because$? × 12 = 336 का 75% $\Rightarrow ? \times 12 = 252 \Rightarrow ? = \frac{252}{12} = 21.$

18. $\because$ 5 का 10% + 10 का 5% = ? का 15%

$\Rightarrow .5 + .5 = .15 \times ? \Rightarrow ? = \frac{1.0}{.15} = \frac{100}{15} = 6\frac{2}{3}.$

19. $\because$ 4 × 32 का 75% ÷ 3 = ? $\Rightarrow 4 \times 24 \div 3 = ? \Rightarrow 4 \times \frac{24}{3} = ?$

$\Rightarrow 4 \times 8 = ? \Rightarrow 32 = ?$

20. $\because 4\frac{2}{3} - 1\frac{5}{9} + 4\frac{8}{6} = ? \Rightarrow 4 + \frac{2}{3} - 1 - \frac{5}{9} + 4 + \frac{8}{6} = ?$

$\Rightarrow (4 - 1 + 4) + \left(\frac{2}{3} - \frac{5}{9} + \frac{8}{6}\right) = ? \Rightarrow 7 + \frac{12 - 10 + 24}{18} = ?$

$\Rightarrow 7 + \frac{26}{18} = ? \Rightarrow 7 + 1\frac{4}{9} = ? \Rightarrow 8\frac{4}{9} = ?$

21. $\because \frac{40 \times 15 + 25}{26 + 4 \div 4 - 2} = ? \Rightarrow \frac{600 + 25}{26 + \frac{4}{4} - 2} = ? \Rightarrow \frac{625}{26 + 1 - 2} = ?$

$\Rightarrow \frac{625}{25} = ? \Rightarrow 25 = ?$

22. $\because \sqrt{?} - 3 = 19 \Rightarrow \sqrt{?} = 19 + 3 = 22 \Rightarrow ? = 22 \times 22 = 484.$

23. $\because 5\frac{2}{3} \div \left(2 - \frac{1}{2}\right) = ? \Rightarrow \frac{17}{3} \div \frac{3}{2} = ? \Rightarrow \frac{17}{3} \times \frac{2}{3} = ?$

$\Rightarrow \frac{34}{9} = ?$

24. $\because \frac{16 \times 2}{0.6 + 1.0} = ? \Rightarrow \frac{32}{1.6} = ? \Rightarrow 20 = ?$

25. $\because 2\frac{1}{3} + ? + 1\frac{1}{6} = 5\frac{1}{4} \Rightarrow \frac{7}{3} + ? + \frac{7}{6} = \frac{21}{4}$

$\Rightarrow ? = \frac{21}{4} - \left(\frac{7}{3} + \frac{7}{6}\right) = \frac{21}{4} - \frac{7}{2} = \frac{7}{4} = 1\frac{3}{4}$

26. $\because 12\sqrt{2} + 48 \div 8 = ? \Rightarrow 12\sqrt{2} + \frac{48}{8} = ?$

$\Rightarrow 12\sqrt{2} + 6 = ? \Rightarrow 6\left(2\sqrt{2} + 1\right) = ?$

27. $\because 5\frac{3}{4} + 7\frac{4}{5} + 3\frac{5}{6} = ? \Rightarrow (5 + 7 + 3) + \left(\frac{3}{4} + \frac{4}{5} + \frac{5}{6}\right) = ?$

$\Rightarrow 15 + \frac{143}{60} = ? \Rightarrow 15 + 2\frac{23}{60} = ? \Rightarrow 17\frac{23}{60} = ?$

28. $\because 100 \times 0.2 + 0.01 \times 1000 + 110 = ? \Rightarrow 20 + 10 + 110 = ? \Rightarrow 140 = ?$

29. $\because \frac{6}{11} + \frac{7}{8} \div \frac{77}{40} = ? \Rightarrow \frac{6}{11} + \frac{7}{8} \times \frac{40}{77} = ?$

$\Rightarrow \frac{6}{11} + \frac{5}{11} = ? \Rightarrow \frac{11}{11} = ? \Rightarrow 1 = ?$

30. $\because \frac{1}{2} + \frac{1}{4} + ? = \frac{25}{28} \Rightarrow \frac{3}{4} + ? = \frac{25}{28} \Rightarrow ? = \frac{25}{28} - \frac{3}{4}$

$\Rightarrow ? = \left(\frac{25 - 21}{28}\right) = \frac{4}{28} = \frac{1}{7}.$

31. $\because$ 18 का $\frac{3}{81} + \frac{1}{3} = ? \Rightarrow \frac{2}{3} + \frac{1}{3} = ? \Rightarrow \frac{3}{3} = ? \Rightarrow 1 = ?$

32. $\because \dfrac{\frac{1}{2}-\frac{1}{4}}{\frac{1}{8}+\frac{3}{4}} = ? \Rightarrow \dfrac{\frac{1}{4}}{\frac{7}{8}} = ? \Rightarrow \dfrac{8}{4 \times 7} = ? \Rightarrow \dfrac{2}{7} = ?$

33. $\because\ 3.5 \div 1.75 + 6.4 = ? \Rightarrow \dfrac{3.5}{1.75} + 6.4 = ? \Rightarrow 2 + 6.4 = ?$

$\Rightarrow 8.4 = ?$

34. $\because \dfrac{201.6 \div 14}{144 \div 2} = ? \Rightarrow \dfrac{\frac{201.6}{14}}{\frac{144}{2}} = ? \Rightarrow \dfrac{14.4}{72} = ?$

$\Rightarrow .2 = ?$

35. $\because 4 - [5 + 1 - (4 - 3)] = ? \Rightarrow 4 - [5 + 1 - 1] = ?$

$\Rightarrow 4 - 5 = ? \Rightarrow -1 = ?$

36. $\because 1.5 + 4\,(2 - .5) + .1 - .4 = ? \Rightarrow 1.5 + 4 \times 1.5 + .1 - .4 = ?$

$\Rightarrow 1.5 + 6 + .1 - .4 = ? \Rightarrow 7.2 = ?$

37. $\because\ 374 - 85 \div 17 = ? \Rightarrow 374 - \dfrac{85}{17} = ? \Rightarrow 374 - 5 = ?$

$\Rightarrow 369 = ?$

38. $\because\ (374 - 85) \div 17 = ? \Rightarrow 289 \div 17 = ?$

$\Rightarrow \dfrac{289}{17} = ? \Rightarrow 17 = ?$

39. $\because\ 3\frac{1}{2}\left(\dfrac{2}{5} \div \dfrac{1}{5}\right) = ? \Rightarrow \dfrac{7}{2}\left(\dfrac{2}{5} \times \dfrac{5}{1}\right) = ? \Rightarrow \dfrac{7}{2} \times 2 = ?$

$\Rightarrow 7 = ?$

40. $\because 4 \times 9 \div \sqrt{144} = ? \Rightarrow 4 \times 9 \div 12 = ?$

$\Rightarrow 4 \times \dfrac{9}{12} = ? \Rightarrow \dfrac{4 \times 9}{12} = ? \Rightarrow 3 = ?$

41. $\because \frac{7}{3} \div \frac{35}{18} \div \frac{54}{20} = ? \Rightarrow \frac{7}{3} \times \frac{18}{35} \div \frac{54}{20} = ?$

$\Rightarrow \frac{7}{3} \times \frac{18}{35} \times \frac{20}{54} = ? \Rightarrow \frac{4}{9} = ?$

42. $\because (36 + 12 - 4) \div 4 = ? \Rightarrow 44 \div 4 = ? \Rightarrow \frac{44}{4} = ?$

$\Rightarrow 11 = ?$

43. $\because 2\frac{1}{3} \times 4\frac{1}{5} \div \frac{7}{15} = ? \Rightarrow \frac{7}{3} \times \frac{21}{5} \div \frac{7}{15} = ?$

$\Rightarrow \frac{7}{3} \times \frac{21}{5} \times \frac{15}{7} = ? \Rightarrow 21 = ?$

44. $\because \frac{3}{4} + \frac{1}{3} - \frac{1}{4} + \frac{1}{3} = ? \Rightarrow \left(\frac{3}{4} - \frac{1}{4}\right) + \left(\frac{1}{3} + \frac{1}{3}\right) = ?$

$\Rightarrow \frac{1}{2} + \frac{2}{3} \Rightarrow \frac{7}{6} = ? \Rightarrow 1\frac{1}{6} = ?$

45. $\because 1\frac{1}{3} \times 2\frac{3}{4} \times 3\frac{4}{5} \times 1\frac{5}{11} = ? \Rightarrow \frac{4}{3} \times \frac{11}{4} \times \frac{19}{5} \times \frac{16}{11} = ?$

$\Rightarrow \frac{304}{15} = ? \Rightarrow 20\frac{4}{15} = ?$

46. $\because \left(2\frac{3}{7} + \frac{4}{7}\right)^2 \div 3 + 2 = ? \Rightarrow \left[2 + \left(\frac{3}{7} + \frac{4}{7}\right)\right]^2 \div 3 + 2 = ?$

$\Rightarrow (2 + 1)^2 \div 3 + 2 = ? \Rightarrow 3^2 \div 3 + 2 = ?$

$\Rightarrow \frac{3^2}{3} + 2 = ? \Rightarrow 3 + 2 = ? \Rightarrow 5 = ?$

47. $\because 1\frac{3}{5} - \frac{2}{3} \div \frac{12}{13} + \frac{7}{5} \times \frac{1}{3} = ? \Rightarrow \frac{8}{5} - \frac{2}{3} \times \frac{13}{12} + \frac{7}{5} \times \frac{1}{3} = ?$

$\Rightarrow \frac{8}{5} - \frac{13}{18} + \frac{7}{15} = ? \Rightarrow \frac{144 - 65 + 42}{90} = ?$

$\Rightarrow \frac{121}{90} = ? \Rightarrow 1\frac{31}{90} = ?$

सं.यो. (2)

48. $\because \left(999^2 - 998^2\right) \div 10 \times 100 + 3 = ?$

$\Rightarrow \left[(999 + 998)(999 - 998)\right] \div 10 \times 100 + 3 = ?$

$\Rightarrow 1997 \div 10 \times 100 + 3 = ? \Rightarrow \frac{1997}{10} \times 100 + 3 = ?$

$\Rightarrow 19970 + 3 = ? \Rightarrow 19973 = ?$

49. $\because \left(\frac{2}{3} + \frac{1}{2}\right) \div \left(\frac{2}{3} - \frac{1}{2}\right) \div 7 = ? \Rightarrow \frac{7}{6} \div \frac{1}{6} \div 7 = ?$

$\Rightarrow \frac{7}{6} \times 6 \div 7 = ? \Rightarrow \frac{7}{6} \times 6 \times \frac{1}{7} = ? \Rightarrow 1 = ?$

50. $\because 1 + \left[1 \div \left\{5 \div 4 - 1 \div (13 \div 3 - 1 \div 3)\right\}\right] = ?$

$\Rightarrow 1 + \left[1 \div \left\{5 \div 4 - 1 \div \left(\frac{13}{3} - \frac{1}{3}\right)\right\}\right] = ?$

$\Rightarrow 1 + \left[1 \div \left\{5 \div 4 - 1 \div 4\right\}\right] = ? \Rightarrow 1 + \left[1 \div \left\{\frac{5}{4} - \frac{1}{4}\right\}\right] = ?$

$\Rightarrow 1 + [1 \div 1] = ? \Rightarrow 1 + 1 = ? \Rightarrow 2 = ?$

51. $\because (20 \div 5) \div 2 + (16 \div 8) \times 2 + (10 \div 5) \times (3 \div 2) = ?$

$\Rightarrow 4 \div 2 + 2 \times 2 + 2 \times \frac{3}{2} = ? \Rightarrow 2 + 2 \times 2 + 2 \times \frac{3}{2} = ?$

$\Rightarrow 2 + 4 + 3 = ? \Rightarrow 9 = ?$

❑ ❑ ❑

2. संख्याएँ

एक संख्या हमें बताती है कि दी हुई मात्रा में कितनी इकाइयां हैं। अतः यह एक या एक से अधिक इकाइयों को प्रदर्शित करती है या एक ही प्रकार की एक या अधिक भिन्न वस्तुओं को प्रकट करती है। जैसे **दो** किताब, **तीन** मेज, **दस** पेन, **पन्द्रह** पेन्सिलें इत्यादि। वे शब्द जो मोटे काले अक्षरों में दर्शाये गये हैं संख्याओं को प्रदर्शित करते हैं।

संख्याओं के प्रकार

1. पूर्ण संख्याएँ : संख्याएँ 0, 1, 2, 3, 4, 5, ...आदि को "पूर्ण संख्याएं" या "पूर्णांक" कहते हैं। इस प्रकार 54 एक पूर्णांक है जबकि $3\frac{1}{4}$ पूर्णांक नहीं है।

2. सम संख्याएँ : वे संख्याएं जो दो से पूर्णतः विभाजित हो जाती हों, 'सम संख्याएं' कहलाती हैं। जैसे : 2, 4, 8, 24, 38.........आदि सम संख्याएं हैं।

3. विषम संख्याएँ : वे संख्याएँ जो दो से पूर्णतः विभाजित नहीं होतीं, "विषम संख्याएँ" कहलाती हैं। जैसे : 1, 3, 5, 7, 9, 11, 13, 15..........आदि विषम संख्याएँ हैं।

4. अभाज्य संख्याएँ : वे संख्याएँ जो एक से या केवल स्वयं से विभाजित हों, "अभाज्य संख्याएँ" कहलाती हैं। जैसे : 2, 3, 5, 11, 17..........आदि अभाज्य संख्याएँ हैं।

5. भाज्य संख्याएँ : वे संख्याएँ जो अभाज्य नहीं होतीं, भाज्य संख्याएँ कहलाती हैं। इस प्रकार भाज्य और अभाज्य संख्याएँ मिलकर प्राकृत संख्याओं का समुच्चय बनाती हैं।

6. वितत संख्याएँ : वे संख्याएँ वितत संख्याएँ कहलाती हैं जिनमें एक संख्या दूसरे की परवर्ती होती है। जैसे : 3, 4, 5, 6, 7 तथा 8 वितत संख्याएँ हैं जबकि 3, 4, 5, 6, 7 तथा 9 वितत संख्याएँ नहीं हैं। अतः 4, 6, 8, 10 वितत सम संख्याएं हैं जबकि 7, 9, 11, 13 वितत विषम संख्याएँ हैं।

7. परिमेय संख्याएँ : वे संख्याएँ जिन्हें A/B के रूप में लिखा जा सके "परिमेय संख्याएँ" कहलाती हैं। जहाँ A और B दोनों पूर्णांक हों किन्तु B कभी शून्य नहीं हो जैसेः

$8, \frac{9}{8}, \frac{25}{27}, 0$....आदि परिमेय संख्याएँ हैं।

8. अपरिमेय संख्याएँ : वे संख्याएँ जिन्हें A/B के रूप में न लिखा जा सके अपरिमेय संख्याएँ

कहलाती हैं। जहाँ A और B दोनों पूर्णांक हों किन्तु B कभी शून्य न हो जैसे– $\sqrt{11}$, $\sqrt{13}$, $\sqrt{15}$, $6 + \sqrt{7}$ आदि अपरिमेय संख्याएँ हैं।

9. संख्या का अंकित मान या जातीय मान : किसी भी संख्या में किसी अंक का जातीय मान वही अंक होता है। जैसे : 75 में अंक 7 का जातीय मान 7 है तथा 5 का जातीय मान 5 है।

10. संख्या का स्थानीय मान : किसी भी संख्यां में किसी अंक का स्थानीय मान उसके स्थान के अनुसार होता है। जैसे : 75 में 7 का स्थानीय मान 70 होगा क्योंकि 7 दहाई के स्थान पर है तथा 5 का स्थानीय मान 5 होगा।

महत्त्वपूर्ण नोट : *(i)* संख्या 1 न तो भाज्य है और न ही अभाज्य
(ii) वह संख्या जो सम तथा अभाज्य हो, केवल 2 है

प्रश्नों से सम्बंधित समस्याओं को हल करने के लिए निम्नलिखित बातों को ध्यान में रखिये :

1. *(a)* 'शून्य' न तो धनात्मक और न ही ऋणात्मक पूर्णांक है
(b) धनात्मक पूर्णांकों में सबसे छोटा पूर्णांक '+ 1' तथा ऋणात्मक पूर्णांकों में सबसे बड़ा पूर्णांक '– 1' होता है।

2. *(c)* किसी पूर्ण वर्ग संख्या के इकाई स्थान पर 0, 1, 4, 5, 6 तथा 9 अंकों में से कोई भी अंक हो सकता है।
(d) किसी भी संख्या के घन के इकाई स्थान पर 0 से 9 तक कोई भी अंक हो सकता है।

3. *(e)* 1 से लेकर n तक के पदों का योग $= \dfrac{n\,(n+1)}{2}$ जहाँ n पदों की संख्या है
(f) 1 से लेकर n तक विषम संख्याओं का योग $= \left(\dfrac{\text{अन्तिम विषम संख्या} + 1}{2}\right)^2$
(g) 1 से लेकर n तक सम संख्याओं का योग

$$= \frac{\text{अन्तिम सम संख्या}}{2} \times \left(\frac{\text{अन्तिम सम संख्या}}{2} + 1\right)$$

उदाहरण 1. 1 से 40 तक की संख्याओं का योग कितना होगा ?

हल : $\because$ 1 से n तक की संख्याओं का योग $= \dfrac{n(n+1)}{2}$

$\therefore$ 1 से 40 तक की संख्याओं का योग $= \dfrac{40(40+1)}{2}$

$= 20 \times 41 = 820.$

उदाहरण 2. तीन संख्याओं में पहली संख्या, दूसरी से दुगनी तथा तीसरी से तिगुनी है। यदि तीनों संख्याओं का योग 33 हो तो वे संख्याएं क्रमशः क्या होंगी ?

हल : माना कि पहली संख्या का मान $= x$

$\therefore$ दूसरी संख्या का मान $= x/2$

तथा तीसरी संख्या का मान $= x/3$

प्रश्नानुसार, तीनों संख्याओं का योग $= 33$

$$\therefore \quad x + \frac{x}{2} + \frac{x}{3} = 33 \Rightarrow \frac{11x}{6} = 33 \Rightarrow x = 18$$

अतः वे संख्याएँ क्रमशः $(18), \left(\frac{18}{2} = 9\right)$ व $\left(\frac{18}{3} = 6\right)$ होंगी।

उदाहरण 3. यदि दो संख्याओं के बीच अन्तर 3 हो तथा उनके वर्गों के बीच अन्तर 39 हो तो दोनों संख्याओं में से बड़ी संख्या का मान कितना होगा ?

हल : माना कि बड़ी संख्या तथा छोटी संख्या का मान क्रमशः x व y है।

प्रश्नानुसार, $x - y = 3$ ....(*i*)

$x^2 - y^2 = 39$ ....(*ii*)

समी. (*i*) व (*ii*) से

$$x^2 - y^2 = 39 \Rightarrow (x+y)(x-y) = 39 \Rightarrow (x+y) \times 3 = 39$$

$$\Rightarrow (x+y) = \frac{39}{3} = 13 \qquad \text{.... }(iii)$$

समी. (*i*) व (*iii*) से, $2x = 3 + 13 = 16 \Rightarrow x = \dfrac{16}{2} = 8$

अतः बड़ी संख्या का मान = 8 होगा।

उदाहरण 4. यदि किसी संख्या को 7 से भाग देने पर 4 शेष बचता है तथा उसी संख्या को 6 से भाग देने पर 3 शेष बचता है, तो बताइये वह संख्या क्या होगी ?

हल : ∵ संख्या = भाजक × भागफल + शेष

पहली स्थिति में, संख्या = 7 × भागफल + 4 ....(*i*)

दूसरी स्थिति में, संख्या = 6 × भागफल + 3 ....(*ii*)

उपरोक्त दोनों समी. से स्पष्ट होता है कि पहली स्थिति में भागफल 5 तथा दूसरी स्थिति में भागफल 6 होगा। अर्थात् संख्या = 7 × 5 + 4 = 35 + 4 = 39 होगी।

उदाहरण 5. किसी संख्या को 144 से भाग दिया जाये तो 90 शेष बचता है। यदि उस संख्या को 9 से भाग दिया जाये तो शेष क्या बचेगा ?

हल : ∵ 144, 9 से पूर्णतः विभाजित है तथा 90 भी 9 से पूर्णतः विभाजित है।

∴ उस संख्या को 9 से भाग दिया जाये तो वह संख्या भी 9 से पूर्णतः विभाजित होगी अर्थात् शेषफल "0" बचेगा।

उदाहरण 6. 10 से 60 तक की विषम संख्याओं का योग कितना होगा ?

हल : ∵ 1 से *n* तक विषम संख्याओं का योग

$$= \left(\frac{\text{अन्तिम विषम संख्या} + 1}{2}\right)^2$$

∴ 1 से 60 तक विषम संख्याओं का योग

$$= \left(\frac{59+1}{2}\right)^2 = \left(\frac{60}{2}\right)^2 = (30)^2 = 900$$

तथा 1 से 10 तक विषम संख्याओं का योग

$$= \left(\frac{9+1}{2}\right)^2 = \left(\frac{10}{2}\right)^2 = (5)^2 = 25$$

∴ 10 से 60 तक विषम संख्याओं का योग = 900 − 25 = 875.

उदाहरण 7. 18 से 54 तक सम संख्याओं का योग कितना होगा ?

हल : ∵ 1 से *n* तक सम संख्याओं का योग

$$= \frac{\text{अन्तिम सम संख्या}}{2}\left(\frac{\text{अन्तिम सम संख्या}}{2} + 1\right)$$

∴ 1 से 54 तक सम संख्याओं का योग

$$= \frac{54}{2}\left(\frac{54}{2} + 1\right) = 27\ (27 + 1) = 27 \times 28 = 756$$

तथा 1 से 17 तक सम संख्याओं का योग

$$= \frac{16}{2}\left(\frac{16}{2}+1\right) = 8 \times 9 = 72$$

$\therefore$ 18 से 54 तक सम संख्याओं का योग = 756 − 72 = 684.

अभ्यासमाला

नीचे दिये गये प्रत्येक प्रश्नों के चार संभावित उत्तर विकल्प दिये गये हैं। जिनमें से एक विकल्प सही है उस सही विकल्प का सावधानी पूर्वक चुनाव कीजिए।

1. दो अभाज्य संख्याओं की गुणा एक संख्या है जो होगी ?

A. सम संख्या B. विषम संख्या
C. भाज्य संख्या D. पूर्ण संख्या

2. ऐसी संख्या जो सम भी है और अभाज्य भी, होगी ?

A. 1 B. 3
C. 5 D. 2

3. यदि किसी संख्या के अभाज्य गुणनखण्ड 2, 3 तथा 7 हों तो वह संख्या क्या होगी ?

A. 52 B. 42
C. 32 D. 72

4. यदि संख्या A, संख्या B से कम है तो निम्नलिखित में से वह संख्या कौन–सी होगी जो 'A' से बड़ी तथा 'B' से छोटी हो ?

A. $\frac{A+B}{2}$ B. $\frac{A-B}{2}$

C. $\frac{B-A}{2}$ D. $\frac{A \times B}{2}$

5. निम्नलिखित में से कौन–सी संख्या सबसे बड़ी होगी ?

A. $(4)^2$

B. $\left[(2+2)^2\right]^2$

C. $(2 \times 2 \times 2)^2$

D. $(2+2+2)^2$

6. यदि x और y विषम संख्याएँ हैं तो निम्नलिखित में से कौन सी संख्या सम होगी ?

A. $x \div y$ B. $x \times y$
C. $x + y$ D. $x - y$

7. यदि भाग के एक प्रश्न में भाजक 9, भागफल 114 तथा शेष 5 हो तो भाज्य क्या होगा ?

A. 931 B. 1031
C. 1131 D. 1233

8. निम्नलिखित में से चार अंकों की बड़ी से बड़ी संख्या होगी ?

A. 9989 B. 9888
C. 9999 D. 9000

9. निम्नलिखित में से चार अंकों की छोटी से छोटी संख्या होगी ?

A. 1001 B. 1111
C. 1011 D. 1000

10. 5309 में 3 के स्थानीय मान और जातीय मान में अन्तर कितना होगा ?

A. 257 B. 297
C. 327 D. 307

11. 6707 में 7 के स्थानीय मानों के बीच अन्तर कितना होगा ?

A. 693 B. 783
C. 893 D. 393

12. यदि किसी संख्या के 8 गुने में 17 जोड़ने पर परिणाम 209 आता है तो बताइये वह संख्या क्या होगी ?

A. 23 B. 27
C. 24 D. 29

13. यदि किसी संख्या के वर्गमूल में 8 जोड़ने पर परिणाम 34 आता है तो वह संख्या क्या होगी ?

A. 566 B. 872
C. 766 D. 676

14. दो वितत संख्याओं के वर्गों का अन्तर 31 हो तो वे संख्याएँ क्रमशः क्या होंगी ?

A. 14 व 17
B. 15 व 16
C. 16 व 15
D. 13 व 14

15. यदि दो क्रमागत संख्याओं के वर्गों का अन्तर 21 हो तो वे संख्याएँ होंगी ?

A. 10 व 11 B. 11 व 10
C. 12 व 9 D. 8 व 13

16. यदि दो संख्याओं x तथा y का जोड़ x से दोगुना हो तो बताइये y का मान होगा ?

A. $= x$ B. $> x$
C. $< x$ D. ऋण संख्या

17. 4 अंकों की सबसे छोटी संख्या तथा 2 अंकों की सबसे बड़ी संख्या के बीच कितना अन्तर होगा ?

A. 801 B. 901
C. 1 D. 91

18. दो संख्याओं का योग 10 है तथा उनका गुणनफल 20 है तो बताइये उनके विलोमों का योग कितना होगा ?

A. 1 B. 2
C. $\frac{1}{2}$ D. $\frac{1}{.10}$

19. किसी धन पूर्णांक x को 4 से गुणा किया जाता है। यदि गुणनफल x के घन के बराबर हो तो x का मान क्या होगा ?

A. 2 B. 8
C. 4 D. 3

20. किन्हीं तीन लगातार आने वाली प्राकृतिक संख्याओं का गुणनफल निम्नलिखित में से सदैव किस संख्या से विभाजित होगा?

A. 3 B. 6
C. 9 D. 15

21. निम्नलिखित में से वह छोटी-से-छोटी संख्या जो 7 का गुणज भी हो, जिसको 4 या 12 या 16 से भाग देने पर प्रत्येक **स्थिति में 3 शेष बचे क्या होगी ?**

A. 195 B. 168
C. 140 D. 147

22. यदि किसी संख्या के पाँचवें भाग का दो-तिहाई 6 के बराबर हो, तो वह संख्या क्या होगी ?

A. 45 B. 48
C. 64 D. 52

23. दों अंकों की एक संख्या के अंकों का योग 8 तथा उनका गुणनफल 12 हो तो

बताइये उस संख्या के अंकों का अन्तर कितना होगा?

A. 6 B. 4
C. 8 D. 12

24. यदि दो अंकों वाली संख्या में से 19 घटाया जाये तो वह संख्या अपने का दो–तिहाई रह जाती है, तो बताइये उस संख्या के अंकों का योग कितना होगा ?

A. 12 B. 15
C. 17 D. 14

25. यदि किसी संख्या के पांच गुने को 10 से भाग देने पर भागफल 4 आता हो तो वह संख्या होगी ?

A. 10 B. 12
C. 16 D. 8

26. 11148 में निम्न में से क्या जोड़ा जाये ताकि योगफल 7 से पूर्णतः विभाजित हो जाये?

A. 7 B. 3
C. 9 D. 5

27. 25 से 75 तक की गिनती में आने वाली विषम संख्याओं का योग कितना होगा ?

A. 1500 B. 1300
C. 1600 D. 1800

28. यदि किसी संख्या का वर्ग किया जाये तो निम्न में से कौन सा अंक इकाई स्थान पर नहीं हो सकता ?

A. 1 B. 4
C. 5 D. 2

29. $52 \times 84 \times 96 \times 108$ के गुणनफल में इकाई के स्थान पर आने वाला अंक होगा ?

A. 4 B. 6
C. 2 D. 8

30. 200 और 400 के बीच ऐसी कितनी संख्याएँ हैं जो 9 से पूर्णतः विभाजित होंगी ?

A. 19 B. 22
C. 21 D. 26

31. 0, 1, 2, 3, 4, 5 व 6 अंकों से बनने वाली 7 अंकों की छोटी-से-छोटी संख्या क्या होगी?

A. 1204536 B. 1023456
C. 1042356 D. 1032456

32. एक संख्या के दो अंकों का योग 15 है। यदि संख्या में 9 जोड़ा जाए तो अंक अपना स्थान बदल लेते हैं। बताइये वह संख्या क्या होगी ?

A. 69 B. 87
C. 96 D. 78

33. नौनिहाल से किसी संख्या का 7/5 बनाने को कहा गया मगर गलती से उसने उस संख्या का 5/7 बना दिया। यदि उसका उत्तर सही उत्तर से 144 कम था तो वह संख्या कितनी थी ?

A. 210 B. 310
C. 284 D. 264

उत्तरमाला

1	2	3	4	5	6	7	8	9	10
B	D	B	A	B	C	B	C	D	B
11	12	13	14	15	16	17	18	19	20
A	C	D	B	A	A	B	C	A	B
21	22	23	24	25	26	27	28	29	30
D	A	B	A	D	B	B	D	A	B
31	32	33							
B	D	A							

व्याख्यात्मक उत्तर

1. $\because$ दो अभाज्य संख्याओं की गुणा सदैव एक विषम संख्या होती है। जैसे : 7 तथा 11 दो अभाज्य संख्याओं की गुणा = 7 × 11 = 77 जो कि एक विषम संख्या है। अतः आपका उत्तर विकल्प (B) होगा।

2. ऐसी संख्या जो सम भी हो और अभाज्य भी केवल 2 है।
अतः आपका उत्तर विकल्प (D) होगा।

3. $\because$ संख्या के अभाज्य गुणनखण्ड 2, 3 तथा 7 हैं।
वह संख्या = 2 × 3 × 7 = 42 होगी।

4. प्रश्नानुसार, $A < B \Rightarrow A + A < B + A \Rightarrow 2A < B + A \Rightarrow A < \frac{B + A}{2}$

तथा $A < B \Rightarrow A + B < B + B \Rightarrow A + B < 2B \Rightarrow \frac{A + B}{2} < B$

अर्थात् $A < \frac{A + B}{2} < B$

अतः स्पष्ट है कि संख्या, $\frac{A + B}{2}$, संख्या A से बड़ी तथा B से छोटी होगी

$\therefore$ आपका उत्तर विकल्प (A) होगा।

5. $\because$ $(4)^2 = 16$, $\left[(2 + 2)^2\right]^2 = \left(4^2\right)^2 = 256$, $(2 \times 2 \times 2)^2 = (8)^2 = 64$

$(2 + 2 + 2)^2 = (6)^2 = 36$

अतः स्पष्ट है कि दिये गये विकल्प (B) में सख्या सबसे बड़ी होगी।

6. चूंकि दो विषम संख्याओं का योग हमेशा एक सम संख्या होती है। अतः आपका उत्तर विकल्प (C) है।

7. $\because$ भाज्य = भाजक × भागफल + शेष

$\therefore$ भाज्य = 9 × 114 + 5 = 1026 + 5 = 1031.

8. $\because$ चार अंकों की बड़ी-से-बड़ी संख्या = 9999, जो दिये गये उत्तर विकल्प (C) में दर्शाई गई है।

$\therefore$ आपका उत्तर विकल्प (C) होगा।

9. $\because$ चार अंकों की छोटी-से-छोटी संख्या = 1000, जो दिये गये उत्तर विकल्प (D) में दर्शाई गई है। अतः आपका उत्तर विकल्प (D) होगा।

10. $\because$ संख्या 5309 में 3 का स्थानीय मान $= 3 \times 100 = 300$

तथा संख्या 5309 में 3 का जातीय मान $= 3$

$\therefore$ अन्तर $= 300 - 3 = 297$.

11. $\because$ संख्या 6707 में इकाई के स्थान पर आने वाले 7 का स्थानीय मान

$= 7 \times 1 = 7$

तथा संख्या 6707 में सैकड़े के स्थान पर आने वाले 7 का स्थानीय मान

$= 7 \times 100 = 700$

$\therefore$ अन्तर $= 700 - 7 = 693$.

12. माना कि वह संख्या $= x$

प्रश्नानुसार, $x \times 8 + 17 = 209$

$\therefore \quad 8x = 209 - 17 = 192$

$\therefore \quad x = \dfrac{192}{8} = 24$

अतः वह संख्या = 24 होगी।

13. माना कि वह संख्या $= x$

प्रश्नानुसार, संख्या का वर्गमूल $= \sqrt{x}$

$\therefore \quad \sqrt{x} + 8 = 34 \Rightarrow \sqrt{x} = 34 - 8 = 26 \Rightarrow x = 26 \times 26 = 676$

अतः वह संख्या = 676 होगी।

14. माना कि दो वितत संख्याएँ क्रमशः x व $(x + 1)$ हैं

प्रश्नानुसार, $(x + 1)^2 - (x)^2 = 31 \Rightarrow x^2 + 2x + 1 - x^2 = 31$

$\Rightarrow 2x + 1 = 31 \Rightarrow 2x = 31 - 1 = 30$

$\Rightarrow x = \dfrac{30}{2} = 15$

अतः वे संख्याएँ क्रमशः 15 व 16 होंगी।

15. माना कि दो क्रमागत संख्याएँ क्रमशः x व $(x + 1)$ हैं

प्रश्नानुसार, $(x + 1)^2 - (x)^2 = 21 \Rightarrow x^2 + 2x + 1 - x^2 = 21$

$\Rightarrow 2x + 1 = 21 \Rightarrow 2x = 21 - 1 = 20$

$\Rightarrow x = \dfrac{20}{2} = 10$

अतः वे संख्याएँ क्रमशः 10 व 11 होंगी।

16. प्रश्नानुसार, $(x + y) = 2x \Rightarrow y = x$

अतः स्पष्ट है कि y का मान = x का मान

$\therefore$ आपका उत्तर विकल्प (A) है।

17. $\because$ 4 अंकों की सबसे छोटी संख्या = 1000

तथा 2 अंकों की सबसे बड़ी संख्या = 99

$\therefore$ अन्तंर = 1000 − 99 = 901.

18. माना कि वे दो संख्याएँ x व y हैं।

प्रश्नानुसार, $x + y = 10$ .....*(i)* तथा $xy = 20$ .....*(ii)*

समी. *(i)* में समी. *(ii)* का भाग देने पर,

$$\frac{x + y}{xy} = \frac{10}{20} \Rightarrow \frac{1}{y} + \frac{1}{x} = \frac{1}{2}$$

अतः स्पष्ट है कि संख्याओं के विलोमों का योग = $\frac{1}{2}$ होगा।

$\therefore$ आपका उत्तर विकल्प (C) है।

19. प्रश्न शर्त के अनुसार,

अर्थात् $x \times 4$ का गुणनफल = x का घन

$\therefore 4x = (x)^3 \Rightarrow 4 = x^2 \Rightarrow x = +2, -2$

चूंकि x एक धनपूर्णांक संख्या है। $\therefore$ x का मान = + 2 होगा

अतः आपका उत्तर विकल्प (A) होगा।

20. $\because$ विद्यार्थियों को ध्यान रहे कि तीन लगातार आने वाली प्राकृत संख्याओं का गुणनफल सदैव 6 से विभाजित होगा। अतः आपका उत्तर विकल्प (B) होगा।

21. $\because$ 4, 12 व 16 का ल. स. व. = 48

$\therefore$ वह संख्या = 48 + 3 = 51 हो सकती है। परन्तु 51, 7 का गुणज नहीं है। $\therefore$ हमें $48 \times 2 + 3, 48 \times 3 + 3$...आदि संख्याओं पर विचार करना होगा। अतः स्पष्ट होता है कि वह संख्या = $48 \times 3 + 3 = 144 + 3 = 147$ होगी जो कि 7 का गुणज भी है। अतः आपका उत्तर विकल्प (D) होगा।

22. माना कि वह संख्या = x

$\therefore$ संख्या का पांचवा भाग = $\frac{x}{5}$

प्रश्नानुसार, $\left(\frac{x}{5}\right) \times \frac{2}{3} = 6 \Rightarrow \frac{x}{5} = 9 \Rightarrow x = 45$

अतः वह संख्या = 45 होगी।

23. माना कि दो अंकों की एक संख्या में इकाई व दहाई का अंक क्रमशः x व y है।

$\therefore$ संख्या $= 10y + x$

$\therefore$ अंकों का योग $= y + x = 8$ ......*(i)*

तथा अंकों का गुणनफल $= yx = 12$ ......*(ii)*

समी. *(i)* व *(ii)* से, $(y - x)^2 = (y + x)^2 - 4yx = (8)^2 - 4 \times 12$

$= 64 - 48 = 16$

$\therefore$ $y - x = 4$ ....*(iii)*

समी. *(i)* व *(iii)* से, $2 \times y = 12 \Rightarrow y = 6$

तथा $6 + x = 8 \Rightarrow x = 2$

$\therefore$ संख्या के अंकों का अन्तर $= 6 - 2 = 4$.

24. माना कि दो अंकों की संख्या $= 10x + y$

प्रश्नानुसार, $(10x + y) - 19 = (10x + y) \times \frac{2}{3}$

$\therefore$ $(10x + y) - (10x + y) \times \frac{2}{3} = 19$

$\therefore$ $(10x + y) \times \frac{1}{3} = 19 \Rightarrow 10x + y = 19 \times 3 = 57$

अतः वह संख्या = 57 होगी। संख्या के अंकों का योग = 5+7 = 12 होगा।

25. माना कि वह संख्या $= x$

प्रश्नानुसार, संख्या का पाँच गुना $= 5x$

$\therefore$ $\frac{5x}{10} = 4 \Rightarrow 5x = 40 \Rightarrow x = \frac{40}{5} = 8$

अतः वह संख्या = 8 होगी।

26. $\because$

```
7) 11148 ( 1592
   7
   --
   41
   35
   --
    64
    63
    --
     18
     14
     --
      4
```

अर्थात् 11148 = 7 × 1592 + 4, अतः स्पष्ट होता है कि 11148 में 3 जोड़ने पर योगफल 11151, 7 से पूर्णतः विभाजित होगा।

27. $\because$ 1 से *n* तक विषम संख्याओं का योग = $\left(\frac{\text{अन्तिम विषम संख्या} + 1}{2}\right)^2$

$\therefore$ 1 से 75 तक विषम संख्याओं का योग = $\left(\frac{75 + 1}{2}\right)^2 = (38)^2 = 1444$

तथा 1 से 24 तक विषम संख्याओं का योग = $\left(\frac{23 + 1}{2}\right)^2 = (12)^2 = 144$

$\therefore$ 25 से 75 तक विषम संख्याओं का योग = 1444 − 144 = 1300.

28. $\because$ किसी भी संख्या का वर्ग किया जाए तो प्राप्त संख्या के इकाई के स्थान पर आने वाले अंक 0, 1, 4, 5, 6 व 9 में से कोई भी हो सकता है। अतः स्पष्ट है कि दिये गये विकल्प (D) में 2 का अंक इकाई स्थान पर नहीं हो सकता। $\therefore$ आपका उत्तर विकल्प (D) होगा।

29. $\because$ 52 × 84 × 96 × 108 में दी हुई संख्याओं के इकाई अंकों का गुणनफल

$= 2 \times 4 \times 6 \times 8 = 384$

$\therefore$ 384 में इकाई का अंक = 4 है।

$\therefore$ 52 × 84 × 96 × 108 के गुणनफल में इकाई का अंक भी 4 होगा।

30. $\because$ 1 से 400 के बीच 9 से पूर्णतः विभाजित होने वाली संख्याओं की गिनती

$= \frac{400}{9} = 44$

तथा 1 से 200 के बीच 9 से पूर्णतः विभाजित होने वाली संख्याओं की गिनती

$= \frac{200}{9} = 22$

$\therefore$ 200 से 400 के बीच 9 से पूर्णतः विभाजित होने वाली संख्याओं की गिनती

$= 44 - 22 = 22$

अतः 200 से 400 के बीच ऐसी संख्याएं = 22 होंगी।

31. $\because$ 0, 1, 2, 3, 4, 5 व 6 अंकों से बनने वाली 7 अंकों की छोटी-से-छोटी संख्या

= 1023456 होगी।

32. माना कि वह संख्या = $(10x + y)$ है

प्रश्नानुसार, $x + y = 15$ ......(*i*)

तथा $(10x + y) + 9 = 10y + x \Rightarrow 9y - 9x = 9$

$\Rightarrow y - x = 1$ ......(*ii*)

समी. (*i*) व (*ii*) से, $2 \times y = 16 \Rightarrow y = 8$

तथा $x + 8 = 15 \Rightarrow x = 7$

अतः वह संख्या $= 10 \times 7 + 8 = 70 + 8 = 78$ होगी।

33. माना कि वह संख्या $= x$ थी

सही उत्तर $=$ x का $\frac{7}{5} = \frac{7x}{5}$

गलत उत्तर $=$ x का $\frac{5}{7} = \frac{5x}{7}$

प्रश्नानुसार, सही उत्तर = गलत उत्तर + 144

$$\therefore \frac{7x}{5} = \frac{5x}{7} + 144$$

$$\therefore \frac{7x}{5} - \frac{5x}{7} = 144 \Rightarrow \frac{24x}{35} = 144$$

$$\Rightarrow x = \frac{144 \times 35}{24} = 210$$

अतः वह संख्या = 210 थी।

❐ ❐ ❐

3. वर्गमूल एवं घनमूल

वर्गमूल : किसी संख्या का उसी संख्या के साथ गुणा करने पर जो गुणनफल प्राप्त होता है तो उस प्राप्त गुणनफल का **वर्गमूल** वह संख्या कहलाती है। इसे प्रायः ($\sqrt{\ }$) चिह्न द्वारा दर्शाया जाता है।

घनमूल : किसी संख्या का उसी संख्या से तीन बार गुणा करने पर जो गुणनफल प्राप्त होता है तो उस प्राप्त गुणनफल का **घनमूल** वह संख्या कहलाती है। इसे प्रायः ($\sqrt[3]{\ }$) चिह्न द्वारा दर्शाया जाता है।

महत्त्वपूर्ण नोट— किसी भिन्न का वर्गमूल, भिन्न के अंश के वर्गमूल में, हर के वर्गमूल का भाग देकर प्राप्त किया जाता है।

उदाहरण 1. 36 का वर्गमूल कितना होगा?

हल : 36 का वर्गमूल $= \sqrt{36} = \sqrt{6 \times 6} = 6$.

उदाहरण 2. 1444 का वर्गमूल ज्ञात कीजिए।

हल :

	38
3	$\overline{14}\ \overline{44}$
	9
68	544
	544
	×

अतः 1444 का वर्गमूल $= \sqrt{1444} = \sqrt{38 \times 38} = 38$.

उदाहरण 3. 172.3969 का वर्गमूल ज्ञात करो।

हल : ∵

	13.13
1	$\overline{1}\overline{72}.\overline{39}\overline{69}$
	1
23	72
	69
261	339
	261
2623	7869
	7869
	×

अतः 172.3969 का वर्गमूल = $\sqrt{172.3969} = \sqrt{13.13 \times 13.13} = 13.13$

उदाहरण 4. 729 का घनमूल निकालिए।

हल : $\because$ 729 का घनमूल = $\sqrt[3]{729} = \sqrt[3]{9 \times 9 \times 9} = 9$

उदाहरण 5. $\sqrt[3]{.000008}$ का मान निकालिए।

हल : $\because \sqrt[3]{.000008} = \sqrt[3]{8 \times 10^{-6}} = \sqrt[3]{2 \times 2 \times 2 \times 10^{-2} \times 10^{-2} \times 10^{-2}}$

$= 2 \times 10^{-2} = .02.$

उदाहरण 6. $3\frac{3}{8}$ का घनमूल ज्ञात कीजिए।

हल : $\because 3\frac{3}{8} = \frac{27}{8}$

$\therefore \frac{27}{8}$ का घनमूल = $\sqrt[3]{\frac{27}{8}} = \sqrt[3]{\frac{3 \times 3 \times 3}{2 \times 2 \times 2}} = \frac{3}{2}.$

उदाहरण 7. 1.728 का घनमूल ज्ञात कीजिए।

हल : $\because 1.728 = 2 \times 2 \times 2 \times 2 \times 2 \times 2 \times 3 \times 3 \times 3 \times 10^{-3}$

$\therefore$ 1.728 का घनमूल = $\sqrt[3]{\overline{2 \times 2 \times 2} \times \overline{2 \times 2 \times 2} \times \overline{3 \times 3 \times 3} \times 10^{-3}}$

$= 2 \times 2 \times 3 \times 10^{-1} = 12 \times 10^{-1} = 1.2\,.$

उदाहरण 8. वह छोटी से छोटी वर्ग संख्या क्या होगी जो 8, 12 तथा 16 से पूर्णतः विभाजित हो जाए ?

हल : चूंकि 8, 12 तथा 16 से पूर्णतः विभाजित होने बाली संख्या 8, 12 तथा 16 का लघुत्तम समापवर्त्य होगी।

$\therefore$ 8, 12 तथा 16 का लघुत्तम समापवर्त्य = 48

परन्तु यह संख्या वर्ग नहीं है। क्योंकि

$\because 48 = \overline{2 \times 2} \times \overline{2 \times 2} \times 3$

अतः स्पष्ट है कि छोटी से छोटी वर्ग संख्या प्राप्त करने के लिए 48 में 3 से गुणा करना होगा। अर्थात् वह छोटी से छोटी वर्ग संख्या = 48 × 3 = 144 होगी।

उदाहरण 9. 21018 में कौन–सी छोटी-से-छोटी संख्या जोड़ी जाये कि योगफल पूर्ण वर्ग बन जाए?

हल : ∵

```
         145
    ┌──────────
  1 │ 21018
    │ 1
    ├──────────
 24 │ 110
    │  96
    ├──────────
285 │ 1418
    │ 1425
    ├──────────
    │   − 7
```

अतः स्पष्ट है कि यदि दी हुई संख्या में 7 और जोड़ दिया जाये तो प्राप्त संख्या का योगफल एक पर्ण वर्ग संख्या होगी।

अभ्यासमाला

गये प्रत्येक प्रश्नों के चार संभावित उत्तर विकल्प दिये गये हैं। जिनमें से एक ही है। उस सही विकल्प का सावधानीपूर्वक चुनाव कीजिए।

$5\frac{19}{25}$ का वर्गमूल कितना होगा ?

A. $3\frac{2}{5}$ B. $2\frac{3}{5}$

C. $2\frac{2}{5}$ D. $2\frac{1}{5}$

2. $\sqrt{.0049}$ का मान कितना होगा ?

A. .07 B. .09

C. .06 D. .08

3. $\sqrt{128+\sqrt{260-\sqrt{16}}}$ का मान क्या होगा ?

A. 18 B. 16

C. 14 D. 12

4. 1331 का घनमूल कितना होगा ?

A. 21 B. 31

C. 11 D. 41

5. $2\frac{10}{27}$ का घनमूल क्या है ?

A. $1\frac{2}{3}$ B. $1\frac{1}{3}$

C. $1\frac{1}{9}$ D. $1\frac{5}{3}$

6. $\sqrt{.9}$ का मान क्या होगा ?

A. .94 B. .97

C. .93 D. .95

7. यदि $\sqrt{49} \times \frac{1}{5} = 7 \times \sqrt{x}$, हो तो x का मान कितना होगा ?

A. $\frac{2}{5}$ B. $\frac{1}{25}$

C. $\frac{3}{25}$ D. $\frac{4}{5}$

8. यदि $\frac{?}{\sqrt{0.81}} = 150 + \sqrt{.09}$, हो तो (?) चिह्न का मान कितना होगा ?

A. 137.27

B. 131.9

C. 135.27

D. 127.3

9. यदि $\frac{10^2 + 12^2}{\sqrt{400}} = \sqrt{x}$ हो तो x का मान क्या होगा ?

A. 148.84 B. 184.48
C. 144.84 D. 164.84

10. यदि $\sqrt{625 - 225} = \sqrt{?} + 10$ हो तो (?) चिह्न के स्थान पर मान क्या होगा ?

A. 125 B. 150
C. 100 D. 200

11. यदि $\sqrt{5} = 2.2361$ तथा $\sqrt{3} = 1.7321$ हो तो $\frac{1}{\sqrt{3} + \sqrt{5}}$ का मान कितना होगा ?

A. 0.152 B. 0.215
C. 0.252 D. 0.172

12. यदि $\sqrt{169} = 13$ हो तो $\sqrt{0.000169} + \sqrt{0.0169}$ का मान कितना होगा ?

A. 0.143 B. 0.139
C. 0.133 D. 0.153

13. $3 \times \sqrt{15} \times \sqrt{5} - 4 \times \sqrt{27}$ का मान कितना होगा ?

A. $3\sqrt{9}$ B. $3\sqrt{7}$
C. $3\sqrt{3}$ D. $3\sqrt{5}$

14. $\sqrt{\sqrt[3]{0.000729} + \sqrt{.0961}}$ का मान कितना होगा ?

A. .63 B. .73
C. .83 D. .93

15. यदि $\frac{18}{\sqrt{36}} \times \frac{24}{\sqrt{9}} \times \frac{120}{\sqrt{?}} = 720$ हो तो (?) चिह्न के स्थान पर मान कितना होगा ?

A. 8 B. 7
C. 16 D. 9

16. यदि $\frac{\sqrt{144}}{12^2} + \frac{24^2}{\sqrt{576}} + \frac{\sqrt{5184}}{36^2} = x$ हो तो x का मान कितना होगा ?

A. $20\frac{5}{36}$ B. $24\frac{7}{36}$
C. $22\frac{7}{36}$ D. $24\frac{5}{36}$

17. $(2+\sqrt{2}) + \frac{1}{(2+\sqrt{2})} + \frac{1}{(\sqrt{2}-2)}$ का मान क्या होगा ?

A. 4 B. 8
C. 2 D. 6

18. चार अंकों की छोटी से छोटी वर्ग संख्या निम्न में से कौन–सी होगी ?

A. 1012 B. 1024
C. 1032 D. 1016

19. वह छोटी से छोटी संख्या क्या होगी जिसे 1026 में से घटाने पर शेष फल पूर्ण वर्ग बन जाए ?

A. 2 B. 4
C. 6 D. 8

20. वह छोटी से छोटी संख्या कितनी होगी जिससे 216×10^2 में गुणा करने पर गुणनफल पूर्ण वर्ग बन जाए ?

A. 5 B. 4
C. 3 D. 6

21. एक माली बाग में 5625 पेड़ लगाता है। यदि वह पेड़ों को इस प्रकार लगाये कि प्रत्येक

पंक्ति में पेड़ों की संख्या, कुल पंक्तियों की सख्या के बराबर हो तो पंक्तियों की कुल संख्या कितनी होगी ?

A. 65 B. 75

C. 95 D. 85

22. एक कक्षा के विद्यार्थियों ने पिकनिक के लिए चन्दे में उतने–उतने ही रुपये दिये जितने कि विद्यार्थियों की संख्या थी। यदि उसमें 3 अध्यापकों ने मिलकर 450 रुपये दिये तथा चन्दे की कुल रकम 1350 रुपये हुई तो बताइये कक्षा के विद्यार्थियों की संख्या कितनी थी ?

A. 35 B. 40

C. 30 D. 45

उत्तरमाला

1	2	3	4	5	6	7	8	9	10
C	A	D	C	B	D	B	C	A	C
11	**12**	**13**	**14**	**15**	**16**	**17**	**18**	**19**	**20**
C	A	C	A	C	D	C	B	A	D
21	**22**								
B	C								

व्याख्यात्मक उत्तर

1. $\because \; 5\frac{19}{25} = \frac{144}{25}$

$\therefore \; \frac{144}{25}$ का वर्गमूल $= \sqrt{\frac{144}{25}} = \frac{\sqrt{12 \times 12}}{\sqrt{5 \times 5}} = \frac{12}{5} = 2\frac{2}{5}$

अतः $5\frac{19}{25}$ का वर्गमूल $= 2\frac{2}{5}$ होगा।

2. $\because \; .0049 = .07 \times .07$

$\therefore \; \sqrt{.0049} = \sqrt{.07 \times .07} = .07$

अतः $\sqrt{.0049}$ का मान $= .07$ होगा।

3. $\because \; \sqrt{16} = \sqrt{4 \times 4} = 4$ तथा $\sqrt{260 - \sqrt{16}} = \sqrt{260 - 4} = \sqrt{256}$

$\because \; \sqrt{256} = \sqrt{16 \times 16} = 16$

$$\therefore \sqrt{128 + \sqrt{260 - \sqrt{16}}} = \sqrt{128 + \sqrt{260 - 4}} = \sqrt{128 + \sqrt{256}}$$

$$= \sqrt{128 + 16} = \sqrt{144} = \sqrt{12 \times 12} = 12.$$

4. 1331 का घनमूल = $\sqrt[3]{1331} = \sqrt[3]{11 \times 11 \times 11} = 11.$

5. $\because 2\frac{10}{27} = \frac{64}{27}$

$\therefore 2\frac{10}{27}$ का घनमूल $= \sqrt[3]{\frac{64}{27}} = \sqrt[3]{\frac{4 \times 4 \times 4}{3 \times 3 \times 3}} = \frac{4}{3} = 1\frac{1}{3}.$

6. $\because .9 = .9000, \therefore$

```
        .94
   9 | .9000
       81
 184 |  900
        736
        164
```

अतः स्पष्ट होता है कि $\sqrt{.9}$ का मान लगभग = .95 होगा।

7. $\because \sqrt{49} = 7 \quad \therefore \sqrt{49} \times \frac{1}{5} = 7 \times \sqrt{x} \Rightarrow 7 \times \frac{1}{5} = 7 \times \sqrt{x}$

$$\Rightarrow \frac{1}{5} = \sqrt{x} \Rightarrow x = \left(\frac{1}{5}\right)^2 = \frac{1}{25}$$

अतः x का मान $= \frac{1}{25}$ होगा।

8. $\because \sqrt{0.81} = .9$ तथा $\sqrt{.09} = .3$

$$\therefore \frac{?}{\sqrt{0.81}} = 150 + \sqrt{.09} \Rightarrow \frac{?}{.9} = 150 + .3 = 150.3$$

$$\Rightarrow ? = 150.3 \times .9 = 135.27$$

अतः (?) चिह्न पर मान = 135.27 होगा।

9. $\because 10^2 + 12^2 = 100 + 144 = 244$ तथा $\sqrt{400} = 20$

$$\therefore \frac{10^2 + 12^2}{\sqrt{400}} = \sqrt{x} \Rightarrow \frac{244}{20} = \sqrt{x} \Rightarrow 12.2 \Rightarrow \sqrt{x}$$

$$\Rightarrow 148.84 = x$$

अतः x का मान = 148.84 होगा।

10. $\because \sqrt{625-225} = \sqrt{400} = 20$

$\therefore \quad \sqrt{625-225} = \sqrt{?} + 10 \Rightarrow 20 = \sqrt{?} + 10$

$\Rightarrow \sqrt{?} = 20 - 10 = 10 \Rightarrow ? = 100$

अतः (?) चिह्न के स्थान पर मान = 100 होगा।

11. $\because \dfrac{1}{\left(\sqrt{3}+\sqrt{5}\right)} = \dfrac{1}{\left(\sqrt{3}+\sqrt{5}\right)} \times \dfrac{\left(\sqrt{5}-\sqrt{3}\right)}{\left(\sqrt{5}-\sqrt{3}\right)} = \dfrac{\left(\sqrt{5}-\sqrt{3}\right)}{\left(\sqrt{5}\right)^2 - \left(\sqrt{3}\right)^2}$

$= \dfrac{\sqrt{5}-\sqrt{3}}{5-3} = \dfrac{\sqrt{5}-\sqrt{3}}{2} = \dfrac{2.2361 - 1.7321}{2} = 0.252$

12. $\because \sqrt{0.000169} = 0.013$ तथा $\sqrt{0.0169} = 0.13$

$\therefore \quad \sqrt{0.000169} + \sqrt{0.0169} = 0.013 + 0.13 = 0.143.$

13. $3 \times \sqrt{15} \times \sqrt{5} = 3 \times \sqrt{5 \times 3} \times \sqrt{5} = 3 \times \sqrt{5} \times \sqrt{3} \times \sqrt{5} = 15\sqrt{3}$

तथा $\quad 4 \times \sqrt{27} = 4 \times \sqrt{9 \times 3} = 4 \times \sqrt{9} \times \sqrt{3} = 12\sqrt{3}$

$\therefore \quad 3 \times \sqrt{15} \times \sqrt{5} - 4 \times \sqrt{27} = 15\sqrt{3} - 12\sqrt{3} = 3\sqrt{3}$

14. $\because \sqrt[3]{0.000729} = \sqrt[3]{.09 \times .09 \times .09} = .09$

तथा $\quad \sqrt{.0961} = \sqrt{.31 \times .31} = .31$

$\therefore \sqrt{\sqrt[3]{0.000729} + \sqrt{.0961}} = \sqrt{.09 + .31} = \sqrt{.4}$

$.4 = .4000$

$$\therefore \quad \begin{array}{r|l} & .63 \\ \hline 6 & .\overline{40}\,\overline{00} \\ & 36 \\ \hline 123 & 400 \\ & 369 \\ \hline & 31 \end{array}$$

$\therefore \sqrt{.4} = .63$ (लगभग)

अतः $\sqrt{\sqrt[3]{0.000729} + \sqrt{.0961}}$ का मान (लगभग) = .63 होगा।

15. $\because \frac{18}{\sqrt{36}} \times \frac{24}{\sqrt{9}} \times \frac{120}{\sqrt{?}} = 720 \Rightarrow \frac{18}{6} \times \frac{24}{3} \times \frac{120}{\sqrt{?}} = 720$

$$\Rightarrow \sqrt{?} = \frac{18 \times 24 \times 120}{720 \times 6 \times 3} = 4 \Rightarrow ? = 4^2 = 16$$

अतः (?) चिह्न के स्थान पर मान = 16 होगा।

16. $\because \frac{\sqrt{144}}{12^2} + \frac{24^2}{\sqrt{576}} + \frac{\sqrt{5184}}{36^2} = x$

$$\Rightarrow \frac{12}{12^2} + \frac{24^2}{24} + \frac{72}{36^2} = x$$

$$\Rightarrow \frac{1}{12} + 24 + \frac{1}{18} = x \Rightarrow x = 24\frac{5}{36}.$$

17. $\because \frac{1}{2+\sqrt{2}} = \frac{2-\sqrt{2}}{4-2} = \frac{2-\sqrt{2}}{2}$

तथा $\frac{1}{\sqrt{2}-2} = \frac{\sqrt{2}+2}{2-4} = \frac{\sqrt{2}+2}{-2}$

$$\therefore 2+\sqrt{2} + \frac{1}{2+\sqrt{2}} + \frac{1}{\sqrt{2}-2} = 2+\sqrt{2} + \frac{2-\sqrt{2}}{2} - \left(\frac{\sqrt{2}+2}{2}\right)$$

$$= 2+\sqrt{2} - \sqrt{2} = 2.$$

18. $\because$ चार अंकों की छोटी-से-छोटी संख्या = 1000

परन्तु यह वर्ग संख्या नहीं है क्योंकि

$1000 = (31)^2 + 39$, $\therefore$ हमें (32) का वर्ग ज्ञात करना होगा

अर्थात् $(32)^2 = 1024$

अतः चार अंकों की छोटी-से-छोटी वर्ग संख्या 1024 होगी क्योंकि यह 32 का वर्ग होगी।

19. $\because$

```
       32
   3 | 10 26
     |  9
  62 | 126
     | 124
     |   2
```

अतः स्पष्ट होता है कि 1026 में से छोटी-से-छोटी संख्या 2 घटाने पर प्राप्त शेषफल पूर्ण वर्ग होगा अर्थात् $1026 - 2 = 1024$ जोकि 32 का वर्ग है।

20. $\because\ 216 \times 10^2 = 6 \times 6 \times 6 \times 10 \times 10$

अतः स्पष्ट है कि उपरोक्त संख्या को पूर्ण वर्ग बनाने के लिए उसमें छोटी-से-छोटी संख्या 6 से गुणा करना होगा।

21. $\because$ बाग में पंक्तियों की कुल संख्या, 5625 का वर्गमूल होगी।

	75
7	$\overline{56}\ \overline{25}$
	49
145	725
	725
	×

$\therefore$ 5625 का वर्गमूल $= \sqrt{5625} = 75$

अतः पंक्तियों की कुल संख्या = 75 होगी।

22. $\because$ अध्यापकों सहित कक्षा के कुल विद्यार्थियों के चन्दे की कुल रकम = 1350 रुपये

$\therefore$ विद्यार्थियों के चन्दे की कुल रकम $= 1350 - 450 =$ **900 रुपये**

अतः विद्यार्थियों की कुल संख्या, 900 का वर्गमूल होगी।

	30
3	$\overline{9}\,\overline{00}$
	9
6	00

चूंकि 900 का वर्गमूल $= \sqrt{900} = 30$

$\therefore$ विद्यार्थियों की कुल संख्या = 30 थी।

❑ ❑ ❑

4. महत्तम समापवर्तक एवं लघुत्तम समापवर्त्य

महत्तम समापवर्तक : किन्हीं दो या दो से अधिक दी हुई संख्याओं का महत्तम समापवर्तक (म. स. प.) वह बड़ी-से-बड़ी संख्या है जो प्रत्येक दी हुई संख्याओं को पूरा–पूरा विभाजित करे।

लघुत्तम समापवर्त्य : किन्हीं दो या दो से अधिक दी हुई संख्याओं का लघुत्तम समापवर्त्य (ल. स. व.) वह छोटी-से-छोटी संख्या है जो प्रत्येक दी हुई संख्या से पूरी–पूरी विभाजित हो।

प्रश्नों से सम्बंधित समस्याओं को हल करने के लिए निम्नलिखित सूत्रों को ध्यान में रखिये :

(*i*) भिन्नों का महत्तम समापवर्तक (म. स. प.) = अंशों का महत्तम समापवर्तक / हरों का लघुत्तम समापवर्त्य

(*ii*) भिन्नों का लघुत्तम समापवर्त्य (ल. स. व.) = अंशों का लघुत्तम समापवर्त्य / हरों का महत्तम समापवर्तक

(*iii*) दो संख्याओं का गुणनफल = म. स. प. × ल. स. व.

उदाहरण 1. 18, 24 तथा 60 का महत्तम समापवर्तक निकालिए।

हल : $\because 18 = 2 \times 3 \times \underline{3}$

$24 = 2 \times 2 \times 2 \times \underline{3}$

तथा $60 = 2 \times 2 \times \underline{3} \times 5$

$\therefore$ उपरोक्त दी हुई संख्याओं के अभाज्य गुणनखंडों से स्पष्ट है कि तीनों संख्याओं के अभाज्य गुणनखण्डों में 2×3 उभयनिष्ठ है।

$\therefore$ अभीष्ठ महत्तम समापवर्तक = 6 होगा।

उदाहरण 2. 40, 30, 25 तथा 20 का लघुत्तम समापवर्त्य ज्ञात कीजिए।

हल : $\because 40 = 2 \times 2 \times 2 \times 5$

$30 = 2 \times 3 \times 5$

$25 = 5 \times 5$

तथा $20 = 2 \times 2 \times 5$

$\because$ उपरोक्त चारों संख्याओं के अभाज्य गुणनखंडों को देखकर आसानी से ज्ञात किया जा सकता है कि कौन–सा अभाज्य गुणनखण्ड सबसे अधिक बार आया है। अतः स्पष्ट है कि

अभाज्य गुणनखण्ड 2 सबसे अधिक 3 बार, 3 एक बार तथा 5 दो बार आया है।

$\therefore$ अभीष्ठ लघुत्तम समापवर्त्य (ल. स. व.) = $2 \times 2 \times 2 \times 3 \times 5 \times 5 = 600$.

उदाहरण 3. $\frac{4}{9}$, $\frac{10}{21}$ तथा $\frac{20}{63}$ का म. स. प. ज्ञात कीजिए।

हल : चूंकि भिन्नों का म. स. प. = अंशों का म. स. प. / हरों का ल. स. व.

$\therefore$ 4, 10 तथा 20 का म. स. प. = 2

तथा 9, 21 तथा 63 का ल. स. व. = 63

$\therefore \frac{4}{9}, \frac{10}{21}$ तथा $\frac{20}{63}$ का म. स. प. = $\frac{2}{63}$

उदाहरण 4. 48 तथा 64 के ल. स. व. में इनका म. स. प. कितनी बार सम्मिलित है, ज्ञात करो।

हल : $\because$ 48 तथा 64 का म. स. प. ज्ञात करने के लिए $48 = 2 \times 2 \times 2 \times 2 \times 3$ तथा $64 = 2 \times 2 \times 2 \times 2 \times 2 \times 2$। अतः दोनों संख्याओं के अभाज्य गुणनखण्डों में उभयनिष्ठ गुणनखण्ड $= 2 \times 2 \times 2 \times 2 = 16$

$\therefore$ अभीष्ठ म. स. प. = 16

या 48 व 64 का ल. स. प. ज्ञात करने के लिए $48 = 2 \times 2 \times 2 \times 2 \times 3$ तथा

$64 = 2 \times 2 \times 2 \times 2 \times 2 \times 2$

अतः दोनों संख्याओं के अभाज्य गुणनखण्डों में सबसे अधिक बार आने वाले गुणनखण्डों का मान $= 2 \times 2 \times 2 \times 2 \times 2 \times 2 \times 3 = 192$

$\therefore$ अभीष्ठ ल. स. व. $= 192 = \underline{16} \times 12$

अतः स्पष्ट है कि 48 व 64 के ल. स. व. में इनका म. स. प. 12 बार सम्मिलित है।

उदाहरण 5 : दो संख्याओं का ल. स. व. व म. स. प. क्रमशः 60 व 4 है। यदि उनमें से एक संख्या का मान 20 हो तो दूसरी संख्या का मान कितना होगा ?

हल : पहली संख्या × दूसरी संख्या = ल. स. व. × म. स. प.

$\therefore$ 20 × दूसरी संख्या = 60 × 4

$\Rightarrow$ दूसरी संख्या = $\frac{60 \times 4}{20} = 12$

अतः दूसरी संख्या का मान = 12 होगा।

उदाहरण 6. दो संख्याओं का गुणनफल 7200 है। यदि उन संख्याओं का म. स. प. 20 हो तो उनका ल. स. व. कितना होगा ?

हल : $\because$ ल. स. व. × म. स. प. = दोनों संख्याओं का गुणनफल

$\therefore$ ल. स. व. × 20 = 7200

$\Rightarrow$ ल. स. व. $= \dfrac{7200}{20}$

$= 360$

अतः उन दोनों संख्याओं का ल. स. व. = 360 होगा।

उदाहरण 7. वह बड़ी-से-बड़ी संख्या क्या होगी जिससे यदि 221, 491 तथा 116 में भाग दें तो प्रत्येक स्थिति में समान शेष बचे ?

हल : इस प्रकार के प्रश्नों के हल करने के लिए **पहली व दूसरी** तथा **दूसरी व तीसरी** संख्याओं का अन्तर ज्ञात करके प्राप्त संख्याओं का अभीष्ठ म. स. प. ही वह बड़ी-से-बड़ी संख्या होती है।

$\therefore$ पहली व दूसरी संख्याओं का अन्तर

$= 491 - 221 = 270$

तथा दूसरी व तीसरी संख्याओं का अन्तर

$= 491 - 116 = 375$

$\therefore$ 270 व 375 का म. स. प. ज्ञात करना है

$\because$ $270 = 2 \times 3 \times 3 \times 3 \times 5$

तथा $375 = 3 \times 5 \times 5 \times 5$

$\therefore$ बड़ी-से-बड़ी संख्या अर्थात्

अभीष्ठ म. स. प. $= 3 \times 5 = 15$ होगी।

उदाहरण 8. वह छोटी-से-छोटी संख्या क्या होगी, जिसमें 5, 6, 8, 9 या 12 से भाग दें तो प्रत्येक दिशा में 1 शेष बचे तथा 13 से भी पूर्णतः विभाजित हो ?

हल : $\because$ सबसे पहले 5, 6, 8, 9 या 12 का ल. स. व. ज्ञात करना होगा।

$\therefore$ $5 = 1 \times 5$

$6 = 2 \times 3$

$8 = 2 \times 2 \times 2$

$9 = 3 \times 3$

$12 = 2 \times 2 \times 3$

$\therefore$ अभीष्ठ ल. स. व. $= 2 \times 2 \times 2 \times 3 \times 3 \times 5$

$= 360$

$\therefore$ अभीष्ठ संख्या $= 360 + 1$

$= 361$ हो सकती है।

परन्तु यह 13 से पूर्णतः विभाजित नहीं। इसलिए हमें $\underline{360 \times 2 + 1}$, $\underline{360 \times 3 + 1}$, $\underline{360 \times 4 + 1}$ ... आदि संख्याओं पर विचार करना होगा।

अतः वह छोटी-से-छोटी अभीष्ठ संख्या $= 360 \times 10 + 1 = 3601$ होगी जोकि 13 से पूर्णतः विभाजित है।

अभ्यासमाला

नीचे दिये गये प्रत्येक प्रश्नों के चार संभावित उत्तर विकल्प दिये गये हैं। जिनमें से एक विकल्प सही है। उस सही विकल्प का सावधानीपूर्वक चुनाव कीजिए।

1. 12, 24 व 36 का महत्तम समापवर्तक कितना होगा ?

A. 16 B. 18
C. 12 D. 36

2. 70, 20 तथा 14 का लघुत्तम समापवर्त्य क्या है ?

A. 120 B. 140
C. 280 D. 70

3. 72, 108 और 56 का महत्तम समापवर्तक कितना होगा ?

A. 4 B. 8
C. 12 D. 112

4. 6, 9, 12 और 18 का ल. स. व. क्या होगा?

A. 18 B. 36
C. 6 D. 54

5. 24, 48 तथा 72 के ल. स. व. में इनका म. स. प. कितनी बार सम्मिलित होगा ?

A. 2 बार B. 4 बार
C. 5 बार D. 6 बार

6. दो संख्याओं का अनुपात 11 : 15 है। यदि उनका म. स. प. 13 हो तो वे संख्याएँ क्रमशः क्या होंगी ?

A. 143 व 195 B. 195 व 143
C. 110 : 150 D. 121 : 165

7. वह छोटी-से-छोटी संख्या निम्न में से कौन सी होगी जो 3, 4, 6 व 8 से पूर्णतः विभाजित हो जाए ?

A. 36
B. 24
C. 12
D. 48

8. वह छोटी-से-छोटी पूर्ण वर्ग संख्या क्या होगी जो 56, 21 तथा 36 से पूर्णतः विभाजित हो सके?

A. 7056 B. 8056
C. 7040 D. 8100

9. 102 तथा 1170 का बड़े-से-बड़ा उभयनिष्ठ भाजक का मान निम्न में से होगा।

A. 10 B. 7
C. 6 D. 8

10. 50 और 100 के बीच वह छोटी-से-छोटी संख्या क्या होगी जो 3, 6 तथा 15 से पूर्णतः विभाजित हो।

A. 150 B. 75
C. 120 D. 60

11. $\frac{25}{14}$, $\frac{15}{8}$ तथा $\frac{40}{27}$ का लघुत्तम समापवर्त्य क्या होगा ?

A. 600 B. 500
C. 400 D. 440

12. $\frac{5}{6}$, $\frac{9}{10}$ तथा $\frac{12}{11}$ का महत्तम समापवर्तक कितना होगा ?

A. $\frac{1}{380}$ B. $\frac{1}{330}$
C. $\frac{7}{330}$ D. $\frac{1}{440}$

13. वह बड़ी-से-बडी संख्या क्या होगी जिससे यदि 27, 33 तथा 39 को भाग दें तो क्रमशः 2, 3 तथा 4 शेष बचे ?

A. 4 B. 5
C. 3 D. 7

14. दो संख्याओं का गुणनफल 380 है। यदि उनका महत्तम समापवर्तक 1 हो तो उनका लघुत्तम समापवर्त्य क्या होगा ?

A. 130 B. 180
C. 230 D. 380

15. 5 अंकों की वह छोटी-से-छोटी संख्या क्या होगी जो 12, 15 तथा 18 से पूर्णतः विभाजित हो?

A. 10080 B. 10800
C. 11820
D. 12080

16. वह छोटी-से-छोटी संख्या जिसको 24, 28 तथा 35 से भाग देने पर प्रत्येक स्थिति में 5 शेष बचे, होगी ?

A. 775
B. 920
C. 845
D. 855.

उत्तरमाला

1	2	3	4	5	6	7	8	9	10
C	B	A	B	D	A	B	A	C	D
11	**12**	**13**	**14**	**15**	**16**				
A	B	B	D	A	C				

व्याख्यात्मक उत्तर

1. $\because$ $12 = \underline{2 \times 2 \times 3}$

$24 = 2 \times \underline{2 \times 2 \times 3}$

तथा $36 = \underline{2 \times 2 \times 3} \times 3$

$\therefore$ अभीष्ठ महत्तम समापवर्तक $= 2 \times 2 \times 3 = 12$.

2. $\because$ $70 = 2 \times 5 \times 7$

$20 = 2 \times 2 \times 5$

तथा $14 = 2 \times 7$

$\therefore$ अभीष्ठ लघुत्तम समापवर्त्य $= 2 \times 2 \times 5 \times 7 = 140$.

3. $\because$ $72 = 2 \times 2 \times 2 \times 3 \times 3$

$108 = 2 \times 2 \times 3 \times 3 \times 3$

तथा $56 = 2 \times 2 \times 2 \times 7$

$\therefore$ अभीष्ठ महत्तम समापवर्तक $= 2 \times 2 = 4$.

4. $\because$ $6 = 2 \times 3$

$9 = 3 \times 3$

$12 = 2 \times 2 \times 3$

तथा $18 = 2 \times 3 \times 3$

$\therefore$ अभीष्ठ ल. स. व. $= 2 \times 2 \times 3 \times 3 = 36$.

5. $\because$ 24, 48 तथा 72 का म. स. प. तथा ल. स. व. ज्ञात करने के लिए,

$24 = 2 \times 2 \times 2 \times 3$

$48 = 2 \times 2 \times 2 \times 2 \times 3$

तथा $72 = 2 \times 2 \times 2 \times 3 \times 3$

$\therefore$ अभीष्ट म० स० प० $= 2 \times 2 \times 2 \times 3 = 24$

तथा अभीष्ट ल. स. व. $= 2 \times 2 \times 2 \times 2 \times 3 \times 3 = 144 = 24 \times 6$

अतः स्पष्ट है कि 24, 48 तथा 72 के ल. स. व. में इनका म. स. प. 6 बार सम्मिलित होगा।

6. माना कि वे संख्याएँ क्रमशः $11x$ व $15x$ हैं।

प्रश्नानुसार, दोनों संख्याओं का म. स. प. = 13 (दिया हुआ है)

अतः स्पष्ट होता है कि x के स्थान पर मान 13 होगा क्योंकि 11×13 तथा 15×13 का म. स. प. 13 है। अतः वे संख्याएँ क्रमशः $11 \times 13 = 143$ तथा $15 \times 13 = 195$ होंगी।

7. प्रश्न से स्पष्ट है कि 3, 4, 6 तथा 8 का ल. स. व. ज्ञात करना है।

$\therefore$ $3 = 1 \times 3$

$4 = 2 \times 2$

$6 = 2 \times 3$

तथा $8 = 2 \times 2 \times 2.$

$\therefore$ अभीष्ट ल. स. व. $= 2 \times 2 \times 2 \times 3 = 24$

अतः वह छोटी से छोटी संख्या जो 3, 4, 6 तथा 8 से पूर्णतः विभाजित होगी = 24.

8. सबसे पहले 56, 21 तथा 36 का ल. स. व. ज्ञात करना है।

$\because$ $56 = 2 \times 2 \times 2 \times 7$

$21 = 3 \times 7$

तथा $36 = 2 \times 2 \times 3 \times 3$

$\therefore$ अभीष्ट ल. स. व. $= 2 \times 2 \times 2 \times 3 \times 3 \times 7$

चूंकि यह पूर्ण वर्ग संख्या नहीं है। अतः अभीष्ट ल. स. व. को पूर्ण वर्ग बनाने के लिए इसमें कम से कम 2×7 अर्थात् 14 से गुणा करना होगा।

$\therefore$ वह छोटी से छोटी पूर्ण वर्ग संख्या $= 2 \times 2 \times 2 \times 3 \times 3 \times 7 \times 2 \times 7 = 7056$ होगी।

9. $\because$ $102 = 2 \times 3 \times 17$

तथा $1170 = 2 \times 3 \times 3 \times 5 \times 13$

अतः स्पष्ट है कि दोनों संख्याओं के अभाज्य गुणनखण्डों में बड़े से बड़ा उभयनिष्ठ गुणनखण्ड $= 2 \times 3 = 6$ है।

$\therefore$ बड़े से बड़ा उभयनिष्ठ भाजक भी 6 होगा।

10. $\because$ 3, 6 तथा 15 का ल. स. व. ज्ञात करना है।

$3 = 1 \times 3$

$6 = 2 \times 3$

तथा $15 = 3 \times 5$

$\therefore$ अभीष्ठ ल. स. व. $= 2 \times 3 \times 5 = 30$

परन्तु यह 50 और 100 के बीच की संख्या नहीं है

$\therefore$ 50 और 100 के बीच छोटी-से-छोटी संख्या जो 3, 6 तथा 15 से पूर्णतः विभाजित होगी

$= 30 \times 2 = 60.$

11. $\because$ भिन्नों का लघुत्तम समापवर्त्य = अंशों का ल. स. व. / हरों का म. स प.

$\because \frac{25}{14}, \frac{15}{8}$ तथा $\frac{40}{27}$ का ल. स. व. $= \frac{\text{25, 15 तथा 40 का ल. स. व.}}{\text{14, 8 तथा 27 का म. स. प.}}$

$\because 25 = 5 \times 5, 15 = 3 \times 5$ तथा $40 = 2 \times 2 \times 2 \times 5$

$\therefore$ अभीष्ठ ल. स. व. $= 2 \times 2 \times 2 \times 3 \times 5 \times 5 = 600$

तथा $14 = 2 \times 7$, $8 = 2 \times 2 \times 2$ तथा $27 = 3 \times 3 \times 3$

$\therefore$ अभीष्ठ म. स. प. = 1

$\therefore \frac{25}{14}, \frac{15}{8}$ तथा $\frac{40}{27}$ का ल. स. व. $= \frac{600}{1} = 600.$

12. $\because$ भिन्नों का महत्तम समापवर्तक = अंशों का म. स. प. / हरों का ल. स. व.

$\therefore \frac{5}{6}, \frac{9}{10}$ तथा $\frac{12}{11}$ का म. स. प. = 5, 9 तथा 12 का म. स. प. / 6, 10 तथा 11 का ल. स. व.

$\because$ $5 = 1 \times 5, 9 = 3 \times 3$ तथा $12 = 2 \times 2 \times 3$

$\therefore$ अभीष्ठ म. स. प. = 1

तथा $6 = 2 \times 3, 10 = 2 \times 5$ तथा $11 = 1 \times 11$

$\therefore$ अभीष्ठ ल. स. व. $= 2 \times 3 \times 5 \times 11 = 330$

$\therefore \frac{5}{6}, \frac{9}{10}$ तथा $\frac{12}{11}$ का म. स. प. $= \frac{1}{330}.$

13. इस प्रकार के प्रश्नों में पहले शेषफल को संख्याओं में से घटाया जाता है फिर उन संख्याओं का म. स. प. ज्ञात किया जाता है।

$\therefore 27 - 2 = 25, 33 - 3 = 30$ तथा $39 - 4 = 35$

अतः 25, 30 तथा 35 का म. स. प. ज्ञात करना है

$\because$ $25 = 5 \times 5, 30 = 2 \times 3 \times 5$ तथा $35 = 5 \times 7$

$\therefore$ अभीष्ठ म. स. प. = 5

$\therefore$ वह बड़ी से बड़ी संख्या = 5 होगी।

14. $\because$ दो संख्याओं का गुणनफल = ल. स. व. × म. स. प.

$\therefore$ 380 = ल. स. व. × 1

$\Rightarrow$ ल. स. व. = $\frac{380}{1}$ = 380

15. सबसे पहले 12, 15 तथा 18 का ल. स. व. ज्ञात करना है

$\because$ 12 = 2 × 2 × 3, 15 = 3 × 5 तथा 18 = 2 × 3 × 3

$\therefore$ अभीष्ट ल. स. व. = 2 × 2 × 3 × 3 × 5 = 180

तथा 5 अंकों की छोटी-से-छोटी संख्या = 10000

= 180 × 55 + 100

तथा स्पष्ट है कि 5 अंकों की छोटी-से-छोटी संख्या जो 12, 15 तथा 18 से पूर्णतः विभाजित होगी = 180 × 56 = 10080.

16. $\because$ 24, 28 तथा 35 का ल. स. व. ज्ञात करना है

$\because$ 24 = 2 × 2 × 2 × 3

28 = 2 × 2 × 7

तथा 35 = 5 × 7

$\therefore$ अभीष्ट ल. स. व. = 2 × 2 × 2 × 3 × 5 × 7 = 840

अतः स्पष्ट है कि वह छोटी-से-छोटी संख्या जिसको 24, 28 तथा 35 से भाग देने पर प्रत्येक स्थिति में 5 शेष बचे = 840 + 5 = 845 होगी।

❑ ❑ ❑

5. प्रतिशत

प्रतिशत का अर्थ प्रत्येक 100 के लिए होता है। 40 प्रतिशत का अर्थ है प्रत्येक 100 के लिए 40, अतः वह भिन्न जिसका हर 100 होता है, प्रतिशत कहलाती है। तथा उस भिन्न का अंश प्रतिशत की दर कहलाता है। इस अंश को प्रतिशत (%) चिह्न द्वारा लिखा जाता है।

प्रतिशत से सम्बंधित समस्याओं को हल करने के लिए निम्नलिखित बातों को ध्यान में रखना चाहिए :

(*i*) 4% का अर्थ है $\frac{4}{100}$, जो कि एक साधारण भिन्न के रूप में प्रदर्शित है तथा $\frac{4}{100}$ का अर्थ है .04, जो कि एक दशमलव भिन्न के रूप में प्रदर्शित है। अतः 4% का साधारण व दशमलव भिन्न में मान क्रमशः $\frac{4}{100}$ व .04 होगा।

(*ii*) प्रतिशत के प्रश्नों में यह मानना चाहिए कि पूरी वस्तु 100% है।

(*iii*) किसी साधारण भिन्न या दशमलव भिन्न को प्रतिशत भिन्न में बदलने के लिए उस भिन्न को 100 से गुणा किया जाता है।

(*iv*) प्रतिशत की कोई विभा या इकाई नहीं होती है।

महत्त्वपूर्ण नोट : प्रश्नों में 'का' शब्द गुणा को प्रदर्शित करता है।

उदाहरण 1. 12% को साधारण भिन्न में बदलिए।

हल : $\because$ 12% का अर्थ है $\frac{12}{100}$ जो कि एक साधारण भिन्न के रूप में प्रदर्शित है।

अतः $12\% = \frac{12}{100} = \frac{3}{25}$.

उदाहरण 2. भिन्न $\frac{9}{20}$ को प्रतिशत भिन्न में किस प्रकार लिखा जायेगा ?

हल : $\because \frac{9}{20}$ एक साधारण भिन्न के रूप में प्रदर्शित है

$\therefore$ साधारण भिन्न को प्रतिशत भिन्न में बदलने के लिए दी हुई भिन्न को 100 से गुणा करना होगा अर्थात् $\frac{9}{20} = \frac{9}{20} \times 100\% = 45\%$.

उदाहरण 3. 300 रु. का 20% कितना होगा ?

हल : $\because$ 300 रु. का 20% = $300 \times \frac{20}{100} = 60$ रु.

उदाहरण 4. यदि x का 20% का 10% = 5 हो, तो x का मान कितना होगा ?

हल : $\because$ x का 20% का 10% = 5

$$\therefore \quad x \times \frac{20}{100} \times \frac{10}{100} = 5$$

$$\therefore \quad x = \frac{5 \times 100 \times 100}{20 \times 10} = 250$$

अतः x का मान = 250 होगा।

उदाहरण 5. एक गाँव की जनसंख्या 800 है। यदि उसमें 40% पुरुष, 35% महिलाएं तथा शेष बच्चे हों तो बताइये उस गाँव में बच्चों की संख्या कितनी होगी ?

हल : प्रश्न से स्पष्ट है कि गांव में बच्चों की प्रतिशत संख्या = 100% – (40% + 35%)
= 100% – 75% = 25% होगी

$\therefore$ बच्चों की संख्या = 800 का 25% = $800 \times \frac{25}{100} = 200$.

उदाहरण 6. यदि A का 8%, B के 14% के बराबर हो तो बताइये A का 20%, B के कितने % के बराबर होगा ?

हल : $\because$ A का 8% = B का 14%

$\therefore$ A का (8% × 2.5) = B का (14% × 2.5)

$\therefore$ A का 20% = B का 35%

अतः A का 20%, B के 35% के बराबर होगा।

उदाहरण 7. गुलशन की मासिक आय 1800 रु. है। यदि वह अपनी मासिक आय का 15% खाने पर, 15% कपड़ों पर, 10% मकान किराए पर तथा 50% घरेलू सामानों पर खर्च करता है तो बताइये उसकी मासिक बचत कितनी होगी ?

हल : प्रश्न से स्पष्ट है कि उसकी मासिक बचत का प्रतिशत
= 100% – (15% + 15% + 10% + 50%)
= 100% – 90 % = 10% होगा

$\therefore$ गुलशन की मासिक बचत = 1800 का 10% = $1800 \times \frac{10}{100} = 180$ रु.

उदाहरण 8. 40% व्यक्ति समाचारपत्र x पढ़ते हैं, 50% व्यक्ति समाचारपत्र y पढ़ते हैं तथा 10% व्यक्ति दोनों समाचारपत्र पढ़ते हैं। तो बताइये कितने प्रतिशत व्यक्ति कोई सा भी समाचारपत्र नहीं पढ़ते ?

हल : माना कि समाचारपत्र पढ़ने वाले व्यक्तियों की संख्या = 100

∴ समाचारपत्र x पढ़ने वाले व्यक्तियों की संख्या = 100 का 40% = 40

समाचारपत्र y पढ़ने वाले व्यक्तियों की संख्या = 100 का 50% = 50

तथा दोनों समाचारपत्र पढ़ने वाले व्यक्तियों की संख्या = 100 का 10% = 10

∴ कोई सा भी समाचारपत्र न पढ़ने वाले व्यक्तियों की संख्या = 100 – (40 + 50 – 10)

= 20

∴ प्रतिशत संख्या = 20%.

उदाहरण 9. एक सेना के 10% सैनिक युद्ध में मारे गये, शेष के 10% बीमारी के कारण मर गए और शेष के 10% युद्ध के लिए अयोग्य हो गए; इस प्रकार अब यदि सेना में 729000 स्वस्थ सैनिक रह गए हों तो बताइये सेना में सैनिकों की प्रारम्भिक संख्या क्या थी ?

हल : माना कि सेना में सैनिकों की प्रारम्भिक संख्या = 100

पहली स्थिति में, 10% सैनिक युद्ध में मारे गए।

∴ शेष बचे सैनिक = 100 – 100 का 10% = 100 – 10 = 90

दूसरी स्थिति में, शेष बचे सैनिकों में 10% बीमारी के कारण मर गए।

∴ शेष बचे सैनिक = 90 – 90 का 10% = 90 – 9 = 81

तीसरी स्थिति में, शेष बचे सैनिकों में 10% युद्ध के लिए अयोग्य हो गए

∴ शेष बचे स्वस्थ सैनिक = 81 – 81 का 10% = 81 – 8.1 = 72.9

∴ 72.9 स्वस्थ सैनिक बचते हैं तो प्रारम्भ में सैनिकों की संख्या = 100

∴ 729000 स्वस्थ सैनिक बचते हैं तो प्रारम्भ में सैनिकों की संख्या

$$= \frac{100 \times 729000}{72.9} = 1000000.$$

उदाहरण 10. किसी परीक्षा में कुल परीक्षार्थियों की संख्या के 75% अंग्रेजी तथा 65% गणित में उत्तीर्ण हुए। 15% परीक्षार्थी दोनों विषयों में अनुत्तीर्ण हुए। यदि 495 परीक्षार्थी दोनों विषयों में उत्तीर्ण हुए हों तो परीक्षार्थियों की कुल संख्या कितनी होगी ?

हल : प्रश्न से स्पष्ट है कि अंग्रेजी तथा गणित विषयों में अनुत्तीर्ण परीक्षार्थियों का प्रतिशत क्रमशः 100% – 75% = 25% व 100% – 65% = 35% होगा।

प्रश्नानुसार, 15% परीक्षार्थी दोनों विषयों में अनुत्तीर्ण हुए

∴ अनुत्तीर्ण परीक्षार्थियों का प्रतिशत = 25% + 35% – 15% = 45%

∴ उत्तीर्ण परीक्षार्थियों का प्रतिशत = 100% – 45% = 55%

∴ परीक्षार्थियों की कुल संख्या का 55% = 495

$$\therefore \text{ परीक्षार्थियों की कुल संख्या } = \frac{495 \times 100}{55} = 900.$$

उदाहरण 11. एक परीक्षा में A ने B से 10% कम अंक प्राप्त किए, B ने C से 25% अधिक अंक प्राप्त किए, C ने D से 20% कम अंक प्राप्त किए। यदि A को 500 में से 360 अंक प्राप्त हुए हों तो D को कितने प्रतिशत अंक प्राप्त हुए ?

हल : A के प्राप्तांकों का प्रतिशत $= \frac{360}{500} \times 100 = 72\%$

पहली स्थिति में, A ने B से 10% कम अंक प्राप्त किए

$\therefore$ B के प्राप्तांकों का प्रतिशत $= 72\% \times \frac{100\%}{100\% - 10\%}$

$= 72\% \times \frac{100}{90} = 80\%$

दूसरी स्थिति में, B ने C से 25% अधिक अंक प्राप्त किए

$\therefore$ C के प्राप्तांकों का प्रतिशत $= 80\% \times \frac{100\%}{100\% + 25\%}$

$= 80\% \times \frac{100}{125} = 64\%$

तीसरी स्थिति में, C ने D से 20% कम अंक प्राप्त किए

$\therefore$ D के प्राप्तांकों का प्रतिशत $= 64\% \times \frac{100\%}{100\% - 20\%}$

$= 64\% \times \frac{100}{80} = 80\%$

अतः D को परीक्षा में 80% अंक प्राप्त हुए।

अभ्यासमाला

नीचे दिये गये प्रत्येक प्रश्नों के चार संभावित उत्तर विकल्प दिये गये हैं। जिनमें से एक विकल्प सही है। उस सही विकल्प का सावधानी पूर्वक चुनाव कीजिए।

1. $\frac{3}{20}$ का प्रतिशत भिन्न में मान कितना होगा ?

A. 10% B. 6%

C. 15% D. 18%

2. 35% को दशमलव भिन्न में बदलने पर मान होगा।

A. .035 B. .35

C. 3.5

D. 35

3. एक मीटर का कितने प्रतिशत 5 सेमी. होगा ?

A. 4%

B. 10%

C. 5%

D. 20%

4. किसी दी हुई संख्या का 20% निम्न में से उस संख्या को किससे भाग देकर प्राप्त किया जा सकता है ?

A. 5 B. 4
C. 8 D. 2

5. यदि 80 का 55% + 90 का 30% + ? = 198 हो तो प्रश्न चिह्न (?) के स्थान पर मान होगा ?

A. 120 B. 127
C. 117 D. 130

6. यदि $6\frac{2}{5} + 35$का 80% $+ 26\frac{1}{3} = \otimes$ हो तो पुष्पांकित चिह्न $\otimes$ के स्थान पर क्या मान होगा ?

A. $60\frac{11}{15}$ B. $59\frac{4}{15}$

C. $70\frac{1}{15}$ D. $49\frac{11}{15}$

7. यदि ? का 70% = 455 हो तो प्रश्न चिह्न (?) के स्थान पर क्या मान होगा ?

A. 380 B. 650
C. 660 D. 655

8. किसी शहर की जनसंख्या 50,000 से बढ़कर 52,000 हो गई। जनसंख्या में कितने प्रतिशत वृद्धि हुई ?

A. 18% B. 27%
C. 25% D. 4%

9. यदि गेहूँ का भाव 60% बढ़ जाए तो किसी परिवार को गेहूँ का उपभोग कितने प्रतिशत कम कर देना चाहिए ताकि उस पर गेहूँ का खर्च बिल्कुल न बढ़े ?

A. 47.5% B. 31.5%
C. 37.5% D. 20.5%

10. किसी स्कूल में 1800 विद्यार्थी हैं। यदि इनमें से 20% मुसलमान, 15% सिख, 10% ईसाई तथा शेष हिन्दू हों तो हिन्दू विद्यार्थियों की संख्या कितनी होगी ?

A. 880 B. 990
C. 1024 D. 1120

11. कमलकान्त के अंग्रेजी में प्राप्त अंक उसे हिन्दी व गणित में मिले कुल अंकों का 40% के बराबर है। यदि उसे हिन्दी में, गणित से 20 अंक अधिक मिले हों तो उसको अंग्रेजी में कितने अंक मिले थे ?

A. 780
B. जानकारी अधूरी है।
C. 860
D. 540

12. लवकुंश का वेतन संजू के वेतन से 30% अधिक है। यदि संजू का वेतन 600 रुपये हो तो लवकुंश का वेतन कितना होगा ?

A. 780 रु. B. 670 रु.
C. 860 रु. D. 920 रु.

13. शिकारपुर की जनसंख्या 1961 में 44000 थी। 1971 में यह जनसंख्या 55000 हो जाती है, तो बताइये 1961 की अपेक्षा 1971 में जनसंख्या में कितने प्रतिशत वृद्धि हुई ?

A. 22% B. 15%
C. 25% D. 20%

14. यदि किसी वस्तु के भाव में 10% की कमी होने के कारण 25 रुपये में 1 किग्रा. वस्तु अधिक आती है तो बताइये वस्तु का गिरा हुआ भाव क्या है ?

A. 2.50 रु./किलो
B. 1.75 रु./किलो
C. 2.25 रु./किलो
D. 3.30 रु./किलो

15. किसी संख्या के 5 प्रतिशत का मान 15 हो तो उस संख्या का 30 प्रतिशत कितना होगा ?

A. 80 B. 90
C. 87 D. 93

16. किसी आयत की एक भुजा 50% बढ़ा दी जाती है तथा दूसरी भुजा 50% कम कर दी जाती है तो बताइये इस प्रकार नए आयत का क्षेत्रफल, पुराने आयत के क्षेत्रफल से कितने प्रतिशत कम होगा ?

A. 20% B. 50%
C. 25% D. 40%

17. यदि किसी आयताकार मैदान की लम्बाई व चौड़ाई में क्रमशः 20% व 10% की वृद्धि कर दी जाए तो उसके क्षेत्रफल में कितने प्रतिशत की वृद्धि हो जाएगी ?

A. 32% B. 27%
C. 30% D. 10%

18. यदि किसी मशीन के मूल्य में 20% वृद्धि कर दी जाती है तो बिक्री हुई मशीनों की संख्या में 40% कमी हो जाती है। बताइये इससे बिक्री पर क्या प्रभाव पड़ेगा ?

A. 16%
B. 28%
C. 20%
D. 25%

19. एक मजदूर की 50 घण्टे साप्ताहिक काम करने पर आय 120 रु. है। यदि 12½% प्रति घण्टा मजदूरी में वृद्धि हो जाए तो उसकी नई प्रति घण्टा आय क्या होगी ?

A. 2.70 रु.
B. 2.50 रु.
C. 1.85 रु.
D. 2.10 रु.

20. किसी कम्पनी के 75% कर्मचारी निपुण कारीगर हैं तथा शेष अनाड़ी हैं। निपुण कर्मचारियों में से 80% तथा अनाड़ियों में से 20% स्थाई कर्मचारी हैं। यदि अस्थाई कर्मचारियों की संख्या 126 हो तो कम्पनी में कुल कर्मचारियों की संख्या कितनी होगी ?

A. 480 B. 510
C. 360 D. 377

21. किसी परीक्षा में 51% परीक्षार्थी अंग्रेजी में फेल हुए तथा 45% गणित में फेल हुए। यदि 21% परीक्षार्थी दोनों विषयों में फेल हुए हों तथा 169 परीक्षार्थी पास हुए हों तो परीक्षा में बैठने वाले परीक्षार्थियों की कुल संख्या कितनी होगी ?

A. 760
B. 625
C. 676
D. 400.

उत्तरमाला

1	2	3	4	5	6	7	8	9	10
C	B	C	A	B	A	B	D	C	B
11	**12**	**13**	**14**	**15**	**16**	**17**	**18**	**19**	**20**
B	A	C	A	B	C	A	B	A	C
21									
C									

व्याख्यात्मक उत्तर

1. $\because$ $\frac{3}{20}$ का प्रतिशत भिन्न में मान = $\frac{3}{20} \times 100\% = 15\%$.

2. $\because$ 35% का दशमलव भिन्न में मान = $\frac{35}{100} = .35$.

3. माना कि एक मी. का $x\% = 5$ सेमी. है।

$\therefore$ 100 सेमी. $\times \frac{x}{100} = 5$ सेमी.

$\therefore$ $x = \frac{5 \times 100}{100} = 5$

अतः एक मी. का 5% = 5 सेमी. होगा।

4. माना कि संख्या को x से भाग देकर, संख्या का 20% प्राप्त किया जा सकता है।

$\therefore$ $\frac{\text{संख्या}}{x}$ = संख्या का 20% = संख्या $\times \frac{20}{100}$

$\therefore$ $x = \frac{\text{संख्या} \times 100}{\text{संख्या} \times 20} = 5$

अतः संख्या को 5 से भाग देकर, संख्या का 20% प्राप्त किया जा सकता है।

5. $\because$ 80 का 55% = $80 \times \frac{55}{100} = 44$

तथा 90 का 30% = $90 \times \frac{30}{100} = 27$

$\therefore$ 80 का 55% + 90 का 30% + ? = 198

$\Rightarrow$ 44 + 27 + ? = 198

$\Rightarrow$? = 198 − 71 = 127

अतः प्रश्न चिह्न (?) के स्थान पर मान = 127 होगा।

6. $\because$ $6\frac{2}{5} = 6 + \frac{2}{5}$, 35 का 80% = $35 \times \frac{80}{100} = 28$

तथा $26\frac{1}{3} = 26 + \frac{1}{3}$

$\because$ $6\frac{2}{5}$ + 35 का 80% + $26\frac{1}{3}$ = $\otimes$

$\Rightarrow \ 6 + \frac{2}{5} + 28 + 26 + \frac{1}{3} = \otimes \Rightarrow 60 + \frac{2}{5} + \frac{1}{3} = \otimes$

$\Rightarrow 60 + \frac{11}{15} = \otimes \Rightarrow 60\frac{11}{15} = \otimes$

अतः पुष्पांकित चिह्न $\otimes$ के स्थान पर मान = $60\frac{11}{15}$ होगा।

7. $\because$? का 70% = 455

$\therefore \ ? \times \frac{70}{100} = 455$

$\therefore \ ? = \frac{455 \times 100}{70} = 650$

अतः प्रश्न चिह्न (?) के स्थान पर मान = 650 होगा।

8. $\because$ शहर की प्रारम्भ में जनसंख्या = 50,000

तथा शहर की अन्तिम जनसंख्या = 52,000

$\therefore$ जनसंख्या में वृद्धि = 52,000 – 50,000 = 2000

प्रतिशत वृद्धि = $\frac{2000}{50000} \times 100 = 4\%$

9. प्रश्नानुसार, माना पहले 100 रु. के 100 किग्रा. गेहूँ आते थे। भाव में 60% वृद्धि के कारण अब 160 रु. में 100 किग्रा. गेहूं आयेगा।

$\therefore$ 160 रु. में गेहूँ आते हैं = 100 किग्रा.

$\therefore$ 100 रु. में गेहूँ आयेंगे = $\frac{100}{160} \times 100 = 62.5$ किग्रा.

$\therefore$ गेहूँ के उपभोग में कमी = 100 – 62.5 = 37.5

प्रतिशत कमी = 37.5%

अतः खर्च न बढ़ने की स्थिति में उस परिवार को गेहूँ के उपभोग में 37.5% की कमी करनी चाहिए।

10. प्रश्न से स्पष्ट है कि स्कूल में हिन्दू विद्यार्थियों का प्रतिशत

= 100% – (20% + 15% + 10%)

= 100% – 45% = 55%

$\therefore$ हिन्दू विद्यार्थियों की संख्या = 1800 का 55%

$= 1800 \times \frac{55}{100} = 990.$

11. B

12. प्रश्नानुसार, लवकुंश का वेतन = संजू का वेतन + संजू के वेतन का 30%

परन्तु संजू का वेतन = 600 रु. (दिया हुआ है)

$\therefore$ लवकुंश का वेतन = 600 रु. + 600 रु. का 30%

$$= 600 + 600 \times \frac{30}{100} = 600 + 180 = 780 \text{ रु.}$$

13. $\because$ 1961 में शिकारपुर की जनसंख्या = 44000

तथा 1971 में शिकारपुर की जनसंख्या = 55000

$\therefore$ 1961 की अपेक्षा 1971 में जनसंख्या वृद्धि = 55000 – 44000 = 11000

$$\text{प्रतिशत वृद्धि} = \frac{11000}{44000} \times 100 = 25\%.$$

14. प्रश्नानुसार, वस्तु के भाव में 10% की कमी होने पर 25 रु. में 1 किग्रा. वस्तु अधिक आती है।

$\therefore$ 25 रु. पर 10% की दर से कमी $= 25 \times \frac{10}{100} = 2.50$ रु.

अतः स्पष्ट होता है कि 2.50 रु. में 1 किग्रा. वस्तु खरीदी जाती है अर्थात् वस्तु का गिरा हुआ भाव = 2.50 रु. प्रति किलो।

15. प्रश्नानुसार, संख्या का 5% = 15

$\therefore$ $$\text{संख्या} \times \frac{5}{100} = 15$$

$\therefore$ $$\text{संख्या} = \frac{15 \times 100}{5} = 300$$

$\therefore$ संख्या का 30% = 300 का 30%

$$= 300 \times \frac{30}{100} = 90$$

अतः उस संख्या का 30% = 90 होगा।

16. माना कि आयत की लम्बाई व चौड़ाई क्रमशः x व y है।

$\therefore$ आयत का क्षेत्रफल = xy वर्ग इकाई

पहली स्थिति में, एक भुजा 50% बढ़ा दी जाती है

$\therefore$ आयत की नई लम्बाई = $x + x$ का 50% = $1.5x$

दूसरी स्थिति में, दूसरी भुजा 50% घटा दी जाती है

$\therefore$ आयत की नई चौड़ाई = $y - y$ का 50% = $.5y$

$\therefore$ आयत का नया क्षेत्रफल $= 1.5x \times .5y = .75xy$ वर्ग इकाई

$\therefore$ क्षेत्रफल में कमी $= xy - .75xy = .25xy$

$\therefore$ प्रतिशत कमी $= \dfrac{.25xy}{xy} \times 100 = 25\%$.

17. माना कि आयताकार मैदान की लम्बाई व चौड़ाई क्रमशः x व y है।

आयताकार मैदान का क्षेत्रफल $= xy$ वर्ग इकाई

$\therefore$ प्रश्नानुसार, आयताकार मैदान की लम्बाई व चौड़ाई में क्रमशः 20% व 10% की वृद्धि कर दी जाती है।

$\therefore$ आयताकार मैदान की नई लम्बाई $= x + x$ का $20\% = 1.2x$

तथा नई चौड़ाई $= y + y$ का $10\% = 1.1y$

$\therefore$ आयताकार मैदान का नया क्षेत्रफल $= 1.2x \times 1.1y = 1.32xy$ वर्ग इकाई

क्षेत्रफल में वृद्धि $= 1.32xy - xy = .32xy$

$\therefore$ प्रतिशत वृद्धि $= \dfrac{.32xy}{xy} \times 100 = 32\%$.

18. माना कि मशीन का मूल्य 100 रु. तथा बिकने वाली मशीनों की संख्या = 100

$\therefore$ बिक्री से प्राप्त आय $= 100 \times 100 = 10,000$ रु.

प्रश्नानुसार, मशीन के मूल्य में 20% वृद्धि कर दी जाती है।

$\therefore$ मशीन का नया मूल्य = 120 रु. होगा

तथा बिकने वाली मशीनों की संख्या में 40% कमी हो जाती है।

$\therefore$ बिकने वाली मशींनों की संख्या = 60 होगी

$\therefore$ बिक्री से प्राप्त नई आय $= 120 \times 60 = 7200$ रु.

बिक्री से प्राप्त आय में कमी $= 10000 - 7200 = 2800$ रु.

$\therefore$ प्रतिशत कमी $= \dfrac{2800}{10000} \times 100 = 28\%$.

19. चूंकि मजदूर की 50 घण्टे साप्ताहिक कार्य करने पर प्रारम्भिक आय = 120 रु.

$\therefore$ 1 घण्टे कार्य करने पर आय $= \dfrac{120}{50} = \dfrac{12}{5}$ रु.

प्रश्नानुसार, 1 घण्टे कार्य करने पर प्राप्त आय में 12½% की वृद्धि कर दी जाती है।

$\therefore$ मजदूर की प्रति घण्टा नई आय $= \dfrac{12}{5}$ रु. $+ \dfrac{12}{5}$ रु. का $12\dfrac{1}{2}\%$

$= \dfrac{12}{5} + \dfrac{12}{5} \times \dfrac{25}{2 \times 100} = 2.40 + .30 = 2.70$ रु.

20. माना कि कम्पनी में कर्मचारियों की संख्या = 100

∴ निपुण कारीगरों की संख्या = 100 का 75% = 75

तथा अनाड़ी कारीगरों की संख्या = 25

प्रश्नानुसार, निपुण कारीगरों में स्थाई कर्मचारियों की संख्या = 75 का 80% = 60

तथा अनाड़ी कारीगरों में स्थाई कर्मचारियों की संख्या = 25 का 20% = 5

∴ कुल स्थाई कर्मचारियों की संख्या = 60 + 5 = 65

∴ अस्थाई कर्मचारियो की सख्या = 150 – 65 = 35

यदि कम्पनी में 35 अस्थाई कर्मचारी हैं तो कुल कर्मचारी = 100

यदि कम्पनी में 126 अस्थाई कर्मचारी हैं तो कुल कर्मचारियों की संख्या

$$= \frac{100}{35} \times 126 = 360.$$

21. माना कि परीक्षार्थियों की कुल संख्या = 100

प्रश्नानुसार, अंग्रेजी में फेल हुए परीक्षार्थियों की संख्या = 51

गणित में फेल हुए परीक्षार्थियों की संख्या = 45

तथा दोनों विषयों में फेल हुए परीक्षार्थियों की संख्या = 21

∴ केवल अंग्रेजी तथा केवल गणित तथा दोनों विषयों में फेल हुए परीक्षार्थियों की संख्या

$$= (51 - 21) + (45 - 21) + 21$$
$$= 30 + 24 + 21 = 75$$

∴ उत्तीर्ण परीक्षार्थियों की संख्या = 100 – 75 = 25

यदि 25 परीक्षार्थी उत्तीर्ण होते हैं तो कुल परीक्षार्थियों की संख्या = 100

यदि 169 परीक्षार्थी उत्तीर्ण होते हैं तो कुल परीक्षार्थियों की संख्या

$$= \frac{100}{25} \times 169 = 676.$$

❒ ❒ ❒

6. साधारण ब्याज

उधार दी गई धनराशि का उपयोग करने हेतु जो किराया मिलता है उसे **ब्याज** कहते हैं तथा जो धनराशि उधार दी जाती है उसे **मूलधन** कहते हैं। इस प्रकार के ब्याज में ब्याज की गणना सिर्फ मूलधन पर की जाती है तथा ब्याज को मूलधन में जोड़ा नहीं जाता। मूलधन और ब्याज सहित जो धनराशि वापिस होती है उसे **मिश्रधन** कहते हैं।

साधारण ब्याज से सम्बंधित ध्यान रखने योग्य प्रमुख सूत्र :

सूत्र :–

(1) मिश्रधन = मूलधन + ब्याज

(2) साधारण ब्याज $= \dfrac{\text{मूलधन} \times \text{समय} \times \text{दर}}{100}$

नोट :– **यदि P वर्ष के मिश्रधन में से Q वर्ष का मिश्रधन घटा दिया जाये तो प्राप्त राशि (P–Q) वर्ष का साधारण ब्याज होगी (जबकि P>Q)**

उदाहरण 1. 800 रु. का 2 वर्ष में 5% वार्षिक दर से साधारण ब्याज कितना होगा ?

हल : चूंकि यहाँ मूलधन = 800 रु., समय = 2 वर्ष तथा दर = 5% वार्षिक

$$\therefore \quad \text{सा. ब्याज} = \frac{\text{मूलधन} \times \text{समय} \times \text{दर}}{100}$$

$$= \frac{800 \times 2 \times 5}{100} = 80 \text{ रु.}$$

उदाहरण 2. 5600 रु. की धनराशि पर 6% वार्षिक ब्याज की दर से 5 वर्ष का साधारण ब्याज कितना होगा ?

हल : $\because$ यहाँ मूलधन = 5600 रु., दर = 6% वार्षिक तथा समय = 5 वर्ष

$$\therefore \quad \text{सा. ब्याज} = \frac{\text{मूलधन} \times \text{समय} \times \text{दर}}{100}$$

$$= \frac{5600 \times 5 \times 6}{100} = 1680 \text{ रु.}$$

उदाहरण 3. किस वार्षिक दर पर 1000 रु. का 3 वर्ष में मिश्रधन 1120 रु. हो जाएगा ?

हल : यहाँ मूलधन = 1000 रु. तथा मिश्रधन = 1120 रु.

$\therefore$ 3 वर्ष का सा. ब्याज = 1120 – 1000 = 120 रु.

$$\therefore \quad \text{दर} = \frac{\text{सा. ब्याज} \times 100}{\text{मूलधन} \times \text{समय}}$$

$$= \frac{120 \times 100}{1000 \times 3} = 4\%.$$

उदाहरण 4. यदि किसी धनराशि का 4 वर्षों में 4% वार्षिक ब्याज की दर से साधारण ब्याज 176 रु. हो तो बताइये वह धनराशि कितनी होगी ?

हल : माना कि वह धनराशि = x रु. है

$\therefore$ यहाँ मूलधन = x रु., समय = 4 वर्ष, दर = 4%

तथा सा. ब्याज = 176 रु.

$$\therefore \text{मूलधन} = \frac{\text{सा. ब्याज} \times 100}{\text{समय} \times \text{दर}} = \frac{176 \times 100}{4 \times 4} = 1100 \text{ रु.}$$

अतः वह धनराशि = 1100 रु. होगी।

उदाहरण 5. किसी राशि पर साधारण ब्याज 144 रु. है। यदि उस राशि पर ब्याज की दर का प्रतिशत, वर्ष की संख्या के बराबर हो तो राशि पर प्रतिशत ब्याज दर कितनी होगी ?

हल : माना कि राशि = 100 रु., दर = x%, समय = x वर्ष

$$\therefore \text{साधारण ब्याज} = \frac{\text{मूलधन (राशि)} \times \text{दर} \times \text{समय}}{100}$$

$$\therefore \quad 144 = \frac{100 \times x \times x}{100} = x^2$$

$$\therefore \quad 144 = x^2 \Rightarrow \sqrt{144} = \sqrt{x^2} \Rightarrow 12 = x$$

अतः राशि पर ब्याज की प्रतिशत दर = 12% होगी।

उदाहरण 6. यदि 1500 रु. का 2 वर्ष में साधारण ब्याज 135 रु. तथा 3 वर्ष में 202.50 रु. है, तो बताइये राशि पर ब्याज की वार्षिक दर क्या है ?

हल : चूंकि 3 वर्ष तथा 2 वर्ष के ब्याजों में अन्तर = 202.50 – 135 = 67.50 रु.

$\therefore$ 1 वर्ष का साधारण ब्याज = 67.50 रु.

$$\therefore \quad \text{ब्याज की दर} = \frac{\text{सा. ब्याज} \times 100}{\text{मूलधन} \times \text{समय}}$$

$$= \frac{67.50 \times 100}{1500 \times 1} = 4\frac{1}{2}\%.$$

उदाहरण 7. 800 रु. का 4 वर्षों में साधारण ब्याज की दर से मिश्रधन 928 रु. हो जाता है। यदि ब्याज की दर 3% और अधिक कर दी जाये तब मिश्रधन कितना होगा ?

हल : पहली दिशा में, 4 वर्ष का सा. ब्याज = 928 − 800 = 128 रु.

$$\therefore \quad \text{दर} = \frac{\text{सा. ब्याज} \times 100}{\text{मूलधन} \times \text{समय}}$$

$$= \frac{128 \times 100}{800 \times 4} = 4\%$$

दूसरी दिशा में, नयी दर = (4 + 3)% = 7%

$$\therefore \quad \text{सा. ब्याज} = \frac{\text{मूलधन} \times \text{समय} \times \text{दर}}{100}$$

$$= \frac{800 \times 4 \times 7}{100} = 224 \text{ रु.}$$

∴ मिश्रधन = मूलधन + ब्याज = 800 + 224 = 1024 रु.

उदाहरण 8. कितने वर्षों में कोई धन 4% वार्षिक सा. ब्याज की दर से अपने का तीन गुना हो जाएगा ?

हल : माना कि धनराशि = x रु.

∴ मिश्रधन = $3x$ रु., दर = 4% तथा

सा. ब्याज = मिश्रधन − धनराशि = $3x - x = 2x$ रु.

$$\therefore \text{समय} = \frac{\text{सा. ब्याज} \times 100}{\text{मूलधन} \times \text{दर}} = \frac{2x \times 100}{x \times 4} = 50 \text{ वर्ष}$$

अतः वह धन 50 वर्षों में अपने का तीन गुना हो जाएगा।

उदाहरण 9. यदि कोई धनराशि साधारण ब्याज की दर से 2 वर्ष में 5184 रु. तथा 3 वर्ष में 5832 रु. हो जाती है तो वह धनराशि तथा ब्याज की दर कितनी होगी ?

हल : विद्यार्थियों को स्मरण रहना चाहिए कि यदि 3 वर्ष के मिश्रधन में से 2 वर्ष का मिश्रधन घटा दिया जाये तो प्राप्त राशि 1 वर्ष का सा. ब्याज होगी।

∴ 1 वर्ष का सा. ब्याज = 3 वर्ष का मिश्रधन − 2 वर्ष का मिश्रधन

= 5832 − 5184 = 648 रु.

∴ 2 वर्ष का सा. ब्याज = 648 × 2 = 1296 रु.

∴ धनराशि (मूलधन) = 2 वर्ष का मिश्रधन − 2 वर्ष का सा. ब्याज

= 5184 − 1296 = 3888 रु.

$$\text{तथा सा. ब्याज की दर} = \frac{\text{सा. ब्याज} \times 100}{\text{मूलधन} \times \text{समय}} = \frac{648 \times 100}{3888 \times 1} = 16\frac{2}{3}\%$$

उदाहरण 10. कोई व्यक्ति 500 रु. 4 वर्ष के लिए तथा 600 रु. 3 वर्ष के लिए उधार देता है तो सा. ब्याज के रूप में कुल 190 रु. प्राप्त करता है। तो बताइये उन राशियों पर ब्याज की वार्षिक प्रतिशत दर कितनी होगी ?

हल : माना कि ब्याज की वार्षिक प्रतिशत दर = $x\%$

पहली धनराशि के लिए, मूलधन = 500 रु., समय = 4 वर्ष तथा दर = $x\%$

$$\therefore \text{ सा. ब्याज} = \frac{\text{मूलधन} \times \text{समय} \times \text{दर}}{100}$$

$$= \frac{500 \times 4 \times x}{100} = 20\,x \text{ रु.}$$

दूसरी धनराशि के लिए, मूलधन = 600 रु., समय = 3 वर्ष, दर = $x\%$

$$\therefore \text{ सा. ब्याज} = \frac{\text{मूलधन} \times \text{समय} \times \text{दर}}{100} = \frac{600 \times 3 \times x}{100} = 18x \text{ रु.}$$

प्रश्नानुसार, $20x + 18x = 190$ रु.

$$\therefore \quad 38x = 190 \Rightarrow x = \frac{190}{38}$$

$$\therefore \quad x = 5$$

$\therefore$ ब्याज की वार्षिक प्रतिशत दर = 5% होगी।

उदाहरण 11. एक आदमी 8000 रु., $2\frac{1}{4}\%$ वार्षिक दर से 5 वर्ष के लिए उधार लेता है। दूसरा आदमी 10000 रु., $2\frac{1}{2}\%$ वार्षिक दर से कितने समय के लिए उधार ले ताकि दोनों व्यक्तियों का ब्याज समान हो ?

हल : पहले आदमी के लिए, ब्याज $= \dfrac{8000 \times 2\frac{1}{4} \times 5}{100} = 900$ रु.

$\therefore$ दूसरे आदमी के लिए भी ब्याज 900 रु. होना चाहिए

$$\therefore \text{ समय} = \frac{\text{ब्याज} \times 100}{\text{मूलधन} \times \text{दर}}$$

$$= \frac{900 \times 100}{10000 \times 2\frac{1}{2}}$$

$$= 3\frac{3}{5} \text{ वर्ष}$$

अतः दूसरा आदमी 10000 रु. $3\frac{3}{5}$ वर्ष के लिए उधार ले।

अभ्यासमाला

नीचे दिये गये प्रत्येक प्रश्नों के चार संभावित उत्तर विकल्प दिये गये हैं। जिनमें से एक विकल्प सही है, उस सही विकल्प का सावधानी पूर्वक चुनाव कीजिए।

1. 750 रु. का $4\frac{1}{3}$ वर्ष में 6% वार्षिक ब्याज की दर से साधारण ब्याज कितना होगा ?

A. 180 रु. B. 215 रु.

C. 195 रु. D. 210 रु.

2. कितने समय में 700 रु. का 5% वार्षिक ब्याज की दर से मिश्रधन 805 रु. हो जाएगा ?

A. 3 वर्ष B. $2\frac{1}{2}$ वर्ष

C. $3\frac{1}{2}$ वर्ष D. 4 वर्ष

3. किस धनराशि का 8 वर्ष में 5% वार्षिक दर से मिश्रधन 560 रु. हो जाएगा ?

A. 360 रु. B. 400 रु.

C. 420 रु. D. 380 रु.

4. यदि 1600 रु. पर सा. ब्याज, 2000 रु. पर सा. ब्याज से 32 रु. कम हो तो दोनों धनराशियों पर सा. ब्याज की अवधि कितनी होगी यदि ब्याज की वार्षिक दर 4% हो ?

A. $1\frac{1}{2}$ वर्ष B. 1 वर्ष

C. 2 वर्ष D. 3 वर्ष

5. दीपक ने कुछ धन सा. ब्याज पर उधार दिया। यदि 30 वर्ष के अन्त में उसे अपने धन से तिगुना धन मिले तो उस धनराशि पर ब्याज की दर क्या होगी ?

A. $6\frac{2}{3}\%$ B. $16\frac{2}{3}\%$

C. $8\frac{1}{3}\%$ D. $3\frac{1}{3}\%$

6. यदि कोई धनराशि साधारण ब्याज की दर से 2 वर्ष में 2800 रु. तथा 5 वर्ष में बढ़कर 3250 रु. हो जाती है तो वह धनराशि कितनी होगी ?

A. 2500 रु. B. 2400 रु.

C. 2800 रु. D. 3000 रु.

7. प्रमोद कुछ धन $6\frac{1}{4}\%$ वार्षिक ब्याज की दर से उधार देता है। तो बताइये कितने समय बाद उसका ब्याज, उसके मूलधन के बराबर हो जाएगा ?

A. 15 वर्ष B. 18 वर्ष

C. 16 वर्ष D. 17 वर्ष

8. यदि कोई धन 4 वर्षों में अपने का $\frac{11}{10}$ गुना हो जाता है तो उस धन पर ब्याज की वार्षिक दर कितनी होगी ?

A. $3\frac{1}{2}\%$ B. $2\frac{1}{2}\%$

C. $4\frac{1}{2}\%$ D. $3\frac{1}{4}\%$

9. सोनू तथा मोनू को 2 वर्ष के लिए एक समान धन क्रमशः 5% व 6% वार्षिक ब्याज की दर पर उधार दिया गया। यदि मोनू को सोनू की अपेक्षा 20 रु. ब्याज के रूप में अधिक देने पड़ें तो प्रत्येक को उधार दिया गया धन कितना है ?

A. 1000 रु. B. 1020 रु.

C. 1050 रु. D. 1120 रु.

10. मोहित ने 15,000 रु. का एक ऋण 3 वर्ष के लिए ब्याज में लिया। यदि उस पर अदा किया गया ब्याज 2700 रु. हो तो बताइये ब्याज की वार्षिक प्रतिशत दर कितनी होगी ?

A. 8% B. 4%
C. 6% D. 3%

11. कोई राशि साधारण ब्याज पर दो वर्ष में 5% वार्षिक की दर से 2750 रु. हो जाती है, वही राशि साधारण ब्याज पर किस दर से दी जाए ताकि वह दो वर्ष में 3000 रु. हो जाए ?

A. 12% B. 10%
C. 15% D. 20%

12. एक धनराशि सा. ब्याज पर 16 वर्षों में दुगनी हो जाती है। तो बताइये उस धनराशि पर ब्याज की वार्षिक दर कितनी होगी ?

A. $6\frac{2}{3}\%$ B. $5\frac{1}{4}\%$

C. $6\frac{1}{4}\%$ D. $3\frac{1}{4}\%$

13. यदि कोई राशि साधारण ब्याज पर 24 वर्ष में राशि का चार गुना हो जाती है। तो ब्याज की दर कितनी होगी ?

A. $10\frac{1}{2}\%$ B. $12\frac{1}{2}\%$

C. $8\frac{1}{3}\%$ D. $12\frac{1}{3}\%$

14. यदि एक रुपये पर 1 माह का ब्याज 1 पैसा हो, तो वार्षिक ब्याज की दर कितनी होगी ?

A. 11% B. 10%

C. 8% D. 12%

15. 400 रु. का साधारण ब्याज 64 रु. है यदि ब्याज की दर वर्ष की संख्या के एक चौथाई के बराबर हो तो वर्ष की संख्या कितनी होगी ?

A. 8 B. 7
C. 4 D. 3

16. 500 रु. का 4 वर्षों में मिश्रधन 580 रु. है। यदि ब्याज की दर 4% और बढ़ा दी जाए तो तब नया मिश्रधन कितना होगा ?

A. 870 रु. B. 675 रु.
C. 660 रु. D. 790 रु.

17. यदि 18860 रु. पर साधारण ब्याज 740 रु. हो तो मिश्रधन कितना होगा ?

A. 18600 रु. B. 19600 रु
C. 19900 रु. D. 18800 रु.

18. एक महाजन ने 2400 रु. 2 वर्ष के लिए ब्याज पर उधार लिए। यदि उसने इसके 1/3 भाग पर 5% तथा शेष भाग पर 4% ब्याज के रूप में अदा किया हो तो उसे कुल कितना ब्याज देना पड़ा ?

A. 217 रु. B. 320 रु.
C. 370 रु. D. 208 रु

19. निम्न में से वह धनराशि क्या होगी जिससे 6% वार्षिक सा. ब्याज के रूप में उधार देने पर प्रतिमाह 600 रु. की आमदनी हो सके ?

A. 110000 रु. B. 120000 रु.
C. 150000 रु. D.145000 रु.

20. 150 रु. का 4 महीने का 5 पैसे प्रति रुपया प्रतिमाह सा. ब्याज की दर से मिश्रधन कितना होगा ?

A. 180 रु. B. 163 रु.

C. 153 रु. D. 190 रु.

21. एक साइकिल 800 रु. में खरीदी जा सकती है। यदि ग्राहक नकद रुपया न देना चाहे तो 80 रु. माहवार की 12 किस्तों में भी मिल सकती है। तो बताइये साधारण ब्याज की दर कितनी होगी ?

A. 18% B. 22%
C. 20% D. 15%

22. कितने समय में 5% वार्षिक ब्याज की दर से 1600 रु. का सा. ब्याज 1000 रु. का 6 वर्ष के लिए 4% वार्षिक दर से ब्याज के बराबर होगा ?

A. $2\frac{1}{2}$ वर्ष B. 3 वर्ष
C. 4 वर्ष D. 6 वर्ष

उत्तरमाला

1	2	3	4	5	6	7	8	9	10
C	A	B	C	A	A	C	B	A	C
11	**12**	**13**	**14**	**15**	**16**	**17**	**18**	**19**	**20**
B	C	B	D	A	C	B	D	B	A
21	**22**								
C	B								

व्याख्यात्मक उत्तर

1. $\because$ यहाँ मूलधन = 750 रु., समय = $4\frac{1}{3} = \frac{13}{3}$ वर्ष तथा दर = 6%

$\therefore$ साधारण ब्याज = $\frac{\text{मूलधन} \times \text{समय} \times \text{दर}}{100}$

$$= \frac{750 \times \frac{13}{3} \times 6}{100} = 195 \text{ रु.}$$

2. $\because$ यहाँ मूलधन = 700 रु., मिश्रधन = 805 रु. तथा दर = 5%

$\therefore$ सा. ब्याज = मिश्रधन − मूलधन = 805 − 700 = 105 रु.

$\therefore$ समय = $\frac{\text{सा. ब्याज} \times 100}{\text{मूलधन} \times \text{दर}} = \frac{105 \times 100}{700 \times 5} = 3$ वर्ष

3. माना कि धनराशि (मूलधन) = x रु., मिश्रधन = 560 रु., समय = 8 वर्ष तथा दर = 5%

$\therefore$ सा. ब्याज = मिश्रधन − मूलधन = $(560 - x)$ रु.

$\because$ सा. ब्याज = $\dfrac{\text{मूलधन} \times \text{समय} \times \text{दर}}{100}$

$\therefore\ 560 - x = \dfrac{x \times 8 \times 5}{100} \Rightarrow 560 - x = \dfrac{2x}{5}$

$\Rightarrow\ 2800 - 5x = 2x \Rightarrow 7x = 2800$

$\Rightarrow\quad x = \dfrac{2800}{7} = 400$

अतः वह धनराशि (मूलधन) = 400 रु. होगी।

4. माना कि दोनों राशियों पर समय की अवधि T वर्ष है।

पहली राशि के लिए, मूलधन = 1600 रु., समय = T वर्ष तथा दर = 4%

$\therefore$ सा. ब्याज = $\dfrac{1600 \times T \times 4}{100} = 64T$ रु.

दूसरी राशि के लिए, मूलधन = 2000 रु., समय = T वर्ष तथा दर = 4%

$\therefore$ सा. ब्याज = $\dfrac{2000 \times T \times 4}{100} = 80T$ रु.

प्रश्नानुसार, $64T = 80T - 32$

$\therefore\ 80T - 64T = 32 \Rightarrow 16T = 32$

$\Rightarrow\ T = \dfrac{32}{16} = 2$

अतः दोनों राशियों पर समय की अवधि = 2 वर्ष होगी।

5. माना कि उधार दिया गया धन (मूलधन) = x रु.

$\therefore$ मिश्रधन = $3x$ रु. तथा समय = 30 वर्ष

$\therefore$ सा. ब्याज = मिश्रधन − मूलधन = $3x - x = 2x$ रु.

$\therefore$ दर = $\dfrac{\text{सा. ब्याज} \times 100}{\text{मूलधन} \times \text{समय}} = \dfrac{2x \times 100}{x \times 30} = 6\dfrac{2}{3}\%$

अतः धनराशि पर ब्याज की वार्षिक प्रतिशत दर = $6\dfrac{2}{3}\%$.

6. धनराशि का 2 वर्ष में मिश्रधन = 2800 रु.

तथा 5 वर्ष में मिश्रधन = 3250 रु.

$\therefore$ 3 वर्ष का सा. ब्याज = 3250 − 2800 = 450 रु.

$\therefore$ 2 वर्ष का सा. ब्याज = $\dfrac{450 \times 2}{3} = 300$ रु.

$\therefore$ धनराशि = 2 वर्ष का मिश्रधन − 2 वर्ष का सा. ब्याज

$= 2800 - 300 = 2500$ रु.

7. माना कि T वर्ष बाद धनराशि पर ब्याज, धनराशि के बराबर हो जायेगा।

$\therefore$ सा. ब्याज = $\dfrac{\text{धनराशि (मूलधन)} \times \text{समय} \times \text{दर}}{100}$

$\therefore$ धनराशि (मूलधन) = $\dfrac{\text{धनराशि (मूलधन)} \times T \times 25/4}{100}$

$\therefore\ 100 = T \times \dfrac{25}{4} \Rightarrow T = \dfrac{100 \times 4}{25} = 16$ वर्ष

अतः 16 वर्ष बाद $6\dfrac{1}{4}\%$ की दर से मूलधन पर ब्याज, मूलधन के बराबर हो जायेगा।

8. माना कि कोई धन (मूलधन) = x रु.

$\therefore$ मिश्रधन = $\dfrac{11}{10}x$ रु. तथा समय = 4 वर्ष

$\therefore$ सा. ब्याज = मिश्रधन − मूलधन = $\dfrac{11}{10}x - x = \dfrac{x}{10}$ रु.

$\because$ सा. ब्याज = $\dfrac{\text{मूलधन} \times \text{समय} \times \text{दर}}{100}$

$\therefore\ \dfrac{x}{10} = \dfrac{x \times 4 \times \text{दर}}{100} \Rightarrow \text{दर} = 2\dfrac{1}{2}\%$

अतः ब्याज की वार्षिक दर $= 2\dfrac{1}{2}\%$ होगी।

9. माना कि सोनू व मोनू, प्रत्येक को उधार दिया गया धन = x रु.

$\therefore$ **सोनू के लिए**, मूलधन = x रु., समय = 2 वर्ष, दर = 5%

$\therefore$ सा. ब्याज $= \dfrac{x \times 2 \times 5}{100} = \dfrac{x}{10}$ रु.

मोनू के लिए, मूलधन = x रु., समय = 2 वर्ष, दर = 6%

$\therefore$ सा. ब्याज $= \dfrac{x \times 2 \times 6}{100} = \dfrac{6x}{50}$ रु.

प्रश्नानुसार, मोनू का ब्याज, सोनू के ब्याज से 20 रु. अधिक है

$\therefore\ \dfrac{6x}{50} = \dfrac{x}{10} + 20 \Rightarrow \dfrac{6x}{50} - \dfrac{x}{10} = 20 \Rightarrow \dfrac{x}{50} = 20$

$\Rightarrow x = 20 \times 50 = 1000$

अतः प्रत्येक को उधार दिया गया धन = 1000 रु. होगा।

10. यहाँ मूलधन = 15000 रु., समय = 3 वर्ष तथा सा. ब्याज = 2700 रु.

$$\therefore \text{दर} = \frac{\text{सा. ब्याज} \times 100}{\text{मूलधन} \times \text{समय}} = \frac{2700 \times 100}{15000 \times 3} = 6\%$$

अतः ब्याज की वार्षिक प्रतिशत दर = 6% होगी।

11. माना कि वह राशि (मूलधन) = x रु. है

$\therefore$ **पहली स्थिति में,** मूलधन = x रु., समय = 2 वर्ष, दर = 5%

तथा मिश्रधन = 2750 रु.

$$\therefore \text{सा. ब्याज} = (\text{मिश्रधन} - \text{मूलधन}) = \frac{\text{मूलधन} \times \text{समय} \times \text{दर}}{100}$$

$$\therefore \quad 2750 - x = \frac{x \times 2 \times 5}{100} \Rightarrow 27500 - 10x = x$$

$$\Rightarrow \quad 27500 = 11x \Rightarrow x = \frac{27500}{11} = 2500$$

अतः वह राशि (मूलधन) = 2500 रु. होगी।

दूसरी स्थिति में, मूलधन = 2500 रु., मिश्रधन = 3000 रु., समय = 2 वर्ष

$$\therefore \text{सा. ब्याज} = (\text{मिश्रधन} - \text{मूलधन}) = \frac{\text{मूलधन} \times \text{समय} \times \text{दर}}{100}$$

$$\therefore (3000 - 2500) = \frac{2500 \times 2 \times \text{दर}}{100} \Rightarrow \text{दर} = 10\%$$

12. माना कि धनराशि (मूलधन) = x रु.

$\therefore$ मिश्रधन = $2x$ रु., समय = 16 वर्ष

$$\text{सा. ब्याज} = (\text{मिश्रधन} - \text{मूलधन}) = \frac{\text{मूलधन} \times \text{समय} \times \text{दर}}{100}$$

$$\therefore \quad 2x - x = \frac{x \times 16 \times \text{दर}}{100} \Rightarrow x = \frac{x \times 16 \times \text{दर}}{100}$$

$$\Rightarrow \quad \text{दर} = \frac{100}{16} = 6\frac{1}{4}\%.$$

अतः धनराशि पर ब्याज की वार्षिक दर $= 6\frac{1}{4}\%$ होगी।

13. माना कि राशि (मूलधन) = x रु.

$\therefore$ मिश्रधन = $4x$ रु., समय = 24 वर्ष

सा. ब्याज = (मिश्रधन − मूलधन) = $\dfrac{\text{मूलधन} \times \text{समय} \times \text{दर}}{100}$

$$\therefore \quad 4x - x = \frac{x \times 24 \times \text{दर}}{100} \Rightarrow 3x = \frac{x \times 2.4 \times \text{दर}}{100}$$

$$\Rightarrow \qquad \text{दर} = 12\frac{1}{2}\%$$

अतः ब्याज की दर $= 12\frac{1}{2}\%$ होगी।

14. यहाँ मूलधन = 1 रुपया = 100 पैसा, सा. ब्याज = 1 पैसा,

समय = 1, माह = $\dfrac{1}{12}$ वर्ष

$$\therefore \text{दर} = \frac{\text{सा. ब्याज} \times 100}{\text{मूलधन} \times \text{समय}} = \frac{1 \times 100}{100 \times \frac{1}{12}} = 12\%$$

अतः वार्षिक ब्याज की दर = 12% होगी।

15. माना कि ब्याज की दर = $x\%$, वर्ष की संख्या अर्थात् समय = $4x$ वर्ष

यहाँ मूलधन = 400 रु., सा. ब्याज = 64 रु., दर = $x\%$ तथा समय = $4x$ वर्ष

$$\therefore \text{सा. ब्याज} = \frac{\text{मूलधन} \times \text{समय} \times \text{दर}}{100}$$

$$\therefore \quad 64 = \frac{400 \times 4x \times x}{100} \Rightarrow 4 = x^2 \Rightarrow 2 = x$$

अतः वर्ष की संख्या अर्थात् समय = 4 × 2 = 8 वर्ष।

16. पहली स्थिति में, 4 वर्षों का सा. ब्याज = 580 − 500 = 80 रु.

$$\therefore \quad \text{दर} = \frac{\text{सा. ब्याज} \times 100}{\text{मूलधन} \times \text{समय}} = \frac{80 \times 100}{500 \times 4} = 4\%$$

दूसरी स्थिति में, नयी दर = (4 + 4)% = 8%

$$\therefore \text{सा. ब्याज} = \frac{\text{मूलधन} \times \text{समय} \times \text{दर}}{100} = \frac{500 \times 4 \times 8}{100} = 160 \text{ रु.}$$

$\therefore$ नया मिश्रधन = 500 + 160 = 660 रु.

17. मिश्रधन = मूलधन + सा. ब्याज

= 18860 + 740 = 19600 रु.

18. महाजन ने उधार ली राशि = 2400 रु.

$\therefore$ राशि का $\frac{1}{3}$ भाग = $\frac{2400}{3}$ = 800 रु.

तथा राशि का शेष भाग = 2400 − 800 = 1600 रु.

पहली स्थिति में, मूलधन = 800 रु., समय = 2 वर्ष, दर = 5%

$\therefore$ सा. ब्याज = $\frac{800 \times 2 \times 5}{100}$ = 80 रु.

दूसरी स्थिति में, मूलधन = 1600 रु., समय = 2 वर्ष, दर = 4%

$\therefore$ सा. ब्याज = $\frac{1600 \times 2 \times 4}{100}$ = 128 रु.

अतः महाजन को कुल ब्याज देना पड़ेगा = 80 + 128 = 208 रु.

19. यहाँ सा. ब्याज = 600 रु., समय = 1 माह = 1/12 वर्ष,

दर = 6% वार्षिक

$\therefore$ धनराशि (मूलधन) = $\frac{\text{सा. ब्याज} \times 100}{\text{समय} \times \text{दर}}$

$= \frac{600 \times 100}{\frac{1}{12} \times 6}$ = 120000 रु.

20. मूलधन = 150 रु., समय = 4 माह, दर = 5%

$\therefore$ सा. ब्याज = $\frac{150 \times 4 \times 5}{100}$ = 30 रु.

$\therefore$ मिश्रधन = मूलधन + सा. ब्याज

= 150 + 30 = 180 रु.

21. प्रश्न से स्पष्ट है कि 80 रु. माहवार की 12 किस्तों में धनराशि

= 80 × 12 = 960 रु. अर्थात् मिश्रधन = 960 रु.

यहाँ मूलधन = 800 रु., मिश्रधन = 960 रु., समय = 1 वर्ष

$\therefore$ सा. ब्याज = मिश्रधन − मूलधन = $\frac{\text{मूलधन} \times \text{समय} \times \text{दर}}{100}$

$$\therefore\ 960 - 800 = \frac{800 \times \text{दर} \times 1}{100} \Rightarrow 160 = 8 \times \text{दर}$$

$$\Rightarrow \quad \text{दर} = \frac{160}{8} = 20\% \quad \text{वार्षिक।}$$

22. पहली स्थिति में,

$$\text{सा. ब्याज} = \frac{\text{मूलधन} \times \text{समय} \times \text{दर}}{100}$$

$$\therefore \text{सा. ब्याज} = \frac{1600 \times \text{समय} \times 5}{100}$$

दूसरी स्थिति में, सा. ब्याज $= \frac{1000 \times 6 \times 4}{100}$

प्रश्नानुसार, दोनों स्थितियों में सा. ब्याज बराबर है

$$\therefore \quad \frac{1600 \times \text{समय} \times 5}{100} = \frac{1000 \times 6 \times 4}{100}$$

$\Rightarrow$ समय = 3 वर्ष

अतः समय की अवधि = 3 वर्ष।

❑ ❑ ❑

7. चक्रवृद्धि ब्याज

ब्याज की वह गणना, जिसमें ब्याज को मूलधन में जोड़कर प्राप्त मिश्रधन पर ब्याज लगाया जाये चक्रवृद्धि ब्याज कहलाता है।

चक्रवृद्धि ब्याज से सम्बंधित प्रश्नों को हल करने के लिए प्रमुख सूत्र :

(*i*) मिश्रधन = मूलधन + चक्रवृद्धि ब्याज

(*ii*) चक्रवृद्धि ब्याज = मिश्रधन − मूलधन

ध्यान रखने योग्य कुछ आवश्यक नियम :

(i) यदि ब्याज की गणना अर्द्ध वार्षिक हो तो दर आधी तथा समय दुगना कर दिया जाता है।

(ii) यदि ब्याज की गणना त्रिमासिक हो तो दर को चार से भाग तथा समय को 4 से गुणा कर दिया जाता है।

महत्वपूर्ण नोट : एक वर्ष के लिए सा. ब्याज व चक्रवृद्धि ब्याज बराबर होते हैं जबकि ब्याज की दर वार्षिक हो।

उदाहरण 1. 15625 रु. पर 2 वर्ष का 4% चक्रवृद्धि ब्याज की दर से ब्याज कितना होगा ?

हल : यहाँ मूलधन = 15625 रु., समय = 2 वर्ष, दर = 4%

$$\text{चक्रवृद्धि ब्याज} = \text{मूलधन} \left[\left(1+\frac{\text{दर}}{100}\right)^{\text{समय}} - 1\right]$$

$$= 15625 \left[\left(1+\frac{4}{100}\right)^2 - 1\right]$$

$$= 15625\left[\frac{26}{25} \times \frac{26}{25} - 1\right]$$

$$= 15625\left[\frac{676-625}{625}\right]$$

$$= \frac{15625 \times 51}{625} = 1275 \text{ रु.}$$

उदाहरण 2. यदि किसी धनराशि का 5% वार्षिक ब्याज की दर से 2 वर्ष का चक्रवृद्धि ब्याज 1230 रु. हो तो वह धनराशि कितनी होगी ?

हल : चक्रवृद्धि ब्याज = मूलधन $\left[\left(1+\frac{\text{दर}}{100}\right)^{\text{समय}}-1\right]$

$$\therefore\ 1230 = \text{मूलधन} \left[\left(1+\frac{5}{100}\right)^{2}-1\right]$$

$$\therefore\ 1230 = \text{मूलधन} \left[\frac{21}{20}\times\frac{21}{20}-1\right]$$

$$\therefore\ 1230 = \text{मूलधन} \times\frac{41}{400}$$

$$\therefore\ \text{मूलधन} = \frac{1230\times 400}{41} = 12000 \text{ रु.}$$

अतः वह धनराशि (मूलधन) = 12000 रु. होगी।

उदाहरण 3. नीरज ने 400 रु., 2 वर्ष के लिए चक्रवृद्धि ब्याज पर उधार दिये। यदि उसे ब्याज के रूप में 41 रु. मिले हों तो ब्याज की वार्षिक दर कितनी होगी ?

हल : यहाँ मूलधन = 400 रु., समय = 2 वर्ष तथा
चक्रवृद्धि ब्याज = 41 रु.

$$\text{चक्रवृद्धि ब्याज} = \text{मूलधन} \left[\left(1+\frac{\text{दर}}{100}\right)^{\text{समय}}-1\right]$$

$$\therefore\ 41 = 400\left[\left(1+\frac{\text{दर}}{100}\right)^{2}-1\right]$$

$$\therefore\ 41 = 400\left[\left(1+\frac{\text{दर}}{100}\right)^{2}\right]-400$$

$$\therefore\ 400\left(1+\frac{\text{दर}}{100}\right)^{2} = 400+41 = 441$$

$$\therefore\ \left(1+\frac{\text{दर}}{100}\right)^{2} = \frac{441}{400} \Rightarrow \left(1+\frac{\text{दर}}{100}\right) = \frac{21}{20}$$

$$\therefore \quad \frac{\text{दर}}{100} = \frac{21}{20} - 1 = \frac{1}{20}$$

$$\therefore \quad \text{दर} = \frac{1}{20} \times 100 = 5\%.$$

उदाहरण 4. कितने समय में 800 रु. का 10% वार्षिक ब्याज की दर से चक्रवृद्धि ब्याज 168 रु. होगा ?

हल : यहाँ मूलधन = 800 रु., दर = 10% तथा चक्रवृद्धि ब्याज = 168 रु.

$$\text{चक्रवृद्धि ब्याज} = \text{मूलधन} \left[\left(1 + \frac{\text{दर}}{100}\right)^{\text{समय}} - 1\right]$$

$$\therefore \quad 168 = 800 \left[\left(1 + \frac{10}{100}\right)^{\text{समय}} - 1\right]$$

$$\therefore \quad 168 = 800 \times \left(\frac{11}{10}\right)^{\text{समय}} - 800$$

$$\therefore \quad 800 \times \left(\frac{11}{10}\right)^{\text{समय}} = 168 + 800 = 968$$

$$\therefore \quad \left(\frac{11}{10}\right)^{\text{समय}} = \frac{968}{800} = \frac{121}{100} = \left(\frac{11}{10}\right)^{2}$$

$$\Rightarrow \quad \text{समय} = 2 \text{ वर्ष।}$$

उदाहरण 5. यदि कोई धन चक्रवृद्धि ब्याज की दर से 2 वर्ष में 2420 रु. तथा 3 वर्ष में 2662 रु. हो जाता हो तो उस धन पर ब्याज की दर कितनी होगी ?

हल : $\text{मिश्रधन} = \text{मूलधन} \left(1 + \frac{\text{दर}}{100}\right)^{\text{समय}}$

पहली स्थिति में, $2420 = \text{मूलधन}\left(1 + \frac{\text{दर}}{100}\right)^{2}$

दूसरी स्थिति में, $2662 = \text{मूलधन}\left(1 + \frac{\text{दर}}{100}\right)^{3}$

$$\therefore \frac{\left(1+\frac{\text{दर}}{100}\right)^3}{\left(1+\frac{\text{दर}}{100}\right)^2} = \frac{2662}{2420} \Rightarrow \left(1+\frac{\text{दर}}{100}\right) = \frac{1331}{1210}$$

$$\therefore \qquad \frac{\text{दर}}{100} = \frac{1331}{1210} - 1 = \frac{121}{1210} = \frac{1}{10}$$

$$\therefore \qquad \text{दर} = \frac{1}{10} \times 100 = 10\%.$$

उदाहरण 6. यदि किसी धन का 2 वर्ष का 10% वार्षिक ब्याज की दर से सा. ब्याज 200 रु. हो तो उसी धन का उसी दर से, उतने ही समय में चक्रवृद्धि ब्याज क्या होगा ?

हल : पहली स्थिति में, $\text{मूलधन} = \frac{\text{सा. ब्याज} \times 100}{\text{समय} \times \text{दर}}$

$$= \frac{200 \times 100}{2 \times 10} = 1000 \text{ रु.}$$

अतः वह धनराशि 1000 रु. होगी।

दूसरी स्थिति में, $\text{चक्रवृद्धि ब्याज} = \text{मूलधन}\left[\left(1+\frac{\text{दर}}{100}\right)^{\text{समय}} - 1\right]$

$$= 1000\left[\left(1+\frac{10}{100}\right)^2 - 1\right]$$

$$= 1000\left[\left(\frac{11}{100}\right)^2 - 1\right] = 1000 \times \frac{21}{100}$$

$$= 210 \text{ रु.}$$

उदाहरण 7. किसी धनराशि पर साधारण व चक्रवृद्धि ब्याजों में अन्तर 8 रुपये है। यदि उस धनराशि पर ब्याज की दर 4% तथा समय की अवधि 2 वर्ष हो तो वह धनराशि कितनी होंगी ?

हल : $\text{साधारण ब्याज} = \frac{\text{धनराशि (मूलधन)} \times \text{समय} \times \text{दर}}{100}$

$$= \frac{\text{मूलधन} \times 2 \times 4}{100} = \frac{2 \times \text{मूलधन}}{25}$$

तथा चक्रवृद्धि ब्याज = मूलधन $\left[\left(1+\frac{\text{दर}}{100}\right)^{\text{समय}}-1\right]$

$$= \text{मूलधन}\left[\left(1+\frac{4}{100}\right)^{2}-1\right]$$

$$= \text{मूलधन} \times \frac{51}{625}$$

प्रश्नानुसार, दोनों ब्याजों में अन्तर = 8 रु.

$$\therefore \text{मूलधन} \times \frac{51}{625} - \text{मूलधन} \times \frac{2}{25} = 8$$

$$\therefore \text{मूलधन}\ \frac{[51-50]}{625} = 8$$

$\therefore$ मूलधन = 8 × 625 = 5000 रु.

अतः वह धनराशि = 5000 रु. होगी।

उदाहरण 8. किसी धनराशि पर चक्रवृद्धि ब्याज की दर से चौथे वर्ष में मिश्रधन 800 रु. तथा पाँचवें वर्ष में मिश्रधन 888 रु. हो जाता है तो उस धनराशि पर छठे वर्ष में मिश्रधन कितना होगा ?

हल : चूंकि चौथे वर्ष का मिश्रधन पांचवें वर्ष के लिए मूलधन होगा।

$\therefore$ पांचवें वर्ष का मिश्रधन = चौथे वर्ष का मिश्रधन (मूलधन) × $\left(1+\frac{\text{दर}}{100}\right)^{\text{समय}}$

$$\therefore 888 = 800\left(1+\frac{\text{दर}}{100}\right)$$

$$\therefore \frac{888}{800} = 1+\frac{\text{दर}}{100} \Rightarrow \frac{\text{दर}}{100} = \frac{888}{800}-1$$

$$\Rightarrow \frac{\text{दर}}{100} = \frac{88}{800} \Rightarrow \text{दर} = \frac{88 \times 100}{800} = 11\%$$

$\therefore$ छठे वर्ष का मिश्रधन = पांचवें वर्ष का (मूलधन) × $\left(1+\frac{\text{दर}}{100}\right)^{\text{समय}}$

$$= 888 \times \left(1+\frac{11}{100}\right) = \frac{888 \times 111}{100} = 985.68 \text{ रु.}$$

अभ्यासमाला

ीचे दिये गये प्रत्येक प्रश्नों के चार संभावित उत्तर विकल्प दिये गये हैं। जिनमें से एक विकल्प सही है। उस सही विकल्प का सावधानी पूर्वक चुनाव कीजिए ।

1. 1500 रु. का 4% वार्षिक ब्याज की दर से 3 वर्ष का साधारण ब्याज, चक्रवृद्धि ब्याज से कितना कम होगा ?

A. 6.29 रु. B. 7.29 रु.
C. 8.30 रु. D. 7.38 रु.

2. 540 रु. का 10% वार्षिक ब्याज दर से 2 वर्षों का साधारण ब्याज व चक्रवृद्धि ब्याज में अन्तर कितना होगा ?

A. 7.40 रु. B. 6.40 रु.
C. 4.40 रु. D. 5.40 रु.

3. वह धनराशि क्या होगी जिस पर 10% वार्षिक चक्रवृद्धि ब्याज की दर से 2 वर्ष का मिश्रधन 12.10 रु. होगा ?

A. 10 रु. B. 9 रु.
C. 8 रु. D. 11 रु.

4. किस वार्षिक प्रतिशत दर से 1024 रु. का 3 वर्ष का चक्रवृद्धि ब्याज 204.25 रु. हो जायेगा ?

A. $6\frac{1}{2}$ % B. $6\frac{1}{4}$ %
C. $7\frac{1}{4}$ % D. $5\frac{1}{4}$ %

5. 4800 रु. का 5% वार्षिक चक्रवृद्धि ब्याज की दर से 3 वर्ष में कितना मिश्रधन होगा ?

A. 5546.60 रु. B. 5556.60 रु.
C. 4456.60 रु. D. 5536.60 रु.

6. यदि कोई धनराशि 12% वार्षिक चक्रवृद्धि ब्याज की दर से 1 वर्ष के लिए उधार दी जाए तो उस पर प्रति तिमाही दर कितनी होगी ?

A. 3% B. 4 %
C. 2 % D. 5 %

7. 2550 रु. का 6% वार्षिक ब्याज की दर से 1 वर्ष का चक्रवृद्धि ब्याज कितना होगा यदि ब्याज प्रति छमाही हो ?

A. 145.28 रु. B. 155.29 रु.
C. 255.29 रु. D. 145.29 रु.

8. किस धन का 3 वर्ष में 10% वार्षिक ब्याज की दर से चक्रवृद्धि ब्याज 496.50 रु. हो जाएगा ?

A. 1200 रु. B.1500 रु.
C. 1300 रु. D.1600 रु.

9. यदि किसी धनराशि पर, किसी चक्रवृद्धि ब्याज की दर से 1 वर्ष का मिश्रधन 110 रु. तथा 2 वर्ष का मिश्रधन 121 रु. हो तो उस धनराशि पर ब्याज की प्रतिशत दर कितनी होगी ?

A. 9 % B. 8 %
C. 10 % D. 11%

10. 16000 रु. का 1½ वर्ष के लिए 10% वार्षिक चक्रवृद्धि ब्याज की दर से मिश्रधन कितना होगा यदि ब्याज छमाही हो ?

A. 19522 रु. B. 19550 रु.
C. 16555 रु. D. 18522 रु.

11. एक कस्बे की वर्तमान जनसंख्या 12500 है। यदि जनसंख्या में वृद्धि 20% वार्षिक हो

तो उस कस्बे की जनसंख्या 3 वर्ष बाद कितनी होगी ?

A. 21800 B. 22500
C. 21600 D. 23400

12. यदि किसी धन का 2 वर्ष में 5% वार्षिक ब्याज की दर से साधारण ब्याज 400 रु. हो तो उसी धन का, उतने ही समय में, उसी दर से चक्रवृद्धि ब्याज कितना होगा ?

A. 310 रु. B. 520 रु.
C. 410 रु. D. 430 रु.

13. यदि कोई धनराशि चक्रवृद्धि ब्याज की दर से 3 वर्ष में दो गुनी हो जाती हो तो वही धनराशि कितने वर्षों में चार गुनी हो जायेगी ?

A. 5 वर्ष B. 6 वर्ष
C. 3 वर्ष D. 4 वर्ष

14. यदि किसी राशि पर 8% चक्रवृद्धि वार्षिक ब्याज की दर से 2 वर्ष का चक्रवृद्धि ब्याज 83.20 रु. हो तो उस राशि पर, उतने ही समय में साधारण ब्याज क्या होगा ?

A. 80 रु. B. 70 रु.
C. 90 रु. D. 85 रु.

15. यदि किसी धनराशि पर 7½% वार्षिक ब्याज दर से 2 वर्ष का साधारण ब्याज 345 रु. हो तो उसी धनराशि पर उसी दर से चक्रवृद्धि ब्याज कितना होगा ?

A. 428.25 रु. B. 357.93 रु.
C. 357.97 रु. D. 457.93 रु.

16. यदि 1200 रु. की धनराशि पर 2 वर्ष का साधारण ब्याज व चक्रवृद्धि ब्याज में अन्तर 48 रु. हो तो उस धन पर ब्याज की वार्षिक प्रतिशत दर कितनी होगी ?

A. 25 % B. 19 %
C. 20 % D. 15 %

17. 800 रु. का 10% वार्षिक ब्याज की दर से 2 वर्ष के साधारण ब्याज व चक्रवृद्धि ब्याज का अन्तर कितना होगा ?

A. 7 रु. B. 5 रु.
C. 8 रु. D. 9 रु.

18. वह धनराशि कितनी होगी जिस पर 4% ब्याज की दर से 2 वर्ष का साधारण ब्याज, चक्रवृद्धि ब्याज से 2 रुपये कम हो ?

A. 1150 रु. B. 1250 रु.
C. 1350 रु. D.1050 रु.

उत्तरमाला

1	2	3	4	5	6	7	8	9	10
B	D	A	B	B	A	B	B	C	D
11	**12**	**13**	**14**	**15**	**16**	**17**	**18**		
C	C	B	A	B	C	C	B		

व्याख्यात्मक उत्तर

1. यहाँ मूलधन = 1500 रु., दर = 4% तथा समय = 3 वर्ष

$$\text{साधारण ब्याज} = \frac{\text{मूलधन} \times \text{समय} \times \text{दर}}{100} = \frac{1500 \times 3 \times 4}{100} = 180 \text{ रु.}$$

तथा चक्रवृद्धि ब्याज = मूलधन $\left[\left(1+\frac{\text{दर}}{100}\right)^{\text{समय}}-1\right]$

$$= 1500\left[\left(1+\frac{4}{100}\right)^{3}-1\right]$$

$$= 1500\left[\frac{26}{25}\times\frac{26}{25}\times\frac{26}{25}-1\right]$$

$$= 1500\left[\frac{17576-15625}{15625}\right] = \frac{1500\times1951}{15625} = 187.29 \text{ रु.}$$

अतः स्पष्ट है कि साधारण ब्याज, चक्रवृद्धि ब्याज से = 187.29 – 180 = 7.29 रु. कम होगा।

2. मूलधन = 540 रु., दर = 10%, समय = 2 वर्ष

$$\therefore \text{ सा. ब्याज} = \frac{\text{मूलधन} \times \text{समय} \times \text{दर}}{100} = \frac{540\times2\times10}{100} = 108 \text{ रु.}$$

तथा चक्रवृद्धि ब्याज = मूलधन $\left[\left(1+\frac{\text{दर}}{100}\right)^{\text{समय}}-1\right]$

$$= 540\left[\left(1+\frac{10}{100}\right)^{2}-1\right] = \frac{540\times21}{100} = 113.40 \text{ रु.}$$

अन्तर = 113.40 – 108 = 5.40 रु.

3. मिश्रधन = मूलधन $\left(1+\frac{\text{दर}}{100}\right)^{\text{समय}}$

$$\therefore 12.10 = \text{मूलधन}\left(1+\frac{10}{100}\right)^{2} = \text{मूलधन}\times\left(\frac{11}{10}\right)^{2}$$

$$\therefore \text{ मूलधन} = \frac{12.10\times100}{11\times11} = 10 \text{ रु.}$$

अतः वह धनराशि = 10 रु. होगी।

4. मिश्रधन = मूलधन + चक्रवृद्धि ब्याज

मूलधन $\left(1+\frac{\text{दर}}{100}\right)^{\text{समय}}$ = मूलधन + चक्रवृद्धि ब्याज

$$\therefore 1024\left(1+\frac{\text{दर}}{100}\right)^3 = 1024 + 204.25 = 1228.25$$

$$\therefore \left(1+\frac{\text{दर}}{100}\right)^3 = \frac{1228.25}{1024} = \frac{4913}{4096} = \left(\frac{17}{16}\right)^3$$

$$\Rightarrow \left(1+\frac{\text{दर}}{100}\right) = \frac{17}{16} \Rightarrow \frac{\text{दर}}{100} = \frac{17}{16} - 1 = \frac{1}{16}$$

$$\Rightarrow \text{दर} = \frac{1}{16} \times 100 = 6\frac{1}{4}\%$$

5. चक्रवृद्धि ब्याज = $4800\left[\left(1+\frac{5}{100}\right)^3 - 1\right]$

$$= 4800\left[\left(\frac{21}{20}\right)^3 - 1\right]$$

$$= 4800\left[\frac{21 \times 21 \times 21}{20 \times 20 \times 20} - 1\right]$$

$$= 4800\left[\frac{9261-8000}{8000}\right]$$

$$= \frac{4800 \times 1261}{8000} = 756.60 \text{ रु.}$$

∴ मिश्रधन = मूलधन + चक्रवृद्धि ब्याज

= 4800 + 756.60 = 5556.60 रु.

6. ब्याज की दर = 12% वार्षिक

∴ ब्याज की प्रति तिमाही दर = $\frac{12\%}{4}$ = 3% होगी ।

7. मूलधन = 2550 रु., दर = 6% वार्षिक, दर = $\frac{6}{2}\%$ = 3% प्रति छमाही

तथा समय = 1 वर्ष, ∴ समय = 1 × 2 = 2 छमाही

$\therefore$ चक्रवृद्धि ब्याज $= 2550\left[\left(1+\frac{3}{100}\right)^2-1\right] = 2550\left[\left(\frac{103}{100}\right)^2-1\right]$

$= 2550\left[\frac{10609-10000}{10000}\right] = \frac{2550 \times 609}{10000} = 155.29$ रु.

8. चक्रवृद्धि ब्याज = मूलधन $\left[\left(1+\frac{\text{दर}}{100}\right)^{\text{समय}}-1\right]$

$\therefore$ 496.50 = मूलधन $\left[\left(1+\frac{10}{100}\right)^3-1\right]$

$\therefore$ 496.50 = मूलधन $\left[\left(\frac{11}{10}\right)^3-1\right]$ = मूलधन $\times \frac{331}{1000}$

मूलधन $= \frac{496.50 \times 1000}{331} = 1500$ रु.

अतः वह धनराशि = 1500 रु. होगी।

9. पहले वर्ष का मिश्रधन, दूसरे वर्ष के मिश्रधन के लिए मूलधन होगा।

$\therefore$ दूसरे वर्ष का मिश्रधन = पहले वर्ष का मिश्रधन (मूलधन) $\left[\left(1+\frac{\text{दर}}{100}\right)^{\text{समय}}\right]$

$\therefore 121 = 110\left[\left(1+\frac{\text{दर}}{100}\right)^1\right] \Rightarrow 1+\frac{\text{दर}}{100} = \frac{121}{110}$

$\Rightarrow \frac{\text{दर}}{100} = \frac{121}{110} - 1 = \frac{11}{110} = \frac{1}{10}$

$\Rightarrow \text{दर} = \frac{1}{10} \times 100 = 10\%$

10. यहाँ मूलधन = 16000 रु., समय = 1½ वर्ष = 3 छमाही
तथा दर = 10% वार्षिक = 5% प्रति छमाही

$\therefore$ मिश्रधन = मूलधन $\left(1+\frac{\text{दर}}{100}\right)^{\text{समय}}$

$$= 16000 \left(1 + \frac{5}{100}\right)^3 = 16000 \times \left(\frac{21}{20}\right)^3$$

$$= \frac{16000 \times 9261}{8000} = 18522 \text{ रु.}$$

11. 3 वर्ष बाद कस्बे की जनसंख्या = वर्तमान जनसंख्या $\left(1 + \frac{\text{दर}}{100}\right)^{\text{समय}}$

$$= 12500 \left(1 + \frac{20}{100}\right)^3 = 12500 \times \frac{6}{5} \times \frac{6}{5} \times \frac{6}{5}$$

$= 21600.$

12. प्रथम स्थिति में, मूलधन $= \frac{\text{सा. ब्याज} \times 100}{\text{समय} \times \text{दर}}$

$$= \frac{400 \times 100}{2 \times 5} = 4000 \text{ रु.}$$

द्वितीय स्थिति में, मूलधन = 4000 रु., दर = 5%, समय = 2 वर्ष

$\therefore$ चक्रवृद्धि ब्याज = मूलधन $\left[\left(1 + \frac{\text{दर}}{100}\right)^{\text{समय}} - 1\right]$

$$= 4000 \left[\left(1 + \frac{5}{100}\right)^2 - 1\right]$$

$$= 4000 \left[\left(\frac{21}{20}\right)^2 - 1\right]$$

$$= \frac{4000 \times 41}{400} = 410 \text{ रु.}$$

13. माना कि धनराशि = x रु.

प्रश्नानुसार, $2x = x\left(1 + \frac{\text{दर}}{100}\right)^3 \Rightarrow 2 = \left(1 + \frac{\text{दर}}{100}\right)^3$

दोनो तरफ का वर्ग करने पर,

$$(2)^2 = \left[\left(1 + \frac{\text{दर}}{100}\right)^3\right]^2 \Rightarrow 4 = \left(1 + \frac{\text{दर}}{100}\right)^6$$

अतः स्पष्ट है कि धनराशि को 4 गुना होने में 6 वर्ष लगेंगे।

14. चक्रवृद्धि ब्याज = मूलधन $\left[\left(1+\frac{\text{दर}}{100}\right)^{\text{समय}}-1\right]$

$\therefore$ 83.20 = मूलधन $\left[\left(1+\frac{8}{100}\right)^{2}-1\right]$

$\therefore$ 83.20 = मूलधन $\left[\left(\frac{27}{25}\right)^{2}-1\right]$ = मूलधन $\times \frac{104}{625}$

$\therefore$ मूलधन = $\frac{625\times 83.20}{104}$ = 500 रु.

$\therefore$ साधारण ब्याज = $\frac{\text{मूलधन} \times \text{समय} \times \text{दर}}{100} = \frac{500\times 2\times 8}{100}$ = 80 रु.

15. $\because$ साधारण ब्याज = $\frac{\text{मूलधन} \times \text{समय} \times \text{दर}}{100}$

$\therefore$ $345 = \frac{\text{मूलधन} \times 2\times 7\frac{1}{2}}{100}$

$\therefore$ मूलधन = $\frac{345\times 100}{15}$ = 2300 रु.

चक्रवृद्धि ब्याज = मूलधन $\left[\left(1+\frac{\text{दर}}{100}\right)^{\text{समय}}-1\right]$

$= 2300\left[\left(1+\frac{7\frac{1}{2}}{100}\right)^{2}-1\right]$

$= 2300\left[\left(\frac{43}{40}\right)^{2}-1\right]$

$= 2300\left[\frac{1849-1600}{1600}\right] = \frac{2300\times 249}{1600}$

= 357.93 रु.

16. माना कि ब्याज की वार्षिक प्रतिशत दर = $x\%$

$\because$ यहां मूलधन = 1200 रु., समय = 2 वर्ष तथा दर = $x\%$

$\therefore$ सा. ब्याज = $\dfrac{1200 \times 2 \times x}{100} = 24x$ रु.

तथा चक्रवृद्धि ब्याज $= 1200\left[\left(1+\dfrac{x}{100}\right)^2 - 1\right] = 1200 \times \left[\left(\dfrac{x}{100}\right)^2 + \dfrac{2x}{100}\right]$

प्रश्नानुसार, $1200\left[\dfrac{x^2}{100^2} + \dfrac{2x}{100}\right] - 24x = 48$

$$\therefore \quad \frac{12x^2}{100} + \frac{2400x}{100} - 24x = 48$$

$$\therefore \quad 12x^2 + 2400x - 2400x = 4800$$

$$\therefore \quad 12x^2 = 4800 \Rightarrow x^2 = 400$$

$$x = 20$$

अतः ब्याज की वार्षिक प्रतिशत दर = 20% होगी।

17. मूलधन = 800 रु., दर = 10%, समय = 2 वर्ष

$\therefore$ सा. ब्याज $= \dfrac{800 \times 10 \times 2}{100} = 160$ रु.

तथा चक्रवृद्धि ब्याज $= 800\left[\left(1 + \dfrac{10}{100}\right)^2 - 1\right]$

$$= 800\left[\left(\frac{11}{10}\right)^2 - 1\right]$$

$$= \frac{800 \times 21}{100} = 168$$

$\therefore$ दोनों ब्याज़ों में अन्तर = 168 – 160 = 8 रु.

18. माना कि वह धनराशि = x रु.

यहाँ मूलधन = x रु., दर = 4% तथा समय = 2 वर्ष

$\therefore$ सा. ब्याज $= \dfrac{x \times 4 \times 2}{100} = \dfrac{8x}{100}$ रु.

तथा चक्रवृद्धि ब्याज = $x\left[\left(1+\frac{4}{100}\right)^2-1\right]$

$$= x\left[\left(\frac{26}{25}\right)^2-1\right]$$

$$= \frac{x\ [676-625]}{625} = \frac{x \times 51}{625} \text{ रु.}$$

प्रश्नानुसार, सा. ब्याज, चक्रवृद्धि ब्याज से 2 रु. कम है .

$$\therefore \frac{x\times 51}{625} = \frac{8x}{100} + 2$$

$$\therefore \frac{x\times 51}{625} - \frac{8x}{100} = 2 \Rightarrow \frac{x}{625} = 2$$

$$\Rightarrow x = 2 \times 625 = 1250$$

अतः वह धनराशि = 1250 रु. होगी।

❒ ❒ ❒

8. लाभ एवं हानि

क्रय मूल्य : जिस मूल्य पर कोई वस्तु खरीदी जाती है तो उस मूल्य को उस वस्तु का **क्रय मूल्य** कहते हैं।

विक्रय मूल्य : जिस मूल्य पर कोई वस्तु बेची जाती है तो उस मूल्य को उस वस्तु का **विक्रय मूल्य** कहते हैं।

(1) यदि वस्तु का विक्रय मूल्य, वस्तु के क्रय मूल्य से अधिक है तब,

$$\text{लाभ} = (\text{विक्रय मूल्य} - \text{क्रय मूल्य})$$

$$\text{तथा \% लाभ} = \frac{\text{लाभ} \times 100}{\text{क्रय मूल्य}}$$

(2) यदि वस्तु का विक्रय मूल्य, वस्तु के क्रय मूल्य से कम है तब,

$$\text{हानि} = (\text{क्रय मूल्य} - \text{विक्रय मूल्य})$$

$$\text{तथा \% हानि} = \frac{\text{हानि} \times 100}{\text{क्रय मूल्य}}$$

(3) **% लाभ की स्थिति में,**

$$\text{विक्रय मूल्य} = \text{क्रय मूल्य}\left(1 + \frac{\text{\% लाभ}}{100}\right)$$

(4) **% हानि की स्थिति में,**

$$\text{विक्रय मूल्य} = \text{क्रय मूल्य}\left(1 - \frac{\text{\% हानि}}{100}\right)$$

महत्त्वपूर्ण नोट : लाभ तथा हानि हमेशा क्रय मूल्य पर ज्ञात किये जाते हैं।

उदाहरण 1. यदि एक घड़ी 1200 रु. में खरीद कर 1500 रु. में बेच दी जाए तो उस पर प्रतिशत लाभ कितना होगा ?

हल : ∵ घड़ी का क्रय मूल्य = 1200 रु.

तथा घड़ी का विक्रय मूल्य = 1500 रु.

लाभ = विक्रय मूल्य – क्रय मूल्य = 1500 – 1200 = 300 रु.

$$\therefore \text{ प्रतिशत लाभ} = \frac{\text{लाभ} \times 100}{\text{क्रय मूल्य}} = \frac{300}{1200} \times 100 = 25\%$$

उदाहरण 2. यदि किसी वस्तु को 24 रु. में बेचने पर 20% लाभ होता है तो उस वस्तु का क्रय मूल्य कितना होगा ?

हल : ∵ % लाभ की स्थिति में,

$$\text{क्रय मूल्य} = \frac{\text{विक्रय मूल्य}}{\left(1+\frac{\%\text{ लाभ}}{100}\right)}$$

$$\therefore \qquad \text{क्रय मूल्य} = \frac{24}{\left(1+\frac{20}{100}\right)} = \frac{24}{120}\times 100 = 20 \text{ रु.}$$

अतः उस वस्तु का क्रय मूल्य = 20 रु. होगा।

उदाहरण 3. यदि एक रेडियो को 450 रु. में बेचने पर 10% की हानि होती है तो बताइये रेडियो का क्रय मूल्य कितना होगा ?

हल : % हानि की स्थिति में;

$$\text{क्रय मूल्य} = \frac{\text{विक्रय मूल्य}}{\left(1-\frac{\%\text{ हानि}}{100}\right)}$$

$$\therefore \qquad \text{क्रय मूल्य} = \frac{450}{\left(1-\frac{10}{100}\right)} = \frac{450}{90}\times 100 = 500 \text{ रु.}$$

अतः रेडियो का क्रय मूल्य = 500 रु. होगा।

उदाहरण 4. एक किताब को 144 रु. में बेचने पर 20% लाभ होता है। यदि इसको 30% लाभ पर बेचा जाए तब किताब का विक्रय मूल्य कितना होगा ?

हल : पहली स्थिति में, विक्रय मूल्य = 144 रु., % लाभ = 20%

$$\therefore \text{ क्रय मूल्य} = \frac{\text{विक्रय मूल्य}}{\left(1+\frac{\%\text{ लाभ}}{100}\right)} = \frac{144}{\left(1+\frac{20}{100}\right)}$$

$$= \frac{144\times 100}{120} = 120 \text{ रु.}$$

अतः किताब का क्रय मूल्य = 120 रु.

दूसरी स्थिति में, क्रय मूल्य = 120 रु., % लाभ = 30%

$$\text{विक्रय मूल्य} = \text{क्रय मूल्य} \left(1+\frac{\%\ \text{लाभ}}{100}\right) = 120\left(1+\frac{30}{100}\right)$$

$$= 120 \times \frac{130}{100} = 156 \text{ रु.}$$

अतः किताब का विक्रय मूल्य = 156 रु. होगा।

उदाहरण 5. एक वस्तु को 1230 रु. में बेचने पर 18% हानि होती है। यदि इस वस्तु को 1600 रु. में बेचा जाए तो कितने % लाभ या % हानि होगी ?

हल : पहली स्थिति में, वस्तु का विक्रय मूल्य = 1230 रु., % हानि = 18%

$$\text{वस्तु का क्रय मूल्य} = \frac{\text{विक्रय मूल्य}}{\left(1-\frac{\%\ \text{हानि}}{100}\right)} = \frac{1230}{\left(1-\frac{18}{100}\right)}$$

$$= \frac{1230 \times 100}{82} = 1500 \text{ रु.}$$

दूसरी स्थिति में, क्रय मूल्य = 1500 रु., विक्रय मूल्य = 1600 रु.

लाभ = विक्रय मूल्य – क्रय मूल्य = 1600–1500 = 100 रु.

$$\%\ \text{लाभ} = \frac{\text{लाभ} \times 100}{\text{क्रय मूल्य}} = \frac{100}{1500} \times 100 = 6\tfrac{2}{3}\%$$

उदाहरण 6. एक दुकानदार अपने सामान पर 20% अधिक मूल्य अंकित करके ग्राहक को 10% छूट देने का वायदा करता है तो बताइये वह कितने प्रतिशत लाभ कमाता है ?

हल : माना कि सामान का क्रय मूल्य = 100 रु.

∴ सामान का अंकित मूल्य = 120 रु.

अंकित मूल्य पर 10% छूट देने के बाद सामान का विक्रय मूल्य

= 120 रु. – 120 रु. का 10% = 120 – 12 = 108

∴ लाभ = विक्रय मूल्य – क्रय मूल्य = 108 – 100 = 8 रु.

$$\%\ \text{लाभ} = \frac{\text{लाभ} \times 100}{\text{क्रय मूल्य}} = \frac{8}{100} \times 100 = 8\%$$

अतः दुकानदार 8% लाभ कमाता है।

उदाहरण 7. कोई व्यापारी क्रय मूल्य से कितने प्रतिशत बढ़ाकर वस्तु का मूल्य अंकित करे ताकि उसे अंकित मूल्य पर 20% छूट देने के बाद भी 5% लाभ हो ?

हल : माना कि वस्तु का क्रय मूल्य = 100 रु. तथा क्रय मूल्य से x% मूल्य बढ़ाकर रखने पर अंकित मूल्य = $(100 + x)$ रु.

∴ क्रय मूल्य पर 5% लाभ के कारण वस्तु का विक्रय मूल्य = 100 + 100 का 5%
= 105 रु.

तथा अंकित मूल्य पर 20% छूट देने के कारण वस्तु का विक्रय मूल्य

= $(100 + x) - (100 + x)$ का 20% = $(100 + x) \times \frac{4}{5}$

$$\therefore (100+x) \times \frac{4}{5} = 105 \Rightarrow 100 + x = \frac{105 \times 5}{4} = \frac{525}{4}$$

$$x = \frac{525}{4} - 100 = \frac{125}{4} = 31.25$$

अतः व्यापारी को क्रय मूल्य से 31.25% मूल्य बढ़ाकर अंकित करना चाहिए।

उदाहरण 8. एक व्यापारी दो सिलाई मशीनों में से प्रत्येक को 960 रु. में बेचता है। यदि उसे एक मशीन पर 20% लाभ तथा दूसरी मशीन पर 20% की हानि हुई हो तो बताइये इस सौदे में उसे कितने % लाभ या हानि होगी ?

हल : पहली सिलाई मशीन के लिए, विक्रय मूल्य = 960 रु., % लाभ = 20%

$$\therefore \text{ क्रय मूल्य} = \frac{\text{विकय मूल्य}}{\left(1 + \frac{\text{\% लाभ}}{100}\right)} = \frac{960}{\left(1 + \frac{20}{100}\right)}$$

$$= \frac{960 \times 100}{120} = 800 \text{ रु.}$$

दूसरी सिलाई मशीन के लिए, विक्रय मूल्य = 960 रु., % हानि = 20%

$$\therefore \text{ क्रय मूल्य} = \frac{\text{विकय मूल्य}}{\left(1 - \frac{\text{\% हानि}}{100}\right)} = \frac{960}{\left(1 - \frac{20}{100}\right)} = \frac{960 \times 100}{80} = 1200 \text{ रु.}$$

∴ दोनों मशीनों का क्रय मूल्य = 800 + 1200 = 2000 रु.

तथा दोनों मशीनों का विक्रय मूल्य = 960 + 960 = 1920 रु.

हानि = क्रय मूल्य − विक्रय मूल्य
= 2000 − 1920 = 80 रु.

$$\text{\% हानि} = \frac{\text{हानि} \times 100}{\text{क्रय मूल्य}} = \frac{80}{2000} \times 100 = 4\%.$$

अभ्यासमाला

नीचे दिये गये प्रत्येक प्रश्नों के चार संभावित उत्तर विकल्प दिये गये हैं। जिनमें से एक विकल्प सही है। उस सही विकल्प का सावधानीपूर्वक चुनाव कीजिए।

1. राम ने एक साइकिल 770 रु. में खरीद कर 810 रु. में बेची हो तो उसका लाभ कितना होगा ?

A. 40 रु. B. 30 रु.
C. 50 रु. D. 55 रु.

2. एक फल विक्रेता 1 रु. में 10 सेब बेचकर 60% लाभ कमाता है तो बताइये उसने 1 रु. में कितने सेब खरीदे ?

A. 14 B. 16
C. 15 D. 18

3. यदि 5 आमों का क्रय मूल्य 4 आमों के विक्रय मूल्य के बराबर हो तो प्रतिशत लाभ कितना होगा ?

A. 20% B. $16\frac{2}{3}\%$
C. 25% D. 10%

4. शीशराम को एक मेज 540 रु. में बेचने पर 10% हानि हुई। यदि उसे मेज पर 10% का लाभ कमाना हो तो मेज का विक्रय मूल्य कितना होगा ?

A. 660 रु. B. 680 रु.
C. 580 रु. D. 550 रु.

5. एक दुकानदार 10% कमीशन अपनी लिस्ट पर देता है। फिर भी 25% लाभ कमाता है। तो बताइये उस वस्तु का क्रय मूल्य क्या होगा जिसकी लिस्ट कीमत 80 रु. हो ?

A. 57.60 रु. B. 60.40 रु.
C. 72.50 रु. D. 75.60 रु.

6. एक सोफासेट को 632 रु. में बेचने पर उतना लाभ होता है जितना कि उसे 544 रु. में बेचने पर हानि होती है। तो बताइये सोफासेट का क्रय मूल्य कितना होगा ?

A. 858 रु. B. 588 रु.
C. 540 रु. D. 637 रु.

7. एक टेलीविजन 20% लाभ पर बेचा जाता है। यदि उसे 20% हानि पर बेचा जाता तो 120 रु. कम मिलते। बताइये टेलीविजन का क्रय मूल्य क्या होगा ?

A. 600 रु. B. 220 रु.
C. 300 रु. D. 380 रु.

8. कोई सामान 31 रु. में बेचने पर एक दुकानदार को 7% की हानि होती है। यदि उस सामान को 35 रु. में बेचा जाए तो दुकानदार का % लाभ या % हानि क्या होगी?

A. 3% हानि B. 5% लाभ
C. 5% हानि D. 3% लाभ

9. A ने एक रेडियो 500 रु. में खरीदकर B को 5% लाभ पर बेच दिया। कुछ समय पश्चात् B ने 5% हानि पर C को बेच दिया। बताइये C के लिए रेडियो का क्रय मूल्य कितना होगा ?

A. 498.75 रु. B. 375.60 रु.
C. 370.25 रु. D. 480.60 रु.

10. राम ने 20 रु. में 21 कलम खरीदकर उन्हें 21 रु. के 20 की दर से बेची हो तो उसका प्रतिशत लाभ कितना होगा ?

A. 7.50% B. 10.25%

C. 10.50% D. 16.66%

11. यदि 11 पेन्सिलें 10 रु. में खरीदी जायें तथा 11 रु. की 10 के भाव से बेची जायें तो इस सौदे में प्रतिशत लाभ कितना होगा ?

A. 18% B. 16%
C. 21 % D. 10%

12. एक आदमी अपना रेडियो 770 रु. में बेचता है तथा विक्रय मूल्य का 1/7 लाभ कमाता है। तो बताइये उसका प्रतिशत लाभ कितना होगा ?

A. $16\frac{2}{3}\%$ B. $6\frac{1}{3}\%$

C. $6\frac{2}{3}\%$ D. $33\frac{1}{3}\%$

13. एक व्यक्ति ने एक घड़ी 432 रु. में कुछ हानि पर बेची। यदि वह उसे 516 रु. में बेचता तो पहली हानि के 1/3 के बराबर लाभ कमाता। बताइये घड़ी का क्रय मूल्य कितना है ?

A. 420 रु. B. 495 रु.
C. 550 रु. D. 630 रु.

14. यदि किसी वस्तु को 10% हानि की जगह 10% लाभ पर बेचा जाए तो 55 रु. अधिक मिलते हैं। बताइये वस्तु का क्रय मूल्य कितना होगा ?

A. 275 रु. B. 288 रु.
C. 310 रु. D. 290 रु.

15. एक वस्तु का वास्तविक मूल्य उस पर अंकित मूल्य का 60% है। यदि उस वस्तु पर ग्राहकों को 20% की छूट दी जाए तो वस्तु पर प्रतिशत लाभ कितना होगा ?

A. $16\frac{2}{3}\%$ B. $6\frac{2}{3}\%$

C. $33\frac{1}{3}\%$ D. 40%

16. एक दुकानदार किसी वस्तु को 12½% हानि पर बेचता है। यदि वह इसे 92.50 रु. और अधिक में बेचता तो उसे 6% का लाभ होता। बताइये वस्तु का क्रय मूल्य कितना होगा ?

A. 510 रु. B. 500 रु.
C. 575 रु. D. 600 रु.

17. एक दुकानदार एक बाइसिकिल को 10% लाभ पर बेचता है। यदि वह इसे 10 रु. और अधिक में बेचता तथा उसका खरीद मूल्य पहले से 20% कम होता तो उसे 40% का लाभ प्राप्त होता। बताइये बाइसिकिल का क्रय मूल्य कितना है ?

A. 500 रु. B. 320 रु.
C. 380 रु. D. 480 रु.

18. एक व्यापारी ने दो गायें 500 रु. में खरीदीं। एक को उसने 12% हानि पर तथा दूसरी को उसने 8% लाभ पर बेच दिया। इस प्रकार उसे न तो लाभ हुआ न ही हानि, बताइये प्रत्येक गाय का क्रय मूल्य कितना था ?

A. 300 रु. व 200 रु.
B. 200 रु. व 300 रु.
C. 175 रु. व 325 रु.
D. 240 रु. व 260 रु.

19. एक मनुष्य ने कुछ अंडों को 3 रु. के 4 के भाव से खरीदकर उन्हें 4 रु. के 5 के भाव से बेच दिये। यदि उसे कुल सौदे में 16 रु. का लाभ मिला हो तो बताइये उसने कितने अंडे खरीदे थे ?

A. 410 B. 300
C. 320 D. 280

उत्तरमाला

1	2	3	4	5	6	7	8	9	10
A	B	C	A	A	B	C	B	A	B
11	**12**	**13**	**14**	**15**	**16**	**17**	**18**	**19**	
C	A	B	A	C	B	A	B	C	

व्याख्यात्मक उत्तर

1. $\because$ साइकिल का क्रय मूल्य = 770 रु.

तथा साइकिल का विक्रय मूल्य = 810 रु.

$\therefore$ लाभ = विक्रय मूल्य – क्रय मूल्य = 810 – 770 = 40 रु.

2. $\because$ विक्रय मूल्य = 1 रु., % लाभ = 60%

$$\therefore \text{ क्रय मूल्य } = \frac{\text{विक्रय मूल्य}}{\left(1+\frac{\%\text{ लाभ}}{100}\right)} = \frac{1}{\left(1+\frac{60}{100}\right)} = \frac{1\times 100}{160} = \frac{5}{8} \text{ रु.}$$

$\therefore$ 5/8 रु. में सेब खरीदे = 10

$\therefore$ 1 रु. में सेब खरीदे = $10\times\frac{8}{5} = 16$

अतः उसने 1 रु. में 16 सेब खरीदे।

3. माना कि 5 आमों का क्रय मूल्य = x रु.

$\therefore$ 4 आमों का विक्रय मूल्य = x रु.

$\therefore$ 1 आम का क्रय मूल्य = $\frac{x}{5}$ रु.

तथा 1 आम का विक्रय मूल्य = $\frac{x}{4}$ रु.

$\therefore$ लाभ = $\frac{x}{4} - \frac{x}{5} = \frac{x}{20}$ रु.

$$\%\text{ लाभ} = \frac{\text{लाभ}\times 100}{\text{क्रय मूल्य}} = \frac{\frac{x}{20}}{\frac{x}{5}}\times 100 = 25\%.$$

4. पहली स्थिति में, मेज का विक्रय मूल्य = 540 रु., % हानि = 10%

$\therefore$ क्रय मूल्य $= \dfrac{\text{विक्रय मूल्य}}{\left(1 - \dfrac{\text{\% हानि}}{100}\right)} = \dfrac{540}{\left(1 - \dfrac{10}{100}\right)}$

$= \dfrac{540}{90} \times 100 = 600$ रु.

दूसरी स्थिति में, क्रय मूल्य = 600 रु., % लाभ = 10%

$\therefore$ विक्रय मूल्य = क्रय मूल्य $\left(1 + \dfrac{\text{\% लाभ}}{100}\right)$

$= 600\left(1 + \dfrac{10}{100}\right) = 600 \times \dfrac{110}{100}$

= 660 रु.

अतः मेज का विक्रय मूल्य = 660 रु. होगा।

5. माना कि वस्तु का क्रय मूल्य = x रु.

प्रश्नानुसार, दुकानदार 25% लाभ कमाता है

$\therefore$ वस्तु का विक्रय मूल्य = x रु. + x रु. का 25% = $\dfrac{5x}{4}$ रु.

तथा वस्तु की लिस्ट की कीमत = 80 रु.

$\therefore$ 10% कमीशन देने के बाद वस्तु का विक्रय मूल्य

= 80 रु. – 80 रु. का 10% = 72 रु.

$\therefore \dfrac{5x}{4} = 72 \Rightarrow 5x = 72 \times 4 \Rightarrow x = \dfrac{72 \times 4}{5} = 57.60$ रु.

अतः वस्तु का क्रय मूल्य = 57.60 रु. होगा।

6. माना कि सोफासेट का क्रय मूल्य = x रु.

पहली स्थिति में, क्रय मूल्य = x रु., विक्रय मूल्य = 632 रु.

$\therefore$ लाभ = विक्रय मूल्य – क्रय मूल्य = $(632 - x)$ रु.

दूसरी स्थिति में, क्रय मूल्य = x रु., विक्रय मूल्य = 544 रु.

$\therefore$ हानि = क्रय मूल्य – विक्रय मूल्य = $(x - 544)$ रु.

प्रश्नानुसार, पहली स्थिति में हुआ लाभ, दूसरी स्थिति में हुई हानि के बराबर है अर्थात्

$632 - x = x - 544 \Rightarrow 632 + 544 = 2x$

$$\Rightarrow \qquad 1176 = 2x \Rightarrow \frac{1176}{2} = x \Rightarrow x = 588$$

अतः सोफासेट का क्रय मूल्य = 588 रु. होगा।

7. माना कि टेलीविजन का क्रय मूल्य = x रु.

पहली स्थिति में, क्रय मूल्य = x रु., % लाभ = 20%

विक्रय मूल्य $= x \times \frac{120}{100} = \frac{6x}{5}$ रु.

दूसरी स्थिति में, क्रय मूल्य = x रु., % हानि = 20%

$\therefore$ विक्रय मूल्य = $x \times \frac{4x}{5}$ रु.

प्रश्नानुसार, दूसरी स्थिति में 120 रु. कम मिलते हैं।

अर्थात् $$\frac{6x}{5} = \frac{4x}{5} + 120 \Rightarrow \frac{6x}{5} - \frac{4x}{5} = 120$$

$$\Rightarrow \qquad \frac{2x}{5} = 120 \Rightarrow x = \frac{120 \times 5}{2} = 300$$

अतः टेलीविजन का क्रय मूल्य = 300 रु. होगा।

8. **पहली स्थिति में**, सामान का विक्रय मूल्य = 31 रु., हानि = 7%

$$\therefore \text{ क्रय मूल्य} = \frac{\text{विकय मूल्य}}{\left(1 - \frac{\text{\% हानि}}{100}\right)} = \frac{31}{\left(1 - \frac{7}{100}\right)} = \frac{31 \times 100}{93} = 33\frac{1}{3} \text{ रु.}$$

दूसरी स्थिति में, क्रय मूल्य = $33\frac{1}{3}$ रु., विक्रय मूल्य = 35 रु.

$$\therefore \qquad \text{लाभ} = \text{विक्रय मूल्य} - \text{क्रय मूल्य}$$

$$= 35 - 33\frac{1}{3} = 1\frac{2}{3} = \frac{5}{3} \text{ रु.}$$

$$\therefore \qquad \text{\% लाभ} = \frac{\text{लाभ} \times 100}{\text{क्रय मूल्य}}$$

$$= \frac{5/3}{100/3} \times 100 = 5\%.$$

9. पहली दिशा में, क्रय मूल्य = 500 रु., % लाभ = 5%

A के लिए विक्रय मूल्य $= 500 \times \frac{105}{100} = 525$ रु.

यह विक्रय मूल्य, B के लिए क्रय मूल्य होगा।

दूसरी स्थिति में, क्रय मूल्य = 525 रु., हानि = 5%

$\therefore$ B के लिए विक्रय मूल्य $= 525 \times \frac{95}{100} = 498.75$ रु.

यह विक्रय मूल्य, C के लिए क्रय मूल्य होगा।

10. $\therefore$ 21 कलमों का क्रय मूल्य = 20 रु.

$\therefore$ 1 कलम का क्रय मूल्य $= \frac{20}{21}$ रु.

तथा 20 कलमों का विक्रय मूल्य = 21 रु.

$\therefore$ 1 कलम का विक्रय मूल्य $= \frac{21}{20}$ रु.

$\therefore$ लाभ = विक्रय मूल्य – क्रय मूल्य $= \frac{21}{20} - \frac{20}{21} = \frac{41}{420}$ रु.

$\therefore$ प्रतिशत लाभ $= \frac{\text{लाभ} \times 100}{\text{क्रय मूल्य}} = \frac{41/420}{20/21} \times 100 = 10.25\%$

11. 11 पेन्सिलों का क्रय मूल्य = 10 रु.

1 पेन्सिल का क्रय मूल्य $= \frac{10}{11}$ रु.

तथा 10 पेन्सिलों का विक्रय मूल्य = 11 रु.

$\therefore$ 1 पेन्सिल का विक्रय मूल्य $= \frac{11}{10}$

$\therefore$ लाभ = विक्रय मूल्य – क्रय मूल्य $= \frac{11}{10} - \frac{10}{11} = \frac{21}{110}$

प्रतिशत लाभ $= \frac{\text{लाभ} \times 100}{\text{क्रय मूल्य}} = \frac{21/110}{10/11} \times 100 = 21\%$

12. $\because$ रेडियो का विक्रय मूल्य = 770 रु.

लाभ = 770 रु. का $\frac{1}{7} = 770 \times \frac{1}{7} = 110$ रु.

रेडियो का क्रय मूल्य = विक्रय मूल्य – लाभ = 770 – 110 = 660 रु.

$\therefore$ प्रतिशत लाभ = $\frac{\text{लाभ} \times 100}{\text{क्रय मूल्य}} = \frac{110}{660} \times 100 = 16\frac{2}{3}\%$

13. माना कि घड़ी को 432 रु. में बेचने पर x रु. की हानि हुई

$\therefore$ घड़ी का क्रय मूल्य = $(432 + x)$ रु.

दूसरी दिशा में, घड़ी का विक्रय मूल्य = 516 रु. तथा लाभ = $\frac{x}{3}$ रु.

$\therefore$ घड़ी का क्रय मूल्य = $\left(516 - \frac{x}{3}\right)$ रु.

$$\therefore \quad 432 + x = 516 - \frac{x}{3} \Rightarrow x + \frac{x}{3} = 516 - 432$$

$$\Rightarrow \quad \frac{4x}{3} = 84 \Rightarrow x = \frac{84 \times 3}{4} = 63$$

अतः घड़ी का क्रय मूल्य = (432 + 63) = 495 रु.

14. माना कि वस्तु का क्रय मूल्य = x रु.

पहली दिशा में, 10% हानि पर बेचने पर वस्तु का विक्रय मूल्य

$= x$ रु. – x रु. का 10% $= \frac{9x}{10}$ रु.

दूसरी दिशा में, 10% लाभ पर बेचने पर वस्तु का विक्रय मूल्य

$= x$ रु. + x रु. का 10% $= \frac{11x}{10}$ रु.

प्रश्नानुसार, $\frac{11x}{10} = \frac{9x}{10} + 55 \Rightarrow \frac{11x}{10} - \frac{9x}{10} = 55 \Rightarrow \frac{2x}{10} = 55$

$$\Rightarrow \quad x = 55 \times \frac{10}{2} = 275$$

अतः वस्तु का क्रय मूल्य = 275 रु. होगा।

15. माना कि वस्तु पर अंकित मूल्य = 100 रु.

$\therefore$ वस्तु का वास्तविक क्रय मूल्य = 100 रु. का 60% = 60 रु.

$\therefore$ अंकित मूल्य पर 20% छूट के कारण वस्तु का विक्रय मूल्य

$= 100$ रु. $-$ 100 रु. का $20\% = 100 - 20 = 80$ रु.

लाभ $=$ विक्रय मूल्य $-$ क्रय मूल्य $= 80 - 60 = 20$ रु.

प्रतिशत लाभ $= \dfrac{\text{लाभ} \times 100}{\text{क्रय मूल्य}} = \dfrac{20}{60} \times 100 = 33\dfrac{1}{3}\ \%.$

16. माना कि वस्तु का क्रय मूल्य $= x$ रु.

पहली स्थिति में, क्रय मूल्य $= x$ रु., % हानि $= 12\dfrac{1}{2}\% = \dfrac{25}{2}\%$

$\therefore$ विक्रय मूल्य $= x\left(1 - \dfrac{25/2}{100}\right) = x \times \dfrac{7}{8} = \dfrac{7x}{8}$ रु.

दूसरी स्थिति में, विक्रय मूल्य $= \left(\dfrac{7x}{8} + 92.50\right)$ रु., % लाभ $= 6\%$

$$\therefore \text{ क्रय मूल्य} = \frac{\text{विक्रय मूल्य}}{\left(1 + \dfrac{\%\ \text{लाभ}}{100}\right)} = \frac{\left(\dfrac{7x}{8} + 92.50\right)}{\left(1 + \dfrac{6}{100}\right)}$$

$$= \left(\frac{7x}{8} + 92.50\right) \times \frac{100}{106} \text{ रु.}$$

$$\therefore \qquad x = \left(\frac{7x}{8} + 92.50\right) \times \frac{100}{106} \Rightarrow 106x = \frac{175x}{2} + 9250$$

$$\Rightarrow \qquad 106x - \frac{175x}{2} = 9250 \Rightarrow \frac{37x}{2} = 9250$$

$$\Rightarrow \qquad x = \frac{9250}{37} \times 2 = 500$$

अतः वस्तु का क्रय मूल्य $= 500$ रु. होगा।

17. माना कि बाइसिकिल का क्रय मूल्य $= x$ रु.

पहली स्थिति में, बाइसिकिल का विक्रय मूल्य $= x$ रु. $+ x$ रु. का $10\% = \dfrac{11x}{10}$ रु.

दूसरी स्थिति में, विक्रय मूल्य $= \left(\dfrac{11x}{10} + 10\right)$ रु.

क्रय मूल्य $= x$ रु. $- x$ रु. का $20\% = \dfrac{4x}{5}$ रु., लाभ $= 40\%$

चूंकि विक्रय मूल्य = क्रय मूल्य $\left(1+\frac{\%\text{ लाभ}}{100}\right)$

$$\therefore \quad \frac{11x}{10}+10=\frac{4x}{5}\left(1+\frac{40}{100}\right)=\frac{4x}{5}\times\frac{7}{5}=\frac{28x}{25}$$

$$\Rightarrow \quad \frac{28x}{25}-\frac{11x}{10}=10 \Rightarrow \frac{x}{50}=10 \Rightarrow x=500$$

अतः बाइसिकिल का क्रय मूल्य = 500 रु. होगा।

18. माना कि पहली व दूसरी गाय का क्रय मूल्य क्रमशः x रु. व $(500-x)$ रु. है।

पहली गाय के लिए, क्रय मूल्य = x रु., % हानि = 12%

$\therefore$ विक्रय मूल्य $= x\times\frac{88}{100}=\frac{22x}{25}$ रु.

दूसरी गाय के लिए, क्रय मूल्य = $(500-x)$ रु., % लाभ = 8%

विक्रय मूल्य $=(500-x)\times\frac{108}{100}=(500-x)\times\frac{27}{25}$ रु.

कुल विक्रय मूल्य $=\frac{22x}{25}+(500-x)\times\frac{27}{25}=\left(540-\frac{x}{5}\right)$ रु.

तथा कुल क्रय मूल्य = 500 रु.

प्रश्नानुसार, उसे न तो लाभ होता है न ही हानि

अर्थात् $\quad 540-\frac{x}{5}=500 \Rightarrow \frac{x}{5}=40 \Rightarrow x=200$

अतः पहली व दूसरी गाय का क्रय मूल्य क्रमशः 200 व (500 – 200) = 300 होगा।

19. माना कि मनुष्य ने x अंडे खरीदे थे।

4 अंडों का क्रय मूल्य = 3 रु.

x अंडों का क्रय मूल्य $=\frac{3x}{4}$ रु.

तथा 5 अंडों का विक्रय मूल्य = 4 रु.

x अंडों का विक्रय मूल्य $=\frac{4x}{5}$ रु.

प्रश्नानुसार, उसे 16 रु. का लाभ प्राप्त होता है

चूंकि, विक्रय मूल्य – क्रय मूल्य = लाभ

$$\therefore \frac{4x}{5}-\frac{3x}{4}=16 \Rightarrow \frac{x}{20}=16 \Rightarrow x=320$$

अतः मनुष्य ने 320 अंडे खरीदे थे।

❒ ❒ ❒

9. औसतमान

दी गई एक ही प्रकार की अनेक राशियों का औसतमान ज्ञात करने के लिए उन समस्त राशियों के योगफल को राशियों की संख्या से भाग देना चाहिए

अर्थात्, $\text{औसतमान} = \dfrac{\text{समस्त राशियों का योगफल}}{\text{राशियों की गिनती}}$

उदाहरण 1. 40.8, 45.2, 39.8, 24.6 तथा 49.6 का औसतमान कितना होगा ?

हल : ∴ दी गई समस्त राशियों का योगफल

$= 40.8 + 45.2 + 39.8 + 24.6 + 49.6 = 200.0$

तथा राशियों की गिनती = 5

$$\therefore \quad \text{औसतमान} = \frac{\text{समस्त राशियों का योगफल}}{\text{राशियों की गिनती}} = \frac{200}{5} = 40$$

उदाहरण 2. एक हिमशीतक (freezer) में पाठ क्रमशः 10°, – 14°, 16° है। तो बताइये अलगा पाठ कितना होना चाहिए ताकि सबका औसतमान 2° हो ?

हल : माना कि हिमशीतक का अगला पाठ x° है।

$$\because \quad \text{औसतमान} = \frac{\text{समस्त राशियों का योग}}{\text{राशियों की गिनती}}$$

$$\therefore \quad 2^\circ = \frac{10^\circ + \left(-14^\circ\right) + 16^\circ + x^\circ}{4} = \frac{12^\circ + x^\circ}{4}$$

$$\Rightarrow \quad 8^\circ = 12^\circ + x^\circ \Rightarrow x = 8^\circ - 12^\circ = -4^\circ$$

अतः अगला पाठ = – 4° होगा।

उदाहरण 3. यदि 5, 15, 20, 25 व x का औसतमान 15 हो तो x का मान कितना होगा?

हल : $\because$ $\text{औसतमान} = \dfrac{\text{समस्त राशियों का योग}}{\text{राशियों की गिनती}}$

$$\therefore 15 = \frac{5 + 15 + 20 + 25 + x}{5} = \frac{65 + x}{5}$$

$$\Rightarrow 75 = 65 + x \Rightarrow x = 75 - 65 = 10$$

अतः x का मान = 10 होगा।

उदाहरण 4. 35 विद्यार्थियों की एक कक्षा का औसत भार 47.5 किग्रा. है। यदि उसमें अध्यापक का भार भी सम्मिलित कर लिया जाए तो औसत भार में 500 ग्राम की वृद्धि हो जाती है। तो बताइये अध्यापक का भार कितना होगा ?

हल : $\because$ 35 विद्यार्थियों का औसत भार = 47.5 किग्रा.

$\therefore$ 35 विद्यार्थियों का कुल भार = $47.5 \times 35 = 1662.5$ किग्रा.

तथा (35 विद्यार्थी + 1 अध्यापक) का औसत भार = $47.5 + .5 = 48$ किग्रा.

$\therefore$ (35 विद्यार्थी + 1 अध्यापक) का कुल भार = $48 \times 36 = 1728$ किग्रा.

अध्यापक का कुल भार = $1728 - 1662.5 = 65.5$ किग्रा.

उदाहरण 5. तीन संख्याओं का औसतमान 8 है। यदि उनमें से पहली दो संख्याओं का औसत मान 10 हो तो, बताइये तीसरी संख्या का मान कितना होगा ?

हल : $\because$ तीन संख्याओं का औसतमान = 8

$\therefore$ तीनों संख्याओं का योग = $8 \times 3 = 24$

तथा पहली दो संख्याओं का औसतमान = 10

$\therefore$ पहली दो संख्याओं का योग = $10 \times 2 = 20$

$\therefore$ तीसरी संख्या का मान = तीनों संख्याओं का योग – पहली दो संख्याओं का योग

= $24 - 20 = 4$.

उदाहरण 6. 5 आदमियों का औसत वजन 60 किग्रा. है। यदि एक नए आदमी के आ जाने से उनका औसत वजन 1 किग्रा. बढ़ जाता हो तो नए आदमी का वजन कितना होगा?

हल : $\because$ 5 आदमियों का औसत वजन = 60 किग्रा.

$\therefore$ 5 आदमियों के वजनों का योग = $60 \times 5 = 300$ किग्रा.

तथा (5 आदमी + नया आदमी) का औसत वजन = $60+1 = 61$ किग्रा.

$\therefore$ (5 आदमी + नए आदमी) के वजनों का योग = $61 \times 6 = 366$ किग्रा.

$\therefore$ नए आदमी का वजन = $366 - 300 = 66$ किग्रा.

उदाहरण 7. 30 परिणामों का औसत 20 है तथा अन्य 20 परिणामों का औसत 30 है। तो बताइये सभी परिणामों का औसत क्या है ?

हल : $\because$ 30 परिणामों का औसत = 20

$\therefore$ 30 परिणामों का योग = $30 \times 20 = 600$

तथा अन्य 20 परिणामों का औसत = 30

$\therefore$ अन्य 20 परिणामों का योग = $20 \times 30 = 600$

$\therefore$ कुल (50) परिणामों का योग = $600+600 = 1200$

$\therefore$ सभी परिणामों का औसत = $1200/50 = 24$.

उदाहरण 8. 10 संख्याओं 4, 6, 8, 10, 12, 14, 16, 18, 20 तथा 22 का औसतमान 13 है। यदि प्रत्येक संख्या में 5 जोड़ दिया जाये, तो समस्त संख्याओं का नया औसतमान क्या होगा ?

हल : चूंकि 10 संख्याओं का औसतमान = 13

$\therefore$ 10 संख्याओं का योग = 13 × 10 = 130

प्रश्नानुसार, प्रत्येक संख्या में 5 जोड़ने का अर्थ होगा की 10 संख्याओं के योग में 50 की वृद्धि अर्थात् 10 नयी संख्याओं का योग = 130 + 50 = 180

$\therefore$ नया औसतमान = $\frac{180}{10} = 18$.

उदाहरण 9. एक कक्षा में 25 बच्चे जिनकी औसत ऊँचाई 140 सेमी. है। यदि 5 नए बच्चे उस कक्षा में प्रवेश पा जाते हैं तो कक्षा के सब बच्चों की औसत ऊँचाई बढ़कर 145 सेमी. हो जाती है। तो बताइये 5 नए बच्चों की औसत ऊंचाई कितनी होगी ?

हल : $\because$ 25 बच्चों की औसत ऊंचाई = 140 सेमी.

$\therefore$ 25 बच्चों की ऊंचाई का योग = 140 × 25 = 3500 सेमी.

प्रश्नानुसार, 5 नए बच्चें कक्षा में प्रवेश के कारण,

(25 बच्चे + 5 नए बच्चे) की औसत ऊंचाई = 145 सेमी.

$\therefore$ (25 बच्चे + 5 नए बच्चे) की ऊंचाई का योग = 145 × 30 = 4350 सेमी.

$\therefore$ 5 नए बच्चों की ऊंचाई का योग = 4350 − 3500 = 850 सेमी.

$\therefore$ 5 नए बच्चों की औसत ऊंचाई = $\frac{850}{5}$ = 170 सेमी.

अभ्यासमाला

नीचे दिये गये प्रत्येक प्रश्नों के चार संभावित उत्तर विकल्प दिये गये हैं। जिनमें से एक विकल्प सही है। उस सही विकल्प का सावधानी पूर्वक चुनाव कीजिए।

1. 20, 25, 22 और 23 का औसतमान कितना होगा ?

A. $21\frac{1}{3}$ B. 25

C. $22\frac{1}{2}$ D. $20\frac{1}{2}$

2. यदि तीन संख्याओं का औसत 13 हो तो उन तीनों संख्याओं का योगफल कितना होगा?

A. 39 B. 37

C. 32 D. 31

3. पाँच संख्याओं का औसत 9 है। यदि प्रत्येक संख्या में 2 जोड़ दिया जाये तो उस संख्या का नया औसत कितना होगा ?

A. 11 B. 10

C. 8 D. 15

4. 7 के प्रथम पाँच गुणजों (Multiples) का औसत मान कितना होगा ?

A. 30 B. 21

C. 29 D. 11

5. प्रारम्भ की प्रथम 5 अभाज्य संख्याओं (Prime Numbers) का औसत क्या होगा ?

A. 4.6 B. 5.9
C. 5.6 D. 6.4

6. 6 संख्याओं का औसत 12 है। यदि प्रत्येक संख्या में से 2 घटा दिया जाये तो, नई संख्याओं का औसतमान कितना होगा?

A. 10 B. 8
C. 9 D. 7

7. तीन संख्याओं का औसत 20 है। यदि उनमें से दो संख्यायें क्रमशः 16 व 22 हों तो, तीसरी संख्या का मान कितना होगा ?

A. 24 B. 18
C. 20 D. 22

8. एक कक्षा के 40 बच्चों की औसत आयु 15 वर्ष है। यदि उनमें अध्यापक को भी शामिल कर लिया जाये तो, उनकी औसत आयु 16 वर्ष बनती है। बताइये अध्यापक की आयु कितनी होगी ?

A. 61 वर्ष B. 73 वर्ष
C. 56 वर्ष D. 84 वर्ष

9. तीन संख्यायें हैं—इनमें पहली संख्या, दूसरी संख्या की दो गुनी, और तीसरी संख्या की आधी है। यदि तीनों संख्याओं का औसत 56 हो, तो उनमें से बड़ी संख्या का मान किसके बराबर होगा ?

A. 96 B. 108
C. 92 D. 84

10. कक्षा 1 से 5 तक के विद्यार्थियों की औसत संख्या 29 है। यदि कक्षा 1, 2 व 3 के विद्यार्थियों की औसत संख्या 30 हो, तो कक्षा 4 व 5 के विद्यार्थियों की कुल संख्या कितनी होगी ?

A. 44 B. 55
C. 30 D. 59

11. एक दुकानदार 12 दिनों में 504 रु. कमाता है। शुरू के 4 दिनों में उसकी औसत आय 40 रु. प्रतिदिन थी। तो बताइये शेष दिनों में उसकी औसत आय क्या थी ?

A. 43 रु./दिन
B. 48 रु./दिन
C. 52 रु./ दिन
D. 28 रु./दिन

12. A, B तथा C की आयु का औसत 36 वर्ष है यदि B और C की औसत आयु 30 वर्ष तथा B की आयु 22 वर्ष हो तो A और C की आयु का योग क्या होगा ?

A. 68 वर्ष B. 86 वर्ष
C. 58 वर्ष D. 61 वर्ष

13. सोमवार, मंगलवार, बुधवार तथा वृहस्पतिवार का औसत तापक्रम 38° था। मंगलवार, बुधवार, वृहस्पतिवार तथा शुक्रवार का औसत तापक्रम 40° था। यदि सोमवार का तापक्रम 40° था तो बताइये शुक्रवार का तापक्रम कितना था ?

A. 39° B. 42°
C. 46° D. 48°

14. यदि आठ सदस्यों के एक परिवार में पिता, माता तथा सबसे बड़े पुत्र की मासिक आय क्रमशः 6000 रु., 4000 रु. तथा 2000 रु. हो तो उस परिवार के एक सदस्य की औसत आय क्या होगी ?

A. 1280 रु. B. 1500 रु.
C. 1390 रु. D. 1525 रु.

15. एक मोटर साइकिल सवार 20 किमी. प्रति घ. की चाल से 60 किमी. की दूरी तय

करता है और फिर उसी मार्ग से 40 किमी. प्रति घ. की चाल से वापस आता है तो बताइये उसकी सम्पूर्ण यात्रा के दौरान औसत चाल कितनी होगी ?

A. $26\frac{2}{3}$ किमी./घ.

B. $13\frac{7}{13}$ किमी./घ.

C. $26\frac{1}{3}$ किमी./घ.

D. $38\frac{1}{2}$ किमी./घ.

16. 10 कुर्सी और 6 मेजों का औसत मूल्य 30 रु. है। यदि मेजों का औसत मूल्य 50 रु. हो तो कुर्सियों का औसत मूल्य कितना होगा ?

A. 24 रु.

B. 18 रु.

C. 19.25 रु.

D. 16.80 रु.

17. किसी क्रिकेट के खिलाड़ी की 5 पारियों का औसत 20 रन है। यदि उसने पहले 4 पारियों में क्रमशः 40, 30, 14 व 10 रन बनाये हों तो बताइये पाँचवीं पारी में उसकी रनों की संख्या क्या होगी ?

A. 6 B. 8

C. 4 D. 3

18. 5 सदस्यों के परिवार की औसत आयु 20 वर्ष है। यदि सबसे छोटे सदस्य की आयु 8 वर्ष है तो परिवार के अन्य सदस्यों की सबसे छोटे सदस्य के जन्म पर औसत आयु कितनी थी ?

A.11 वर्ष B.17 वर्ष

C.15 वर्ष D.18 वर्ष

19. पांच परिणामों का औसत 10 है। यदि उनमें से प्रथम दो परिणामों का औसत 7 हो और अन्तिम दो परिणामों का औसत 13 हो, तो तीसरे परिणाम का मान क्या होगा ?

A. 8 B. 7

C. 10 D. 9

20. एक व्यक्ति 6 कि.मी. की दूरी 4 किमी. प्रति घ. की रफ्तार से तय करता है और 4 किमी. की दूरी 3 किमी. प्रति घ. की रफ्तार से तय करता है तो बताइये उसकी पूरी यात्रा में औसत रफ्तार क्या रही ?

A. $4\frac{1}{17}$ किमी./घ.

B. $3\frac{9}{17}$ किमी./घ.

C. $2\frac{9}{17}$ किमी./घ.

D. $6\frac{1}{3}$ किमी./घ.

उत्तरमाला

1	2	3	4	5	6	7	8	9	10
C	A	A	B	C	A	D	C	A	B
11	**12**	**13**	**14**	**15**	**16**	**17**	**18**	**19**	**20**
A	B	D	B	A	B	A	C	C	B

व्याख्यात्मक उत्तर

1. $\because$ औसतमान = $\dfrac{\text{दी गई समस्त संख्याओं का योग}}{\text{संख्या की गिनती}}$

$$= \frac{20 + 25 + 22 + 23}{4} = \frac{90}{4} = 22\frac{1}{2}.$$

2. चूंकि तीन संख्याओं का औसत = 13

$\therefore$ तीनों संख्याओं का योगफल = $13 \times 3 = 39$.

3. पाँच संख्याओं का औसत = 9

$\therefore$ पाँचों संख्याओं का योग = $9 \times 5 = 45$

प्रश्नानुसार, प्रत्येक संख्या में 2 जोड़ने का अर्थ होगा कि पांचों संख्याओं के योग में $5 \times 2 = 10$ की वृद्धि अर्थात्

पांचों नई संख्याओं का योग = 45 + 10 = 55

$\therefore$ नया औसत = $\dfrac{55}{5} = 11$.

4. चूंकि 7 के प्रथम पांच गुणज क्रमशः 7, 14, 21, 28 व 35 होंगे

$\therefore$ औसत मान = $\dfrac{7 + 14 + 21 + 28 + 35}{5}$

$$= \frac{105}{5} = 21$$

अतः 7 के प्रथम पाँच गुणजों का औसत = 21 होगा।

5. $\because$ प्रारम्भ की प्रथम 5 अभाज्य संख्यायें क्रमशः 2, 3, 5, 7 व 11 होंगी

$\therefore$ औसत = $\dfrac{2 + 3 + 5 + 7 + 11}{5} = \dfrac{28}{5} = 5.6$

अतः प्रारम्भ की प्रथम 5 अभाज्य संख्याओं का औसत = 5.6 होगा।

6. $\because$ 6 संख्याओं का औसत = 12

$\therefore$ 6 संख्याओं का योग = $12 \times 6 = 72$

प्रश्नानुसार, प्रत्येक संख्या में से 2 घटा देने का अर्थ होगा कि उन संख्याओं के योग में $(6 \times 2) = 12$ की कमी अर्थात् 6 नई संख्याओं का योग = 72 − 12 = 60 होगा।

$\therefore$ नई संख्याओं का औसत = $\dfrac{60}{6} = 10$.

7. $\because$ तीन संख्याओं का औसत = 20

∴ तीनों संख्याओं का योग = $20 \times 3 = 60$

परन्तु इनमें से दो संख्यायें क्रमशः 16 व 22 हैं।

∴ तीसरी संख्या का मान = $60 - (16 + 22) = 60 - 38 = 22$.

8. ∵ 40 बच्चों की औसत आयु = 15 वर्ष

∴ 40 बच्चों की आयु का योग = $15 \times 40 = 600$ वर्ष

प्रश्नानुसार,

(40 बच्चे + 1 अध्यापक) की औसत आयु = 16 वर्ष

∴ (40 बच्चे + 1 अध्यापक) की आयु का योग = $16 \times 41 = 656$ वर्ष

∴ अध्यापक की आयु = $656 - 600 = 56$ वर्ष

9. माना कि पहली संख्या का मान = $2x$ है

∴ दूसरी संख्या का मान = x

तथा तीसरी संख्या का मान = $4x$ होगा।

$$\therefore \text{औसत} = \frac{\text{समस्त संख्याओं का योग}}{\text{संख्याओं की गिनती}}$$

$$\therefore \quad 56 = \frac{2x + x + 4x}{3} = \frac{7x}{3}$$

$$\Rightarrow \quad 7x = 56 \times 3 \Rightarrow x = \frac{56 \times 3}{7} = 24$$

अतः बड़ी संख्या अर्थात् तीसरी संख्या का मान = $4 \times 24 = 96$.

10. ∵ कक्षा 1 से 5 तक के विद्यार्थियों की औसत संख्या = 29

∴ कक्षा 1 से 5 तक विद्यार्थियों की संख्या का योग = $29 \times 5 = 145$

तथा कक्षा 1 से 3 तक के विद्यार्थियों की औसत संख्या = 30

∴ कक्षा 1 से 3 तक के विद्यार्थियों की संख्या का योग = $30 \times 3 = 90$

∴ कक्षा 4 से 5 तक के विद्यार्थियों की संख्या का कुल योग = $145 - 90 = 55$.

11. ∵ दुकानदार 12 दिनों में 504 रु. कमाता है

तथा शुरू के 4 दिनों में उसकी औसत आय 40 रु. प्रति दिन थी।

∴ शुरू के 4 दिनों में उसकी आय का योग = $40 \times 4 = 160$ रु.

∴ शेष बचे 8 दिनों में उसकी आय का योग = $504 - 160 = 344$ रु.

∴ शेष बचे दिनों में उसकी औसत आय = $\frac{344}{8} = 43$ रु. प्रति दिन।

12. ∵ A, B तथा C की आयु का औसत = 36 वर्ष

∴ A, B तथा C की आयु का योग = $36 \times 3 = 108$ वर्ष

तथा B और C की औसत आयु = 30 वर्ष

$\therefore$ B और C की आयु का योग = $30 \times 2 = 60$ वर्ष

$\therefore$ A की आयु = $108 - 60 = 48$ वर्ष

परन्तु B की आयु = 22 वर्ष (दिया हुआ है)

$\therefore$ C की आयु = $60 - 22 = 38$ वर्ष।

$\therefore$ A और C की आयु का योग = $48 + 38 = 86$ वर्ष।

13. $\because$ सोमवार, मंगलवार, बुधवार तथा वृहस्पतिवार का औसत तापक्रम = $38°$

$\therefore$ इन चारों दिनों के कुल तापक्रम का योग = $38° \times 4 = 152°$

तथा मंगलवार, बुधवार, वृहस्पतिवार तथा शुक्रवार का औसत तापक्रम = $40°$

$\therefore$ इन चारों दिनों के कुल तापक्रम का योग = $40° \times 4 = 160°$

प्रश्न शर्त के अनुसार, सोमवार का तापक्रम = $40°$

$\therefore$ मंगलवार, बुधवार तथा वृहस्पतिवार के तापक्रम का योग = $152° - 40° = 112°$

$\therefore$ शुक्रवार का तापक्रम = $160° - 112° = 48°$

14. $\because$ आठ सदस्यों के एक परिवार में मासिक आय का कुल योग

$= 6000 + 4000 + 2000 = 12000$ रु.

$\therefore$ परिवार के एक सदस्य की औसत आय = $\frac{12000}{8} = 1500$ रु.

15. $\because$ 20 किमी./घ. की चाल से 60 किमी. की दूरी तय करने में लगा

समय = $\frac{60}{20} = 3$ घ.

तथा वापसी में, 40 किमी./घ. की चाल से 60 किमी. की दूरी तय करने में लगा समय

$= \frac{60}{40} = \frac{3}{2}$ घ.

$\therefore$ सम्पूर्ण यात्रा में लगा कुल समय = $3 + \frac{3}{2} = \frac{9}{2}$ घ.

तथा सम्पूर्ण यात्रा की कुल दूरी = $60 + 60 = 120$ किमी.

$\therefore$ सम्पूर्ण यात्रा के दौरान मोटर साइकिल सवार की औसत चाल = $\frac{120}{\frac{9}{2}} = \frac{120 \times 2}{9}$

$= \frac{240}{9} = 26\frac{2}{3}$ किमी./घ.

16. $\because$ (10 कुर्सी + 6 मेजों) का औसत मूल्य = 30 रु.

$\therefore$ (10 कुर्सी + 6 मेजों) का कुल मूल्य = $30 \times 16 = 480$ रु.

परन्तु 6 मेजों का औसत मूल्य = 50 रु. (दिया हुआ है)

$\therefore$ 6 मेजों का कुल मूल्य = $50 \times 6 = 300$ रु.

$\therefore$ 10 कुर्सी का कुल मूल्य = $480 - 300 = 180$ रु.

$\therefore$ कुर्सियों का औसत मूल्य $= \frac{180}{10} = 18$ रु.

17. $\because$ क्रिकेट खिलाड़ी की 5 पारियों का रन औसत = 20

$\therefore$ खिलाड़ी की 5 पारियों के रनों का योग $= 20 \times 5 = 100$

प्रश्नानुसार, खिलाड़ी ने पहले 4 पारियों में क्रमशः 40, 30, 14 व 10 रन बनाये।

$\therefore$ खिलाड़ी की पाँचवीं पारी में रनों की संख्या $= 100 - (40 + 30 + 14 + 10)$

$= 100 - 94 = 6.$

18. 5 सदस्यों के परिवार की औसत आयु = 20 वर्ष

$\therefore$ 5 सदस्यों के परिवार की आयु का योग $= 20 \times 5 = 100$ वर्ष

प्रश्नानुसार, परिवार के सबसे छोटे सदस्य की आयु = 8 वर्ष

$\therefore$ छोटे सदस्य के जन्म के बाद परिवार की 8 वर्ष तक बढ़ी आयु का योग

$= 8 \times 5 = 40$ वर्ष

$\therefore$ छोटे सदस्य के जन्म पर परिवार के अन्य सदस्यों अर्थात् 4 सदस्यों की आयु का योग

$= 100 - 40 = 60$ वर्ष

$\therefore$ औसत आयु $= \frac{60}{4} = 15$ वर्ष।

19. $\because$ पाँच परिणामों का औसत = 10

$\therefore$ पांचों परिणामों का योग $= 10 \times 5 = 50$

प्रश्नानुसार, प्रथम दो परिणामों का औसत = 7

$\therefore$ प्रथम दो परिणामों का योग $= 7 \times 2 = 14$

तथा अन्तिम दो परिणामों का औसत = 13

$\therefore$ अन्तिम दो परिणामों का योग $= 13 \times 2 = 26$

$\therefore$ तीसरे परिणाम का मान = पांचों परिणामों का योग – (प्रथम दो परिणामों का योग + अन्तिम दो परिणामों का योग)

$= 50 - (14 + 26) = 50 - 40 = 10.$

20. $\because$ 4 किमी./घ. की रफ्तार से व्यक्ति द्वारा 6 किमी. की दूरी तय करने में लगा समय

$= \frac{6}{4} = \frac{3}{2}$ घ.

तथा 3 किमी./घ. की रफ्तार से व्यक्ति द्वारा 4 किमी. की दूरी तय करने में लगा समय

$= \frac{4}{3}$ घ.

$\therefore$ यात्रा में लगा कुल समय $= \frac{3}{2} + \frac{4}{3} = \frac{17}{6}$ घ.

तथा यात्रा की तय की गई कुल दूरी $= 6 + 4 = 10$ किमी.

$\therefore$ व्यक्ति की पूरी यात्रा में औसत रफ्तार $= \frac{10}{\frac{17}{6}} = \frac{10 \times 6}{17} = 3\frac{9}{17}$ किमी./घ.।

❑ ❑ ❑

10. काम, समय एवं मजदूरी

प्रश्नों से सम्बंधित समस्याओं को हल करने के लिए निम्नलिखित बातों को ध्यान में रखिये :

(*i*) यदि कोई व्यक्ति किसी काम को 20 दिन में पूरा करता है तो वह व्यक्ति एक दिन में उस काम का 1/20 भाग काम करेगा।

(*ii*) यदि A, B से दुगना काम करता है तो A, B से आधे समय में काम को पूरा कर लेगा।

(*iii*) किसी काम को पूरा करने के लिए व्यक्तियों की सख्या जिस अनुपात में बढ़ती है उनके द्वारा काम को पूरा करने में लिया गया समय उसी अनुपात में घटता है।

(*iv*) समय और काम के प्रश्नों में यह मानना चाहिए कि व्यक्ति एक समान दर से काम कर रहा है। जब तक कि इसके लिए अलग से कोई विवरण न दिया गया हो।

(*v*) मजदूरी ज्ञात करते समय यह ध्यान रखिये कि मजदूर द्वारा किये गये काम के अनुपात में ही मजदूरी का बंटवारा हो।

उदाहरण 1. राम किसी काम को 6 दिन में तथा श्याम उसी काम को 8 दिन में पूरा कर सकता है। यदि दोनों मिलकर उस काम को करें तो काम को पूरा होने में कितने दिन लगेंगे ?

हल $\because$ राम के द्वारा 1 दिन में किया गया काम $= \frac{1}{6}$

तथा श्याम के द्वारा 1 दिन में किया गया काम $= \frac{1}{8}$

$\therefore$ (राम + श्याम) के द्वारा 1 दिन में किया गया काम $= \frac{1}{6} + \frac{1}{8} = \frac{7}{24}$

$\therefore$ (राम + श्याम) उस काम को पूरा करेंगे $= \frac{24}{7} = 3\frac{1}{7}$ दिन में।

उदाहरण 2. A और B मिलकर किसी काम को 6 दिन में पूरा कर सकते हैं जबकि A अकेला उस काम को 15 दिन में कर सकता है तो बताइये B अकेला उस काम को कितने दिनों में पूरा करेगा ?

हल : $\because$ (A + B) के द्वारा 1 दिन में किया गया काम $= \frac{1}{6}$

तथा A के द्वारा 1 दिन में किया गया काम $= \frac{1}{15}$

$\therefore$ B के द्वारा 1 दिन में किया गया काम $= \frac{1}{6} - \frac{1}{15} = \frac{1}{10}$

चूंकि $\frac{1}{10}$ काम B करता है = 1 दिन में

$\therefore$ 1 काम B करेगा = 10 दिन में।

उदाहरण 3. 3 पुरुष या 6 लड़के एक काम को 8 दिन में पूरा कर सकते हैं तो बताइये उसी काम को 4 पुरुष एवं 4 लड़के मिलकर कितने दिनों में पूरा करेंगे ?

हल : $\because$ 3 पुरुष = 6 लड़के या 1 पुरुष = 2 लड़के

$\therefore$ 4 पुरुष + 4 लड़के = 8 लड़के + 4 लड़के = 12 लड़के

$\because$ 6 लड़के एक काम पूरा करते हैं = 8 दिन में

$\therefore$ 12 लड़के एक काम पूरा करेंगे $= \frac{8}{12} \times 6 = 4$ दिन

अतः 4 पुरुष एवं 4 लड़के उस काम को करेंगे = 4 दिनों में।

उदाहरण 4. प्रमोद ने किसी काम का 3/5 भाग 9 दिन में पूरा किया तथा शेष भाग उसने दीपक की सहायता से 4 दिन में पूरा कर लिया हो तो बताइये दीपक उस काम को अकेले कितने दिनों में पूरा कर सकता था ?

हल : $\because$ 9 दिन में प्रमोद द्वारा किया गया काम $= \frac{3}{5}$

$\therefore$ एक दिन में प्रमोद द्वारा किया गया काम $= \frac{3}{5} \times \frac{1}{9} = \frac{3}{45}$

4 दिन में प्रमोद द्वारा किया गया काम $= \frac{3}{45} \times 4 = \frac{12}{45}$

$\therefore$ प्रमोद द्वारा किया गया कुल काम $= \frac{3}{5} + \frac{12}{45} = \frac{39}{45}$

शेष बचा काम $= 1 - \frac{39}{45} = \frac{6}{45} = \frac{2}{15}$

अतः स्पष्ट होता है कि $\frac{2}{15}$ भाग काम दीपक 4 दिन में पूरा करता है। अर्थात्

$\frac{2}{15}$ भाग काम दीपक पूरा करता है = 4 दिन

$\therefore$ 1 भाग काम दीपक पूरा करेगा $= \frac{4 \times 15}{2} = 30$ दिन में।

उदाहरण 5 : 3 आदमी या 5 लड़के किसी कार्य को 12 दिन में करते हैं। तो बताइये 6 आदमी और 3 लड़के उससे दूने कार्य को कितने दिनों में पूरा करेंगे ?

हल : $\because$ 3 आदमी = 5 लड़के या 6 आदमी = 10 लड़के

$\therefore$ 6 आदमी + 3 लड़के = 10 लड़के + 3 लड़के = 13 लड़के

चूंकि 5 लड़के कार्य को पूरा करते हैं = 12 दिन

$\therefore$ 1 लड़का कार्य को पूरा करेगा = $12 \times 5 = 60$ दिन

$\therefore$ 13 लड़के कार्य को पूरा करेंगे = $\frac{60}{13}$ दिन में

अर्थात् 6 आदमी तथा 3 लड़के उस कार्य को पूरा करेंगे = $\frac{60}{13}$ दिन

अतः स्पष्ट होता है कि 6 आदमी तथा 3 लड़के उससे दुगने कार्य को पूरा करेंगे

$$= \frac{60}{13} \times 2 = \frac{120}{13} = 9\frac{3}{13}$$ दिन में।

उदाहरण 6. A किसी काम को करने में B से दुगना तथा C से तिगुना समय लगाता है। यदि तीनों मिलकर उस काम को 20 दिन में पूरा कर सकते हों तो बताइये तीनों अलग–अलग उस काम को कितने–कितने दिनों में पूरा करेंगे ?

हल : माना कि A अकेला उस को x दिन में पूरा कर सकता है

$\therefore$ B अकेला उस काम को $x/2$ दिन में पूरा करेगा

तथा C अकेला उस काम को $x/3$ दिन में पूरा करेगा

$\therefore$ (A + B + C) के द्वारा 1 दिन में किया गया काम $= \frac{1}{x} + \frac{1}{x/2} + \frac{1}{x/3} = \frac{1}{x} + \frac{2}{x} + \frac{3}{x} = \frac{6}{x}$

प्रश्नानुसार, (A + B + C) द्वारा 1 दिन में किया गया काम $= \frac{1}{20}$

$\therefore \frac{6}{x} = \frac{1}{20} \Rightarrow x = 6 \times 20 = 120$

अतः A, B तथा C अलग–अलग उस काम को क्रमशः 120 दिन, $\frac{120}{2} = 60$ दिन, तथा $\frac{120}{3} = 40$ दिन में पूरा कर सकेंगे।

उदाहरण 7. एक काम को A और B मिलकर 12 दिन में, B और C मिलकर 15 दिन में तथा C और A मिलकर 20 दिन में पूरा कर सकते हैं। तो बताइये तीनों मिलकर उस काम को कितने दिनों में पूरा करेंगे ?

हल : $\because$ (A + B) द्वारा 1 दिन में किया गया काम $= \frac{1}{12}$

(B + C) द्वारा 1 दिन में किया गया काम $=\frac{1}{15}$

तथा (C + A) द्वारा 1 दिन में किया गया काम $=\frac{1}{20}$

$\therefore$ 2 (A + B + C) द्वारा 1 दिन में किया गया काम $=\frac{1}{12}+\frac{1}{15}+\frac{1}{20}=\frac{5+4+3}{60}=\frac{12}{60}=\frac{1}{5}$

$\therefore$ (A + B + C) द्वारा 1 दिन में किया गया काम $=\frac{1}{5}\times\frac{1}{2}=\frac{1}{10}$

अतः A, B तथा C तीनों मिलकर उस काम को 10 दिन में पूरा करेंगे।

उदाहरण 8. दो नल एक हौज को अलग–अलग क्रमशः 60 मिनट व 75 मिनट में भर सकते हैं तथा एक अन्य तीसरा नल हौज को खाली करने वाला भी लगा है। यदि तीनों नलों को एक साथ खोला जाए तो हौज 50 मिनट में भर जाता है। बताइये भरे हुए हौज को तीसरा नल कितने समय में खाली करेगा ?

हल : $\because$ (पहले + दूसरे) नल द्वारा 1 मिनट में हौज का भरा भाग

$$=\frac{1}{60}+\frac{1}{75}=\frac{9}{300}=\frac{3}{100}$$

तथा (पहले + दूसरे + तीसरे) नल द्वारा 1 मिनट में हौज का भरा भाग $=\frac{1}{50}$

$\therefore$ तीसरे नल द्वारा 1 मिनट में हौज का खाली भाग $=\frac{3}{100}-\frac{1}{50}=\frac{1}{100}$

अतः तीसरा नल भरे हुए हौज को 100 मिनट में खाली करेगा।

अभ्यासमाला

नीचे दिये गये प्रत्येक प्रश्नों के चार संभावित उत्तर विकल्प दिये गये हैं। जिनमें से एक विकल्प सही है। उस सही विकल्प का सावधानी पूर्वक चुनाव कीजिए।

1. मोनिका किसी काम का 1/5 भाग एक दिन में करती हो तो पूरा काम कितने दिनों में करेगी ?

A. 4 दिन
B. 8 दिन
C. 5 दिन
D. 2 दिन

2. कंचन किसी काम को 20 दिन में पूरा कर सकती है। यदि उसने 6 दिन काम किया हो तो बताइये कितना काम शेष बचेगा?

A. $\frac{7}{9}$ B. $\frac{11}{9}$

C. $\frac{7}{10}$ D. $\frac{1}{4}$

3. मीनू 30 मिनट में किसी उपन्यास के 8 पृष्ठों को पढ़ सकती है। यदि वह उपन्यास

80 पृष्ठों का हो, तो बताइये उसे पूरा पढ़ने के लिए कितना समय लगेगा ?

A. $4\frac{1}{2}$ घण्टे B. $3\frac{1}{3}$ घण्टे

C. 4 घण्टे D. 5 घण्टे

4. 2 मनुष्य या 5 औरतें किसी काम को 46 दिन में पूरा करते हैं तो बताइये 4 मनुष्य एवं 8 औरतें मिलकर उस काम को कितने दिनों में पूरा करेंगे ?

A. $11\frac{7}{9}$ दिन B. $12\frac{7}{9}$ दिन

C. $10\frac{7}{9}$ दिन D. $8\frac{1}{3}$ दिन

5. कमलेश, लज्जावती एवं यशोदा एक काम को अलग–अलग क्रमशः 8, 12 व 24 दिन में पूरा कर सकती हैं तो बताइये तीनों मिलकर उस काम को कितने दिनों में पूरा करेंगी ?

A. 4 दिन B. 4½ दिन

C. 3 दिन D. 5½ दिन

6. A और B मिलकर किसी काम को 28 दिन में पूरा कर सकते हैं। यदि दोनों ने C की सहायता से काम को 21 दिन में पूरा कर लिया हो तो बताइये C अकेला उस काम को कितने दिनों में पूरा कर सकता था?

A. 83 दिन B. 84 दिन

C. 90 दिन D. 45 दिन

7. 4 लड़के तथा 6 औरतें एक काम को 4 दिन में पूरा कर सकते हैं। जबकि 2 लड़के तथा 4 औरतें उसी काम को 7 दिन में पूरा कर सकते हैं तो बताइये 3 लड़के तथा 1 औरत मिलकर उस काम को कितने दिनों में पूरा करेंगे ?

A. 8 दिन B. 10 दिन

C. 12 दिन D. 13 दिन

8. राजेश ने किसी काम का 3/5 भाग 9 दिन में तथा शेष काम सुरेश की सहायता से 4 दिन में पूरा किया हो तो बताइये सुरेश अकेला उस काम को कितने दिनों में पूरा करेगा ?

A. 25 दिन B. 30 दिन

C. 35 दिन D. 42 दिन

9. सपना एवं संध्या किसी काम को क्रमशः 12 एवं 10 दिनों में पूरा कर सकती हैं। यदि वे बारी–बारी से एक–एक दिन काम करें तथा शुरूआत सपना करे तो काम को समाप्त होने में कितने दिन लगेंगे ?

A. 8 दिन B. 11 दिन

C. 14 दिन D. 5 दिन

10. A किसी काम को पूरा करने में B से आधा समय तथा C, A और B के मिलकर कर सकने के बराबर समय लेता है। यदि तीनों मिलकर उस काम को 7 दिन में पूरा कर सकते हों तो अकेले A उस काम को कितने दिनों में पूरा करेगा ?

A. 21 दिन B. 10 दिन

C. 8 दिन D. 34 दिन

11. A, B तथा C ने मिलकर किसी काम को करने का 450 रु. में ठेका लिया। यदि उनके कामों में क्रमशः 9 : 5 : 4 का अनुपात हो तो A की मजदूरी कितनी होगी?

A. 220 रु. B. 225 रु.

C. 325 रु. D. 180 रु.

12. A किसी काम को 16 दिन में पूरा कर सकता है। यदि B की काम करने की क्षमता

A से 2 गुनी हो तो दोनों मिलकर उस काम को कितने दिनों में पूरा करेंगे ?

A. $5\frac{1}{3}$ दिनों में B. $3\frac{1}{5}$ दिनों में

C. $4\frac{1}{3}$ दिनों में D. $2\frac{1}{4}$ दिनों में

13. A, B तथा C किसी कार्य को क्रमशः 20, 18 व 14 दिन में पूरा कर सकते हैं। B और C ने मिलकर 4 दिन काम किया और शेष बचा काम अकेले A ने पूरा किया। यदि काम की कुल मजदूरी 2520 रु. हो तो A की मजदूरी कितनी होगी ?

A. 1380 रु. B. 1440 रु.

C. 1210 रु. D. 1240 रु.

14. दो नल A तथा B किसी हौज को क्रमशः 15 व 12 मिनट में भर सकते हैं। एक तीसरा नल C उस भरे हुए हौज को 20 मिनट में खाली कर सकता है तो बताइये यदि तीनों नल एक साथ खोल दिये जायें तो हौज को भरने में कितना समय लगेगा ?

A. 8½ मि. B. 10 मि.

C. $11\frac{1}{3}$ मि. D. 14 मि.

15. किसी काम पर 4 आदमी तथा 10 औरतें लगाई गईं। उन्होंने 4 दिन में 1/3 काम किया। इसके बाद 2 आदमी तथा 2 औरतें और बढ़ा दिये गये। उन्होंने 2 दिन में 2/9 काम और पूरा कर लिया तो बताइये यदि शेष काम को 3 दिन में कराना हो तो काम पर कितनी और औरतें बढ़ानी पड़ेंगी?

A. 32 B. 8

C. 50 D. 55

उत्तरमाला

1	2	3	4	5	6	7	8	9	10
C	C	D	B	A	B	A	B	B	A
11	**12**	**13**	**14**	**15**					
B	A	D	B	B					

व्याख्यात्मक उत्तर

1. $\because$ $\frac{1}{5}$ भाग काम मोनिका करती है = 1 दिन में

$\therefore$ 1 भाग काम मोनिका करेगी = 5 दिन में।

2. $\because$ कंचन द्वारा 1 दिन में किया गया काम $= \frac{1}{20}$

कंचन द्वारा 6 दिन में किया गया काम $= \frac{1}{20} \times 6 = \frac{3}{10}$

शेष बचा काम = $1 - \frac{3}{10} = \frac{7}{10}$ भाग।

3. $\because$ मीनू द्वारा 8 पृष्ठ पढ़े जाते हैं = 30 मिनट में

$\therefore$ मीनू द्वारा 1 पृष्ठ पढ़ा जायेगा = $\frac{30}{8}$ मिनट में

$\therefore$ मीनू द्वारा 80 पृष्ठ पढ़े जायेंगे = $\frac{30}{8} \times 80 = 300$ मिनट या 5 घंटे।

4. $\because$ 2 मनुष्य = 5 औरतें

$\therefore$ 4 मनुष्य + 8 औरतें = 10 औरतें + 8 औरतें = 18 औरतें

प्रश्नानुसार, 5 औरतें एक काम करती हैं = 46 दिन में

$\therefore$ 1 औरत एक काम करेगी = 46×5 दिन में

$\therefore$ 18 औरतें एक काम करेंगी = $\frac{46 \times 5}{18} = 12\frac{7}{9}$ दिन में

अतः 4 मनुष्य तथा 8 औरतें मिलकर उस काम को $12\frac{7}{9}$ दिन में पूरा करेंगी।

5. $\because$ कमलेश द्वारा 1 दिन में किया गया काम = $\frac{1}{8}$

लज्जावती द्वारा 1 दिन में किया गया काम = $\frac{1}{12}$

तथा यशोदा द्वारा 1 दिन में किया गया काम = $\frac{1}{24}$

$\therefore$ (कमलेश + लज्जावती + यशोदा) द्वारा 1 दिन में किया गया काम

$$= \frac{1}{8} + \frac{1}{12} + \frac{1}{24} = \frac{3+2+1}{24} = \frac{6}{24} = \frac{1}{4}$$

$\therefore$ $\frac{1}{4}$ भाग काम (कमलेश + लज्जावती + यशोदा) करती हैं = 1 दिन

$\therefore$ एक काम (कमलेश + लज्जावती + यशोदा) करेंगी = 4 दिन में।

6. $\because$ (A + B) द्वारा 1 दिन में किया गया काम = $\frac{1}{28}$

तथा (A + B + C) द्वारा 1 दिन में किया गया काम = $\frac{1}{21}$

$\therefore$ C द्वारा 1 दिन में किया गया काम = $\frac{1}{21} - \frac{1}{28} = \frac{1}{}$

चूंकि $\frac{1}{84}$ भाग काम C करता है = 1 दिन में

$\therefore$ 1 भाग काम C करेगा = 84 दिन में।

7. **पहली स्थिति में,** (4 लड़के + 6 औरतें) एक काम करती हैं = 4 दिन

$\therefore$ (2 लड़के + 3 औरतें) उस काम को करेंगी = $4 \times 2 = 8$ दिन में

दूसरी स्थिति में, (2 लड़के + 4 औरतें) एक काम करती हैं = 7 दिन में,

(2 लड़क + 3 औरतें) के द्वारा 1 दिन में किया गया काम $= \frac{1}{8}$

$\because$ तथा (2 लड़के + 4 औरतें) के द्वारा 1 दिन में किया गया काम $= \frac{1}{7}$

$\therefore$ 1 औरत के द्वारा 1 दिन में किया गया काम $= \frac{1}{7} - \frac{1}{8} = \frac{1}{56}$

4 औरतों के द्वारा 1 दिन में किया गया काम $= \frac{1}{56} \times 4 = \frac{1}{14}$

$\therefore$ 2 लड़कों के द्वारा 1 दिन में किया गया काम $= \frac{1}{7} - \frac{1}{14} = \frac{1}{14}$

$\therefore$ 3 लड़कों के द्वारा 1 दिन में किया गया काम $= \frac{3}{28}$

$\therefore$ 3 लड़कों + 1 औरत के द्वारा 1 दिन में किया गया काम $= \frac{3}{28} + \frac{1}{56} = \frac{1}{8}$

अतः 3 लड़के तथा 1 औरत मिलकर उस काम को पूरा करेंगे = 8 दिन में।

8. $\because$ राजेश द्वारा 9 दिन में किया गया काम $= \frac{3}{5}$

$\therefore$ राजेश द्वारा 1 दिन में किया गया काम $= \frac{3}{5} \times \frac{1}{9} = \frac{1}{15}$

राजेश द्वारा 4 दिन में किया गया काम $= \frac{1}{15} \times 4 = \frac{4}{15}$

राजेश द्वारा कुल किया गया काम $= \frac{3}{5} + \frac{4}{15} = \frac{13}{15}$

शेष बचा काम $= 1 - \frac{13}{15} = \frac{2}{15}$

$\therefore$ $\frac{2}{15}$ भाग काम सुरेश करता है = 4 दिन में

$\therefore$ 1 भाग काम सुरेश करेगा = $\frac{4 \times 15}{2}$ = 30 दिन में।

9. $\because$ सपना द्वारा 1 दिन में किया गया काम $= \frac{1}{12}$

तथा संध्या द्वारा 1 दिन में किया गया काम = $\frac{1}{10}$

$\therefore$ (सपना + संध्या) द्वारा 1 दिन में किया गया काम $= \frac{1}{12} + \frac{1}{10} = \frac{5+6}{60} = \frac{11}{60}$

प्रश्नानुसार, दोनों बारी–बारी से एक–एक दिन काम करते हैं

$\therefore$ (सपना + संध्या) द्वारा 5–5 दिन में किया गया काम $= \frac{11}{60} \times 5 = \frac{11}{12}$

शेष बचा काम $= 1 - \frac{11}{12} = \frac{1}{12}$

अब सपना की बारी आती है। अतः स्पष्ट है कि सपना काम को अपने छठवें दिन में पूरा कर लेगी

$\therefore$ काम को समाप्त होने में लगे दिन = 5 + 5 + 1 = 11 दिन।

10. माना कि A अकेले उस काम को x दिन में पूरा करता है

$\therefore$ B उस काम को $2x$ दिन में पूरा करेगा

$\therefore$ A द्वारा 1 दिन में किया गया काम $= \frac{1}{x}$

तथा B द्वारा 1 दिन में किया गया काम $= \frac{1}{2x}$

C द्वारा 1 दिन में किया गया काम $= \frac{1}{x} + \frac{1}{2x} = \frac{3}{2x}$

$\therefore$ (A + B + C) द्वारा 1 दिन में किया गया काम $= \frac{1}{x} + \frac{1}{2x} + \frac{3}{2x} = \frac{3}{x}$

प्रश्नानुसार, (A + B + C) द्वारा 1 दिन में किया गया काम $= \frac{1}{7}$

$\therefore$ $\frac{3}{x} = \frac{1}{7} \Rightarrow x = 3 \times 7 = 21$

अतः A अकेले उस काम को पूरा करेगा = 21 दिन में।

11. ∵ अनुपाती संख्याओं का योग = 9 + 5 + 4 = 18

∴ A की मजदूरी = $\frac{9}{18} \times 450 = 225$ रु.।

12. ∵ A एक काम करता है = 16 दिन
∴ B उस काम को करेगा = 8 दिन में

∴ A द्वारा 1 दिन में किया गया काम $= \frac{1}{16}$

तथा B द्वारा 1 दिन में किया गया काम $= \frac{1}{8}$

∴ (A + B) द्वारा 1 दिन में किया गया काम $= \frac{1}{16} + \frac{1}{8} = \frac{3}{16}$

चूंकि $\frac{3}{16}$ भाग काम (A + B) करते हैं = 1 दिन में

∴ 1 भाग काम (A + B) करेंगे = $\frac{16}{3} = 5\frac{1}{3}$ दिन में।

13. ∵ (B + C) द्वारा 1 दिन में किया गया काम $= \frac{1}{18} + \frac{1}{14} = \frac{8}{63}$

∴ (B + C) द्वारा 4 दिन में किया गया काम $= \frac{8}{63} \times 4 = \frac{32}{63}$

चूंकि (B + C) सिर्फ 4 दिन काम करते हैं फिर शेष काम को A अकेले करता है

∴ शेष बचा काम $= 1 - \frac{32}{63} = \frac{31}{63}$

∴ A की मजदूरी = $\frac{31}{63} \times 2520 = 1240$ रु.।

14. (A + B + C) नल द्वारा 1 मिनट में हौज का भरा भाग $= \frac{1}{15} + \frac{1}{12} - \frac{1}{20} = \frac{1}{10}$

∴ $\frac{1}{10}$ भाग हौज (A + B + C) भरते हैं = 1 मिनट
∴ पूरा हौज (A + B + C) भरेंगे = 10 मिनट में।

15. पहली स्थिति में, (4 आदमी + 10 औरतों) का 4 दिन में किया गया काम $= \frac{1}{3}$

$\therefore$ (4 आदमी + 10 औरतों) का 1 दिन में किया गया काम $= \frac{1}{12}$ ... (*i*)

दूसरी स्थिति में, (6 आदमी + 12 औरतों) का 2 दिन में किया गया काम $= \frac{2}{9}$

$\therefore$ (6 आदमी + 12 औरतों) का 1 दिन में किया गया काम $= \frac{1}{9}$ ... (*ii*)

समी. (*i*) व (*ii*) से, (2 आदमी + 5 औरतों) का 1 दिन में किया गया काम $= \frac{1}{24}$

तथा (2 आदमी + 4 औरतों) का 1 दिन में किया गया काम $= \frac{1}{27}$

$\therefore$ 1 औरत का 1 दिन में किया गया काम $= \frac{1}{24} - \frac{1}{27} = \frac{1}{216}$

$\therefore$ 6 आदमियों का 1 दिन में किया गया काम $= \frac{1}{9} - \frac{1}{216} \times 12 = \frac{1}{9} - \frac{1}{18} = \frac{1}{18}$

$\because$ शेष बचा काम $= 1 - \left(\frac{1}{3} + \frac{2}{9}\right) = 1 - \frac{5}{9} = \frac{4}{9}$

तथा 6 आदमियों का 3 दिन का काम $= \frac{1}{18} \times 3 = \frac{1}{6}$

अब शेष बचा काम $= \frac{4}{9} - \frac{1}{6} = \frac{5}{18}$

$\because$ $\frac{1}{216}$ काम 1 दिन में करती है = 1 औरत

$\therefore$ $\frac{5}{18}$ काम 3 दिन में करेंगी $= \frac{5}{18} \times \frac{216}{3} = 20$ औरतें

अतः काम पर 20 – 12 = 8 औरतें बढ़ानी पड़ेंगी।

❐ ❐ ❐

11. अनुपात–समानुपात व समानुपाती भाग

अनुपात : अनुपात सदैव दो सजातीय राशियों में होता है। एक राशि को दूसरी राशि से भाग देने पर अनुपात ज्ञात होता है। जैसे 20 पैसे और 80 पैसे में वही सम्बंध है जो 1 गाय और 4 गायों में है। इस संबंध को निम्न प्रकार प्रदर्शित करते हैं–

20 : 80 या 1 : 4

समानुपात : जब दो अनुपात समान होते हैं तो वे समानुपात में कहलाते हैं। यदि $\frac{a}{b} = \frac{c}{d}$ है तो इसका अर्थ है कि $\frac{a}{b}$ समानुपात में है $\frac{c}{d}$ के या $\frac{c}{d}$ समानुपात में है $\frac{a}{b}$ के तथा इस सम्बंध को निम्न प्रकार से प्रदर्शित करते हैं–

$$a : b :: c : d$$

इस सम्बंध में बाहरी दोनों संख्याओं का गुणनफल मध्य की दोनों संख्याओं के गुणनफल के बराबर होता है अर्थात् $a \times d = b \times c$

समानुपाती भाग : किसी दी हुई राशि को अभीष्ठ अनुपात में बाँटना ही समानुपातीय विभाजन कहलाता है तथा उस विभक्त भाग को समानुपाती भाग कहते हैं। जैसे : किसी राशि X को A : B : C के अनुपात में बाँटना हो तब, अनुपाती संख्याओं का योग = A + B + C ,

$$\therefore \quad \left.\begin{aligned} \text{A का भाग} &= \frac{A}{A+B+C} \times X \\ \text{B का भाग} &= \frac{B}{A+B+C} \times X \\ \text{तथा} \quad \text{C का भाग} &= \frac{C}{A+B+C} \times X \end{aligned}\right\}$$

उदाहरण 1. यदि 0.75 : x :: 5 : 8, तो x का मान कितना होगा ?

हल : समानुपात में दोनों बाहरी संख्याओं का गुणनफल मध्य की दोनों संख्याओं के गुणनफल के बराबर होता है। अर्थात् 0.75 : x :: 5 : 8, $\Rightarrow 0.75 \times 8 = x \times 5$

$$\Rightarrow \quad x = \frac{0.75 \times 8}{5} = 1.2$$ अतः x का मान = 1.2 होगा।

उदाहरण 2. 23, 30, 57 व 78 में से कौन सी संख्या घटाई जाये ताकि शेषफल समानुपाती हो जाए ?

हल : माना कि दी हुई संख्याओं में से x संख्या घटाई जाये तब प्रश्नानुसार,

$$23 - x : 30 - x :: 57 - x : 78 - x$$
$$(23 - x) \times (78 - x) = (30 - x) \times (57 - x)$$

$\therefore\quad 23 \times 78 - 101x + x^2 = 30 \times 57 - 87x + x^2$

$\therefore\quad 23 \times 78 - 30 \times 57 = 101x - 87x$

$\therefore\quad 1794 - 1710 = 14x \Rightarrow 84 = 14x$

$\Rightarrow\quad / \ x = \dfrac{84}{14} = 6$

अतः घटाई जाने वाली संख्या का मान = 6 होगा।

उदाहरण 3. दो संख्याएँ 5 : 8 के अनुपात में हैं। यदि प्रत्येक संख्या में 2 जोड दिया जाए तो उनका अनुपात 2 : 3 हो जाता है। वे दो संख्याएँ क्रमशः क्या होंगी ?

हल : माना कि वे संख्याएँ क्रमशः $5x$ व $8x$ हैं

प्रश्नानुसार, $\quad (5x + 2) : (8x + 2) = 2 : 3$

$\therefore\quad (5x + 2) \times 3 = (8x + 2) \times 2$

$\therefore\quad 15x + 6 = 16x + 4 \Rightarrow x = 2$

अतः वे सख्याएँ क्रमशः $5 \times 2 = 10$ व $8 \times 2 = 16$ होंगी।

उदाहरण 4. यदि 1000 रु. को A, B तथा C में 2 : 3 : 5 के अनुपात में बाँट दिया जाये तो A, B तथा C को मिलने वाला हिस्सा क्रमशः कितना–कितना होगा ?

हल : A, B तथा C के अनुपाती संख्याओं का योग = 2 + 3 + 5 = 10

$\therefore\quad$ A का हिस्सा $= \dfrac{2}{10} \times 1000 = 200$ रु.

B का हिस्सा $= \dfrac{3}{10} \times 1000 = 300$ रु.

तथा C का हिस्सा $= \dfrac{5}{10} \times 1000 = 500$ रु.

उदाहरण 5. 9000 रु. की राशि तीन मजदूरों में क्रमशः $\dfrac{1}{3}:\dfrac{1}{4}:\dfrac{1}{6}$ के अनुपात में बांटी गई हो तो बताइये तीसरे मजदूर को कितनी राशि मिलेगी ?

हल : तीनो मजदूरों की राशि में दिया गया अनुपात $= \dfrac{1}{3}:\dfrac{1}{4}:\dfrac{1}{6} \Rightarrow 4 : 3 : 2$

अनुपाती संख्याओं का योग = 4 + 3 + 2 = 9

$\therefore$ तीसरे मजदूर को मिली राशि $= \frac{2}{9} \times 9000 = 2000$ रु.

उदाहरण 6. यदि A : B = 5 : 7 तथा B : C = 9 : 11, हो तो A : C का मान कितना होगा?

हल :

$$A : B = 5 : 7 \Rightarrow \frac{A}{B} = \frac{5}{7}$$

तथा $$B : C = 9 : 11 \Rightarrow \frac{B}{C} = \frac{9}{11}$$

$$\therefore \quad \frac{A}{B} \times \frac{B}{C} = \frac{5}{7} \times \frac{9}{11} \Rightarrow \frac{A}{C} = \frac{45}{77} \Rightarrow A : C = 45 : 77.$$

उदाहरण 7. तीन संख्याओं के वर्गों का योग 116 है। यदि तीनों संख्याओं के बीच 2 : 3 : 4 का अनुपात हो तो वे तीनों संख्याएँ क्रमशः क्या होंगी ?

हल : माना कि वे तीनों संख्याएँ क्रमशः $2x$, $3x$ व $4x$ हैं।

प्रश्नानुसार, $(2x)^2 + (3x)^2 + (4x)^2 = 116$

$$\therefore \quad 4x^2 + 9x^2 + 16x^2 = 116$$

$$\therefore \quad 29x^2 = 116 \Rightarrow x^2 = \frac{116}{29} = 4$$

$$\Rightarrow \quad x = 2$$

अतः वे संख्याएँ क्रमशः 2 × 2 = 4, 3 × 2 = 6 तथा 4 × 2 = 8 होंगी।

उदाहरण 8. समान धारिता वाले दो बर्तनों में क्रमशः 1/2 व 1/3 भाग दूध से और शेष भाग पानी से भरा हुआ है। यदि इन दोनों बर्तनों के मिश्रणों को किसी अन्य बर्तन में उड़ेल दिया जाये तब दूध और पानी के बीच क्या अनुपात होगा ?

हल : $\because$ दोनों बर्तन समान धारिता के हैं।

$\therefore$ पहले बर्तन में दूध = 1/2 भाग तथा पानी = 1/2 भाग

दूसरे बर्तन में दूध = 1/3 भाग तथा पानी = 2/3 भाग

$\therefore$ दोनों बर्तनों के मिश्रणों को तीसरे बर्तन में उड़ेलने पर,

दूध $= \frac{1}{2} + \frac{1}{3} = \frac{5}{6}$ भाग

तथा पानी $= \frac{1}{2} + \frac{2}{3} = \frac{7}{6}$ भाग

$\therefore$ दूध और पानी में अनुपात $= \frac{5}{6} : \frac{7}{6} = 5 : 7$.

उदाहरण 9. तीन बर्तनों में पानी और दूध का मिश्रण क्रमशः 6 : 7, 5 : 9 तथा 8 : 7 के अनुपात में है। यदि तीनों मिश्रणों को मिलाया जाये तब पानी और दूध का अनुपात क्या होगा ?

हल : पहले बर्तन के लिए, पानी और दूध के अनुपात = 6 : 7

अनुपाती संख्याओं का योग = 6 + 7 = 13

$\therefore$ पानी की मात्रा = $\frac{6}{13}$ तथा दूध की मात्रा = $\frac{7}{13}$

दूसरे बर्तन के लिए, पानी और दूध में अनुपात = 5 : 9

अनुपाती संख्याओं का योग = 5 + 9 = 14

$\therefore$ पानी की मात्रा = $\frac{5}{14}$ तथा दूध की मात्रा = $\frac{9}{14}$

तीसरे बर्तन के लिए, पानी और दूध में अनुपात = 8 : 7

अनुपाती संख्याओं का योग = 8 + 7 = 15

$\therefore$ पानी की मात्रा = $\frac{8}{15}$ तथा दूध की मात्रा = $\frac{7}{15}$

$\therefore$ तीनों बर्तनों के मिश्रणों को मिलाने पर,

पानी की मात्रा = $\frac{6}{13} + \frac{5}{14} + \frac{8}{15} = \frac{3691}{2730}$

दूध की मात्रा = $\frac{7}{13} + \frac{9}{14} + \frac{7}{15} = \frac{4499}{2730}$

$\therefore$ अनुपात = $\frac{3691}{2730} : \frac{4499}{2730}$ = 3691 : 4499

अभ्यासमाला

नीचे दिये गये प्रत्येक प्रश्नों के चार संभावित उत्तर विकल्प दिये गये हैं। जिनमें से एक विकल्प सही है। उस सही विकल्प का सावधानी पूर्वक चुनाव कीजिए।

1. 20 पैसे का 3 रु. के साथ क्या अनुपात होगा ?

A. 2 : 9
B. 1 : 14
C. 1 : 15
D. 1 : 16

2. निम्न में से कौन सा अनुपात बड़ा होगा ?

12 : 18 या 21 : 18

A. 12 : 18
B. 21 : 18
C. दोनों समान हैं
D. इनमें से कोई नहीं

3. 7, 8 तथा 14 का चतुर्थानुपाती का मान कितना होगा ?

A. 16 B. 18

C. 25 D. 36

4. 8, 21, 13 तथा 31 में क्या जोड़ा जाये ताकि योगफल समानुपाती हो जाए ?

A. 4 B. 8

C. 5 D. 7

5. यदि $17 : 25 = x : 150$ हो तो x का मान कितना होगा ?

A. 108 B. 102

C. 96 D. 97

6. यदि A, B का 2/5 तथा B, C का 1/3 हो तो A : B : C का मान कितना होगा ?

A. 5 : 2 : 15 B. 5 : 15 : 2

C. 2 : 5 : 15 D. 15 : 2 : 5

7. 50 सेमी. और 4 मी. के बीच कितना अनुपात होगा ?

A. 1 : 8 B. 2 : 7

C. 1 : 9 D. 3 : 8

8. यदि $\frac{A}{B} = \frac{1}{2}$ हो तो $\left(\frac{3}{4} + \frac{B - A}{B + A}\right)$ का मान कितना होगा ?

A. $\frac{15}{17}$ B. $\frac{13}{11}$

C. $\frac{13}{12}$ D. $\frac{10}{13}$

9. गुलशन और पंकज की आयु में क्रमशः 10 : 9 का अनुपात है। यदि गुलशन की आयु 6 वर्ष पश्चात् 26 वर्ष की हो जाये तो पंकज की वर्तमान आयु कितनी होगी ?

A. 18 वर्ष B. 10 वर्ष

C. 17 वर्ष D. 20 वर्ष

10. यदि किसी दूरी को कोई आदमी 7 घन्टे में, तथा उसी दूरी को एक तांगा $4\frac{1}{3}$ घन्टे में तय करे तो आदमी और तागे की चालों में अनुपात कितना होगा ?

A. 7 : 15

B. 6 : 13

C. 13 : 21

D. 13 : 20

11. एक वर्ष पहले तरुण और कमलकान्त की आयु का अनुपात 4 : 5 था। यदि 1 वर्ष बाद उनकी आयु में 5 : 6 का अनुपात हो तो तरुण की वर्तमान आयु कितनी होगी ?

A. 7 वर्ष B. 9 वर्ष

C. 11 वर्ष D. 6 वर्ष

12. किसी राशि को A, B तथा C के बीच क्रमशः 2 : 3 : 5 के अनुपात में विभाजित करना है। यदि C का हिस्सा, राशि का 50% हो तो उसमें B का हिस्सा कितना होगा ?

A. 550

B. प्रश्न अधूरा है

C. 940

D. ज्ञात नहीं कर सकते

13. एक थैले में 25 पैसे तथा 10 पैसे के सिक्कों में क्रमशः 6 : 17 का अनुपात है। यदि उन समस्त सिक्कों का मूल्य 16 रु. हो तो थैले में 10 पैसे के सिक्कों की संख्या कितनी होगी ?

A. 88 B. 64

C. 85 D. 72

14. 15 रु. प्रतिकिलो तथा 20 रु. प्रतिकिलो वाली चाय को किस अनुपात में मिलाया जाए ताकि मिश्रण का क्रय मूल्य 16.50 रु. प्रतिकिलो हो जाए ?

A. 5 : 6 B. 7 : 3

C. 6 : 7

D. 3 : 7

15. दो वर्गों की भुजाओं के बीच क्रमशः 3 : 4 का अनुपात हो तो उनके परिमापों के बीच क्या अनुपात होगा ?

A. 3 : 4 B. 2 : 5

C. 4 : 5 D. 3 : 7

16. एक टेबल बनाने में मजदूरी, लकड़ी तथा पेन्ट का खर्च क्रमशः 7 : 5 : 3 के अनुपात में है। यदि टेबल बनाने का कुल खर्च 780 रु. हो, तो मजदूरी कितनी होगी ?

A. 380 रु. B. 464 रु.

C. 364 रु. D. 330 रु.

17. यदि $\frac{x}{y} = \frac{3}{4}$ हो तो $(2x + 3y) : (3y - 2x)$ का मान कितना होगा ?

A. 3 : 1 B. 3 : 2

C. 1 : 2 D. 2 : 3

18. A, B और C के बीच 1 : 4 : 7 में एक राशि का बटवारा होता है। यदि A और B के शेयर का अन्तर 2400 रु. हो तो C के शेयर की राशि कितनी होगी ?

A. 5800 रु. B. 5600 रु.

C. 7750 रु. D. 8750 रु.

19. ओमदत्त, अजय और संजय की आयु का अनुपात 9 : 4 : 7 है। यदि अजय और संजय की आयु का अन्तर 9 वर्ष हो तो ओमदत्त और अजय की आयु का अन्तर कितना होगा ?

A. 18 वर्ष

B. 21 वर्ष

C. 15 वर्ष

D. 11 वर्ष

उत्तरमाला

1	2	3	4	5	6	7	8	9	10
C	B	A	C	B	C	A	C	A	C
11	**12**	**13**	**14**	**15**	**16**	**17**	**18**	**19**	
B	B	C	B	A	C	A	B	C	

व्याख्यात्मक उत्तर

1. $\because$ 20 पैसे और 3 रु. में अनुपात ज्ञात करने के लिए रु. को पैसों मे बदलना आवश्यक है क्योंकि दोनों की एक ही प्रकार की राशि होना आवश्यक है।

20 पैसे : 3 रु. = 20 पैसे : 300 पैसे = 1 : 15

अतः 20 पैसे का 3 रु. के साथ अनुपात = 1 : 15 होगा।

2. $\because$ $12 : 18 = \frac{12}{18} = \frac{2}{3}$ या $\frac{4}{6}$

तथा $21 : 18 = \frac{21}{18} = \frac{7}{6}$

अतः स्पष्ट है कि $\frac{4}{6} < \frac{7}{6}$

दिये गये अनुपातों में 21 : 18 का अनुपात बडा होगा।

3. माना कि चतुर्थानुपाती का मान = x

$\therefore \quad 7 : 8 :: 14 : x \Rightarrow 7 \times x = 8 \times 14$

$$\Rightarrow x = \frac{8 \times 14}{7} = 16$$

अतः चतुर्थानुपाती का मान = 16 होगा।

4. माना कि प्रत्येक दी हुई संख्याओं में x जोड़ा जाए,

प्रश्नानुसार, $\quad (8 + x) : (21 + x) :: (13 + x) : (31 + x)$

चूंकि समानुपात में दोनों बाहरी संख्याओं का गुणनफल मध्य की दोनों संख्याओं के गुणनफल के बराबर होता है।

$$\therefore \quad (8 + x) \times (31 + x) = (21 + x) \times (13 + x)$$

$$\therefore \quad 248 + 39x + x^2 = 273 + 34x + x^2$$

$$\therefore \quad 5x = 273 - 248 = 25$$

$$\therefore \quad x = \frac{25}{5} = 5$$

अतः दी हुई संख्याओं में 5 जोड़ा जाए।

5. $\because 17 : 25 = x : 150 \Rightarrow 17 \times 150 = 25 \times x$

$$\Rightarrow \quad x = \frac{17 \times 150}{25} = 102$$

अतः x का मान = 102 होगा।

6. $\because$ A = B का $\frac{2}{5}$ $= B \times \frac{2}{5} \Rightarrow \frac{A}{B} = \frac{2}{5} \Rightarrow A : B = 2 : 5$

तथा B = C का $\frac{1}{3}$ $= C \times \frac{1}{3} \Rightarrow \frac{B}{C} = \frac{1}{3} \Rightarrow B : C = 1 : 3$

दोनों अनुपातों में B का मान बराबर करने के लिए क्रमशः 1 व 5 से गुणा करने पर,

$\therefore \quad A : B = 2 : 5$

$B : C = 1 \times 5 \cdot 3 \times 5 = 5 : 15$

$A : B : C = 2 : 5 : 15.$

7. $\because$ 50 सेमी. : 4 मी. $\Rightarrow$ 50 सेमी. : 400 सेमी.

$\Rightarrow 1 : 8.$

8. $\because \frac{A}{B} = \frac{1}{2} \Rightarrow \frac{B - A}{B + A} = \frac{2 - 1}{2 + 1} = \frac{1}{3}$

$\therefore \left(\frac{3}{4} + \frac{B - A}{B + A}\right)$ का मान $= \frac{3}{4} + \frac{1}{3} = \frac{13}{12}$.

9. माना कि गुलशन और पंकज की वर्तमान आयु क्रमशः $10x$ व $9x$ वर्ष है।

प्रश्नानुसार, 6 वर्ष पश्चात् गुलशन की आयु = 26 वर्ष

अर्थात् $10x + 6 = 26 \Rightarrow 10x = 26 - 6 = 20$

$$\Rightarrow x = \frac{20}{10} = 2$$

अतः पंकज की वर्तमान आयु $= 9 \times 2 = 18$ वर्ष होगी।

10. माना कि वह दूरी $= x$ किमी.

$\therefore$ आदमी की चाल $= \frac{\text{दूरी}}{\text{समय}} = \frac{x}{7}$ किमी./घंटे

तथा तांगे की चाल $= \frac{\text{दूरी}}{\text{समय}} = \frac{x}{4\frac{1}{3}} = \frac{3x}{13}$ किमी./घंटे

$\therefore$ आदमी और तांगे की चालों में अनुपात $= \frac{x}{7} : \frac{3x}{13} = 13 : 21$

11. माना कि तरुण और कमलकान्त की वर्तमान आयु क्रमशः x वर्ष व y वर्ष है।

पहली स्थिति के अनुसार, $\frac{x - 1}{y - 1} = \frac{4}{5}$ ...(*i*)

दूसरी स्थिति के अनुसार, $\frac{x + 1}{y + 1} = \frac{5}{6}$ ...(*ii*)

समी. (*i*) व (*ii*) से, $5x - 4y - 1 = 0$ ...(*iii*)

$6x - 5y + 1 = 0$ ...(*iv*)

समी. (*iii*) व (*iv*) में क्रमशः 5 व 4 से गुणा करके घटाने पर

$$25x - 20y - 5 = 0$$
$$24x - 20y + 4 = 0$$
$$- \quad + \quad -$$
$$x - 9 = 0 \Rightarrow x = 9$$

अतः तरुण की वर्तमान आयु = 9 वर्ष होगी।

12. प्रश्न के अनुसार B का हिस्सा ज्ञात करने के लिए दी हुई राशि का होना आवश्यक है जो कि ज्ञात नहीं है। अतः इस स्थिति में प्रश्न को अधूरा माना जा सकता है।

13. $\because$ 25 पैसे तथा 10 पैसे के सिक्कों में अनुपात = 6 : 17

25 पैसे तथा 10 पैसे वाले सिक्कों के मूल्यों में अनुपात

$$= 6 \times 25 : 17 \times 10 = 150 : 170 = 15 : 17$$

अनुपाती सख्याओ का योग = 15 + 17 = 32

10 पैसे वाले सिक्कों का मूल्य = $\frac{17}{32} \times 16 = 8.50$ रु.

$\therefore$ 10 पैसे वाले सिक्कों की संख्या = $8.50 \times 10 = 85$.

14. $\because$ मिश्रण का क्रय मूल्य = 16.50 रु. प्रतिकिलो

15 रु. प्रतिकिलो वाली चाय मिश्रण के क्रय मूल्य से सस्ती = 1.50 रु. प्रतिकिलो तथा 20 रु. प्रति किलो वाली चाय मिश्रण के क्रय मूल्य से महंगी = 3.50 रु, प्रतिकिलो अतः मिश्रण के क्रय मूल्य से सस्ती व महंगी चायों के मूल्यो को बराबर करने के लिए क्रमशः 3.50 व 1.50 से गुणा करना होगा अर्थात् दोनों किस्म की चायों को 7 : 3 के अनुपात में मिलाया जाए।

15. माना कि दोनों वर्गों की भुजाएं क्रमशः $3x$ व $4x$ हैं

$\therefore$ पहले वर्ग का परिमाप = $4 \times 3x = 12x$

तथा दूसरे वर्ग का परिमाप = $4 \times 4x = 16x$

$\therefore$ परिमापों में अनुपात = $12x : 16x = 3 : 4$.

16. अनुपाती सख्याओं का योग = 7 + 5 + 3 = 15

$\therefore$ मज़दूरी का हिस्सा $= \frac{7}{15} \times 780 = 364$ रु

17. $\because$ $\frac{x}{y} = \frac{3}{4} \Rightarrow 4x = 3y$

$\therefore$ $2x + 3y = 2x + 4x = 6x$

तथा $3y - 2x = 4x - 2x = 2x$

$\therefore$ $(2x + 3y) : (3y - 2x) = 6x : 2x = 3 : 1$.

18. $\because$ A और B के अनुपात में अन्तर = 4 − 1 = 3

$\therefore$ C के शेयर की राशि = $\frac{7}{3} \times 2400 = 5600$ रु.

19. $\because$ अजय और संजय के अनुपातों में अन्तर = 7 − 4 = 3

तथा ओमदत्त और अजय के अनुपातों में अन्तर = 9 − 4 = 5

अतः स्पष्ट है कि यदि अनुपातों में अन्तर 3 है तो उनकी आयु का अन्तर = 9 वर्ष

यदि अनुपातों में अन्तर 5 है तो उनकी आयु में अन्तर = 15 वर्ष होगा।

ओमदत्त और अजय की आयु का अन्तर = 15 वर्ष।

❑ ❑ ❑

12. चाल, समय एवं दूरी

प्रमुख सूत्र : (*i*) चाल = दूरी/समय
(*ii*) दूरी = चाल × समय
(*iii*) समय = दूरी/चाल

प्रश्नों से सम्बंधित समस्याओं को हल करने के लिए ध्यान रखने योग्य कुछ बातें:

(*i*) यदि दो गाड़ियाँ समान दिशा में चल रही हों तो—
आपेक्षिक गति = दोनों गाड़ियों की गतियों में अन्तर

(*ii*) यदि दो गाड़ियाँ विपरीत दिशा में चल रही हों तो—
आपेक्षिक गति = दोनों गाड़ियों की गतियों का योग

(*iii*) यदि नाव, धारा की दिशा में चलती है तब—
नाव की आपेक्षिक गति = नाव की स्थिर जल में गति + धारा की गति

(*iv*) यदि नाव, धारा के विपरीत दिशा में चलती है तब—
नाव की आपेक्षिक गति = नाव की स्थिर जल में गति – धारा की गति

(*v*) एक किमी./घ. $= \frac{5}{18} \times$ मी./से.

उदाहरण 1. रमेश 4½ किमी. की दूरी को ½ घ. में तय करे तो उसकी चाल मीटर प्रति सेकेन्ड में कितनी होगी ?

हल : $\because$ चाल = दूरी/समय

$$\therefore \quad \text{चाल} = \frac{4\frac{1}{2}}{\frac{1}{2}} = 9 \text{ किमी./घ.} = 9 \times \frac{5}{18} = 2.5 \text{ मी./से.।}$$

उदाहरण 2. एक गाड़ी 240 किमी. की दूरी को 8 घन्टे में तय करती है। यदि उसकी चाल 1½ गुनी कर दी जाये तो 540 किमी. की दूरी को तय करने में कितना समय लेगी?

हल : पहली स्थिति में, गाड़ी की चाल $= \frac{\text{दूरी}}{\text{समय}} = \frac{240}{8} = 30$ किमी./घ.

दूसरी स्थिति में, गाड़ी की चाल $= 30 \times 1\frac{1}{2} = 45$ किमी./घ.

तथा दूरी = 540

$\therefore$ तय करने में लगा समय $= \frac{\text{दूरी}}{\text{चाल}} = \frac{540}{45}$

$= 12$ घन्टे।

उदाहरण 3. एक रेलगाड़ी 13 किमी. की दूरी को 12 मिनट में तय करती है। यदि उसकी चाल 5 किमी./घ. कम हो जाए तो उसी दूरी को तय करने में कितना समय लेगी ?

हल : पहली स्थिति में, रेलगाडी की चाल $= \frac{13}{12/60} = 65$ किमी./घ.

दूसरी स्थिति में, रेलगाड़ी की चाल $= 65 - 5 = 60$ किमी./घ.

तथा दूरी $= 13$ किमी.

$\therefore$ तय करने में लगा समय $= \frac{\text{दूरी}}{\text{चाल}} = \frac{13}{60}$ घ. $= 13$ मिनट।

उदाहरण 4. 100 मी. लम्बी एक रेलगाड़ी 30 किमी./घ. की चाल से चलती हुई रेलवे लाइन के पास खड़े एक आदमी को कितने समय में पार कर लेगी ?

हल : $\because$ रेलगाड़ी की चाल $= 30$ किमी./घ. $= 30 \times \frac{5}{18} = \frac{25}{3}$ मी./से.

$\therefore$ पार करने में लगा समय $= \frac{100}{25/3} = \frac{100 \times 3}{25} = 12$ से.।

उदाहरण 5. एक प्लेटफार्म तथा रेलगाड़ी की लम्बाई क्रमशः 130 मी. व 70 मी. है। यदि रेलगाड़ी की चाल 36 किमी./घ. हो तो रेलगाड़ी को प्लेटफार्म पार करने में कितना समय लगेगा ?

हल : $\because$ रेलगाड़ी प्लेटफार्म को पार करती है।

$\therefore$ वह अपनी लम्बाई की दूरी के साथ–साथ प्लेटफार्म की लम्बाई की दूरी को भी पार करेगी। अर्थात्

रेलगाड़ी द्वारा पार की गई दूरी $= 130 + 70 = 200$ मी.

तथा चाल $= 36$ किमी./घ. $= 36 \times \frac{5}{18} = 10$ मी./से.

$\therefore$ पार करने में लगा समय $= \frac{200}{10} = 20$ से.।

उदाहरण 6. यदि एक रेलगाड़ी 300 मी. लम्बे एक प्लेटफार्म को 20 से. में तथा तार क एक खम्भे को 10 से. में पार कर जाती हो तो रेलगाड़ी की लम्बाई (मी. में) कितनी होगी?

हल : माना कि रेलगाड़ी की लम्बाई $= x$ मी.

पहली स्थिति में, रेलगाड़ी द्वारा तय की गई दूरी = $(300 + x)$ मी.
तथा समय = 20 से.

$\therefore$ रेलगाड़ी की चाल $= \left(\dfrac{300 + x}{20}\right)$ मी./से.

दूसरी स्थिति में, रेलगाड़ी की चाल $= \dfrac{x}{10}$ मी./से.

$$\therefore \quad \frac{300 + x}{20} = \frac{x}{10} \Rightarrow 3000 + 10x = 20x \Rightarrow 3000 = 10x$$

$$\Rightarrow \quad x = \frac{3000}{10} = 300 \text{ मी.}$$

अतः रेलगाड़ी की लम्बाई = 300 मी. होगी।

उदाहरण 7. यदि एक नाव धारा की दिशा में 35 किमी. दूरी 5 घन्टे में तथा उतनी ही दूरी धारा की विपरीत दिशा में 7 घन्टे में तय करती हो तो स्थिर पानी में नाव की चाल कितनी होगी ?

हल : धारा की दिशा में,

नाव की चाल $= \dfrac{35}{5} = 7$ किमी./घ.

या नाव की स्थिर पानी में चाल + धारा की चाल = 7 किमी./घ.

धारा की विपरीत दिशा में,

नाव की चाल $= \dfrac{35}{7} = 5$ किमी./घ.

या नाव की स्थिर पानी में चाल – धारा की चाल = 5 किमी./घ.

$\therefore$ 2 × नाव की स्थिर पानी में चाल = 7 + 5 = 12 किमी./घ.

नाव की स्थिर पानी में चाल $= \dfrac{12}{2} = 6$ किमी./घ.

उदाहरण 8. दो गाड़ियाँ एक ही समय दो स्टेशनों A तथा B से क्रमशः 22 किमी./घ. तथा 38 किमी./घ. की चाल से एक–दूसरे की ओर बढ़ती हैं। यदि दोनों स्टेशनों A तथा B के बीच की दूरी 1800 किमी. हो तो वे एक–दूसरे से कितने समय बाद मिलेंगी ?

हल : चूंकि दोनों गाड़ियाँ एक–दूसरे की तरफ बढ़ रहीं हैं

$\therefore$ आपेक्षिक चाल = 22 + 38 = 60 किमी./घ.

$\therefore$ 1800 किमी. दूरी जितने समय में तय करेगी $= \dfrac{1800}{60} = 30$ घ.

अतः वे दोनों गाड़ियाँ एक–दूसरे से 30 घन्टे बाद मिलेंगी।

अभ्यासमाला

नीचे दिये गये प्रत्येक प्रश्नों के चार संभावित उत्तर विकल्प दिये गये हैं। जिनमें से एक विकल्प सही है। उस सही विकल्प का सावधानी पूर्वक चुनाव कीजिए।

1. एक रेलगाड़ी एक खम्भे को 10 से. में पार कर जाती है। यदि रेलगाड़ी की लम्बाई 150 मी. हो तो उसकी रफ्तार क्या होगी ?

A. 54 किमी./घ.

B. 60 किमी./घ.

C. 72 किमी./घ.

D. 45 किमी./घ.

2. 160 मी. लम्बी रेलगाड़ी 160 मी. लम्बे प्लेटफार्म को 16 से. में पार कर लेती हो तो उसकी चाल कितनी होगी ?

A. 68 किमी./घ.

B. 70 किमी./घ.

C. 72 किमी./घ.

D. 62 किमी./घ.

3. दो रेलगाड़ियाँ एक–दूसरे की ओर क्रमशः 40 किमी./घ. तथा 30 किमी./घ. की दर से समानान्तर पटरियों पर चल रही हैं। यदि दोनों रेलगाड़ियों के बीच की दूरी 105 किमी. हो तो वे आपस में कब मिलेंगी ?

A. $1\frac{1}{3}$ घ. बाद　　B. $1\frac{1}{2}$ घ. बाद

C. 2 घ. बाद　　D. $1\frac{1}{4}$ घ. बाद

4. एक रेलगाड़ी जिसकी लम्बाई 120 मी. है, 60 किमी./घ. की चाल से चलती हुई एक पुल को 12 सेकेन्ड में पार कर जाती है। तो बताइये पुल की लम्बाई (मी. में) कितनी होगी?

A. 75　　B. 80

C. 85　　D. 90

5. एक नाव नदी के बहाव की दिशा में 60 किमी. की दूरी 4 घन्टे में तय करती है। यदि नाव की चाल, नदी की चाल की दूनी हो तो बताइये नदी के बहाव के विपरीत दिशा में नाव 2 घन्टे में कितनी दूरी तय करेगी ?

A. 10 किमी.　　B. 8 किमी.

C. 11 किमी.　　D. 15 किमी.

6. दो व्यक्ति P और Q क्रमशः 3 किमी./घ. तथा 3½ किमी./घ. की चाल से एक ही स्थान से चलना प्रारम्भ करते हैं। यदि वे एक ही दिशा में चलते हों तो 4 घन्टे बाद उनके बीच की दूरी कितनी होगी ?

A. 3 किमी.　　B. 2½ किमी.

C. 2 किमी.　　D. 3½ किमी.

7. एक मनुष्य 45 किमी. की दूरी 9 घन्टे में तय करता है। यदि उसकी चाल 3 गुनी बढ़ा दी जाये तब वह 60 किमी. की दूरी कितने समय में तय कर लेगा ?

A. 4 घ.　　B. 4 घ. 10 मि.

C. 5½ घ.　　D. 5.40 घ.

8. एक मालगाड़ी जिसकी लम्बाई 500 मी. है, समान चाल से चलकर एक स्टेशन के प्लेटफार्म को 36 से. में पार कर जाती है। यदि प्लेटफार्म की लम्बाई 220 मी. हो तो मालगाड़ी की चाल (किमी./घ.) में कितनी होगी ?

A. 60　　B. 72

C. 80　　D. 85

9. किसी रेलगाड़ी तथा प्लेटफार्म की लम्बाई बराबर है। यदि 90 किमी./घ. की चाल से रेलगाड़ी उस प्लेटफार्म को पार करने में 1 मिनट का समय ले तो प्लेटफार्म की लम्बाई (मी. में) कितनी होगी ?

A. 750　　B. 690
C. 760　　D. 810

10. एक व्यक्ति ने एक ओर की दूरी साइकिल से तथा वापसी पर वही दूरी स्कूटर से तय की, इस प्रकार उसे पूरी यात्रा में 2 घ. 20 मि. का समय लगा। यदि वह पूरी यात्रा साइकिल से करता तो उसे 3 घ. 30 मि. का समय लगता है तो बताइये यदि वह पूरी यात्रा स्कूटर से तय करता तो उसे कितना समय लगता ?

A. 1 घ. 15 मि.　　B. 1घ. 10मि.
C. 1 घ. 40 मि.　　D. 2 घ. 5 मि.

11. 42 किमी./घ. की चाल से चल रही 180 मी. लम्बी रेलगाड़ी उस आदमी को कितने देर में पार कर लेगी, जो उसी दिशा में 6 किमी./घ. की चाल से जा रहा हो ?

A. 11 से.　　B. 21 से.
C. 23 से.　　D. 18 से.

12. एक व्यक्ति 6 किमी. की दूरी 4 किमी. प्रति घ. की रफ्तार से तय करता है। और 4 किमी. की दूरी 3 किमी./घ. की रफ्तार से तय करता है। तो बताइये उसकी सम्पूर्ण यात्रा के दौरान औसत रफ्तार कितनी होगी?

A. $3\frac{9}{17}$ किमी./घ.

B. $4\frac{9}{17}$ किमी./घ.

C. $2\frac{1}{17}$ किमी./घ.

D. $3\frac{1}{17}$ किमी./घ.

13. एक मनुष्य एक दूरी 8 किमी./घ. की रफ्तार से तय करता है। उसके बाद 6 किमी./घ. की रफ्तार से वापस लौटता है। यदि उसे पूरी यात्रा में कुल 3½ घन्टे का समय लगा हो तो बताइये उसने कुल कितनी दूरी (किमी) तय की ?

A. 25 किमी.　　B. 28 किमी.
C. 24 किमी.　　D. 30 किमी.

14. यदि एक मोटर गाड़ी का $4\frac{2}{7}$ मीटर परिधि वाला पहिया 4 सेकेन्ड में सात चक्कर लगाता हो, तो बताइये मोटर गाड़ी की चाल (किमी./घ.) में क्या होगी ?

A. 22　　B. 27
C. 30　　D. 31

15. कोई दूरी किसी चाल से तय की जाती है। यदि उसकी आधी दूरी को दुगुने समय में तय किया जाए तब पहली चाल व दूसरी चाल के बीच क्या अनुपात होगा ?

A. 4 : 1　　B. 4 : 3
C. 3 : 1　　D. 1 : 4

16. एक नाव की स्थिर जलधारा में गति 8 किमी./घ. है। यदि वह धारा के बहाव की दिशा में 30 किमी. तथा बहाव के विपरीत दिशा में 18 किमी. सफर तय करने में समान समय ले तो बताइये धारा की गति (किमी./घ.) में कितनी होगी ?

A. $2\frac{1}{3}$　　B. 2

C. $2\frac{1}{4}$　　D. $3\frac{1}{4}$

17. एक रेलगाड़ी दिल्ली से सुबह 6.00 बजे चलकर सुबह 10.00 बजे मेरठ पहुँचती है। दूसरी रेलगाड़ी मेरठ से 8.00 बजे सुबह चलकर दिल्ली सुबह 11.30 बजे पहुँचती है। यदि मेरठ और दिल्ली के बीच की दूरी 200 किमी. हो तो दोनों गाड़ियाँ एक–दूसरे को कितने बजे मिलेंगी ?

A. 8 बजकर 56 मि.
B. 8 बजकर 46 मि.
C. 7 बजकर 56 मि.
D. 8 बजकर 30 मि.

उत्तरमाला

1	2	3	4	5	6	7	8	9	10
A	C	B	B	A	C	A	B	A	B
11	**12**	**13**	**14**	**15**	**16**	**17**			
D	A	C	B	A	B	A			

व्याख्यात्मक उत्तर

1. $\because$ रेलगाड़ी सिर्फ खम्भे को पार करती है, $\therefore$ दिये गये समय में अपनी लम्बाई के बराबर ही दूरी तय करेगी।

$\therefore$ रेलगाड़ी की रफ्तार $= \frac{\text{दूरी}}{\text{समय}} = \frac{150}{10} = 15$ मी./से.

$= 15 \times \frac{18}{5} = 54$ किमी/घ.

2. $\because$ रेलगाड़ी अपनी लम्बाई की दूरी के साथ–साथ प्लेटफार्म की लम्बाई की दूरी को भी तय करेगी।

$\therefore$ रेलगाड़ी द्वारा तय की गई दूरी = 160 + 160 = 320 मी.

तथा पार करने में लगा समय = 16 से.

$\therefore$ रेलगाड़ी की चाल $= \frac{320}{16} = 20$ मी./से. $= 20 \times \frac{18}{5} = 72$ किमी./घ.।

3. $\because$ दोनों रेलगाड़ियाँ एक–दूसरे की ओर चलती हैं।

$\therefore$ आपेक्षित गति = 40 + 30 = 70 किमी./घ.

तथा बीच की दूरी = 105 किमी.

$\therefore$ आपस में मिलने का समय $= \frac{105}{70} = 1\frac{1}{2}$ घ. बाद

अतः वे $1\frac{1}{2}$ घ. बाद आपस में मिलेंगी।

4. माना कि पुल की लम्बाई = x मी.

$\therefore$ रेलगाड़ी दिये गये समय में अपनी लम्बाई की दूरी के साथ–साथ पुल की लम्बाई की दूरी को भी तय करेगी

अर्थात् रेलगाड़ी द्वारा तय की गई दूरी = $(120+x)$ मी.

तथा समय = 12 से.

$\therefore$ चाल = $\left(\frac{120+x}{12}\right)$ मी./से. = $\left(\frac{120+x}{12}\right) \times \frac{18}{5}$ किमी./घ.

परन्तु रेलगाड़ी की चाल = 60 किमी./घ. (दिया हुआ है)

$$\therefore \left(\frac{120+x}{12}\right) \times \frac{18}{5} = 60 \Rightarrow 120 + x = 200 \Rightarrow x = 80$$

अतः पुल की लम्बाई 80 मी. होगी।

5. $\because$ **बहाव की दिशा में,**

नाव की चाल $= \frac{60}{4} = 15$ किमी./घ.

या नाव की स्थिर नदी में चाल + नदी की चाल = 15 किमी.

प्रश्नानुसार, नाव की स्थिर नदी में चाल = 2 × नदी की चाल

$\therefore$ 3 × नदी की चाल = 15 किमी./घ.

या नदी की चाल $= \frac{15}{3} = 5$ किमी./घ.

$\therefore$ नाव की स्थिर नदी में चाल = 15 − 5 = 10 किमी./घ.

बहाव के विपरीत दिशा में,

नाव द्वारा 2 घन्टे में तय की गई दूरी

= (नाव की स्थिर नदी में चाल − नदी की चाल) × 2

= $(10-5) \times 2 = 5 \times 2 = 10$ किमी./घ.

6 $\because$. दोनों व्यक्ति एक ही दिशा में चलते हैं

आपेक्षित गति $= 3\frac{1}{2} - 3 = \frac{1}{2}$ किमी./घ.।

$\therefore$ 4 घन्टे बाद उनके बीच की दूरी $= \frac{1}{2} \times 4 = 2$ किमी.।

7. पहली स्थिति में, मनुष्य की चाल $= \frac{45}{9} = 5$ किमी./घ.

दूसरी स्थिति में, मनुष्य की चाल $= 5 \times 3 = 15$ किमी./घ.
तथा दूरी = 60 किमी.

$\therefore$ तय करने में लगा समय $= \frac{60}{15} = 4$ घन्टे।

8. $\because$ मालगाड़ी अपनी लम्बाई के साथ–साथ प्लेटफार्म की लम्बाई की दूरी को भी तय करेगी

$\therefore$ मालगाड़ी द्वारा तय की गई दूरी $= 500 + 220 = 720$ मी.
तथा लिया गया समय = 36 से

$\therefore$ मालगाड़ी की चाल $= \frac{720}{36} = 20$ मी./सें $= 20 \times \frac{18}{5} = 72$ किमी./घ.।

9. माना कि रेलगाड़ी व प्लेटफार्म की लम्बाई क्रमशः x मी. व x मी. है।
$\therefore$ रेलगाड़ी द्वारा तय की गई दूरी $= x + x = 2x$ मी.
तथा लिया गया समय = 1 मिनट = 60 से.

$\therefore$ रेलगाड़ी की चाल $= \frac{2x}{60} = \frac{x}{30}$ मी./सें $= \frac{x}{30} \times \frac{18}{5} = \frac{3x}{25}$ किमी./घ.

परन्तु रेलगाड़ी की चाल = 90 किमी./घ. (दिया हुआ है)

$$\therefore \quad \frac{3x}{25} = 90 \Rightarrow x = \frac{90 \times 25}{3} = 750$$

अतः प्लेटफार्म की लम्बाई = 750 मी. होगी।

10. माना कि एक ओर से वह दूरी $= x$ किमी.
तथा साइकिल व स्कूटर की चाल क्रमशः V_1 व V_2 किमी./घ. है।

$\therefore$ V_1 किमी./घ. की चाल से x किमी. दूरी तय करने में लगा समय $= \frac{x}{V_1}$ घ.

तथा V_2 किमी./घ. की चाल से वापसी पर x किमी. दूरी तय करने में लगा समय $= \frac{x}{V_2}$ घ.

परन्तु पूरी यात्रा में लगा समय = 2 घ. 20 मि.

$$\therefore \quad \frac{x}{V_1} + \frac{x}{V_2} = 2\frac{1}{3} = \frac{7}{3} \quad \ldots(i)$$

प्रश्नानुसार, यदि वह पूरी यात्रा साइकिल से करता तब

$$2 \times \frac{x}{V_1} = 3\frac{1}{2} = \frac{7}{2} \Rightarrow \frac{x}{V_1} = \frac{7}{4}$$

$\frac{x}{V_1}$ का मान समी. (i) में रखने पर

$$\frac{7}{4}+\frac{x}{V_2}=\frac{7}{3} \Rightarrow \frac{x}{V_2}=\frac{7}{3}-\frac{7}{4}=\frac{7}{12}$$

$\therefore$ यदि वह पूरी यात्रा स्कूटर से करे तब लिया गया

समय $= 2 \times \frac{x}{V_2} = 2 \times \frac{7}{12} = \frac{7}{6} = 1$ घ. 10 मी.।

11. $\because$ रेलगाड़ी एवं आदमी समान दिशा में चल रहे हैं

$\therefore$ आपेक्षित चाल = 42 – 6 = 36 किमी./घ.

तथा तय की गई दूरी = 180 मी.

$\therefore$ पार करने में लगा समय $= \frac{180}{\left(36 \times \frac{5}{18}\right)} = \frac{180}{10} = 18$ से.

12. $\because$ व्यक्ति द्वारा 4 किमी./घ. की रफ्तार से 6 किमी. की दूरी तय करने में लगा समय

$$= \frac{6}{4} = \frac{3}{2} \text{ घ.}$$

तथा व्यक्ति द्वारा 3 किमी./घ. की रफ्तार से 4 किमी. की दूरी तय करने में लगा समय

$$= \frac{4}{3} \text{ घ.}$$

$\therefore$ यात्रा में लगा कुल समय $= \frac{3}{2} + \frac{4}{3} = \frac{17}{6}$ घ.

तथा यात्रा की कुल दूरी $= 6 + 4 = 10$ किमी.

$\therefore$ औसत रफ्तार $= \frac{10}{17/6} = \frac{60}{17} = 3\frac{9}{17}$ किमी./घ.।

13. माना कि मनुष्य द्वारा एक ओर से तय की गई दूरी = x किमी.

$\therefore$ 8 किमी./घ. की रफ्तार से x किमी. की दूरी तय करने में लगा समय $= \frac{x}{8}$ घ.

तथा 6 किमी./घ. की रफ्तार से x किमी. की दूरी तय करने में लगा समय $= \frac{x}{6}$ घ.

परन्तु यात्रा में लगा कुल समय $= 3\frac{1}{2}$ घ.

$\therefore \quad \frac{x}{8}+\frac{x}{6}=3\frac{1}{2}=\frac{7}{2} \Rightarrow \frac{7x}{24}=\frac{7}{2} \Rightarrow x=12$

$\therefore$ यात्रा की कुल दूरी = $2 \times x = 2 \times 12 = 24$ किमी.।

14. $\because$ मोटर गाड़ी के पहिए की परिधि = $4\frac{2}{7}=\frac{30}{7}$ मी.

अतः एक चक्कर में पहिए द्वारा तय की गई दूरी = $\frac{30}{7}$ मी.

$\therefore$ 7 चक्कर में पहिए द्वारा तय की गई दूरी = $\frac{30}{7}\times 7 = 30$ मी.

प्रश्नानुसार, यह दूरी 4 सेकेन्ड में चली जाती है।

$\therefore$ चाल =दूरी/समय = $\frac{30}{4}$ मी./से. $=\frac{30}{4}\times\frac{18}{5}=27$ किमी./घ

अतः मोटर गाड़ी की चाल = 27 किमी./घ. होगी।

15. माना कि वह दूरी = x तथा चाल = V_1

$\therefore \quad$ समय $(t)=\frac{x}{V_1} \Rightarrow V_1=\frac{x}{t}$

प्रश्नानुसार, दूरी $=\frac{x}{2}$ तथा लगा समय = $2t$

$\therefore \quad$ चाल $(V_2)=\frac{x/2}{2t}=\frac{x}{4t}$

$\therefore \quad \frac{V_1}{V_2}=\frac{x/t}{x/4t}=\frac{4}{1} \Rightarrow V_1 : V_2 = 4:1.$

16. माना कि धारा की गति = x किमी./घ.

बहाव की दिशा में, नाव की गति

= नाव की स्थिर जलधारा में गति + धारा की गति = $(8+x)$ किमी./घ.

$\therefore (8+x)$ किमी./घ. की गति से 30 किमी. सफर तय करने में लगा समय

$$=\left(\frac{30}{8+x}\right) \text{घ.}$$

बहाव के विपरीत दिशा में, नाव की गति

= नाव की स्थिर जलधारा में गति – धारा की गति = $(8-x)$ किमी./घ.

$\therefore (8-x)$ किमी./घ. की गति से 18 किमी. सफर तय करने में लगा समय

$$=\left(\frac{18}{8-x}\right) \text{घ.}$$

प्रश्नानुसार, दोनों स्थितियों में समय समान है

$$\therefore \quad \frac{30}{8+x}=\frac{18}{8-x} \Rightarrow 48x=96 \Rightarrow x=2$$

अतः धारा की गति = 2 किमी./घ. होगी।

17. $\because$ पहली रेलगाड़ी द्वारा दिल्ली से मेरठ पहुंचने में लिया गया समय

= 10 – 6 = 4 घन्टे

$\therefore$ पहली रेलगाड़ी की चाल = $\frac{200}{4}=50$ किमी./घ.

तथा दूसरी रेलगाड़ी द्वारा मेरठ से दिल्ली पहुंचने में लिया गया समय

= 11.30 – 8 = 3½ घन्टे

$\therefore$ दूसरी रेलगाड़ी की चाल = $\frac{200}{3\frac{1}{2}}=\frac{400}{7}$ किमी./घ.

चूंकि पहली रेलगाड़ी दूसरी रेलगाड़ी से 2 घन्टे पहले रवाना होती है।

$\therefore$ पहली रेलगाड़ी द्वारा 2 घन्टे में तय की गयी दूरी = $2 \times 50 = 100$ किमी.

शेष बची दूरी = $200 - 100 = 100$ किमी.

आपेक्षित चाल = $50+\frac{400}{7}=\frac{750}{7}$ किमी./घ.

$\therefore$ **8 बजे के बाद**, एक दूसरे से मिलने में लगा समय $=\frac{100}{750/7}=\frac{700}{750}$ घ.

अतः वे एक दूसरे से 8 बजकर 56 मि. बाद मिलेंगी।

❐ ❐ ❐

13. क्षेत्रमिति

प्रमुख सूत्र :

(i) आयत का क्षेत्रफल = लम्बाई × चौड़ाई

(ii) आयत की परिमिति = 2 (लम्बाई + चौड़ाई)

(iii) वर्ग का क्षेत्रफल = (भुजा)^2

(iv) वर्ग की परिमिति = 4 × भुजा

(v) वृत्त का क्षेत्रफल = π × त्रिज्या^{2}

(vi) वृत्त की परिधि = 2π × त्रिज्या

(vii) त्रिभुज का क्षेत्रफल = $\sqrt{s(s-a)(s-b)(s-c)}$

जहाँ $s = \dfrac{a+b+c}{2}$ तथा a, b, c क्रमशः पहली, दूसरी व तीसरी भुजा की लम्बाई हैं।

(viii) कमरे की चारों दीवारों का क्षेत्रफल = 2 × ऊँचाई (लम्बाई + चौड़ाई)

(ix) घनाभ का आयतन = लम्बाई × चौड़ाई × ऊँचाई = lbh

(x) घन का आयतन = (भुजा)^3 = l^3

(xi) घन की भुजा = $\sqrt[3]{\text{आयतन}}$

(xii) सिलिंडर का आयतन = आधार का क्षेत्रफल × ऊँचाई = $\pi r^2 h$

(xiii) सिलिंडर के वक्र सतह का क्षेत्रफल = $2\pi rh$

(xiv) शंकु का आयतन = $\dfrac{1}{3}\pi r^2 h$

(xv) शंकु की तिरछी ऊँचाई = $l = \sqrt{h^2 + r^2}$

(xvi) शंकु के वक्र सतह का क्षेत्रफल $= \pi rl$

(xvii) शंकु के सम्पूर्ण सतह का क्षेत्रफल $= \pi rl + \pi r^2 = \pi r(l + r)$

(xviii) गोला का आयतन $= \dfrac{4}{3}\pi r^3$

(xix) गोले के सम्पूर्ण सतह का क्षेत्रफल $= 4\pi r^2$

उदाहरण 1. एक आयताकार खेत की परिमिति 300 मी. है। यदि इसकी लम्बाई 100 मी. हो तो बताइये खेत का क्षेत्रफल कितना होगा?

हलः $\because$ आयताकार खेत की परिमिति = 2 (लम्बाई + चौड़ाई)

$\therefore$ 300 = 2 (100 + चौड़ाई)

$\therefore$ 150 = 100 + चौड़ाई

$\therefore$ चौड़ाई = 150 − 100 = 50 मी.।

उदाहरण 2. एक कमरे की चारों दीवारों का क्षेत्रफल 220 वर्ग मीटर है। यदि इसकी लम्बाई व चौड़ाई क्रमशः 12 मीटर व 10 मीटर हों तो कमरे की ऊँचाई कितनी होगी?

हलः कमरे की चारों दीवारों का क्षेत्रफल = 2 × ऊ. (ल. + चौ.)

220 = 2 × ऊ. (12 + 10) = 2 × ऊ. × 22

$\therefore$ ऊ. $= \dfrac{220}{2 \times 22} = 5$ मी.

अतः कमरे की ऊंचाई = 5 मी. होगी।

उदाहरण 3. एक आयताकार प्लाट की चौड़ाई, उसकी लम्बाई की एक-तिहाई है। यदि प्लाट का परिमाप 240 मी. हो तो बताइये प्लाट की लम्बाई व चौड़ाई क्रमशः कितनी होगी?

हलः माना की आयताकार प्लाट की लम्बााई $= x$ मी.

$\therefore$ प्लाट की चौड़ाई $= \dfrac{x}{3}$ मी. होगी

$\therefore$ आयताकार प्लाट का परिमाप $= 2\left(x + \dfrac{x}{3}\right) = 2 \times \dfrac{4x}{3}$ मी.

परन्तु प्लाट का परिमाप = 240 मी. (दिया हुआ है)

$$\therefore \quad 2 \times \frac{4x}{3} = 240$$

$$\therefore \quad x = \frac{240 \times 3}{2 \times 4} = 90$$

अतः प्लाट की लम्बाई व चौड़ाई क्रमशः 90 मी. व 90/3 = 30 मी. होगी।

उदाहरण 4. एक मैदान 250 मी. लम्बा व 30 मी. चौड़ा है। इस मैदान में 30 मी. × 10 मी. × 6 मी. का एक तालाब खोदा जाता है। जो मिट्टी इस तालाब से निकलती है उसको समान रूप से फैला दिया जाता है। तो बताइये मैदान की सतह कितनी ऊँची उठ जायेगी?

हलः ∵ मैदान का क्षेत्रफल = 250 × 30 = 7500 वर्ग मी.

तथा तालाब का क्षेत्रफल = 30 × 10 = 300 वर्ग मी.

मैदान के शेष भाग का क्षेत्रफल = 7500 − 300 = 7200 वर्ग मी.

∵ तालाब का आयतन = 30 × 10 × 6 = 1800 घन मी.

$$\text{मैदान की ऊँची उठी सतह} = \frac{\text{खोदी हुई कुल मिट्टी का आयतन}}{\text{उस स्थान का क्षेत्रफल जिस पर मिट्टी बिछानी है}}$$

$$= \frac{1800}{7200} = .25 \text{ मी.}$$

$$= 25 \text{ सेमी.}$$

अतः मैदान की सतह 25 सेमी. ऊँची उठ जायेगी।

उदाहरण 5. किसी त्रिभुज की भुजाएँ 3 : 4 : 5 के अनुपात में हैं। यदि त्रिभुज का परिमाप 24 मी. हो तो त्रिभुज का क्षेत्रफल (वर्ग मी. में) कितना होगा?

हलः माना कि त्रिभुज की भुजायें क्रमशः $3x$, $4x$ व $5x$ मी. हैं।

∴ त्रिभुज का परिमाप = $3x + 4x + 5x = 12x$ मी.

प्रश्नानुसार, त्रिभुज का परिमाप = 24 मी. (दिया हुआ है)

$$\therefore \quad 12x = 24$$

$$\Rightarrow \quad x = \frac{24}{12} = 2$$

अतः त्रिभुज की भुजाएँ क्रमशः 3 × 2 = 6 मी., 4 × 2 = 8 मी, तथा 5 × 2 = 10 मी. होंगी।

$$\therefore \quad s = \frac{a+b+c}{2} = \frac{6+8+10}{2} = \frac{24}{2} = 12$$

[∵ यहाँ $a = 6$ मी., $b = 8$ मी., तथा $c = 10$ मी. है]

त्रिभुज का क्षेत्रफल $= \sqrt{s(s-a)(s-b)(s-c)}$

$= \sqrt{12 \times 6 \times 4 \times 2}$

$= \sqrt{24 \times 24} = 24$ वर्ग मी.।

उदाहरण 6. एक वृत्ताकार मैदान के चारों ओर एक वृत्ताकार रास्ता है। यदि मैदान और रास्ते की परिधियों में अन्तर 66 मी. हो तो रास्ते की चौड़ाई कितनी होगी ? ($\pi = \frac{22}{7}$)

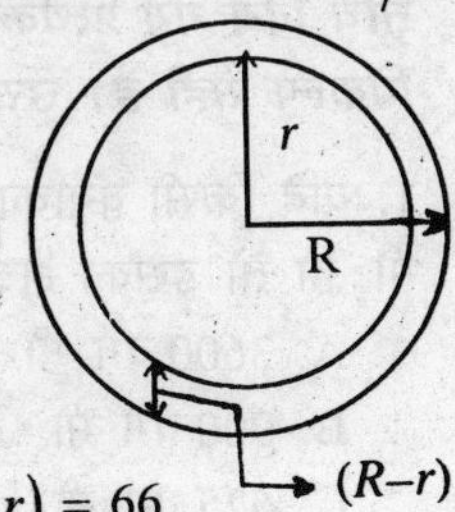

हल : माना कि वृत्ताकार मैदान की त्रिज्या = r मी.

तथा रास्ते सहित वृत्ताकार मैदान की त्रिज्या = R मी.

∴ रास्ते की चौड़ाई = $(R-r)$ मी. होगी।

∴ रास्ते सहित मैदान का परिमाप = $2\pi R$ मी.

तथा मैदान का परिमाप = $2\pi r$ मी.

प्रश्नानुसार, अन्तर $= (2\pi R - 2\pi r) = 66 \Rightarrow 2\pi(R - r) = 66$

$$\Rightarrow R - r = \frac{66}{2\pi} = \frac{66}{2 \times \frac{22}{7}} = \frac{66 \times 7}{2 \times 22} = 10.50 \text{ मी.}$$

अतः रास्ते की चौड़ाई = 10.50 मी. होगी।

उदाहरण 7. एक खेत की लम्बाई व चौड़ाई क्रमशः 150 मी. व 50 मी. है। खेत के बीचों–बीच दोनों ओर 2 मी. चौड़ा रास्ता बनाया जाता है जो एक–दूसरे को समकोण पर काटते हैं तो बताइये 35 पैसे प्रति वर्ग मी. की दर से रास्ते बनाने का खर्च कितना होगा?

हल :

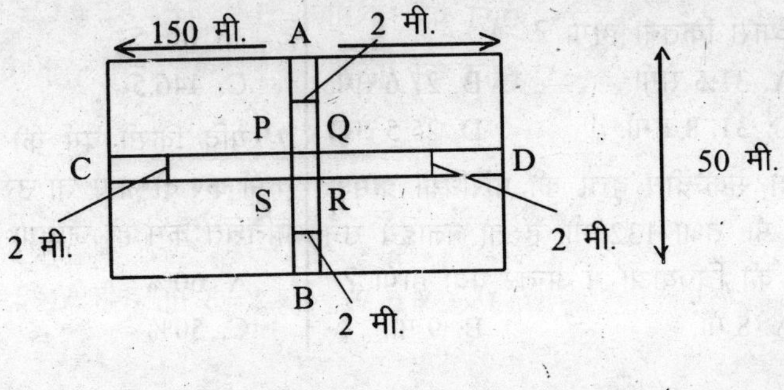

माना कि खेत के बीचों–बीच दो रास्ते AB तथा CD बनाये जाते हैं

रास्ते AB के लिए, क्षेत्रफल = 50 × 2 = 100 वर्ग मी.

रास्ते CD के लिए, क्षेत्रफल = 150 × 2 = 300 वर्ग मी.

तथा वर्गाकार रास्ता PQRS का क्षेत्रफल = 2 × 2 = 4 वर्ग मी.

∴ दोनों रास्तों का क्षेत्रफल = 100 + 300 – 4 = 396 वर्ग मी.

{∵ वर्गाकार रास्ता PQRS एक ही बार में बनाया जाता है}

∴ 35 पैसे वर्ग मी. की दर से रास्ता बनाने का खर्च = $396 \times \frac{35}{100} = 138.60$ रु.।

अभ्यासमाला

नीचे दिये गये प्रत्येक प्रश्नों के चार संभावित उत्तर विकल्प दिये गये हैं। जिनमें से एक विकल्प सही है। उस सही विकल्प का सावधानीपूर्वक चुनाव कीजिए।

1. यदि किसी वर्गाकार मैदान की भुजा 30 मी. हो तो इसका क्षेत्रफल कितना होगा ?

A. 3600 वर्ग मी.

B. 900 वर्ग मी.

C. 625 वर्ग मी.

D. 810 वर्ग मी.

2. किसी वृत्त की परिधि 352 मी. है तो इसकी त्रिज्या कितनी होगी ?

A. 56 मी. B. 48 मी.

C. 52 मी. D. 62 मी.

3. दो पहियों की परिधियों में क्रमशः 2 : 1 का अनुपात है। यदि बड़े पहिए की परिधि 396 सेमी. हो तो छोटे पहिए की त्रिज्या या अर्द्धव्यास कितना होगा ?

A. 31.5 सेमी. B. 27.6 सेमी.

C. 31. 8 सेमी. D. 25.5 सेमी.

4. दो सकेन्द्रीय वृत्तों की परिधियाँ क्रमशः 176 मी. तथा 132 मी. हैं तो बताइये उन वृत्तों की त्रिज्याओं में अन्तर क्या होगा ?

A. 8 मी. B. 9 मी.

C. 11 मी. D. 7 मी.

5. 90 मी. × 50 मी. आयताकार मैदान के अन्दर 5 मी. चौड़ा रास्ता चारों ओर बनाया जाये तो रास्ते का क्षेत्रफल कितना होगा ?

A. 1450 वर्ग मी.

B. 1100 वर्ग मी.

C. 1000 वर्ग मी.

D. 1300 वर्ग मी.

6. एक वृत्ताकार खण्ड के बाहर चारों ओर 3.5 मी. चौड़ा रास्ता बना हुआ है। यदि उस खण्ड की त्रिज्या 14 मी. हो तो बताइये रास्ते का क्षेत्रफल (वर्ग मी.) में, कितना होगा ?

A. 346.5 B. 370.5

C. 446.5 D. 386.7

7. यदि किसी वर्ग की भुजा में 50% की कमी कर दी जाए, तो उसका क्षेत्रफल कितने प्रतिशत कम हो जाएगा ?

A. 60% B. 75%

C. 50% D. 37.5%

8. यदि किसी आयत की लम्बाई व चौड़ाई क्रमशः 16 मी. तथा 12 मी. हो तो इसका विकर्ण कितना होगा ?

A. 20 मी. B. 10 मी.
C. 18 मी. D. 14 मी.

9. एक मैदान का क्षेत्रफल 6150 वर्ग मी. है यदि इसकी चौड़ाई 50 मी. हो तो मैदान का परिमाप कितना होगा ?

A. 346 मी. B. 356 मी.
C. 370 मी. D. 480 मी.

10. दो वर्गों के क्षेत्रफलों में अन्तर 700 वर्ग मी. है। यदि बड़े वर्ग की भुजा 40 मी. हो तो छोटे वर्ग की भुजा की लम्बाई कितनी होगी ?

A. 17 मी. B. 30 मी.
C. 16 मी. D. 12 मी.

11. एक आयताकार प्लाट का क्षेत्रफल 5400 वर्ग मी. है। यदि इसकी भुजाओं में क्रमशः 3 : 2 का अनुपात हो तो इसका परिमाप कितना होगा ?

A. 288 मी. B. 289 मी.
C. 300 मी. D. 310 मी.

12. एक कमरे की ल., चौ. व ऊ. क्रमशः 5 मी., 4 मी. तथा 2.5 मी. है। तो बताइये कनरे की चार दीवारों का क्षेत्रफल कितना होगा ?

A. 45 वर्ग मी. B. 41 वर्ग मी.
C. 36 वर्ग मी. D. 25 वर्ग मी.

13. यदि किसी शंकु की ऊंचाई 7 सेमी. तथा आधार का व्यास 14 सेमी. हो तो शंकु का आयतन कितना होगा ?

A. 411.6 घन मी.
B. 359.3 घन मी.
C. 442.6 घन मी.
D. 450.6 घन मी.

14. एक कुआ जिसका भीतरी व्यास 8 मी. है उसे 14 मी. गहरा खोदा जाये तो बताइये खोदी गई मिट्टी का आयतन क्या होगा ?

A. 459 घन मी.
B. 981 घन मी.
C. 778 घन मी.
D. 704 घन मी.

15. एक शंकु की ऊंचाई 27 सेमी. तथा आधार की त्रिज्या 6 सेमी. है। यदि ऐसे 3 शंकुओं को पिघलाकर एक बड़ा गोला बनाया जाये तो उस गोले की त्रिज्या कितनी होगी ?

A. 8 सेमी. B. 12.5 सेमी.
C. 11 सेमी. D. 9 सेमी.

16. एक गोदाम जिसकी विभाएँ 8 मी. × 6 मी. × 3 मी. हैं। जो कि एक घनाभ के रूप में है। यदि इसमें अनाज की बोरियां रखी जायें तो बताइये बोरियों की संख्या क्या होगी जबकि एक बोरी 0.50 घन मी. स्थान घेरती है ?

A. 288 B. 270
C. 304 D. 316

17. एक वृत्ताकार प्लाट के चारों ओर एक रास्ता है यदि वृत्त की परिधि 88 मी. तथा रास्ते की चौड़ाई 2 मी. हो तो बताइये रास्ते का क्षेत्रफल कितना होगा ? ($\pi = \frac{22}{7}$)

A. 288.6 वर्ग मी.
B. 188.6 वर्ग मी.
C. 178.5 वर्ग मी.
D. 81.6 वर्ग मी.

18. 6 मी. लम्बे, 4 मी. चौड़े तथा 3 मी. ऊंचे कमरे की दीवारों पर रंग कराया जाता है। यदि रंग करवाने का खर्च 1.25 रु. प्रति वर्ग मी.

मी. हो तो कुल खर्च क्या होगा ?

A. 75 रु. B. 65 रु.
C. 88 रु. D. 94 रु.

19. एक आयताकार मैदान की लम्बाई में 50% वृद्धि तथा चौड़ाई में 10% कमी कर दी जाये तो बताइये उसके क्षेत्रफल में कितने प्रतिशत वृद्धि या कमी हो जाएगी ?

A. 20% वृद्धि B. 35% कमी
C. 35% वृद्धि D. 20% कमी

20. एक वर्गाकार कागज की दो भुजाओं में क्रमशः 30% व 40% कमी कर दी गई। तो बताइये कागज के नए बने उस आयताकार टुकड़े का क्षेत्रफल पहले की अपेक्षा कितने प्रतिशत कम हो जाएगा ?

A. 58% B. 62%
C. 40% D. 70%

21. यदि किसी समकोण त्रिभुज का आधार 8 सेमी. तथा विकर्ण 10 सेमी. हो तो इसका क्षेत्रफल कितना होगा ?

A. 12 वर्ग सेमी.
B. 24 वर्ग सेमी.
C. 16 वर्ग सेमी.
D. 25 वर्ग सेमी.

22. वृत्ताकार घास के एक मैदान के बाहर चारों ओर समान चौड़ाई का एक रास्ता बना हुआ है। यदि मैदान की त्रिज्या 20 मी. तथा रास्ते का क्षेत्रफल, मैदान के क्षेत्रफल के बराबर हो तो रास्ते पर 5.60 रु. प्रति वर्ग मी. की दर से कंकड़ी बिछाने का खर्चा कितना होगा ?

A. 8070 रु. B. 7040 रु.
C. 7441 रु. D. 8860 रु.

23. 24 मी. लम्बे तथा 14 मी. चौड़े घास के एक मैदान के चारों ओर 1 मी. चौडी पगडंडी पर 20 सेमी. लम्बे वर्गाकार की कितनी टाइलें लगानी पड़ेंगी ?

A. 1800 B. 1980
C. 2000 D. 2200

उत्तरमाला

1	2	3	4	5	6	7	8	9	10
B	A	A	D	D	A	B	A	A	B
11	**12**	**13**	**14**	**15**	**16**	**17**	**18**	**19**	**20**
C	A	B	D	D	A	B	A	C	A
21	**22**	**23**							
B	B	C							

व्याख्यात्मक उत्तर

1. $\because$ वर्गाकार मैदान की भुजा = 30 मी.

वर्गाकार मैदान का क्षेत्रफल = $(\text{भुजा})^2 = (30)^2 = 900$ वर्ग सेमी.।

2. $\because$ वृत्त की परिधि $(2\pi R) = 352$ {जहाँ R त्रिज्या है}

$\therefore 2 \times \frac{22}{7} \times R = 352 \Rightarrow R = \frac{352 \times 7}{2 \times 22} = 56$

अतः वृत्त की त्रिज्या = 56 मी. होगी ।

3. माना कि बड़े व छोटे पहिए की त्रिज्या क्रमशः R_1 व R_2 सेमी. हैं

बड़े पहिए की परिधि $= 2\pi R_1$ सेमी.

तथा छोटे पहिए की परिधि $= 2\pi R_2$ सेमी

प्रश्नानुसार, $\frac{2\pi R_1}{2\pi R_2} = \frac{2}{1} \Rightarrow \frac{396}{2\pi R_2} = \frac{2}{1} \Rightarrow R_2 = \frac{396}{2 \times 2 \times \frac{22}{7}}$

$$\Rightarrow \quad R_2 = \frac{396 \times 7}{2 \times 2 \times 22} = 31.5$$

अतः छोटे पहिए की त्रिज्या या अर्द्धव्यास = 31.5 सेमी. होगा।

4. माना कि दो सकेन्द्रीय बड़े व छोटे वृत्तों की त्रिज्या क्रमशः R_1 व R_2 मी. है।

$\therefore$ बड़े वृत्त की परिधि $(2\pi R_1) = 176$ मी.

तथा छोटे वृत्त की परिधि $(2\pi R_2) = 132$ मी.

$\therefore 2\pi R_1 - 2\pi R_2 = 176 - 132 \Rightarrow 2\pi(R_1 - R_2) = 44$

$$\Rightarrow \quad R_1 - R_2 = \frac{44}{2 \times \frac{22}{7}} = 7$$

अतः स्पष्ट होता है कि दोनों वृत्तों की त्रिज्याओं में अन्तर = 7 मी. होगा।

5. $\because$ आयताकार मैदान का क्षेत्रफल = $80 \times 40 = 3200$ वर्ग मी.

तथा रास्ते सहित मैदान का क्षेत्रफल = $90 \times 50 = 4500$ वर्ग मी.

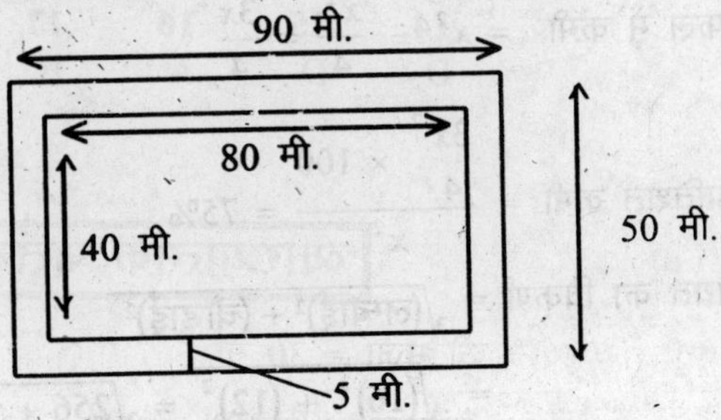

$\therefore$ रास्ते का क्षेत्रफल = $4500 - 3200 = 1300$ वर्ग मी.।

6. $\because$ वृत्ताकार खण्ड की त्रिज्या = 14 मी.
वृत्ताकार खण्ड का क्षेत्रफल

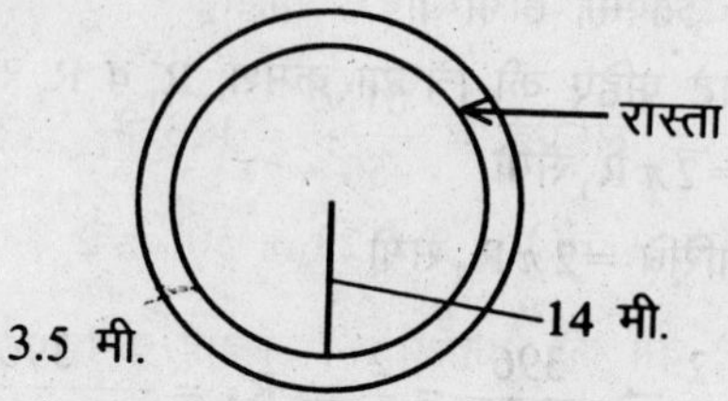

$$= \pi \times \text{त्रिज्या}^2 = \frac{22}{7} \times 14 \times 14 = 616 \text{ वर्ग मी.}$$

तथा रास्ते सहित वृत्ताकार खण्ड की त्रिज्या = 14 + 3.5 = 17.5 मी.
$\therefore$ रास्ते सहित वृत्ताकार खण्ड का क्षेत्रफल

$$= \pi \times \text{त्रिज्या}^2 = \frac{22}{7} \times 17.5 \times 17.5 = 962.5 \text{ वर्ग मी.}$$

$\therefore$ रास्ते का क्षेत्रफल = 962.5 − 616 = 346.5 वर्ग मी.।

7. माना कि वर्ग की भुजा = x
$\therefore$ वर्ग का क्षेत्रफल = $(\text{भुजा})^2 = x^2$
प्रश्नानुसार, वर्ग की भुजा में 50% कमी होने पर नई भुजा

$$= x - x \text{ का } 50\% = x - \frac{x}{2} = \frac{x}{2}$$

$$\therefore \text{ वर्ग का नया क्षेत्रफल } = \left(\frac{x}{2}\right)^2 = \frac{x^2}{4}$$

$$\therefore \quad \text{क्षेत्रफल में कमी } = x^2 - \frac{x^2}{4} = \frac{3x^2}{4}$$

$$\therefore \quad \text{प्रतिशत कमी} = \frac{\frac{3x^2}{4} \times 100}{x^2} = 75\%.$$

$$\because \quad \text{आयत का विकर्ण} = \sqrt{(\text{लम्बाई})^2 + (\text{चौड़ाई})^2}$$

$$= \sqrt{(16)^2 + (12)^2} = \sqrt{256 + 144}$$

$$= \sqrt{400} = 20 \text{ मी.।}$$

9. आयताकार मैदान का क्षेत्रफल = लम्बाई × चौड़ाई

$\therefore$ 6150 = लम्बाई × 50 $\Rightarrow$ लम्बाई $= \frac{6150}{50} = 123$ मी.

मैदान का परिमाप = 2 (ल. + चौ.) = 2 (123 + 50) = 2 × 173 = 346 मी.।

10. माना कि बड़े व छोटे वर्ग की भुजाओं की लम्बाई क्रमशः x व y मी. है

$\therefore$ बड़े व छोटे वर्ग का क्षेत्रफल क्रमश x^2 व y^2 वर्ग मी. होगा

प्रश्नानुसार, $x^2 - y^2 = 700 \Rightarrow (40)^2 - y^2 = 700 \Rightarrow y^2 = 1600 - 700$

$\Rightarrow y^2 = 900 \Rightarrow y = 30$

अतः छोटे वर्ग की भुजा = 30 मी. होगी।

11. माना कि आयताकार प्लाट की भुजाएं अर्थात् लम्बाई व चौड़ाई क्रमशः $3x$ मी. व $2x$ मी. हैं।

$\therefore$ प्लाट का क्षेत्रफल = $3x \times 2x = 6x^2$ वर्ग मी.

प्रश्नानुसार, $6x^2 = 5400 \Rightarrow x^2 = \frac{5400}{6} = 900 \Rightarrow x = 30$

अतः प्लाट की लम्बाई व चौड़ाई क्रमशः 3 × 30 = 90 मी. तथा 2 × 30 = 60 मी. होगी।

$\therefore$ आयताकार प्लाट का परिमाप = 2 (ल. + चौ.) = 2 (90 + 60) = 2 ×150 = 300 मी.

12. कमरे की चारों दीवारों का क्षेत्रफल = 2 × ऊ. (ल. + चौ.)
= 2 × 2.5 (5 + 4) = 5 × 9 = 45 वर्ग मी.।

13. $\because$ शंकु का आयतन $= \frac{1}{3}\pi \times$ त्रिज्या^{2} × ऊंचाई

प्रश्नानुसार, आधार वृत्त की त्रिज्या $= \frac{14}{2} = 7$ सेमी.

तथा शंकु की ऊंचाई = 7 सेमी.

$\therefore$ शंकु का आयतन $= \frac{1}{3} \times \frac{22}{7} \times 7 \times 7 \times 7 = 359.3$ घन सेमी.।

14. $\because$ कुएं का व्यास = 8 मी., $\therefore$ कुएं की त्रिज्या = 4 मी.
तथा खोदी गई मिट्टी की गहराई = 14 मी.

$\therefore$ मिट्टी का आयतन $= \pi \times$ (त्रिज्या)^2 × ऊंचाई (गहराई)

$= \frac{22}{7} \times 4 \times 4 \times 14 = 704$ घन मी.।

15. $\because$ शंकु की ऊंचाई $(h) = 27$ सेमी. तथा शंकु की त्रिज्या $(r) = 6$ सेमी.

$\therefore$ शंकु का आयतन $= \frac{1}{3}\pi r^2 h = \frac{1}{3}\pi \times 6 \times 6 \times 27$ घन सेमी.

$\therefore$ ऐसे 3 शंकुओं का आयतन $= 3 \times \frac{1}{3}\pi \times 6 \times 6 \times 27 = \pi \times 6 \times 6 \times 27$ घन सेमी.

प्रश्नानुसार, गोले का आयतन = 3 शंकुओं का आयतन

$$\frac{4}{3}\pi R^3 = \pi \times 6 \times 6 \times 27 \Rightarrow R^3 = \frac{6 \times 6 \times 27 \times 3}{4}$$

$\Rightarrow R^3 = 729 \Rightarrow R = 9$ सेमी.

अतः गोले की त्रिज्या (R) = 9 सेमी. होगी।

16. $\because$ गोदाम का आयतन $= 8 \times 6 \times 3$ घन मी.

तथा 1 बोरी का आयतन = 0.50 घन मी.

$\therefore$ रखी जाने वाली बोरियों की संख्या $= \frac{\text{गोदाम का आयतन}}{\text{1 बोरी का आयतन}}$

$$= \frac{8 \times 6 \times 3}{0.50} = 288 \text{ ।}$$

17. माना कि वृत्त की त्रिज्या R मी.

$\therefore$ वृत्त की परिधि $= 2\pi R$

$\therefore$ $2\pi R = 88 \Rightarrow R = \frac{88}{2\pi} = \frac{88}{2 \times \frac{22}{7}} = 14$

$\therefore$ वृत्त का क्षेत्रफल $= \pi R^2 = 196\pi$ वर्ग मी.।

$\because$ रास्ते सहित वृत्त की त्रिज्या $(R_1) = 14 + 2 = 16$ मी.

$\therefore$ रास्ते सहित वृत्त का क्षेत्रफल $= \pi R_1^2 = 256\pi$ वर्ग मी.।

$\therefore$ रास्ते का क्षेत्रफल $= 256\pi - 196\pi = 60\pi$ वर्ग मी.।

$$= 60 \times \frac{22}{7} = 188.6 \text{ वर्ग मी.।}$$

18. $\because$ कमरे की चारों दीवारों का क्षेत्रफल = 2 × ऊ. (ल. + चौ.)

$= 2 \times 3\,(6 + 4) = 6 \times 10 = 60$ वर्ग मी.

$\therefore$ 1.25 रु. प्रति वर्ग मी. की दर से रंग करवाने का खर्चा = 60 × 1.25 ...

19. माना कि आयताकार मैदान की लम्बाई व चौड़ाई क्रमशः x व y है।

$\therefore$ **पहली स्थिति में,** मैदान का क्षेत्रफल $= xy$ वर्ग इकाई

दूसरी स्थिति में, लम्बाई में 50% वृद्धि के कारण नई लम्बाई

$$= x + x \text{ का } 50\% = x + \frac{x}{2} = \frac{3x}{2}$$

तथा चौड़ाई में 10% कमी के कारण नई चौड़ाई $= y - y$ का $10\% = y - \dfrac{y}{10} = \dfrac{9y}{10}$

$\therefore$ मैदान का नया क्षेत्रफल $= \dfrac{3x}{2} \times \dfrac{9y}{10} = \dfrac{27xy}{20}$ वर्ग इकाई

क्षेत्रफल में वृद्धि $= \dfrac{27xy}{20} - xy = \dfrac{7xy}{20}$ वर्ग इकाई

प्रतिशत वृद्धि $= \dfrac{\dfrac{7xy}{20} \times 100}{xy} = 35\%$

20. प्रथम स्थिति में,

वर्गाकार कागज का क्षेत्रफल = (भुजा)^2 वर्ग इकाई $= x^2$ वर्ग इकाई

द्वितीय स्थिति में, भुजाओं में 30% व 40% कमी करने पर कागज के नए बने आयताकार टुकड़े की लम्बाई व चौड़ाई क्रमशः $\left(x - x \text{ का } 30\% = \dfrac{7x}{10}\right)$ व $\left(x - x \text{ का } 40\% = \dfrac{3x}{5}\right)$ होगी

आयताकार टुकड़े का क्षेत्रफल $= \dfrac{7x}{10} \times \dfrac{3x}{5} = \dfrac{21x^2}{50}$ वर्ग इकाई

क्षेत्रफल में कमी $= x^2 - \dfrac{21x^2}{50} = \dfrac{29x^2}{50}$ वर्ग इकाई

प्रतिशत कमी $= \dfrac{\dfrac{29x^2}{50} \times 100}{x^2} = 58\%$

21. समकोण त्रिभुज में (विकर्ण)^2 = (आधार)^2 + (लम्ब)^2

$\therefore \quad 10^2 = 8^2 +$ (लम्ब)^2

$\therefore \quad$ (लम्ब)$^2 = 10^2 - 8^2 = 100 - 64 = 36$

$\Rightarrow \quad$ लम्ब $= 6$

त्रिभुज का क्षेत्रफल = $\frac{1}{2}$ × आधार × लम्ब = $\frac{1}{2} \times 8 \times 6 = 24$ वर्ग मी.।

22. मैदान की त्रिज्या $(r) = 20$ मी.

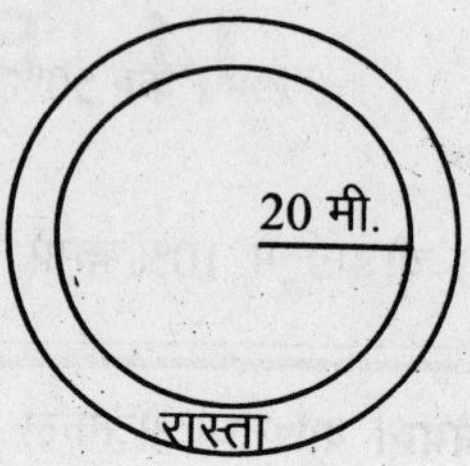

∴ मैदान का क्षेत्रफल = π × त्रिज्या² = $\frac{22}{7} \times (20)^2$ वर्ग मी.

प्रश्नानुसार, रास्ते का क्षेत्रफल = मैदान का क्षेत्रफल

∴ रास्ते का क्षेत्रफल = $\frac{22}{7} \times (20)^2$ वर्ग मी.

रास्ते पर 5.60 रु. प्रति वर्ग मी. की दर से कंकड़ी बिछाने का खर्चा

$$= \frac{22}{7} \times 400 \times 5.60 = 7040 \text{ रु.}$$

23.

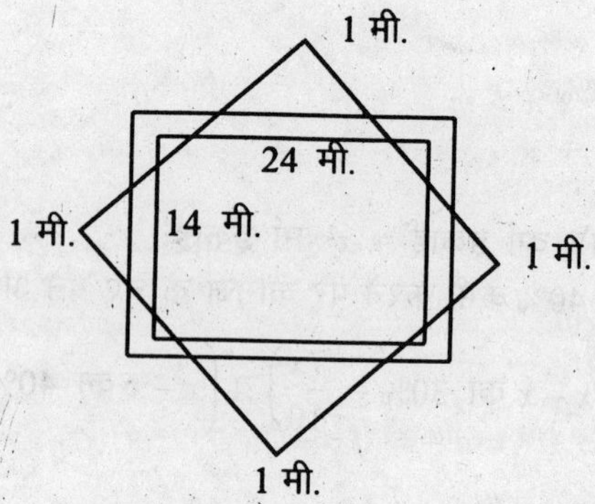

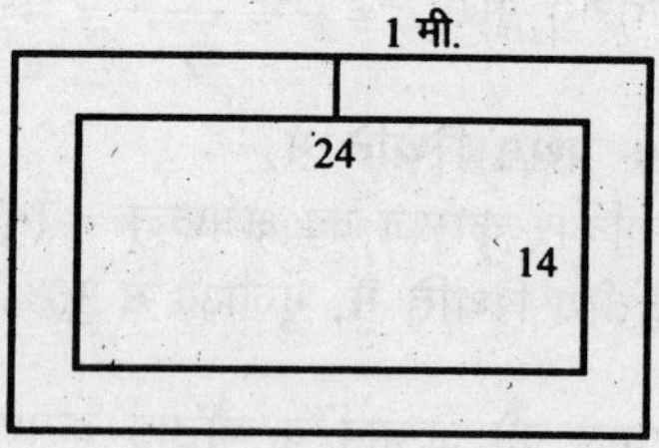

∴ घास के मैदान का क्षेत्रफल = ल. × चौ. = 24 × 14 = 336 वर्ग मी.

तथा पगडंडी सहित मैदान की लम्बाई = 24 + 2 = 26 मी.

∴ पगडंडी सहित मैदान की चौड़ाई = 14 + 2 = 16 मी.

∴ पगडंडी सहित मैदान का क्षेत्रफल = 26 × 16 = 416 वर्ग मी.

∴ पगडंडी का क्षेत्रफल = 416 − 336 = 80 वर्ग मी.

तथा पगडंडी की 1 वर्गाकार टाइल का क्षेत्रफल = $\frac{20}{100} \times \frac{20}{100}$ = .04 वर्ग मी.

∴ टाइलों की संख्या = $\frac{80}{.04} = 2000$.

❒ ❒ ❒

14. घातांक, करणी तथा लघुगणक

प्रमुख सूत्र :

(i) $x^m \times x^n = x^{m+n}$

(ii) $x^m \div x^n = \dfrac{x^m}{x^n} = x^{m-n};\ m > n$

(iii) $x^m \div x^n = \dfrac{x^m}{x^n} = \dfrac{1}{x^{n-m}};\ n > m$

(iv) $(x^m)^n = x^{mn}$

(v) $(xy)^m = x^m \times y^m$

(vi) $x^n = a \Rightarrow x = \sqrt[n]{a} = (a)^{1/n}$

(vii) $x^{p/q} = a \Rightarrow (x^{1/q})^p = a \Rightarrow x^{1/q} = a^{1/p} = \sqrt[q]{x} = \sqrt[p]{a}$

(viii) $x^0 = 1$

(ix) $\sqrt{a} \times \sqrt{a} = a$

(x) $\sqrt{a} \times \sqrt{b} = \sqrt{ab}$

(xi) $\left(\sqrt{a}+\sqrt{b}\right)^2 = a+b+2\sqrt{ab}$

(xii) $\left(\sqrt{a}-\sqrt{b}\right)^2 = a+b-2\sqrt{ab}$

(xiii) $x\sqrt{a}+x\sqrt{b} = x\left(\sqrt{a}+\sqrt{b}\right)$

(xiv) $\frac{1}{\sqrt{a}+\sqrt{b}}=\frac{1}{\sqrt{a}+\sqrt{b}}\times\frac{\sqrt{a}-\sqrt{b}}{\sqrt{a}-\sqrt{b}}=\frac{\sqrt{a}-\sqrt{b}}{a-b}$

(xv) $\frac{1}{\sqrt{a}-\sqrt{b}}=\frac{1}{\sqrt{a}-\sqrt{b}}\times\frac{\sqrt{a}+\sqrt{b}}{\sqrt{a}+\sqrt{b}}=\frac{\sqrt{a}+\sqrt{b}}{a-b}$

(xvi) $a+\sqrt{b}=c+\sqrt{d} \Rightarrow a = c$ तथा $b = d$

(xvii) $\sqrt{2} = 1.41421$, $\sqrt{3} = 1.73205$, $\sqrt{5} = 2.23607$, $\sqrt{6} = 2.4494$,

$\sqrt{7} = 2.64575$, $\sqrt{8} = 2.82842$, $\sqrt{10} = 3.16227$, $\sqrt{11} = 3.31662$

(xviii) $\log_{10}10 = 1, \log_{10}1 = 0$

(xix) $\log (mn) = \log m + \log n$

(xx) $\log\frac{m}{n} = \log m - \log n$

(xxi) $\log_e m^n = n\log_e m$

उदाहरण 1. $a^3 \times a^4 \times a^7$ का मान कितना होगा?

हलः $a^3 \times a^4 \times a^7 = a^{3+4+7} = a^{14}$ **उत्तर**

उदाहरण 2. $a^9 \div a^7$ का मान ज्ञात कीजिए।

हलः $\frac{a^9}{a^7} = a^{9-7} = a^2$ **उत्तर**

उदाहरण 3. $\left[\left(\frac{2^{-1}}{3^{-4}}\right)^7 \div \left(\frac{3^{-5}}{2^{-2}}\right)^{-5}\right] 2^{-4} \cdot 3^{-2}$ का मान ज्ञात कीजिए।

हलः $\left(\frac{2^{-1}}{3^{-4}}\right)^7 = \frac{2^{-1\times7}}{3^{-4\times7}} = \frac{2^{-7}}{3^{-28}}$ या $\frac{3^{28}}{2^7}$

तथा $\left(\frac{3^{-5}}{2^{-2}}\right)^{-5} = \frac{3^{-5\times-5}}{2^{-2\times-5}} = \frac{3^{25}}{2^{10}}$

$$\therefore \left[\left(\frac{2^{-1}}{3^{-4}}\right)^{7} \div \left(\frac{3^{-5}}{2^{-2}}\right)^{-5}\right] 2^{-4}\, 3^{-2}$$

$$= \left(\frac{3^{28}}{2^{7}} \div \frac{3^{25}}{2^{10}}\right) 2^{-4} \cdot 3^{-2} = \frac{3^{28} \times 2^{10} \times 2^{-4} \times 3^{-2}}{2^{7} \times 3^{25}}$$

$$= 3^{28-25-2} \times 2^{10-4-7} = 3^{1} \times 2^{-1} = \frac{3}{2}$$

उदाहरण 4. $(5x^4)^2 \cdot (3y^3)^4$ का मान ज्ञात कीजिए।

हलः $(5x^4)^2\,(3y^3)^4 = 5^2 \cdot (x^4)^2 \cdot 3^4 \cdot (y^3)^4$

$$= 25x^{4 \times 2} \cdot 81y^{3 \times 4} = 2025\, x^8 y^{12}$$

उदाहरण 5. $\left[\sqrt[3]{x^2 y^5}\right]^6$ का मान ज्ञात कीजिए।

हलः $\left[\sqrt[3]{x^2 y^5}\right]^6 = \left[\left(x^2 \cdot y^5\right)^{1/3}\right]^6 = \left[x^{2/3} \cdot y^{5/3}\right]^6$

$$= x^{2/3 \times 6} \cdot y^{5/3 \times 6} = x^4 \cdot y^{10}$$

उदाहरण 6. $\dfrac{1}{\sqrt{3}-1}$ का मान ज्ञात कीजिए।

हलः $\dfrac{1}{\sqrt{3}-1} = \dfrac{1}{\sqrt{3}-1} \times \dfrac{\sqrt{3}+1}{\sqrt{3}+1} = \dfrac{\sqrt{3}+1}{3-1} = \dfrac{\sqrt{3}+1}{2}$

$$= \frac{1.73205+1}{2} = \frac{2.73205}{2} = 1.36602$$

उदाहरण 7. $3^{\frac{1}{4}}, 2^{\frac{1}{3}}$ तथा $5^{\frac{1}{6}}$ का आरोही क्रम लिखिए।

हलः $3^{\frac{1}{4}} = 3^{\frac{3}{12}} = \left(3^3\right)^{\frac{1}{12}} = (27)^{\frac{1}{12}}$

$$2^{\frac{1}{3}} = 2^{\frac{4}{12}} = \left(2^4\right)^{\frac{1}{12}} = (16)^{\frac{1}{12}}$$

$$5^{\frac{1}{6}} = 5^{\frac{2}{12}} = \left(5^2\right)^{\frac{1}{12}} = (25)^{\frac{1}{12}}$$

$$\therefore\ 2^{\frac{1}{3}} < 5^{\frac{1}{6}} < 3^{\frac{1}{4}}$$ **उत्तर**

उदाहरण 8. $\log_a b \cdot \log_c a \cdot \log_b c$ का मान ज्ञात करो।

हल: $\log_a b \cdot \log_c a \cdot \log_b c = \frac{\log b}{\log a} \cdot \frac{\log a}{\log c} \cdot \frac{\log c}{\log b} = 1$

उदाहरण 9. $\log_{3\sqrt{3}} 729$ का मान ज्ञात करो।

हल: $\log_{3\sqrt{3}} 729 = \log_{(3\sqrt{3})}\left(3\sqrt{3}\right)^4$

$= 4\log_{(3\sqrt{3})}\left(3\sqrt{3}\right) = 4$ **उत्तर**

उदाहरण 10. अगर $\log x + \log(x+3) = 1$ हो तो x का मान ज्ञात कीजिए।

हल:

$\log x + \log(x-3) = 1$

$\log x + \log(x-3) = \log 10$

$\log x(x-3) = \log 10$

$\therefore$ $x(x-3) = 10$

या $x^2 - 3x = 10$

या $x^2 - 3x - 10 = 0$

या $x^2 - 5x + 2x - 10 = 0$

$(x-5)(x+2) = 0$

$\therefore$ $x = 5, -2$

अभ्यासमाला

नीचे दिये गए प्रत्येक प्रश्नों के चार संभावित उत्तर विकल्प दिये गये हैं। जिनमें एक विकल्प सही है, उस सही विकल्प का सावधानी पूर्वक चुनाव कीजिए।

1. $(8)^{-(2^{-2})}$ का मान कितना होगा?

A. $2^{-1/4}$ B. $2^{-3/4}$ C. $2^{3/4}$ D. $2^{-1/2}$

2. $27^3 \times 3^4 \div 3^{10}$ का मान कितना होगा?

A. 9 B. 27 C. 81 D. $\frac{1}{27}$

3. $\dfrac{a^{-3} \cdot a^{-4}}{a^{-5}}$ का घन घातंकीय रूप में मान क्याा होगा?

A. a^2 B. $\dfrac{1}{a^3}$ C. $\dfrac{1}{a^4}$ D. $\dfrac{1}{a^2}$

4. $\dfrac{x^{-2} \cdot y^{-4}}{x^{-3} \cdot y^{-1}} \div \dfrac{y^{-2}}{x^{-1}}$ का मान कितना होगा?

A. y B. $\dfrac{1}{y}$ C. xy D. $\dfrac{1}{xy}$

5. $\left(\dfrac{x}{y}\right)^{a-b} \cdot \left(\dfrac{x}{y}\right)^{b-c} \cdot \left(\dfrac{x}{y}\right)^{c-a}$ का मान क्या होगा?

A. 1 B. 0 C. xyz D. $x^2y^2z^2$

6. $\left(\dfrac{x^b}{x^c}\right)^{\frac{1}{bc}} \times \left(\dfrac{x^c}{x^a}\right)^{\frac{1}{ac}} \times \left(\dfrac{x^a}{x^b}\right)^{\frac{1}{ab}}$ का मान क्या होगा?

A. x^{b^2-ac} B. $\dfrac{1}{x^{(ab+b^2-c^2)}}$

C. $x^{(a^3+b^3+c^3-abc)}$ D. 1

7. यदि $\sqrt{2} = 1.4142$ हो तो $\dfrac{1}{2}\left(\dfrac{\sqrt{2}-1}{\sqrt{2}+1}\right)$ का मान कितना होगा?

A. .0768 B. .0658 C. .0858 D. .0458

8. $\sqrt{\left(5+\dfrac{4}{9}\right)}$ का मान होगा?

A. $3\dfrac{1}{3}$ B. $2\dfrac{1}{6}$ C. $4\dfrac{1}{3}$ D. $2\dfrac{1}{3}$

9. $\sqrt[3]{8^4}$ का मान कितना होगा?

A. 15 B. 9 C. 16 D. 25

10. $\left(\sqrt{80}+3\times\sqrt{245}-\sqrt{125}\right)$ का मान कितना होगा?

A. $18\sqrt{5}$ B. $20\sqrt{5}$ C. $22\sqrt{5}$ D. $28\sqrt{5}$

11. यदि $12\times4^{\frac{1}{3}}$ को $3\sqrt{2}$ से भाग दिया जाये तब भागफल का मान होगा –

A. 2 B. $\sqrt{15}$ C. 3 D. 4

12. व्यंजक $\left(\dfrac{\sqrt{7}+\sqrt{5}}{\sqrt{7}-\sqrt{5}}\right)$ का मान होगा।

A. $6-\sqrt{35}$ B. $2+\sqrt{35}$ C. $4-\sqrt{35}$ D. $6+\sqrt{35}$

13. व्यंजक $\left(2+\sqrt{2}\right)+\left(\dfrac{1}{2+\sqrt{2}}\right)$ का मान क्या होगा?

A. $\dfrac{6+\sqrt{2}}{2}$ B. $\dfrac{3+\sqrt{2}}{2}$ C. $\dfrac{6-\sqrt{2}}{2}$ D. $\dfrac{6+\sqrt{2}}{4}$

14. यदि $10+2\sqrt{6}=x+y+\sqrt{xy}$ हो तो x तथा y के मान क्रमशः होंगे–

A. 6, 3 B. 4, 6 C. 5, 8 D. 8, 5

15. $\log_a x^2-\log_a x^2$ का मान है:

A. 1 B. 0 C. 3 D. 2

16. $\log_2 32-\log_2 4$ का मान है:

A. 8 B. 7 C. 4 D. 2

17. $\log_5 125-\log_5 125$ का मान है:

A. 1 B. 0 C. 2 D. 3

18. यदि $\log x=2$ हो, तो $\log (x)^n$ का मान होगा:

A. $(2)^n$ B. $2n$ C. 3 D. 4

19. $\log_4 16=?$

A. 8 B. 21 C. 4 D. 2

20. यदि $\log_a 32=5$ हो, तो a का मान होगा:

A. 4 B. 3 C. 2 D. 5

व्याख्यात्मक उत्तर

1. B: $\because 81^{-(2^{-2})} = 81^{-\left(\frac{1}{2^2}\right)} = 8^{-\frac{1}{4}} = \frac{1}{8^{\frac{1}{4}}} = \frac{1}{(2\times2\times2)^{\frac{1}{4}}} = \frac{1}{(2)^{\frac{3}{4}}} = 2^{-\frac{3}{4}}$

2. B: $\because 27^3 \times 3^4 \div 3^{10} = 27^3 \times \frac{3^4}{3^{10}}$

$$\frac{(3\times3\times3)^3}{3^{10}} = \frac{(3^3)^3 \times 3^4}{3^{10}} = \frac{3^9 \times 3^4}{3^{10}} = \frac{3^{9+4}}{3^{10}} = \frac{3^{13}}{3^{10}}$$

$= 3^{13-10} = 3^3 = 3 \times 3 \times 3 = 27.$

3. D: $\because \frac{a^{-3}.a^{-4}}{a^{-5}} = \frac{a^5}{a^3.a^4} = \frac{a^5}{a^7} = \frac{1}{a^{7-5}} = \frac{1}{a^2}$

अतः $\frac{a^{-3}.a^{-4}}{a^{-5}}$ का घातांकीय रूप में मान $= \frac{1}{a^2}$ होगा।

4. B: $\because \frac{x^{-2}\cdot y^{-4}}{x^{-3}\cdot y^{-1}} \div \frac{y^{-2}}{x^{-1}} = \frac{x^{-2}y^{-4}\cdot x^{-1}}{x^{-3}\cdot y^{-1}\cdot y^{-2}} = x^0 y^{-1} = \frac{1}{y}$

5. A: $\because \left(\frac{x}{y}\right)^{a-b} \cdot \left(\frac{x}{y}\right)^{b-c} \cdot \left(\frac{x}{y}\right)^{c-a}$

$= \left(\frac{x}{y}\right)^{a-b+b-c+c-a} = \left(\frac{x}{y}\right)^0 = 1$

6. D: $\because \left(\frac{x^b}{x^c}\right)^{\frac{1}{bc}} = \left(x^{b-c}\right)^{\frac{1}{bc}} = x^{\frac{b-c}{bc}} = x^{\frac{1}{c}-\frac{1}{b}}$

इसी प्रकार $\left(\frac{x^c}{x^a}\right)^{\frac{1}{ac}} = x^{\frac{1}{a}-\frac{1}{c}}$

तथा $\left(\dfrac{x^a}{x^b}\right)^{\frac{1}{ab}} = x^{\frac{1}{b}-\frac{1}{a}}$

$$\therefore \left(\frac{x^b}{x^c}\right)^{\frac{1}{bc}} \cdot \left(\frac{x^c}{x^a}\right)^{\frac{1}{ac}} \cdot \left(\frac{x^a}{x^b}\right)^{\frac{1}{ab}}$$

$$= x^{\frac{1}{c}-\frac{1}{b}} \cdot x^{\frac{1}{a}-\frac{1}{c}} \cdot x^{\frac{1}{b}-\frac{1}{c}} = x^{\frac{1}{c}-\frac{1}{b}+\frac{1}{a}-\frac{1}{c}+\frac{1}{b}-\frac{1}{a}}$$

$= x^0 = 1.$

7. C: $\because \dfrac{1}{2}\left(\dfrac{\sqrt{2}-1}{\sqrt{2}+1}\right) = \dfrac{1}{2} \times \dfrac{\sqrt{2}-1}{\sqrt{2}+1} \times \dfrac{\sqrt{2}-1}{\sqrt{2}-1} = \dfrac{1}{2} \times \dfrac{(\sqrt{2}-1)^2}{(\sqrt{2})^2 - 1^2}$

$$= \frac{1}{2} \times \frac{2+1-2\sqrt{2}}{2-1} = \frac{1}{2} \times \frac{3-2\sqrt{2}}{1}$$

$$= \frac{1}{2} \times (3 - 2 \times 1.4142) = \frac{1}{2} \times 0.1716 = .0858.$$

8. D: $\because \sqrt{5+\dfrac{4}{9}} = \sqrt{\dfrac{45+4}{9}} = \sqrt{\dfrac{49}{9}} = \dfrac{7}{3} = 2\dfrac{1}{3}$

9. C: $\because \sqrt[3]{8^4} = (8)^{\frac{4}{3}} = (2^3)^{\frac{4}{3}} = (2^3)^{\frac{4}{3}} = 2^{3\times\frac{4}{3}} = 2^4 = 16$

10. B: $\because \sqrt{80} + 3\times\sqrt{245} - \sqrt{125} = \sqrt{16\times5} + 3\times\sqrt{49\times5} - \sqrt{25\times5}$

$$= 4\sqrt{5} + 21\sqrt{5} - 5\sqrt{5} = 20\sqrt{5}$$

11. D: प्रश्नानुसार, $\dfrac{12\times4^{\frac{1}{3}}}{3\sqrt{2}} = \dfrac{12\times2^{\frac{2}{3}}}{3\times2^{\frac{1}{2}}} \times \dfrac{2^{\frac{1}{2}}}{2^{\frac{1}{2}}}$

12. B: $\because \dfrac{\sqrt{7}+\sqrt{5}}{\sqrt{7}-\sqrt{5}} = \dfrac{\sqrt{7}+\sqrt{5}}{\sqrt{7}-\sqrt{5}} \times \dfrac{\sqrt{7}+\sqrt{5}}{\sqrt{7}+\sqrt{5}} = \dfrac{(\sqrt{7}+\sqrt{5})^2}{(\sqrt{7}-\sqrt{5})^2}$

$$= \frac{7+5+2\sqrt{35}}{7-5} = \frac{12+2\sqrt{35}}{2} = 6+\sqrt{35}$$

13. A: $\because\ 2+\sqrt{2}+\frac{1}{2+\sqrt{2}} = 2+\sqrt{2}+\frac{1}{2+\sqrt{2}}\times\frac{2-\sqrt{2}}{2-\sqrt{2}}$

$$= 2+\sqrt{2}+\frac{2-\sqrt{2}}{4-2} = 2+\sqrt{2}+\frac{2-\sqrt{2}}{2} = \frac{4+2\sqrt{2}+2-\sqrt{2}}{2} = \frac{6+\sqrt{2}}{2}$$

14. B: $\because\ 10 + 2\sqrt{6} = x + y + \sqrt{xy} \Rightarrow x + y = 10$ ..... (1)

तथा $\sqrt{xy} = 2\sqrt{6}$

$\because\ \sqrt{xy} = 2\sqrt{6} \Rightarrow xy = 4 \times 6 = 24$ ..... (2)

तथा $(x - y)^2 = (x + y)^2 - 4xy = (10)^2 - 4 \times 24 = 100 - 96 = 4$

$\therefore\ x - y = \pm 2$ ..... (3)

समी० (1) व (2) से, $2x = 10 \pm 2 \Rightarrow x = 6$ या 4

तथा $2y = 10 \pm 2 \Rightarrow y = 6$ या 6

15. B: **16. B:** **17. A:** **18. B:** **19. D:** **20. C:**

---

15. रेखागणित

1. **रेखा (Line):** वह दूरी जो दो बिन्दुओं को आपस में जोड़ती है; **रेखा** कहलाती है। इसकी कोई चौड़ाई, लम्बाई और मोटाई नहीं होती यह असीमित होती है। रेखाएं दो प्रकार की होती हैं — 1. सरल रेखा 2. वक्र रेखा
2. **बिन्दु (Point):** जहाँ दो सीधी रेखाएं आपस में एक-दूसरे को काटती हैं **बिन्दु** कहलाती है। इसकी न लम्बाई होती है; न चौड़ाई और न मोटाई।
3. **समान्तर रेखाएँ (Parallel Straight Lines):** दो रेखाएं जो एक ही तल में स्थित हों और जो प्रतिच्छेदन न करती हों, **समान्तर रेखाएँ** कहलाती हैं।
4. **कोण (Angle):** एक ही आद्य-बिन्दु से खींची गई दो किरणों से बनने वाली आकृति को **कोण** कहते हैं। उभयनिष्ठ आद्य-बिन्दु कोण का शीर्ष कहलाता है और कोण बनाने वाली दो रेखाएँ इसकी भुजा कहलाती हैं।

5. **न्यून कोण (Acute Angle):** ऐसा कोण जिसका माप 0° से अधिक तथा 90° से कम हो **न्यून कोण** कहलाता है।

6. **पुनयुर्क्त या वृहत् कोण (Reflex Angle):** वह कोण जिसका माप 180° से अधिक तथा 360° से कम हो वृहत् कोण कहलाता है।

समकोण (Right angle): वो कोण जिसका पूरा नाप 90° का हो **समकोण** कहलाता है।

अधिक कोण (Obtuse Angle): वो कोण जिसका नाप 90° से अधिक हो परन्तु 180° से कम हो **अधिक कोण** कहलाता है।

कोटिपूरक कोण (Complementary Angle): वो दो कोण जिनका योगफल 90° हो और जो एक-दूसरे के पूरक हों **कोटिपूरक कोण** कहलाता है।

सम्पूरक कोण (Supplementary Angle): ऐसे दो कोण जिनका योगफल 180° हो तथा प्रत्येक कोण दूसरे का सम्पूरक हो उसे **सम्पूरक कोण कहते हैं।**

आसन्न कोण (Adjacent Angle): वे दो कोण जिनका शीर्ष बिन्दु एक ही बिन्दु हो तथा उनकी एक उभयनिष्ठ भुजा कोण की दूसरी भुजा के एक ओर हो, और दूसरे कोण की दूसरी भुजा उभयनिष्ठ भुजा के दूसरी ओर हो **आसन्न कोण** कहलाता है।

कोणों का रैखिक युग्म (A linear Pair of Angles): वो दो आसन्न कोण जिनकी विभिन्न भुजाएं दो विपरीत किरणें हों, **कोणों का रैखिक युग्म** कहलाती हैं।

1. **विषमबाहु त्रिभुजः** जिस त्रिभुज की तीनों भुजाएं असमान हों विषमबाहु त्रिभुज कहलाता है।

2. **समद्विबाहु त्रिभुजः** जिस त्रिभुज की दो भुजाएं आपस में बराबर हों वो समद्विबाहु त्रिभुज कहलाता है।

3. **समबाहु या समत्रिबाहु त्रिभुजः** जिसकी तीनों भुजाएं बराबर हों समबाहु या समत्रिबाहु त्रिभुज कहलाता है।

चतुर्भुज (Quadrilateral): चार सरल रेखाओं से घिरी एक समतल आकृति चतुर्भुज कहलाती है। चतुर्भुज का एक विकर्ण इसको दो त्रिभुजों ACD तथा ABC में विभाजित करता है।

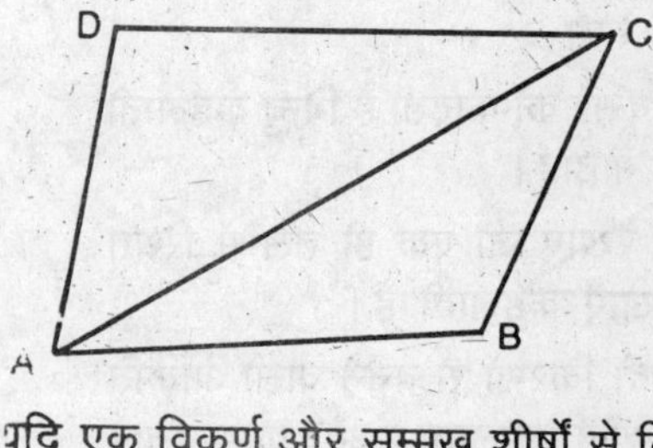

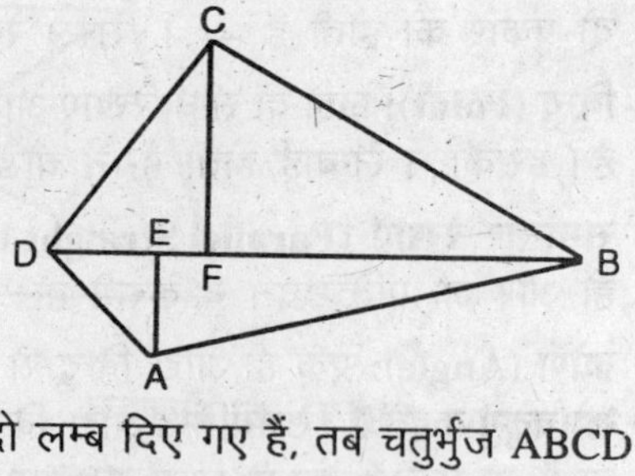

यदि एक विकर्ण और सम्मुख शीर्षों से विकर्ण पर दो लम्ब दिए गए हैं, तब चतुर्भुज ABCD का क्षेत्रफल

$= \Delta ABD$ का क्षेत्रफल $+ \Delta CBD$ का क्षेत्रफल

$$= \frac{1}{2}\ [BD \times AE] + \frac{1}{2}\ (BD \times CF)$$

$$= \frac{1}{2}\ BD \times (AE + CF)$$

$= \frac{1}{2} \times$ विकर्ण $\times$ सम्मुख शीर्षों से विकर्ण पर खींचे गए लम्बों की लम्बाईयों का योग

चतुर्भुज का क्षेत्रफल

$\frac{1}{2} \times$ एक विकर्ण $\times$ सम्मुख शीर्षों से इन विकर्ण पर खींचे गए लम्बों की लम्बाईयों का योग

समान्तर चतुर्भुज (Parallelogram): यह चार भुजाओं की एक समतल आकृति होती है, जिसकी सम्मुख भुजाएं समान्तर तथा बराबर होती हैं। एक समान्तर चतुर्भुज के सम्मुख कोण बराबर होते हैं।

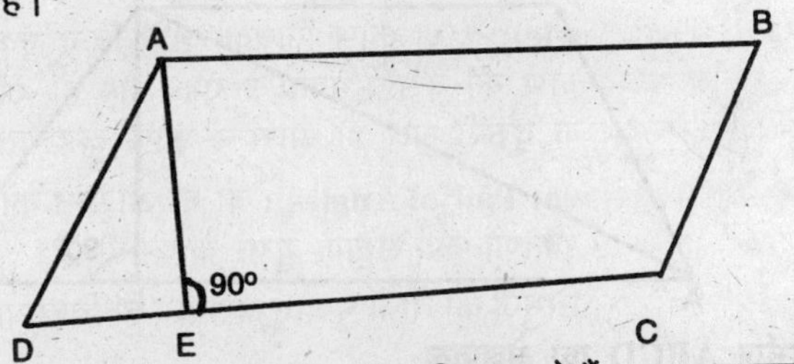

समान्तर चतुर्भुज के विकर्ण एक-दूसरे को समद्विभाजित करते हैं। समान्तर चतुर्भुज का प्रत्येक विकर्ण इसको दो बराबर भागों में विभाजित करता है।

समान्तर चतुर्भुज का क्षेत्रफल = आधार × ऊँचाई

समान्तर चतुर्भुज ABCD का क्षेत्रफल = CD × AE

समचतुर्भुज (Rhombus): यह चार भुजाओं की एक समतल आकृति है, जिसकी चारों भुजाएं बराबर होती हैं।

समचतुर्भुज के विकर्ण एक-दूसरे को समकोण पर समद्विभाजित करते हैं।

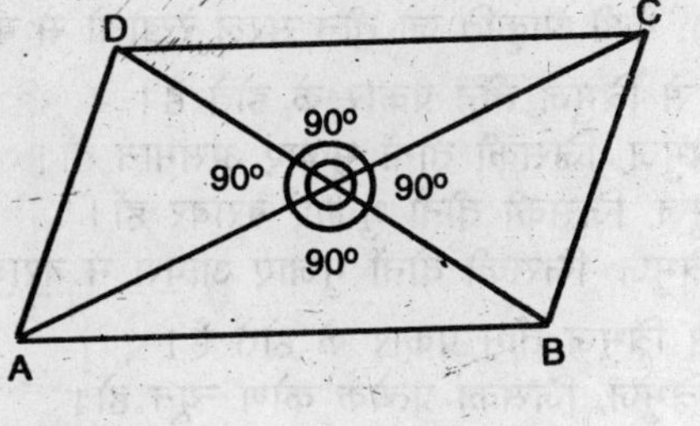

समचतुर्भुज ABCD का क्षेत्रफल

= क्षेत्रफल ΔABC + क्षेत्रफल ΔABC

$$= \frac{1}{2} \times (AC \times DO) + \frac{1}{2} \times (AC \times BO)$$

$$= \frac{1}{2} \times AC\,(DO + BO)$$

$$= \frac{1}{2} \times AC \times BD$$

$= \frac{1}{2} \times$ दोनों विकर्णों का गुणनफल

समलम्ब चतुर्भुज (Trapezium): यह चार भुजाओं की एक समतल आकृति है, जिसकी एक युग्म सम्मुख भुजाएं समान्तर तथा असमान होती हैं।

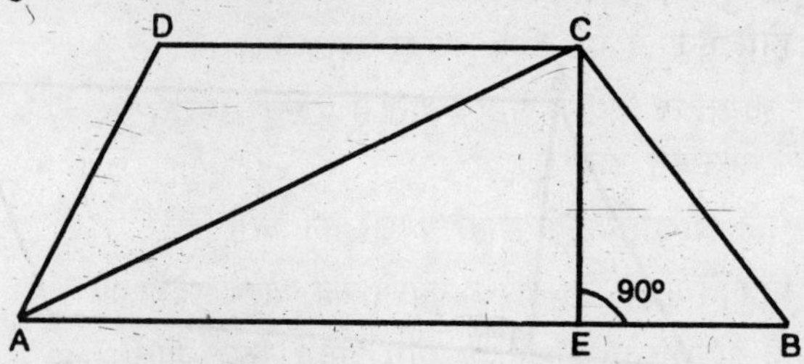

समलम्ब चतुर्भुज ABCD का क्षेत्रफल

= क्षे॰ ΔABC + क्षे॰ ΔADC

$$= \frac{1}{2}\,(AB \times CE) + \frac{1}{2}\,(DC \times CE)$$

$$= \frac{1}{2}\,CE \times (AB + DC)$$

$= \frac{1}{2} \times$ ऊँचाई $\times$ समान्तर भुजाओं की लम्बाई का योग

त्रिभुज (Triangle): ऐसी आकृति जो तीन सरल रेखाओं से बनी हो त्रिभुज कहलाती है भुजाओं के विचार से त्रिभुज तीन प्रकार के होते हैं।

1. विषमबाहु त्रिभुज, जिसकी तीनों भुजाएं असमान हों।
2. समबाहु त्रिभुज, जिसकी तीनों भुजाएं बराबर हों।
3. समद्विबाहु त्रिभुज, जिसकी दोनों भुजाएं आपस में बराबर हों।

कोणों के विचार से त्रिभुज तीन प्रकार के होते हैं।

1. न्यून कोण त्रिभुज, जिसका प्रत्येक कोण न्यून हो।
2. अधिक कोण त्रिभुज, जिसका एक कोण 90° से बड़ा हो
3. समकोण त्रिभुज, जिसका एक कोण 90° का हो।

त्रिभुज के आन्तरिक कोणों का योग = 180°

महत्त्वपूर्ण सूत्रः

1. समबाहु त्रिभुज का प्रत्येक कोण 60° का होता है।
2. एक सरल रेखा के ऊपर बने सभी कोणों का योग 180° होता है।
3. एक बिन्दु पर बने कोणों का योग 360° होता है।
4. यदि किसी कोण की भुजाओं के समानान्तर दूसरे कोण की भुजाएं हो तो कोण बराबर होते हैं।
5. यदि दो रेखाएं समानान्तर हों तथा एक तिर्यक् रेखा उन्हें दो बिन्दुओं पर काटे तो (*i*) एक ही ओर बने अन्तः कोणों का योग 180° होता है, (*ii*) एकान्तर कोण समान होते हैं, (*iii*) संगत कोण समान होते हैं।
6. समद्विबाहु त्रिभुज में दो कोण बराबर होते हैं।
7. वर्ग तथा आयत के विकर्ण समान होते हैं परन्तु समचतुर्भुज तथा समानान्तर चतुर्भुज के विकर्ण असमान होते हैं।
8. सभी बहुभुज आकृतियों के बाह्य कोणों का योग सदैव 360° होता है।
9. बहुभुज आकृतियों के आन्तरिक कोणों का योग सदैव 90° होता है।
10. चतुर्भुज के आन्तरिक कोणों का योग सदैव 360° होता है।
11. पंचभुज के आन्तरिक कोणों का योग सदैव 540° होता है।
12. षटभुज के आन्तरिक कोणों का योग सदैव 720° होता है।

अभ्यास के लिए प्रश्नः

1. यदि एक त्रिभुज के कोण 2 : 3 : 4 के अनुपात में हों तो तीनों कोण ज्ञात कीजिए।
A. 60, 70, 50　B. 40, 60, 80　C. 60, 80, 40　D. 30, 60, 90

2. यदि एक चतुर्भुज के तीन कोण 100°, 48° और 92° के हों तो चौथा कोण ज्ञात करो।
A. 130°　B. 120°　C. 160°　D. 140°

3. एक समबाहुभुज के प्रत्येक कोण का माप 108° हो, तो भुजाओं की संख्या बताओ।
A. 7　B. 9　C. 5　D. 3

4. एक कोण का माप अपने सम्पूरक कोण के माप का दुगुना है तो इस कोण का माप बताओ।
A. 80°　B. 90°　C. 60°　D. 45°

5. यदि एक चतुर्भुज की सम्मुख भुजाओं का एक जोड़ा बराबर और समानान्तर है तो चतुर्भुज कौन-सा होगा?
A. विषमबाहु चतुर्भुज　B. समलम्ब चतुर्भुज
C. समानान्तर चतुर्भुज　D. समचतुर्भुज

6. नीचे दिए हुए त्रिभुज ABC में AB = AC तथा आधार BC को D तक बढ़ाया गया है $\angle ACD = 130°$ हो, तो $\angle A$ का मान बताओ?

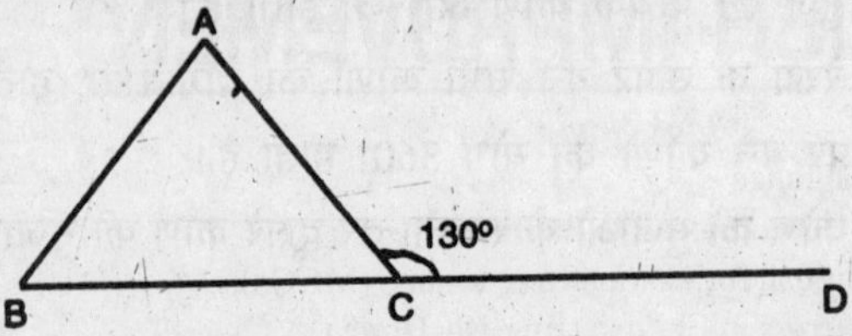

A. 60° B. 70° C. 50° D. 80°

7. यदि किरण OC, रेखा AB पर इस प्रकार खड़ी हो कि $\angle AOC = \angle COB$, तो $\angle AOC$ मान ज्ञात करो।

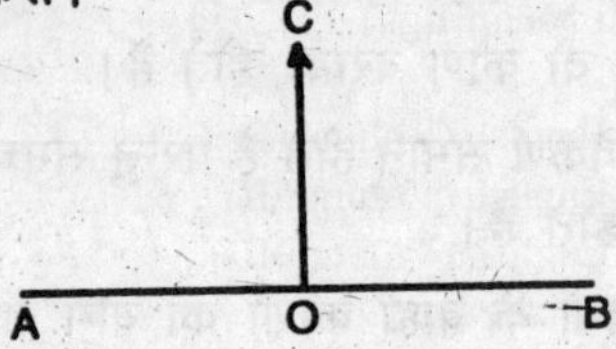

A. 60° B. 80° C. 70° D. 90°

8. एक समबाहु पंचभुज की भुजाओं को एक ही क्रम से बढ़ाने पर बने कोणों का योग ज्ञात करें।

A. 72° B. 108° C. 120° D. 144°

9. यदि एक चतुर्भुज के विकर्णों को आपस में 90° के कोण से काटते हैं तो वह किस प्रकार का चतुर्भुज हो सकता है।

A. समचतुर्भुज B. समानान्तर चतुर्भुज
C. समलम्ब चतुर्भुज D. विषमबाहु चतुर्भुज

10. क्या एक त्रिभुज में हो सकते हैं

A. दो समकोण B. दो न्यून कोण
C. दो अधिक कोण D. प्रत्येक कोण 60° का

उत्तरमाला

1	2	3	4	5	6	7	8	9	10
B	B	C	C	C	D	D	B	A	B

त्रिकोणमिति
(Trigonometry)

त्रिकोणमिति, गणित की वह शाखा है जिसके अन्तर्गत त्रिभुज की भुजाओं तथा कोणों के बीच के सम्बन्ध का अध्ययन किया जाता है।

कोणों के मापने की तीन पद्धतियाँ होती हैं :

1. षाष्टिक पद्धतिः इस पद्धति में कोणों का मापन डिग्री (अंश) में किया जाता है। इसे (°) द्वारा दर्शाया जाता है।

1 समकोण = 90° डिग्री

1° = 60 मिनट या 60' (कला)

1 मिनट = 60 सेकेण्ड या 60" (विकला)

2. शतिक पद्धतिः इस पद्धति में कोणों का मापन ग्रेड में किया जाता है।

1 समकोण = 100 ग्रेड, 1 ग्रेड = 100 फ्रेंच मिनट

1 फ्रेंच मिनट = 100 फ्रेंच सेकेण्ड

3. वृत्तीय पद्धतिः इस पद्धति में कोणों का मापन रेडियन में किया जाता है। इसे (C) के द्वारा दर्शाया जाता है।

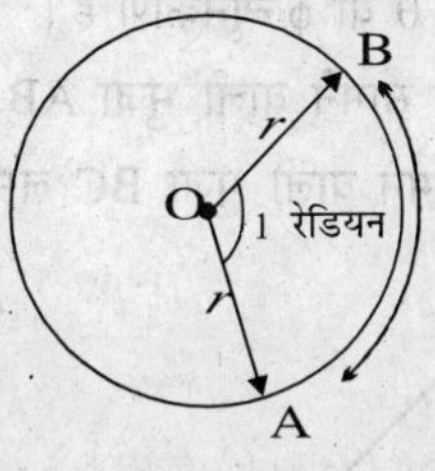

किसी वृत्त की त्रिज्या एवं उस चाप द्वारा केन्द्र पर बनाया गया कोण, एक रेडियन कहलाता है जब वृत्त की त्रिज्या, उस चाप की लम्बाई के समान हो।

$\because$ OB = OA = चाप AB

$\Rightarrow$ $r = l$ जहाँ r त्रिज्या तथा l चाप की लम्बाई है।

$\pi^C = 180°$

$1^C = \frac{180}{22} \times 7$ डिग्री $= 57° \, 27' \, 27''$

षाष्टिक पद्धति को वृत्तीय पद्धति में या वृत्तीय पद्धति को षाष्टिक पद्धति में बदलना :

$$\frac{D}{180} = \frac{R}{\pi}$$

या रेडियन $(R) = \frac{D\pi}{180}$

जहाँ D = डिग्री, R = रेडियन

षाष्टिक पद्धति, शतिक पद्धति तथा वृत्तीय पद्धति का आपस में सम्बन्ध

$$\frac{D}{90} = \frac{G}{100} = \frac{2R}{\pi}$$

त्रिकोणमिति

गणित की वह शाखा जिसके अन्तर्गत त्रिभुज की भुजाओं तथा कोणों के विभिन्न फलनों का अध्ययन किया जाता है त्रिकोणमिति कहलाती है।

- किसी भी त्रिभुज में जो कोण जितना बड़ा होगा उसके ठीक सामने वाली भुजा उतनी ही बड़ी होगी। जैसे समकोण त्रिभुज में सबसे बड़ा कोण 90° होता है तो उसके ठीक सामने वाली भुजा (कर्ण) सबसे बड़ी भुजा होती हैं।
- समकोण त्रिभुज में θ या ϕ देकर के लम्ब निकालना हो तो θ या ϕ के ठीक सामने वाली भुजा हमेशा लम्ब होती है यहाँ θ या ϕ न्यूनकोण है।

  जैसे: (*i*) यहाँ θ के ठीक सामने वाली भुजा AB लम्ब है।

  (*ii*) यहाँ θ के ठीक सामने वाली भुजा BC लम्ब है।

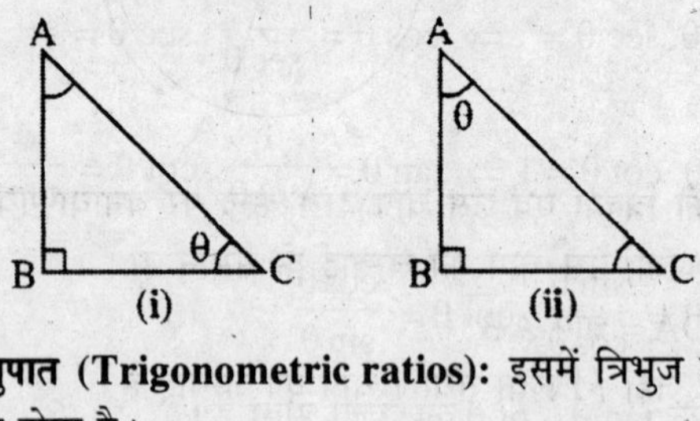

- **त्रिकोणमितीय अनुपात (Trigonometric ratios):** इसमें त्रिभुज की दो भुजाओं के मध्य सम्बन्ध दिया हुआ होता है।

$$\frac{\sin\theta \cos\theta \tan\theta}{\operatorname{cosec}\theta \sec\theta \cot\theta} \frac{LAL}{KKA} \text{ या } \frac{PBP}{HHB}$$

जैसे: $\sin\theta = \frac{L(\text{लम्ब})}{K(\text{कर्ण})}, \operatorname{cosec}\theta = \frac{K(\text{कर्ण})}{A(\text{आधार})}$

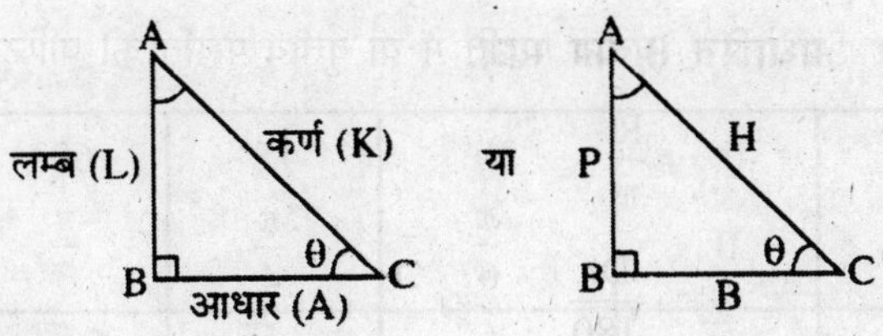

पाइथागोरस प्रमेय

$$\text{कर्ण}^2 = \text{आधार}^2 + \text{लम्ब}^2$$

$$\text{आधार}^2 = \text{कर्ण}^2 - \text{लम्ब}^2$$

$$\text{लम्ब}^2 = \text{कर्ण}^2 - \text{आधार}^2$$

त्रिकोणमितीय अनुपात

$$\frac{\sin\theta\cos\theta\tan\theta}{\text{cosec}\,\theta\sec\theta\cot\theta}$$

यहाँ $\sin\theta$, $\text{cosec}\,\theta$ का उल्टा,

$\cos\theta$, $\sec\theta$ का उल्टा

$\tan\theta$, $\cot\theta$ का उल्टा होता है।

(*i*) $\sin\theta\,\text{cosec}\,\theta = 1 \Rightarrow \sin\theta = \frac{1}{\text{cosec}\,\theta}, \text{cosec}\,\theta = \frac{1}{\sin\theta}$

(*ii*) $\cos\theta.\sec\theta = 1 \Rightarrow \cos\theta = \frac{1}{\sec\theta}, \sec\theta = \frac{1}{\cos\theta}$

(*iii*) $\tan\theta.\cot\theta = 1 \Rightarrow \tan\theta = \frac{1}{\cot\theta}, \cot\theta = \frac{1}{\tan\theta}$

(*iv*) $\tan\theta = \frac{\sin\theta}{\cos\theta}, \cot\theta = \frac{\cos\theta}{\sin\theta}$

क्योंकि $\tan\theta$, $\cot\theta$ का उल्टा होता है।

(*v*) $\sin^2\theta + \cos^2\theta = 1, \sin^2\theta = 1 - \cos^2\theta$

(*vi*) $1 + \cot^2\theta = \text{cosec}^2\theta, \text{cosec}^2\theta - \cot^2\theta = 1$

(*vii*) $1 + \tan^2\theta = \sec^2\theta, \sec^2\theta - \tan^2\theta = 1$

कोणों पर आधारित θ का मान

कोण θ	0° 0	30° $\frac{\pi}{6}$	45° $\frac{\pi}{4}$	60° $\frac{\pi}{3}$	90° $\frac{\pi}{2}$
	$\sqrt{\frac{0}{4}}$	$\sqrt{\frac{1}{4}}$	$\sqrt{\frac{2}{4}}$	$\sqrt{\frac{3}{4}}$	$\sqrt{\frac{4}{4}}$
sin θ	0	$\frac{1}{2}$	$\frac{1}{\sqrt{2}}$	$\frac{\sqrt{3}}{2}$	1
cos θ	1	$\frac{\sqrt{3}}{2}$	$\frac{1}{\sqrt{2}}$	$\frac{1}{2}$	0
tan θ	0	$\frac{1}{\sqrt{3}}$	1	$\sqrt{3}$	∞
cot θ	∞	$\sqrt{3}$	1	$\frac{1}{\sqrt{3}}$	0
sec θ	1	$\frac{2}{\sqrt{3}}$	$\sqrt{2}$	2	∞
cosec θ	∞	2	$\sqrt{2}$	$\frac{2}{\sqrt{3}}$	1

- त्रिकोणमितीय अनुपातों को हम निम्न चार चतुर्थांशों द्वारा समझ सकते हैं:

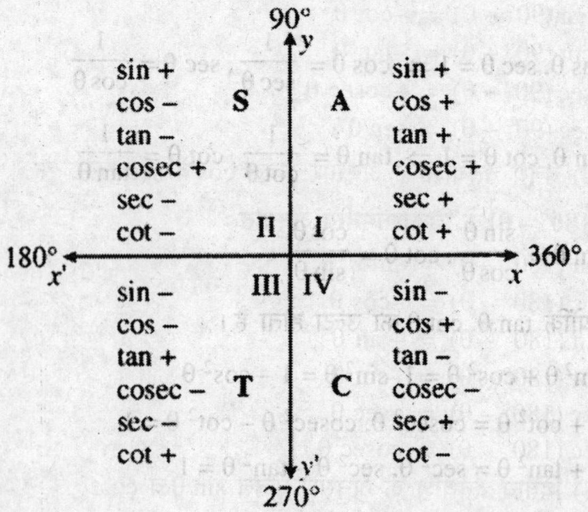

इसे हम ASTC द्वारा याद रख सकते हैं।

A (All) = प्रथम चतुर्थांश में सभी मान धनात्मक हैं।

S (sin θ) = द्वितीय चतुर्थांश में केवल sin तथा cosec ही धनात्मक हैं।

T (tan θ) = तृतीय चतुर्थांश में केवल tan तथा cot ही धनात्मक हैं।

C (cos θ) = चतुर्थ चतुर्थांश में केवल cos तथा sec धनात्मक हैं।

- **पूरक कोणों के त्रिकोणमितीय अनुपात :** जब दो कोणों का योग 90° हो तो उन्हें पूरक कोण कहते हैं।
- **कोण (90° – θ) के त्रिकोणमितीय अनुपात :**

$$\begin{bmatrix} (i)\ \sin(90-\theta) = \cos\theta \\ (ii)\ \cos(90-\theta) = \sin\theta \end{bmatrix}$$

$$\begin{bmatrix} (iii)\ \sec(90-\theta) = \operatorname{cosec}\theta \\ (iv)\ \operatorname{cosec}(90-\theta) = \sec\theta \end{bmatrix}$$

$$\begin{bmatrix} (v)\ \tan(90-\theta) = \cot\theta \\ (vi)\ \cot(90-\theta) = \tan\theta \end{bmatrix}$$

- **कोण (90° + θ) के त्रिकोणमितीय अनुपात :**

$\sin(90° + \theta) = \cos\theta$

$\cos(90° + \theta) = -\sin\theta$

$\tan(90° + \theta) = -\cot\theta$

$\cot(90° + \theta) = -\tan\theta$

$\sec(90° + \theta) = -\operatorname{cosec}\theta$

$\operatorname{cosec}(90° + \theta) = \sec\theta$

यहाँ (C) चतुर्थ चतुर्थांश के अनुसार केवल cos व sec धनात्मक हैं।

- **कोण (180° – θ) के त्रिकोणमितीय अनुपात :**

$\sin(180° - \theta) = \sin\theta$

$\cos(180° - \theta) = -\cos\theta$

$\tan(180° - \theta) = -\tan\theta$

$\cot(180° - \theta) = -\cot\theta$

$\sec(180° - \theta) = -\sec\theta$

$\operatorname{cosec}(180° - \theta) = \operatorname{cosec}\theta$

यहाँ (S) द्वितीय चतुर्थांश के अनुसार केवल sin θ व cosec θ ही धनात्मक हैं।

- **कोण (180° + θ) के त्रिकोणमितीय अनुपात :**

$$\sin(180° + \theta) = -\sin\theta$$
$$\cos(180° + \theta) = -\cos\theta$$
$$\tan(180° + \theta) = \tan\theta$$
$$\cot(180° + \theta) = \cot\theta$$
$$\sec(180° + \theta) = -\sec\theta$$
$$\text{cosec}(180° + \theta) = \text{cosec}\,\theta$$

यहाँ (T) तृतीय चतुर्थांश के अनुसार केवल $\tan\theta$ व $\cot\theta$ ही धनात्मक होंगे।

- **कोण (270° – θ) के त्रिकोणमितीय अनुपात :**

$$\sin(270° - \theta) = -\cos\theta$$
$$\cos(270° - \theta) = -\sin\theta$$
$$\tan(270° - \theta) = \cot\theta$$
$$\cot(270° - \theta) = \tan\theta$$
$$\sec(270° - \theta) = -\text{cosec}\,\theta$$
$$\text{cosec}(270° - \theta) = -\sec\theta$$

यहाँ (T) तृतीय चतुर्थांश के अनुसार केवल $\tan\theta$ व $\cot\theta$ ही धनात्मक होंगे।

- **कोण (270° + θ) के त्रिकोणमितीय अनुपात :**

$$\sin(270° + \theta) = -\cos\theta$$
$$\cos(270° + \theta) = \sin\theta$$
$$\tan(270° + \theta) = -\cot\theta$$
$$\cot(270° + \theta) = -\tan\theta$$
$$\sec(270° + \theta) = \text{cosec}\,\theta$$
$$\text{cosec}(270° + \theta) = -\sec\theta$$

यहाँ (S) द्वितीय चतुर्थांश के अनुसार केवल $\sin\theta$ व $\text{cosec}\,\theta$ ही धनात्मक है।

- **कोण (360° – θ) के त्रिकोणमितीय अनुपात :**

$$\sin(360° - \theta) = -\sin\theta$$
$$\cos(360° - \theta) = \cos\theta$$
$$\tan(360° - \theta) = -\tan\theta$$
$$\cot(360° - \theta) = -\cot\theta$$
$$\sec(360° - \theta) = \sec\theta$$
$$\text{cosec}(360° - \theta) = -\text{cosec}\,\theta$$

यहाँ (C) चतुर्थ चतुर्थांश के अनुसार केवल $\cos\theta$ व $\sec\theta$ ही धनात्मक हैं।

- **कोण (360° + θ) के त्रिकोणमितीय अनुपात :**

$$\sin(360° + \theta) = \sin\theta$$

$$\cos(360° + \theta) = \cos\theta$$
$$\tan(360° + \theta) = \tan\theta$$
$$\cot(360° + \theta) = \cot\theta$$
$$\sec(360° + \theta) = \sec\theta$$
$$\text{cosec}(360° + \theta) = \text{cosec}\,\theta$$

यहाँ (A) प्रथम चतुर्थांश के अनुसार सभी धनात्मक हैं।

- **नोट**—यदि n कोई धन अथवा ऋण पूर्णांक हो तो $(n \times 360° + \theta)$ होगा। विषम गुणन यहाँ $\sin\theta$, $\cos\theta$ में व $\cos\theta$, $\sin\theta$ में तथा $\tan\theta$, $\cot\theta$ में व $\cot\theta$, $\tan\theta$ में परिवर्तित होते हैं।
- गुणांक विषम का अर्थ है :

$n = \frac{\pi}{2}, \frac{3\pi}{2}, \frac{5\pi}{2}$ इत्यादि

कुछ अन्य महत्वपूर्ण सूत्र

(*i*) $\sin 2A = 2\sin A . \cos A$

$$= \frac{2\tan A}{1 + \tan^2 A}$$

(*ii*) $\cos 2A = \cos^2 A - \sin^2 A$

$$= 2\cos^2 A - 1$$
$$= 1 - 2\sin^2 A$$
$$= \frac{1 - \tan^2 A}{1 + \tan^2 A}$$

(*iii*) $\sin(A + B) = \sin A . \cos B + \cos A . \sin B$

(*iv*) $\sin(A - B) = \sin A . \cos B - \cos A . \sin B$

(*v*) $\cos(A + B) = \cos A . \cos B - \sin A . \sin B$

(*vi*) $\cos(A - B) = \cos A . \cos B + \sin A . \sin B$

(*vii*) $\tan(A + B) = \frac{\tan A + \tan B}{1 - \tan A . \tan B}$

(*viii*) $\tan(A - B) = \frac{\tan A - \tan B}{1 + \tan A . \tan B}$

(*ix*) $\cot(A + B) = \frac{\cot A \cot B - 1}{\cot B + \cot A}$

(*x*) $\cot(A - B) = \dfrac{\cot A \cot B + 1}{\cot B - \cot A}$

(*xi*) $\tan 2A = \dfrac{2 \tan A}{1 - \tan^2 A}$

ऊँचाई एवं दूरी

ऊँचाई एवं दूरी सम्बन्धी प्रश्नों को हल करते समय हमें निम्न बातों का ध्यान रखना चाहिए :

(*i*) सबसे पहले यह देखना है कि कौन-सी भुजा की माप दी हुई है और कौन-सी भुजा की माप निकालनी है।

(*ii*) इन दोनों भुजाओं का सम्बन्ध हम $\sin\theta$, $\cos\theta$, $\tan\theta$ से पता लगाते हैं।

(*iii*) वैसे Objective Questions को हल करते समय उन्नयन कोण (Angle of elevation) व अवनमन कोण (Angle of depression) को लेकर चिंतित नहीं होना चाहिए क्योंकि दोनों एकान्तर कोण (Z की स्थिति) में बने होते हैं तो इनके मान का कोई प्रभाव नहीं पड़ता है क्योंकि दोनों कोणों का मान समान होता है।

- **उन्नयन या उन्नतांश कोण (Angle of elevation)** : जब किसी वस्तु को धरातल से ऊपर की ओर देखा जाता है तो धरातल के साथ बने उठते हुए कोण को उन्नयन कोण कहते हैं।

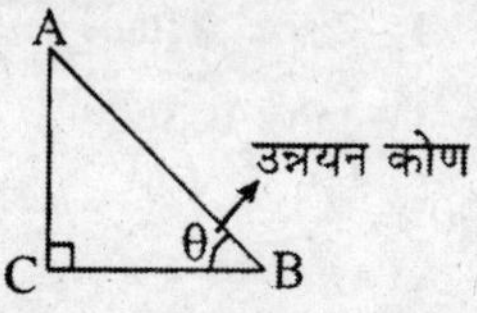

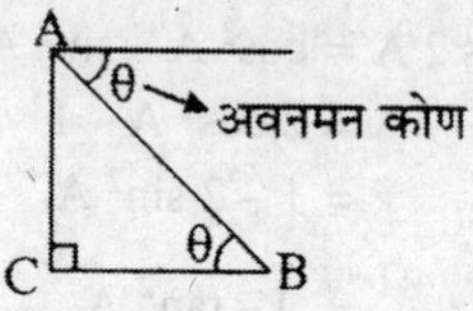

- **अवनमन या अवनति कोण (Angle of depression)** : जब किसी वस्तु का नीचे की ओर झुकते हुए कोण बन रहा हो तो उसे अवनमन कोण कहते हैं।

जो भुजा दी हुई है और जो भुजा निकालनी है उसके मध्य सम्बन्ध :

$$\frac{LAL}{KKA} = \frac{\sin\theta.\cos\theta.\tan\theta}{\operatorname{cosec}\theta.\sec\theta.\cot\theta}.$$

अभ्यास के लिए प्रश्न

1. $\sec^4\theta - \sec^2\theta$ किसके बराबर है?

A. $\tan^2\theta - \tan^4\theta$ B. $\tan^2\theta - \tan^4\theta$

C. $\cos^4\theta - \cos^2\theta$ D. $\cos^2\theta - \cos^4\theta$

2. $\sin\theta = ?$

A. $\dfrac{\sqrt{1+\tan^2\theta}}{\tan\theta}$ B. $\dfrac{\tan\theta}{\sqrt{1+\tan^2\theta}}$

C. $\dfrac{\cot\theta}{\sqrt{1+\cot^2\theta}}$ D. $\dfrac{\sqrt{1+\cot^2\theta}}{\cot\theta}$

3. $\tan\theta - \cot\theta = ?$

A. $\dfrac{2\sin^2\theta-1}{\sin\theta\cos\theta}$ B. $\dfrac{2\sin^2\theta-1}{\sin\theta\cos\theta}$

C. $\sec\theta$ D. $\cot\theta$

4. $\sqrt{\sec^2\theta+\text{cosec}^2\theta}$ का मान है :

A. $\sin\theta \,.\, \cos\theta$ B. $\tan\theta + \cot\theta$

C. $\text{cosec}\,\theta + \sec\theta$ D. None

5. $\sin^4 A + \cos^4 A = ?$

A. $\sec^2 A \,.\, \tan^2 A$ B. $1 - 2\sec^2 A . \tan^2 A$

C. $1 - 2\sin^2 A \cos^2 A$ D. $1 + \tan^2 A \,.\, \sec^2 A$

6. $\sin^2 30° + 2\cos 45° + 3\sin^3 90° = ?$

A. $13+4\sqrt{2}$ B. $\dfrac{4\sqrt{2}+3}{5}$

C. 0 D. $\dfrac{13+4\sqrt{2}}{4}$

7. $\sin\dfrac{\pi}{6}+\cos\dfrac{\pi}{6}-\tan^3\dfrac{\pi}{4}$ का मान होगा:

A. 1 B. $\dfrac{\sqrt{3}-1}{\sqrt{3}+1}$

C. 0 D. $\dfrac{\sqrt{3}-1}{2}$

8. $\cos 64° \cos 19° + \sin 64° \sin 19° = ?$

A. $\frac{\sqrt{2}}{3}$ B. $\frac{1}{\sqrt{2}}$

C. $2\sqrt{3}$ D. इनमें से कोई नहीं

9. $\tan 4°. \tan 43°. \tan 47°. \tan 86°$ का मान कितना होगा?

A. 0 B. 1

C. $\sqrt{3}$ D. $\frac{1}{\sqrt{3}}$

10. $(\sin^2 1° + \sin^2 3° + \sin^2 5° + ... + \sin^2 85° + \sin^2 87° + \sin^2 89°)$ का मान कितना होगा?

A. $21\frac{1}{2}$ B. 22

C. $22\frac{1}{2}$ D. $23\frac{1}{2}$

11. यदि $b \tan \theta = a$ हो, तो $\frac{a \sin \theta - b \cos \theta}{a \sin \theta + b \cos \theta}$ का मान होगा :

A. $\frac{a-b}{a^2+b^2}$ B. $\frac{a+b}{a^2+b^2}$

C. $\frac{a^2+b^2}{a^2-b^2}$ D. $\frac{a^2-b^2}{a^2+b^2}$

12. यदि α एक न्यूनकोण है और $\sin \alpha = \sqrt{\frac{x-1}{2x}}$ है, तो $\tan \alpha$ किसके बराबर है?

A. $\sqrt{\frac{x-1}{x+1}}$ B. $\sqrt{\frac{x+1}{x-1}}$

C. $\sqrt{x^2-1}$ D. $\sqrt{x^2+1}$

13. यदि $\tan \theta = \frac{p}{q}$ है, तो $\frac{p \sec \theta - q \operatorname{cosec} \theta}{p \sec \theta + \operatorname{cosec} \theta}$ किसके बराबर है?

A. $\dfrac{p-q}{p+q}$

B. $\dfrac{q^2-p^2}{q^2+p^2}$

C. $\dfrac{p^2-q^2}{q^2+p^2}$

D. 1

14. निम्नलिखित में से θ के कौन-से एक मान के द्वारा $\dfrac{\cos\theta}{1-\sin\theta}-\dfrac{\cos\theta}{1+\sin\theta}=2$ सन्तुष्ट होता है?

A. $\dfrac{\pi}{2}$

B. $\dfrac{\pi}{3}$

C. $\dfrac{\pi}{4}$

D. $\dfrac{\pi}{6}$

15. यदि $\sec\theta=\sqrt{2+\sqrt{2+\sqrt{2+\sqrt{......\infty}}}}$, तब $\cos\theta\,(1+2\cos\theta)$ का मान क्या है?

A. 0
B. –1
C. 1
D. 2

16. यदि ΔABC का कोण B, 45° का हो, तो (1 + Cot A) (1 + cot C) किसके बराबर है?

A. –1
B. 0
C. 1
D. 2

17. यदि $\tan 15° = 2-\sqrt{3}$ हो, तो $\tan 15° \cot 75° + \tan 75° \cot 15°$ का मान क्या होगा?

A. 14
B. 12
C. 10
D. 8

18. यदि $x\sin^3\theta + y\cos^3\theta = \sin\theta\cos\theta,\ \theta \neq 0$ हो और $x\sin\theta - y\cos\theta = 0$ हो तो x^2+y^2 का मान क्या होगा?

A. $\sin\theta - \cos\theta$
B. $\sin\theta - \cos\theta$
C. 0
D. 1

19. यदि $u_n = \cos\theta + \sin\theta$ हो तो $2u_6 - 3u_4 + 1$ का मान है :

A. 1
B. 4
C. 6
D. 0

20. यदि $3\sin\theta + 5\cos\theta = 5$ हो तो $5\sin\theta - 3\cos\theta$ का मान होगा :

A. 3
B. –3
C. 3 और –3
D. न 3 होगा न (–3)

21. एक वृक्ष की ऊँचाई 80 मीटर है, तो इसके आधार से कितनी दूर स्थित किसी बिन्दु का शिखर से उन्नयन कोण 45° होगा?

A. 40 मी. B. $80\sqrt{5}$ मी.

C. $\frac{80}{\sqrt{3}}$ मी. D. 80 मी.

22. एक खम्भे की ऊँचाई 30 मीटर है इसके ऊपरी सिरे से एक तार बंधा हुआ है जो भूमि के साथ 30° का कोण बनाता है, तो बताओ तार की लम्बाई क्या होगी?

A. 30 मी. B. 60 मी.

C. 15 मी. D. $30\sqrt{2}$ मी.

23. एक वायुयान पृथ्वी से 1500 मीटर की ऊँचाई पर उड़ रहा है यदि उस समय हवाई अड्डे से उसका उन्नयन कोण 60° हो, तो वायुयान की हवाई अड्डे से सीधी दूरी ज्ञात करो।

A. 1732 मी. B. 17.32 मी.

C. 17.32 मी. D. इनमें से कोई नहीं

24. यदि 400 मी. ऊँचे एक बहुमंजिले भवन के शीर्ष का उन्नयन कोण समतल पर स्थित किसी बिन्दु A पर 45° हो तो भवन के शीर्ष व बिन्दु A के मध्य सीधी दूरी है :

A. 400 sin 45° मी. B. 400 tan 45° मी.

C. 400 cosec 45° मी. D. 400 cot 45° मी.

25. एक सीढ़ी किसी दीवार के सहारे इस प्रकार टिकी है कि वह दीवार के शिखर को छू रही है। सीढ़ी का निचला सिरा दीवार से 1.5 मी. की दूरी पर है। सीढ़ी भूमितल के साथ 70° का कोण बनाती है। यदि tan 70° = 2.747 हो तो दीवार की ऊँचाई ज्ञात करो।

A. 4.12 मी. B. 5.07 मी.

C. 3.07 मी. D. इनमें से कोई नहीं

उत्तरमाला

1	2	3	4	5	6	7	8	9	10
B	B	A	B	C	D	D	B	B	C
11	**12**	**13**	**14**	**15**	**16**	**17**	**18**	**19**	**20**
D	A	C	C	C	D	A	D	D	C
21	**22**	**23**	**24**	**25**					
D	B	A	C	A					

व्याख्यात्मक उत्तर

1. $\sec^4 \theta - \sec^2 \theta$

$= \sec^2 \theta (\sec^2 \theta - 1)$

$= (1 + \tan^2 \theta)(1 + \tan^2 \theta - 1)$

$= \tan^2 \theta + \tan^4 \theta.$

4. $\sqrt{\sec^2 \theta + \text{cosec}^2 \theta} = \sqrt{(1+\tan^2 \theta)+(1+\cot^2 \theta)}$

$= \sqrt{2+\tan^2 \theta+\cot^2 \theta}$

$= \sqrt{\tan^2 \theta+\cot^2 \theta+2\tan\theta\cot\theta}$

$= \sqrt{(\tan\theta+\cot\theta)^2} = \tan\theta+\cot\theta.$

5. $\sin^4 A + \cos^4 A = (\sin^2 A)^2 + (\cos^2 A)^2$

$= (\sin^2 A + \cos^2 A)^2 - 2\sin^2 A \cos^2 A$

$= 1 - 2\sin^2 A \cos^2 A.$

7. $\sin\frac{\pi}{6}+\cos\frac{\pi}{6}-\tan^3\frac{\pi}{4}$

यहाँ $\pi = 180°$ तो $\sin 30° + \cos 30° - \tan^3 45°$

$= \frac{1}{2}+\frac{\sqrt{3}}{2}-(1)^3 = \frac{\sqrt{3}-1}{2}.$

8. $\cos 64° \cos 19° + \sin 64° \sin 19° = ?$

$[\because \cos(A-B) = \cos A \cos B + \sin A \sin B]$

तो $\cos(A-B) = \cos(64° - 19°)$

$\cos 45° = \frac{1}{\sqrt{2}}.$

9. $\tan 4°. \tan 43°. \tan 47°. \tan 86°$

$= \tan 4°. \tan 86°. \tan 43°. \tan 47°$

$= \tan 4°. \tan(90-4°). \tan 43°. \tan(90°-43°)$

$= \tan 4°. \cot 4°. \tan 43°. \cot 43°$

$= 1 \times 1 = 1.$

14. $\dfrac{\cos\theta}{1-\sin\theta} - \dfrac{\cos\theta}{1+\sin\theta} = 2$

$$= \frac{\cos\theta + \sin\theta\cos\theta - \cos\theta + \cos\theta\sin\theta}{1-\sin^2\theta} = 2$$

$$2\sin\theta\cos\theta = 2\cos^2\theta$$

$$2\sin\theta = 2\cos\theta$$

$$\frac{\sin\theta}{\cos\theta} = 1$$

$$\tan\theta = 1$$

$$\tan\theta = \tan 45°$$

$$\theta = \frac{\pi}{4}.$$

15. माना $x = \sqrt{2+\sqrt{2+....\infty}}$

$$x = 2$$

$\sec\theta = 2, \sec\theta = \sec\frac{\pi}{3}$ तो $\theta = \frac{\pi}{3}$

$\cos\theta\,(1 + 2\cos\theta)$

$$= \cos\frac{\pi}{3}\left(1+2\cos\frac{\pi}{3}\right) = \frac{1}{2}\left(1+2\frac{1}{2}\right), \frac{2}{2} = 1.$$

21. $\tan\theta = \dfrac{L}{A}$

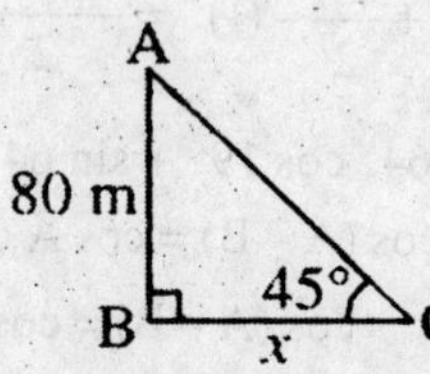

$$\tan 45° = \frac{80}{x}$$

$x = 80$ मी.

22. $\sin\theta = \dfrac{L}{K}$

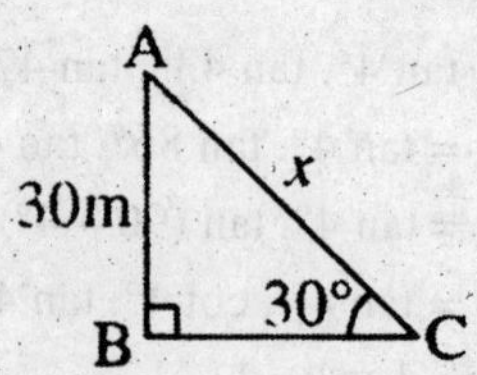

$$\sin 30° = \frac{30}{x}$$

$$\frac{1}{2} = \frac{30}{x}$$

$x = 60$ मी.

24.

$$\sin 45° = \frac{400}{l}$$

$$l = \frac{400}{\sin 45°}$$

$$l = 400 \text{ cosec } 45°.$$

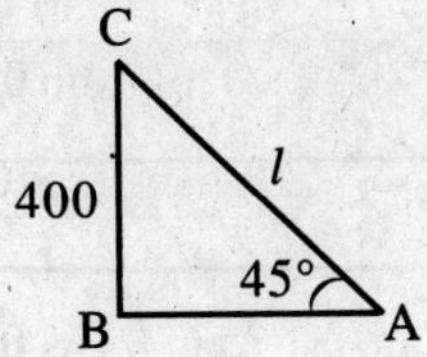

25.

$$\tan \theta = \frac{L}{A}$$

$$\tan 70° = \frac{x}{1.5}$$

$$2.747 = \frac{x}{1.5}$$

$x = 4.12$ मी.

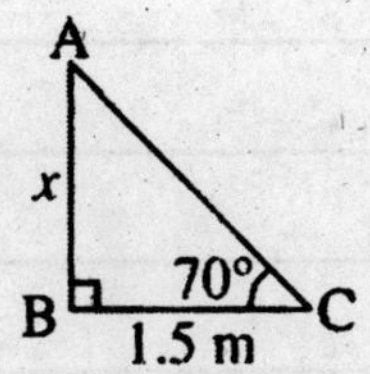

YOUR SPACE

सामान्य ज्ञान/सामान्य सचेतता

इतिहास

1. कैबिनेट मिशन भारत में किस वर्ष आया था?

A. 1946 में B. 1945 में
C. 1942 में D. 1940 में

2. बौद्ध धर्म ने समाज के दो वर्गों को अपने साथ जोड़कर एक महत्त्वपूर्ण प्रभाव छोड़ा, ये वर्ग थे–

A. वणिक एवं पुरोहित
B. साहूकार एवं दास
B. योद्धा एवं व्यापारी
D. स्त्रियाँ एवं शूद्र

3. मुस्लिम लीग की स्थापना किस वर्ष में हुई थी?

A. 1900 में B. 1905 में
C. 1906 में D. 1902 में

4. प्रसिद्ध फारसी त्योहार 'नौरोज़' का प्रवर्तन किसने किया?

A. अलाउद्दीन खिलजी
B. इल्तुतमिश
C. फिरोज़ तुगलक
D. बलबन

5. प्राचीन काल में स्रोत–सामग्री लिखने के लिए प्रयुक्त भाषा थी–

A. संस्कृत B. पाली
C. ब्राह्मी D. खरोष्ठी

6. रोमन साम्राज्य के साथ भारत का व्यापार रोम पर किसके द्वारा आक्रमण के साथ समाप्त हो गया?

A. अरबों द्वारा
B. हंगेरियाइओं द्वारा
C. हूणों द्वारा
D. तुर्कों द्वारा

7. 'आइन–ए–अकबरी' के लेखक हैं–

A. अबुल फज़ल B. अलबरूनी
C. फरिश्ता D. अमीर खुसरो

8. प्रसिद्ध क्रान्तिकारी गीत 'सरफरोशी की तमन्ना अब हमारे दिल में है, ——— की रचना किसने की थी?

A. भगत सिंह
B. खुदीराम बोस
C. चन्द्रशेखर आज़ाद
D. रामप्रसाद बिस्मिल

9. भारत का पहला वायसराय था–

A. लॉर्ड कैनिंग B. लॉर्ड हार्डिंग
C. लॉर्ड डलहौजी D. लॉर्ड एल्गिन

10. शेख निजामुद्दीन औलिया शिष्य थे–

A. शेख अलाउद्दीन साबिर के
B. ख्वाजा मोइनुद्दीन चिश्ती के
C. बाबा फरीद के
D. शेख अहमद सरहिन्दी के

11. निम्नलिखित में से किसके पक्षधर नेहरू थे, किन्तु गाँधीजी नहीं थे?

A. सत्य (Truth)
B. अहिंसा (Non-violence)
C. अस्पृश्यता (Untouchability)
D. भारी औद्योगीकरण (Heavy industrialisation)

12. सर्वेन्ट्स ऑफ इण्डिया सोसाइटी' के संस्थापक कौन थे?

A. मदन मोहन मालवीय

B. सरोजिनी नायडू

C. जस्टिस रानाडे

D. गोपालकृष्ण गोखले

13. तृतीय संगम हुआ था–

A. अरिक्कमेडु में B. एर्नाकुलम में

C. मदुरई में D. तूतीकोरिन में

14. निम्नलिखित में से कौन 'सत्य शोधक समाज' का संस्थापक था?

A. डॉ॰ बी॰ आर॰ अम्बेडकर

B. ज्योतिबा फूले

C. नारायण गुरु

D. रामास्वामी नायकर

15. वस्त्रों के लिए कपास की खेती का आरम्भ सबसे पहले किया गया–

A. मिस्त्र में B. मेसोपोटामिया में

C. मध्य अमेरिका में D. भारत में

16. चाणक्य अपने बचपन में किस नाम से जाने जाते थे?

A. अजय B. चाणक्य

C. विष्णुगुप्त D. देवगुप्त

17. हड़प्पा संस्कृति के सन्दर्भ में शैलकृत स्थापत्य (Rock cut architecture) के प्रमाण कहाँ से मिले थे?

A. कालीबंगा B. धौलाबीरा

C. कोटदीजी D. आमरी

18. भारत में अंग्रेजों ने प्रथम मदरसा कहाँ स्थापित किया था?

A. मद्रास मे B. बम्बई में

C. अलीगढ़ में D. कलकत्ता में

19. गांधी को 'सविनय अवज्ञा' की प्रेरणा किसकी रचनाओं से मिली थी?

A. हेनरी ड़ेविड थोरिउ

B. डेविड रिकार्डो

C. हेनरी किसिंजर

D. बर्ट्रेंड रसेल

20. पाकिस्तान का विचार सबसे पहले किसके मन में आया था?

A. मुहम्मद इकबाल B. एम॰ ए॰ जिन्ना

C. शौकत अली D. आगा खाँ

21. आर्यभट्ट और वराहमिहिर के सुविख्यात नाम किसके युग के साथ सम्बन्धित हैं?

A. गुप्त वंश B. कुषाण वंश

C. मौर्य वंश D. पाल वंश

22. निम्नलिखित में से शिवाजी के धार्मिक गुरु कौन थे?

A. तुकाराम B. रामदास

B. एकनाथ D. ज्ञानदेव

23. बारदोली सत्याग्रह के बाद वल्लभभाई पटेल को 'सरदार' की पद्वी दी गई थी–

A. जवाहरलाल नेहरू द्वारा

B. मोतीलाल नेहरू द्वारा

C. महात्मा गांधी द्वारा

D. मौलाना अबुल कलाम आजाद द्वारा

24. 'सती प्रथा' का उन्मूलन किया था–

A. लॉर्ड रिपन ने

B. वारेन हेस्टिंग्ज ने

C. लॉर्ड कॉर्नवालिस ने

D. विलियम बैंटिक ने

25. 'रुपया' नामक नया सिक्का पहली बार किसने जारी किया?

A. अलाउद्दीन खिलजी

B. मोहम्मद शाह तुगलक
C. शेरशाह सूरी
D. अकबर

26. मोहनदास करमचंद गांधी को 'महात्मा' किसने कहा था?
A. बाल गंगाधर तिलक
B. मोतीलाल नेहरू
C. जवाहरलाल नेहरू
D. रबीन्द्रनाथ टैगोर

27. 'मोहम्मडन ऐंग्लो–ओरियंटल कॉलेज बाद में बन गया–
A. उस्मानिया विश्वविद्यालय
B. जामिया-मिलिया मुस्लिम विश्वविद्यालय
C. बरकतुल्ला विश्वविद्यालय
D. अलीगढ़ मुस्लिम विश्वविद्यालय

28. भारतीय राष्ट्रीय कांग्रेस ने अपने किस अधिवेशन में 'पूर्ण स्वराज' को अपना लक्ष्य घोषित किया था?
A. लखनऊ, 1916 B. लाहौर, 1929
C. त्रिपुरा, 1939 D. लाहौर, 1940

29. निम्नलिखित गुप्त शासकों में से सर्वप्रथम कौन 'महाराजाधिराज' की उपाधि धारण करने वाला था?
A. श्रीगुप्त B. चन्द्रगुप्त प्रथम
C. समुद्रगुप्त D. चन्द्रगुप्त द्वितीय

30. निम्नलिखित में से किस एक इतिहासकार ने अशोक का इतिहास केवल अभिलेखों (Inscriptions) के आधार पर लिखा है?
A. आर॰ डी॰ भण्डारकर
B. राजबलि पाण्डेय
C. आर॰ सी॰ मजूमदार
D. एन॰ एन॰ घोष

31. निम्नलिखित में से किस नाम से शिवाजी की सलाहकार समिति (Governing Council) को जाना जाता था?
A. मंत्रिपरिषद् B. मंत्रिसभा
C. मंत्रिमण्डल D. अष्टप्रधान

32. निम्नलिखित सुल्तानों में से किस एक ने कृषकों की सहायता के लिए 'पट्टा' एवं 'कबूलियत' की व्यवस्था प्रारम्भ की थी?
A. गियासुद्दीन तुगलक
B. फिरोज तुगलक
B. बहलोल लोदी
D. शेरशाह सूरी

33. 'जात' एवं 'सवार' श्रेणियों के आधार पर मनसबदारों को वर्गों में विभक्त की जाने वाली संख्या थी–
A. दो B. तीन
C. चार D. पाँच

34. निम्नलिखित मुगल बादशाहों में से किस एक ने 'सिजदा' या पाबोस करने की प्रथा को समाप्त कर दिया था?
A. अकबर B. जहाँगीर
C. शाहजहाँ D. औरंगजेब

35. ग्राम प्रशासन में 'स्थानीय उत्तरदायित्व' (Local Responsibility) का सिद्धान्त निम्नलिखित शासकों में से किस एक ने लागू किया?
A. अकबर **B.** शेरशाह सूरी
C. शाहजहाँ **D.** दारा शिकोह

36. सफदरजंग के पश्चात् निम्नलिखित में से कौन एक अवध के नवाब बने?
A. सिराजुद्दौला B. शुजाउद्दौला
C. बुरहान-उल-मुल्क D. हैरत खाँ

37. दिल्ली में 'हौज–ए–खास' का निर्माण करवाया था–

A. इल्तुतमिश ने

B. बलबन ने

C. अलाउद्दीन खिलजी ने

D. फिरोजशाह तुगलक ने

38. मुगल वास्तुशिल्प (Mughal architecture) की मुख्य विशेषता है–

A. मेहराब तथा गुम्बज

B. उठे चबूतरों पर बने भवन

C. अत्यधिक सममित अभिन्यास

D. उपर्युक्त सभी

39. शाहजहाँ 'जामा मस्जिद' में प्रवेश करता था–

A. पूर्वी प्रवेशद्वार से

B. पश्चिमी प्रवेशद्वार से

C. दक्षिणी प्रवेशद्वार से

D. उत्तरी प्रवेशद्वार से

40. जीवक किस राजा का राजवैद्य था?

A. प्रद्योत B. उदयन

C. अशोक D. बिम्बिसार

41. किस ग्रंथ में चन्द्रगुप्त मौर्य के लिए 'वृषल' शब्द का प्रयोग किया गया है?

A. ब्राह्मण साहित्य B. जैन साहित्य

C. मुद्राराक्षस D. बौद्ध साहित्य

42. 'इण्डिका' किसकी रचित पुस्तक है?

A. कौटिल्य B. क्षेमेन्द्र

B. मेगस्थनीज D. प्लिनी

43. अशोक के शासनकाल में आयोजित बौद्ध संगीति का अध्यक्ष कौन था?

A. अश्वघोष B. ब्रह्मगुप्त

C. महेन्द्र D. मोगलिपुत्त तिस्स

44. कौन-सी बौद्ध सभा अशोक के शासनकाल में हुई थी?

A. प्रथम बौद्ध सभा

B. द्वितीय बौद्ध सभा

C. तृतीय बौद्ध सभा

D. चतुर्थ बौद्ध सभा

45. गंगा घाटी में धान उत्पादन के प्रमाण किस स्थल से प्राप्त हुए हैं?

A. मेहरगढ़ B. गुफक्राल

C. गुमला D. चिरांद

46. सिन्धुवासियों का मुख्य भोज्य पदार्थ क्या था?

A. गेहूँ और चावल

B. गेहूँ और जौ

C. चावल और जौ

D. उपर्युक्त में से कोई नहीं

47. ऋग्वैदिक आर्यों की भाषा क्या थी?

A. द्रविड़ B. प्राकृत

C. संस्कृत D. देवनागरी

48. 'आर्य' शब्द का शाब्दिक अर्थ है–

A. विद्वान B. श्रेष्ठ

C. योद्धा D. यज्ञ करने वाला

49. वैदिककालीन देवताओं की संख्या थी–

A. 13 B. 23

C. 33 D. 53

50. महाभारत का मौलिक नाम था–

A. बृहद्कथा

B. कथा सरित्सागर

C. जय संहिता

D. राजतरंगिणी

51. जैन धर्म के प्रथम तीर्थंकर कौन थे?

A. महावीर B. पार्श्वनाथ

C. नेमिनाथ D. ऋषभदेव

52. परमार वंश का शक्तिशाली शासक था–
A. मुंज B. भोज
B. उपेन्द्र D. सीयक

53. सिख आंदोलन के प्रवर्तक कहे जाते हैं–
A. दादू दयाल B. गुरु नानक
C. दयाल दास D. राम सिंह

54. अलाउद्दीन का वास्तविक नाम था–
A. हसन देव B. हसन गंगू
C. अहमदशाह D. ताजदार

55. अहमदनगर राज्य का संस्थापक था–
A. अहमद शाह B. मलिक अहमद
C. अहमद प्रथम D. हुसैन शाह

56. इब्नबतूता किसके दरबार में आया था?
A. अलाउद्दीन खिलजी
B. मुहम्मद बिन तुगलक
C. कृष्णदेव राय
D. बलबन

57. विजयनगर के कृष्णदेव राय का राजकवि था–
A. नन्दी तिम्मन
B. अल्लसनी पेद्दन्ना
C. धूर्जटी
D. भट्टमूर्ति

58. 'शक्ति' समाचार-पत्र का प्रकाशन कब आरम्भ हुआ?
A. 15 सितम्बर, 1918 को
B. 15 अक्टूबर, 1921 को
C. 22 अक्टूबर, 1921 को
D. 15 अक्टूबर, 1918 को

59. बौद्ध संघों के आचरण के नियमों का संकलन निम्नलिखित में से किस ग्रन्थ में मिलता है?
A. विनयपिटक B. सुत्तपिटक
C. अभिधम्मपिटक D. अंगुत्तर निकाय

60. निम्नलिखित में से किस शासक ने अपने सिक्कों पर शाक्यमुनि बुद्ध की आकृति अंकित करवाई थी?
A. अशोक B. विम कडफिसस
C. कनिष्क D. हर्षवर्द्धन

61. किसने समुद्रगुप्त को 'भारत का नेपोलियन' कहा?
A. डॉ॰ आर॰ सी॰ मजूमदार
B. डॉ॰ वी॰ ए॰ स्मिथ
C. डॉ॰ एच॰ सी॰ रायचौधरी
D. डॉ॰ के॰ पी॰ जायसवाल

62. चन्द्रगुप्त II ने 'विक्रमादित्य' की उपाधि कब धारण की?
A. शकों के उन्मूलन के बाद
B. अपने समस्त विजय अभियानों के बाद
B. अपने विवाह के बाद
D. उपर्युक्त सभी के बाद

63. मेहरौली स्तम्भलेख किस शासक से सम्बन्धित है?
A. चन्दगुप्त II B. चन्द्रगुप्त मौर्य
C. चन्द्रगुप्त I D. समुद्रगुप्त

64. चोल शासक किस धर्म के अनुयायी थे?
A. वैष्णव B. शैव
C. जैन D. बौद्ध

65. हर्षवर्द्धन पराजित हुआ था–
A. शशांक से
B. रामपाल से
C. पुलकेशिन II से
D. प्रवरसेन से

66. एलोरा का कैलाश मन्दिर किस वंश के शासक ने बनवाया था?

A. राष्ट्रकूट वंश B. चोल वंश

C. पल्लव वंश D. चालुक्य वंश

67. बंगाल में द्वैध शासन का अन्त कब हुआ?

A. सन् 1771 ई॰ में

B. सन् 1772 ई॰ में

C. सन् 1773 ई॰ में

D. सन् 1774 ई॰ में

68. मार्च, सन् 1602 ई॰ में किस व्यापारिक कम्पनी की स्थापना हुई थी?

A. ब्रिटिश कम्पनी

B. ईस्ट–इंडिया कम्पनी

C. डच संयुक्त कम्पनी

D. उपर्युक्त में से कोई भी नहीं

69. सन् 1857 ई॰ में स्वामी विवेकानन्द ने रामकृष्ण मठ की स्थापना कहाँ पर की थी?

A. वाराणसी में B. बारानगर में

C. वेल्लूर में D. मद्रास में

70. 'श्रीमद्भागवत् गीता' का अंग्रेजी अनुवाद किस ब्रिटिश प्रशासक ने किया था?

A. विलियम जोन्स ने

B. विलकिन्सन ने

C. मैथ्यू लायड ने

D. रैम्जे मैक्डोनाल्ड ने

71. 'खिलाफत आन्दोलन' किसने प्रारम्भ किया था?

A. मुहम्मद अली ने

B. शौकत अली ने

C. हसरत मोहानी ने

D. A व B दोनों ने

72. भारत में स्त्रियों की शिक्षा की अनुमति किसने दी थी?

A. डलहौजी ने

B. विलियम बैंटिंक ने

B. हार्डिंग प्रथम ने

D. एलनबेरा ने

73. मैक्सवेल–ब्रुमफील्ड जाँच का सम्बन्ध किस आन्दोलन से है?

A. मोपला विद्रोह

B. नील आन्दोलन

C. पाबना विद्रोह

D. बारदोली सत्याग्रह

74. मृत्यु के उपरान्त कुतुबुद्दीन ऐबक को दफनाया गया था–

A. रावलपिण्डी में B. इस्लामाबाद में

C. लाहौर में D. दिल्ली में

75. बीदर का संस्थापक था–

A. अली बरीद

B. बरीद शाह

C. शाह बीदर

D. उपर्युक्त में से कोई नहीं

भूगोल

76. प्रसिद्ध 'गिर अभयारण्य' कहाँ स्थित है?

A. मैसूर में B. कश्मीर में

C. गुजरात में D. केरल में

77. वाणिज्यिक स्तर पर रबड़ का उत्पादन भारत के निम्नलिखित में से किस राज्य-समूह में होता है?

A. महाराष्ट्र–गुजरात–मध्य प्रदेश

B. केरल–तमिलनाडु–कर्नाटक

C. सिक्किम–अरुणाचल प्रदेश–नगालैण्ड

D. ओडिशा–मध्य प्रदेश–महाराष्ट्र

78. सूर्य का पृष्ठीय तापमान आँका गया है–

A. 6000 °C B. 12000 °C

C. 18000 °C D. 24000°C

79. भारत का मानक समय ग्रीनविच माध्य समय से–

A. 5½ घंटे आगे है

B. 4½ घंटे पीछे है

C. 4 घंटे आगे है

D. 5½ घंटे पीछे है

80. काले वन पाए जाते हैं–

A. फ्रांस में

B. जर्मनी में

C. चेक रिपब्लिक में

D. रोमानिया में

81. पृथ्वी अपने अक्ष पर कितनी आनति पर घूमती है?

A. $23\frac{1^\circ}{2}$ B. $22\frac{1^\circ}{2}$

C. $21\frac{1^\circ}{2}$ D. 20°

82. नाथूला दर्रा किस राज्य में स्थित है?

A. असम में

B. अरुणाचल प्रदेश में

C. सिक्किम में

D. मेघालय में

83. कुछ पौधों के बीज अंकुरित नहीं हो पाते यदि वे फल–भक्षी पक्षियों के पाचन क्षेत्र से न गुज़रें, इसका कारण है–

A. शीतनिष्क्रियता

B. बीज आवरण अपारगम्यता

C. अनुर्वरता

D. कायिक जनन

84. गन्ने में सुक्रोस की मात्रा कम हो जाती है–

A. यदि पादप की वृद्धि की अवधि के दौरान भारी वर्षा हो जाए

B. यदि पकने की अवधि के दौरान पाला पड़ जाए

C. यदि पादप की वृद्धि की अवधि के दौरान तापमान में उतार–चढ़ाव हो

D. यदि पकने के समय के दौरान उच्च तापमान हो

85. वायुमंडलीय दाब में सहसा पतन किस बात का संकेत है?

A. साफ मौसम का

B. तूफान का

C. वर्षा का

D. शीतल मौसम का

86. निम्नलिखित में से पृथ्वी ग्रह पर कहाँ पर कोई अपकेन्द्र बल नहीं होता है?

A. भूमध्य रेखा पर

B. कर्क रेखा पर

C. ध्रुवों पर

D. मकर रेखा पर

87. निम्नलिखित नदियों में से किनके स्त्रोत बिन्दु लगभग एक ही हैं?

A. ब्रह्मपुत्र और गंगा

B. ताप्ती और व्यास

C. ब्रह्मपुत्र और सिंधु

D. सिंधु और गंगा

88. किसी जगह का स्थानीय समय 6.00 प्रातः है, जबकि ग्रीनविच मीन टाइम (जी. एम. टी.) 3.00 प्रातः है, उस जगह की देशान्तर रेखा क्या होगी?

A. 45° पश्चिम B. 45° पूर्व
C. 120° पूर्व D. 120° पश्चिम

89. 'मरुस्थल की राजधानी' किसे कहते हैं?

A. उदयपुर B. जयपुर
C. पालामऊ D. जैसलमेर

90. निम्नलिखित भारतीय नदियों में से कौन इस्चुअरी बनाती है?

A. गोदावरी B. कावेरी
C. ताप्ती D. महानदी

91. भारत का निम्नलिखित में से कौन-सा क्षेत्र उच्च तीव्रता की भूकम्पीय मेखला में नहीं आता है?

A. उत्तराखंड B. कर्नाटक पठार
C. कच्छ D. हिमाचल प्रदेश

92. निम्नलिखित भारतीय द्वीपों में से कौन-सा द्वीप भारत एवं श्रीलंका के मध्य में है?

A. एलीफेन्टा B. निकोबार
C. रामेश्वरम् D. सलसेत

93. भारत के किस राज्य में मानसून का आगमन सबसे पहले होता है?

A. असम B. पश्चिम बंगाल
C. महाराष्ट्र D. केरल

94. चूना पत्थर की चट्टान कायान्तरित हो जाती है तब बनती है–

A. ग्रेफाइट B. क्वार्ट्जाइट
C. ग्रेनाइट D. संगमरमर

95. रिफ्ट घाटी निम्नलिखित में से किसका परिणाम है?

A. भूकम्प B. वलन
C. अपरदन D. उपरोक्त सभी

96. मेट्टूर बाँध किस नदी पर बना है?

A. कृष्णा B. कावेरी
C. नर्मदा D. महानदी

97. महेन्द्र गिरि चोटी स्थित है–

A. पूर्वी घाट B. पश्चिमी घाट
C. शिवालिक D. विंध्याचल

98. विख्यात दिलवाड़ा मन्दिर कहाँ स्थित है?

A. मध्य प्रदेश B. महाराष्ट्र
C. गुजरात D. राजस्थान

99. जो नदी डेल्टा का निर्माण नहीं करती है, वह है–

A. महानदी B. ताप्ती
C. कृष्णा D. कावेरी

100. नाथपा झाकरी विद्युत् परियोजना कहाँ स्थित है?

A. उत्तराखंड
B. अरुणाचल प्रदेश
C. हिमाचल प्रदेश
D. आंध्र प्रदेश

101. 'संसार की छत' किसे कहते हैं?

A. इंदिरा स्थल B. कंचनजंगा
C. पामीर नॉट D. इंदिरा कोल

102. गीजर, एक जल–स्रोत होता है, जो–

A. निरंतर जल फेंकता है
B. रुक-रुककर जल फेंकता है
C. नियमित अंतरालों पर जल और वाष्प फेंकता है
D. केवल भाप फेंकता है

103. भूमंडलीय जलवायु परिवर्तन का मुख्य कारण है–

A. वायुमण्डल में कार्बन डाइऑक्साइड की मात्रा में वृद्धि

B. औद्योगिक गैसों का उत्सर्जन

C. धूल में वृद्धि

D. पादप आवरण में परिवर्तन

104. अंकलेश्वर और कलोल दो तेल क्षेत्र हैं–

A. महाराष्ट्र में B. असम में

C. गुजरात में D. राजस्थान में

105. भारत का एकमात्र सक्रिय (Active) ज्वालामुखी है–

A. विसूवियस B. एटना

C. बैरन आइलैंड D. स्ट्राम्बोली

106. जेट जैसे बड़े हवाई जहाज वायुमण्डल (Atmosphere) के निम्नलिखित भागों में से किस एक में प्रायः उड़ते हैं?

A. ट्रोपोस्फियर B. स्ट्रेटोस्फियर

C. आइनोस्फियर D. एक्सोस्फियर

107. चीन के निम्नलिखित भागों में कहाँ शहतूत के वृक्ष मुख्यतः सिल्क उत्पादन के लिए उगाए जाते हैं?

A. ह्वांगहो बेसिन

B. सिक्यांग घाटी

C. मंचूरिया का मैदान

D. यांग्टजी डेल्टा

108. पश्चिमी घाटों के मालाबार तट पर स्थित माहे निम्नलिखित में से किसका भाग है?

A. केरल B. महाराष्ट्र

C. पुडुचेरी D. तमिलनाडु

109. सागरीय खाई के आधार से लगभग 45° कोण पर, स्थलमण्डल से दुर्बलतामण्डल तक विस्तृत भूकम्पीय क्षेत्र क्या कहलाता है?

A. एप्लीटोन परत

B. बेनिऑफ क्षेत्र

C. कोनार्ड असंतति

D. अभिसरण क्षेत्र

110. निम्नलिखित में से कौन-सा मानवजातीय वर्ग मंगोलॉयड में समाविष्ट नहीं है?

A. यकुत

B. सैमोइड

C. उत्तरी अमेरिका के रेड इण्डियन्स

D. बन्टू

111. निम्नलिखित नदियों में से कौन-सी एक अग्रवर्धी डेल्टा बनाती है?

A. मिसीसिपी B. नाइजर

C. नील D. टाइबर

112. निम्नलिखित पारिस्थितिक तंत्र के प्रकारों में से कहाँ शुद्ध वनस्पति उत्पादन की वार्षिक औसत दर अधिकतम है?

A. शीतोष्ण घासस्थल

B. सवाना

C. शंकुधारी वन

D. शीतोष्ण वन

113. निम्नलिखित में से किसके कारण उष्णकटिबन्धीय चक्रवात भूमध्य रेखा के निकट नहीं आते हैं?

A. क्षीण कॉरिओलिस बल

B. हल्की तथा परिवर्ती पवनें

C. अत्यधिक आर्द्रता

D. संवहनी क्रिया

114. निम्नलिखित पर्यावरणीय प्रदूषकों में से कौन-सा अम्ल वर्षा होने का प्रमुख कारक है?

A. कार्बन डाइऑक्साइड

B. हाइड्रोजन परऑक्साइड

C. कार्बन मोनोऑक्साइड

D. सल्फर डाइऑक्साइड

115. निम्नलिखित में से कौन-सा प्रथम वैज्ञानिक भूगोलवेत्ता था जिसने ठोस सिद्धान्तों पर विषवुत् रेखा की लम्बाई का पता लगाया?

A. हेरोडोटस B. हिकेटियस

C. एनाक्जीमेण्डर B. इराटोस्थनीज

116. कैरीबू क्या प्रदान करता है?

A. मांस और चमड़ा

B. मांस, दुग्ध और असिकुड़नशील ऊन

C. मांस और (समूर) फर

D. मांस और ईंधन के लिए चरबी

117. मत्स्योत्पादन का प्रमुख क्षेत्र डॉगर बैंक (Dogger Bank) कहाँ स्थित है?

A. उत्तरी प्रशान्त महासागर

B. दक्षिण प्रशान्त महासागर

C. उत्तरी सागर

D. दक्षिणी अटलांटिक महासागर

118. डयाक (Dayak) नामक मानवजातीय वर्ग कहाँ रहता है?

A. बाली

B. बोर्नियो

C. टेंगारा सुण्डा द्वीपसमूह

D. पश्चिमी तिमोर

119. मृत सागर कहाँ स्थित है?

A. रिफ्ट घाटी में

B. अंतरापर्वतीय पठार में

C. अंतरापर्वतीय मैदान में

D. गंभीर खड्ड (कैनियन) में

120. ओजोन पर्त अवस्थित है–

A. क्षोभमंडल में

B. समतापमंडल में

C. क्षोभसीमा में

D. प्रकाश मंडल में

121. शीतोष्ण चक्रवात निम्नलिखित में से किसके द्वारा अभिलक्षित होते हैं?

A. वाताग्र

B. अपसारी पवन (Diverging Winds)

C. शुष्क पवन

D. उष्ण पवन

122. निम्न में से कौन-सी नदी समुद्र में नहीं मिलती है?

A. गंगा B. गोदावरी

C. नर्मदा D. यमुना

123. निम्नलिखित में से कौन-सा युग्म सही सुमेलित नहीं है?

A. शिकागो मिशिगन झील

B. क्लेवलैण्ड ईरी झील

C. डेट्रायट सुपीरियर झील

D. टोरोन्टो ओन्टारियो झील

124. निम्नलिखित क्षेत्र में कौन-सा द्वीप पॉलिनेशियाई क्षेत्र में अन्तर्विष्ट नहीं है?

A. न्यूजीलैंड B. तिमोर

C. टोंगा द्वीप D. तुवालु

125. रूर (Ruhr) प्रदेश किस खनिज के खनन के लिए विश्व प्रसिद्ध है?

A. लोहा

B. तांबा

C. कोयला

D. अभ्रक

126. मानसून निवर्तन से अधिकतम वर्षा कहाँ पर होती है?
A. मुंबई B. दिल्ली
C. चेन्नई D. कोलकाता

127. दस डिग्री चैनल पृथक् करता है–
A. अंडमान को निकोबार द्वीपों से
B. अंडमान को म्यांमार से
C. भारत को श्रीलंका से
D. लक्षद्वीप को मालदीव से

128. दक्षिणी अमेरिका का चौड़ा वृक्षरहित घास का मैदान कहलाता है–
A. सेल्वा B. पम्पास
C. प्रेयरी D. स्टेपीज

129. मोना लोआ एक सक्रिय ज्वालामुखी (Active Volcano) है–
A. अलास्का का B. हवाई द्वीप का
C. इटली का D. जापान का

130. संयुक्त राज्य अमेरिका में निम्नलिखित में से किस क्षेत्र को 'टॉरनैडो ऐली' कहा जाता है?
A. अटलांटिक समुद्रतट
B. प्रशान्त तट
C. मिसीसिपी मैदान
D. अलास्का

131. मृतक घाटी जानी जाती है, इसकी–
A. अत्यधिक उष्णता के लिए
B. अत्यधिक ठंड के लिए
C. असामान्य गहराई के लिए
D. अत्यधिक लवणता के लिए

132. रेडियो तरंगों का परावर्तन करने वाली वायुमण्डलीय परत को क्या कहते हैं?
A. ओजोनमण्डल B. आयनमण्डल
C. समतापमण्डल D. मध्यमण्डल

133. पृथ्वी पर सबसे गहरा पृष्ठ गर्त (Surface depression) है–
A. कुरील खाई
B. मेरियाना खाई
C. टोंगा-करमाडेक खाई
D. बेन्टले अधोहिमानी (Subglacial)

134. शैल (Shale) का कायांतरण निम्नलिखित में से किस शैल में होता है?
A. ग्रेफाइट B. नाइस
C. मार्बल D. स्लेट

135. उष्ण मरुस्थल प्रायः कहाँ पाए जाते हैं?
A. कर्क रेखा तथा मकर रेखा के पूर्वी उपांतों पर
B. कर्क रेखा तथा मकर रेखा के पश्चिमी उपांतों पर
C. विषुवत् रेखा के निकट
D. महाद्वीपों के मध्य में

136. उत्तरी गोलार्द्ध की अपेक्षा दक्षिणी गोलार्द्ध में शीतकाल अधिक सख्त क्यों होता है?
A. उत्तरी गोलार्द्ध में पृथ्वी सूर्य की ओर झुकी हुई है
B. उत्तरी गोलार्द्ध को सूर्य का प्रकाश अधिक मिलता है
C. दक्षिणी गोलार्द्ध में प्लावी हिमशैल (Iceberg) की सक्रियता अधिक है
D. दक्षिणी गोलार्द्ध में आबादी कम है

137. कन्याकुमारी निम्नलिखित में से कहाँ स्थित है?
A. केरल B. तमिलनाडु
C. कर्नाटक D. ओडिशा

138. विश्व का सबसे बड़ा महाद्वीप (Largest Continent) है–

A. उत्तरी अमेरिका

B. दक्षिणी अमेरिका

C. एशिया

D. यूरोप

139. पृथ्वी का भूमध्यरेखीय व्यास (Equatorial Diameter) (किमी में) है–

A. 12700 B. 12756

C. 11752 D. 13700

140. रेगिस्तान में वनरोपण (Afforestation) में बाधा है–

A. कम वर्षा

B. उर्वरता विहिन (Unfertility) मृदा

C. वृक्षों का रोपण

D. चरने वाले (Grazing) पशु

141. 'दस्त ए कबीर' और 'दस्त ए लुट' नामक मरुस्थल किस देश में स्थित हैं?

A. इराक B. सऊदी अरब

C. ईरान D. पाकिस्तान

142. कौन-सा पवन हिमभक्षी कहलाता है?

A. चिनूक B. हरमट्टन

C. बीरा D. सिरोक्को

143. निम्नलिखित में से किस देश में ग्रीष्म ऋतु में दिन सबसे बड़ा होता है?

A. भारत B. नार्वे

C. नाइजीरिया D. कांगो (डे.रि.)

144. मैक्सिको की खाड़ी क्षेत्र का उष्णकटिबन्धीय चक्रवात कहलाता है–

A. टाइफून B. चक्रवात

C. टोरनेडो D. हरिकेन

145. निम्नलिखित में से किस समुद्र में सर्वाधिक लवणता पाई जाती है?

A. लाल सागर

B. जापान सागर

C. इंगलिश चैनल

D. कैलीफोर्निया की खाड़ी

146. भूकम्प से उत्पन्न वृहत् समुद्री तरंग को कहते हैं–

A. नूनाटक B. सुनामी

C. पिंगो D. ड्रिफ्ट

147. गांधीसागर बाँध किस नदी पर स्थित है?

A. नर्मदा B. चम्बल

C. तवा D. सोन

148. भारत में सर्वाधिक वर्षा वाला स्थान मासिनराम निम्नलिखित में से किस राज्य में है?

A. असम B. अरुणाचल प्रदेश

C. मिजोरम D. मेघालय

149. निम्नलिखित में खरीफ की फसल है–

A. गेहूँ B. चना

C. चावल D. तरबूज

150. निम्नलिखित में से कौन-सा प्रमुख जूट उत्पादक राज्य है?

A. उत्तर प्रदेश B. हिमाचल प्रदेश

C. कर्नाटक D. पश्चिम बंगाल

भारतीय राजव्यवस्था एवं संविधान

151. गांधीजी से दक्षिण अफ्रीका में मिलने के लिए निम्नलिखित में से कौन गया था?

A. बाल गंगाधर तिलक

B. वल्लभभाई पटेल

C. गोपालकृष्ण गोखले

D. जवाहरलाल नेहरू

152. भारत की संविधान सभा का संवैधानिक सलाहकार कौन था?

A. डॉ. राजेन्द्र प्रसाद

B. डॉ. बी. आर. अम्बेडकर

C. सर बी. एन. राव

D. श्री के. एम. मुंशी

153. स्वतंत्र भारत की लोकसभा का पहला अध्यक्ष कौन था?

A. हुकमसिंह

B. बलिराम भगत

C. रवि राय

D. जी॰ वी॰ मावलंकर

154. भारतीय संविधान में कितने मौलिक कर्त्तव्य शामिल किए गए हैं?

A. नौ B. दस

C. ग्यारह D. बारह

155. भारतीय संविधान के अनुसार, संसद के दोनों सदनों का अधिवेशन एक वर्ष में कम–से–कम कितनी बार बुलाना जरूरी है?

A. चार बार B. तीन बार

C. दो बार D. एक बार

156. उच्च न्यायालय में अपील की जा सकती है, यदि सत्र न्यायालय ने दण्ड दिया हो–

A. एक वर्ष या अधिक का

B. दो वर्ष या अधिक का

C. तीन वर्ष या अधिक का

D. उपर्युक्त सभी

157. भारत का उपराष्ट्रपति होता है–

A. लोक सभा का अध्यक्ष

B. राज्य सभा का पदेन सभापति

C. राष्ट्राध्यक्ष

D. शासनाध्यक्ष

158. कलकत्ता विश्वविद्यालय किस शैक्षिक रिपोर्ट के माध्यम से अस्तित्व में आया था?

A. मैकाले का कार्यवृत्त

B. हंटर आयोग

C. चार्टर अधिनियम

D. वुड का डिस्पैच

159. छः वर्ष की आयु से 14 वर्ष की आयु के बीच के सभी बच्चों (शिशुओं) को शिक्षा का अधिकार–

A. राज्य के नीति निर्देशंक सिद्धान्तों में सम्मिलित है

B. मूल अधिकार है

C. सांविधिक अधिकार है

D. उपर्युक्त में से कोई नहीं

160. निम्नलिखित में से कौन-सा एक प्रस्ताव भारत में मंत्रिपरिषद् रख सकती है?

A. अविश्वास प्रस्ताव (No-confidence Motion)

B. भर्त्सना प्रस्ताव (Censure Motion)

C. स्थगन प्रस्ताव (Adjournment Motion)

D. विश्वास प्रस्ताव (Confidence Motion)

161. निम्नलिखित में से कौन-सा एक व्यय भारत की संचित निधि पर भारित **नहीं** है?

A. भारत के राष्ट्रपति का वेतन तथा भत्ते

B. भारत के उप-राष्ट्रपति का वेतन तथा भत्ते

C. भारत के उच्चतम न्यायालय के न्यायाधीशों के वेतन तथा भत्ते

D. लोक सभा अध्यक्ष का वेतन तथा भत्ते

162. संसद द्वारा संकटकाल की घोषणा का अनुमोदन कितनी अवधि के अन्तराल में होना आवश्यक है?

A. 14 दिन B. 1 माह

C. 3 माह D. 6 माह

163. निम्न में से कौन-सी संवैधानिक संस्था नहीं है?

A. संघ लोक सेवा आयोग

B. वित्त आयोग

C. नीति आयोग

D. चुनाव आयोग

164. भारत के उपराष्ट्रपति के पास निम्न में से एक पद भी होता है–

A. वित्त आयोग का अध्यक्ष

B. राज्यसभा का सभापति

C. नीति आयोग का अध्यक्ष

D. विशेषाधिकार समिति का अध्यक्ष

165. विधान परिषद के सदस्य का कार्यकाल है–

A. 4 वर्ष

B. 5 वर्ष

C. 6 वर्ष

D. 7 वर्ष

166. किस अधिनियम के द्वारा मुसलमानों को पृथक् निर्वाचन का अधिकार दिया गया था?

A. इंडियन कौंसिल एक्ट, 1909

B. भारत शासन अधिनियम, 1915

C. भारत शासन अधिनियम, 1919

D. भारत शासन अधिनियम, 1935

167. भारतीय संविधान के अनुच्छेद 19 में कौन–सा अधिकार शामिल है?

A. वाक् और अभिव्यक्ति की स्वतंत्रता का अधिकार

B. संवैधानिक उपचारों का अधिकार

C. शोषण के विरुद्ध अधिकार

D. धार्मिक स्वतंत्रता का अधिकार

168. वैट (VAT) सम्बन्धित है–

A. बैंकिंग सेवा से

B. व्यापार कर प्रणाली से

C. जीवन बीमा से

D. उपर्युक्त में से कोई नहीं

169. भारत की पंचायती राज व्यवस्था में कितने स्तर हैं

A. एक स्तर B. तीन स्तर

C. दो स्तर D. चार स्तर

170. 'शिक्षा का अधिकार' एक मूल अधिकार है–

A. अनुच्छेद 14 में

B. अनुच्छेद 19 में

C. अनुच्छेद 22 में

D. अनुच्छेद 21-A में

171. भारतीय संविधान में अस्पृश्यता उन्मूलन से सम्बन्धित अनुच्छेद है–

A. अनुच्छेद 17 B. अनुच्छेद 15

C. अनुच्छेद 16 D. अनुच्छेद 18

172. महात्मा गाँधी राष्ट्रीय ग्रामीण रोजगार गारंटी अधिनियम, 2005 वर्ष में कितने दिन के रोजगार की गारंटी के विधिक अधिकार का उपबन्ध करता है?

A. 125 दिन B. 150 दिन

C. 100 दिन D. 183 दिन

173. वित्त आयोग में होते हैं–

A. एक अध्यक्ष और चार सदस्य

B. पाँच सदस्य

C. एक अध्यक्ष और तीन सदस्य

D. एक अध्यक्ष और सात सदस्य

174. आपराधिक दायित्व से उन्मुक्ति के लिए बच्चे की आयु कितनी होनी चाहिए?
A. 10 वर्ष से कम
B. 14 वर्ष से कम
C. 8 वर्ष से कम
D. 7 वर्ष से कम

175. निम्न लेख (रिट) के मामले में पूर्व न्याय का सिद्धान्त लागू नहीं होता है–
A. बन्दी-प्रत्यक्षीकरण में
B. उत्प्रेषण में
C. परमादेश में
D. अधिकार-पृच्छा में

176. हिन्दू विवाह अधिनियम, 1955 में प्रयुक्त 'हिन्दू' शब्द में निम्नांकित में से कौन सम्मिलित नहीं है?
A. सिख B. जैन
C. पारसी D. बौद्ध

177. राज्यसभा में राष्ट्रपति द्वारा कितने सदस्य नामजद किए जाते हैं?
A. 12 B. 15
C. 10 D. 20

178. भारत की संसदीय-प्रणाली किस देश से ली गई है?
A. अमेरिका B. ब्रिटेन
C. ऑस्ट्रेलिया D. आयरलैंड

179. संविधान के अन्तर्गत बंदी प्रत्यक्षीकरण समादेश जारी करने का अधिकार किसमें निहित है?
A. केवल उच्च न्यायालय
B. केवल उच्चतम न्यायालय
C. उच्च तथा उच्चतम न्यायालय दोनों
D. जनपद न्यायालय तथा उनके ऊपर के सभी न्यायालय

180. केन्द्रीय करों में राज्यों के हिस्से का निर्णय कौन करता है?
A. वित्त आयोग B. नीति आयोग
C. चुनाव आयोग D. वित्त मंत्रालय

181. भारतीय संविधान के किस अनुच्छेद में भारतीय नागरिकों के मूल कर्त्तव्य शामिल हैं?
A. अनुच्छेद 50 क
B. अनुच्छेद 50 ख
C. अनुच्छेद 51 क
D. अनुच्छेद 51 ख

182. निम्नलिखित में से किस देश ने 'प्रत्यक्ष लोकतंत्र' लागू किया है?
A. रूस B. भारत
C. फ्रांस D. स्विट्जरलैण्ड

183. निम्नलिखित में से कौन-सा 'मूल अधिकार' नहीं है?
A. समता का अधिकार
B. सम्पत्ति का अधिकार
C. स्वतंत्रता का अधिकार
D. संवैधानिक उपचारों का अधिकार

184. हमारे संविधान में मूल अधिकार कहाँ के संविधान द्वारा प्रेरित हैं?
A. संयुक्त राज्य अमेरिका
B. यूनाइटेड किंगडम
C. स्विट्जरलैंड
D. कनाडा

185. संसदीय प्रणाली में कार्यपालिका किसके प्रति उत्तरदायी होती है?
A. विधानमंडल
B. जनता
C. न्यायपालिका
D. उपर्युक्त में से कोई नहीं

186. आधुनिक भारत में स्थानीय स्वशासन का जनक सामान्यतया किसे माना जाता है?

A. रिपन B. मेयो
C. लिटन D. कर्जन

187. भारत सरकार का प्रमुख विधि अधिकारी कौन है?

A. भारत के मुख्य न्यायाधीश
B. उच्चतम न्यायालय के पंजीयक
C. भारत के विधि मंत्री
D. भारत के महान्यायवादी

188. राष्ट्रीय ग्रामीण स्वास्थ्य मिशन का शुभारम्भ हुआ था–

A. 15 अगस्त, 2002 में
B. 31 मार्च, 2003 में
C. 18 जून, 2004 में
D. 12 अप्रैल, 2005 में

189. राज्य की संचित निधि का संचालन करता है–

A. राज्य का मुख्यमंत्री
B. राज्य का राज्यपाल
C. राज्य का वित्त मंत्री
D. उपर्युक्त में से कोई नहीं

190. भारतीय संविधान के किस अनुच्छेद में प्रेस की स्वतंत्रता दी गई है?

A. 14 B. 25
C. 21 A D. 19 (1)

191. लोकसभा में राज्यों को किस आधार पर सीटें आवंटित होती हैं?

A. जनसंख्या B. क्षेत्रफल
C. गरीबी D. भाषा

192. ''वन्दे मातरम्' गीत किसने लिखा है?

A. रवीन्द्रनाथ टैगोर
B. रामधारी सिंह दिनकर
C. सरोजिनी नायडू
D. बंकिम चन्द्र चटर्जी

193. भारतीय संविधान के किस अनुच्छेद में अनुसूचित जनजातियों के लिए राष्ट्रीय आयोग का प्रावधान है?

A. 338 A B. 341
C. 16 D. 82

194. भारत में पंचायतीराज का आरम्भ किस वर्ष में हुआ था?

A. 1957 B. 1952
C. 1959 D. 1951

195. पंचायत के द्वारा कौन-सा कर वसूला जाता है?

A. स्थानीय मेलों पर कर
B. बिक्री कर
C. भू-राजस्व
D. पंचायत कर

196. निम्नलिखित में से किस राज्य ने सर्वप्रथम पंचायती राज प्रणाली लागू की?

A. राजस्थान B. महाराष्ट्र
C. बिहार D. उत्तर प्रदेश

197. संघ सरकार की कार्यपालिका शक्ति का वास्तविक उपभोग कौन करता है?

A. राष्ट्रपति B. मंत्रिमण्डल
C. प्रधानमंत्री D. संसद

198. भारत में समस्त राजनीतिक सत्ता का स्रोत है–

A. लोक सभा B. राज्य सभा
C. संविधान D. जनता

199. राष्ट्रीय बाल नीति कब घोषित की गई?

A. 1987 B. 1989
C. 1993 D. 1994

200. कमजोर वर्गों के लिए भारतीय संविधान में आरक्षण का प्रावधान किस अनुच्छेद के तहत् किया गया है?

A. अनुच्छेद-16 B. अनुच्छेद-17
C. अनुच्छेद-19 D. अनुच्छेद-21

201. भारतीय संविधान में आर्थिक नियोजन को किस सूची के विषय के रूप में स्थान दिया गया है?

A. केन्द्र सूची
B. राज्य सूची
C. समवर्ती सूची
D. इनमें से कोई नहीं

202. राष्ट्रीय ग्रामीण विकास संस्थान कहाँ पर स्थित है?

A. लखनऊ B. शिमला
C. हैदराबाद D. मैसूर

203. भारतीय संविधान सभा ने सर्वप्रथम किसे अपना स्थायी अध्यक्ष चुना?

A. डॉ॰ सच्चिदानंद सिन्हा
B. डॉ॰ राधाकृष्णन
C. डॉ॰ राजेन्द्र प्रसाद
D. डॉ॰ भीमराव अम्बेडकर

204. NDC (राष्ट्रीय विकास परिषद्) का अध्यक्ष होता है–

A. राष्ट्रपति B. उपराष्ट्रपति
C. प्रधानमंत्री D. गृहमंत्री

205. कोठारी आयोग सम्बन्धित है–

A. सेना
B. शिक्षा
C. केन्द्र-राज्य सम्बन्ध
D. धर्मनिरपेक्षता

206. भारतीय राज्य मुख्यतः किस आधार पर गठित किए गए हैं?

A. भौगोलिक स्थिति
B. प्रशासन की सहूलियत
C. भाषा
D. आर्थिक स्थिति

207. पंचायती राज का मुख्य उद्देश्य क्या है?

A. कृषि उत्पादन को बढ़ाना
B. रोजगार बढ़ाना
C. लोगों की राजनीतिक जागरूकता को बढ़ाना
D. लोगों को विकासमूलक प्रशासन में भागीदारी के योग्य बनाना

208. मूलतः पंचायतीराज व्यवस्था किसकी सिफारिश पर आधारित थी?

A. बलवंत राय मेहता समिति
B. सरकारिया आयोग
C. पी वी के राव समिति
D. अशोक मेहता समिति

209. "समान कार्य के लिए समान वेतन" भारत के संविधान में सुनिश्चित किया गया एक–

A. मौलिक अधिकार (Fundamental Rights) है
B. राज्य के नीति-निर्देशक सिद्धान्तों का अंग है
C. मौलिक कर्त्तव्य (Fundamental Duties) है
D. आर्थिक अधिकार (Economic Rights) है

210. निम्नलिखित कथनों पर विचार कीजिए–

1. भारत की संविधान सभा ने राष्ट्रीय ध्वज का प्रारूप 22 जुलाई, 1947 को अपनाया था।

2. राष्ट्रीय ध्वज के बीच चक्र में 21 तीलियाँ (Spokes) हैं।
3. राष्ट्रीय ध्वज की चौड़ाई–लम्बाई का अनुपात 3 : 5 है।

उपर्युक्त कथनों में से कौन-सा/से सही है/हैं?

A. 1 तथा 2 B. केवल 1
C. 2 तथा 3 D. केवल 2

211. भारतीय संसद बनती है–

A. केवल लोक सभा के द्वारा
B. लोक सभा और राष्ट्रपति के द्वारा
C. राज्य सभा और लोक सभा के द्वारा
D. लोक सभा, राज्य सभा एवं राष्ट्रपति के द्वारा

212. निम्न में से किस एक की अध्यक्षता ऐसे व्यक्ति के द्वारा होती है, जो उसका सदस्य नहीं होता है?

A. लोक सभा B. विधान सभा
C. राज्य सभा D. मंत्रिपरिषद्

213. यह धारणा कि भारत एक कल्याणकारी राज्य (Welfare State) है, सर्वाधिक दर्शित होती है–

A. संविधान की प्रस्तावना (Preamble) द्वारा
B. मौलिक अधिकारों द्वारा
C. राज्य के नीति-निर्देशक तत्वों के द्वारा
D. मौलिक कर्त्तव्यों के द्वारा

214. निम्नलिखित में से कौन भारत के राष्ट्रपति की इच्छा तक ही पद पर बना रहता है?

A. निर्वाचन आयुक्त
B. राज्यपाल
C. उच्चतम न्यायालय के न्यायाधीश
D. लोकसभा के अध्यक्ष

215. निम्नलिखित में से किसे संसद के दोनों सदनों में बोलने, अन्य कार्यवाहियों में सम्मिलित होने एवं किसी भी संसदीय समिति के सदस्य होने का अधिकार तो है, परन्तु उसे मत (Vote) देने का अधिकार नहीं है?

A. भारत के महालेखा परीक्षक एवं लेखा नियन्त्रक
B. भारत के मुख्य निर्वाचन आयुक्त
C. भारत के वित्त आयोग के अध्यक्ष
D. भारत के महान्यायवादी

216. निम्न में से किस एक की प्रस्थिति अन्य तीनों से भिन्न है?

A. पिछड़ी जाति आयोग
B. वित्त आयोग
C. राष्ट्रीय मानवाधिकार आयोग
D. निर्वाचन आयोग

217. आर्थिक सर्वेक्षण प्रतिवर्ष संसद में प्रस्तुत किया जाता है–

A. आगामी वर्ष के बजट के प्रस्तुतीकरण के पूर्व
B. आगामी वर्ष के बजट के प्रस्तुतीकरण के पश्चात्
C. वित्त विधेयक के प्रस्तुतीकरण के पश्चात्
D. और उसके बजट के प्रस्तुतीकरण से कोई सम्बन्ध नहीं होता है

218. भारतीय राष्ट्रपति के सर्वसम्मति से चुने जाने का अभी तक एकमात्र उदाहरण है–

A. डॉ॰ राजेन्द्र प्रसाद

B. डॉ॰ राधाकृष्णन
C. डॉ॰ जाकिर हुसैन
D. नीलम संजीवा रेड्डी

219. ऐसे संघ शासित प्रदेशों के लिए जिनकी अपनी विधायिका नहीं है, उनके लिए कौन कानून बनाता है?
A. राष्ट्रपति
B. संसद
C. प्रशासकगण
D. संघ का कानून मंत्रालय

220. अरुणाचल प्रदेश को किस वर्ष राज्य का दर्जा दिया गया?
A. 1972 B. 1984
C. 1987 D. 1985

221. निम्न में से किस राज्य का विधानमंडल एक सदनीय है?
A. कर्नाटक B. गुजरात
C. महाराष्ट्र D. उत्तर प्रदेश

222. भारतीय दण्ड संहिता किस वर्ष प्रभाव में आई?
A. 1860 B. 1861
C. 1862 D. 1863

223. लाभ के पद का निर्णय कौन करेगा?
A. राष्ट्रपति एवं राज्यपाल
B. संघीय संसद
C. उच्चतम न्यायालय
D. संघ लोक सेवा आयोग

224. संयुक्त राष्ट्र संघ दिवस निम्नलिखित तिथि को मनाया जाता है–
A. 24 सितम्बर
B. 24 जून
C. 24 अक्टूबर
D. 24 जनवरी

225. देश के किसी राज्य में, संविधान के किस अनुच्छेद के अन्तर्गत राष्ट्रपति शासन लागू किया जाता है?
A. 365 B. 356
C. 366 D. 226

अर्थव्यवस्था

226. निम्नलिखित में से किसको राष्ट्रीय ऋण नहीं माना जाता?
A. जीवन बीमा पॉलिसियाँ
B. दीर्घावधि सरकारी बॉण्ड
C. राष्ट्रीय बचत–पत्र
D. भविष्यनिधि

227. नीली क्रान्ति (Blue Revolution) सम्बन्धित है–
A. मछली उत्पादन से
B. दुग्ध उत्पादन से
C. तेल उत्पादन से
D. खाद्य उत्पादन से

228. भारत में जनसंख्या वृद्धि की दर अधिक है, क्योंकि–
A. जन्म-दर और मृत्यु-दर दोनों ही अधिक बनी हुई है
B. जन्म-दर मृत्यु-दर की अपेक्षा कम घटी है
C. मृत्यु-दर में कमी आई है, किन्तु जन्म-दर अधिक बनी हुई है
D. मृत्यु-दर जन्म-दर की अपेक्षा कम घटी है

229. अनुसूचित बैंकों का पंजीयन किसके पास कराना होता है?.
A. सेबी

B. भारतीय रिजर्व बैंक
C. वित्त मंत्रालय
D. भारतीय स्टेट बैंक

230. असंगठित क्षेत्र के लिए डाटा कौन-सा संगठन एकत्र करता है?

A. NSSO B. CSO
C. ASI D. RBI

231. भारत सरकार की राजकोषीय नीति (Fiscal policy) का निम्न में से कौन एक उद्देश्य **नहीं** है?

A. पूर्ण रोजगार (Full employment)
B. मूल्य स्थिरता (Price stability)
C. अन्तर्राज्यीय व्यापार का नियमन
D. धन तथा आय का न्यायोचित वितरण

232. हिन्दू संवृद्धि दर का सम्बन्ध किस संवृद्धि दर से है?

A. सकल राष्ट्रीय उत्पाद (GDP)
B. जनसंख्या (Population)
C. खाद्यान्न (Foodgrains)
D. प्रति व्यक्ति आय (Per capita income)

233. भारतीय प्रतिभूति एवं विनिमय बोर्ड (SEBI) की स्थापना कब की गई थी?

A. 1981 B. 1988
C. 1990 D. 1992

234. भारत में राष्ट्रीय आय का प्राक्कलन किया जाता है–

A. नीति आयोग द्वारा
B. केन्द्रीय सांख्यिकीय संगठन द्वारा
C. भारतीय सांख्यिकीय संस्थान द्वारा
D. राष्ट्रीय प्रतिदर्श सर्वेक्षण संगठन द्वारा

235. निम्नलिखित में से किस एक समिति ने उद्योग में लघु क्षेत्र के लिए वस्तुओं का आरक्षण समाप्त करने की संस्तुति की?

A. आबिद हुसैन समिति
B. नरसिम्हन समिति
C. नायक समिति
D. राकेश मोहन समिति

236. निम्नलिखित में से किसे यह निर्णय करने का संवैधानिक अधिकार प्राप्त है कि केन्द्र द्वारा वसूल किए गए कुल कर में राज्यों का हिस्सा कितना है?

A. वित्त मंत्री
B. नीति आयोग
C. राष्ट्रीय विकास परिषद्
D. वित्त आयोग

237. मौद्रिक नीति का निर्माण भारत में कौन करता है?

A. सेबी B. आर॰ बी॰ आई
C. वित्त मंत्रालय D. नीति आयोग

238. किसी व्यक्ति की गरीबी रेखा से नीचे (BPL) की स्थिति परिभाषित करने के लिए निम्नलिखित में से किसे एक मानदंड नहीं माना जाता है?

A. खाद्य सुरक्षा
B. वैवाहिक स्थिति
C. कर्ज
D. साक्षरता

239. किरीट पारिख समिति निम्नलिखित में से किस क्षेत्र से सम्बन्धित थी?

A. बीमा B. बैंकिंग
C. पेट्रोलियम D. संचार

240. श्रम गहन उद्योग (Labour intensive industry) वह है, जहाँ–

A. कठिन मानव श्रम की आवश्यकता होती है

B. श्रमिकों को पर्याप्त मजदूरी दी जाती है

C. अधिक श्रमिकों को रखा जाता है

D. श्रमिकों को सुविधाएं उपलब्ध होती हैं

241. कर सुधार (Tax Reforms) के लिए कौन-सी समिति उत्तरदायी है?

A. जानकीरमन समिति

B. नरसिम्हन समिति

C. मलहोत्रा समिति

D. चेलैया समिति

242. भारत में विद्युत् आपूर्ति सबसे पहले कहाँ शुरू हुई?

A. कोलकाता B. चेन्नई

C. मुम्बई D. दार्जिलिंग

243. अवमूल्यन (Devaluation) का अर्थ है–

A. मुद्रा की क्रय शक्ति (Purchasing power of money) में कमी

B. मुद्रा के मूल्य में विदेशी मुद्रा के सन्दर्भ में कमी

C. सामान्य कीमत स्तर में वृद्धि

D. वस्तुओं की अपेक्षाकृत मुद्रा की अधिक मात्रा

244. विकासशील राष्ट्र मुख्य रूप से जिस कमी से त्रस्त हैं वह है–

A. जनशक्ति (Manpower)

B. पूँजी (Capital)

C. खाद्य पूर्ति (Food supply)

D. भूमि (Land)

245. राष्ट्रीय सोयाबीन अनुसंधान केन्द्र स्थित है–

A. जबलपुर में B. ग्वालियर में

C. इन्दौर में D. रतलाम में

246. एक उत्पादनकर्त्ता का उद्देश्य होता है–

A. अधिकतम कीमत पर बेचना

B. हानि को न्यूनतम एवं लाभों को अधिकतम करना

C. एकाधिकारी (Monopolist) की स्थिति को प्राप्त करना

D. कम लागत पर उत्पादन करना

247. राजकोषीय घाटे (Fiscal deficit) को परिभाषित किया गया है–

A. राजस्व और पूँजीगत, दोनों प्रकार की सभी प्राप्तियों एवं व्यय का अन्तर

B. रिजर्व बैंक द्वारा केन्द्रीय सरकार को दिए गए विशुद्ध उधार में वृद्धि

C. राजस्व प्राप्तियों, अनुदानों तथा ऋणेत्तर पूँजीगत प्राप्तियों के ऊपर, कुल व्यय, जिसमें उधार को घटाने के बाद कर्ज सम्मिलित है, का आधिक्य

D. राजस्व तथा पूँजीगत प्राप्तियों के ऊपर राजस्व व्यय का आधिक्य

248. भुगतान सन्तुलन का आधिक्य कारण बन सकता है–

A. मुद्रा पूर्ति में कमी का

B. रोजगार व मुद्रा पूर्ति में वृद्धि का

C. रोजगार के कम होने व मुद्रा पूर्ति के बढ़ने का

D. रोजगार व मुद्रा पूर्ति के घटने का

249. आबिद हुसैन कमेटी का सम्बन्ध है–

A. बैंकिग क्षेत्र से

B. लघु उद्योग क्षेत्र से

C. वृहद् उद्योग क्षेत्र से

D. वित्तीय सुधारों से

250. भारत में बैंक दर निर्धारित करती है–

A. वाणिज्य बैंक

B. सहकारी बैंक

C. नाबार्ड

D. भारतीय रिजर्व बैंक

251. मुद्रा के कार्य हैं–

A. विनिमय का माध्यम (Medium of Exchange)

B. मूल्य मापन (Measure of Value)

C. मूल्य संचय (Store of Value)

D. उपरोक्त सभी

252. भारत में जीएसटी कब से लागू हुआ?

A. 1 अप्रैल, 2017

B. 1 मई, 2017

C. 1 जून, 2017

D. 1 जुलाई, 2017

253. भारत में झूम खेती के अन्तर्गत भूमि का सबसे बड़ा प्रतिशत किस राज्य में है?

A. त्रिपुरा B. नगालैंड

C. मिजोरम D. मध्य प्रदेश

254. भुगतान सन्तुलन (Balance of Payments) एक वार्षिक लेखा विवरण है एक राष्ट्र के–

A. निर्यात व आयात का

B. आयात व निर्यात के कारण उत्पन्न अवशेष का

C. सोने एवं विदेशी मुद्रा की स्थिति का

D. अन्तर्राष्ट्रीय व्यापार एवं वित्तीय सौदों का

255. कृषि पर कर लगाने का अधिकार है–

A. केन्द्रीय सरकार को

B. राज्य सरकार को

C. यह आय कर अधिनियम में पहले से ही सम्मिलित है

D. A व B दोनों को

256. निम्नलिखित में से कौन-सी स्कीम ग्रामीण विकास के लिए नहीं है?

A. TRYSEM B. JRY

C. IRDP D. CRY

257. भारत में हीरे की खानें अधिकतर पाई जाती हैं–

A. उत्तर प्रदेश में

B. बिहार में

C. मध्य प्रदेश में

D. आन्ध्र प्रदेश में

258. भारत में नीति आयोग कब स्थापित किया गया था?

A. 2013

B. 2014

C. 2015

D. 2016

259. मुद्रा पूर्ति की स्थिर विकास दर इंगित करती है–

A. मुद्रा की पूर्ति में स्थिर दर से वृद्धि

B. मुद्रा की मात्रा को स्थिर रखना

C. मुद्रा की पूर्ति में तीव्र वृद्धि करना

D. मुद्रा की पूर्ति में शून्य दर से वृद्धि करना

260. भारत में गरीबी-रेखा को परिभाषित करने का आधार है–

A. लोगों का जीवन स्तर

B. अधिकतर लोगों का आय स्तर

C. भोजन से प्राप्त कैलोरी के द्वारा

D. लोगों की आदतों के अनुसार

261. उत्पादन के साधनों द्वारा एक वर्ष विशेष में अर्जित आय की माप है–

A. प्रयोज्य आय

B. व्यक्तिगत आय

C. सकल राष्ट्रीय उत्पाद

D. राष्ट्रीय आय

262. आय गणना के आधार पर सकल राष्ट्रीय उत्पाद की गणना करने में सम्मिलित नहीं है–

A. मजदूरी (Wages)

B. लगान (Rent)

C. कर (Taxes)

D. लाभ (Profit)

263. निम्नलिखित में से कौन-सा रिजर्व बैंक का कार्य नहीं है?

A. व्यापारिक बैंक के कार्य

B. साख नियंत्रण

C. सरकार का बैंक

D. मौद्रिक नीति का निर्धारण

264. राजकोषीय नीति (Fiscal policy) का निर्माण करती है–

A. रिजर्व बैंक B. नाबार्ड

C. भारत सरकार D. व्यापारिक बैंक

265. भारत में बैंकों का बैंक है–

A. मुद्रा कोष (Monetary Fund)

B. विश्व बैंक (World Bank)

C. रिजर्व बैंक (Reserve Bank)

D. औद्योगिक बैंक (Industrial Bank)

266. भारत में केन्द्र एवं राज्यों के द्वारा करारोपण (Taxation) का अधिकार–

A. संविधान में निहित है

B. संसद द्वारा तय किया जाता है

C. केन्द्रीय सरकार द्वारा तय किया जाता है

D. राष्ट्रपति द्वारा निर्धारित होता है

267. उद्यमी कार्य (Entrepreneurial activity) हमेशा संचालित किए जाते हैं–

A. धनिकों के द्वारा

B. अनिश्चितता की स्थिति में

C. भविष्य में प्राप्तियों के ज्ञान के आधार पर

D. उपर्युक्त में से कोई नहीं

268. हिंडाल्को कम्पनी किस क्षेत्र में परिचालन करती है?

A. एल्यूमीनियम B. कार

C. कपड़ा D. सीमेंट

269. 'बैंक दर' में कमी का ऋण की उपलब्धता पर क्या प्रभाव पड़ेगा?

A. ऋण बढ़ जाएगा

B. ऋण नहीं बढ़ेगा

C. ऋण कम हो जाएगा

D. उपर्युक्त में से कोई नहीं

270. भारत में विद्युत उत्पादन में सर्वाधिक अंश किसका है?

A. जल–विद्युत

B. नाभिकीय विद्युत

C. ताप विद्युत

D. तीनों का अंश बराबर है

271. निम्नलिखित में से कौन-सा एक भारत में भूमि सुधार कार्यक्रम का भाग नहीं रहा है?

A. जोतों की चकबन्दी
B. कृषि-जोत कर
C. जमींदारी व्यवस्था का उन्मूलन
D. जोतों की अधिकतम सीमा

272. कागजी मुद्रा भारत में कब शुरू हुई?

A. 1861 B. 1601
C. 1947 D. 1680

273. निजी क्षेत्र में देश का पहला निर्यात प्रोसेसिंग क्षेत्र (EPZ) निम्नलिखित स्थानों में से किस एक में स्थापित किया गया?

A. काण्डला B. विशाखापट्नम
C. नोएडा D. सूरत

274. निम्नलिखित फसलों में से कौन-सी एक खरीफ मौसम की है?

A. सोयाबीन B. अलसी
C. मसूर D. सरसों

275. निम्नलिखित में से कौन-सा एक फल जेली (Jelly) बनाने हेतु अधिक उपयुक्त है?

A. पपीता B. करौंदा
C. आम D. केला

सामान्य विज्ञान

276. द्रव्यों में चुम्बकत्व का कारण होता है–

A. निष्क्रिय इलेक्ट्रॉन
B. इलेक्ट्रॉनों की वर्तुल गति
C. निष्क्रिय प्रोटॉन
D. सभी निष्क्रिय न्यूट्रॉन

277. निम्नलिखित में से किसको लाल ग्रह कहा जाता है?

A. शुक्र B. बुध
C. मंगल D. बृहस्पति

278. मानव की आँख में 'निकट-दृष्टि' दोष को ठीक किया जा सकता है–

A. सही उत्तल लेंस का प्रयोग करके
B. सही अवतल लेंस का प्रयोग करके
C. सही सिलिण्डरी लेन्स का प्रयोग करके
D. सही द्विफोकसी लेन्स का प्रयोग करके

279. तारों के टिमटिमाने का क्या कारण है?

A. प्रकाश का परिक्षेपण
B. पूर्ण आंतरिक परावर्तन
C. वायुमण्डलीय परावर्तन
D. वायुमण्डलीय अपवर्तन

280. श्वसन है–

A. ऑक्सीकरण B. अपचयन
C. जल-अपघटन D. एमीनीकरण

281. एल्युमिनियम को शुद्ध किया जा सकता है–

A. ऑक्सीकरण द्वारा
B. आसवन द्वारा
C. विद्युत्-अपघटन द्वारा
D. ओजोन-अपघटन द्वारा

282. अशुद्ध कपूर को शुद्ध किया जाता है–

A. ऊर्ध्वपातन द्वारा
B. प्रभाजी क्रिस्टलन द्वारा
C. प्रभाजी आसवन द्वारा
D. भापीय आसवन द्वारा

283. प्रकाश-संश्लेषण के दौरान हरे पौधे किसका अवशोषण करते हैं?

A. नाइट्रोजन
B. कार्बन डाइऑक्साइड
C. कार्बन मोनोक्साइड
D. ऑक्सीजन

284. ग्रीनहाउस प्रभाव का कारण क्या है?

A. नाइट्रोजन
B. कार्बन डाइऑक्साइड
C. कार्बन मोनोक्साइड
D. नाइट्रोजन डाइऑक्साइड

285. मुद्रणालय में प्रयुक्त टाइप धातु किसका एलॉय है?

A. सीसा और ताँबा
B. सीसा और एण्टीमनी
C. सीसा और बिस्मथ
D. सीसा और जिंक

286. 'कोका कोला' का खट्टा स्वाद किसके अस्तित्व के कारण होता है?

A. एसीटिक एसिड
B. फॉस्फोरिक एसिड
C. हाइड्रोक्लोरिक एसिड
D. फॉर्मिक एसिड

287. परमाणु ऊर्जा आयोग का गठन कब हुआ था?

A. अगस्त 1948 में
B. अक्टूबर 1955 में
C. दिसम्बर 1962 में
D. सितम्बर 1965 में

288. मोल एक संख्या है–

A. 6.023×10^{23}
B. 6.23×10^{23}
C. 6.23×10^{3}
D. इनमें से कोई नहीं

289. टेमिफ्लू किसके लिए प्रमुख औषधि है?

A. पक्षी फ्लू B. कैंसर
C. एड्स D. पोलियो

290. बहुत अधिक पकाना और खाद्य तेलों का बार-बार प्रयोग क्यों अत्यधिक अवांछनीय है?

A. तेल के वाष्प से आन्तरिक प्रदूषण हो सकता है
B. कार्सिनोजेनिक पदार्थ जैसे बेन्जपाइरीन पैदा होते हैं
C. भोजन का पोषक तत्व कम हो जाता है
D. तेल की हानि और बर्बादी होती है

291. पहली क्लोनित भेड़ का नाम था–

A. मॉली B. डॉली
C. जॉली D. रोली

292. ऑप्टिकल फाइबर का आविष्कार किसने किया?

A. सैमुएल कोहेन
B. नरिन्दर कपानी
C. पर्सी एल॰ स्पेन्सर
D. टी॰ एच॰ मइमाह

293. नाभिकीय संयंत्र में किसको मंदक के रूप में उपयोग किया जाता है?

A. कैडमियम
B. बोरोन
C. सिलिकॉन
D. ग्रेफाइट

294. 'योग्यतम की उत्तरजीविता' की संकल्पना का समर्थन सबसे पहले किया था–

A. ओपेरिन ने B. डार्विन ने
C. स्पेन्सर ने D. हैकेल ने

295. विटामिन D की कमी से बच्चों में कौन-सा रोग हो जाता है?
A. बेरी-बेरी B. पेलाग्रा
C. रिकेट्स D. स्कर्वी

296. पुरुष में गुणसूत्रों की सामान्य संख्या होती है–
A. 42 B. 44
C. 46 D. 48

297. स्कर्वी रोग किस विटामिन की कमी के कारण होता है?
A. A B. K
C. C D. B_{12}

298. निम्नलिखित में से अधिक जलन किससे पैदा होती है?
A. उबलता हुआ पानी
B. गरम पानी
C. भाप
D. पिघलती हुई प्लावी बर्फ

299. हाइड्रोजन स्पेक्ट्रम की व्याख्या सबसे पहले किसने की थी?
A. डाल्टन ने
B. इर्विन श्रोडिंजर ने
C. नील्सबोर ने
D. रदरफोर्ड ने

300. एक ट्रांसफार्मर मुख्यतः बदलता है–
A. धारा को B. वोल्टेज को
C. आवृति को D. पावर को

301. चुम्बकीय क्षेत्र प्रबलता का S.I यूनिट होता है–
A. गॉस B. टेसला
C. ओर्स्टेड D. वेबर

302. निम्नलिखित में से किस पदार्थ का कैलोरी मान न्यूनतम है?
A. कोयला गैस
B. प्रोड्यूसर गैस
C. भाप अँगार गैस
D. तेल गैस

303. प्राकृतिक रबड़ किसका बहुलक है?
A. आइसोब्यूटेन B. आइसोप्रीन
C. प्रोपेन D. आइसोप्रोपेन

304. बल-धारा अनुरूपता में, विद्युत-धारिता किसके अनुरूप होती है?
A. संवेग B. वेग
C. विस्थापन D. द्रव्यमान

305. फेराइट कैसे होते हैं?
A. चुम्बकीय परन्तु अल्प प्रतिरोधी
B. चुम्बकीय परन्तु उच्च प्रतिरोधी
C. अचुम्बकीय के साथ अल्प प्रतिरोधी
D. अचुम्बकीय के साथ उच्च प्रतिरोधी

306. यदि लाल फूल को हरे सीसे में से देखें तो यह दिखता है–
A. लाल B. भूरा
C. सफेद D. हरा

307. विद्युत् ऊर्जा की इकाई क्या होती है?
A. एम्पियर B. वोल्ट
C. वाट D. किलोवाट-घण्टा

308. एक डायोड–
A. केवल एक दिशा में चालन करता है
B. दोनों दिशाओं में चालन करता है
C. बिल्कुल भी चालन नहीं करता है
D. इसमें वोल्टेज प्रयुक्त करने से क्षतिग्रस्त हो जाता है

309. किसमें प्रोटीन नहीं पायी जाती है–
A. मांस B. दूध
C. चावल D. दाल

310. फल पकने में सहायक हॉर्मोन है–
A. जिबरेलिन B. मार्फेक्टिन
C. इथीलीन D. आई॰बी॰ए॰

311. हम हल्दी पौधे के किस भाग से पाते हैं?
A. तना (Stem) B. जड़ (Root)
C. फल (Fruit) D. फूल (Flower)

312. बल्ब का फिलामेण्ट किस धातु का बना होता है?
A. टंगस्टन B. आयरन
C. नाइक्रोम D. कार्बन

313. अपस्फोटन सर्वाधिक होगा, यदि पेट्रोल में है–
A. आइसो ऑक्टेन
B. N-हेप्टेन
C. टी॰ ई॰ एल॰
D. बेंजीन

314. ऑक्सीकरण निम्नलिखित में धनात्मक ऑक्सीकरण अवस्था प्रदर्शित करती है–
A. CO B. N_2O
C. NO D. F_2O

315. फोटोग्राफी में प्रयुक्त होता है–
A. सिल्वर ब्रोमाइड
B. सोडियम ब्रोमाइड
C. पोटैशियम क्लोराइड
D. सोडियम सल्फेट

316. संचायक बैटरी में कौन-सी धातु इस्तेमाल की जाती है?
A. ताँबा B. लोहा
C. सीसा D. जस्ता

317. पोर्टलैण्ड सीमेन्ट के विनिर्माण के लिए उपयोग में ली गई कच्ची सामग्री है–
A. चूना पत्थर एवं मिट्टी
B. ऐलुमिना, मिट्टी एवं जिप्सम
C. जिप्सम एवं चूना पत्थर
D. जिप्सम एवं मिट्टी

318. $CaOCl_2$ एक यौगिक (कम्पाउण्ड) के लिए रासायनिक सूत्र है जिसे सामान्य रूप से जाना जाता है–
A. सोडा क्षार
B. चूना
C. ब्लीचिंग पाउडर
D. प्लास्टर ऑफ पेरिस

319. प्रयोगशाला उपकरणों को बनाने के लिए उपयोग में लिया गया काँच है–
A. पाइरेक्स काँच B. कठोर काँच
C. मृदु काँच D. सुरक्षा काँच

320. वात्या भट्टी (ब्लास्ट फरनेस) में उत्पादित लोहा है–
A. कच्चा लोहा B. पिटवाँ लोहा
C. स्टेनलेस स्टील D. स्टील

321. निम्नलिखित में से कौन-सा ऐलुमिनियम का अयस्क नहीं है?
A. क्रायोलाइट B. फेल्डस्पार
C. बॉक्साइट D. ऐजुराइट

322. रहोम्बिक मोनोक्लिनिक (Rhombic monoclinic) एवं प्लास्टिक सल्फर हैं–
A. समावयव
B. आइसोटोप्स
C. एलोट्रोप्स
D. हाइड्राइड्स ऑफ सल्फर

323. तेलों एवं वसाओं का क्षारीय जल-अपघटन देता है, साबुन एवं–
A. ग्लिसरॉल B. एथेनॉल
C. ग्लाइकॉल D. एथेनॉइक अम्ल

324. स्वादिष्ट भोजन को देखते ही मुँह में पानी आ जाता है, यह है एक–
A. हॉर्मोनी अनुक्रिया
B. उदासीन (neutral) अनुक्रिया
C. प्रकाशिक अनुक्रिया
D. घ्राण अनुक्रिया

325. नाइट्रोजन फिक्सिग जीवाणु सामान्यतया पाए जाते हैं–
A. परजीवी पौधों में
B. अधिपादपीय पौधों में
C. लेग्युमिनस पौधों में
D. जलीय पौधों में

खेल-कूद

326. निम्नलिखित में से कौन-सा कप/ट्रॉफी फुटबॉल के खेल से सम्बन्धित है?
A. आगा खॉं कप
B. रोवर्स कप
C. दलीप ट्रॉफी
D. नेहरू ट्रॉफी

327. प्रथम एशियाई खेल कहाँ आयोजित किए गए?
A. मनीला B. टोक्यो
C. जकार्ता D. नई दिल्ली

328. पुरुष विश्व कप क्रिकेट 2023 का विजेता कौन है?
A. भारत
B. श्रीलंका
C. पाकिस्तान
D. ऑस्ट्रेलिया

329. निम्नलिखित में से कौन-सा पुरस्कार खेलकूद के क्षेत्र से सम्बन्धित नहीं है?
A. अर्जुन पुरस्कार
B. द्रोणाचार्य पुरस्कार
C. ध्यानचन्द पुरस्कार
D. नॉर्मन बोरलॉग पुरस्कार

330. फुटबॉल के खेल में निम्नलिखित में से किस शब्द का प्रयोग होता है?
A. कैडी B. कटबैक
C. मिड-ऑन D. लव

331. स्वेथलिंग कप सम्बन्धित है–
A. फुटबॉल से B. शतरंज से
C. लॉन टेनिस से D. टेबल टेनिस से

332. भारत का सर्वाधिक प्राचीन फुटबॉल क्लब है–
A. स्पोर्टिंग क्लब
B. ईस्ट बंगाल
C. डलहौजी क्लब
D. मोहन बागान

333. 'सुब्रतो कप' सम्बन्धित है–
A. टेबल टेनिस से
B. फुटबॉल से
C. वॉलीबाल से
D. तैराकी से

334. अन्तर्राष्ट्रीय ग्रैंड मास्टर जीतने वाले प्रथम भारतीय हैं–
A. जसपाल राणा
B. रमेश कृष्णन
C. विश्वनाथन आनन्द
D. वी॰ गुंडप्पा

335. विश्व कप क्रिकेट में प्रथम हैट ट्रिक लेने का श्रेय है–
A. इमरान खान को
B. चेतन शर्मा को
C. अनिल कुम्बले को
D. नवाब पटौदी को

336. जमैका के यूसैन बोल्ट किस खेल के नामी खिलाड़ी माने जाते हैं?

A. एथलेटिक्स B. बॉक्सिग
C. क्रिकेट D. हॉकी

337. 'गैम्बिट' शब्द निम्नलिखित में से किस खेल से जुड़ा है?

A. शतरंज B. कैरम
C. बैडमिंटन D. बिलियर्डस्

338. नाक डाउन किस खेल की शब्दावली से सम्बन्धित है?

A. बॉक्सिग B. बेसबाल
C. पोलो D. फुटबॉल

339. ओलम्पिक खेलों का 'आदर्श वाक्य' क्या है?

A. एवर आनवर्ड
B. फारएवर हायर
C. अल्टियस, सिटियस, फोर्टियस
D. यह बदलता रहता है

340. 'यूरोप के खेल के मैदान' के नाम से कौन-सा देश प्रसिद्ध है?

A. स्विट्जरलैण्ड B. इंग्लैण्ड
C. फ्रांस D. जर्मनी

341. डूरंड कप किस खेल से सम्बन्धित है?

A. फुटबॉल B. गोल्फ
C. हॉकी D. टेबल टेनिस

342. वाटर पोलो में खिलाड़ियों की संख्या होती है–

A. 5 B. 6
C. 7 D. 8

343. 'मुम्बई गोल्ड कप' का संबंध किस खेल से है?

A. क्रिकेट B. हॉकी
C. फुटबॉल D. बैडमिंटन

344. डी॰सी॰एम॰ ट्रॉफी किस खेल से सम्बन्धित है?

A. क्रिकेट
B. हॉकी
C. फुटबॉल
D. इनमें से कोई नहीं

345. निम्नलिखित में से कौन-सा शब्द फुटबॉल के खेल से सम्बन्धित नहीं है?

A. पेनल्टी B. फ्री किक
C. पेनल्टी स्ट्रोक D. ऑफ साइड

346. 'गोल्डन गर्ल' के नाम से किसे जाना जाता है?

A. कुंजुरानी देवी
B. कर्णम् मल्लेश्वरी
C. सुनीता रानी
D. पी॰टी॰ ऊषा

347. लॉन टेनिस कोर्टों के लिए विख्यात विम्बलडन कहाँ है–

A. लंदन
B. न्यूयॉर्क
C. वाशिंगटन डी॰ सी॰
D. रोम

348. सुमेलित कीजिए–

सूची -I	**सूची -II**
(*a*) किम क्लिस्टर्स	1. बिलियड्र्स
(*b*) राफेल नडाल	2. क्रिकेट
(*c*) युवराज सिंह	3. टेनिस (पुरुष)
(*d*) गीत सेठी	4. फुटबॉल
	5. टेनिस (महिला)

कूट :

	(*a*)	(*b*)	(*c*)	(*d*)
A.	5	3	1	2
B.	5	3	2	1
C.	3	5	4	1
D.	4	3	5	1

349. सुमेलित कीजिए–

सूची-I	**सूची -II**
(*a*) क्रिकेट	1. पॉट
(*b*) गोल्फ	2. रणजी
(*c*) फुटबॉल	3. मोहन बागान
(*d*) बिलियर्ड्स	4. पुट

कूट :

	(*a*)	(*b*)	(*c*)	(*d*)
A.	2	4	3	1
B.	2	4	1	3
C.	4	2	1	3
D.	3	1	4	2

350. इंग्लैण्ड का अन्तर्राष्ट्रीय स्टेडियम लॉर्ड्स किस खेल से सम्बन्धित है?

A. टेनिस B. क्रिकेट

C. घुड़दौड़ D. पोलो

351. जादूगर खिलाड़ी के रूप में जाना जाने वाले मेजर ध्यानचन्द, जिनके जन्म दिवस के उपलक्ष्य में भारत का राष्ट्रीय खेल दिवस (29 अगस्त) मनाया जाता है, किस खेल से सम्बन्धित थे?

A. फुटबॉल

B. हॉकी

C. टेनिस

D. इनमें से कोई नहीं

352. भारत के चर्चित खिलाड़ी डी. गुकेश सम्बन्धित हैं–

A. एथलेटिक्स से

B. बैडमिंटन से

C. शतरंज से

D. क्रिकेट से

353. प्रसिद्ध टेनिस खिलाड़ी आर्यना सबालेंका किस देश की हैं?

A. सोवियत रूस की

B. बेलारूस की

C. इंग्लैण्ड की

D. फ्रांस की

354. प्रथम विश्व कप (प्रथम प्रूडेंशियल विश्व कप), 1975 में लॉर्ड्स के मैदान पर खेला गया था, इसमें वेस्टइण्डीज विजेता रहा। उपविजेता कौन था?

A. इंग्लैण्ड

B. ऑस्ट्रेलिया

C. न्यूजीलैंड

D. इनमें से कोई नहीं

355. 'फालोऑन' शब्द किस खेल से सम्बन्धित है?

A. हॉकी से

B. फुटबॉल से

C. टेनिस से

D. इनमें से कोई नहीं

356. एक क्रिकेट टेस्ट शृंखला में सर्वाधिक तीन दोहरे शतक बनाने का रिकॉर्ड किसके नाम है?

A. सर गारफील्ड सोवर्स का

B. सर डॉन ब्रेडमैन का

C. विवियन रिचर्ड्स का

D. सुनील गावस्कर का

357. भारतीय महिला खिलाड़ी साइना नेहवाल किस खेल से जुड़ी हैं?

A. बैडमिंटन B. शतरंज

C. तैराकी D. क्रिकेट

358. ओलम्पिक खेलों में किस खेल के लिए वैल बार्कर कप प्रदान किया जाता है?

A. तैराकी B. मुक्केबाजी

C. लम्बी कूद D. ऊँची कूद

359. व्यक्तिगत श्रेणी में भारत का पहला ओलंपिक स्वर्ण विजेता कौन है?

A. सुशील कुमार B. अभिनव बिन्द्रा
C. विजेन्द्र कुमार D. सुशील कुमार

360. 'बुली' शब्द किस खेल से सम्बन्धित है?

A. क्रिकेट B. फुटबॉल
C. गोल्फ D. हॉकी

361. बॉस्केटबॉल के गेम में एक टीम में कितने सबस्टीट्यूट होते हैं?

A. 4 B. 5
C. 6 D. 7

362. जूडो में अधिकतम प्वाइंट होता है–

A. कोको B. इप्पोन
C. बाजा-आरी D. योको

363. बॉक्सिंग में एक राउंट की अवधि कितनी होती है?

A. 1 मिनट B. 2 मिनट
C. 3 मिनट D. 4 मिनट

364. 'एथलेटिक मीट' का 'फील्ड इवेंट' क्या है?

A. 100 मी॰ दौड़ B. लम्बी कूद
C. बाधा दौड़ D. रिले रेस

365. कबड्डी में जब 'लोना' उठता है, तो कितने अंक मिलते हैं?

A. 1 B. 2
C. 3 D. 4

366. आधुनिक ओलम्पिक खेलों के संस्थापक (Founder) थे–

A. बैरन पियरे-डि-कूबर्तिन
B. ऐन्टोनी लेवोयरसियर
C. जीन बैपटिस्ट डि लैमार्क
D. जार्जेस कुवियर

367. सूची-I को सूची-II से सुमेलित कीजिए तथा सूचियों के नीचे दिए गए कूट का प्रयोग करते हुए सही उत्तर का चयन कीजिए–

सूची -I (पारिभाषिक शब्द)	**सूची-II (खेल से सम्बन्धित)**
(*a*) चाइना मैन	1. गोल्फ
(*b*) बर्डी	2. पतंगबाजी
(*c*) पेंच	3. क्रिकेट
(*d*) लव	4. टेनिस

कूट :

	(*a*)	(*b*)	(*c*)	(*d*)
A.	1	2	3	4
B.	3	1	2	4
C.	4	3	1	2
D.	2	4	3	1

368. निम्न में से कौन-सा अन्तर्राष्ट्रीय टेनिस टूर्नामेंट घास के मैदान पर खेला जाता है?

A. ऑस्ट्रेलियन ओपन
B. विम्बलडन
C. फ्रेंच ओपन
D. यू॰एस॰ ओपन

369. DCM ट्रॉफी का संबंध किस खेल से है?

A. क्रिकेट B. हॉकी
C. बैडमिंटन D. गोल्फ

370. निम्नलिखित में से किस पद का उपयोग क्रिकेट में नहीं होता है?

A. हूप्स B. मेडन ओवर
C. गली D. हैट्रिक

371. एक क्रिकेट बैट की लम्बाई कितनी होती है?

A. 38" B. 37"
C. 39" D. 40"

372. फुटबॉल में आप गोल-पोस्ट का रंग कैसा देखते हैं?

A. लाल B. हरा
C. हल्का नीला D. सफेद

373. खो–खो खेल की समय सीमा होती है–

A. 49 मिनट B. 45 मिनट
C. 55 मिनट D. 59 मिनट

374. हैप्टाथलोन (Heptathlon) में कितने इवेन्ट्स होते हैं?

A. 5 B. 7
C. 9 D. 6

375. एक बॉस्केटबॉल का भार कितना होता है?

A. 400-800 ग्राम
B. 500-600 ग्राम
C. 567-650 औंस
D. 567-650 ग्राम

पुरस्कार

376. निम्नलिखित पुरस्कारों में से किसे यूनेस्को द्वारा प्रारम्भ किया गया है?

A. अन्तर्राष्ट्रीय मेल-मिलाप के लिए नेहरू पुरस्कार
B. कलिंग पुरस्कार
C. अर्जुन पुरस्कार
D. नोबेल पुरस्कार

377. नोबेल पुरस्कार प्रत्येक वर्ष कहाँ वितरित किए जाते हैं?

A. जेनेवा में B. स्टॉकहोम में
C. न्यूयॉर्क में D. मनीला में

378. दो ऑस्कर पुरस्कार पाने वाला पहला भारतीय संगीतकार कौन है?

A. नदीम
B. हिमेश रेशमिया
C. अन्नू मलिक
D. ए॰आर॰ रहमान

379. भटनागर पुरस्कार किस क्षेत्र में प्रदान किया जाता है?

A. शान्ति
B. संगीत एवं नाट्य
C. विज्ञान और प्रौद्योगिकी
D. ललित कलाएं

380. अर्थशास्त्र के लिए नोबेल पुरस्कार सर्वप्रथम किस वर्ष प्रदान किया गया?

A. 1901 B. 1936
C. 1957 D. 1969

381. निम्नलिखित भारतीयों में से किसे विशिष्ट ऑस्कर सम्मान प्रदान किया गया है?

A. सत्यजीत रे B. मीरा नायर
C. महेश भट्ट D. ओ॰ पी॰ सिप्पी

382. साहित्य के क्षेत्र में ज्ञानपीठ पुरस्कार पाने वाली प्रथम महिला है–

A. सुभद्रा कुमारी चौहान
B. आशापूर्णा देवी
C. अमृता प्रीतम
D. महादेवी वर्मा

383. 'भारत रत्न' पुरस्कार किस वर्ष आरम्भ किए गए थे?

A. 1954 में B. 1956 में
C. 1952 में D. 1962 में

384. भारत में सर्वोच्च बहादुरी के लिए दिए जाने वाले पुरस्कारों का नाम है–
A. परमवीर चक्र, महावीर चक्र
B. परमवीर चक्र, वीर चक्र
C. अशोक चक्र, महावीर चक्र
D. परमवीर चक्र, अशोक चक्र

385. राष्ट्रीय श्रम पुरस्कार किसके द्वारा प्रदान किया जाता है?
A. भारत सरकार
B. इंडियन ट्रेड यूनियन कांग्रेस
C. चैम्बर ऑफ कॉमर्स
D. किसी के द्वारा नहीं

386. कालिदास सम्मान किसके द्वारा प्रदान किया जाता है?
A. उ॰ प्र॰ सरकार
B. म॰ प्र॰ सरकार
C. बिहार सरकार
D. भारत सरकार

387. 'कुरियन पुरस्कार' दिया जाता है–
A. डेयरी विज्ञान में
B. कृषि विज्ञान में
C. चिकित्सीय विज्ञान में
D. वैज्ञानिक अनुसंधान में

388. 'दादा साहेब फाल्के पुरस्कार' किस क्षेत्र में दिया जाता है?
A. खेल (Sports)
B. साहित्य (Literature)
C. सिनेमा (Cinema)
D. बागवानी (Horticulture)

389. राष्ट्रीय अखण्डता पुरस्कार का आरम्भ किस वर्ष किया गया था?
A. 1952 B. 1955
C. 1957 D. 1985

390. निम्नलिखित कथनों पर विचार कीजिए–
1. नोबेल पुरस्कार समारोह प्रत्येक वर्ष 10 दिसम्बर को सम्पन्न होता है।
2. साहित्य के लिए नोबेल पुरस्कार, अन्य पाँच क्षेत्रों–भौतिकी, रसायन विज्ञान, शरीर क्रियाविज्ञान अथवा चिकित्सा विज्ञान, शांति तथा अर्थशास्त्र के पुरस्कारों के साथ बाद में जोड़ा गया था।

उपर्युक्त कथनों में से कौन-सा/से सही है/ हैं?
A. केवल 1
B. केवल 2
C. दोनों 1 तथा 2
D. न ही 1 तथा न ही 2

391. निम्नलिखित चलचित्रों में से किस एक की सहयोगी नोबेल पुरस्कार विजेता पर्ल एस॰ बक थी?
A. शतरंज के खिलाड़ी
B. गाइड
C. लॉरेंस ऑफ अरबिया
D. टाइटैनिक

392. ऑस्कर पुरस्कार किस क्षेत्र में श्रेष्ठ प्रदर्शन के लिए दिए जाते हैं?
A. साहित्य B. खेल
C. पत्रकारिता D. सिनेमा

393. भारतीय मूल का वह कौन-सा दूसरा व्यक्ति है, जिसको रबीन्द्रनाथ टैगोर के बाद साहित्य के लिए दूसरा नोबेल पुरस्कार मिला है?
A. अरुन्धति राय

B. विक्रम सेठ

C. वी॰ एस॰ नायपॉल

D. इनमें से कोई नहीं

394. फिल्म जगत् में गोल्डन बियर पुरस्कार किस महोत्सव में दिए जाते हैं?

A. बर्लिन B. कान

C. गोवा D. टोरंटो

395. राजीव गांधी पर्यावरण पुरस्कार दिया जाता है, श्रेष्ठतर योगदान के लिए–

A. परती भूमि संरक्षण

B. स्वच्छ प्रौद्योगिकी एवं विकास में

C. वन्य जीव संरक्षण

D. पर्यावरण पर लेखन

396. बुकर पुरस्कार किस क्षेत्र में उत्कृष्ट निष्पादन के लिए दिए जाते हैं?

A. फिल्म B. साहित्य

C. खेल D. राजनीति

397. ऑरेंज पुरस्कार किस क्षेत्र से सम्बन्धित है?

A. पत्रकारिता

B. साहित्य

C. विज्ञान

D. उद्योग व्यापार जगत

398. बांग्ला भाषा के लिए सर्वप्रथम किस साहित्यकार को ज्ञानपीठ पुरस्कार प्रदान किया गया था?

A. ताराशंकर बंद्योपाध्याय

B. सुभाष मुखोपाध्याय

C. आशापूर्णा देवी

D. महाश्वेता देवी

399. कौन-सा वीरता पुरस्कार सिर्फ सैनिकों को दिया जाता है?

A. अशोक चक्र

B. महावीर चक्र

C. कीर्ति चक्र

D. शौर्य चक्र

400. प्रथम सी॰ के॰ नायडू पुरस्कार से किसे सम्मानित किया गया?

A. अशोक मांकड

B. विजय हजारे

C. लाला अमरनाथ

D. सुनील गावस्कर

401. प्रथम अन्तर्राष्ट्रीय गांधी शांति पुरस्कार किसे प्रदान किया गया था?

A. नेल्सन मंडेला

B. होस्नी मुबारक

C. जूलियस न्येरेरे

D. गेरहार्ड फिशर

402. दादा साहेब फाल्के पुरस्कार सर्वप्रथम किसे प्रदान किया गया?

A. पृथ्वीराज कपूर

B. देविका रानी

C. बी॰एन॰ सरकार

D. सोहराब मोदी

403. जी॰डी॰ बिड़ला विज्ञान पुरस्कार के प्रायोजक हैं–

A. के॰के॰ बिड़ला फाउंडेशन

B. जी॰डी॰ बिड़ला स्मृति न्यास

C. मानव संसाधन विकास मंत्रालय

D. राजस्थान सरकार

404. 'राष्ट्रीय फिल्म पुरस्कार' से पुरस्कृत पहली कन्नड़ फिल्म है–

A. चोमन्न टुड़ी B. घाट श्राद्ध

C. संस्कार D. थाई साहब

405. सुप्रसिद्ध गायक, जिन्हें भारत रत्न से पुरस्कृत किया गया है, हैं–

A. पं॰ जसराज

B. पं॰ अजय चक्रवर्ती

C. पं॰ भीमसेन जोशी

D. पं॰ अजय पोहनकर

406. अल्फ्रेड नोबेल (जिसने नोबेल पुरस्कार की स्थापना की) का नाम सम्बन्धित है–

A. डायनामाइट से

B. आर॰डी॰ एक्स से

C. सूपरसोनिक हवाई जहाज से

D. रोडियो-सक्रियता से

407. भारत में कला, साहित्य विज्ञान एवं जनसेवा के क्षेत्र में असाधारण कार्य के लिए निम्न में से कौन-सा सर्वोच्च सम्मान/पुरस्कार प्रदान किया जाता है?

A. नेहरू पुरस्कार

B. ज्ञानपीठ पुरस्कार

C. मैग्सेसे पुरस्कार

D. भारत रत्न पुरस्कार

408. विश्व-विख्यात 'ऑस्कर पुरस्कार' निम्न संस्था द्वारा प्रदान किया जाता है–

A. अमेरिकी चलचित्र संगठन

B. विश्व फिल्म सोसायटी

C. अमेरिकी फिल्म सोयायटी

D. विज्ञान, कला एवं चलचित्र अकादमी

409. निम्न में से वास्तुकला (Architecture) में कौन-सा सम्मान नोबल पुरस्कार के समकक्ष है?

A. एबल पुरस्कार

B. पुलित्जर पुरस्कार

C. पिट्जकर पुरस्कार

D. इनमें से कोई नहीं

410. इनमें से किस देश के भूतपूर्व राष्ट्रपति के नाम से रेमन मैग्सेसे पुरस्कार संबंधित है?

A. थाईलैंड B. चीन

C. फिलीपींस D. इंडोनेशिया

411. निम्नलिखित क्षेत्र में श्रेष्ठता के लिए 'ग्रैमी पुरस्कार' दिया जाता है–

A. खेलकूद B. कृषि

C. विज्ञान D. संगीत

412. "शान्तिस्वरुप भटनागर पुरस्कार" किस क्षेत्र में उत्कृष्टता के लिए दिये जाते है?

A. साहित्य B. खेलकूद

C. लोकसेवा D. विज्ञान

413. ग्लोबल-500 पुरस्कार निम्नलिखित में से एक क्षेत्र में उपलब्धि के लिए प्रदान किया जाता है–

A. पर्यावरण प्रतिरक्षा

B. मादक पदार्थों के विरुद्ध अभियान

C. आतंकवाद के विरुद्ध अभियान

D. जनसंख्या नियंत्रण

414. संगीत के क्षेत्र में उत्कृष्टता के लिए निम्नलिखित में से कौन-सा पुरस्कार दिया जाता है?

A. सरस्वती सम्मान

B. तानसेन सम्मान

C. व्यास सम्मान

D. बोरलॉग पुरस्कार

415. डॉ॰ हरगोविन्द खुराना को किस कार्य के लिए नोबेल पुरस्कार मिला?

A. जेनेटिक कोड (Genetic Code) की खोज के लिए

B. रक्त के समूहन के लिए
C. डी॰ एन॰ ए॰ की खोज के लिए
D. एड्स के विषाणु की पहचान के लिए

416. कृषि के क्षेत्र से सम्बन्धित पुरस्कार है–

A. कलिंग पुरस्कार
B. बुकर पुरस्कार
C. पुलित्जर पुरस्कार
D. बोरलॉग पुरस्कार

417. के॰के॰ बिड़ला फाउण्डेशन के निम्नलिखित पुरस्कारों में से किसके तहत पुरस्कार राशि सर्वाधिक है?

A. सरस्वती सम्मान
B. व्यास सम्मान
C. बिहारी सम्मान
D. वाचस्पति सम्मान

418. निम्नलिखित क्षेत्र में उत्कृष्टता और आजीवन उपलब्धि हेतु ध्यानचंद लाइफ टाइम एचीवमेन्ट अवार्ड दिया जाता है–

A. अर्थशास्त्र
B. विज्ञान और प्रौद्योगिकी
C. खेलकूद
D. पत्रकारिता

419. अर्जुन पुरस्कार विजेता प्रथम महिला खिलाड़ी कौन है?

A. मैरी डिसूजा
B. कमलजीत संधू
C. स्टेफी डिसूजा
D. पी॰टी॰ ऊषा

420. ग्रेमी पुरस्कार किस क्षेत्र में विशिष्ट उपलब्धियों के लिए दिये जाते हैं?

A. सिनेमा
B. टीवी
C. संगीत
D. उत्पादों की गुणवत्ता

421. मध्य प्रदेश सरकार ने निम्नलिखित में से किस पुरस्कार की स्थापना की है?

A. तानसेन पुरस्कार
B. सरस्वती सम्मान
C. ज्ञानपीठ पुरस्कार
D. द्रोणाचार्य पुरस्कार

422. पद्मश्री पुरस्कार से सम्मानित होने वाली प्रथम भारतीय अभिनेत्री कौन थीं?

A. स्मिता पाटिल B. नरगिस दत्त
C. मीना कुमारी D. मधुबाला

423. निम्नलिखित में से किस उद्देश्य के लिए निर्मल ग्राम पंचायत (NGP) पुरस्कार दिया जाता है?

A. ग्रामीण स्वास्थ्य संवर्धन
B. ग्रामीण क्षेत्रों में शिक्षा संवर्धन
C. ग्रामीण क्षेत्रों में सैनिटेशन संवर्धन
D. ग्रामीण क्षेत्रों में कम्प्यूटर के उपयोग का संवर्धन

424. निम्नलिखित में से किस पूर्व प्रधानमंत्री के नाम पर लोक प्रशासन में उत्कृष्टता का पुरस्कार भारत सरकार द्वारा स्थापित किया गया है?

A. जवाहर लाल नेहरू
B. लाल बहादुर शास्त्री
C. इंदिरा गाँधी
D. राजीव गाँधी

425. नीरजा भनोत पुरस्कार निम्नलिखित में से किस हेतु दिया जाता है?

A. साक्षरता को प्रोत्साहन
B. साहित्य के क्षेत्र में उत्कृष्टता
C. सिनेमा के क्षेत्र में उत्कृष्टता
D. महिला उत्थान हेतु कार्य करना

अन्तर्राष्ट्रीय संगठन

426. संयुक्त राष्ट्र संघ के महासचिव की नियुक्ति किसके द्वारा की जाती है?

A. महासभा
B. सुरक्षा परिषद्
C. अन्तर्राष्ट्रीय न्यायालय
D. सुरक्षा परिषद् की सिफारिशों पर महासभा

427. संयुक्त राष्ट्र चार्टर के अन्तर्गत मानवाधिकार के प्रोन्नयन के लिए आयोग गठन करने की शक्ति निम्नलिखित में से किसको है?

A. महासभा
B. आर्थिक और सामाजिक परिषद्
C. न्यासिता परिषद्
D. महासचिव

428. अन्तर्राष्ट्रीय न्यायालय के सदस्यों को चुना जाता है–

A. पाँच वर्षों के लिए
B. तीन वर्षों के लिए
C. नौ वर्षों के लिए
D. दो वर्षों के लिए

429. विश्व स्वास्थ्य संगठन (डब्ल्यू. एच. ओ.) का मुख्यालय कहाँ स्थित है?

A. लन्दन B. जेनेवा
C. पेरिस D. वाशिंगटन

430. 'वाल स्ट्रीट' का नाम किससे सम्बन्धित है?

A. ब्रिटेन का समाचार-पत्र केन्द्र
B. यू.एस.ए. का वित्तीय केन्द्र
C. चीन की विशाल दीवार
D. फ्रांस की एक प्रसिद्ध सड़क

431. संयुक्त राष्ट्र संघ महासभा की प्रथम महिला अध्यक्ष कौन थी?

A. विजयलक्ष्मी पंडित
B. एनी बेसेन्ट
C. इंदिरा गांधी
D. सरोजिनी नायडू

432. विश्व व्यापार संगठन (W.T.O) का मुख्यालय (Headquarter) स्थित है–

A. दोहा में B. जिनेवा में
C. रोम में D. न्यूयॉर्क में

433. अन्तर्राष्ट्रीय अम्ल वर्षा सूचना केन्द्र स्थापित किया गया है–

A. बर्लिन में B. ओस्लो में
C. ओसाका में D. मैनचेस्टर में

434. यूनेस्को का मुख्यालय निम्नलिखित शहर में स्थित है?

A. वाशिंगटन B. पेरिस
C. मांट्रियल D. वियना

435. संयुक्त राष्ट्र संघ का मुख्यालय कहाँ पर स्थित है?

A. वाशिंगटन B. न्यूयॉर्क
C. फिलाडेल्फिया D. लन्दन

436. इंटरनेशनल ओलम्पिक कमेटी का मुख्यालय कहाँ पर स्थित है?

A. लॉसाने (Lausanne), स्विट्ज़रलैण्ड
B. लॉस एंजिल्स
C. मास्को
D. न्यूयॉर्क

437. '8 मई' किस रूप में मनाया जाता है?

A. वर्ल्ड स्टैन्डर्डस् डे

B. वर्ल्ड टेलीकम्यूनिकेशन डे

C. वर्ल्ड रेडक्रॉस डे

D. कॉमनवेल्थ डे

438. निम्नलिखित में से किस संगठन ने 2 अक्टूबर को 'अन्तर्राष्ट्रीय अहिंसा दिवस' घोषित किया है?

A. वर्ल्ड काउंसील ऑफ चर्चेज ने

B. यूनेस्को ने

C. संयुक्त राष्ट्र सामान्य सभा ने

D. वर्ल्डपीस फोरम ने

439. अंकटाड (The United Nations Conference on Trade and Development) का मुख्यालय निम्नलिखित स्थानों में से कहाँ पर स्थित है?

A. वियना B. पेरिस

C. रोम D. जिनेवा

440. संयुक्त राष्ट्र का कौन-सा अंग (Organ) विश्व संसद समझा जाता है?

A. जनरल असैम्बली

B. इन्टरनेशनल कोर्ट ऑफ जस्टिस

C. सिक्योरिटी काँसिल

D. ट्रस्टीशिप काँसिल

441. डब्ल्यूटीओ ने किसका अधिग्रहण किया?

A. आईएमएफ B. गैट

C. आईएफसी D. आईबीआरडी

442. निम्नलिखित पेट्रोलियम उत्पादक देशों में कौन 'ओपेक (OPEC) का सदस्य नहीं है?

A. अल्जीरिया B. नाइजीरिया

C. अंगोला D. रूस

443. निम्नलिखित में से कौन-सा देश आसियान (ASEAN) का सदस्य नहीं है?

A. इण्डोनेशिया

B. श्रीलंका

C. मलेशिया

D. फिलीपीन्स

444. विश्व में वह कौन प्रथम राष्ट्र है जिसने आधिकारिक रूप से परिवार नियोजन कार्यक्रम को अपनाया?

A. चीन B. भारत

C. जापान D. कनाडा

445. भारत में बेरोजगारी के आँकड़े किस संगठन द्वारा एकत्रित एवं प्रकाशित किए जाते हैं?

A. ट्राइसेम (TRYSEM)

B. वित्त आयोग

C. यू॰एन॰ओ॰ (UNO)

D. नेशनल सैम्पल सर्वे ऑर्गेनाइजेशन (NSSO)

446. डब्ल्यू॰ टी॰ ओ॰ है–

A. वैधानिक संस्था

B. सलाहकारी संस्था

C. गैर-वैधानिक संस्था

D. उपर्युक्त में से कोई नहीं

447. अन्तर्राष्ट्रीय मुद्रा कोष (IMF) का मुख्यालय कहाँ है?

A. न्यूयॉर्क

B. वाशिंगटन डी.सी.

C. जिनेवा

D. रोम

448. संयुक्त राष्ट्र के अनुसार वैश्विक समुदाय सामान्यतः कुछ समस्याओं का सामना कर रहा है जो किसी न किसी तरह लगभग सभी देशों को प्रभावित कर रही हैं। निम्नलिखित में से कौनसी इनमें से एक समस्या नहीं है?
उपर्युक्त कथनों में से कौन-सा/से सही है/हैं?

A. आतंकवाद
B. अन्तर्राष्ट्रीय वित्तीय आर्किटेक्चर
C. ग्लोबल वार्मिंग
D. गरीबी

449. बुंदाला (Bundala) जीव-मंडल आरक्षित क्षेत्र जो यूनेस्को के मानव तथा जीव-मंडल (मैन एण्ड बायोस्फिअर-M-AB) तन्त्र में सम्मिलित किया गया है, कहाँ स्थित है?

A. रूस B. भारत
C. श्रीलंका D. बांग्लादेश

450. दावोस जहाँ विश्व आर्थिक फोरम का वार्षिक सम्मेलन आयोजित होता है, कहाँ स्थित है?

A. फ्रांस B. जर्मनी
C. स्विट्रलैण्ड D. लक्जमबर्ग

कम्प्यूटर

451. निम्नलिखित में से कौन-सा यूनीवर्सल गेट है?

A. NAND–गेट
B. OR–गेट
C. AND–गेट
D. NOT–गेट

452. कम्प्यूटर की भाषा में एक मेगाबाईट में कितने बाईट होते हैं?

A. 1,00,000 B. 10,00,000
C. 10,24,000 D. 10,48,576

453. WAN जोकि कम्प्यूटर से सम्बन्धित है, इसका पूरा नाम है–

A. Wide Area Network
B. Wine Area Network
C. Woll Area Network
D. Wide Allen Network

454. मैन (MAN) है–

A. एक लागत B. एक कम्पनी
C. एक नेटवर्क D. एक देश

455. एक कम्प्यूटर क्रमादेश समूह है–

A. द्विआधारी संख्याओं (Binary numbers) का
B. सामान्य पाठ्यांशों (Ordinary texts) का
C. अनुदेशों (Instructions) का
D. उपर्युक्त में से किसी का नहीं

456. विश्व का प्रथम इलेक्ट्रॉनिक कम्प्यूटर था–

A. UNIVAC
B. ENIAC
C. EDVAC
D. उपर्युक्त में से कोई नहीं

457. आँकड़ा–संसाधन का परिणाम क्या है?

A. डाटा B. सूचना
C. कम्प्यूटर D. प्रिन्टर

458. कम्प्यूटर परस्पर संचार कैसे करते हैं?

A. यादृच्छिक अभिगम स्मृति के द्वारा
B. जालक्रम द्वारा
C. कुन्जीपटल द्वारा
D. रोम द्वारा

459. ई-मेल है–

A. एक पत्र को पोस्ट ऑफिस द्वारा भेजना

B. एक संदेश को कम्प्यूटर द्वारा भेजना

C. एक पत्र को कोरियर द्वारा भेजना

D. उपर्युक्त में से कोई नहीं

460. ISP का तात्पर्य है–

A. इण्टरनेट सर्विस प्रोवाइडर

B. इण्टरनेशनल सर्विस प्रोवाइडर

C. इण्टरनल सर्विस प्रोवाइडर

D. उपर्युक्त सभी

461. एक संचार प्रणाली की बैण्ड चौड़ाई का तात्पर्य है–

A. इसकी आँकड़ा संचरण क्षमता

B. कम्प्यूटर जालक्रम की चौड़ाई

C. कम्प्यूटर के मॉनिटर की विकर्णीय लम्बाई

D. उपर्युक्त में से कोई नहीं

462. कम्प्यूटर वायरस एक–

A. मानवीय वायरस है, जो कुन्जीपटल के व्यक्ति द्वारा छुए जाने पर, कम्प्यूटर में प्रवेश करता है

B. ऐसे कीटाणुओं का समूह, जो कम्प्यूटर पर आक्रमण करता है

C. एक सॉफ्टवेयर क्रमादेश, जो प्रयोज्य डाटा को नष्ट कर देता है

D. उपर्युक्त में से कोई नहीं

463. वेन (WAN) के कार्य में सामान्यतः सम्मिलित है–

A. उपग्रह (Satellite)

B. स्तम्भ विलम्ब (Frame delay)

C. ए०टी०एम० (A.T.M.)

D. उपर्युक्त सभी

464. सहायक स्मृति है–

A. स्मृति खाँचा (Memory Slot)

B. विस्तारित स्मृति (Extended Memory)

C. द्वितीयक स्मृति (Secondary Memory)

D. गुप्त स्मृति (Cache Memory)

465. आधुनिक अंकीय संगणक युक्त है–

A. अत्यधिक उच्च गति से

B. अधिक स्मृति से

C. उच्च परिशुद्धता से

D. उपर्युक्त सभी से

466. निम्न में से कौन-सी द्वितीय स्मृति युक्ति है?

A. प्रिन्टर B. सी०पी०यू०

C. पेन ड्राइव D. माउस

467. ''स्पाम'' (Spam) किस विषय से सम्बन्धित शब्द है?

A. कम्प्यूटर B. कला

C. संगीत D. खेल

468. निम्नलिखित में से कौन-सी कम्पनी एक IT/ सॉफ्टवेयर कम्पनी नहीं है?

A. इन्फोसिस B. विप्रो

C. रोलेक्स D. NIIT

469. आठ बीट्स का समूह कहलाता है–

A. मेगाबाइट

B. जिगा बाइट

C. बाइट

D. इनमें से कोई नहीं

470. याहू, गूगल एवं एम॰ एस॰ एन॰ हैं–
A. इन्टनेट साइट्स
B. कम्प्यूटर ब्रैंड
C. स्विट्जरलैंड में बनने वाली घड़ियाँ
D. शनि ग्रह के छल्ले (Rings)

471. कम्प्यूटर के सन्दर्भ में ALU का तात्पर्य है–
A. एलजेब्रिक लॉजिक यूनिट
B. अरिथमेटिक लॉजिक यूनिट
C. एलजेब्रिक लोकल यूनिट
D. अरिथमेटिक लोकल यूनिट

472. असेम्बलर का कार्य है–
A. बेसिक भाषा को यन्त्र भाषा में परिवर्तित करना
B. उच्चस्तरीय भाषा को यन्त्र भाषा में परिवर्तित करना
C. असेम्बली भाषा को यन्त्र भाषा में परिवर्तित करना
D. असेम्बली भाषा को उच्चस्तरीय भाषा में परिवर्तित करना

473. एक लोकप्रिय विन्डोइंग इन्वायरमेण्ट 'विण्डोज-3 माइक्रोसॉफ्ट द्वारा निर्गत की गई है–
A. 1985 में B. 2000 में
C. 1995 में D. 1990 में

474. किसी व्यवस्था के कम्प्यूटरीकरण में आवश्यकता होती है–
1. उसको करने की दृढ़ इच्छा शक्ति की
2. सम्बन्धित वित्तीय संसाधनों की
3. जनशक्ति के प्रशिक्षण की
4. एक अत्याधुनिक संरचना की

नीचे दिए गए कूट से सही उत्तर का चयन कीजिए–
कूट :
A. 1 और 2 B. 2 और 3
C. 1, 2 और 3 D. सभी चारों

475. कम्प्यूटर–
1. आँकड़ों के भण्डारण वाली एक सक्षम युक्ति (Capable Device) है।
2. आँकड़ों का विश्लेषण करने के लिए सक्षम है।
3. पूर्ण गोपनीयता (Secrecy) बनाए रखने में सक्षम है।
4. कभी-कभी वाइरस द्वारा आक्रमित (Attacked) होता है।

नीचे दिए कूट में से सही उत्तर का चयन कीजिए–
कूट :
A. 1 और 2 B. 1, 2 और 3
C. 1, 2 और 4 D. सभी चारों

विविध

476. राज्य प्रतीक के फलक के नीचे देवनागरी लिपि में उत्कीर्ण शब्द 'सत्यमेव जयते' निम्नलिखित में से किस उपनिषद् से लिए गए हैं?
A. कठोपनिषद B. प्रश्नोपनिषद
C. मुंडकोपनिषद D. ईशोपनिषद

477. किस नगर को 'भारत की सिलिकन घाटी' कहा जाता है?
A. मुम्बई B. बेंगलुरु
C. हैदराबाद D. चेन्नई

478. विश्व में किन्हीं दो देशों के मध्य सबसे लम्बी सीमाएं निम्नलिखित में से किसके मध्य है?

A. कनाडा और संयुक्त राज्य अमेरिका
B. चिली और अर्जेंटीना
C. चीन और भारत
D. कजाखस्तान और रशियन फेडरेशन

479. किसी भौगोलिक क्षेत्र को अनुसूचित क्षेत्र घोषित करने का संवैधानिक अधिकार निम्नलिखित में से किसको है?

A. राज्यपाल को B. मुख्यमंत्री को
C. प्रधानमंत्री को D. राष्ट्रपति को

480. मौसम मानचित्र में समदाब रेखाओं का अन्तराल क्या होता है?

A. 5 मिलीबार B. 4 मिलीबार
C. 3 मिलीबार D. 1 मिलीबार

481. अदृश्य निर्यात (Invisible export) का अर्थ होता है–

A. सेवाओं (Services) का निर्यात
B. प्रतिबन्धित सामान का निर्यात
C. अलिखित सामान का निर्यात
D. तस्करी से सामान का निर्यात

482. धान के खेत से निकलने वाली गैस है–

A. इथेन B. मिथेन
C. नाइट्रोजन D. उपर्युक्त सभी

483. सोयाबीन में नाइट्रोजन स्थिरीकरण (Fixing nitrogen) के लिए जिम्मेदार बैक्टीरिया है–

A. राइजोबियम लैग्यूमिनोसैरम
B. राइजोबियम जैपोनिकम
C. राइजोबियम फैजियोलाई
D. राइजोबियम ट्राइफोलाई

484. फसल लोगिंग विधि है–

A. भूमि उर्वरता मूल्यांकन की
B. फसलोत्पादन के लिए पोषक तत्वों की आवश्यकता जानने के लिए पौध विश्लेषण
C. फसलों के नुकसान को जानने की
D. उर्वरकों की उपयोगिता परीक्षण की

485. मणिपुर की राजधानी कहाँ है?

A. कोहिमा B. इम्फाल
C. गंगटोक D. आइजोल

486. निम्नलिखित में से किस देश की मुद्रा 'क्रोन' है?

A. इथियोपिया B. नीदरलैण्ड
C. वियतनाम D. डेनमार्क

487. भारतीय राष्ट्रीय कैलण्डर का प्रथम माह कौन-सा है?

A. माघ B. चैत्र
C. अषाढ़ D. बैशाख

488. निम्नलिखित में से अकबर के किस हिन्दू दरबारी ने 'दीन–ए–इलाही' ग्रहण किया?

A. भगवान दास B. टोडरमल
C. बीरबल D. राजा मानसिंह

489. 'कादम्बरी' किसके द्वारा लिखा गया?

A. बाणभट्ट B. कौटिल्य
C. हर्ष D. कालिदास

490. दिल्ली भारत की राजधानी किस वर्ष बनी?

A. 1911 में B. 1917 में
C. 1919 में D. 1930 में

491. 'पिछड़े वर्गों का उत्थान' किसका मुख्य कार्यक्रम था?
A. आर्य समाज
B. रामकृष्ण मिशन
C. प्रार्थना समाज
D. सत्यशोधक समाज

492. 'चन्द्र समुद्र' का क्या मतलब है?
A. चन्द्रमा पर एक गहरा अंधेरा मैदान
B. चन्द्रमा के प्रकाश से प्रदीप्त होने वाला एक विशाल जल खंडपिण्ड
C. पृथ्वी पर एक समुद्र जो चन्द्रमा के गुरुत्वाकर्षण के कारण ऊँची लहरों का अनुभव करता है
D. चन्द्रमा पर एक छोटा समुद्र

493. सारे संसार में रात और दिन बराबर होते हैं, जब सूर्य होता है–
A. ध्रुव रेखा पर
B. कर्क रेखा पर
C. विषुवत् रेखा पर
D. मकर रेखा पर

494. सीमान्त गांधी का वास्तविक नाम क्या है?
A. मोहनदास करमचन्द गांधी
B. इन्दिरा गांधी
C. राजीव गांधी
D. खान अब्दुल गफ्फार खान

495. मनुस्मृति का सम्बन्ध है–
A. अर्थशास्त्र से
B. राजनीतिशास्त्र से
C. चिकित्साशास्त्र से
D. विधि से

496. कम्प्यूटर में इस्तेमाल होने वाले IC चिप्स किसके बने होते हैं?
A. सिलिकन
B. क्रोमियम
C. सिलिका
D. आइरन ऑक्साइड

497. यूरो-III क्या है?
A. यूरोपीय मुद्रा
B. यूरोपीय देशों का समूह
C. यूरोपीय फिल्म समारोह
D. प्रदूषण नियन्त्रण मापदण्ड

498. 'भारत की कोकिला' (नाइटिंगेल) के रूप में कौन प्रसिद्ध है?
A. आशा भोंसले
B. बेगम अख्तर
C. सरोजिनी नायडू
D. विजयलक्ष्मी पंडित

499. भारत में हिन्दी के बाद सबसे अधिक बड़ी भाषाई इकाई है–
A. बंगाली B. उर्दू
C. तेलुगु D. मराठी

500. इस्लाम धर्म की स्थापना हुई–
A. 7वीं शताब्दी ई॰ में
B. 5वीं शताब्दी ई॰ में
C. तीसरी शताब्दी ई॰ पूर्व में
D. 5वीं शताब्दी ई॰ पूर्व में

501. भारत का प्रथम उर्वरक संयंत्र कहाँ लगा था?
A. ट्राम्बे में B. नागल में
C. आलवे में D. सिन्दरी में

502. 'सत्य के साथ मेरे प्रयोग' (My Experiments with Truth) नामक पुस्तक का लेखक कौन है?

A. श्री अरविंद
B. बी.जी. तिलक
C. महात्मा गांधी
D. विनोबा भावे

503. 'आज हमें पाकिस्तान या आत्महत्या में से एक चुनना है', किसने कहा था?
A. महात्मा गांधी
B. सरदार पटेल
C. अबुल कलाम आजाद
D. गोविन्द वल्लभ पंत

504. द्विखण्डिता' पुस्तक का लेखक कौन है?
A. तरुण गोगोई
B. रफीक जकारिया
C. तस्लीमा नसरीन
D. रामचन्द्र गुहा

505. 'आगुमैंटेटिव इंडियन' पुस्तक का लेखक कौन है?
A. वी॰ एस॰ नायपाल
B. विक्रम सेठ
C. शशि थरूर
D. अमर्त्य सेन

506. ओलिव रिडले एक प्रसिद्ध–
A. क्रिकेटर है
B. कछुए की जाति है
C. घास जैसी वनस्पति है
D. ओलिव पेड़ का दूसरा नाम है

507. वह एकमात्र पक्षी कौन-सा है, जो पीछे की ओर उड़ता है?
A. गौरैया
B. कोयल
C. साइबेरियन सारस
D. गुंजन पक्षी

508. मौसमी गुब्बारे में कौन-सी गैस भरी जाती है?
A. हीलियम B. हाइड्रोजन
C. वायु D. नाइट्रोजन

509. वायुमण्डल में हाइड्रोजन क्यों नहीं पाई जाती?
A. यह अतिज्वलनशील होती है
B. यह सबसे हल्की गैस होती है
C. पौधे इसका अवशोषण कर लेते हैं
D. यह तुरन्त ऑक्सीजन के साथ मिलकर पानी बना देती है

510. परमाणु बम का आविष्कार किसने किया था?
A. मैडम क्यूरी
B. पियरे क्यूरी
C. ऑटो हान
D. अल्बर्ट आइंस्टीन

511. निम्नलिखित में से किस एक कार्बनिक यौगिक की गंध फलों जैसी होती है?
A. ऐल्कोहॉल B. ऐल्डिहाइड
C. एस्टर D. ईथर

512. सुदूर-संवेदी युक्ति में एक अन्तःनिर्मित स्रोत होता है–
A. एक्स-किरण का
B. गामा-किरण का
C. पराबैंगनी किरण का
D. अवरक्त किरण का

513. इलैक्ट्रिक हीटर की कुंडली बनाने में किस सामग्री का प्रयोग किया जाता है?
A. कॉपर B. लोहा
C. चाँदी D. नाइक्रोम

514. विश्व स्वास्थ्य संगठन के अनुसार एक स्वस्थ मानव प्राणी की मानक श्रव्य क्षमता की रेंज होती है–
A. 45-50 डेसिबल
B. 200-250 डेसिबल
C. 5-10 डेसिबल
D. 2000-2500 डेसिबल

515. यदि पृथ्वी के वायुमण्डल में कार्बन डाइऑक्साइड न हो, तो भू-पृष्ठ का तापमान–
A. वायुमण्डल में ऑक्सीजन की मात्रा पर निर्भर करेगा
B. वर्तमान से अधिक हो जाएगा
C. वर्तमान से कम हो जाएगा
D. वही रहेगा

516. जोनास साल्क ने किसके लिए वैक्सीन का आविष्कार किया था?
A. पोलियो B. हेपेटाइटिस
C. टाइफॉइड D. हैजा

517. कैंसर एक ऐसा रोग है जिसमें दिखाई देता है–
A. अनियंत्रित कोशिका विभाजन
B. अनियंत्रित कोशिका स्फीति
C. अनियंत्रित कोशिका शोथ
D. अनियंत्रित कोशिका विरूपण

518. मोहर लगाने में काम आने वाली लाख का उत्पादन कौन करता है?
A. तना B. मूल (जड़)
C. कीट D. पक्षी

519. चारकुला (Charkula) मौसमी लोक नृत्य है–
A. उत्तर प्रदेश का
B. मध्य प्रदेश का
C. झारखण्ड का
D. ओडिशा का

520. प्रसिद्ध संगीतज्ञ 'गिरजा देवी' संबंधित हैं–
A. लखनऊ घराने से
B. आगरा घराने से
C. बनारस घराने से
D. ग्वालियर घराने से

521. रात्रि दृष्टि वाले कैमरा (Night Vision Cameras) निम्नलिखित में से किस एक का उपयोग नहीं करते हैं?
A. प्रवर्धित प्रकाश
B. इन्फ्रारेड ग्राही
C. वस्तुओं का ऊष्मा विकिरण
D. वस्तुओं से X-किरण विकिरण

522. पुच्छल तारे (Comet) की पूँछ की दिशा सदैव होती है–
A. सूर्य की ओर
B. सूर्य से दूर
C. उत्तर-पूर्व की ओर
D. दक्षिण-पूर्व की ओर

523. निम्नलिखित जीवों में से किस एक ने अन्तरिक्ष (Space) में प्रथम यात्रा की?
A. चूहा B. कुत्ता
C. बंदर D. बिल्ली

524. भारतीय राष्ट्रीय उपग्रह प्रणाली ने सरल बना दिया है–
A. दूरसंचारण को
B. दूरदर्शन प्रसारण को
C. चक्रवाती चेतावनी को
D. उपर्युक्त सभी को

525. 'सोनार' का उपयौग अधिकतर किया जाता है–
A. डॉक्टरों द्वारा
B. इन्जीनियर्स द्वारा
C. अन्तरिक्ष यात्रियों द्वारा
D. नौ संचालकों द्वारा

उत्तरमाला

1	2	3	4	5	6	7	8	9	10
A	D	C	D	C	C	A	D	A	C
11	**12**	**13**	**14**	**15**	**16**	**17**	**18**	**19**	**20**
D	D	C	B	D	C	B	D	A	A
21	**22**	**23**	**24**	**25**	**26**	**27**	**28**	**29**	**30**
A	B	C	D	C	D	D	B	B	A
31	**32**	**33**	**34**	**35**	**36**	**37**	**38**	**39**	**40**
D	D	B	C	B	B	C	D	A	D
41	**42**	**43**	**44**	**45**	**46**	**47**	**48**	**49**	**50**
C	C	D	C	D	B	C	B	C	C
51	**52**	**53**	**54**	**55**	**56**	**57**	**58**	**59**	**60**
D	B	B	B	B	B	B	A	A	C
61	**62**	**63**	**64**	**65**	**66**	**67**	**68**	**69**	**70**
B	A	A	B	C	A	B	C	C	B
71	**72**	**73**	**74**	**75**	**76**	**77**	**78**	**79**	**80**
D	A	D	C	A	C	B	A	A	B
81	**82**	**83**	**84**	**85**	**86**	**87**	**88**	**89**	**90**
A	C	B	B	B	C	C	B	D	C
91	**92**	**93**	**94**	**95**	**96**	**97**	**98**	**99**	**100**
B	C	D	D	C	A	A	D	B	C
101	**102**	**103**	**104**	**105**	**106**	**107**	**108**	**109**	**110**
C	D	A	C	C	A	B	C	B	D
111	**112**	**113**	**114**	**115**	**116**	**117**	**118**	**119**	**120**
D	A	A	D	D	C	C	B	A	B
121	**122**	**123**	**124**	**125**	**126**	**127**	**128**	**129**	**130**
A	D	C	B	C	C	A	B	B	C
131	**132**	**133**	**134**	**135**	**136**	**137**	**138**	**139**	**140**
A	B	B	D	B	B	B	C	B	A
141	**142**	**143**	**144**	**145**	**146**	**147**	**148**	**149**	**150**
C	A	B	D	A	B	B	D	C	D
151	**152**	**153**	**154**	**155**	**156**	**157**	**158**	**159**	**160**
C	C	D	C	C	D	B	D	B	D
161	**162**	**163**	**164**	**165**	**166**	**167**	**168**	**169**	**170**
B	B	C	B	C	A	A	B	B	D

171	172	173	174	175	176	177	178	179	180
A	C	A	B	A	C	A	B	C	A
181	182	183	184	185	186	187	188	189	190
C	D	B	A	A	A	D	D	B	D
191	192	193	194	195	196	197	198	199	200
A	D	A	C	A	A	B	D	A	A
201	202	203	204	205	206	207	208	209	210
C	C	C	C	B	C	D	A	B	B
211	212	213	214	215	216	217	218	219	220
D	C	C	B	D	C	A	D	B	C
221	222	223	224	225	226	227	228	229	230
B	C	B	C	B	A	A	C	B	A
231	232	233	234	235	236	237	238	239	240
C	A	B	B	A	D	B	B	C	C
241	242	243	244	245	246	247	248	249	250
D	D	B	B	C	B	C	A	B	D
251	252	253	254	255	256	257	258	259	260
D	D	B	D	D	D	C	C	B	C
261	262	263	264	265	266	267	268	269	270
D	C	A	C	C	A	B	A	A	C
271	272	273	274	275	276	277	278	279	280
B	A	D	A	C	B	C	B	D	A
281	282	283	284	285	286	287	288	289	290
C	A	B	B	B	B	A	A	A	B
291	292	293	294	295	296	297	298	299	300
B	B	D	B	C	C	C	C	C	B
301	302	303	304	305	306	307	308	309	310
B	B	B	D	B	B	D	A	C	C
311	312	313	314	315	316	317	318	319	320
A	A	B	D	A	C	B	C	A	A
321	322	323	324	325	326	327	328	329	330
D	C	A	B	C	B	D	D	D	B
331	332	333	334	335	336	337	338	339	340
D	C	B	C	B	A	A	A	C	A
341	342	343	344	345	346	347	348	349	350
A	C	B	B	C	D	A	B	A	B
351	352	353	354	355	356	357	358	359	360
B	C	B	B	D	B	A	B	B	D

361	362	363	364	365	366	367	368	369	370
D	A	C	B	B	A	B	B	B	A
371	372	373	374	375	376	377	378	379	380
A	D	C	B	C	B	B	D	C	D
381	382	383	384	385	386	387	388	389	390
A	B	A	A	A	B	A	C	D	A
391	392	393	394	395	396	397	398	399	400
B	D	C	A	B	B	B	A	B	C
401	402	403	404	405	406	407	408	409	410
C	B	A	C	C	A	D	D	C	C
411	412	413	414	415	416	417	418	419	420
D	D	A	B	A	D	A	C	C	C
421	422	423	424	425	426	427	428	429	430
A	B	C	B	D	D	B	C	B	B
431	432	433	434	435	436	437	438	439	440
A	B	B	B	B	A	C	C	D	A
441	442	443	444	445	446	447	448	449	450
B	D	B	A	D	D	B	B	C	C
451	452	453	454	455	456	457	458	459	460
A	D	A	C	C	B	B	B	B	A
461	462	463	464	465	466	467	468	469	470
A	C	D	B	D	C	A	C	C	A
471	472	473	474	475	476	477	478	479	480
B	A	C	D	D	C	B	A	D	B
481	482	483	484	485	486	487	488	489	490
A	B	A	B	B	D	B	C	C	A
491	492	493	494	495	496	497	498	499	500
D	A	C	D	D	A	D	C	A	A
501	502	503	504	505	506	507	508	509	510
D	C	D	C	D	B	D	A	B	C
511	512	513	514	515	516	517	518	519	520
C	D	D	C	C	A	A	C	A	C
521	522	523	524	525					
A	B	B	D	D					